Für Jost,
ein Thema, das Dir vielleicht auch
ein wenig am Herzen liegt.

In Freundschaft,
Axel

Florida, Oktober 1995

Im Visier des FBI

Alexander Stephan

IM VISIER DES FBI

Deutsche Exilschriftsteller
in den Akten amerikanischer Geheimdienste

Verlag J.B. Metzler
Stuttgart · Weimar

Für meine Eltern, für Halina und für Michael

Die Deutsche Bibliothek – CIP-Einheitsaufnahme
Stephan, Alexander:
Im Visier des FBI : deutsche Exilschriftsteller in den Akten
amerikanischer Geheimdienste / Alexander Stephan. – Stuttgart;
Weimar : Metzler, 1995
ISBN 3-476-01381-2

Gedruckt auf säure- und chlorfreiem, alterungsbeständigem Papier

ISBN 3-476-01381-2

© 1995 J.B. Metzlersche Verlagsbuchhandlung
und Carl Ernst Poeschel Verlag GmbH in Stuttgart
Satz: Cornelius Wittke, Kusterdingen
Druck und Bindung: Franz Spiegel Buch GmbH, Ulm
Printed in Germany

Verlag J.B. Metzler Stuttgart · Weimar

EIN VERLAG DER   SPEKTRUM FACHVERLAGE GMBH

Inhalt

FBI und Exil in *Mexiko*

Das FBI heute: Zur Freigabe der Akten

Dokumente

Nachbemerkung

Bibliographie

Abkürzungsverzeichnis

Register

Bildquellenverzeichnis

Vorbemerkung

Geheimdienste und Polizeibehörden geben ihre Akten gewöhnlich nur dann frei, wenn sie von einem äußeren Feind oder durch einen inneren Umsturz dazu gezwungen werden. Eine der wenigen Ausnahmen von dieser Regel betrifft die USA, wo das Federal Bureau of Investigation (FBI), die militärischen Geheimdienste und die Central Intelligence Agency (CIA) seit einiger Zeit über die Freedom of Information and Privacy Acts Einsicht in ihre Aktenschränke gewähren. Zirka fünfzig Dossiers mit weit über 10.000 Dokumenten über jene deutschen und österreichischen Autoren, die in den vierziger Jahren Zuflucht in Amerika vor der Gestapo suchten, sind jetzt von diesen und anderen Behörden an mich freigegeben worden, darunter fast 1.000 Blätter zur Familie Mann, zirka 400 zu Bertolt Brecht, nahezu 1.000 zu Lion Feuchtwanger und ungefähr die gleiche Zahl zu der nach Mexiko geflohenen Anna Seghers. Diese Dossiers entwerfen ein bislang unbekanntes Bild von dem Einwandererland Amerika, das ungeachtet seiner stark verankerten demokratischen Grundwerte einen beachtlichen Überwachungsapparat auf die Neuankömmlinge aus Europa ansetzte. Sie ergänzen trotz zahlreicher Ausschwärzungen und starker Schwankungen in Umfang und Bedeutung unser Wissen über die Lebens- und Arbeitsbedingungen der seit 1933 von Hitler aus Europa vertriebenen Autoren, ihre politischen Pläne und ihre Beziehungen zu den amerikanischen Gastgebern, ihre literarischen Projekte, finanziellen Nöte und Liebschaften. Und sie sagen viel über das Verhältnis zwischen staatlicher Gewalt und Literatur im zwanzigsten Jahrhundert aus.

Aktenkundig wurden die Hitlerflüchtlinge - übrigens meist ohne ihr Wissen - bei den Geheimdiensten der USA aus mehreren Gründen: als Fremde (»aliens«); als Deutsche und damit als Bürger eines Landes, mit dem man zum zweiten mal innerhalb von kurzer Zeit Krieg führen mußte; als Kommunisten bzw. Mitläufer der sogenannten Linken (»fellow travelers«); und – ab 1943/44 – als potentielle Opponenten in der Debatte um ein neues Deutschland nach der Zerschlagung des Dritten Reiches. Orte der Handlung des Geheimdienstdramas waren die Exilzentren Los Angeles, New York und Mexiko. Das Personal stellten neben dem FBI und den Nachrichtendiensten von Marine und Armee die CIA-Vorläuferorganisation Office of Strategic Services

(OSS), der Immigration and Naturalization Service (INS), das für die Postzensur zuständige Office of Censorship, das Department of State, die Un-
American Activities Committees in Washington (HUAC) und Kalifornien und
andere nationale und lokale Behörden. Das Spektrum der Überwachungsmethoden reichte vom Öffnen der Post über das Abhören von Telephonen
und die Beschattung von Personen bis zu Einbrüchen, der Durchsuchung von
Reisegepäck und Hausmüll (»trash cover«) und der Installierung von Wanzen. Da das FBI auf die Abwehr von subversiven Aktionen und nicht auf die
Förderung einer Staatsdichtung ausgerichtet war, geraten zwar die Produzenten und der Inhalt von literarischen Werken ins Scheinwerferlicht der Ermitt-
ler, nicht aber, wie bei den Geheimdiensten anderer Länder, Form und Stil
der Literatur. Ebensowenig lag Hoover daran, potentielle Dissidenten unter
den Exilautoren anzuwerben, um direkt Einfluß auf politische Prozesse im
Nachkriegsdeutschland zu nehmen. Geschlossen wurde eine Akte, sofern
zuvor nicht der Tod des Betroffenen den Nachforschungen ein Ende setzte,
zumeist erst Jahre nach der Rückkehr des Untersuchungsgegenstandes (»subject«) in seine alte Heimat.

Drei Leitmotive mögen dem Leser der vorliegenden Studie helfen, Zugang
zu dem äußerlich recht gleichförmigen, inhaltlich jedoch durchaus dispara-
ten Aktenwust zu finden. Erstens wird das Phänomen der flächendeckenden
Überwachung des literarischen Exils in den USA vor den Hintergrund der
amerikanischen Zeitgeschichte gestellt. Anstatt in den relativ unzusammen-
hängendes Material anhäufenden Akten vordringlich nach neuen Erkennt-
nissen über Leben und Werke der Exilanten zu suchen, soll so mehr Gewicht
auf den Kontext verlagert werden, in dem die Überwachungsaktionen stattfanden - also auf Franklin D. Roosevelts Politik des 'big government' und sein
Interesse an zentralen Megabehörden, auf die Geschichte des FBI und die
seit 1917/18 konstante Weltanschauung seines Direktors J. Edgar Hoover,
auf die Deutschlandplanung der Exilanten und ihrer Gastgeber während des
Zweiten Weltkriegs und auf die Wurzeln jener Hexenjagd gegen unamerikanische Umtriebe, von der der FBI-Informant Ronald Reagan bis heute als pa-
triotischer Pflicht spricht.[1] Ein zweites Leitmotiv ist, daß fast jede der bedeu-
tenden Akten trotz ihrer äußeren Konformität einen besonderen Charakter
besitzt. So interessierten sich bei Klaus Mann das FBI und die Military Intelligence Division (MID) der Armee besonders für dessen homosexuelle Neigungen. Bertolt Brechts Dossier enthält zahlreiche Hinweise auf Kontakte des Stük-

---

1 Ähnlich sieht es die *Los Angeles Times* v. 30. 7. 1994 in einem »L. Bernstein - National Security Threat« überschriebenen Bericht zu der eben entdeckten FBI-Akte über Leonard
Bernstein: »The release of a 666-page Federal Bureau of Investigation file on Leonard Bernstein is instructive far more for what it tells Americans about the FBI and how it used its
so-called intelligence-gathering resources than for what it reveals about the famed com-
poser-conductor's political activities and associates.«

keschreibers zur linken Kulturszene der USA. Heinrich Mann wurde wegen seiner Korrespondenz mit der kommunistischen Exilgruppe in Mexiko überwacht, sein prominenter Bruder Thomas geriet in das Visier von Office of Strategic Services und Außenministerium als er sich an der Planung der Exilanten für ein neues Deutschland nach Hitler beteiligte. Anna Seghers bekam es mit dem FBI zu tun, als man sie mit einer Reihe von geheimnisvollen, kodierten Briefen in Verbindung bringt. Die Akte von Erika Mann enthält als einziges der mir vorliegenden Dossiers handfeste Hinweise darauf, daß maßgebliche Exilanten von sich aus mit dem FBI Kontakt aufnahmen. Das dritte Leitmotiv schließlich basiert auf der Einsicht, daß die zugleich von höchster Effizienz und groteskem Overkill geprägten Aktionen der Geheimdienste nicht frei von einem gerüttelten Maß an Absurdität sind. Hierhin gehört, daß sich hunderte von Regierungsangestellte mitten in einem Weltkrieg auf Kosten der Steuerzahler um das Liebesgeflüster zwischen dem in Amerika nur wenig bekannten Brecht und seiner dänischen Mitarbeiterin Ruth Berlau kümmern, dem Auto von Lion Feuchtwangers Gärtner auf der Spur bleiben oder sich bei einem Angestellten der Post nach dem Briefkasten an Thomas Manns Villa erkundigen. Hierher gehört aber auch die schwer zu erklärende Tatsache, daß das FBI trotz des erheblichen Aufwandes, den man bei der Observierung des versprengten Trüppchens Exilanten trieb, nur in wenigen Fällen Biographien verbogen hat und bei keinem der schreibenden »subjects« die angedrohte Deportation oder Inhaftierung durchzusetzen vermochte.

Der Umfang des vom FBI und anderen amerikanischen Regierungsbehörden angehäuften Aktenmaterials machte es nötig, den Rahmen des vorliegenden Buches von vornherein eng zu fassen und bestimmte Themenkomplexe auszuklammern. So kann von den mehr als zweihundert Schriftstellern, die in den USA Zuflucht gesucht hatten,[2] nur die kleinere, prominente Hälfte behandelt werden, darunter neben der Familie Mann, Brecht und Feuchtwanger vor allem Leonhard Frank, Bruno Frank, Oskar Maria Graf, Berthold Viertel, F. C. Weiskopf, Hans Marchwitza, Ernst Bloch, Erwin Piscator, Fritz von Unruh, Hans Habe, Hermann Broch und Carl Zuckmayer. Für das Exilzentrum Mexiko beschränken sich die Fallstudien auf Anna Seghers, Egon Erwin Kisch, Bodo Uhse und Ludwig Renn. Zukünftigen Untersuchungen überlassen bleibt das Aktenmaterial beim FBI und in anderen amerikanischen Regierungsarchiven zu exilierten Politikern, Wissenschaftlern, Musikern[3] und Filmschaffenden. Zurückgestellt werden mußte die schwierige,

---

2   Vgl. *Deutsche Exilliteratur seit 1933*. Bd. 1, T. 1-2 (Kalifornien) u. unter dem Titel *Deutschsprachige Exilliteratur seit 1933*. Bd. 2, T. 1–2 (New York), Bd. 4, T. 1–3 (Bibliographien) Hrsg. v. John M. Spalek u.a. Bern: Francke 1976, 1989, 1994.
3   E. Randol Schoenberg, der Enkel des Komponisten Arnold Schönberg, ist im Besitz der einschlägigen Akten und bereitet eine Publikation vor.

aber reizvolle Aufgabe, durch einen Vergleich mit ähnlich gelagerten Dossiers aus Nazi-, Stasi- und NKWD-Beständen eine Typologie und Ästhetik moderner Geheimdienstakten zu erarbeiten. Ebenso erging es der Gegenüberstellung von Exilantenakten und den überraschend schmalen und relativ unergiebigen Dossiers des FBI zu führenden amerikanischen Autoren.[4] Das FBI-Material zum Joint Anti-Fascist Refugee Committee ist noch nicht an mich ausgeliefert worden, weil sein Umfang – nach Aussage eines Angestellten der einschlägigen Abteilung beim FBI 100 Bände mit mehr als 9.000 Blättern – eine ungewöhnlich lange Bearbeitungszeit beansprucht. Aus Kosten- und Zeitgründen, aber auch wegen der Unergiebigkeit des Verfahrens, wurde darauf verzichtet, auf dem Rechtsweg die Freigabe von ausgeschwärzten Passagen und zurückgehaltenen Dokumenten einzuklagen.

Das vorliegende Projekt begann lange vor dem Ende der DDR und den nachfolgenden Enthüllungsgeschichten über schreibende Informanten, Spitzel und Führungsoffiziere im Dienste der Stasi. Mein nie besonders großes Interesse, jene Personennamen zu rekonstruieren, die vor der Freigabe von Akten routinemäßig beim FBI ausgeschwärzt werden, ist seither weiter gesunken. Um den Originalton des Materials zu erhalten, werden Dokumente nicht übersetzt, bei der Schreibweise von deutschsprachigen Namen, Orten und Titeln in Zitaten stillschweigend Fehler übernommen und die Orthographie der Special Agents nicht korrigiert. Auf in jüngster Zeit mehr denn je fragwürdig gewordene politische Kürzeln wie links, rechts, liberal und konservativ kann in Ermanglung besserer Begriffe nicht verzichtet werden. Zudem entsprechen derartige Abbriviaturen der Mentalität der FBI-Bürokraten, die ihrerseits ohne Vorbehalte mit juristisch problematischen Formulierungen wie »subject«, »subversive« und »un-american« arbeiteten. Da sowohl die Memoirenliteratur der Exilanten, als auch die Forschung das Thema Exil und FBI bislang weitgehendst ignoriert hat,[5] wird auf die wenigen Spezialuntersuchungen, die in jüngster Zeit erschienen sind, nicht gesondert eingegangen.

4   Vgl. Herbert Mitgang: *Dangerous Dossiers. Exposing the Secret War Against America's Greatest Authors.* New York: Ballantine 1989 (dt. *Überwacht. Große Autoren in den Dossiers amerikanischer Geheimdienste.* Düsseldorf: Droste 1992); Natalie Robins: *Alien Ink. The FBI's War on Freedom of Expression.* New York: Morrow 1992 und Franklin Folsom: *Days of Anger, Days of Hope. A Memoir of the League of American Writers 1937–1942.* Niwot: University Press of Colorado 1994.

5   So fallen die Namen von J. Edgar Hoover und Jack B. Tenney auf 868 Seiten des Kalifornien gewidmeten ersten Bandes von *Deutsche Exilliteratur seit 1933* nur je zweimal – im Fall Hoover noch dazu mit Bezug auf die Palmer Raids der Zeit von 1919/20. In dem 1989 erschienen, 1817 Seiten umfassenden zweiten Teil desselben Werkes zum Exil in New York tritt Hoover überhaupt nicht, das FBI zweimal in Erscheinung. Kein einziges mal erwähnt wird Hoover in der in der DDR erschienenen Darstellung von Eike Middell u. a. *Exil in den USA.* Leipzig: Reclam 1979 (=Reclams Universal-Bibliothek, 799) und in Helmut F. Pfanners *Exile in New York. German and Austrian Writers after 1933.* Detroit: Wayne State University Press 1983.

Von den zahlreichen Personen und Institutionen, die dieses Buch unterstützt haben, können hier nur einige genannt werden. Zuerst und vor allem geht mein Dank an jene Volksvertreter im amerikanischen Kongress, die mit ihrem Eintreten für die Freedom of Information and Privacy Acts (FOIPA) die Voraussetzung für die Freigabe des Aktenmaterials schufen. Anteilnahme gebührt den mir unbekannten Mitarbeitern der FOIPA-Abteilung beim FBI, die für mich Tausende von Aktenstücken lesen, einschwärzen und kopieren mußten. Susan Rosenfeld hat mir zunächst in ihrer Funktion als Historikerin des FBI und später als freischaffende Wissenschaftlerin ebenso bei Detailfragen weitergeholfen wie die ehemaligen FBI-Agenten Elmer F. »Lindy« Linberg, Ernest J. van Loon und Robert J. Lamphere. Meinem viel zu früh gestorbenen Kollegen George E. Pozzetta verdanke ich den Hinweis auf die erst kürzlich von der CIA freigegebenen und der Exilforschung bislang nahezu völlig unbekannten Akten des Foreign Nationalities Branch (FNB) beim Office of Strategic Services. James Lyon hat mir großzügig Kopien aus dem Brecht-Dossier zugänglich gemacht, die in den an mich ausgelieferten Unterlagen unleserlich waren; William Chase überließ mir das englischsprachige Manuskript seines auf Spanisch erschienenen Essays zu Diego Rivera. Eine Reihe von Kollegen haben einzelne Abschnitte des Manuskripts kritisch gelesen oder mich mit Material versorgt, darunter Eric Bentley, Günter Caspar, Renata von Hanffstengel, Wolfgang Kießling, Paul Michael Lützeler und Uwe Naumann. Zu den Archiven, die mir mit Material und Auskünften zur Seite standen, zählen verschiedene Abteilungen der National Archives in Washington, allen voran der Civil Reference Branch, in Berlin die alten und neuen Akademien der Künste bzw. Wissenschaften mit ihren personenbezogenen Sammlungen und die ebenfalls alten und neuen Staatsbibliotheken, das Deutsche Exilarchiv 1933–1945 an der Deutschen Bibliothek in Frankfurt, das Deutsche Literaturarchiv in Marbach, das Erika und Klaus Mann Archiv an der Stadtbibliothek und die Handschriftenabteilung an der Bayerischen Staatsbibliothek in München, das Thomas Mann-Archiv in Zürich, das Bertolt-Brecht-Archiv in Berlin, die Zeitungsauschnittsammlung in Dortmund, das Leo Baeck Institute (Kurt Kersten Collection) in New York, der Verlag Little, Brown in Boston, die Harry S. Truman Library in Independence, Missouri, die Viola Brothers Shore Collection in Laramie, Wyoming, und das Hoover Institute an der Stanford University. Einige durchweg stark überarbeitete Passagen aus dem Manuskript sind in Büchern des Bouvier und des Rodopi Verlages sowie in einer Reihe von Zeitschriften erschienen. Finanzielle Unterstützung gewährten die American Philosophical Society, der Deutsche Akademische Austauschdienst, die Alexander von Humboldt-Stiftung und die Division of Sponsored Research der University of Florida. Genehmigung zum Zitieren aus beim FBI erhalten gebliebenen Unterlagen erteilten freundlicherweise für Alfred Kantorowicz seine Frau Ingrid, für Klaus Mann Uwe Naumann, für Thomas Mann Frau Elisabeth Mann Borgese und der Fischer Verlag und für Anna Seghers Frau Ruth Radvanyi. Ein Fernsehfilm zum Thema des Buches, den ich 1995 mit Johannes Eglau produziert habe, wurde großzügig von Hans von Brescius vom Sender Freies Berlin, vom Westdeutschen Rundfunk und vom Mitteldeutschen Rundfunk gefördert. Interviews für Film und Buch gewährten freundlicherweise Eric Bentley, Egon Breiner, Hilde Eisler, Franklin Folsom, Stefan Heym, Harold von Hofe, Konrad Kellen, Robert Lamphere, Minna E. Lieber, Elmer F. Linberg, Ernest J. van Loon, Elisabeth Mann Borgese, Ruth Radvanyi, Will Schaber u. a. R. B. Hood, der während der vierziger Jahre in seiner Funktion als Special Agent in Charge des FBI-Büros von Los Angeles zum ersten Exilforscher wurde, war aufgrund seines Gesundheitszustandes leider nicht mehr ansprechbar.

J. Edgar Hoovers Amerika

›Rote Gefahr‹ und feindliche Ausländer

»I am very happy to have become an American«, bekannte der gebürtige Osnabrücker Erich Maria Remarque im Jahre 1957 gegenüber der Zeitschrift *Newsweek*. »I have met exceedingly cultivated people in America. Americans have an innate sense of freedom...«[1]* Klaus Mann ging zusammen mit seiner Schwester Erika davon aus, daß ein demokratisches, geeintes Nachkriegseuropa dem amerikanischen Modell zu folgen habe und meldete sich 1942 mit folgenden Worten bei der U.S.-Armee: »I want to notify you of my willingness, indeed, eagerness to join the United States forces... It is my honest desire to serve your country and our case in whatever capacity the Board may deem appropriate.«[2] Die Kommunistin Anna Seghers wünschte sich 1940/41 im besetzten Frankreich nichts sehnlicher, als in die USA überzusiedeln.[3] Und selbst der eingefleischte Amerikafeind Brecht gestand in einer schwachen Minute zu, daß die Amerikaner sich »freier, mit mehr Anmut bewegen« als die »deutschen Kleinbürger« mit ihrem »verkniffenen neurotischen Wesen«, ihrer »Unterwürfigkeit« und ihrer »Überheblichkeit«[4].

Was die schreibenden Hitlerflüchtlinge zwischen New York und Los Angeles durchweg nicht wußten, ja meist noch nicht einmal ahnten, war, daß

---

*   Das Format der Verweise auf Dokumente aus U.S.-Regierungsarchiven wird am Ende des Buches in einer »Nachbemerkung« erläutert.

1   »Erich Maria Remarque, Violent Author...« In: *Newsweek* v. 1. April 1957, S. 108.
2   Klaus Mann, Brief an Draft Board v. 15. 4. 1942, in FBI-Report, New York v. 18. 6. 1946, S. 5 (FBI-Akte, Klaus Mann).
3   »Anna Seghers, Briefe an F. C. Weiskopf.« In: *neue deutsche literatur* 11/1985, S. 5-46. Weitere Stücke aus diesem Briefwechsel konnten im F. C. Weiskopf-Archiv der ehemaligen Akademie der Künste der Deutschen Demokratischen Republik in Berlin eingesehen werden. Vgl. auch Anna Seghers, Wieland Herzfelde: *Ein Briefwechsel 1939-1946*. Hrsg. v. Ursula Emmerich u. Erika Pick. Berlin/DDR: Aufbau 1985.
4   Bertolt Brecht: »Briefe an einen erwachsenen Amerikaner.« In B. B.: *Gesammelte Werke*. Bd. 20. Frankfurt: Suhrkamp 1967, S. 294-5.

1

sie fast alle, Freunde wie Feinde der USA, seit 1939/40 von den Geheimdiensten ihres Gastlandes überwacht wurden, allen voran dem Federal Bureau of Investigation, der Military Intelligence Division der Armee, dem Office of Naval Intelligence (ONI), dem Immigration and Naturalization Service, dem CIA-Vorläufer Office of Strategic Services sowie Behörden und Ausschüssen wie der Nachrichtenabteilung des Außenministeriums, dem House Un-American Activities Committee und seinem kalifornischen Ableger, dem Tenney Committee. Kaum einer von ihnen schöpfte Verdacht, daß Telephongespräche aufgezeichnet und Post nicht nur geöffnet und gelesen, sondern auch übersetzt, zusammengefaßt, verzettelt, abgelichtet und an andere Regierungsbehörden weitergeleitet wurde. Nur wenige vermuteten, daß die Männer in den Wagen, die vor ihren Häusern parkten, Special Agents des FBI waren, die genau registrierten wer bei ihnen ein- und ausging. In den Tagebüchern, Autobiographien, Briefsammlungen, Schlüsselromanen und Interviews der Exilanten finden sich so gut wie keine Hinweise auf Einbrüche in Privatwohnungen und Büros oder auf die Durchsuchung von Reisegepäck. Und auch über das wohl dunkelste Kapitel der Geschichte des Exils, die Tätigkeit von Informanten und Spitzeln, scheint man in Exilantenkreisen kaum gesprochen zu haben.

So gerieten Salka und Berthold Viertel in das Netz einer umfangreichen Untersuchung, weil sich die Prominenz des südkalifornischen Exils in ihrem Haus an der Küste des Pazifiks traf, Ruth Berlau bei den Viertels wohnte, wenn sie Brecht in Santa Monica besuchte, und Greta Garbo sich ihre Post in die Mabery Road schicken ließ. Die Exilgruppe in Mexiko um Anna Seghers, Ludwig Renn, Bodo Uhse, Egon Erwin Kisch, Paul Merker und Walter Janka fiel bei FBI, Außenministerium und den militärischen Geheimdiensten der USA nicht nur deshalb auf, weil sie literarisch und verlegerisch ungewöhnlich rührig war, sondern weil sie von politischen Gegnern in ihrem Gastland und in Exilantenkreisen öffentlich als »Communazi« angegriffen wurde. Die Akte Feuchtwanger läßt sich als Beleg dafür heranziehen, daß Hoover und seine nächsten Mitarbeiter bisweilen persönlich in die Deportationsverfahren gegen unliebsame Exilanten eingriffen.[5] »In view of the re-

---

5 Hoover benutzte für seine persönliche Unterschrift eine bestimmte Sorte von Tinte, deren Farbe sich auf den an mich freigegebenen Kopien der Akten nicht von dem Faksimilestempel unterscheidet, der nach Aussage eines hohen FBI-Beamten gelegentlich in der obersten Führungsebene des Bureaus benutzt wurde (Gespräch des Verfassers mit Elmer F. Linberg v. 18. 9. 1994, Bridgeport, USA. Linberg war seit 1941 in verschiedenen Funktionen u. a. im Los Angeles Field Office und in der FBI-Zentrale tätig). Andererseits ergaben Stichproben bei mehr als einem halben Dutzend Dokumenten, daß Hoover jedes Schriftstück selbst unterzeichnet haben mußte, da sein Namenszug jeweils deutlich anders ausfällt. Es ist also höchst wahrscheinlich, daß der Boss sich in der Tat direkt in viele der Untersuchungen gegen Exilschriftsteller eingeschaltet hat. Eine sichere Aussage läßt sich in dieser

ported activities and affiliations of Lion Feuchtwanger,« heißt es dazu in einem als »*PERSONAL AND CONFIDENTIAL*« gekennzeichneten Memorandum von FBI-Boss Hoover vom 4. Juni 1941 an den Immigration and Naturalization Service, »it is suggested that all legal and proper methods be used to effect the deportation. This Bureau, at the present time, is conducting an investigation to ascertain whether Lion Feuchtwanger is engaged in any action that would constitute a violation of existing United States statues...«[6] Und im Fall von Klaus und Erika Mann, die ein anonymer Denunziant von England aus als Kommunisten angeschwärzt hatte, entpuppte sich das FBI im Stil seines konservativen Direktors angesichts von Trinkgelagen, außerehelichen Beziehungen und Homosexualität[7] gar als Sittenwächter der Nation.

Hintergrund für die Überwachungsaktionen durch das FBI war eine in großen Teilen der amerikanischen Öffentlichkeit verbreitete Mischung aus Angst vor Fremden, besonders deutschen Spionen und Saboteuren, einem tiefen Mißtrauen gegenüber liberalen oder sozialistischen Ideen sowie einem mit quasi religiösem Eifer verfolgten Bedürfnis, den American Way of Life, so wenig er auch definiert war, zu verteidigen. Organisator und Vordenker dieser politisch zunehmend potenten, sich im Verborgenen ausbreitenden, zugleich aber, wenn nötig, propagandistisch überaus wirksam zutage tretenden Strömungen war seit etwa 1940 der FBI-Boss J. Edgar Hoover. Hoover, der seine Karriere im Justizministerium am Ende des Ersten Weltkriegs mit der Überwachung von deutschstämmigen Ausländern und Anarchisten begann, hatte sich nämlich zu Beginn des zweiten großen Krieges im Bewußtsein der amerikanischen Politiker, der Presse und der Öffentlichkeit nicht nur als hochqualifizierter und erfolgreicher Polizist etabliert, sondern er übernahm rasch auch die Rolle des unangefochtenen Aufsehers über die politische und moralische Sauberkeit des Landes. Präsidenten, Kabinettsmitglieder und Journalisten waren auf Fakten und Gerüchte angewiesen, die seine Agenten auf legalen oder illegalen Wegen sammelten. Untersuchungsausschüsse, wie das 1938 unter Martin Dies wiederbelebte House Un-American Activities Committee, öffentliche Ankläger, die für Deportationen und Staatsbürgerschaftsanträge zuständigen Abteilungen der Einwanderungsbehörde, die mi-

---

Sache freilich nicht machen, denn die bei weitem überwiegende Zahl der Briefe von Hoover hat sich nur als Durchschlag und damit ohne Unterschrift in der FBI-Zentrale erhalten.

6   John Edgar Hoover, Memorandum an L. R. Schofield v. 4. 6. 1941, S. 2 (FBI-Akte, Lion Feuchtwanger).

7   Anthony Summers hat vor kurzem mit der etwas abenteuerlich anmutenden These, daß Hoover selbst »a closet homosexual and transvestite« gewesen sei, einige Aufregung verursacht (Anthony Summers: *Official and Confidential. The Secret Life of J. Edgar Hoover.* New York: Putnam's Sons 1993, Schutzumschlag; vgl. auch den auf Summers Buch basierenden, von PBS Frontline 1993 ausgestrahlten Dokumentarfilm »The Secret File on J. Edgar Hoover«).

litärischen Sicherheitsdienste, das Office of Strategic Services und die für Loyalitätsverfahren bei Staatsdienern eingesetzten Gremien hingen von der Zusammenarbeit mit dem FBI ab. Ein ausgeklügeltes System von Karteikarten und Akten, das Anzapfen von Telephonen, geöffnete Briefe und ein weitverzweigtes Netz von Spitzeln und Informanten versetzte Hoover in den Besitz von Informationen, die es ihm erlaubten, den Entscheidungen anderer Behörden vorzuarbeiten, in politische Prozesse einzugreifen und Gerichtsverfahren zu beeinflussen.[8] In zahllosen Reden, Broschüren und Büchern brachte Amerikas erster Polizist seine ebenso simple wie wirkungsvolle Ideologie vom American Way unter die Leute. Kommunisten und Liberale wurden von ihm gnadenlos angegriffen. Bedingungslos setzte er sich für überlieferte Werte wie Moral, Religion, Familie und Loyalität gegenüber seinem Land ein.

Als die schreibenden Exilanten um 1940 in die USA kamen, stand freilich nicht nur Hoover, sondern auch sein liberaler Präsident Franklin D. Roosevelt auf einem Höhepunkt seiner Macht. Das Vertrauen in die Banken und in die amerikanische Wirtschaft, das 1929 mit dem Börsenkrach verlorengegangen war, hatte sich trotz einiger empfindlicher Rückschläge wiederhergestellt. Mit dem Rückgang der Arbeitslosigkeit vermochten die Gewerkschaften durch eine Serie von Streiks, Mindestlöhne, die 40-Stunden-Woche und eine Vermenschlichung der Fließbandarbeit durchzusetzen. Eine breite Mehrheit der Bevölkerung stellte sich hinter die Sozialreformen des New Deal, in dessen Namen Roosevelt ohne Scheu »business and financial monopoly«, »speculation«, »reckless banking« und »organized money«[9] attackierte. Anstatt wie seine Vorgänger den Ländern im Süden des Kontinents mit einem großen Knüppel zu drohen, setzte der amerikanische Präsident auf eine Politik der guten Nachbarschaft und baute die ohnehin schwache Armee der USA weiter ab. Joseph E. Davies, der kurz nach Aufnahme der diplomatischen Beziehungen als U.S.-Botschafter in die Sowjetunion ging, berichtete in seinem später verfilmten Bericht *Mission to Moscow*, daß Stalins Schauprozesse Hitlers fünfte Kolonne in Rußland eliminiert haben. So lange wie möglich versuchten die USA, sich aus den internen Querelen Europas herauszuhalten. Dreiviertel der amerikanischen Bevölkerung

---

8 So findet sich in einem Memorandum von Hoover an Assistant Secretary of State Adolf A. Berle folgender Einschub in eine Passage über die Exilantenzeitschrift *Freies Deutschland*: »... important because the group publishing the magazine in a recent law suit in New York could not be pinned down as to who is really responsible for the editorial management of the publication...« (»Bodo I. Uhse, alias Bodo Uhse«, S. 6; Anlage zu J. Edgar Hoover, Memorandum an Adolf A. Berle, Assistant Secretary of State, v. 9. 10. 1943 [862.20210 Uhse, Bodo I/7]).

9 William Manchester: *The Glory and the Dream. A Narrative History of America 1932-1972*. New York: Bantam 1990, S. 143.

sprach sich bei Kriegsausbruch gegen die Entsendung von Soldaten nach Übersee aus, die Mehrzahl der Jugendlichen vertrat die Ansicht, ein Wehrdienst für alle sei nicht mir ihren Grundfreiheiten zu vereinbaren. Über 80% aller Amerikaner wünschten sich Ende 1938, daß Rußland im Falle eines bewaffneten Konflikts Deutschland besiegt – und unterschieden zugleich, wie die exilierten Autoren, noch bis tief in den Krieg zwischen Deutschen und Nazis.

Roosevelt war 1936 mit dem besten Ergebnis in der amerikanischen Geschichte wiedergewählt worden – 523 gegen 8 Wahlmänner stimmten für ihn; 1940 trat er als einziger U.S.-Präsident eine dritte, 1944 sogar seine vierte Amtsperiode an. Ein Jahr vor Roosevelts zweiter Wiederwahl erschien John Steinbecks Saga der verarmten Farmer, *The Grapes of Wrath*; kurz darauf kam Ernest Hemingways Roman über den Spanischen Bürgerkrieg heraus, *For Whom the Bell Tolls*. Schriftsteller, Künstler und Intellektuelle diskutierten in den »red thirties« gesellschaftliche Veränderungen, den Wert der Kunst als Waffe und die Frage, ob die neuen, sozialkritischen Themen besser mit realistischen oder experimentellen Formen darzustellen seien. Im Spanischen Bürgerkrieg und auf verschiedenen Schriftstellerkongressen trafen die deutschen Exilautoren mit liberalen Kollegen aus den USA zusammen, die sich wie die Frau des Präsidenten, Eleanor Roosevelt, nicht scheuten, ihr Land zu kritisieren und die ›soziale Frage‹ zu stellen. Ohne Sympathien standen viele Einheimische und fast alle schreibenden Neuankömmlinge den nationalistischen Tönen der America First-Bewegung gegenüber, die das Tor zur Neuen Welt vor den Hitlerflüchtlingen zuschlagen wollte, Roosevelt als ›another Stalin‹ beschimpfte und die transatlantische Allianz mit England, dem damals letzten Bollwerk in Europa gegen die Nazis, untergrub.

Doch das Bild vom liberalen, weltoffenen Amerika gibt eben nur einen Teil der Realität wider. Der andere, bis in die fünfziger Jahre kontinuierlich stärker werdende ist von Xenophobie, politischer Engstirnigkeit und ideologischen Scheuklappen gekennzeichnet. So heizt das Anschwellen des seit den Quotengesetzen der frühen zwanziger Jahre nahezu versiegten Stroms der Einwanderer aus dem von Rassismus und Krieg zerrissenen Europa die latent vorhandene Fremdenfeindlichkeit wieder an. Wie schon einmal beim ›Red Scare‹ nach Ende des Ersten Weltkriegs werden Ausländer für subversive Umtriebe von links und rechts verantwortlich gemacht. Angesichts der von den Provokationen der Achsenmächte heraufbeschworenen Kriegsgefahr verstärken sich gegen Ende der dreißiger Jahre die America First-Rufe der Isolationisten, in deren Lager Republikaner, die neu entstehende Phalanx national gestimmter Demokraten aus dem Süden und Politamateure wie der Atlantiküberquerer Charles Lindbergh stehen. Der Hitler-Stalin Pakt spaltet nicht nur die ohnehin recht schwache Linke, er erinnert die breite Öffentlichkeit auch an den als Verrat empfundenen Separatfrieden der Bolschewi-

ken mit Deutschland aus dem Jahre 1918, in dessen Gefolge jene fatale Totalitarismustheorie aufkam, die ›Hunnen‹ und ›Rote‹ auf eine Ebene stellt und
mit Begriffen wie ›Communazi‹ und ›Red Fascism‹ operiert. Seit 1938 entdeckt das vier Jahre zuvor zur Untersuchung von nazistischen und faschisti-
schen Umtrieben in den USA gegründete House Un-American Activities Committee unter der Leitung von Martin Dies und J. Parnell Thomas, daß der
wirkliche Feind nicht rechts, sondern links steht, von Ausländern kontrolliert wird (»The attacking Greeks did not limit their tactic of deceit to the
concealing of some of their best warriors in the sides of the wodden horse.
An equally shrewd piece of trickery was their use of a fake refugee.«[10]) und
das New Deal als »cross between Communism and Fascism«[11] verehrt. Amerikanern, die in Spanien gegen Franco gekämpft hatten, droht der Entzug
ihres Passes. Der bei weitem überwiegende Teil der Bevölkerung ist in den
Jahren als die Exilanten in die USA fliehen der Meinung, daß Ausländer, die
von Wohlfahrt leben, nach Hause geschickt werden und »aliens... who came
here from the Axis countries« deportiert oder interniert werden sollten, selbst
wenn sie sich loyal und ruhig verhalten. Meinungsforscher wie George H.
Gallup bringen in Erfahrung, daß 67% der Amerikaner sich mehr Macht und
Geld für Dies' Un-American Activities Committee wünschen und 75% dagegen sind, der Kommunistischen Partei der USA (KPUSA) bei Wahlen gleiche
Zeit im Radio zur Verfügung zu stellen. Während die Hälfte aller Bürger zu
wissen meint, daß Kommunisten von Moskau gelenkt werden, geben immerhin 39% zu, nicht über die KP informiert zu sein. Deutsche, glauben dagegen im Dezember 1939 immerhin 66% der Befragten, seien »essentially peace-
loving and kind«, aber leicht durch machthungrige Führer zu mißbrauchen.[12]
   Und auch Roosevelt selber trägt dazu bei, daß seine Amtszeit nicht nur
wegen ihres liberalen Klimas in Erinnerung bleibt. Amerikaner sehen ihre
Rechte durch die Hatch Act von 1939 eingeschränkt, die es Beamten unter-
sagt, Gruppierungen anzugehören, die den Umsturz der Regierung befürwor-
ten. Ein tief verwurzeltes Mißtrauen gegen Ausländer, die pauschal als unamerikanisch und subversiv verdächtigt werden (67% der Bevölkerung waren
1938 der Meinung, »that ›with conditions as they are we should try to keep
them out‹«[13]), sorgt dafür, daß Versuche, die scharfen Quotengesetze der
zwanziger Jahre aufzulockern, trotz einer demokratischen Mehrheit im Kon-

10 Martin Dies: *The Trojan Horse in America*. New York: Dodd, Mead 1940, S. 4.
11 A. a. O., S. 362.
12 Alle Angaben nach *The Gallup Poll. Public Opinion 1935-1971*. Bd. 1. New York: Random
    House 1972 bzw. *Public Opinion 1935-1946*. Hrsg. v. Hadley Cantril. Princeton: Princeton
    University Press 1951.
13 Nach David S. Wyman: *Paper Walls. America and the Refugee Crisis 1938-1941*. O.O.
    [Amherst]: University of Massachusetts Press 1968, S. 47.

greß steckenbleiben. Die 1940 erfolgte Verlegung des Immigration and Naturalization Service vom Arbeits- in das Justizministerium unterstreicht, daß Einwanderer nicht mehr als Belastung des Arbeitsmarktes, sondern als Sicherheitsrisiko gesehen werden. Das nach der Niederlage von Frankreich eingerichtete President's Advisory Committee on Political Refugees (PACR) vermag noch nicht einmal die Vergabe der rund 3.000 Visen durchzusetzen, die das Department of State bewilligt hatte – ganz zu schweigen von einer pauschalen Rettung der in Europa politisch und rassisch Verfolgten. Xenophobie steht schließlich auch einem Gesetz Pate, das auf geschickte Weise die Belange von Ausländern und Einheimischen vermischt: der Alien Registration Act (Smith Act) von 1940. Ein Teil dieses Gesetzes richtet sich nämlich, wie der Name andeutet, gegen Immigranten und Exilanten, die fortan gezwungen sind, sich registrieren zu lassen, ihre Fingerabdrücke abzuliefern, jeden Wohnungswechsel zu melden und über ihre Biographie Auskunft zu geben, inklusive ihrer Herkunft, Pseudonyme und Mitgliedschaften während der letzten fünf Jahre. Kein Visum erhält bzw. deportiert wird, wer zum Zeitpunkt der Einreise in die USA oder danach der Kommunistischen Partei angehört. Mit Ausweisung bedroht wird wer Organisationen unterstützt, »who teach, advocate or encourage the overthrow of any government in the United States«[14]. Ein zweiter Teil des planmäßig inkongruent angelegten Gesetzes nimmt eine völlig andere Zielgruppe ins Visier, nämlich Amerikaner, die mit zehn Jahren Gefängnis, Hausdurchsuchungen und Beschlagnahmen bedroht werden, wenn sie einer auf Umsturz hinarbeitenden Organisation angehören. Das gleiche gilt für jeden, der Schriften druckt, herausgibt, verkauft oder veröffentlicht, die sich gegen die Regierung richten.

Liberale Amerikaner sahen sich durch die Hatch und Smith Acts, die der Zensur und dem Prinzip der Schuld durch Assoziation Tür und Tor öffneten, an die finsteren Zeiten der sogenannten Palmer-Ära von 1919/20 erinnert, durch deren Schlagwort vom »red scare« J. Edgar Hoover geprägt worden war: »Here at last«, schreibt ein Kommentator zur Smith Act, » is the... sedition law which A. Mitchell Palmer and his associated patrioteers tried to scare the country into passing twenty years ago without success... the persons and organizations who have been hankering for such a measure... took advantage of the passion against immigrants to write into an anti-alien statute the first federal peace-time restriction on speaking and writing by American citizens since the ill-fated Sedition Act of 1798.«[15] Für die in den USA Zuflucht suchenden Exilanten war jedoch eine andere, bis heute wenig beachtete Unternehmung des »big government«-Praktikers Roosevelt viel fol-

---

14 John Somerville: *The Communist Trials and the American Tradition*. New York: Cameron 1956, S. 234.
15 A. a. O., S. 234-5.

genreicher: nämlich der Aufbau eines »innenpolitischen Geheimdienstapparates«[16], der sich im Stil der Zeit zugleich gegen Fremde, besonders wenn sie wie die Deutschen auch noch »enemy aliens«, also feindliche Ausländer, waren und gegen subversive, unamerikanische Elemente wendet. Drei Megabehörden Roosevelts stehen dabei – auch für die vorliegende Arbeit – im Zentrum: das FBI, dem im Laufe der vierziger Jahre neben der Verbrechensbekämpfung immer mehr politisch-ideologische Aufgaben übertragen werden; das während der Kriegsjahre operierende Office of Censorship; und das Office of Strategic Services, das mit gutem Grund »Americas First Central Intelligence Agency«[17] genannt wird.

Roosevelt legte den Grundstein für einen amerikanischen Überwachungsstaat am 24. August 1936. Beunruhigt von Meldungen über die Volksfrontpolitik der Kommunisten, die Tätigkeit ausländischer Nachrichtendienste in den USA und die Aktivitäten der sowjetischen Botschaft in Washington beauftragt er an diesem Tag seinen FBI-Chef J. Edgar Hoover bei einem vertraulichen Treffen im Weißen Haus, ihm Informationen zu beschaffen über »subversive Bestrebungen in den Vereinigten Staaten, besonders im Hinblick auf den Kommunismus und Faschismus«[18]. Hoover, der schon seit geraumer Zeit auf eigene Faust eine Kartei mit Angaben zu 2.500 verdächtigen Personen führte, macht sich als getreuer Diener seines Herrn sofort an die Arbeit – und baut bis Kriegende seine kleine, auf Bankräuber und Entführer spezialisierte Truppe zu einer mächtigen Behörde aus, die fortan ihre Existenz durch das Aufdecken immer neuer Verschwörungen gegen die amerikanische Demokratie und Lebensform rechtfertigt. Die Zahl der jetzt auch mit politischen Aufgaben betrauten Special Agents (SA) schnellt von kaum mehr als 300 Mitte der dreißiger Jahre auf ca. 5.000 bei Kriegsende in die Höhe. Um die Flut von Informationen zu kategorisieren und zu katalogisieren, Berichte zu tippen und Material aus öffentlichen Quellen zu entnehmen, stellt Hoover zwischen 1941 und 1943 fast 7.000 neue Mitarbeiter an. Im gleichen Zeitraum bläht sich das Budget seiner Behörde von sechs auf über dreißig Millionen Dollar auf. Vom britischen Geheimdienst lernen die Special Agents wie man Briefe öffnet – und verbessern die Methode sofort auf eine Geschwindigkeit von 30 Umschlägen pro Minute. Angesichts der neuen, internationalen Aufgaben, richtet Hoover eine FBI-eigene Sprachschule ein, bildet Agenten für Auslandseinsätze aus und verbessert die kryptographische Abteilung des Bureau, die während des Krieges u. a. die Post zwischen den Exilzentren in Mexiko und New York bzw. Los Angeles auf Geheimtinte und verschlüs-

---

16 Richard G. Powers: *Die Macht im Hintergrund. J. Edgar Hoover und das FBI.* München: Kindler 1988, S. 200.
17 R. Harris Smith: *OSS: The Secret History of America's First Central Intelligence Agency.* New York: Dell 1972.
18 Powers, *Die Macht im Hintergrund*, S. 248.

selte Botschaften untersucht. Kurz: Aus einer kleinen, mit Verbrechensbekämpfung befaßten Behörde war innerhalb von kürzester Zeit eine Art von
politischer Polizei geworden, deren Boss trotz aller Versicherungen, nur einer
»fact-gathering«[19] vorzustehen Meinungen wie Fakten und Überzeugungen
wie Taten behandelt, Verbrechen auf eine Stufe mit Unmoral und Sünde stellt
und Gesetzesbrecher zu ›Fremden‹ erklärt.

Wichtigster Katalysator der spektakulären Expansion des FBI war neben
Roosevelts Vorliebe für mächtige Behörden vor allem der zwischen den Vorbereitungen auf den Zweiten Weltkrieg in Europa und dem Angriff der Japaner auf Pearl Harbor im Dezember 1941 rasch anwachsende Bedarf der Amerikaner, sich vor echten und vermeintlichen äußeren und inneren Feinden
zu schützen. »›It is my desire‹«, ordnet Roosevelt im Juni 1939 in einem weiteren vertraulichen Memorandum an, »›that the investigation of all espionage,
counterespionage, and sabotage matters be controlled and handled‹ by the
FBI, MID, and ONI«.[20] Drei Monate später schafft Hoover mit der Wiederbe-
lebung der General Intelligence Division (GID), in der er zwanzig Jahre zuvor beim Justizministerium seine Karriere begonnen hatte, die Grundlage
für die Herstellung jener Custodial Detention List genannten Schutzhaftver-
zeichnisse, auf denen auch die Namen der Exilanten stehen. Die Leiter der
regionalen FBI-Niederlassungen sind fortan angewiesen, Karteien zu führen,
in denen Personen mit – man beachte die Mischung – »German, Italian, and
Communist sympathies« erfaßt werden. Und da sich das Custodial Detention Program ausdrücklich auf die Alien Registration Act stützt, versteht es
sich, daß Hoovers Leute Nicht-Amerikanern besondere Aufmerksamkeit wid-
men, »on whom there is information available that their presence at liberty
in this country in time of war or national emergency would be dangerous to
the public peace and the safety of the United States Government«[21]. So teilt
Hoover bzw. einer seiner Stellvertreter seinem Special Agent in Charge in
Los Angeles im März 1943 mit, daß die Zentrale für Leonhard Frank, »Apartment Hotel, 6500 Yucca, Hollywood, California«, eine »custodial detention
card«[22] angelegt habe. Heinrich Mann wird zwar 1945 von der National Censorship List gestrichen, bleibt bis zu seinem Tod aber in den sogenannten
Security Index Cards, einer Kartei, mit der Hoover ab 1943 seine Schutz-
haftlisten weiterführte, nachdem das Justizministerium das Custodial Deten-

19 John Edgar Hoover, Brief an [ausgeschwärzt] v. 12. 4. 1956 (FBI-Akte, Bertolt Brecht). In
    Hoovers Schreiben, das an einen Denunzianten gerichtet ist, heißt es weiter: »›...I must ad-
    vise that it is not within the province of the investigative jurisdiction of the FBI... to issue
    clearances or disapprovals of individuals and their publications.«
20 Curt Gentry: *J. Edgar Hoover. The Man and the Secrets*. New York: Plume 1992, S. 210.
21 Nach Athan G. Theoharis: *Spying on Americans. Political Surveillance from Hoover to the
    Huston Plan*. Philadelphia: Temple University Press 1978, S. 41.
22 J. E. Hoover, Memorandum an SAC, Los Angeles, v. 16. 3. 1943 (FBI-Akte, Leonhard
    Frank).

tion Program für unzuverlässig und – zumindest für Amerikaner – für ungesetzlich erklärt hatte.[23] Nicht viel anders ergeht es Lion Feuchtwanger, bei dem das FBI-Büro von Los Angeles noch 1956 empfiehlt, daß er wegen prosowjetischer Sympathien weiter im Security Index geführt wird.

Hoover hatte im November 1939 vor einem Komitee des Abgeordnetenhauses erklärt: »The... General Intelligence Division... has now compiled extensive indices of individuals, groups, and organizations engaged in subversive activities, in espionage activities, or any activities that are possibly detrimental to the internal security of the United States.«[24] Was genau mit den emotional geladenen, aber verfassungsmäßig und juristisch wertlosen Begriffen »subversive«, »detrimental« und »radical« gemeint war, läßt der oberste Polizist Amerikas freilich offen. Ähnlich vage wirkt das in den vierziger Jahren weitverbreitete Schlagwort vom ›American Way‹,[25] den nicht genau definierte Agitatoren mit ihrem »Klassenhaß«[26] überziehen. Und auch das Konzept der »fifth columns«[27], das Hoover ins Feld führt bei der Umgehung eines vom obersten Gerichtshof mehrfach bestätigten Abschnitts der Federal Communication Act von 1934 gegen das Abhören von Telephonen,[28] bleibt unerklärt: »That there is a Fifth Column which has already started to march is an acknowledged reality. That it menaces America is an established fact. That it must be met is the common resolve of every red-blooded citizen. A Fifth Column of destruction, following in the wake of confusion, weakening the sinews and paralyzing it with fear can be met only by the nation-wide offensive of all law enforcement.«[29]

»Preventive detention«, das Abhören von Telephonen, »black bag jobs« genannte illegale Einbrüche und eine Jahre nach Beendigung des Spanischen Bürgerkriegs durchgeführte Verhaftungsaktion gegen Mitglieder der amerikanischen Lincoln Brigade setzen Hoover 1940/41 noch einmal verstärkter

---

23 Das einschlägige Memorandum von Francis B. Biddle an Hoover hat sich u.a. in Anna Seghers' FBI-Akte erhalten: »The detention of alien enemies is being dealt with under the procedures established by the Alien Enemy Control Unit... There is no statutory authorization or other present justification for keeping a ›custodial detention‹ list of citizens... Apart from these general considerations,... the notion that it is possible to make a valid determination as to how dangerous a person is in the abstract... is impractical, unwise, and dangerous... A copy of this memorandum should be placed in the file of each person who has hitherto been given a classification« (Attorney General, Memorandum für Hugh B. Cox, Assistant Attorney General and J. Edgar Hoover, Director Federal Bureau of Investigation v. 16. 7. 1943, S. 1-2 [FBI-Akte, Anna Seghers]).

24 Gentry, *J. Edgar Hoover*, S. 212.

25 Vgl. Ayn Rand: »Screen Guide for Americans.« In: *Plain Talk* 2/1947, S. 37–42.

26 Powers, *Die Macht im Hintergrund*, S. 253.

27 Athan G. Theoharis u. John Stuart Cox: *The Boss. J. Edgar Hoover and the Great American Inquisition*. New York: Bantam 1990 S. 198.

28 Vgl. Walter F. Murphy: *Wiretapping on Trial: A Case Study in the Judicial Process*. New York: Random House 1966.

29 A. a. O., S. 195.

Kritik aus liberalen Kreisen aus. Gewerkschaftsführer sprechen offen vom FBI als dem einheimischen Äquivalent des sowjetischen Geheimdienstes OPGU. Eleanor Roosevelt vergleicht Hoovers Polizei mit der Gestapo und der böse Name »J. Edgar Himmler«[30] macht die Runde. Doch der Präsident, der seinen obersten Polizisten trotz aller ideologischer Differenzen als Organisationstalent und Lieferanten von Informationen über seine politischen Gegner schätzt, rückt nicht von Hoover ab. Im Gegenteil. Anstatt den FBI-Boss wegen seiner illegalen Abhörkampagnen zu rügen, schlägt er dem Justizministerium zum Thema Lauschangriff zweideutig vor, »to limit these investigations so conducted to a minimum and to limit them insofar as possible to aliens«[31]. Und als Hoover wegen der Schleppnetzaktion gegen Linke mit den »Palmer Raids« von 1919/20 in Verbindung gebracht wird, schränkt der selbst immer antikommunistischer werdende Roosevelt den Aktionsradius des FBI nicht ein, sondern teilt dem FBI angesichts der weltweiten Kriegsgefahr im Juni 1940 Mittel- und Südamerika als neue Operationsgebiete zu – eine Entscheidung, die tief und für die Dauer des Exils in Leben und Arbeit der in die Neue Welt geflüchteten deutschsprachigen Autoren eingreift.

Roosevelt, der in Lateinamerika als guter Nachbar auftreten wollte, gab das Gebiet »south of the border« an Hoover frei, als bei seinen Militärs und in der amerikanischen Öffentlichkeit Ängste laut werden, daß das Dritte Reich mit Hilfe von einheimischen Sympathisanten, von der Abwehr eingeschleusten Saboteuren und einem militärischen Sprung von den Azoren nach Brasilien die Südflanke der USA bedrohen könnte. Daß es zu dieser Entscheidung des Präsidenten kaum eine Alternative gab, macht ein ausführliches Memorandum der U.S.-Botschaft in Mexiko vom Dezember 1939 deutlich, in dem die Schwächen der amerikanischen Aufklärung und Spionageabwehr in Lateinamerika offengelegt werden – angefangen von der mangelhaften Spezialausbildung der Militärattachés (»without any evidence of previous training in intelligence work«[32]), über das löchrige Informantennetz (»in Mexico at least up to the present time they have employed local persons, whose relia-

---

30 Anna Seghers u. Viola Brothers-Shore: »The Seventh Cross« (unveröffentlichtes Theatermanuskript), S. 2. The Viola Brothers Shore Collection, American Heritage Center, University of Wyoming, USA.

31 Gentry, *J. Edgar Hoover*, S. 232. Unter FBI-Agenten gab es ohnehin keine Probleme mit Abhöraktionen, wie mir der ehemalige Special Agent Elmer F. Linberg in einem Interview v. 18. 9. 1994 bestätigte. Vgl. auch die ähnlich lautende Aussage des ehemals ebenfalls mit den Exilanten beschäftigten Edward Scheidt in Alexander Charns: *Cloak and Gavel. FBI Wiretaps, Bugs, Informers, and the Supreme Court*. Urbana: University of Illinois Press 1992, S. 24: »Everybody [in the Bureau] thought that it was strictly legal... in fact, [we] thought that [we were] defending the country... [and] doing something noble.«

32 Mr. Boal, Brief an George S. Messersmith, Assistant Secretary of State, v. 22. 12. 1939, S. 11, Anlage zu Boal, Brief an Laurence Duggan, Chief, Division of American Republics, Department of State, v. 4. 1. 1940 (862.20212/1852).

bility and discretion is definitely open to question«[33]) und die Koordination und Auswertung der eingehenden Nachrichten, bis hin zur fehlenden Befehlsstruktur (»give... Attachés here the most specific instructions with regard to following directions of the Counselor of the Embassy«[34]).

Doch Hoover, der damals ohnehin über den Ausbau seiner Behörde zu einem weltweiten Nachrichtendienst nachdenkt, beläßt es nicht bei der Suche nach Nazispionen. Wohl wissend, daß die Deutschen für ihn auf Dauer keine Gegner sind, setzt er seinen 1940 eigens für Lateinamerika gegründeten und mit mehreren hundert Agenten besetzten Special Intelligence Service (SIS) von Anfang an auch auf tatsächliche oder potentielle Kommunisten wie die deutschsprachigen Exilanten an, die von ihm als mögliche Gegner des American Way ausgemacht worden waren. Gus Jones, der das Exilzentrum in Mexiko-Stadt beobachtet, wird zum Prototyp jener Legal Attachés, die im Dunstkreis der diplomatischen und militärischen Vertretungen operieren und Hoover noch lange nach 1945 aus Bonn, Heidelberg und Paris mit Nachrichten über längst heimgekehrte Exilanten versorgen. Detaillierte SIS-Expertisen, oft in Zusammenarbeit mit Vertretern der Nachrichtendienste von Marine und Armee bzw. der Botschaft erarbeitet, halten das U.S.-Außenministerium über Themen wie die Nachkriegsplanung der Freien Deutschen und die internen Querelen der Exilkommunisten in Mexiko auf dem Laufenden. Von den fast 3.000 nachrichtendienstlichen Memoranda, die Hoover während des Krieges an das Weiße Haus schickt, bezieht sich die Mehrzahl auf Lateinamerika, knapp gefolgt von Berichten über »in- und ausländische Kommunisten«[35].

Hoover hatte sich bei Eintritt der USA in den Krieg als unangefochtener Wächter der Nation gegen innere und äußere Feinde aller Art etabliert. Geschickt unterläuft er einen breit angelegten Versuch der erzkonservativen American Legion, seinen Machtbereich durch ein Heer von privaten Vigilanten zu beschneiden, mit einem Angebot zur Zusammenarbeit, das seinen Nachrichtenprofis Kontrolle über die Aktionen der Amateure der Legion gibt: »Each commander of an American Legion unit will be informed of the Bureau's interest particularly in the activities of German... and Russian groups and will be asked to furnish to the Bureau the names of Legionnaires of German... and Russian descent who may serve in the capacity of informants for the Bureau...«[36] Mit allen Mitteln setzt er sich – erfolgreich – ge-

---

33 A. a. O., S. 4.

34 Bois, Brief an Laurence Duggan, Chief, Division of American Republics, Department of State, v. 4. 1. 1940 (862.20212/1852).

35 Powers, *Die Macht im Hintergrund*, S. 258.

36 John Edgar Hoover, Memorandum for the Attorney General v. 18. 11. 1940 (FBI-Akte, American Legion Contact Program). Bis Juni 1942 hatte das FBI mit 53.122 Mitgliedern der Legion Kontakt aufgenommen (A. H. Belmont, Memorandum an D. M. Ladd v. 31. 7. 1950, S. 3 [FBI-Akte, American Legion Contact Program]).

gen das House Un-American Activities Committee zur Wehr, als dessen Vorsitzender Dies versucht, sein Komitee in eine Untersuchungskommission umzuwandeln, die ähnliche wie das FBI auf breiter Basis Material über unamerikanische Personen und Organisationen sammeln würde. Als Roosevelt unmittelbar nach Pearl Harbor mit dem Office of Censorship eine weitere Megabehörde aus dem Boden stampft, zu deren wichtigsten Zielgruppen einmal mehr verdächtige Ausländer wie die Exilanten zählen, gibt Hoover zwar die zunächst ihm übertragene Aufgabe freiwillig ab – sorgt aber gleichzeitig dafür, daß seine Special Agents bei Entscheidungen über Umfang und Art der Post- und Telegrammzensur mitreden dürfen und uneingeschränkt Zugang zu abgefangenen Briefen haben. Und als ein Intimfeind des Bosses aus den zwanziger Jahren, General William »Wild Bill« Donovan, 1941/42 mit Hilfe des britischen Geheimdienstes bei Roosevelt die Gründung eines Office of Strategic Services durchsetzt, das als Vorläufer der Central Intelligence Agency gilt, vermag Hoover seinen Präsidenten zwar nicht umzustimmen, aber es gelingt ihm, Donovans Operationsgebiet auf das Ausland zu beschränken – mit einer Ausnahme, die für die Exilanten in den USA von besonderer Bedeutung ist: dem mit der Beobachtung, Befragung und Analyse von »enemy alien« und ausländischen Volksgruppen in den Vereinigten Staaten befaßten Foreign Nationalities Branch des OSS.

Das Office of Censorship wurde im Dezember 1941 zur Überwachung von »mail, cable, radio or other means of transmission passing between the United States and any foreign country«[37] gegründet. Als gesetzliche Grundlage diente dabei – ein schlechtes Omen für die deutschsprachigen Exilanten – die unverändert übernommene First War Powers Act von 1917. Zwei Jahre später war aus einem Unternehmen, das mit zwei, drei pensionierten Militärs »sitting around a table in the Post Office building, slitting open a few letters at random«[38] angefangen hatte, ein gigantischer Apparat geworden, der von Balboa in Panama über Miami und Los Angeles bis zur Postal Censorship Station von New York reichte, die allein zwischen März und Dezember 1942 von 728 auf 1.678 »examiner« anschwoll und 2.006 Übersetzer für 73 Sprachen zur Verfügung hatte. Vertreter des Office of Censorship wurden im Juni 1942 nach Mexiko geschickt, um die Überwachung des grenzüberschreitenden Verkehrs zu koordinieren und sich über die in Mexiko gesetzlich zugelassene Zensur der Inlandspost auf dem Laufenden zu halten.

---

37 Executive Order No. 8985, in *History of the Office of Censorship*. 7 Bde. Washington: University Publications of America o. J. Dieses drei Mikrofilme umfassende Material enthält neben Unterlagen zur Gründung des Office of Censorship vor allem Berichte der Zweigstellen des Zensurbüros aus den Jahren 1941 bis 1945. Da in dieser Publikation durchweg Quellen- und Seitenangaben fehlen, wird bei Zitaten nur pauschal auf die *History of the Office of Censorship* verwiesen.

38 *History of the Office of Censorship.*

FBI, Immigration and Naturalization Service, Postzensur und mexikanische Behörden arbeiteten zusammen, um »mail drops« und Kuriere an den Grenzübergängen in Texas, New Mexico, Arizona und Kalifornien unschädlich zu machen. Executive Order 8985 vom 19. Dezember 1941 ordnete an, daß Post zwischen Drittländern der Zensur unterstehe, sobald sie – etwa auf einem Schiff – amerikanisches Hoheitsgebiet berührt. Weniger wichtig für die Geschichte des Exils dürfte dagegen der Ruf des FBI nach einem Gesetz zur Kontrolle von Brieftauben gewesen sein.

Byron Price, der als Leiter des Office of Censorship unter Franklin D. Roosevelts Satz angetreten war: »All Americans abhor censorship, just as they abhor war«[39], löste sein Amt nach Kriegsende sofort wieder auf – was die Post- und Zollbehörden freilich nicht davon abhielt, ab 1948 erneut Druckmaterial aus bestimmten Ländern in breitem Umfang abzufangen und zurückzuhalten[40]. In ganz anderen, globalen Kategorien dachte William »Wild Bill« Donovan. Ihm war als Begründer des Office of Coordinator of Information (seit Juli 1941) und als Direktor des Office of Strategic Services (seit Juni 1942) weniger an kurzlebigen Abwehraufgaben gelegen, als an der Schaffung eines modernen Geheimdienstes, der auf permanenter Basis und weltweit mit Subversion, Propaganda und psychologischer Kriegsführung arbeitet, paramilitärische Aktionen durchführt, Widerstandsgruppen unterstützt und auf den Sturz unliebsamer Regierungen hinarbeitet.

Eine Voraussetzung für die Erfüllung dieser Aufgaben war es, die politischen Entscheidungsträger der USA mit möglichst genauen und umfassenden Informationen und Analysen zu versehen. Ausgangspunkt war für Donovan dabei neben der Auslandsaufklärung die Observierung von Fremden, die als Immigranten und Exilanten in die USA gekommen waren und dort weiter öffentlich tätig blieben in Gewerkschaften, politischen Organisationen oder als Kulturschaffende. Zielsicher beginnt die Einführung zu dem Katalog der erst vor wenigen Jahren von der CIA freigegebenen FNB-Akten denn auch mit den Sätzen: »The Foreign Nationalities Branch of the Office of Stra-

---

39 Franklin D. Roosevelt, Presseverlautbarung v. 16. 12. 1941. In: *Wartime Censorship of Press and Radio.* Zusammengestellt v. Robert E. Summers. New York: Wilson 1942, S. 95. (=The Reference Shelf. Bd. 15, Nr. 8.)

40 David Caute: *The Great Fear. The Anti-Communist Purge Under Truman and Eisenhower.* New York: Simon and Schuster 1978, S. 403. Vgl. dazu auch einen Brief von Erika Mann an Hermann Hesse vom 26. Dezember 1950: »Da in letzter Zeit die meisten Briefe, die ich ins ›Ausland‹ schreibe oder von dort bekomme, amtlich-heimlich geoeffnet werden (offiziell existiert keine Zensur), habe ich es mir zur lieben Gewohnheit gemacht, jedem Schreiben etwas fuer den Schnueffler Kraenkendes einzuverleiben... Ach, ueber die armen gesunkenen Geschoepfe, die sich auf solche Weise ihren Lebensunterhalt verdienen. Und – trotz allem Mitleid – pfui ueber sie!« (Erika Mann, Brief an Hermann Hesse v. 26. 12. 1950, S. 1 [Erika Mann-Archiv, Handschriften-Sammlung, Stadtbibliothek München]).

tegic Services (OSS) was the only agency of the U.S. Government that focused its attention in a comprehensive way on foreign nationals and ethnic groups in the U.S. during World War II. The Department of Justice was concerned with potentially subversive aliens and other Federal agencies gathered at least some domestic political intelligence, but only the Foreign Nationalities Branch (FNB) developed an extensive network of contacts and systematically collected information among foreign nationality groups in the U.S. to enable our government to understand, anticipate, and influence political developments in Europe.«[41]

Kein Wunder also, daß sich exakt an dieser Stelle die Interessen der Exilschriftsteller mit denen des OSS berühren, dessen Boss offen die Meinung vertrat, »that political intelligence drawn from foreign nationals and ethnic organizations was an important, but much neglected field«[42]. Spezialisten mit Geheimdiensterfahrung freilich, die die Nachrichtenlücke hätten schließen können, gab es damals in den USA nicht. Die nötige Infrastruktur mit Verbindungsleuten, Informanten und Archiven existierte bei Kriegsausbruch, wenn überhaupt, bei dem auf Abwehr eingestellten FBI, das das Konkurrenzunternehmen des Generals mit erheblichem Mißtrauen beobachtete.[43] Zudem waren viele Amerikaner, darunter wichtige Mitglieder von Roosevelts Regierung, der Meinung, daß die Tradition der amerikanischen Demokratie und ihr eigenes Verständnis von Fair play nicht mit den Arbeitsmethoden eines Nachrichtendienstes zu vereinbaren seien. Wollte er dennoch rasch eine effiziente Nachrichtenabteilung für die ausländischen Volksgruppen in den USA auf die Beine stellen, mußte der »wilde Bill« also auf Quellen zurückgreifen, aus denen sein Rivale Hoover nie geschöpft hätte: ehemalige Regierungsbeamte mit Auslandserfahrung, Wissenschaftler von den Eliteuniversitäten an der Ostküste der USA[44] und – als Beobachtete und Beobachter in Personalunion – führende Köpfe aus den Kreisen von Emigration und Exil. So brachte John C. Wiley, dem Donovan noch in seiner Funktion als Coordinator of Information im Herbst 1941 die Aufgabe übertragen hatte, den Aufbau des Foreign Nationalities Branch vorzubereiten, Erfahrung als Diplomat im Baltikum und in Österreich – dort zur Zeit des »Anschlusses« – mit. DeWitt C.

---

41 »Introduction.« In: US Office of Strategic Services. *Foreign Nationalities Branch Files 1942-1945. Bibliography.* Bd. 1. Bethesda: Congressional Information Service 1988, S. VII.

42 A. a. O., S. VII.

43 Vgl. dazu u. a. Mark Riebling: *Wedge. The Secret War Between the FBI and CIA.* New York: Knopf 1994.

44 Vgl. dazu zum Beispiel ein Memorandum von J. Edgar Hoover an seinen SAC in New York v. 13. 1. 1953, in dem es heißt: »You are reminded that in requesting Bureau authority to interview persons connected with institutions of higher learning, you should furnish information concerning them in the files of your office, together with a statement concerning their reliability« (FBI-Akte, American Guild for German Cultural Freedom).

Poole, der nach Wileys Versetzung dem FNB von seiner Gründung durch eine Direktive von Präsident Roosevelt im Dezember 1941 bis zu seiner Auflösung im Herbst 1945 vorstand und später das CIA-nahe National Committee for a Free Europe leitete, war erst im Konsulardienst und dann als Direktor der School of Public Affairs an der Princeton University tätig gewesen. So wie Mitglieder der von den Nazis vertriebenen Frankfurter Schule in der berühmten OSS-Abteilung Research & Analysis (R&A) fertigten Exilanten Schulter an Schulter mit amerikanischen FNB-Angestellten und einem kleinen Heer von »volunteer helpers«[45] an U.S.-Universitäten hunderte von Berichten, Zusammenfassungen und Handbüchern an, die nicht nur intern im OSS herumgereicht wurden, sondern routinemäßig auch an das Justiz- und das Außenministerium und das FBI, sowie in Auswahl an die oberste Militärführung, den Präsidenten der USA und britische Dienststellen gelangten. Emmy C. Rado und Charles B. Friediger (ursprünglich Karl B. B. Friediger), deren Namen immer wieder in den Unterlagen des Foreign Nationalities Branch des OSS im Zusammenhang mit Thomas Mann und dem Council for a Democratic Germany auftauchen, stammten aus der Schweiz bzw. Österreich. Kurz: Der FNB griff anders als die operativen Abteilungen von Amerikas »first coordinated intelligence service«[46] einerseits zwar nur selten in die Geschäfte seiner Untersuchungsgegenstände ein – mit der wichtigen Ausnahme des sogenannten Thomas Mann-Komitees von 1943. Andererseits war die Tätigkeit des direkt oder über Research & Analysis bis in die Spitzen der amerikanischen Regierung wirkenden FNB im Gegensatz zu dem fast nur auf Abwehr von subversiven Personen und Ideen beschränkten FBI eindeutig politisch motiviert.

Roosevelt schob die Bedenken seiner Mitarbeiter und breiter Teile der Öffentlichkeit gegen die schmutzigen Methoden der Geheimdienste beiseite, weil er als Praktiker wußte, daß die USA im Kriegsfall in einen Nachteil gegenüber England, Deutschland und Rußland geraten würden, die alle bereits über gut funktionierende, internationale Nachrichtendienste verfügten. Er wußte aber auch, daß Hoover und Donovan allein schon wegen ihrer Persönlichkeiten und ihrer Arbeitsweisen nicht zusammenpaßten. In der Tat bewegte sich der selbstsichere, extrovertierte Kriegs- und Frauenheld Donovan im Gegensatz zu dem FBI-Bürokraten, der zeit seines Lebens die USA nur zu Tagesausflügen und zu einem Kurzurlaub in der Karibik verließ, mit Leichtigkeit auf internationalem Parkett, war mit Churchill bekannt, pflegte Kontakte mit britischen Nachrichtenprofis wie dem James Bond-Erfinder Ian Fleming, und scheute sich nicht, mitten im Krieg nach Moskau zu fliegen, um

---

45 *War Report of the OSS (Office of Strategic Services)*. Bd. 1. New York: Walker 1976, S. 65.
46 Ankündigung zur Verleihung des ersten William J. Donovan Memorial Award an Edward Teller, 17. 11. 1959 (FBI-Akte, Emergency Rescue Committee).

über einen Austausch zwischen dem russischen Geheimdienst NKWD und dem OSS zu verhandeln. Kritik an den als ›links‹ verschrienen Intellektuellen in seiner Abteilung Research & Analysis wies der an der Columbia University ausgebildete erfolgreiche Rechtsanwalt mit dem Hinweis auf die Qualität der abgelieferten Arbeit zurück. Berührungsängste mit verdächtigen Ausländern wie Franz Neumann und Herbert Marcuse kannte er im Gegensatz zu dem provinziellen Hoover nicht.

Entnervt von den alten Querelen zwischen dem FBI und den militärischen Geheimdiensten und dem neuen Streit zwischen Hoover und OSS setzt Roosevelt schließlich für die Kriegsjahre folgenden modus vivendi durch: OSS, die Military Intelligence Division der Armee und das Office of Naval Intelligence erhalten das Ausland als Operationsgebiet, mit Ausnahme von Lateinamerika, wo das FBI als Special Intelligence Service in Kooperation mit dem Department of State und Nelson Rockefellers Office of the Coordinator or Inter-American Affairs (IAA) tätig bleibt. Hoover toleriert dafür im Gegenzug bis auf weiteres stillschweigend die ohnehin weitgehend »overt«, also über die Auswertung von Publikationen, Interviews, Besuche öffentlicher Veranstaltungen usw. abgewickelte Inlandsarbeit des nie mehr als »50 vollbeschäftigte und etwa 100 freiwillige Mitarbeiter«[47] zählenden Foreign Nationalities Branch im OSS.

Der Foreign Nationalities Branch war dem FBI-Boss zweifellos ein Dorn im Auge. An der Tatsache, daß sich J. Edgar Hoover, der nach seinem Sieg im Krieg gegen Gewaltverbrecher wie »Machine-Gun« Kelly, »Baby Face« Nelson und Kate »Ma« Barker ohnehin nach neuen Aufgaben suchte, Ende der dreißiger Jahre in der Debatte um die innere Sicherheit der USA als Mann der Stunde erwies, vermochten die Kontakte von Donovans Inlandsaufklärung mit Immigranten und Exilanten denn auch nichts zu ändern. Ein ausgeprägter Instinkt für Macht, sein ungewöhnliches Organisationstalent und ein lebenslanger Glaube an bürokratische Strukturen hatten den Direktor des FBI längst in die Nähe des ›big government‹-Praktikers Roosevelt gerückt, obwohl ihm dessen Weltanschauung sonst keineswegs lag. Mit der Überwachung von Fremden – Deutschen und ›Roten‹ – hatte Hoover sich bereits als junger Angestellter im Justizministerium gegen Ende des Ersten Weltkriegs seine Sporen verdient. Und schließlich prädestinierten ihn seine Herkunft und eine seit seinen Anfängen nie modifizierte Ideologie zum Wächter des American Way gegenüber radikalen, subversiven und fremden Elementen.

Hoovers Bild von Amerika war geprägt von den konservativen, puritanisch-viktorianischen Idealen der weißen Mittelklasse seines Landes: der Überzeugung, daß harte Arbeit und ein ordentlicher Lebenswandel Sicherheit und

---

47 Siegfried Beer: »Exil und Emigration als Information.« In Dokumentationsarchiv des österreichischen Widerstandes: *Jahrbuch 1989*. Wien: Österreichischer Bundesverlag 1989, S. 135.

Aufstieg garantieren; einer Religiösität mit Sonntagsschule, Kirchenchor und Tischgebet; und die über Generationen weitergereichte Loyalität einer Beamtenfamilie zum Staat als Institution und Arbeitgeber. Als der Familie durch eine Erkrankung des Vaters der soziale Abstieg droht, nimmt J. E., wie er von seiner dominierenden Mutter genannt wird, Arbeit in der Library of Congress an und schließt sein Jurastudium in einer örtlichen Abendschule ab. Die erste feste Anstellung erhält der Zweiundzwanzigjährige 1917 im Justizministerium, in dem er sich fortan kontinuierlich bis zum Direktor des Bureau of Investigation (BI) hocharbeitet – ein Amt, dem er bis zu seinem Tod achtundvierzig Jahre, sechzehn Justizminister und acht Präsidenten später treu bleibt. Intellektuelle Neugier, Offenheit gegenüber dem Fremden, Reisen und das Risiko zu Experimenten finden in seiner Welt keinen Platz. Konsequent werden Abnormalitäten und Triebe – auch in der eigenen Biographie – unterdrückt und Veränderungen als Gefahr verstanden. Die Ordnung von Karteikästen und durch endlose Querverweise verzettelten Dossiers soll die Planlosigkeit der Geschichte und die zersetzende Frage nach dem entweder-oder unter Kontrolle halten. Der Unsicherheitsfaktor Mensch wird im Machtbereich des Direktors des FBI durch hierarchische Befehls- und Organisationsstrukturen, Standardisierung der Ausbildung, ein absolutes Loyalitätsgebot und strenge Verhaltensregeln so weit wie möglich normiert.

Geradlinig verläuft denn auch die berufliche Entwicklung des FBI-Bosses – eine Entwicklung, die auf Erfahrungen gegründet ist, die wie gemacht sind für die Überwachung der deutschen und österreichischen Exilanten während der vierziger Jahre. Als »intelligence clerk« und »permit officer« wird der junge Hoover, der lieber nicht als Soldat nach Europa geschickt werden will, nach dem Eintritt der USA in den Krieg damit beschäftigt, deutsche »enemy aliens« zu überwachen, Internierungs- und Deportationsanträge zu bearbeiten, Reisegenehmigungen auszustellen und Ausländer zu überprüfen, die durch eine freiwillige Meldung zum Militärdienst die amerikanische Staatsbürgerschaft erwerben wollen. Als diese Arbeit mit dem Ende des Krieges ausläuft, transferiert Hoover sein Wissen bruchlos auf ein ähnliches Feld: die Überwachung, Internierung und Ausweisung von ausländischen Anarchisten, Gewerkschaftern und Kommunisten. Einen Sommer lang liest jung Hoover vor dem Hintergrund des ersten großen »red scare« vom *Kommunistischen Manifest* bis zu den Pamphleten der Socialist Party of America alle erdenklichen Publikationen der Linken und legt dem House Committee on Rules die Früchte seiner Lektüre in Form eines detaillierten Memorandums vor. Ziel dieses Gutachtens ist der Nachweis, »that the Communist Party of America... openly advocates the overthrow of the Government of the United States by force and violence«[48] und daß ihre nicht-amerikanischen Rädels-

---

48 J. Edgar Hoover, »Brief on the Communist Party. Status of the Communist Party Under the

führer deshalb deportiert werden dürfen. Die Schriften der Kommunisten, die seiner Meinung nach ohnehin nur von wenigen »intellectual perverts«[49] unterstützt werden, entlarvt Hoover als »atheistic in tendency and immoral«[50]. Ein gut organisiertes Team übersetzt und analysiert unter seiner Leitung hunderte von radikalen Zeitschriften aus dem In- und Ausland. In Zusammenarbeit mit dem berüchtigten Justizminister A. Mitchell Palmer inszeniert Hoover als Leiter der zunächst Anti-Radical Division genannten General Intelligence Division des Bureau of Investigation zum Jahreswechsel 1919/20 die Aktionen gegen die Federation of the Union of Russian Workers. Wenig später verabschiedet er auf Ellis Island persönlich jenes »Rote Arche« genannte Schiff, auf der die Anarchisten Emma Goldman und Alexander Berkman zusammen mit »249 blasphemous creatures who not only rejected America's hospitality... but also sought... to ruin her as a nation of free men«[51] nach Rußland deportiert werden. Und auch als die öffentliche Meinung sich längst gegen jene gestellt hat, die den Kommunismus zu einer deutschen Erfindung erklären und in den Bombenwerfern des Jahres 1919 Bolschewisten »aided by Hun money«[52] sehen, verteidigt er weiter in Schrift und Wort die ›Palmer Raids‹, in deren Verlauf in 32 Städten nahezu 10.000 Linke verhaftet, verhört und nicht selten mißhandelt wurden.

Als Instrument standen Hoover bei seinen Aktionen gegen die »rote Gefahr« 1919/20 vor allem drei Notstandsgesetze zur Verfügung, auf die er sich zwanzig Jahre später bei der Überwachung der deutschsprachigen Exilanten wieder berufen wird: die Immigration Act, die die Deportation von radikalen Ausländern regelt, die den Sturz der Regierung propagieren bzw. einer Organisation angehören, die sich nicht loyal gegenüber der amerikanischen Verfassung verhält; die Espionage Act, nach der die Zersetzung des Wehrdienstes, nach Bedarf aber auch politischer Dissens, illegal ist; und die Sedition Act von 1918, die es strafbar macht, »to... utter, print, write, or publish any disloyal, profane, scurrilous, or abusive language about the form of government of the United States... or any language intended to... encourage resistance to the United States, or to promote the cause of its enemies«[53]. Zeitle-

---

Act of Congress Approved October 16, 1918.« In: *J. Edgar Hoover Speaks Concerning Communism.* Hrsg. v. James D. Bales. Washington: Capitol Hill Press 1970, S. 288.

49 Bericht der General Intelligence Division, zitiert in U.S. Congress. House of Representatives. *Hearings Before the Committee on Rules.* 66th Congress, 2nd Session, 1920, Teil 1 (Attorney General A. Mitchell Palmer on Charges Made Against Department of Justice by Louis F. Post and Others), S. 142.

50 A. a. O., S. 174.

51 *New York Times* v. 17. 12. 1919. Zitiert nach Gentry, *J. Edgar Hoover,* S. 85.

52 *Washington Post* v. 3. 7. 1919. Zitiert nach a. a. O., S. 78.

53 Zitiert nach Robert K. Murray: *Red Scare. A Study of National Hysteria, 1919–1920.* New York: McGraw-Hill 1964, S. 14.

bens ein Meister im Umgehen von Gesetzen und Direktiven seiner Vorgesetzten, begreift Hoover rasch, daß ihm die vagen Formulierungen dieser Verordnungen breiten Spielraum für individuelle Auslegungen lassen. Je nach Bedarf bringt er den unscharfen Begriff »Loyalität« ins Spiel, erklärt ausländische Organisationen, besonders wenn sie gewerkschaftliche Ziele verfolgen, zu Feinden der U.S.-Verfassung und greift als unamerikanisch an, wer sich in Wort und Schrift kritisch über den American Way, seine Behörde oder ihn selbst äußert. Dabei vermengen sich schon damals, 1919/20, handfeste Polizeimaßnahmen wie Massenverhaftungen, Bespitzelungen, Einbrüche, Deportationen und die systematische Sammlung von jedem nur erdenklichen Belastungsmaterial mit einer verschwommenen, wortreich vorgetragenen Ideologie, die mehr mit moralisch-religiösen, als mit politischen Kategorien operiert. In diesem Sinne verteidigt Hoover seine Kampagne gegen die Union of Russian Workers damit, daß die Propagandaliteratur, die seine Männer bei den Razzien konfisziert hatten, »atheistic in tendency and immoral and vicious in purpose«[54] sei. Nach intensivem Studium der Schriften von Marx, Engels, Lenin und Trotzki kommt er zu dem Schluß, daß der Kommunismus nur von ein paar Perversen, »blinded by the thought of achievement of a utopian political commenwealth«[55], unterstützt werde. Und als er sich daran macht, die Deportation der ›Königin der Roten‹ genannten Emma Goldman vorzubereiten, soll er sich so lange mit ihren Publikationen und ihrer Person beschäftigt haben, bis er »eindeutig beweisen konnte, daß sie wirklich ein Feind unserer rechtmäßigen Regierung war«[56].

Justizminister Harlan F. Stone war zweifellos gut beraten, als er sich im Dezember 1924 vor der Ernennung von J. Edgar Hoover zum Direktor des Bureau of Investigation von seinem Untergebenen versprechen ließ, daß das Bureau fortan keine Kampagnen mehr gegen Radikale und Kommunisten führen werde und sich auf Fälle mit »violation of the Federal statutes«[57] beschränkt. Eineinhalb Jahrzehnte später – Thomas Mann, Bertolt Brecht, Lion Feuchtwanger und andere schreibende Exilanten kamen gerade in den USA an – war dieses Versprechen, an das sich Hoover ohnehin nie sehr eng gehalten hatte, endgültig hinfällig geworden. Im Gefolge der blutigen Auseinandersetzungen in Spanien, des auf fatale Weise an den Frieden von Brest-Litowsk erinnernden Hitler-Stalin Paktes und der zunächst vermeintlichen und

---

54 Bericht der General Intelligence Division, S. 174.

55 A. a. O., S. 142.

56 *National Magazine*, März 1925 (Album in der Hoover Memorabilia Collection, National Archives), zitiert nach Powers, *Die Macht im Hintergrund*, S. 101. Obwohl Powers offensichtlich mit Grund die Glaubwürdigkeit dieser Quelle in Frage stellt (S. 101 u. 554), besteht doch kein Zweifel, daß Hoover mit A. Mitchell Palmer darin übereinstimmte, daß »es in diesem Land wahrscheinlich noch nie eine Frau gegeben hat, die der amerikanischen Moral... soviel Schaden zugefügt hat wie Emma Goldman...« (a. a. O., 553).

57 Zitiert nach Theoharis/Cox, *The Boss*, S. 105.

dann sehr realen Bedrohung der USA durch die Achsenmächte und ihre japanischen Verbündeten, gilt es jetzt erneut, vor »alien groups..., foreign oppressions and noxious ›isms‹«[58] zu warnen, die Hand in Hand mit Schriftstellern, »who decry religion and argue that distance from God makes for happiness«[59], das amerikanische Heim durch eine »social world filled with frivolities and surrounded by a confusion of silly theories«[60] gefährden und es zulassen, daß der »spirit of Americanism... be drugged with alien ideologies... and... the shallow smartness of sophistication«[61]. Deutsche geraten einmal mehr in die Rolle der gehaßten »enemy alien«, hinter denen man Saboteure, Spione und Agitatoren vermutet, die sich nur durch scharfe Überwachung und Androhung von Internierung oder Deportation unter Kontrolle bringen lassen. Sind diese Deutschen, wie die Exilautoren, zudem noch Liberale, linke Mitläufer oder gar echte Kommunisten, die in ihrer Heimat oder als Flüchtlinge in ihren Asylländern in Lagern eingesessen und Ärger mit der Polizei bekommen hatten, werden sie für Hoover doppelt und dreifach verdächtig.

Wie in etwa Hoovers Amerika in den vierziger Jahren aussah und wie kurz für ihn der Weg zurück zu seinen Jugenderfahrungen war, läßt sich am besten an den Reden und Aufsätzen ablesen, mit denen Amerikas berühmtester Polizist seine ebenso simple wie eindringliche Ideologie vom American Way unter die Leute brachte, Gegner verteufelte und sich bedingungslos für Moral, Religion, Familie und Loyalität gegenüber seinem Land einsetzte.

»Vile and vicious forces«, warnt der FBI-Boss Frauenclubs und Studenten ebenso wie die Daughters of the American Revolution und seine Kollegen von der International Association of Chiefs of Police in der für ihn und seine Zeit typischen verquollenen, demagogischen Sprache, »are today seeking to tear our America asunder – killing freedom, ravishing justice, and destroying liberty...«[62] »Foreign interlopers«, »international swindlers« und den »espouser of alien philosophies« dürfe nicht erlaubt werden, sich »behind masquerading fronts« zu verstecken: »As they show their vicious fangs and pour forth their venom of hate and vilification, remember that law enforcement is regarded as a symbol. It must fight back... for the preservation of that which it symbolizes – American Democracy.«[63] »The subversive group – those termites of discontent and discord«[64], könne nur durch einen »heiligen Krieg«

---

58 J. Edgar Hoover: »A Nation's Call to Duty. Preserve the American Home.« In: *Vital Speeches of the Day*. Bd. 8, Nr. 18 v. 1. 7. 1942, S. 555.

59 A. a. O., S. 556.

60 A. a. O., S. 555.

61 A. a. O., S. 554.

62 Max Lowenthal: *The Federal Bureau of Investigation*. New York: Sloane 1950, S. 357.

63 A. a. O., 360.

64 J. Edgar Hoover: »The Battle on the Home Front. Protection for Home and the Hearthside.« In: *Vital Speeches of the Day*. Bd. 9, Nr. 23 v. 15. 9. 1943, S. 736.

neutralisiert werden, wie ihn das FBI Tag und Nacht führt. »Psychopathic canard purveyors«[65], die sich Journalisten nennen, müsse ebenso wie der »ever broadening front dominated by the subverter and purveyor of alien isms«[66] durch den Rückgriff auf »sound Christian and Democratic principles«[67] das Handwerk gelegt werden. Wahrhaft modern seien nämlich allein die traditionellen Werte Amerikas, »law and order«[68], »patriotic ideals«, »civic righteousness«[69] und die »rugged teachings of Christ«[70]. Nichts wolle Hoover mit jenen »pseudo-liberals« zu tun haben, die für ihn mehr noch als »rabble-rousing Communists« und »goosestepping bundsmen«[71] einer »doctrine of falsification and distortion« anhängen und seine Behörde schlecht machten. »They add and subtract, twist and warp facts with the rapidity of a whirling dervish,« warnt er im März 1941 die Absolventen seiner Polizeiakademie, »inconsistency is no deterrent when they seek to spread their poppycock propaganda. They seek to weaken law enforcement in every conceivable manner as their first step toward turning law and order into revolution and chaos.«[72] »I charge,« läßt der FBI-Boss die in Washington versammelten erzkonservativen ›Töchter der amerikanischen Revolution‹ wissen, »that accusations indicating a purpose on the part of the Federal Bureau of Investigation to become an Ogpu, a Gestapo, a national police, or anything resembling such bodies, emanate... from certain anti-American bodies who hope to discredit the FBI as a step in a general plan to disrupt the entire United States...«[73] – und weiß auch gleich, wo die ›Daughters of the American Revolution‹ nach diesen ›anti-amerikanischen Körperschaften‹ zu suchen haben, nämlich bei Ausländern und Schriftstellern: »Foreign ›isms‹ are seeking to engulf Americanism... in the underworld of literacy... by oral and printed attack, numerous thinly camouflaged organizations of questionable background and endeavor have sought to wash away our national foundation in an ink stream of vilification...«[74]

---

65 A. a. O., S. 735.

66 J. Edgar Hoover: »The Reconversion of Law Enforcement.« In: *Red fascism*. Zusammengestellt von Jack B. Tenney. New York: Arno 1977, S. 648.

67 Hoover, »A Nation's Call to Duty«, S. 554.

68 J. Edgar Hoover: »Fifty Years of Crime.« In: *Vital Speeches of the Day*. Bd. 5, Nr. 16 v. 1. 6. 1939, S. 508.

69 A. a. O., S. 509.

70 Hoover, »A Nation's Call to Duty«, S. 554.

71 Zur Geschichte des German American Bund in den USA vgl. Susan Canedy: *America's Nazis: A Democratic Dilemma. A History of the German American Bund*. Menlo Park: Markgraf Publications 1990 und Sander A. Diamond: *The Nazi Movement in the United States, 1924-1941*. Ithaca: Cornell University Press 1974.

72 Lowenthal, *The Federal Bureau of Investigation*, S. 361.

73 A. a. O., S. 356.

74 A. a. O., S. 357.

Doch der innerste Kreis von Hoovers Hölle wird in den vierziger Jahren, wie schon einmal um 1920, von jenen »disciplined brigades of... conspirators« besiedelt, die der FBI-Mann zeit seines Lebens als die größte Gefahr für den American Way of Life gesehen hat: den Kommunisten. »Anti-democratic and godless« seien alle Mitglieder und Freunde der KP, »treachery« und »deceit« ihre Mittel, »tyranny and oppression«[75] ihr Ziel, »the slimy wastes of lawlessness«[76] ihr Versteck. »No trick is too low for them. They are masters of the type of evasion advocated by that great god of Communism, Lenin...«[77] »The Communist[s]«, läßt der Ideologe des American Way im Frühjahr 1940 in einer Radioansprache die Abschlußklasse einer Universität im ländlichen Des Moines, Iowa, wissen, »by falsehood and fakery... gnaw at the Nation's vitals. Their insidious propaganda... has even gained an entry into some of our churches and many of our schools...«[78] Kommunisten und Faschisten seien beide »materialistic,... totalitarian,... anti-religious,... degrading and inhuman. In fact, they differ little except in name. Communism has bred Fascism and Fascism spawns Communism.«[79] Kurz: »Red Fascists« sind, »akin to disease that spreads like an epidemic«[80], zum Angriff auf die amerikanische Regierung angetreten, »which has stood for almost two centuries as a beacon light amid world conflicts«[81]. Und wie eine Epidemie, doziert Hoover 1947 in der für ihn typischen medizinisch-biologischen Terminologie vor dem House Committee on Un-American Activities, nur durch Quarantäne aufzuhalten ist, sei das beste Gegenmittel gegen den Kommunismus »vigorous, intelligent, old-fashioned Americanism with eternal vigilance«[82].

J. Edgar Hoover hatte 1945 alles das erreicht, wovon er nach Ende des Ersten Weltkriegs nur träumen konnte – mit einer Ausnahme. Aus dem jungen Angestellten im Justizministerium war der in der Öffentlichkeit bewunderte und von Präsidenten gefürchtete Direktor von Amerikas mächtigster Polizeibehörde geworden. Deutsche Spione und Saboteure, die 1917/18 in den USA noch einigen Schaden angerichtet hatten, waren im zweiten Krieg sofort neutralisiert worden. Die vom FBI verkörperte – zeittypische – Mi-

75 J. Edgar Hoover: »How to Fight Communism.« In: *Newsweek* v. 9. 6. 1947, S. 30.
76 Hoover, »Fifty Years of Crime«, S. 508.
77 Hoover, »How to Fight Communism«, S. 30.
78 Lowenthal, *The Federal Bureau of Investigation*, S. 358.
79 J. Edgar Hoover: »Our ›Achilles' Heel‹.« In: *Vital Speeches of the Day*. Bd. 13, Nr. 1 v. 15. 10. 1946, S. 11.
80 J. Edgar Hoover: Rede vor dem House Committee on Un-American Activities. In: U.S. Congress. Senate. *Congressional Record*. 80th Congress, 1st Session. Bd. 93, T. 2, 1947, S. 2692.
81 Hoover, »How to Fight Communism«, S. 30.
82 Hoover, Rede vor dem House Committee on Un-American Activities, S. 2692.

schung aus kruder Ideologie und hocheffizienter Technologie war in gleichen Schritt und Tritt gebracht worden mit den Ängsten und Hoffnungen der Amerikaner, die der Bedrohung durch Faschismus, Kommunismus und Fremde nicht viel mehr als die vage definierten, rasch zerbröckelnden Werte des American Way of Life entgegenzustellen hatten. Und mit der Hatch Act war ihm jenes Mittel gegen subversive Elemente in die Hand gegeben, um das er und sein Justizminister Palmer sich einst vergebens bemüht hatten. Nur einen Gegner hatte Hoover bislang noch nicht überwunden – und der wurde ihm wie von selbst durch die Geschichte erneut gegenübergestellt: die Kommunisten und ihre Mitläufer und ›fronts‹.

Daß Hoover das Interesse an der Kommunistenjagd nie abhanden gekommen war, hatte nicht zuletzt die inmitten des Krieges ziemlich deplaziert wirkende Aufmerksamkeit deutlich gemacht, mit der das FBI das unscheinbare Grüppchen der aus Europa geflohenen Naziopfer beobachtete. Jetzt, angesichts von Kaltem Krieg, Atomspionage und dem Konflikt in Korea, ist die Erfahrung des Direktors auf diesem Feld mehr denn je gefragt. Fast alles was Hoover im ersten Nachkriegsjahrzehnt in der politischen Arena unternimmt dreht sich denn auch direkt oder indirekt um dieses Thema. Mit großem Aufwand und der Hilfe von Informanten, Denunzianten und Exkommunisten wie Whittaker Chambers, Elizabeth Bentley und Louis Francis Budenz trägt das FBI zum Teil schon vor Ausbruch des Kalten Krieges Material im sogenannten *Amerasia*-Fall, bei der Untersuchung gegen Harry Dexter White und für die Prozesse gegen Alger Hiss und das Ehepaar Ethel und Julius Rosenberg zusammen. Das Los Angeles Field Office ist angewiesen, HUAC, das nach dem Prinzip vorging, »that one of the most effective weapons against un-American activities is their continuous exposure to the spotlight of publicity«[83], bei der Untersuchung der Filmindustrie von Hollywood mit Unterlagen auszuhelfen, so auch für die Verhöre von Bertolt Brecht und Hanns Eisler. Angesichts der Gefahr eines neuen Weltkrieges verstärkt Hoover seine Bemühungen, ein Schutzhaftprogramm durchzusetzen. Mit dem ohnehin ungeliebten Harry Truman, dem nicht nur die HUAC-Verhöre (»red herring«[84]), sondern die politische Atmosphäre während seiner Amtszeit allgemein derart fremd war, daß er eine Studie zum Thema Hysterie und Hexenverfolgung in der Geschichte der USA in Auftrag gab[85] und seine Landsleute vor der Errichtung eines Polizeistaates in Amerika warnt (»we must... be on our guard

83 U.S. Congress. House of Representatives. Committee on Un-American Activities. *Interim Report on Hearings Regarding Communist Espionage in the United States Government.* 80th Congress. 2nd Session, 1948, S.1.
84 Theoharis/Cox, *The Boss*, S. 273.
85 »A Study of ›Witch Hunting‹ and Hysteria in the United States« (Papers of George M. Elsey, Harry S. Truman Library, Independence, USA).

J. Edgar Hoover mit den Präsidenten der USA Harry S. Truman bzw. Dwight D. Eisenhower

against extremists who urge us to adopt police state measures«[86]), zerstreitet sich der FBI-Boss über der Frage, wer das politisch schwergewichtige Loyalitätsprogramm verwalten soll. Und immer wieder spielt Hoover in Reden und Essays die Rolle als Retter seines Landes vor subversiven Elementen: »I do fear for the liberal and progressive who has been hoodwinked and duped into joining hands with the Communists... I do fear so long as school boards and parents tolerate conditions whereby Communists and fellow travelers under the guise of academic freedom can teach our youth a way of life that eventually will destroy the sanctity of the home, that undermines faith in God, that causes them to scorn respect for constituted authority and sabotage our revered Constitution.«[87] »The Godless, truthless way of life that American Communists would force on America«, läßt er im Dezember 1945 in einer bezeichnenderweise »The Reconversion of Law Enforcement« genannten Rede die Mitglieder der International Association of Chiefs of Police wissen, »can mean only tyranny and oppression if they succeed«[88] – und lobt sich gleich selbst dafür, daß sich im Zweiten Weltkrieg weder die »dragnets of World War I« noch die »slacker raids«[89] wiederholt haben. Die Jahresversammlung der konservativen American Legion läßt er 1946 wissen, daß die Sicherheit Amerikas an zwei Fronten verteidigt werden müsse: im Kampf gegen das Verbrechen und gegen »the growing menace of Communism«[90]. Die Leser von *Newsweek* erfahren von Amerikas erstem Polizisten, daß »›Communist sympathizers‹, ›fellow travelers‹, and ›Communist stooges‹« gefährlicher sind als »card-carrying Communists«[91]. Mit einem 1350 Seiten umfassenden Gutachten für die Abteilung Innere Sicherheit im Justizministerium schreibt der Direktor des FBI seine 1918/19 begonnene Geschichte der KPUSA weiter. Vor allem aber macht Hoover, der sich sonst nur selten in offizieller Funktion auf dem Kapitol sehen ließ, Furore mit einem über Radio und Wochenschauen verbreiteten Auftritt vor dem House Un-American Activities Committee, den er vor allem für drei Zwecke nutzt: Einmal, um seine Angriffe auf die Linken im Lande zu wiederholen (»the mad march of Red fascism is a cause for concern in America«); zweitens, um seine Kritiker auszuschalten (»anyone who opposes the American Communist is at once branded as a ›disrupter‹, a ›Fascist,‹ a ›Red baiter,‹ or a ›Hitlerite‹«[92]); und drittens, um sich als sachlicher, kühler Profi von der Hysterie der Hexenjäger abzusetzen: »Mr. Bonner [vom

---

86 Harry S. Truman, Manuskript einer Rede an den Kongress der Vereinigten Staaten v. 8. 8. 1950, S. 5 (President's Secretary's File, Harry S. Truman Library, Independence, USA).
87 Hoover, Rede vor dem House Committee on Un-American Activities, S. 2692.
88 Hoover, »The Reconversion of Law Enforcement«, S. 648.
89 A. a. O., S. 645.
90 Hoover, »Our ›Achilles' Heel‹«, S. 10.
91 Hoover, »How to Fight Communism«, S. 30.
92 Hoover, Rede vor dem House Committee on Un-American Activities, S. 2690.

HUAC]. Mr. Hoover, since VE-day and VJ-day [Victory Europe und Victory Japan], we have had some terrible catastrophes – railroad wrecks and all sorts of fires – ship fires and hotel fires. Could it be assumed that they have any connection with the communistic movement in this country? Mr. Hoover. I haven't any statistics before me, but I would think... that might be due to the condition of the equipment and the failure to... obtain... repairs that are necessary.«[93]

Es versteht sich, daß angesichts der inneramerikanischen Hexenjagd die Beschattung der Exilanten nach Kriegsende rasch in den Hintergrund trat – so wie auch Deutschland und die Deutschen beinahe über Nacht aus der öffentlichen Diskussion verschwanden. Ungeschoren kamen die inzwischen in der Mehrzahl eingebürgerten Hitlerflüchtlinge aber allein schon deshalb nicht davon, weil das FBI eine Akten nie endgültig schließt. So sorgen Bertolt Brecht und die Brüder Hanns und Gerhart Eisler mit ihren Auftritten vor dem House Un-American Activities Committee bzw. – im Fall von Gerhart Eisler – Internierung, Pressekampagnen und einer spektakulären Flucht für Aufsehen. Feuchtwanger wird in seinem südkalifornischen Domizil unter anderem von HUAC-Mitglied Richard M. Nixon beobachtet. Mit schöner Regelmäßigkeit tauchen die Namen von Brecht, Feuchtwanger, Mann, Stefan Heym und anderen in den Jahresberichten des kalifornischen Senate Fact-Finding Committee on Un-American Activities auf. Erwin Piscator erhält 1947 den Bescheid, daß sein Antrag auf Erwerb der amerikanischen Staatsbürgerschaft endgültig abgelehnt wurde. Fünf Jahre später verläßt Thomas Mann die USA in Richtung Schweiz, nachdem er in rechten Pressekampagnen, die ihren Weg in seine FBI-Akte fanden, mehrfach als »upholder of Soviet amorality«[94] oder als »America's Fellow-Traveler No. 1«[95] angegriffen worden war.

Mann war einer der letzten Exilautoren, der aus der Neuen zurück in die Alte Welt ging. Nicht lange nach seiner Übersiedlung war der Spuk der nach dem gefürchteten Senator aus Wisconsin, Joseph McCarthy, benannten McCarthy-Ära weitgehend vorbei. J. Parnell Thomas, der Brecht verhört hatte, mußte wegen Unterschlagungen in dasselbe Gefängnis, in das er einige der Hollywood Ten gebracht hatte. McCarthy wurde nach seinen überzogenen Attacken auf die angeblich von Kommunisten unterwanderte U.S.-Armee politisch isoliert. Im Weißen Haus löste der republikanische Weltkriegsge-

---

93 U.S. Congress. House of Representatives. Committee on Un-American Activities. *Investigation of Un-American Propaganda Activities in the United States*. 80th Congress. 1st Session. T. 2 (Testimony of J. Edgar Hoover, Director, Federal Bureau of Investigation, 26. 3. 1947). Washington, 1947, S. 50.

94 Eugene Tillinger: »The Moral Eclipse of Thomas Mann.« In: *Plain Talk* (Nachdruck) v. Dezember 1949, o. S.; zitiert nach einer Kopie in Thomas Manns FBI-Akte.

95 Eugene Tillinger: »Thomas Mann and the Commissar.« In: *The New Leader* v. 18. 6. 1951, S. 6; zitiert nach einer Kopie in Thomas Manns FBI-Akte.

neral Dwight D. Eisenhower den Demokraten Harry Truman ab, dem der Balanceakt zwischen dem Bedarf der Amerikaner nach einer starken Hand in Sachen innere Sicherheit und dem Hexenjäger McCarthy nicht geglückt war. Andere, wie Nixon und der FBI-Informant Ronald Reagan, benutzten die Jahre der Kommunistenhatz als Sprungbrett für ihre politischen Karrieren. Alles beim Gleichen blieb nur für J. Edgar Hoover, der nach der Zerschlagung der Kommunistischen Partei der USA durch eine Reihe von Prozessen und einer lauwarmen Beziehung zu den Bürgerrechtlern der sechziger Jahre in der Bewegung gegen den Vietnamkrieg noch einmal einen von ihm als prokommunistisch verstandenen Gegner fand. Hoover starb 1972 nach fast fünf Jahrzehnten im Amt des »Director, FBI«. In seiner Grabrede faßte Richard Nixon vier Wochen vor Watergate das Lebenswerk des FBI-Chefs zusammen: »... the trend of permissiveness in this country, a trend which Edgar Hoover fought against all his life, a trend which was dangerously eroding our national heritage as a law-abiding people, is now being reversed. The American people today are tired of disorder, disruption and disrespect for law.«[96]

Geheimdienste, Behörden, Überwachungsmethoden

Federal Bureau of Investigation

Geheimdienste arbeiten nach dem Prinzip, so viele Informationen über einen Untersuchungsgegenstand zu sammeln wie möglich. Dazu brauchen sie einen entsprechend umfangreichen Apparat an Personal und technischen Hilfsmitteln, der seine Existenz und Expansion wiederum aus der Menge und Bedeutung des angehäuften Daten ableitet. In welchem Maße auch das Federal Bureau of Investigation diesem Zirkelschluß unterlag, macht nicht nur die sprungartige Vergrößerung von Hoovers Behörde während der politisch unruhigen vierziger Jahre deutlich, sondern auch die Vielzahl der Überwachungsmethoden, die gegen die Exilanten in den USA und in Mexiko eingesetzt wurden. Oder anders gesagt: Das versprengte und als Gruppe von der einheimischen Öffentlichkeit kaum wahrgenommene Häuflein Exilautoren geriet nicht nur deshalb in die Schußlinie des FBI, weil es sich hier um Deutsche handelte, die zugleich noch mehr oder wenig »links« waren, sondern auch, weil Hoovers rasch expandierende Behörde nach den erfolgreichen Kampagnen gegen Gangster wie John Dillinger und »Pretty Boy« Floyd neue Gegner brauchte. Hinzu kam, daß die Asylsuchenden öffentlich und mit Stolz darauf hinwiesen, daß sie in Wort und Tat Widerstand gegen die bestehende Staatsgewalt in ihrem Heimat- und ihren Transitländern geleistet hatten –

---

96 Gentry, *J. Edgar Hoover*, S. 722.

sicherlich keine Empfehlung in den Augen von Hoovers Amt, das während der dreißiger Jahre mit eben jenen Polizeibehörden auf Kongressen und bei Freundschaftsbesuchen Erfahrungen austauschte, auf deren Fahndungslisten die Exilanten geführt wurden.[1]

Hoover knüpfte das Netz, mit dem seine Behörde die USA auf der Suche nach kriminellen und subversiven Elementen überzog, seit den zwanziger Jahren systematisch enger. In fast jeder größeren Stadt existierten Field Office genannte Außenstellen des Bureaus mit den Exilzentren New York und Los Angeles als größten und wichtigsten Niederlassungen. Special Agents arbeiteten an Grenzübergängen und in verschiedenen Kommissionen auf Ellis Island eng mit der Einwanderungsbehörde zusammen. Hoovers Leute waren in den Zweigstellen des Office of Censorship präsent, wenn Post etwa von Heinrich Mann an die Freien Deutschen in Mexiko oder von Anna Seghers an ihren Agenten Maxim Lieber in New York geöffnet, gelesen und gelegentlich vernichtet (»condemn«) wurde.

Bestimmt war die Arbeitsweise des FBI durch eine strikt hierarchische Struktur, die dafür sorgte, daß Hoover und seine engsten Mitarbeiter im Hauptquartier der Behörde in Washington immer auf dem Laufenden blieben. Field Offices waren angehalten, regelmäßig Zusammenfassungen ihrer Untersuchungsergebnisse an den »Director, FBI« zu schicken – und zwar in einem exakt vorgeschriebenen Format, auf das weiter unten genauer eingegangen wird. Special Agents hatten die Aufgabe, verdächtige Personen zu observieren, Telephone abzuhören und Unterlagen bei Behörden, in Zeitungsarchiven und Bibliotheken einzusehen. Ihre Vorgesetzten, die sogenannten Special Agents in Charge (SAC), zeichneten für periodische Zusammenfassungen der Untersuchungsergebnisse für die Zentrale in Washington und für die an den »Director, FBI« gerichtete Korrespondenz verantwortlich, die mit dem Hauptquartier per Post oder ›Teletype‹ geführt wurde. Ein kleines Heer von Mitarbeitern befaßte sich in den Field Offices und in Washington damit, die durch ein ausgeklügeltes, mehr als 200 Kategorien umfassendes und bis heute kaum verändertes Zahlensystem gekennzeichneten Akten abzulegen: 100 für »Domestic Security« wurde dabei für die Exilanten mit Abstand am

---

1 So traten die USA mit J. Edgar Hoover als Repräsentant nach langem Zögern 1938 dem Interpol-Vorläufer International Criminal Police Commission (ICPC) bei – dem Jahr, als die in Wien angesiedelte Organisation endgültig in die Hände der Nazis fiel und unter Kontrolle von Reinhard Heydrich geriet. Doch auch ohne ICPC-Mitgliedschaft hatte Hoover Spezialisten aus seinem Büro wie Charles A. Apple seit Jahren in Europa Informationen zum letzten Stand der Verbrechensbekämpfung sammeln lassen. Das FBI zog sich 1950 zeitweilig aus Interpol zurück als deutlich wurde, »that European members were uncomfortable about the FBI's involvement at that time in antisubversive work, which they felt was political« (Michael Fooner: *Interpol. The Inside Story of the International Crime-Fighting Organization.* Chicago: Regnery 1973, S. 83).

häufigsten eingesetzt; 105 stand für »Foreign Counterintelligence«, 97 für »Foreign Agents Registration Act«, 65 für »Espionage«, 64 für »Foreign Miscellaneous« usw.[2] Schriftstücke, die an höhergestellte Beamte weitergeleitet wurden, sind mit einem Stempel versehen, der die Namen von Hoovers engsten Mitarbeitern enthält, angefangen von Clyde Tolson, der rechten Hand des Bosses und längjährigem zweiten Mann im FBI. Und schließlich finden sich in einer Reihe von Dossiers Hinweise, daß Hoover sich persönlich um den Fall eines Exilanten kümmerte.

Der personelle und finanzielle Aufwand, den das FBI bei der Überwachung der seit 1939/40 in die USA einreisenden politischen Flüchtlinge aus Hitlers Machtbereich trieb, ist heute nur noch schwer nachvollziehbar. Ohne Computer und moderne Kopiergeräte brachten die G-Men endlose Berichte auf altmodischen Schreibmaschinen zu Papier, stellten Kopien für interessierte Field Offices und Behörden mit Durchschlagpapier her und schrieben die vom Office of Censorship abgefangene Korrespondenz der Exilanten für ihre Dossiers ab. Querverweise auf andere Aktenbestände wurden von der damals modernsten Polizeibehörde der Welt auf Indexkarten zusammengestellt – ein Verfahren, das anfällig für Fehler war und in einem Fall die Arbeit der Zweigstelle von Los Angeles lahm legte, als ein Erdbeben den Inhalt der Karteikästen durcheinandermischte. Zeitungsartikel wurden schriftlich zusammengefaßt oder in seltenen Fällen fotografiert, Nachrichten zwischen den Field Offices und dem Hauptquartier des FBI telegraphisch, mit der Post oder, »personal and confidential«, per Bote übermittelt und nicht, wie heute, über Fax, Satellit und Computer. Frustriert beantragte das Los Angeles Field Office im Mai 1945, bei der Überwachung von Brechts Telephon eine in der Nähe liegende Wohnung anmieten zu dürfen, »because... certain technical surveillance, including the one on Bert Brecht, could be run to such a plant at a considerable saving to the Bureau«[3] – ein Wunsch, der leicht zu verstehen ist, wenn man weiß, daß Telephonate damals noch auf Platten mitgeschnitten wurden. In Ermanglung geeigneter Aufzeichnungsgeräte fertigten FBI-Mitarbeiter und Informanten ihre Berichte von Gesprächen mit Exilan-

---

2 U.S. Department of Justice, Federal Bureau of Investigation, Research/Drug Demand Reduction Unit, Office of Public Affairs: *Conducting Research in FBI Records*. Washington, 1990, S. 16-7. Gerald K. Haines u. David A. Langbart: *Unlocking the Files of the FBI. A Guide to Its Records and Classification System*. Wilmington: Scholarly Resources 1993 gibt Kurzinformationen zum Klassifizierungssystem des FBI und nennt folgende Zahlen: 487.113 Fälle in Kategorie 100, 334.910 für Kategorie 105, 5.750 für 97 usw.

3 SAC, Los Angeles, Memorandum an Director, FBI, v. 9. 5. 1945 (FBI-Akte, Bertolt Brecht). Special Agent Elmer F. Linberg erinnert sich, in den frühen vierziger Jahren in Los Angeles mehrere Wochen in einem solches Apartment gearbeitet zu haben, in dem 40 oder 50 Telephone mit angeschlossenen Aufzeichnungsgeräten standen (Gespräch mit dem Verfasser, Bridgeport, USA, 18. 9. 1994).

ten als Erinnerungsprotokolle an. Um eine Reihe von kodierten Briefen aus Mexiko, als deren Absender man Anna Seghers verdächtigte, zu entschlüsseln, erwog der Special Agent in Charge von New York allen Ernstes, 40.000 russischsprachige Bücher in der New York Public Library untersuchen zu lassen, ein Unternehmen, für das man vier Monate veranschlagte.

Die Vielzahl der Methoden, mit denen das FBI die Exilanten überwachte, entsprach dem damals hohen Stand der Fahndungstechnik. Neben der Postzensur, auf die später noch eingegangen wird, ist hier vor allem die sogenannte »physical surveillance« zu nennen, also die Beobachtung von Personen, Fahrzeugen und Gebäuden durch Special Agents des FBI. Da Hoovers Behörde für diese Tätigkeit keine richterliche Erlaubnis brauchte, gibt es kaum ein bedeutendes Dossier ohne solche Beschattungsprotokolle. Gespannt verfolgen G-Men (kurz für ›Government Men‹, also Regierungsangestellte) wie lange bei Klaus Mann im New Yorker Bedford Hotel das Licht brennt als er seine männlichen Freunde zu Besuch hat. Ruth Berlau wird bei der Abreise nach einem Besuch in Los Angeles über Stunden hinweg beim Packen von Salka Viertels Auto, letzten Erledigungen und dem Abschied von Brecht am Bahnhof beobachtet (»later in the same day Bert Brecht and Ruth Berlau were observed at the Viertel residence loading suitcases into the Packard convertible of Salka Viertel, license 12D 422«[4]). Mehr als fünfzig »high-class type«[5] Bewohner eines New Yorker Apartmentkomplexes in der 75. Straße geraten in die Akten des FBI, nur weil in diesem Gebäude Elisabeth Bergner und Paul Zinner wohnen, die wiederum mit Brecht in Verbindung gebracht werden. Von Marta Feuchtwanger wissen die Männer vom FBI, daß sie am 18. Januar 1945 zu einer Cocktail Party bei »Mr. and Mrs. [ausgeschwärzt]«[6] ging. In New York verschaffen sich »Government-Men« Zutritt zu Vorträgen und Geburtstagsfeiern der Exilanten. Reist eine Zielperson von Los Angeles an die Ostküste, übernimmt die dortige Dienststelle den Fall. An der Grenze nach Mexiko durchwühlen Special Agents zusammen mit ihren Kollegen vom INS das Gepäck von Reisenden. Und selbst in Deutschland und in der Schweiz sind die Heimkehrer nicht sicher vor den wachsamen Augen von Hoovers als Legal Attachés verkleideten Agenten.

Brachte die einfache »physical surveillance« eines Objekts oder einer Person nicht die erhofften Resultate, griffen Hoovers Leute routinemäßig zu anderen Mitteln. So hört das FBI getarnt als Confidential National Defense Informant über Monate hinweg die Telephone von Brecht, Berthold Viertel und anderen ab, stellte Protokolle über die wichtigsten Gesprächsthemen zusammen (»on April 19, 1945, CNDI LA BB-1 advised that Bert Brecht had had

---

4 FBI-Report, Los Angeles v. 30. 6. 1945, S. 17 (FBI-Akte, Bertolt Brecht).
5 FBI-Report, New York v. 2. 5. 1945, S. 1 (FBI-Akte, Bertolt Brecht).
6 FBI-Report, New York v. 15. 5. 1945, S. 3 (FBI-Akte, Lion Feuchtwanger).

conversations with several unknown individuals reflecting that he was to attend a dinner in honor of Archibald Mac Leish, Undersecretary of State, at 7:30 P.M., on Saturday, April 21, 1944«[7]) und legte Listen mit Telephonnummern und biographischen Angaben der Angerufenen an: »On December 5, 1945, CNDI LA 3034 furnished information concerning the toll calls made from the residence of Bert Brecht... The names and addresses of persons called for the first time are being set out in full... 9/14 SUP82263 William Dieterle... 9/18 CR 11036 Ernst Deutsch... 10/1 CR 19823 Heinrich Mann...«[8] In mindestens einem Fall wird erwogen, MISUR, kurz für »microphone surveillance«, also eine Wanze, in einem Hotelzimmer zu installieren, um das Bettgeflüster zwischen einem Exilanten und seiner Geliebten aufzuzeichnen. Bei sogenannten »pretext interviews« sprechen G-Men unter einem Vorwand den Untersuchungsgegenstand, seine Familienmitglieder, Freunde, Nachbarn oder Mitarbeiter an und lenken dann die Konversation mehr oder weniger geschickt zu politischen Themen oder auf die Reisepläne des Betreffenden: »A pretext phone call to the subject's wife, Maria Ley Piscator, revealed that subject is presently occupied in theatrical work in The Hague, Holland«.[9] Auf nicht genau beschriebenen Wegen gelangt das Notizbuch des häufig in Exilantenkreisen anzutreffenden sowjetischen Konsuls in Kalifornien, Gregory Kheifetz,[10] und die Post des nach Kriegsende im tschechischen Konsular-

7 FBI-Report, Los Angeles v. 30. 6. 1945, S. 25 (FBI-Akte, Bertolt Brecht).

8 FBI-Report, Los Angeles v. 29. 5. 1946, S. 11 (FBI-Akte, Bertolt Brecht; Brecht-Archiv, Berlin). Alle Dokumente oder Teile von Dokumenten, die bei der ersten Freigabe der Brecht-Akte, aber nicht an mich ausgeliefert wurden und sich im Brecht-Archiv bei der Akademie der Künste in Berlin befinden, werden im folgenden auf diese Weise gekennzeichnet.

9 SAC, New York, Memorandum an Director, FBI, v. 30. 3. 1953 (FBI-Akte, Erwin Piscator).

10 Der damals in Los Angeles auf Kommunisten und Exilanten spezialisierte Special Agent Elmer F. Linberg erzählt, daß das FBI in dem Hotelzimmer, in dem sich Kheifetz in Los Angeles mit einer Freundin traf, eine Geheimtür einbauen ließ, um Zugang zu den Papieren des Diplomaten zu haben. Er ist, wie auch die anderen damals aktiven FBI-Agenten, die ich noch sprechen konnte, der Meinung, das Interesse des FBI an den deutschsprachigen Exilanten habe sich zumindest zu einem Teil aus der Tatsache abgeleitet, daß Kheifetz über jüdische Hitlerflüchtlinge aus Deutschland Zugang zu Robert Oppenheimer und anderen Mitarbeitern am amerikanischen Atombombenprojekt zu finden versuchte (Gespräch mit dem Verfasser, Bridgeport, USA, 18. 9. 1994). Linbergs Erinnerungen werden duch die Memoiren von Kheifetz' Führungsoffizier im NKWD, Pavel Sudoplatov, bestätigt: »... Kheifetz persuaded Oppenheimer to share information with ›antifascists of German origin,‹ which provided a rationale for taking Klaus Fuchs to Los Alamos« (Pavel Sudoplatov u. Anatoli Sudoplatov: *Special Tasks. The Memoirs of an Unwanted Witness – a Soviet Spymaster.* Boston: Little, Brown 1994, S. 190). Fuchs wiederum soll von der sowjetischen Botschaft in London auf Vermittlung des »German Communist Juergen Kuczynski« (a. a. O., S. 193) angeworben worden sein, der seinerseits mit literarischen Exilanten bekannt war. Weniger erfolgreich war Moskaus Mann an der Westküste der USA nach Sudoplatov dagegen bei einem anderen Unternehmen: »Gregory Kheifetz, our NKVD rezident in San Francisco, was trying to recruit agents in the United States to be

Federal Bureau of Investigation
United States Department of Justice
Los Angeles 13, California
March 26, 1945

IN REPLY, PLEASE REFER TO
FILE NO. 100-9727-

~~PERSONAL AND CONFIDENTIAL~~

DECLASSIFIED BY *SP4 elwfale*
ON *6/19/02*

Director, FBI

Re: BERTHOLD VIERTEL
INTERNAL SECURITY - R
REFER 5 IS

Dear Sir:

During the period of March 9, 1945 through March 24, 1945 information of value concerning the subject has been obtained through

During this period it was learned through this informant that ████████ has entertained CHARLES CHAPLIN at her home. In addition, it was ascertained on March 15, 1945 that ████████ arranged a meeting between herself, LION FEUCHTWANGER and BERT BRECHT, who are also prominent individuals in the Free German movement in the Los Angeles area.

This informant made known that at the present time ████████ are residing at

Inasmuch as this informant has secured such valuable information in connection with this investigation it is requested that his services be continued.

Very truly yours,

R. B. Hood

R. B. HOOD
SAC

100-9727-

RECORDED & INDEXED

EX - 24

37 APR 10 1945

F B I

76 APR 21 1945

33

L.... 100-18112

Source T-24 advised that in April, 1944, V. V. PASTOEV, then Soviet Vice Consul in Los Angeles, arranged for an appendectomy and in this regard it was reported that Dr. DAVID ROSENBLUM at the Cedars of Lebanon hospital bragged "For the privilege of removing the Consul's appendectomy free of charge".

FEderal 1223   HAROLD H. HOLDEN, M.D., 3875 Wilshire Boulevard.
Additional listing, SAM HERZICKOFF, M.D. Called
September 1 (twice).

Source T-25 reveals that according to a mail cover, Dr. H. HOLDEN, 3875 Wilshire Boulevard, addressed a letter postmarked May 18, 19 to SALLY ANN CUTLER, 20 North Cummings Avenue, Los Angeles, who is apparently connected with a Spanish Communist refugee organization in Mexico, and who is a contact of JULIA VICENS, Mexico, a suspect in the Alto Case.

Source T-26 advised that Miss LILLIAN ALEXANDER, from contact of the Soviet Vice Consul in Los Angeles, was reachable at the telephone FEderal 1223, which, of course, is listed to Dr. H. HOLDEN and HAROLD HOLDEN.

OLympic 2931   Cedars of Lebanon Hospital, 4833 Fountain Avenue.
Additional listing, Jewish Hospital and Walter METZGER.
Called September 1 (twice), 3, 4 (twice), 5, 6, 7, 8,
9, 10, 11 (twice), 12, 14, 15 (twice). No record.

CRestview 18588 FRITZI MASSARY, 615 North Rodeo Drive, Beverly Hills.
Called September 2 and 3.

Mme. FRITZI MASSARY is known to this office as a contact of FRITZ LANG, described in reference report. It is also known that she received a letter in the early part of 1944 from 965 Fifth Avenue, New York, in care of BRUNO FRANK, who has also been described in reference report.

HIllside 4161   VILLA CARLOTTA Apartments, 5959 Franklin Avenue.
Called September 6, 12 and October 28.

GLadstone 6699 SWAMI PRABHAVANANDA, 1942 Ivar Avenue. Additional
listing CHRISTOPHER ISHERWOOD. Called September 7.

Source T-27 reflects that 1942 Ivar is occupied by the above mentioned individuals and that 1946 Ivar is occupied by SWAMI PRABHAVANANDA and the Vedanta Society. The building at 1946 Ivar is a white, mosk like building, reported by neighbors to be a Hindu temple.

-14-

dienst avancierenden Exilanten F.C. Weiskopf in die Hände des FBI. Ein »trash cover«, also die Durchsuchung von Hausmüll, soll bei Ruth Berlau in New York Geheimnisse über Brecht zutage fördern. Und auch in ihren Wohnungen und Büros können sich die Hitlerflüchtlinge – Leonhard Frank, Erwin Piscator, Ludwig Renn, Berlau und andere – nicht vor Einbrüchen und Durchsuchungen durch Hoovers Schnüffler sicher fühlen: »[Ausgeschwärzt] has made arrangements whereby Berlau will notify him prior to her leaving New York City for an extended period under the pretext that repairs of a permanent nature will be made in her apartment during her absence... he will immediately notify the New York office.«[11]

»Physical« und »technical surveillance« wurden durch eine weitere klassische Informationsquelle ergänzt: anonyme oder offene Denunziationen sowie Berichte von Spitzeln und Informanten. Denunziationen, oft an »Dear Edgar« oder »Mr. Hoover« in Washington adressiert und in miserablem Deutsch oder Englisch abgefaßt, bisweilen aber auch, wie im Fall von Ruth Fischer, in Zeitschriften und Büchern publiziert, spielten für die Exilanten aus drei Gründen eine wichtige Rolle: Einmal führten sie in nicht wenigen Fällen dazu, daß die Betreffenden – etwa Erika und Klaus Mann – überhaupt erst ins Visier des FBI gerieten und eine Akte über sie angelegt wurde, denn Hoover und seine Mitarbeiter scheinen sogar die dümmsten, von politischen und persönlichen Vorurteilen geprägten Denunziationen ernst genommen zu haben: »I am an old lady and know all the people from Berlin. Brecht was always a Communist... likewise Feuchtwanger... and now they want to go over to the Russians... in order to inveigh against America«[12]. Zweitens bestätigten die Denunziationen die Vor-Urteile der einschlägigen Behörden, wenn sie – wie Ruth Fischers Kommentar zu Brechts Stück *Die Maßnahme* – mit Begriffen operierten wie »transfiguration and beatification of the Stalinist Par-

---

used in intelligence work for us in Germany, but failed because his connections were mostly in the Jewish community« (a. a. O., S. 174). Zur den erheblichen Einwänden von Historikern und ehemaligen KGB-Mitarbeitern gegen die Korrektheit von Sudoplatovs Erinnerungen vgl. David Streitfeld: »The Book at Ground Zero. They Published a Soviet Spy's Allegations. Then Came the Fallout.« In: *Washington Post* v. 27. 5. 1994, Rolf Binner: »Die Bombe Sudoplatow. Die Enthüllungen des KGB-Offiziers – ein neuer Klassiker unter den Geheimdienst-Erinnerungen?« In: *Süddeutsche Zeitung* v. 6. 12. 1994 u. »Russian Intelligence Denies Oppenheimer-KGB Link« (Reuter, Meldung v. 5. 5. 1994). Die Verbindung zwischen Atomspionage und Exilschriftstellern erscheint auch deshalb als sehr dünn, weil sich in den einschlägigen Akten so gut wie keine Anspielungen auf dieses Thema finden lassen – von beiläufigen und eher zufälligen Hinweisen etwa auf die Beziehung zwischen Brecht und dem an der zivilen Nutzung von Atomenergie interessierten UCLA-Professor Hans Reichenbach abgesehen.

11 FBI-Report, New York v. [unleserlich] 8. 1945, S. 2 (FBI-Akte, Bertolt Brecht).
12 Director, FBI, Memorandum an SAC, Los Angeles, v. 7. 1. 1948, Anlage (FBI-Akte, Bertolt Brecht).

ty«, »symbolizes the intervention of the GPU in Party life«[13], »preview of the Moscow trials«[14] usw. Und schließlich wurde das was Louis Francis Budenz, Exkommunist und Profidenunziant, über Erwin Piscator, Erika Mann und Fritz von Unruh oder Ruth Fischer über ihre Brüder Hanns und Gerhart Eisler zu sagen hatte, so lange in nachfolgenden FBI-Berichten zitiert, bis die Quellen in Vergessenheit gerieten und aus der Denunziation eine Tatsache geworden war – wenn nicht, wie bei Budenz, der seltene Fall eintrat, daß der Denunziant seine Aussage plötzlich modifizierte und das FBI zu einer Korrektur seiner Akten zwang: »Budenz deleted... Piscator, Erwin... from the list... 400 Concealed Communists Revealed... because... he did not feel that he could positively state that the individual is a concealed Communist.«[15]

Freilich gilt es, mit Begriffen wie Denunziant und Spitzel behutsam umzugehen. Denn was im Rückblick als Verunglimpfung oder als Verrat erscheint, mag ein Zeitgenosse der heißen und kalten Kriege der vierziger Jahre durchaus als patriotische Aktion verstanden haben. Ronald Reagan, Schauspieler und U.S.-Präsident, zum Beispiel hat nie ein Hehl daraus gemacht, daß er als Vorsitzender der Screen Actors Guild unter der Decknummer T-10 (seine damalige Frau, Jane Wyman, wurde als T-9 geführt) das FBI über Jahre hinweg mit Informationen aus Hollywood belieferte.[16] Stolz traten Walt Disney, der früher schon einmal Thomas Manns Namen an das FBI weitergegeben hatte,[17] Robert Taylor, Robert Montgomery und Gary Cooper als sogenannte »friendly witnesses« vor demselben House Un-American Activities Committee auf, das Bertolt Brecht und Hanns Eisler über ihre Weltanschauung befragte. Zehntausende von loyal gesinnten Amerikanern folgten dem Ruf der American Legion, Material über unamerikanische Umtriebe in ihrer Nachbarschaft oder an ihrem Arbeitsplatz bei einem der 11.700 Legion-Stützpunkte abzuliefern. In der grauen Zone zwischen offiziellen »loyalty checks« und verunsicherten Arbeitgebern verdienten alerte Geschäftemacher gutes Geld beim Verkauf umfangreicher Listen mit den Namen von tatsächlichen oder möglichen »Roten«. »Counterattack« publizierte 1950 unter dem Titel *Red Channels. The Report of Communist Influence in Radio and Television* auf über 200 Seiten die Namen von Personen, Institutionen und Komitees, die in öffentlichen Quellen mit kommunistischen Umtrieben in Verbindung ge-

---

13 Ruth Fischer: *Stalin and German Communism. A Study in the Origins of the State Party.* Cambridge: Harvard University Press 1948, S. 624.

14 A. a. O., S. 618.

15 [Ausgeschwärzt], Memorandum an A. H. Belmont v. 5. 2. 1951, S. 1 (FBI-Akte, Erwin Piscator).

16 Garry Wills: *Reagan's America. Innocents at Home.* Garden City: Doubleday 1987, S. 245ff.

17 Marc Eliot: *Walt Disney. Hollywood's Dark Prince. A Biography.* New York: Birch Lane 1993, S. 291.

bracht worden waren (»Reichstag Fire Trial Anniversary Committee... cited as a Communist front... by... Special Committee on Un-American Activities, Report, March 29, 1944, pp. 112 and 156«[18]). Und auch J. Edgar Hoover ließ, wie wir gesehen haben, kaum eine Gelegenheit aus, seine Landsleute zu Wachsamkeit (»vigilance«) gegenüber Fremden, Kommunisten, »fellow travelers«, »Communist fronts« usw. aufzurufen.

Vorsicht ist beim Umgang mit dem Wort Spitzel auch wegen der mangelhaften Quellenlage geboten, denn das FBI schützt seine Informanten bis heute sorgfältig durch Kürzeln wie T-1, Wendungen wie »reliable confidential informant« (die sich freilich in vielen Fällen weniger auf Personen als auf andere Behörden beziehen) und durch Ausschwärzungen von Namen und biographischen Angaben vor der Freigabe der Akten – mit einer Ausnahme: dem zuerst in den siebziger Jahren ausgelieferten Dossier von Bertolt Brecht.[19] Eine Enttarnung von Informanten durch die Presse oder die Opfer einer Verleumdung wird so unmöglich gemacht. Entsprechend selten bleiben Bekenntnisse der Täter oder Stellungnahmen ehemaliger Führungsoffiziere.[20] Dennoch finden sich in den Akten immer wieder Spuren, die keinen Zweifel zulassen, daß in Exilantenkreisen Spitzel, also von außen eingeschleuste Personen, und Informanten, also Exilanten, die bereit waren, dem FBI ihr Wissen zur Verfügung zu stellen, aktiv waren. Der später in dieser Darstellung an verschiedenen Stellen wieder auftauchende Fall eines offensichtlich eng mit Thomas und Heinrich Mann, Lion Feuchtwanger und anderen Exilgrö-

---

18 *Red Channels. The Report of Communist Influence in Radio and Television.* New York: Counterattack 1950, S. 203.

19 Wie behutsam selbst hier vorzugehen ist, belegen zum Beispiel die vier, »Sources of Information« überschriebenen Blätter zu FBI-Report, Los Angeles vom 2. Oktober 1944 (FBI-Akte, Bertolt Brecht), die im Brecht-Archiv in Berlin einzusehen sind. Auf diesen Blättern finden sich zwar zum Beispiel unter T-6 bzw. T-31 die Namen Franz Werfel und »Mrs. Ludwig Marcuse« (S. 36), aber erstens sind die entsprechenden Kürzeln im Bericht selber ausgeschwärzt, so daß eine eindeutige Zuordnung nicht möglich ist, und zweitens handelt es sich bei den »Aussagen« von Werfel und Frau Marcuse um Zitate aus anderen FBI-Berichten, deren Zuverlässigkeit kaum mehr nachzuprüfen ist.

20 Vgl. zum Beispiel Louis Francis Budenz: *Men Without Faces. The Communist Conspiracy in the U.S.A.* New York: Harper 1950, der sich damit brüstet, Gerhart Eisler und seine Beziehungen zum Joint Anti-Fascist Refugee Committee enttarnt zu haben. Wie Budenz wechselte auch Boris Morros unmittelbar nach Kriegsende die Seiten (*My Ten Years as a Counterspy.* New York: Viking 1959). »The Kept Witnesses« überschreibt Richard H. Rovere (in *Harper's Magazine.* Bd. 210, Nr. 1260 [Mai, 1955], S. 24–34) einen Bericht über bezahlte »professional witnesses« (S. 24) wie Harvey Matusow und Paul Crouch (vgl. auch den BBC-Dokumentarfilm »The Un-Americans«). Robert E. Cushman: *Civil Liberties in the United States. A Guide to Current Problems and Experience.* Ithaca: Cornell University Press 1956, S. 203–4 spricht von »commercial Communist-hunters« und nennt *counterattack* als Beispiel: »This is a service regarded as very valuable by many businessmen anxious to avoid any possible ›leftist‹ or ›pink‹ contamination.«

ßen in Los Angeles bekannten Zuträgers, den das FBI 1944 auf Brecht ansetzte, ist hier nur ein Beispiel von mehreren.

Verschwommen sind endlich auch sowohl für die Beteiligten wie für den rückblickenden Betrachter die Linien zwischen Verrat, einem richtig oder falsch verstandenen Patriotismus und einer harmlosen, ja hilfreich gemeinten Aussage. So finden sich in den Tagebüchern und Briefen von Thomas Mann wiederholt Hinweise auf Routinebesuche von Mitarbeitern des FBI und des State Departments[21], die Auskunft über einen Mitexilanten erbitten, der sich um die amerikanische Staatsbürgerschaft bewirbt oder aus einem anderen Grund seine Loyalität dem Gastland gegenüber nachweisen muß. Was Mann nicht wissen konnte ist, daß sich seine Aussagen im FBI-Dossier des Betroffenen oder in einer dem FBI zugänglichen Akte des Immigration and Naturalization Service wiederfanden. Ähnlich mag es Leopold Schwarzschild, Karl Misch, Rudolf Brandl, Manfred George und anderen ergangen sein, deren Aussagen zu ihrem Journalistenkollegen Heinz Pol sich als seltener Glücksfall unzensiert in der Kopie eines FBI-Memorandums beim Department of State erhalten haben.[22] In Bedrängnis gebracht wurden die Angestellten des Bedford Hotels in New York als sich das FBI für Klaus Manns homosexuelle Beziehungen interessierte. Nachbarn, Dienstpersonal und Briefträger der Exilanten werden von Hoovers Männer angegangen, als man Informationen über Thomas Mann und seine Familie sammelt. Vom Verwalter von Ruth Berlaus Apartmentgebäude erhoffen sich die G-Men Informationen zu Brechts Lieben und Schaffen. Cornelia McKinney, »a colored woman who does cleaning at the Brecht residence one day a week«[23], weiß wann und wie lange sich Brecht im Zusammenhang mit der *Galileo*-Aufführung in New York aufhält. Bei Weiskopf war es, wie sich eine Nachbarin zu erinnern glaubt, der befreundete Hausmeister, der »jedes Fetzchen Papier aus dem Mülleimer fischen sollte, damit es als ›Beweismaterial‹ überprüft werden konnte«[24]. Der Schauspieler Peter Lorre ahnte nicht, daß »Source [ausgeschwärzt]«[25], der er das Programm von einem Brecht-Abend in New York gab, die Unterlagen an einen FBI-Agenten weiterleiten würde. Und wer weiß was sich ein unkenntlich gemachter Informant dabei dachte als er dem FBI mitteilte, »that from conversation overheard, Brecht is supposed to have escaped from a concentration camp in Germany disguised as a woman«[26].

21 Vgl. auch Ulrich R. Fröhlich: »Fritz von Unruh.« In *Deutschsprachige Exilliteratur seit 1933*. Bd. 2, 2, S. 916.

22 FBI-Report, New York v. 1. 6. 1944, Anlage zu John Edgar Hoover, Brief an Adolf A. Berle, Assistant Secretary of State, v. 10. 6. 1944 (800.00B Heinz Jacob Pol).

23 FBI-Report, Los Angeles v. 29. 5 1946, S. 10 u. 20 (FBI-Akte, Bertolt Brecht).

24 Franziska Arndt: *F. C. Weiskopf.* Leipzig: Bibliographisches Institut 1965, S. 62.

25 FBI-Report, New York v. 22. 5. 1943, S. 3 (FBI-Akte, Bertolt Brecht).

26 FBI-Report, Los Angeles v. 2. 10. 1944, S. 6 (FBI-Akte, Bertolt Brecht).

Es gibt keinen Grund, Thomas Mann wegen seinen Aussagen über Mitexilanten wie Unruh, dem Briefträger von Pacific Palisades oder Gerhart Seger und Rudolf Katz, die sich kritisch über Klaus Mann äußerten (»›a 100 per cent fellow traveler‹«[27]), unlautere Absichten zu unterstellen. Nachdenklich stimmt dagegen, wenn ein Vertreter der zugleich von Gesetzgebern öffentlich als »popular front... with...directions from Moscow to ›bore from within‹«[28] verdächtigten New School for Social Research in New York im Herbst 1943 der CIA-Vorläuferorganisation Office of Strategic Services eine Liste mit Namen von Experten für Propagandafragen, Recht, Wirtschaft, Erziehung usw. übergibt, prominente Exilanten wie Lion Feuchtwanger, Bruno Frank und Thomas Mann noch zum Jahreswechsel 1944/45 einem Mitarbeiter von »America's First Secret Service« offensichtlich ohne Zwang und Zögern Fragen zur Zukunft Deutschlands und zu ihren Mitexilanten beantworten[29], Thomas Mann sich über das berühmte Treffen eines »›Russian-German Committees‹« im Haus von Berthold Viertel befragen läßt (»according to Thomas Mann, who was questioned concerning this meeting«[30]), der ex-Kommunist Karl August Wittfogel vor einem Senatsausschuß über Kollegen aussagt, Exilanten wie Gerhart Seger und Rudolf von Hahn sich gegenseitig in Briefen beim Außenministerium schlecht machen[31] oder Friedrich Torberg das FBI als »Source A« wissen läßt, »that Subject [Brecht] and Eisler were co-authors of a march known as the ›Song of Solidarity‹« und daß dieses Lied noch vor der Machtübergabe an Hitler »was adopted with the permission of Subject and Eisler as the song of the Communist youth organization in Germany«[32] – eine Information, die Jahre später vom HUAC gegen Brecht benutzt wird. Unklar bleibt schließlich auch, warum Erika Mann zwischen 1940 und den frühen fünfziger Jahren von sich aus mehrfach und freiwillig mit dem FBI

27 Dana S. Creel, Special Agent, CIC, Interview mit Gerhart Seegers u. Rudolph Katz [!], Memorandum v. 31. 5. 1943 (Department of Army, Klaus Mann).

28 State of New York. *Report of the Joint Legislative Committee to Investigate the Administration and Enforcement of the Law.* Legislative Document (1939), Nr. 98. Albany: Lyon 1939, S. 205.

29 Da diese Interviews vom OSS in aller Offenheit geführt wurden, kann nicht die Rede davon sein, daß die Exilanten sich als Informanten benutzen ließen. Zudem wies das OSS damals im Kampf gegen Nazideutschland spektakuläre Erfolge vor. Andererseits war Ende 1944 nicht mehr zu übersehen, daß sich hier ein klassischer Geheimdienst entwickelt, der ähnlich wie wenig später die CIA ausgestattet mit einer handfesten Ideologie über Subversion, Propaganda und paramilitärische Operationen in die internen Angelegenheiten souveräner Staaten eingriff.

30 FBI-Report, Los Angeles v. 5. 9. 1944, S. 15 (FBI-Akte, Heinrich Mann). Siehe unten das Kapitel über Heinrich Mann.

31 Vgl. bei den National Archives 862.20211 German-American Congress for Democracy/18.

32 FBI-Report, Los Angeles v. 30. 3. 1943, S. 5 u. 7 (FBI-Akte, Bertolt Brecht; Brecht-Archiv, Berlin).

Kontakt aufnimmt – eine Liaison, zu der in keiner der mir vorliegenden FBI-Akten eine Parallele existiert.

Keine Zweifel gibt es dagegen über die Motive einer Ruth Fischer (»Mrs. Fischer asked me to submit to my superiors her offer to supply them with intelligence in return for funds«[33]) oder die Tätigkeit einer offensichtlich in Exilkreisen hoch angesehenen Source D, die auf Brecht angesetzt wurde: »Source D telephonically contacted Special Agent Sidney E. Thwing on September 20, 1944 at which time he agreed to contact Bert Brecht and question him in regard to his activities in the Free German movement in Mexico and New York. On September 5, 1944 at the request of Source D, Special Agent Howard H. Davis and the writer proceeded to the home of Source D, at which time he furnished the following information regarding his talk with Brecht. In response to direct questions put to him by Source D, Brecht stated that he was not connected with the Free German movement in Mexico City, nor was he connected with the Free German movement in Moscow, his only connection being with the Council for a Democratic Germany in New York. Brecht also stated in answer to direct questions by Source D that there is no Free German organization in Los Angeles and that none is contemplated. He also stated that no meetings are ever held in this area which have to do with the postwar government in Germany. Source D remarked here that he personally believed Brecht to be stating the truth in regard to the activity of the Free German movement in Los Angeles because he said if there was any organization of that nature in Los Angeles, Brecht, Feuchtwanger and Thomas Mann would have solicited his aid in the formation of such an organization because they know that he likes Germany as Germany without Nazism, and that he is not a Communist. They thus would desire his aid as a ›front‹.«[34] Und immer wieder finden sich in den Dossiers Hinweise wie »will contact [ausgeschwärzt], New York City, a German refugee, who has furnished information about the subject...«[35], »you are... instructed to... recontact all of the informants and persons who have furnished information to you in the past which would be of value in the deportation proceedings«[36] oder »your cooperation in furnishing this information to this Bureau is appreciated and a Special Agent from our Detroit Field Office will call upon you in the very near future to discuss this matter further with you«[37].

Bliebe abschließend noch, ein Blick auf jene Informationsquellen zu werfen, die neben Briefzensur, Telephonüberwachung, »physical surveillance«

---

33 T/3 Friediger, Memorandum an Bjarne Braatoy v. 12. 10. 1945, S. 1 (OSS, 1707).
34 FBI-Report, Los Angeles v. 21. 10. 1944, S. 3 (FBI-Akte, Free German Activities in the Los Angeles Area, zitiert nach National Archives 862.01/11-1144).
35 FBI-Report, New York v. 2. 8. 1945, S. 4 (FBI-Akte, F. C. Weiskopf).
36 Director, FBI, Memorandum an SAC, New York, v. 19. 5. 1947 (FBI-Akte, Erwin Piscator).
37 John Edgar Hoover, Brief an [ausgeschwärzt] v. 26. 2. 1946 (FBI-Akte, Aurora Verlag).

Copy KAF

Los Angeles – 13 – California
May 18, 1944

PERSONAL AND CONFIDENTIAL

Director, FBI

RE: FREE GERMAN ACTIVITY IN   35583
THE LOS ANGELES AREA;
INTERNAL SECURITY – R

REFER 5 IS

Dear Sir:

Since correspondence between the Free German group in Mexico and persons in the Los Angeles area has been carried on as reflected in previous reports in this case, it is recommended that the following subjects be placed on the National Censorship Watch List for ninety days:

1. HEINRICH MANN, 301 South Swall Drive, Los Angeles.

2. BERTOLT BRECHT, 1063 – 26 Street, Santa Monica, California.

3. LION FEUCHTWANGER, 520 Paseo Miramar, Pacific Palisades, California.

4.

5.

6.

7.

Very truly yours,

RECORDED 100-5143-25

FEDERAL BUREAU OF INVESTIGATION

SAC   AUG 16 1944

U. S. DEPARTMENT OF JUSTICE

KFL:AH
100-21367

7 SEP 13 1944   DECLASSIFIED ON 2-2-81
BY SP1 GSK/abb

41

und Informanten leicht in den Hintergrund geraten, obwohl sie in den Akten
oft erheblichen Raum einnehmen: gedrucktes Material und mehr oder weniger öffentlich zugängliche Unterlagen in Archiven und bei Behörden. In der
Tat waren die Exilanten oft selbst die wichtigste und verläßlichste Quelle für
Fakten über ihr Leben, ihre Werke und ihre politischen Aktivitäten – in Form
ihrer Zeitschriftenbeiträge, Bücher und Angaben für bio-bibliographische
Handbücher. So berufen sich FBI-Berichte aus Los Angeles, New York und
Lateinamerika regelmäßig auf die in Mexiko erscheinende Exilzeitschrift *Freies Deutschland*, die von den G-Men mindestens ebenso intensiv gelesen wur-
de, wie von den Exilanten selbst. Eine Reklamebroschüre des Aurora Ver-
lags liefert dem FBI Fotos von prominenten Autoren wie Bertolt Brecht und
Heinrich Mann – ein begehrtes Material, das dem FBI sonst fast nur über
die Formulare der Einwanderungsbehörde zugänglich war. Ab und zu bedienen sich die Special Agents bei der Postzensur, wenn dort Briefe von Ludwig
Renn oder Anna Seghers mit Formularen für Nachschlagewerke wie das
Who's Who auftauchen. In den gut ausgestatteten Zentralbibliotheken von
New York und Los Angeles sammeln G-Men bibliographische Angaben, meist
ohne die Bücher der Exilanten auch nur anzulesen. Hoover, der nach dem
ersten Weltkrieg als junger Mann im Justizministerium eine Forschungsstel-
le mit ähnlicher Zielsetzung aufgebaut hatte, sah darauf, daß seine Angestellten regelmäßig Zeitungen und Zeitschriften wie den *Daily Worker, New Masses, Tribüne, New York Times* und *Los Angeles Times* nach Hinweisen auf
Hitlerflüchtlinge durchblätterten. Häufig auftretende Verweise wie »Special
Employee [ausgeschwärzt] examined the morgue of the New York ›Times‹ on
September 23, 1947, and advised that File 780392 is Feuchtwanger's file and
it is quite voluminous«[38], deuten an, daß die großen Tageszeitungen dem FBI
routinemäßig und ohne Scheu ihre Archive öffnen.[39] Banken informieren das
FBI über finanzielle Angelegenheiten, etwa den Transfer der Tantiemen für
Anna Seghers' Erfolgsroman *The Seventh Cross* nach Mexiko oder die Über-
weisungen von Bertolt bzw. Helene Brecht an Ruth Berlau und Stefan Brecht.
Behörden und öffentliche Einrichtungen leisten Hoovers Behörde auf Wunsch
Amtshilfe: Das Los Angeles Police Department versorgt den lokalen Special
Agent in Charge R. B. Hood mit Nachrichten über Schwachstellen in Hein-
rich Manns Leben wie die Verurteilung seiner Frau wegen Trunkenheit am
Steuer; bei der New York Public Library erfährt ein Special Agent, daß Brecht
keine Lesekarte besitzt; Adress- und Telephonbücher geben in Princeton und
Pacific Palisades Auskunft über die Familie Mann bzw. Lion Feuchtwanger;

---

38 FBI-Report, New York v. 10. 11. 1947, S. 16 (FBI-Akte, Lion Feuchtwanger).
39 Herbert Mitgang, Autor von *Dangerous Dossiers*, und selbst langjähriger Mitarbeiter der
    New York Times, ist überrascht, »that the FBI somehow had access to the presumably ex-
    clusive New York *Times* morgue« (S. 115).

und selbst in Mexiko hatte der Mann vom FBI Zugang zu Regierungsunterlagen: »Subject's file«, steht in Ludwig Renns Akte im Klartext zu lesen, »at the Secretaria de Gobernacion... is #4/355/1166666«.[40] Anträge der Exilanten auf Reisegenehmigungen werden den »Government Men« während des Krieges von den zuständigen regionalen Vertretern des Attorney Generals vorgelegt. Draft Boards, bei denen sich wehrpflichtige Männer zu melden haben, verfügen über Adressen, Telephonnummern und Proben von Handschriften. »Civil Service files in New York City« informieren das FBI über Berthold Viertels »pro-Communist tendencies in articles written for ›Weltbühne‹«[41]. Und ein reger Datenaustausch findet zwischen FBI und OSS, INS, Department of State, HUAC und anderen nationalen und lokalen Regierungsstellen statt, die mit der Observierung der Exilanten befaßt sind.

Wenn sich bei einer derartigen Fülle von höchst unterschiedlichen Informationsquellen ab und an Fehler in die Akten der Exilanten einschleichen, nimmt das kein Wunder. Wenig Sinn haben die zumeist des Deutschen unkundigen Special Agents für die fremdartigen Namen ihrer »subjects«, deren Geburtsorte und die Titel ihrer Bücher. So wird aus Georg Lukács schon mal Georg Kukcc und in der Boston Public Library findet ein G-Man Blochs »›Schadet Cher Nutzt Deutschland Kine Niederlager Seiner Militars?‹«[42] aus dem Jahr 1918. Als das FBI Anna Seghers wegen einer geheimnisvollen Serie von verschlüsselten und mit Geheimtinte geschriebenen Briefen auf der Spur ist, stellt man bei der Zentrale in Washington eine Liste mit nahezu 100 Varianten der Namen Radvanyi und Seghers zusammen. Und schließlich schießen Hoovers Mitarbeiter dort besonders oft über das Ziel hinaus, wo sie die Beziehung eines Exilanten zu kommunistischen Organisationen oder Personen auszumachen meinen. Franz Werfel wird dann schon mal als KPD-Führer hingestellt und Vicki Baum mit Stalin in Verbindung gebracht.

Problematischer als solche Fehler, die die Bedeutung der Akten kaum beeinträchtigen, ist die Tatsache, daß das FBI und die anderen Geheimdienste zwar versuchen, ein Maximum an Information zu der jeweiligen Zielperson zusammenzutragen, aber in keinem Fall auch nur annähernd alle erreichbaren Fakten zu einem ›subject‹ in ihren Besitz bringen. Oft wirkt das was im FBI-Archiv erhalten geblieben ist deshalb sporadisch und bisweilen nachgerade zufällig. Bei Erika Mann etwa wechseln sich Phasen intensiver Kontakte mit monatelangen Abschnitten ab, in denen das FBI kein Interesse an der beständig mit Reden und Aufsätzen an die Öffentlichkeit – auch die amerikanische – tretenden Exilantin zeigt. Heinrich Mann, der in den USA so gut wie gar nicht sichtbar war, besitzt ein 300-Seiten Dossier, während es der

---

40 Nicht gekennzeichnetes und datiertes Dokument (FBI-Akte, Ludwig Renn).
41 FBI-Report, New York v. 18. 6. 1942, S. 1 (FBI-Akte, Berthold Viertel).
42 FBI-Report, Boston v. 29. 9. 1953, S. 4 (FBI-Akte, Ernst Bloch).

viel erfolgreichere Werfel nur auf zwanzig Blätter bringt. Um Brecht kümmern sich Hoovers Leute nach seiner Abreise aus den USA kaum noch, während die Akte des seit Anfang der fünfziger Jahre wieder in Deutschland lebenden, viel weniger erfolgreichen Leonhard Frank bis ins dritte Nachkriegsjahrzehnt weitergeführt wird.

Dennoch gibt es ein übergreifendes Prinzip, nach dem das FBI – wie wohl alle Geheimdienste – vorgeht: Wer einmal eine Akte besitzt, kommt nie mehr aus dem Teufelskreis von Überwachung, Bespitzelung, Berichten und Querverweisen heraus. Weder die Einsicht, daß der Betreffende, etwa Heinrich Mann, aus Alters- oder Gesundheitsgründen keine Gefahr mehr für sein Gastland ist, noch die Abreise aus den USA vermögen daran etwas zu ändern. Immer wieder finden sich Vermerke wie »case closed« oder »unsufficient evidence« am Ende eines FBI-Reports – und verhindern doch nicht, daß das Dossier des »subjects« bei der nächsten Gelegenheit wegen einer trivialen Nachricht wieder geöffnet wird. Ja, noch nicht einmal der Tod der Zielperson bringt die Mühlen des FBI in allen Fällen zum Stehen.

Hoover war früh in seiner Karriere als Direktor des FBI klar geworden, daß die Qualität seiner Special Agents und die Breite der eingesetzten Überwachungsmethoden nur Teilerfolge im Kampf gegen kriminelle und subversive Elemente bringen können. Mindestens ebenso wichtig war es ihm deshalb, einen wenig spektakulären und kaum öffentlichkeitswirksamen, aber überaus wichtigen Zweig seiner Behörde mit größtmöglicher Effizienz durchzuorganisieren: das Central Record System mit den von ihm abhängigen Archiven der Field Offices und das Format der Berichterstattung. Hierarchisches Denken steht auch hier im Zentrum, denn nur so läßt sich in der ungeheuren Masse an Dokumenten ein rasches Auffinden von spezifischen Fakten garantieren und, wichtiger noch, möglichst vollständige Listen mit Querverweisen zwischen den individuellen Dossiers herstellen. Dabei sei dahingestellt, in welchem Maße die bei Hoover ausgeprägte Verbindung einer höchst unkonkreten, vagen Ideologie mit einer zum Extrem getriebenen organisatorischen Effizienz einem Denken entspricht, das seit den zwanziger Jahren in ähnlicher Form von den totalitären Systemen auf beiden Seiten des politischen Spektrums hochgeschätzt wurde.

Am Anfang eines jeden FBI-Dossiers steht die Entscheidung eines Field Offices oder der Zentrale, eine Person, Organisation, Zeitschrift usw. einer genauen Untersuchung zu unterziehen. Ausgelöst wird dieser Schritt zumeist durch zufällig, über andere Aktenbestände, eine Voruntersuchung oder eine Denunziation (»your courtesy and interest in bringing this information to my attention are indeed appreciated«[43], gez. John Edgar Hoover, Director) gewonnene Erkenntnisse. Bei Brecht, dessen Fall im Folgenden als Beispiel be-

---

43 John Edgar Hoover, Brief an [ausgeschwärzt] v. 29. 7. 1941 (FBI-Akte, Emergency Rescue Committee).

nutzt wird, war das federführende Büro Los Angeles und der Anlaß für die Eröffnung der Akte ein allgemeiner Verdacht auf subversive Tätigkeit. Als »Character of Case« setzt das Field Office »Internal Security – G Alien Enemy Control« ein. Die »classification number« des Brecht-Dossiers in Los Angeles, 100-18112, beginnt dementsprechend mit 100 für »subversive matter«; 18112 wird dem Fall als laufende Nummer zugeteilt. Nachdem »Headquarters« der Eröffnung des Vorgangs zugestimmt hat, erhält Brechts Akte auch dort nach der 100 eine eigene Nummer, nämlich 190707-1, wobei die am Ende stehende 1 das erste von mehreren hundert Dokumenten in der Akte kennzeichnet. Diese Nummer bleibt in fast allen Fällen mit dem »subject« verbunden, auch wenn sich der Anlaß der Untersuchung verändert, der Fall wegen eines Umzugs von einem anderen Field Office übernommen wird, die Zielperson ins Ausland geht oder verstirbt. Während Brecht also bei verschiedenen Field Offices mit unterschiedlichen Aktenzeichen geführt wurde, bleibt seine Kennummer in der Zentrale immer dieselbe. Abgelegt wurden die »main file« genannten Dossiers in Washington nach ihren »classification numbers« im sogenannten Central Records System. Abweichungen finden sich in den Akten der Exilanten relativ selten. Fotos, Durchschläge, Bücher und übergroße Dokumente kommen in sogenannte EBFs, Enclosures Behind Files. An einer Hand abzählen lassen sich die ›Personal and Confidential‹ gestempelten Aktenstücke, die an Hoover persönlich gerichtet waren bzw. in den geheimnisvollen Aktenschränken seiner engsten Mitarbeiter verschwanden. Mit dem Vermerk »On Yellow Only« kennzeichnet das FBI-Hauptquartier Aktenvermerke, die besonders vertrauliche oder kompromittierende Informationen enthalten, die nur für den internen Dienstgebrauch gedacht sind.

Drei typische FBI-Dokumente, die in den Dossiers der Exilanten immer wieder auftauchen, werden am Ende des vorliegenden Kapitels zusammen mit einem Formular der Postzensur kurz vorgestellt: das Deckblatt und die sogenannte »administrative page« eines FBI-Reports und ein FBI-Memorandum.

Office of Strategic Services (Foreign Nationalities Branch)

Im Gegensatz zum FBI, das fast immer »covert«, also verdeckt, vorging bei der Sammlung von Informationen, arbeitete der Foreign Nationalities Branch des Office of Strategic Services durchweg »overt«, also offen. Hinzu kam, daß sich der FNB anders als Hoovers Büro nicht scheute, Schlüsse aus seinem Material zu ziehen, freilich ohne dabei so weit zu gehen, wie der Research & Analysis genannte »think tank« von William »Wild Bill« Donovans Geheimdienst.

Einige wenige, mit Blick auf das literarische Exil ausgewählte Beispiele aus dem umfangreichen und meines Wissens von der Exilforschung noch nicht ausgewerteten OSS-Material müssen hier genügen, um die Arbeitsweise des Foreign Nationalities Branch vorzustellen.[44] Sie bauen auf das eingangs skizzierte Bild der Geschichte und Zielsetzung von OSS und FNB, der von Historikern etwas zu Ungunsten des FBI als »only agency of the U.S. Government« beschrieben wird, »that focused its attention in a comprehensive way on foreign nationals and ethnic groups in the U.S. during World War II«[45].

Zugleich um Fakten und um Interpretationen geht es da etwa in den bio-bibliographischen Porträts, die der FNB von führenden Vertretern der Exilliteratur anfertigte. »Who's Who?«[46] ist sinnigerweise eine dieser Sammlungen überschrieben, die für den Berichtzeitraum 1942 bis 1945 auf weit über 100 Seiten Material zu den hervorragendsten Köpfen des Exils zusammenstellt. Thomas Mann, heißt es hier schon 1942, sei zwar ein »very valuable man of letters of international importance«[47], wer in ihm einen politischen Führer sieht, tue das freilich »in absolute ignorance of... his... unpolitical nature«[48]. Noch schlechter kommt Heinrich Mann bei dem hinter der Kürzel »A« verborgenen OSS-Experten weg. »Most naive« seien seine politischen Unternehmungen; nicht die geringste Vorstellung worum es ging habe Mann bei seinem Vorstoß für eine Volksfront in Frankreich gehabt; von den Kommunisten lasse er sich als »camouflage«[49] gebrauchen. Kurz: Obwohl einige seiner politischen Essays durchaus lesenswert sind, stehe Heinrich Mann den praktischen Fragen des Tages fremd gegenüber. Dem auf politische Wirkung der Literatur pochenden Brecht attestiert eine OSS-Analyse: »... he is primarily a poet and has no knowledge of the political inside story of men and parties.«[50] Und nachgerade bösartig fällt der Bericht über »The Bekessy's«, sprich: Hans Habe und seinen Vater, aus: »One of the worst ›revolver journalists‹« sei »father Bekessy« in Europa gewesen. In seinem Haus habe es chro-

---

44 *Zur Archäologie der Demokratie in Deutschland.* 2 Bde. Hrsg. v. Alfons Söllner. Frankfurt: Europäische Verlagsanstalt 1982 stützt sich auf die »Research & Analysis Reports« des OSS, ist aber nicht mit dem FNB-Material vertraut. R & A steht auch im Zentrum von jüngeren Arbeiten wie Barry M. Katz: »German Historians in the Office of Strategic Services.« In: *An Interrupted Past. German-Speaking Refugee Historians in the United States After 1933.* Hrsg. v. Hartmut Lehmann u. James J. Sheehan. Washington: German Historical Institute 1991, S. 136-9; *USA und deutscher Widerstand. Analysen und Operationen des amerikanischen Geheimdienstes (OSS) 1942-1945.* Hrsg. v. Jürgen Heideking u. Christof Mauch. Tübingen: Francke 1993 und *Geheimdienstkrieg gegen Deutschland. Subversion, Propaganda und politische Planungen des amerikanischen Geheimdienstes im Zweiten Weltkrieg.* Hrsg. v. Jürgen Heideking u. Christof Mauch. Göttingen: Vandenhoeck & Ruprecht 1993. (=Sammlung Vandenhoeck.)

45 »Introduction.« In: US Office of Strategic Services. *Foreign Nationalities Branch Files 1942-1945.* Bd. 1, S. VII.

46 Who's Who? (OSS, 1718).

47 Thomas Mann , S. 2 (OSS, 1718).

48 A. a. O., S. 1.

49 Heinrich Mann, a. a. O., S. 1.

50 Brecht, Bertolt, 28. 9. 1943, S. 2 (OSS, 850).

nisch an »decency and cleanliness«[51] gemangelt. Seinen Sohn Jean, genannt, Hans, solle man allein schon aus diesem Grund nicht vor jungen G.I.s sprechen lassen.

Nun sind nicht alle Autorenporträts des FNB in einem derart säuerlichen Ton abgefaßt. Denselben Thomas Mann, dem das OSS eben noch politische Unbedarftheit vorgeworfen hatte, lobt wenig später ein anderer FNB-Mitarbeiter dafür, daß er »basic conditions of spiritual life against barbarism«[52] verteidige anstatt ein politisches System gegen ein anderes. Entschieden besser kommt diesmal auch Bruder Heinrich weg. Zwar sei er ein »Bohemian type«, »unbalanced« und bekannt für einen »very nervous somewhat sloppy style«[53], wegen seiner liberalen Grundeinstellung habe er im Gegensatz zu Thomas Mann aber immer die Position eines »independent critic«[54] beziehen können. Und selbst dem als fanatischer Kommunist bekannten Renn attestiert »Source: 3000″, ein Mann zu sein, »who follows his personal conscience and refuses to compromise«.[55].

Ergänzt werden derartige Porträts durch Gespräche, die Mitarbeiter von Amerikas erstem Geheimdienst in aller Offenheit mit hervorragenden Persönlichkeiten des Exils – Thomas Mann, Lion Feuchtwanger, Bruno Frank, Alfred Döblin und anderen – führen. Politische Themen stehen dabei, wie in den einschlägigen Kapiteln gezeigt werden wird, sogar dort im Vordergrund, wo die Interviewpartner aus dem Kulturbetrieb stammen. Als »extremely pleasant and quite talkative«[56] erweist sich so zum Beispiel nach Meinung eines G-Man der Verleger Kurt Wolff als er über die Schwächen der Weimarer Republik plaudert und die Meinung äußert, »that the jews now in Germany in the US service, were being so tough and awful with the population that they were stimulating anti-Jewish feeling perhaps the *first time* in Germany!«[57] Franz Ullstein, einst einer der mächtigsten Verleger Deutschlands, »now lives very simply, in a rather dirty, poorly furnished apartment«, geht scharf mit den in seinem Heimatland stationierten GIs (»conquerors« anstatt »›liberators‹«) und General Eisenhower ins Gericht: »He was *not* complementary to the General, and said that we suffered from a certain form of Fascism ourselves over here, and did not realize it as yet.«[58] Und auch Leopold Schwarzschild gibt einem Vertreter des OSS in seiner Wohnung (»badly fur-

---

51 The Bekessy's, S. 1 (OSS, 1718).
52 Mann, Thomas, 28. 9. 1943, S. 5 (OSS, 867).
53 Mann, Heinrich, 25. 9. 1943, S. 3 (OSS, 867).
54 A. a. O., S. 2.
55 Vieth von Golsenau, Arnold, 3. 1. 1944, S. 2 (OSS, 942).
56 Interview With Mr. Kurt Wolff, 12. 6. 1945, S. 1 (OSS, 1576).
57 A. a. O., S. 3.
58 Interview With Mr. Ullstein, 28. 4. 1945, S. 1 (OSS, 1485). Vgl. zu Ullstein auch ein OSS-Memorandum vom 20. November 1943, in dem auf das Gerücht eingegangen wird, Ullstein habe 20% der erzkonservativen Hearst Presse gekauft (Ullstein-Hearst [OSS, 881]).

nished«[59]) willig Auskunft über seine Sicht der russischen Deutschlandpolitik (»merely setting up a totalitarian form of Government in Germany«[60]) und die Mitglieder des Tillich-Komitees (»unable to divorce themselves from the hope and everpresent mental picture of returning to Germany in a high position«[61]).

Ähnlich wie Hoovers Special Agents tauchen oft selbst aus Exilanten- oder Immigrantenkreisen stammende Mitarbeiter und Informanten des Foreign Nationalities Branch im Großraum New York bei Veranstaltungen der Exilanten auf, lesen die Exilpresse und lassen sich von Insidern und Denunzianten informieren. So berichtet ein Angestellter des OSS von einer Veranstaltung des Reichstags Fire Trial Anniversary Committee in der New Yorker Carnegie Hall, daß Brecht eine Erklärung abgeliefert habe, in der er deutlich gegen die Gleichsetzung von Deutschen und Nazis Stellung bezieht. Bei Thomas Manns Rede am Hunter College von New York mischt sich ein OSS-Mann unter das Publikum (»A well-groomed and well dressed group... Mann's cold-blooded, well-argumented and beautifully presented verdict on Germany seemed to have slapped many in the audience right across their faces.«[62]) und faßt die Höhepunkte des Vortrags folgendermaßen zusammen: »Luther... is the major source of German evil... German music and German romanticism came in for a beating... Mann's outlook on Germany's future is frankly pessimistic... Demonstratively he sang the (American) National Anthem.«[63] Mit Hilfe von ein paar Lügen verschafft sich ein OSS-«reporter«[64] Zugang zu einer geschlossenen Veranstaltung des German American Emergency Committee in Philadelphia – muß sich dann aber auf die Erstellung eines Gedächtnisprotokolls von einer Graf-Rede beschränken, weil er sich durch die Niederschrift von Notizen während des Vortrags nicht entlarven will. Noch kaltblütiger geht der Interviewer des OSS bei Ullstein vor: »He showed me the article as listed below... As it was a cabon copy, I hid it in my bag, while he was getting Waldecks book [wahrscheinlich *Meet Mr. Blank* von Rosie Waldeck] to show to me. He is so old – that I figured he might forget about the missing paper. He never mentioned it, so I guess he did...«[65] Eine rückblickende Analyse von Leopold Schwarzschilds Zeitschrift *Das Neue Tage-Buch* hebt hervor, daß »Mr. S.'s stubborn refusal to recognize any moral or even fundamental economic difference between Nazism and Bolshevism« und seine Kritik an Lion Feuchtwangers Rußland-Buch ihm die üblichen Angriffe aus dem Lager der »Party-members and fellow-travellers«[66] eingetra-

---

59 Interview With Mr. Leopold Schwarzschild, 14. 6. 1945, S. 4 (OSS, 1585).
60 A. a. O., S. 2.
61 A. a. O., S. 4.
62 Charles B. Friediger, Memorandum an Bjarne Braatoy v. 9. 6. 1945, S. 1 (OSS, 1575).
63 A. a. O., S. 2-3.
64 German American Meeting in Philadelphia, 23. 2. 1944, S. 2 (OSS, 1002).
65 Interview With Mr. Ullstein, 28. 4. 1945, S. 3 (OSS, 1485).
66 Mr. Leopold Schwarzschild, 22. 5. 1942, S. 2 (OSS, 149).

gen habe. Und immer wieder drängt sich die ex-Kommunistin Ruth Fischer vor (»after Trotzky's elimination she became anti-Stalinist to such a degree that it could be called an obsession«[67]), um ihre Brüder Hanns und Gerhart Eisler (»a Comintern key man, though not necessarily GPU«[68]) zu denunzieren oder dem Council for a Democratic Germany vorzuhalten, auf den »Russian bus«[69] zu springen.

Berührungspunkte zwischen dem literarischen Exil und dem FNB finden sich, wie noch zu zeigen sein wird, vor allem im Umkreis der Planungen für einen organisatorischen Zusammenschluß der ›Freien Deutschen‹. Im Zentrum stehen hier Thomas Mann als Repräsentant eines anderen, besseren Deutschlands, die vielfältigen Beziehungen zwischen den Exilkolonien in den USA und in Mexiko, die gemischten Reaktionen auf die Gründung des Nationalkomitees Freies Deutschland (NKFD) in Moskau und die unglückliche Geschichte des Council for a Democratic Germany. Regelmäßig werten FNB-Mitarbeiter Exilzeitschriften wie das *Freie Deutschland*, den in New York erscheinenden *Aufbau* und die deutsch-amerikanische *New Yorker Staatszeitung und Herold* aus. Wie eine Ironie der Geschichte mutet es dagegen an, daß ausgerechnet der wenig später von einer schwarzen Liste bedrohte Fritz Lang unter Mitarbeit der zu den Hollywood-Zehn gehörenden Drehbuchschreiber Albert Maltz und Ring Lardner 1946 mit *Cloak and Dagger* eine Hymne auf das Office of Strategic Services drehte.

Immigration and Naturalization Service

Während FBI und OSS sich gleichsam aus eigenem Antrieb mit den Exilanten befaßten, gehörte es zum Auftrag des Immigration and Naturalization Service, über jeden Ausländer, der in die USA kam, eine Akte anzulegen. Die weiter oben kurz umrissenen Einwanderungsgesetze, Quoten, Fristen und Fragen der Asylpolitik stehen dabei zweifellos im Zentrum. Doch die auf den ersten Blick trockenen, mit biographischen Fakten überfrachteten INS-Formulare geben auch Einblick in die Biographie und, wichtiger noch, in den Alltag der Exilanten und liefern so eine wichtige Ergänzung zu den Unterlagen der Geheimdienste.[70] Drei Dinge sind dabei von besonderer Bedeutung: Einmal nimmt die für die Freedom of Information and Privacy Acts zuständige Abteilung beim Immigration and Naturalization Service im Vergleich zum FBI vor der Freigabe der Akten relativ wenige Ausschwärzungen vor. Zum

---

67 Ruth Fischer on »Stalin's ›Free Germany‹«, Memorandum an den Director of Strategic Services [und] Secretary of State v. 1. 2. 1944, S. 1 (OSS, 972).

68 Friediger, Memorandum an DeWitt C. Poole v. 23. 3. 1944 (OSS, 1040).

69 Sgt. Friediger, Memorandum of Conversation With Miss Ruth Fischer v. 29. 2. 1944, S. 1 (OSS, 1008).

70 Dem steht entgegen, daß auch das INS-Material lückenhaft ist. So sind für eine Reihe von Autoren – Bloch, Seghers, Unruh, Werfel und andere – keine Unterlagen überliefert. Bei

anderen mußte sich der INS nicht nur auf die eigenen Ermittlungsergebnisse und Nachrichten aus zweiter und dritter Hand verlassen, sondern er wurde auf endlosen Formularen und in zum Teil stunden-, ja tagelangen Interviews von den Betroffenen selbst mit Informationen und Stellungnahmen versorgt. Und schließlich spielt der INS als Lieferant von handfesten Fakten eine wichtige Rolle für die Ermittlungen von FBI, ONI und MID.

In Erscheinung trat der INS für die Exilanten, die in den USA oder im Transit über New York in Mexiko Asyl suchten, vor allem an zwei Orten: In Ellis Island, der berühmt-berüchtigten ›Insel der Tränen‹ vor den Toren von New York, wo damals fast jeder Flüchtling aus Europa zum erstenmal Fuß auf amerikanischen Boden setzte. Und in Los Angeles, wo es vor allem um die Verlängerung von Aufenthaltsgenehmigungen und Anträge auf die U.S.-Staatsbürgerschaft ging. Dazu kommen gottverlassene Orte an der Grenze zu Mexiko wie Nogales in Arizona oder Tijuana/San Ysidro bzw. Mexicali/Calexico in Kalifornien, über die unter anderem Lion Feuchtwanger, Heinrich Mann und Alfred Döblin mit jenen neuen Visa in die USA zurückkehrten, die ihnen einen unbefristeten Aufenthalt ermöglichten, der wiederum die Voraussetzung für eine Einbürgerung war. Mitglieder der Familie Mann reisten aus dem selben Grund über Kanada zurück in die USA. Die Grenzübergänge Laredo und Eagle Pass in Texas spielen in den Biographien von Egon Erwin Kisch, Bodo Uhse und Anna Seghers eine Rolle.

Eröffnet wurden die INS-Akten bei der Ankunft der Exilanten in den USA. Vorher – also bei der Vergabe von Visa und Transits – hatten die Hitlerflüchtlinge es mit Vertretern des konsularischen Dienstes zu tun, der im Gegensatz zum INS Teil des Department of State ist. Was nicht heißt, daß sich die Einwanderungsbehörde gegen Informationen sperrte, die ihr noch vor der Ankunft eines Exilanten von den militärischen Nachrichtendiensten, dem FBI oder der Postzensur zugespielt wurden. So lag im Fall von Hans Marchwitza den Beamten in New York eine Nachricht vor, daß der mexikanische Präsident Lázaro Cárdenas seinen Konsul in Marseilles angewiesen habe, einer Gruppe von deutschen Exilautoren Visa für Mexiko auszustellen, wobei wegen der schwierigen Transportverhältnisse freilich ein Transit über die USA nötig war. Ein Mitarbeiter des Office of Naval Intelligence, der in Ciudad Trujillo, der Hauptstadt der Dominikanischen Republik, stationiert war, avisier-

anderen Exilanten werden beträchtliche Teile der Akte zurückgehalten – etwas 800 Blättern im Fall von F. C. Weiskopf. Für Brecht und Curt Goetz fertigte das Regionalbüro des INS in Los Angeles trotz mehrfacher Mahnungen nur eine nichtssagende und schlecht geschriebene schriftliche Zusammenfassung mit allgemein bekannten Lebensdaten und Gemeinplätzen an, in der u. a. heißt: »Mr. Brect was considered an irreverent, energetic, sharp tongues and anarchitic« (Robert M. Moschorak, District Director, INS, Brief an den Verfasser v. 18. 4. 1991, S. 2). Der INS in New York hat zwar mit vorformulierten Briefen auf meine Anfragen geantwortet, läßt aber seither nichts mehr von sich hören.

te – diesmal freilich mit erheblicher Verspätung – Ende August 1941 die Ankunft von Anna Seghers, »Dr. Ratvaniji«[71] und Rudolf Leonhard. Andere Namen gelangten über Hilfsorganisationen, die von FBI und Postzensur beobachtet wurden, an die Einwanderungsbehörde.

Geschlossen wurde eine INS-Akte im allgemeinen, wenn ein Exilant eingebürgert worden war oder wenn er das Land wieder verließ. Dabei bestätigt
auch hier eine nicht unerhebliche Zahl von Ausnahmen die Regel. Naturali-
sierte Amerikaner blieben im Visier des INS, solange ihre politischen Aktivitäten Grund für einen möglichen Entzug des neugewonnenen Bürgerrechts
gaben – eine Situation, die nicht selten durch einen Brief des FBI-Chefs eingeleitet wurde. Remigranten bekamen es gewöhnlich aus drei Gründen mit
dem INS bzw. dem Department of State zu tun: Wenn sie ihren Wohnsitz
nur zeitweilig nach Europa zurückverlegen wollten und deshalb – wie Brecht
und andere – ein sogenanntes »reentry permit« beantragten; wenn sich ihr
Auslandsaufenthalt über einen längeren Zeitraum erstreckte und die erwor-
bene amerikanische Staatsbürgerschaft wieder erlosch; oder wenn ihnen, wie
Alfred Kantorowicz, Jahre später bei einer Reise in ihr ehemaliges Asylland
Steine in den Weg gelegt wurden.

Ellis Island war, wie gesagt, der Ort, wo es nahezu alle Exilanten zuerst
mit der gefürchteten Einwanderungsbehörde zu tun bekamen. Neuankömmlinge wurden hier, bisweilen mehrfach, wie im Fall von F. C. Weiskopf, über
ihre finanzielle Situation, Familienverhältnisse und Gesundheit befragt.
Flüchtlinge, die eben erst dem Terror in Europa entronnen waren, erfahren,
daß Beamte, von deren Wohlverhalten sie abhängen, ihre prekäre Lage als
politische Asylanten nicht verstanden oder verstehen wollen. In ihrer Heimat
berühmte und erfolgreiche Autoren müssen lernen, daß ihre Sprachkennt-
nisse nicht ausreichen, um die echten und erfundenen Buchprojekte zu erklären, an denen sie in den USA arbeiten wollen und um über Bürgschaften
und Verträge zu verhandeln, von denen Einreisegenehmigung, Internierung,
die Länge der Aufenthaltserlaubnis in der Neuen Welt oder die lebensbedro-
hende Deportation zurück in die Alte Welt abhängen. Franklin Folsom, der
als führendes Mitglied der League of American Writers Anna Seghers 1941
auf Ellis Island besuchte, erinnert sich wie ein Arzt der Einwanderungsbehörde bei Anna Seghers' Tochter »from a distance of twenty feet... ›an incurable disease of the central nervous system‹« diagnostizierte.[72] Mißtrauisch
befragen INS-Inspektoren in hochnotpeinlich erscheinenden Interviews die
mit knapper Not der Gestapo Entkommenen über Gefängnisaufenthalte bei
den Nazis oder die Internierung in französischen Lagern. Ein Gewirr von

---

71 John A. Butler, U.S. Naval Attaché, Intelligence Report v. 26. 8. 1941 (800.00B Ratvanyi,
    Laslo/4).
72 Folsom, *Days of Anger, Days of Hope*, S. 51.

Untersuchungskommissionen – Interdepartmental Committees, Review Committees und ein Board of Appeals[73] – auf denen neben dem INS auch das FBI, das Department of State und die militärischen Geheimdienste vertreten sind, durchleuchten den politischen Hintergrund der Neuankömmlinge und bedrohen sie mit Deportation und Abschiebung.

Unmenschlich behandelt wurde dabei keiner der Exilanten – sofern man nicht der Meinung ist, daß politisch Verfolgte allemal und ohne Frage in einem demokratischen Land Visa und Arbeitsgenehmigungen erhalten sollten. Dennoch half es, wenn man wie Thomas Mann und Carl Zuckmayer[74] über Ruhm, Geld oder Beziehungen verfügte. Alles was es für diesen relativ kleinen Kreis von Privilegierten nach der Einreise zu tun gab war, der im Krieg eingeführten Meldepflicht zu genügen, Reisen rechtzeitig zu beantragen und auf den Ablauf der Fünfjahresfrist zu warten, die Bedingung für einen Antrag auf Einbürgerung war. Viele verließen die INS-Insel mit einer Aufenthaltserlaubnis, die auf zwei, drei Monate, bisweilen auch nur auf 30 oder 60 Tage befristet war und dazu oft genug noch mit Auflagen wie einem Arbeitsverbot belegt wurde. Für sie ist das Leben in der Neuen Welt gekennzeichnet von immer neuen Anträgen auf Verlängerung ihrer Papiere – Hans Marchwitzas sechster Aufschub wurde 1946 bewilligt -, von unruhigem Warten auf die Entscheidungen von »Review« und »Appeal Boards«, von Petitionen und von endlosen Briefen an einflußreiche Amerikaner, von denen man sich Fürsprache erhofft. Ein paar weniger Glückliche werden – wie Anna Seghers und ihre Familie – mit dem nächsten Dampfer in Richtung ihres ursprünglichen Reiseziels abgeschoben: »...on vient nous annoncer«, schreibt Laszlo Radvanyi dazu von Ellis Island aus an F. C. Weiskopf in New York, »que nous devons partir aujourd'hui, à 9 heures et que notre bateau pour Vera Cruz partira vers 11 heures du martin... Netty a l'intention, aussitôt après notre arrivée au Mexique faire toutes les démarches nécessaires auprès les autorités consulaires des Etats Unis.«[75]

Der erste Schritt aus dem Wartesaal des Exils in den Normalzustand als offiziell anerkannter Dauergast war für alle, die nicht bereits als Einwanderer in die USA gekommen waren, eine Neueinreise über Mexiko, Kanada oder Kuba in jenes Land, in dem sie zumeist schon seit Jahren lebten. Zuende waren die Probleme der Exilanten damit freilich nicht. Denn wer sich nach Ablauf der Wartezeit von fünf Jahren um die amerikanische Staatsbürger-

---

73 Wyman, *Paper Walls*, S. 194ff.

74 Vgl. Alice Herdan-Zuckmayer: *Das Scheusal. Die Geschichte einer sonderbaren Erbschaft.* Frankfurt: Fischer 1972, S. 166, die beschreibt, welchen Eindruck ein Empfehlungsschreiben von Dorothy Thompson beim Immigration and Naturalization Service auf Ellis Island machte.

75 Laszlo Radvanyi, Brief an F. C. Weiskopf v. 25. u. 26. 6. 1941 (F. C. Weiskopf Sammlung, Akademie der Künste, Berlin). Rechtschreibung und Grammatik in diesem Zitat folgen dem Original.

schaft bewarb, mußte nicht nur die entsprechenden Formulare ausfüllen, drei Bürgen nennen und Dokumente beibringen, die in dem von den Nazis besetzten und in Schutt und Asche versunkenen Europa nur noch in Ausnahmefällen zu erhalten waren, er hatte sich auch einer Untersuchung zu stellen, die der Immigration and Naturalization Service in enger Zusammenarbeit mit Behörden wie dem FBI, den militärischen Nachrichtendiensten, HUAC und State Department führte. Interviews mit Nachbarn, Kollegen und Familienmitgliedern, die den INS über die charakterlichen Eigenschaften und politischen Meinungen der Einbürgerungwilligen aufklären sollten, sind dabei – wie im Fall von Ferdinand Bruckner – bisweilen von einer verräterischen Sprache gekennzeichnet:»... a neighborhood investigation in April, 1945... was completely negative, all persons interviewed unqualifiedly recommended him for citizenship.«[76] Routinemäßig gehen Anfragen an das FBI, ONI, G-2 und die örtliche Polizei mit der Bitte um Hinweise auf die Loyalität, die Gesetzestreue und den Charakter des Betreffenden (»[Klaus] Mann is alleged to have stated... to the representatives of the United States Army that he was homosexual«[77]). Im Stil der professionellen Geheimdienste läßt sich der INS von der Postzensur informieren, geht die Berichte des HUAC und seines kalifornischen Ablegers, des Tenney Committees, durch, trägt Meldungen aus der Presse und aus Publikationen zusammen und greift auch schon einmal, wie im Fall Feuchtwanger, auf die Aussage eines Informanten zurück.

Und noch weiter geht die Sammelleidenschaft des Immigration and Naturalization Service. Daten und Meinungen werden vom INS nämlich nicht nur bei der Einreise und bei Einbürgerungsverfahren zusammengestellt, sondern auch über Exilanten, die zwar längst Staatsbürger geworden waren, deren Loyalität aber in Frage steht. Auslöser sind dabei durchweg politische Aktivitäten der Neuamerikaner, die – wie Berthold Viertel – mit ›revocation‹, also dem Entzug der Staatsbürgerschaft oder – wie Thomas Mann – mit Deportation bedroht werden.

Bliebe zuletzt noch ein Blick auf Inhalt, Bedeutung und Verläßlichkeit der freigegebenen INS-Akten, Gesprächsprotokolle und Formulare zu werfen. Kernstück sind hier zweifellos die von den Betroffenen selbst gemachten Angaben, die im Gegensatz zu dem eher zufällig von den Beamten der Einwanderungsbehörde angehäuften Informationen allein deshalb schon einen hohen Genauigkeitsgrad besitzen, weil Falschaussagen mit Strafe bedroht wurden und Interviews unter Eid stattfanden. Vor allem für weniger bekannte Exilautoren finden sich in den Formularen des INS sonst nur schwer rekonstruierbare Daten zu Vorfahren, Herkunft und Geburt. Antragsteller wa-

---

76 Re: Theodor Tagger, Memorandum v. 18. 2. 1946 (INS-Akte, Ferdinand Bruckner).
77 John Edgar Hoover, Brief an Earl G. Harrison, Commissioner, Immigration and Naturalization Service v. 21. 9. 1942 (FBI-Akte, Klaus Mann).

ALIEN

| LEAVE THIS SPACE BLANK |

Name .... MANN, ... Heinrich Ludwig .... Classification ....

            (Surname)   (First)   (Middle)

(PLEASE TYPE OR PRINT PLAINLY)

Nationality ...Czech....   Color ...White...   Sex ...Male...   Reference ....

RIGHT HAND

1. Thumb	2. Index finger	3. Middle finger	4. Ring finger	5. Little finger

LEFT HAND

6. Thumb	7. Index finger	8. Middle finger	9. Ring finger	10. Little finger

Impressions taken by:

    PaulBScott

    (Signature of official taking prints)

Date impressions taken ......3/28/41.

Note amputations

Heinrich Ludwig mann

(Alien's signature)

FOUR FINGERS TAKEN SIMULTANEOUSLY			FOUR FINGERS TAKEN SIMULTANEOUSLY

Left hand   Left thumb | Right thumb   Right hand

PLEASE DO NOT FOLD THIS CARD   U. S. GOVERNMENT PRINTING OFFICE   16—16200

ren gehalten, Fragen nach früheren Wohnsitzen, amerikanischen Arbeitgebern und Mitgliedschaften in Organisationen aller Art zu beantworten (Zuckmayer: American Goat Society). In den Unterlagen zur Familie Mann liegt die Kopie des Originals und eine Übersetzung der Verleihung der tschechischen Staatsbürgerschaft. Bei Klaus Mann informierte sich die Einwanderungsbehörde genau über die Einkünfte des Exilanten – $50 bis $125 für Vorträge – und schreibt mit, als Klaus über die Vermögensverhältnisse seiner Eltern plaudert, von denen er eine monatliche Apanage bezieht. Eine Rubrik auf den Formularen ist körperlichen Besonderheiten gewidmet, also der Warze auf Viertels linker Wange und der Narbe in Brechts Gesicht. Jüdische Exilanten trugen unter »race« offensichtlich ohne Zögern »Hebrew« ein und nicht, wie Lion Feuchtwanger, »white«. Viele INS-Dokumente sind mit Fotos der Zielperson versehen – eine Informationsquelle, die routinemäßig vom FBI ausgebeutet wird. Mehr für Hoovers Amt als für die Exilforschung dürften auch die Fingerabdrücke der Hitlerflüchtlinge von Bedeutung sein, von denen hier ein Beispiel aus der Akte von Heinrich Mann reproduziert wird.

Antragsteller bestätigten dem INS bei Androhung von Strafe und Deportation per Unterschrift oder Eid, daß sie ihre Aussagen nach bestem Wissen und Gewissen gemacht hatten. Kleine Fehler und Unwahrheiten, die in den Formularen und Gesprächsprotokollen des INS auftauchen, besitzen entsprechend wenig Gewicht. So sind sich die mit den amerikanischen Maßen unvertrauten Europäer oft nicht einig über ihr Gewicht und ihre Körpergröße – Remarque zum Beispiel ist mal 5 Fuß 7 Zoll, mal 5' 10" groß. Anna Seghers hat aus unerfindlichen Gründen Probleme mit ihrem Geburtsdatum. Der im rheinhessischen Nackenheim geborene Carl Zuckmayer versucht, der Kategorisierung als »enemy alien«, also als feindlicher Ausländer, zu entgehen, indem er sich als Österreicher ausgibt. Unangenehm geht es zu wenn Exilanten – Lion Feuchtwanger, F.C. Weiskopf, Egon Erwin Kisch, Hans Marchwitza – in INS-Verhören so weit in die Enge getrieben werden, daß sie zu Halbwahrheiten und kleinen Lügen greifen müssen, um sich und andere zu schützen.

Dennoch gilt es festzuhalten, daß bis auf die spektakulären, von der Presse genau beobachteten Fälle des KPD-Funktionärs Gerhart Eisler und seines Bruders Hanns und einer relativ kleinen Zahl von verweigerten Einbürgerungen bzw. »reentry permits« kein Exilautor ernsthaft durch Aktionen des INS bedroht oder gar geschädigt wurde. Bei Lion Feuchtwanger verhinderte die bis zum Tod des Antragstellers hinausgezögerte Verleihung der amerikanischen Staatsbürgerschaft den erhofften Besuch in Deutschland. Thomas Manns Entschluß, nach Europa zurückzukehren, scheint wenigstens zum Teil davon beeinflußt gewesen zu sein, daß besonders nach Inkrafttreten der berüchtigten, als Walter-McCarran Act bekannt gewordenen Immigration and Nationality Act von 1952 (»Die Mc.Carran-Bill auch im Senat angenommen.

Depression. Langer Schlaf.«[78]) für ihn eine Ausbürgerung durchaus im Bereich des Möglichen lag: »K. läßt lieber gleich die Pässe erneuern. Mit meiner Ausbürgerung, rückbezüglich auf die Weimarer Reise etc. immerhin zu rechnen.«[79] Andere Exilanten mögen aufgrund ihrer Erfahrungen mit dem INS gezögert haben, die USA nach ihrer Rückwanderung nach Deutschland noch einmal zu besuchen. Nicht zu finden ist in den gut drei Dutzend an mich freigegebenen INS-Dossiers ein Hinweis auf Deportation, auf längere Internierung oder auf den Entzug der amerikanischen Staatsbürgerschaft.

Department of State

Beobachtet, überwacht und wenn nötig gelenkt wurden die Exilanten nicht nur durch FBI, OSS und INS, sondern auch durch das Department of State, das Außenministerium der USA. Assistant Secretary of State Adolf A. Berle war Ansprechpartner u. a. für Thomas Mann. Die Division of Mexican Affairs im Office of American Republics und die Foreign Activity Correlation kümmerten sich intensiv um die Exilkolonie in Mexiko. In wichtigen Angelegenheiten – Grundsatzentscheidungen der Postzensur, der internationalen Rolle der verschiedenen Freies Deutschland-Gruppen, Petitionen des angesehenen Thomas Mann – schaltete sich auch schon einmal Außenminister Cordell Hull persönlich ein. Zahlreiche Briefe und Dokumente, die J. Edgar Hoover als »personal and confidential« oder »secret« an Berle schickte, belegen, daß der FBI-Boss sich keineswegs, wie er gern behauptete, auf das Sammeln von Nachrichten beschränkte, sondern durchaus in die große Politik eingriff – so wie sich der Außenpolitiker Berle seinerseits nicht scheute, das FBI zur Überwachung von »subversive activities« (»in plain English... plotting, sabotage, political strikes, and in some cases, murder)« im Inland anzuhalten: »I have asked the Federal Bureau of Investigation«, trägt Berle am 11. Juli 1941 in sein Tagebuch ein, »to continue their surveillance over Communist activities here. A party line which could change from one of hostility to one of collaboration overnight could change back with equal speed.«[80] Als das gefürchtete Dies Committee im Sommer 1943 eine Untersuchung gegen die liberale Haltung des Außenministeriums, der Einwanderungsbehörde und des President's Advisory Committee on Political Refugees bei der Rettung bedrohter

---

78 Thomas Mann: *Tagebücher 1951–1952*. Hrsg. v. Inge Jens. Frankfurt: Fischer 1993, S. 234. Vgl. dazu Cushman, *Civil Liberties in the United States*, S. 169: »The Act of 1952 spells out new grounds for denaturalization. Among these are: concealing at the time of naturalization membership in a subversive organization; refusing within ten years following naturalization to testify before a congressional committee with regard to subversive activities if the person has been convicted of contempt because of such refusal...«

79 Mann, *Tagebücher 1951–1952*, S. 296.

80 *Navigating the Rapids, 1918–1971. From the Papers of Adolf A. Berle*. Hrsg. v. Beatrice Bishop Berle u. Travis Beal Jacobs. New York: Harcourt Brace Jovanovich 1973, S. 373.

Intellektueller aus Europa beginnt (»an investigation by the Dies Committee at this time might prove somewhat embarrassing«[81]), wird die Visa Division der Behörde in Sachen Asylpolitik zur Selbstkritik gezwungen: »You will recall that telegrams were sent in the early part of the war to permit certain ›intellectuals‹ to enter the United States without investigation by this Department of their political affiliations... requirements of national security... were observed in so far as it was practically possible during a period of great stress...«[82]

Wie zu erwarten standen für das State Department neben Fragen der Flüchtlingshilfe dieselben Themen im Vordergrund, um die sich auch FBI und OSS kümmerten – die organisatorische Tätigkeit der kommunistischen Exilgruppe in Mexiko und die Deutschlandplanung der vertriebenen Autoren. In der Tat zeugen umfangreiche Berichte aus der Feder von Mitarbeitern der amerikanischen Botschaft in Mexiko, allen voran Botschaftssekretär William K. Ailshie, von einer engen Zusammenarbeit zwischen Außenministerium, dem in Lateinamerika als Special Intelligence Service auftretenden FBI und den Nachrichtendiensten von Marine und Armee bei der Überwachung der politisch und kulturell aktiven Mexiko-Exilanten um Anna Seghers, Ludwig Renn, Bodo Uhse und Egon Erwin Kisch. Regelmäßig gehen Ailshie und seine Kollegen die Exilzeitschrift *Freies Deutschland* durch, informieren sich über Neuerscheinungen des Verlags El Libro Libre und tauchen auch schon mal bei den Veranstaltungen des Heinrich Heine Klubs auf. Kenntnisreiche Protokolle nehmen zur Gründung, zum Programm und zu den Aktivitäten der Bewegung Freies Deutschland und ihres Lateinamerikanischen Komitees Stellung. Interne Kontroversen in der Exilkolonie von Mexiko werden genauso notiert wie die Auseinandersetzungen mit Otto Strassers ebenfalls Free Germany genannten Bewegung und August Siemsens in Argentinien stationierter Gruppe Das andere Deutschland. Ein Versuch des State Departments, die Arbeit der Freien Deutschen durch die Vernichtung des Postverkehrs zu behindern, stößt auf Widerstand beim Office of Censorship. Mit großer Aufmerksamkeit verfolgen Berle und seine Untergebenen die Beziehungen der Exilanten in Mexiko zu dem Mitte 1943 in Moskau gegründeten Nationalkomitee Freies Deutschland. Aus Schweden, wo es wie in anderen unbesetzten Teilen Europas aktive Free Germany-Gruppen gab, berichtet die U.S.-Botschaft von ausführlichen Gesprächen mit Willy Brandt über die Zukunft Deutschlands: »Members of the Legation's staff who are acquainted with Brandt... all consider him to be thoughtful, forceful and thoroughly democratic in his outlook... Because of his background and his

---

81 Mr. Travers, Memorandum an Mr. Long v. 22. 7. 1943 (National Archives, Akz. unleserlich).

82 A. a. O. u. B. L., Memorandum an Mr. Welles u. The Secretary v. 13. 8. 1943 (National Archives, Akz. unleserlich).

abilities, it is not difficult to foresee that he might have a promising political future in Germany...«[83] Die amerikanische Mission in Ankara leitet einen Brief von Ernst Reuter mit einem emotionalen Aufruf an Thomas Mann weiter, die Kräfte des besseren Deutschlands hinter sich zu versammeln. Und auch auf amerikanischem Boden wird das Außenministerium aktiv wenn es um das Thema »Free Germany« geht: OSS und State Department lassen im Herbst 1943 die Vorbereitungen für ein Thomas Mann-Komitee platzen. Mißtrauisch verfolgen Mitarbeiter des Ministeriums die Aktivitäten von Paul Tillichs Council for a Democratic Germany. Über Hoover gelangen die einschlägigen »Reports« der FBI Field Offices an Berle, darunter der bereits erwähnte detaillierte Bericht von einem Gespräch, das ein prominenter Spitzel im September 1944 mit Brecht zum Thema »Free German Activities in the Los Angeles Area« führte.

Mit der erfolgreichen Landung der Alliierten in der Normandie verlagert sich die Aufmerksamkeit des Department of State bei der Überwachung der Hitlerflüchtlinge dann zunehmend von der Deutschlandplanung auf den Beitrag der (West-)Exilanten zum Wiederaufbau Deutschlands. Aktenkundig wird so beim Außenministerium wer wie Brecht, Marchwitza und die in Mexiko ansässigen Exilanten möglichst rasch zurück nach Europa will. Reisen und Reden von Exilautoren werden registriert, besonders wenn sie wie bei Thomas Mann mit der Sowjetischen Besatzungszone bzw. der DDR zu tun haben. Kritisch kommentieren die amerikanischen Auslandsvertretungen die Teilnahme von Exilanten an Friedens- und Antiatominitiativen, die pauschal als »communist front« diffamiert werden. Wer wie Weiskopf in der Tschechoslowakei nach 1945 einen diplomatischen Posten erhält oder wie Anna Seghers, Renn und Uhse im Osten Deutschlands eine öffentliche Rolle spielt, bleibt im Visier des Department of State. Im November 1952 telegraphiert Washington nach einem Vortrag von Thomas Mann im RIAS verärgert an seine Bonner Vertretung: »The Department considers that in view of Mr. Mann's attitude in the East-West conflict his utterance should be given cursory treatment, if any, and East Zone reaction to the Mann speech seems to bear out the wisdom of this policy.«[84] Und endlich registriert das Außenministerium von Amts wegen Fälle, in denen in ihre Heimat zurückgekehrte Exilanten – Ferdinand Bruckner, Berthold Viertel, Carl Zuckmayer – ihre amerikanische Staatsbürgerschaft aufgeben bzw. nach Ablauf von fünf Jahren automatisch verlieren.

---

83 Herschel V. Johnson, American Legation, Stockholm, Schweden, Memorandum an Secretary of State v. 2. 9. 1944, S. 1 (862.01/9-244). Brandt hatte u. a. im Oktober 1943 einen umfangreichen Bericht zum Thema »Oppositional Movements in Germany« an den amerikanischen Außenminister geschickt (National Archives, RG 59, Box 5359).

84 Bruce, Airgram an HICOG, Bonn v. 21. 11. 1952 (962A.40/11-21).

Doch nicht nur um die große Politik mußte sich das Department of State kümmern. Bodo Uhses Verhältnis mit einer Amerikanerin geht ebenso wie die verzweifelten Versuche von Thomas Mann, Verwandte aus den europäischen Kriegswirren zu retten, in die Unterlagen des Ministeriums ein. Angestellte des State Departments halten sich auf dem Laufenden als Johannes Urzidil sich bei der Voice of America um Arbeit bewirbt, Lion Feuchtwanger in Pacific Palisades von einer Delegation aus Sowjetrußland besucht wird und Anna Seghers' Mann in Mexiko ein Institut für Meinungsforschung aufbaut. Anna Seghers und Laszlo Radvanyi werden bei Außenminister Cordell Hull persönlich von einem hochgestellten Beamten des Immigration and Naturalization Service als »camouflaged Communist agents«[85] angeschwärzt. Mit Hilfe aus Washington gelangt der Nachlaß von Franz Werfel nach Kriegsende aus Österreich an die Universität von Kalifornien in Los Angeles und die Plakette von Thomas Manns Goethe-Preis aus Frankfurt nach Pacific Palisades (»Thank you very much for your kindness in sending me the engraved testimonial of the Frankfurt Goethe Prize. Let me add that it was a particular pleasure for me to receive this document through the authorities of the country whose grateful and loyal citizen I am.«[86]). Die Botschaft der USA in Madrid leitet Ende der vierziger Jahre Informationen aus spanischen Quellen über die Teilnahme von Ludwig Renn, Walter Janka (»Chief of a Communist Brigade«), Alfred Kantorowicz (»Cheka Agent«[87]) und anderen am Spanischen Bürgerkrieg nach Washington. Besuchsreisen von Alfred Kantorowicz und Erwin Piscator in ihr ehemaliges Gastland mußten bis in die fünfziger und sechziger Jahre von Washington genehmigt werden, weil der eine ehemals KPD- und SED-Mitglied und der andere 1918/9 Spartakist gewesen war. Nicht erhalten geblieben ist die Antwort des Außenministeriums auf eine spektakuläre Bitte von Hoover, unmittelbar nach dem Zusammenbruch des Dritten Reiches in deutschen und französischen Polizeiarchiven Informationen zu den von ihm observierten Exilanten sicherzustellen.

Ähnlich wie die Akten von OSS und INS besitzen die Unterlagen des Department of State zu den Exilanten gegenüber dem FBI-Material den Vorteil, daß sie vor der Freigabe nicht zensiert werden – mit einer Ausnahme: Dokumente, die Hoovers Behörde betreffen, wurden bei den National Archives in vielen Fällen ausgesondert und durch ein eingelegtes Formblatt ersetzt. Hinderlich für die Arbeit mit dem Nachlaß des State Department ist dagegen das

---

85 Lemure B. Schofield, Special Assistant to the Attorney General, INS, Brief an Cordell Hull, Secretary of State, v. 2. 8. 1941 (800.00B Ratvanyi, Laslo/2).
86 Thomas Mann, Brief an R. D. Muir, Acting Chief of Protocol, Department of State, v. 28. 10. 1949 (093.626/10-2849).
87 German Communists in the International Brigade, S. 1, Anlage zu Edward P. Maffitt, Second Secretary of Embassy, Embassy of the United States of America, Madrid, Brief an Secretary of State v. 18. 3. 1948 (862.00B/3-1848).

Fehlen von detaillierten Findbüchern und Querverweisen. So wurden Akten beim Außenministerium zwar nach einem ausgeklügelten System abgelegt, nach dem zum Beispiel in der Signatur 862.00B die 8 für ›Internal Affairs of States‹, die 62 für ›Germany‹ und 00B für ›Bolshevism‹ oder in der Signatur 812.20212 die erste 12 für ›Mexico‹, 202 für ›Military Activity of Country‹ und die zweite 12 wieder für ›Mexico‹ steht. In genau welchem Kasten wieviele Dokumente etwa zu den Freien Deutschen oder zu Thomas Mann zu finden sind, bleibt dagegen oft dem Zufall oder der Ausdauer des einzelnen Forschers überlassen.

Office of Naval Intelligence und Military Intelligence Division der U.S.-Armee

Im Gegensatz zu den weitgehend ohne Einschränkungen bei den National Archives in Washington einzusehenden Akten des State Departments bleiben die Archivbestände und die Arbeitsweise der beiden militärischen Nachrichtendienste der USA, Office of Naval Intelligence und Military Intelligence Division der Armee, eher im Dunkeln. Unterlagen werden von diesen Behörden bis heute zurückgehalten – im Fall von Bodo Uhse 57 Dokumente, die noch ein halbes Jahrhundert später »damage to the national security«[88] der USA bringen sollen. Mahnungen und Nachfragen verlaufen im Sand, obwohl feststeht, daß sich auch die militärischen Geheimdienste über viele Jahre hinweg um alle möglichen Aktivitäten der Exilanten aus Deutschland und Österreich kümmerten.

Operationsgebiet des Office of Naval Intelligence und der relativ uneffizient arbeitenden Military Intelligence Division war traditionsgemäß vor allem das Ausland,[89] darunter nach dem Delimitation Agreement von 1940 Mexiko und nach 1945 Deutschland. So unterhielt die Marine Anfang 1943 vor allem in der westlichen Hemisphäre 29 ONI-Außenstellen, 22 Beobachtungsposten und 43 Liaisonbüros mit mehreren hundert Mitarbeitern. Vom FBI und Dies Committee wurde das ONI mit »indexes of suspected dangerous internal enemies«[90] versorgt. ONI Attachés erhielten von Hoovers »top Com-

---

88 Robert J. Walsh, Chief, Freedom of Information/Privacy Office, United States Army Intelligence and Security Command, Brief an den Verfasser v. 18. 3. 1988.

89 Querverweise in den FBI-Akten auf Dokumente wie das«Weekly Estimate of Subversive Situation, Military Intelligence« der »Army Service Forces, Headquarters, Second Service Command, Governor's Island, New York 4« (Summary of Main File 40-12476. Dr. Franz Carl Weiskopf, S. 126 [FBI-Akte, F. C. Weiskopf]) und einen MID-Bericht von Dana S. Creel »covering the period 5-24-43 to 6-7-43 Re: ›Klaus Henry Mann, Pvt.‹« (a. a. O., S. 106) deuten an, daß sich die Military Intelligence Division der Armee auch in den USA umhörte.

90 Jeffery M. Dorwart: Conflict of Duty. The U.S. Navy's Intelligence Dilemma, 1919-1945. Annapolis: Naval Institute Press 1983, S. 152.

munist-hunter Kenneth McIntire«[91] in vierwöchigen Ausbildungskursen Instruktionen. Mehr als 200 Reserveoffiziere der Marine dienten als Postzensoren.[92]

Eine Reihe von Berichten, die sich in den Unterlagen des Außenministeriums erhalten haben, sowie Querverweise in FBI-Unterlagen deuten an, daß sich die Militärattachés in Mexiko ebenso wie ihre Kollegen vom SIS und Department of State bei der Beobachtung der Exilanten vor allem auf die Bewegung Freies Deutschland konzentrierten. Militärspezifische Angelegenheiten wie die Nachricht von einem geplanten Treffen zwischen Ludwig Renn und Feldmarschall Friedrich Paulus in Rußland, blieben dagegen in Ermanglung von einschlägigen Aktivitäten eher am Rande, sind Phantasiegebilde oder zeugen von grobem Unwissen – so bei der längst verjährten Spionagegeschichte von Egon Erwin Kisch über den österreichischen Generalstabschef Redl. Routinemäßig fragte der INS in Einbürgerungsverfahren bei ONI und G-2 an, ob negative Informationen vorliegen. Und schließlich machte man sich bei der Armee viel Mühe mit der Überprüfung der Loyalität und den Bekanntschaften von Exilanten wie Stefan Heym[93] und Klaus Mann, die sich nach Eintritt der USA in den Krieg zum Military Intelligence Training meldeten und in Camp Crowder oder in dem berühmten Camp Ritchie in den Blue Ridge Mountains von Maryland ausgebildet wurden zum »Funksprücheverschlüsseln«[94], der Gestaltung von Propagandasendungen im Rundfunk und dem Abfassen von Stegreifreden »aus vorderster Stellung, über Lautsprecher«[95].

In Deutschland werden die militärischen Geheimdienste aktiv, als es nach 1945 um die Überwachung jener Exilanten geht, die in ihr Herkunftsland zurückkehren. Ein besonderes »Political (or Counter Subversion) Team« des weit mehr als 1.000 Mitglieder zählenden Counter Intelligence Corps (CIC) wird auf – freilich nicht nur aus Exilantenkreisen stammende – »targets dealing with right- and left-wing political activities in all the Zones of Germa-

---

91 A. a. O., S. 118.
92 *United States Intelligence. An Encyclopedia.* Hrsg. v. Bruce W. Watson u. a. New York: Garland 1990, S. 399.
93 Dazu Stefan Heym: *Nachruf.* Berlin/DDR: Buchverlag Der Morgen 1990, S. 242 u. 245: »Beteiligt an den Nachforschungen sind zunächst der U.S. Immigration Service und das FBI, dann aber wird die Armee durch ihre Military Intelligence Branch federführend... Ich habe aus diesem Dossier... in solcher Länge zitiert, weil ich meine, daß es, trotz aller darin enthaltenen Vorurteile und Fehlinformationen, auch heute noch einiges über den S. H. jener Zeit aussagt, und über die Verhältnisse und geistigen Haltungen in dem Land, in dem er lebte, und über die Art, wie die Armee dieses Landes, die Seite an Seite mit der sowjetischen dem Nazi-Spuk ein Ende zu bereiten bestimmt war, in jener Zeit funktionierte.«
94 Klaus Mann: *Tagebücher 1940 bis 1943.* Hrsg. v. Joachim Heimannsberg u. a. München: edition spangenberg 1991, S. 130.
95 Heym, *Nachruf,* S. 264.

ny«[96] angesetzt. Die Befragung von »German repatriates for counter intelligence information« fällt in den Aufgabenbereich eines »internal desk«, während das »external desk«[97] sich u. a. mit der KPD und sowjetischen Aktivitäten beschäftigt. Erfaßt und geordnet wird die Arbeit der CIC-Agenten in einer 270.000 Dossiers und mehr als 1,3 Millionen Karteikarten zu Personen umfassenden zentralen Registratur.

Einige wenige Beispiele, die ihren Weg in die FBI-Akten der Exilanten gefunden haben, mögen verdeutlichen wie weit damals der Arm von G-2 bzw. CIC reichte. So gibt die militärische Nachrichtenabteilung des War Department im Februar 1947 den Bericht eines offensichtlich unzuverlässigen Informanten an G-2 in Europa weiter, daß die ›Kominternagenten‹ Hans Marchwitza, Jakob Walcher und Horst Bärensprung die USA in Richtung Deutschland verlassen haben. In Berlin sammelt die 66th CIC-Group, USAR EUR (d. i. Counter-Intelligence Corps der U.S. Army Europe), Informationen über Heinrich Manns Kontakte zum Aufbau Verlag und über F. C. Weiskopf – »... has written... ›Party Line‹ books for Dietz Verlag.«[98] Die »Security Group« der Armee in Frankfurt meldet nach Washington, daß Alfred Kantorowicz »while in Bremen awaiting clearance made an illegal trip to Berlin«, um sich »secretly« mit Stalins Geheimdienstchef »Laurenti Beria«[99] zu treffen. G-2 Headquarters, USAREUR in Heidelberg, hört im ostdeutschen Radio, daß Thomas Mann im Mai 1955 an den Schiller-Feiern »held in Eastern Germany, probably at Weimar«[100], teilnehmen will. Als Hoover 1952 versucht, über seinen Legal Attaché in Madrid Informationen zu ehemaligen Spanienkämpfern zu besorgen, gehen Kopien des Berichts an G-2 in Deutschland und Österreich. Über Graf holt sich die 66th CIC Group in Stuttgart 1955 bei einem Informanten, »presently a member of the SPD in Munich«[101], Details zu einer möglichen KPD-Mitgliedschaft des Volksdichters. Und auch bei Leonhard Frank und Fritz von Unruh lassen U.S. Army und Air Force noch zehn, fünfzehn Jahre nach Kriegsende nicht locker.

96 Ian Sayer u. Douglas Botting: *America's Secret Army. The Untold Story of the Counter Intelligence Corps.* London: Grafton 1989, S. 273.

97 A. a. O., S. 274. Vgl. auch Guy Stern: »The Exiles and the War of the Minds.« In: *Der Zweite Weltkrieg und die Exilanten. Eine literarische Antwort. World War II and the Exiles. A Literary Response.* Hrsg. v. Helmut F. Pfanner. Bonn: Bouvier 1991, S. 311-24 und Marita Krauss: »Eroberer oder Rückkehrer? Deutsche Emigranten in der amerikanischen Armee.« In: *Exil* 1/1993, S. 70-85.

98 Weiskopf, Frantisek Carl aka Franz, Headquarters, 66th CIC Group, USAREUR, APO 154, US Army v. 7. 10. 1955 (F. C. Weiskopf, Department of Army).

99 WDG ID REURAD, Telegram an Assistant Chief of Staff v. 11. 2. 1947, S. 1 (Alfred Kantorowicz, Department of Army).

100 Liaison Representative, Heidelberg, Memorandum an Director, FBI, v. 11. 1. 1955 (FBI-Akte, Thomas Mann).

101 RE: Oskar Maria Graf, S. 4, Anlage zu Legat, Bonn, Memorandum an Director, FBI, v. 30. 9. 1955 (FBI-Akte, Oskar Maria Graf).

Office of Censorship

Von allen Nachrichten- und Überwachungsapparaten, die während Roosevelts Regierung aus- und aufgebaut wurden, griff das Office of Censorship zweifellos am direktesten in das tägliche Leben der Exilanten ein. Briefe mit wichtigen privaten und geschäftlichen Nachrichten blieben tage- und wochenlang auf den Schreibtischen der Zensoren liegen. Bücher und Zeitschriften wurden zurückgehalten, weil man ihren Inhalt als subversiv klassifizierte. Intime Mitteilungen gerieten über die Zusammenfassungen und Übersetzungen der Postzensur in die Akten des FBI und anderer Behörden. Politische Debatten wurden gleichsam öffentlich vor den Augen und Ohren von Nachrichtendiensten und Außenministerium geführt, die direkt oder auf dem Umweg über Hoovers Amt die Post der Exilanten zu lesen bekamen. Cable Censorship übte 1942 in New York so lange Druck auf den Rechtsanwalt Irving Schwab aus, »reported to be an outright Communist«[102], bis er die Namen der Exilanten herausgab, die das Joint Anti-Fascist Refugee Committee aus Europa gerettet hatte. Ein Versuch des Außenministeriums, die Freien Deutschen in Mexiko durch die totale Vernichtung ihrer Post zu isolieren, scheiterte weniger an juristischen oder gar moralischen als an großen und kleinen politischen Bedenken: Moskau, so sorgte man sich in Washington, könnte es seinem Bündnispartner übel nehmen, wenn die Verbindung zwischen Mexiko und der Sowjetunion unterbrochen würde; und das Office of Censorship wollte sich nicht von einer anderen Behörde Vorschriften machen lassen. Und selbst Amerikaner waren in ihrem eigenen Land nicht vor Abhöraktionen sicher, wenn sie sich wie Alma Agee-Uhse, deren Gespräche aus einem texanischen Grenzort mit ihrem Vater in Pennsylvania überwacht wurden, in Exilantenkreisen bewegten.

Ausländer, also auch fast alle Exilanten, waren, wenn es zu Überwachungs- und Zensurmaßnahmen kam, ohnehin weitgehend vogelfrei. Das galt selbst dann, wenn sie Amerikaner geworden waren, aber zu einem späteren Zeitpunkt von einem Verfahren zum Entzug der Staatsbürgerschaft, von Deportation oder von einer Untersuchung wegen unamerikanischer Umtriebe bedroht waren. Für sie reichte zumeist ein einfacher Antrag des FBI, um auf die »General Censorship Watch List« zu geraten. Ludwig Renn, der unter Verdacht stand, in Briefen verschlüsselte und mit Geheimtinte geschriebene Nachrichten zu schmuggeln, wurde, wie viele andere, auf einer »Special Watch List« geführt. Und natürlich unterlag jede Korrespondenz mit dem Ausland während des Krieges automatisch einer strengen Zensur.

---

102 Joint Anti-Fascist Refugee Committee, Memorandum für Captain Fenn v. 26. 5. 1942, S. 3, Anlage zu Assistant Director, Division of Reports, Office of Censorship, Brief an George A. Gordon, State Department, v. 6. 6. 1942 (811.00B/2076).

Die Effizienz des Office of Censorship und die vom FBI und einer Vielzahl anderer Behörden eingereichten Watch Lists sorgten dafür, daß zwischen 1942 und 1945/46 nicht viele Briefe zwischen den Exilzentren in Mexiko und den USA ungelesen an den Empfänger gelangten. Zensoren überprüften nach einem ausgeklügelten Verfahren die Namen von Absendern und Empfängern in sogenannten »flexoline« Indizes – 1944 allein in Los Angeles bei 20.000 Sendungen täglich –, gaben verdächtige Briefe weiter an einen sogenannten Suspect Classification Clerk, der seinerseits die Mitarbeiter der Examination Section einschaltete. Sprachkundige Zensoren wurden aus regionalen Universitäten und Schulen rekrutiert. Spezialabteilungen untersuchten vor allem die Post aus Mexiko und Südamerika routinemäßig nach Spuren von Kodierung oder Geheimschriften – nicht ohne dabei gelegentlich Fehler zu machen: »Due to the appearance of the letter identified as specimen 99, it was deemed advisable to subject it to exhaustive testing... Since the submitted specimens have been permanently stained in the course of secret ink examination... they are being retained in the files of the laboratory. Appropriate photographs... have been made and a translation... is attached hereto.«[103] Eine International and Political Section mit zwei Dutzend Mitarbeitern wurde in New York angesetzt auf »mail dealing with... matters with a political complexion«. Vertreter von FBI, ONI und – ebenfalls in New York – British Censorship entschieden zusammen mit einem Liaison Officer der Postzensur vor Ort, ob ein Schriftstück fotokopiert oder nur zusammengefaßt wurde und an welche Behörden Kopien zu schicken waren. Um die langweilige Arbeit der zwar »sincerely patriotic« arbeitenden, aber meist nur hastig ausgebildeten Zensoren effizienter und angenehmer zu gestalten, richtete das Amt in Miami ein sogenanntes ABC-System (Alphabetically by Countries) ein, bei dem ein Zensor über längere Zeit auf die Post von spezifischen Personen angesetzt wurde, um sich in die Verhältnisse der Briefpartner einzulesen. Eine turnusmäßig alle sechzig oder neunzig Tage durchgeführte Revision der 1942 bereits 20.000 Namen umfassenden »U.S. Watch List« zwang Behörden wie das FBI, ihren Nachrichtenhunger in Grenzen zu halten und immer wieder neu zu begründen oder, wie 1945, einzuschränken, als 330 Namen in den Kategorien »European politics, free movements and refugee immigration« gestrichen wurden.

Die periodischen Vernichtungsaktionen von Akten beim State Department und beim FBI, der Mangel an Findmitteln in den National Archives und der Personenschutz der Archivgesetze machen es heute unmöglich, zu rekonstruieren wie flächendeckend die Zweigstellen des Office of Censorship zwischen Washington, New York, Miami, Mexiko und dem auf Luftpost aus Lateinamerika spezialisierten Balboa in der Kanalzone von Panama gearbeitet ha-

103 Report of the FBI Laboratory v. 30. 9. 1944 (FBI-Akte, Ludwig Renn).

ben. Inhalt und Umfang der in den einschlägigen Akten erhalten gebliebenen Briefe deuten jedoch an, daß die Post fast aller Exilanten mehr oder weniger lange und intensiv überwacht wurde. Ja, das FBI scheint aus kaum einer anderen Quelle umfangreichere und verläßlichere Informationen über die politischen Aktivitäten, die literarische Arbeit, die privaten und beruflichen Beziehungen und die menschlichen Stärken und Schwächen seiner »subjects« bezogen zu habe.

So finden sich in den Akten von Heinrich Mann, Brecht, Anna Seghers und anderen Hinweise darauf, daß man den Empfang von Exilzeitschriften wie *Freies Deutschland* und der *Internationalen Literatur* und von russischen Publikationen wie *Prawda* und *Moscow News* genau registrierte. Immer wieder greifen die SACs bei ihren Ermittlungen auf die Namen- und Adressenlisten der Postzensur zurück wenn sie sich über die Beziehungen eines Exilanten informieren wollen oder eine Anschrift brauchen (»Becher, Johannes R. Moscow, USSR., Ulitza Gorkowa 36... Regler, Gustav Mexico, D. F., Coyacan, Avenida Juarez 141«[104]) – ein Verfahren, das bisweilen Unbeteiligte in Mitleidenschaft zieht, die zufällig im selben Wohnhaus leben wie ein gesuchter Briefschreiber oder -empfänger. Routinemäßig verlangt das FBI »that all back traffic of Censorship be searched«, auch auf die Gefahr hin, daß der Sachbearbeiter neben politisch relevanten Themen und Geschäftsbriefen noch einmal die Zusammenfassungen von alten Neujahrskarten und längst verjährten Liebesbriefen durchsehen muß. Thomas und Klaus Mann versuchen die G-Men auf der Spur zu bleiben, indem sie sich beim Postamt in Princeton und beim Briefträger von Pacific Palisades umhören. In Marchwitzas Dossier findet sich der Satz: »At 224 East 11th Street, New York City, the name of the subject appears on the mail box in the hall of this apartment house, together with that of [ausgeschwärzt].«[105]

Sprachkundige Zensoren übersetzen Briefe von Anna Seghers über die Deportation ihrer Mutter aus Mainz in ein Konzentrationslager ebenso sachlich wie das Gründungsmanifest des Lateinamerikanischen Komitees der Freien Deutschen in Mexiko. Ruth Berlaus Korrespondenz mit Brecht verschafft dem FBI Einblick in das Liebesleben des Stückeschreibers: »o, bertolt, your letter! if you only could know, how much good it has done. again this time you understood everything. again this time you have been so very kind. and to think, that I was afraid, that you might have thought it terrible to find that I had a round-trip ticket. bertolt. my dear bertolt... it was a good thing from you to let me travel this way with a sleeper and with meals... it is snowing now... it blends well with the furcoat... I have to thank you for all

---

104 Free Germans, Postal and Telegraph Censorship, Memorandum v. 20. 12. 1943, S. 5, 60 (OSS, 964).

105 FBI-Report, New York v. 22. 9. 1944, S. 8 (FBI-Akte, Hans Marchwitza).

the clothes...«[106] Die Konditionen von Verträgen zwischen Exilautoren und ihren Verlegern liegen den Zensoren offen. Ein Examiner erstellt als Anlage zu Laboratory Report D-15460 C4 im Auftrag des Office of Censorship eine erste, qualitativ durchaus akzeptable Übersetzung von Anna Seghers' Meistererzählung »Ausflug der toten Mädchen«. Sein Kollege Nr. 12198 in New York hat dagegen das fragwürdige Vergnügen, ein 452-Seiten-Manuskript von Hans Marchwitza lesen und in ein paar Zeilen zusammenfassen zu müssen.

Anträge zur Überwachung der Post eines Exilanten wurden im allgemeinen von den diensthabenden Leitern der FBI-Zweigstellen gestellt und fast immer problemlos für eine Dauer von 30, 60 oder 90 Tagen bewilligt. Als Begründung reichte es aus, wenn die Betreffenden – wie Feuchtwanger – viel Post aus dem Ausland, gar aus Moskau erhielten oder – wie Heinrich Mann und Brecht – mit den Freien Deutschen in Mexiko korrespondierten. Schutz gegen Mißbrauch des abgefangenen Materials gab es nicht. FBI, das Office of Strategic Services, die militärischen Geheimdienste und der Immigration and Naturalization Service hatten nach Belieben Zugang zur Korrespondenz der Zielpersonen. Aufdrucke auf den Zensurformularen oder Stempel mit einer »Special Notice« von »Byron Price, Director« vermochten kaum zu verhindern, daß die abgefangene Korrespondenz an andere Behörden weitergeben wurde: »This contains information taken from private communication, and its extremely confidential character must be preserved.«[107] Von den Absendern beigelegte Zettel, mit denen der Zensor gnädig gestimmt werden sollte (»enclosed is a note to Censor bearing... signature of Paul Merker, which states that the enclosures are press releases... and asking that they be allowed to pass«[108]), wurden von den Beamten ignoriert.

Sicher war die Post der Exilanten vor den neugierigen Augen der Amerikaner noch nicht einmal im Ausland. Wer in Mexiko lebte oder von den USA aus mit einem Exilanten in Mexiko korrespondierte, wußte das. »It would perhaps be preferable that you, Dear friend Heinrich Mann«, schreibt Paul Merker deshalb am 8. April 1943 in nicht ganz korrektem Englisch nach Los Angeles, »have censorship action taken in your city so that the letters across the border without too much delay.«[109] Kaum geahnt haben dürften die ›Me-

106 FBI-Report, Los Angeles v. 30. 6. 1945, S. 21-2 (FBI-Akte, Bertolt Brecht).
107 [Ausgeschwärzt], Brief an [ausgeschwärzt] v. 30. 7. 1944, Anlage zu J. P. Wolgemuth, Executive Liaison Officer, Office of Censorship, Brief an John Edgar Hoover v. 14. 8. 1944 (FBI-Akte, Anna Seghers).
108 Comite Latino Americano de Alemanes Libres, Brief an Heinrich Mann v. 13. 5. 1943, zitiert im Report of the Office of Censorship v. 24. 5. 1943, S. 2 (FBI-Akte, Heinrich Mann).
109 Paul Merker, Brief an Heinrich Mann v. 8. 4. 1943 (FBI-Akte, Heinrich Mann); vgl. Wolfgang Kießling: *Alemania Libre in Mexiko*. Bd. 2. Berlin/DDR: Akademie 1974, S. 386 u. 443. (=Literatur und Gesellschaft.)

xikaner‹ jedoch, daß die Zusammenarbeit der einheimischen Dienststellen mit den mächtigen Nachbarn im Norden so weit ging, daß selbst die Post zwischen Drittländern, also Mexiko und Chile oder Mexiko und der Sowjetunion, sowie Transitsendungen, die über amerikanische Häfen oder über britisches Gebiet liefen, auf den Schreibtischen des Office of Censorship landeten. Geschickt verbargen die U.S.-Zensoren dabei ihre Identität dadurch, daß sie beim Öffnen beschädigte Umschläge mit Aufklebern der mexikanischen Post versahen (»evid. to be sealed with Mexican censorship flaps and letter forwarded to the addressee«[110]). Und selbst das relativ offen arbeitende Department of State vermochte, wie oben bereits angedeutet, der Versuchung nicht zu widerstehen, die Arbeit der Exilgruppe in Mexiko durch eine pauschale Vernichtung der gesamten Korrespondenz der Freien Deutschen, ihrer gleichnamigen Zeitschrift und des Verlages El Libro Libre zu behindern.

Nun beschränkten sich die Zensoren nicht auf das Kopieren und Zusammenfassen von Briefen. Sie halfen den Lesern beim FBI und bei anderen Behörden in sogenannten »Examiner's Notes« auch mit Querverweisen und Kommentaren weiter, die andeuten mit wieviel Akribie und Verständnis die Post der Exilanten verzettelt wurde. Dem Eifer der Beamten waren dabei offensichtlich keine Grenzen gesetzt: Namen von Personen und Organisationen werden routinemäßig mit Kürzeln versehen, die sich auf andere Korrespondenzstücke der Betreffenden beziehen, also Gf-4601 bei Prinz Hubertus zu Löwenstein, Y-900 bei Anna Seghers oder SWI/249 Bfs 4601, 7000 und 7900 bei Alemania Libre. Wichtige Themen lassen sich durch Verweise auf ältere Briefe über längere Zeiträume hinweg verfolgen, so zum Beispiel ein Bericht über ein Treffen von »Thomas Mann, Feuchtwanger, Brecht, Bruno Frank, Eisler, de Kobra, Lubitsch« im Haus von Charlotte Dieterle, der über einen zwischen Dieterle und Bruno Frei in Mexiko abgefangenen Brief in die Akte von Bertolt Brecht gerät. Anmerkungen der »Examiner« gehen auf Leben und Werke der Korrespondenzpartner ein und nehmen auch schon mal kritisch zu deren Aktivitäten Stellung. In einem Fall gibt der Zensor zu erkennen, daß er einen der Briefpartner, »Dr. Leo Lambert alias Zuckermann«[111], in Paris persönlich gekannt hat – und nährt damit die Vermutung, daß das Office of Censorship auch Exilanten beschäftigte. Besteht der Verdacht, wie beim Postverkehr aus Mexiko, daß Briefe geheime Botschaften enthalten, werden sie besonders genau untersucht und auf dem Formular vermerkt: »The above specimens were examined for the presence of secret ink...« oder »An examination of the above mentioned specimens did not reveal anything indicative› of a concealed code or cipher message.« Hartnäckige Fälle, bei denen neben einer unsichtbaren Schrift auch noch ein Code verwendet wird,

---

110 FBI, Laboratory Work Sheet v. 20. 9. 1944 (FBI-Akte, Ludwig Renn).
111 W. K. Ailshie, Third Secretary of Embassy, Embassy of the United States of America, Mexiko, Brief an Secretary of State v. 25. 6. 1943, S. 6 (862.01/286).

gelangen in das FBI-Labor in Washington, wo man sich auch um die Identifikation der Schreibmaschinenmarke, die der Absender benutzt und um die Analyse von Schriftproben kümmert: »The Ludwig Renn signature on Q2 of 100-180858 has been identified previously, per Memorandum Laboratory Report, dated April 17, 1943 in 65-49064, consolidated into 100-180858, with the Renn signature on Q38 of 64-21153, which is a photostat of a letter on the stationary of the ›Freies Deutschland‹.«[112]

House Un-American Activities Committee

Das FBI, das Office of Strategic Services, das Department of State, die militärischen Nachrichtendienste sowie das Office of Censorship waren zweifellos die wichtigsten Sammelstellen für Informationen über die deutschsprachigen Exilautoren in den USA und in Mexiko. Ergänzt wurden ihre Anstrengungen durch die Arbeit einer Vielzahl anderer Regierungsbehörden, von denen sich die meisten freilich nur sporadisch oder auf Anfrage um das Exilmilieu kümmerten.

Allen voran gilt es hier das berüchtigte Un-American Activities Committee des Repräsentantenhauses und seinen regionalen Ableger in Kalifornien, das Tenney-Komitee, zu nennen.[113] Und zwar aus zwei Gründen: Einmal, weil es das erklärte Ziel dieser Komitees war, die USA von linksliberalen und kommunistischen Ideen zu säubern, wie sie auch viele Exilanten vertraten. Zum anderen, weil HUAC über einen eigenen Stab von Nachrichtensammlern verfügte, in deren Karteikästen nicht nur die Namen Brecht und Eisler, sondern auch die von Stefan Heym, Thomas Mann, Erika Mann und vielen anderen zu finden waren.[114]

Das House Un-American Activities Committee, das unter Martin Dies schon einmal zwischen 1938 und 1944 eine Blütezeit erlebt hatte, wurde mit Ausbruch des Kalten Krieges von John Rankin, J. Parnell Thomas, Richard Nixon und gleichgesinnten Volksvertretern wiederbelebt. Von den zwei Gegnern, die Dies zumindest pro forma im Visier gehabt hatte, dem nationalsozialistischen Bund und der roten Gefahr, war jetzt freilich nur noch einer übrig geblieben: die Kommunisten, als deren »fronts«[115] HUAC u.a. die

---

112 Memorandum Laboratory Report v. 27. 11. 1944, S. 2 (FBI-Akte, Ludwig Renn).
113 Das HUAC wird hier nur kurz beschrieben, weil es zu diesem Thema bereits eine Vielzahl von Untersuchungen gibt (s. die Auswahl in der Bibliographie am Ende dieses Buches).
114 Die »investigative records« des HUAC sind fünfzig Jahre gesperrt (Charles E. Schamel, Archival Projects Branch, National Archives, Brief an den Verfasser v. 20. 4. 1995).
115 Justizminister Francis Biddle definierte als ›front‹ Organisationen, »that... were represented to the public for some legitimate reform objective, but actually used by the Communist Party to carry on its activities pending the time when the Communists believe they can seize power through revolution« (zitiert nach California Legislature, *Fifth Report of the Senate Fact-Finding Committee on Un-American Activities*. Sacramento, 1949, S. 265).

Filmindustrie von Hollywood ausmachte. »Unfriendly witnesses«, zu denen auch Hanns Eisler und der am Ende freilich durchaus gesprächsbereite und gar nicht so unfreundliche Brecht gehörten, wurden nach Washington beordert und bei Aussageverweigerung zu Gefängnisstrafen verurteilt oder – im besten Fall – öffentlich als unamerikanisch vorgeführt und damit beruflich ruiniert. Eine illustre Schar von sogenannten ›freundlichen Zeugen‹, darunter Ronald Reagan und Jack Warner, trat auf, um die Vor-Urteile des Komitees zu bestätigen. Drehbuchschreibern, Regisseuren, Produzenten und Schauspielern wurde vom damaligen Ausschußvorsitzenden J. Parnell Thomas und seinem Helfer Robert Stripling vor laufenden Mikrophonen und Kameras ein über das andere mal die berüchtigte, nur mit ja oder nein zu beantwortende Frage gestellt: »Are you now or have you ever been a member of the Communist Party?« Andere, wie Thomas Mann, lebten in ständiger Furcht, vom HUAC vogeladen zu werden: »Beschluß, die amerik. Staatsbürgerschaft hinzuwerfen, wenn ich vor das Un-American Committee citiert werden sollte.«[116]

Hoover, der jedem Konkurrenzunternehmen in Sachen ›innere Sicherheit‹ zunächst einmal mit Mißtrauen gegenüberstand, signalisierte mit seinem bereits erwähnten Auftritt vor dem Komitee Kooperationsbereitschaft als ihm klar wurde, daß Mitläufer oft effektiver in öffentlichen Verhören als durch die geheime Tätigkeit seiner Special Agents bloß- und kaltzustellen waren.[117] Vorsichtig und gezielt versorgt er fortan das HUAC mit ausgewählten Akten – auch zu den deutschsprachigen Exilanten. Ehemalige FBI-Agenten dienen sich dem Komitee als »investigators« an. Der regionale Hexenjäger Jack B. Tenney, der im kalifornischen Sacramento mit seinem Senate Fact-Finding Committee on Un-American Activities eine Art von HUAC-Filiale leitet, stellt Listen mit verdächtigen Personen und Organisationen zusammen und zitiert dankbar, daß Hoover noch im Krieg, als niemand sonst »from the glorious war history being written by the Russian people« abzulenken wagte, die gottlose Lebensphilosophie der Kommunisten entlarvte, indem er den Unterschied herausstreicht »between respecting our ally Russia, and respecting those within our country who would destroy all that we believe in«[118].

116 Mann, *Tagebücher 1951-1952*, S. 311.
117 Der »Interim Report on Hearings Regarding Communist Espionage in the United States Government« formuliert die Arbeitsweise von HUAC mit großer Offenheit so: »As contrasted with the FBI and the grand jury, the House Committee on Un-American activities has a separate and a very special responsibility. It functions to permit the greatest court in the world – the court of American public opinion – to have an undirected... opportunity to render a continuing verdict on all... who either openly associate and assist disloyal groups or covertly operate as members or fellow travelers of such organizations« (S. 1-2).
118 *Red fascism*, S. 9. Tenney zitiert hier aus einer Rede, die Hoover am 29. 6. 1944, also drei Wochen nach D-Day, vor den Absolventen des Holy Cross College gehalten hatte.

Als Thomas 1949 wegen Unterschlagungen mit Schimpf und Schande aus seinem Amt gejagt wurde, war er auf der öffentlichen Bühne längst durch jenen Senator Joseph McCarthy ersetzt worden, der der Zeit bis in die Mitte der fünfziger Jahre seinen Namen lieh: McCarthy-Ära. Doch die bei weitem überwiegende Mehrzahl der prominenteren unter den schreibenden Exilanten war – sofern sie McCarthy überhaupt noch interessiert hätten – damals bereits nach Europa zurückgekehrt, verstorben oder alt und damit für ihn und HUAC nicht mehr erreichbar. Andere, wie Hede Massing und Karl August Wittfogel, der vor dem Internal Security Sub-Committee des Judiciary Committee im Senat aussagte, hatten sich inzwischen gegen ihre früheren Weggefährten gestellt. Wieder andere, die wie Thomas Mann schon früh öffentlich und mit großem Mut gegen den McCarthyismus zu Felde gezogen waren, verließen ihre neue Heimat zermürbt von der Propagandaschlacht von selbst: »I have the honor to expose myself as a hostile witness«, beginnt ein Radiobeitrag Manns für das Committee for the First Amendment und fährt fort: »›I testify that this persecution is not only degrading for the persecutors themselves but also very harmful to the cultural reputation of this country... I am painfully familiar with certain political trends. Spiritual intolerance, political inquisitions, and declining legal security, and all this in the name of an alleged ›state of emergency‹... that is how it started in Germany. What followed was fascism and what followed fascism was war.«[119]

Die Verhöre von Bertolt Brecht und Hanns Eisler hatten zwei der prominentesten Exilanten in direkten Kontakt mit den Kommunistenjägern des amerikanischen Unterhauses gebracht. Sorgen, nach Washington zitiert zu werden, machte sich aber auch der sicher nicht linkslastige Thomas Mann, dessen Aufrufe und Mitgliedschaften in »communist fronts« mit schöner Regelmäßigkeit in den Berichten des kalifornischen Tenney-Komitees aufgelistet wurden. Und auch in den FBI-Akten anderer Hitlerflüchtlinge finden sich immer wieder Verweise wie »cited by HUAC« oder »the California Senate Fact-Finding Committee on Un-American Activities notes the following«. So bezieht sich ein Memorandum des FBI zu Erwin Piscator und dem Dramatic Workshop auf einen Bericht des Tenney Committees und auf die Aussage eines »professional Red-baiter«[120] namens Walter S. Steele, der bereits 1934 als Vertreter einer »American Coalition« vor dem HUAC aufgetreten war.[121]

---

119 Thomas Mann: »Foreword.« In Gordon Kahn: *Hollywood on Trial. The Story of the 10 Who Were Indicted.* New York: Boni & Gaer 1948, S. V. Mann hatte diese Sätze im Kontext des Verhörs der ›Hollywood 10‹ gesprochen und damit indirekt auch Brecht unterstützt, der in einer vorbereiteten Stellungnahme selbst viel vorsichtiger argumentiert: »... the great American people would lose much and risk much if they allowed anybody to restrict free competition of ideas in cultural fields, or to interfere with art which must be free in order to be art« (a. a. O., S. 126).

120 Folsom, *Days of Anger, Days of Hope*, S. 115.

121 U.S. Congress. House of Representatives. Special Committee on Un-American Activities.

Ein FBI-Bericht über Erika Mann spielt auf einen ungenannten »Dies Committee report«[122] an. In F.C. Weiskopfs Dossier finden sich direkt nebeneinander die Sätze »[ausgeschwärzt] believes Subject to be a GPU Agent who worked for the German Gestapo in NYC during the German Russian Pact« und »Dies report checked with negative results«[123]. Nach Tenney ist die mit Romanen wie *Menschen im Hotel* in den USA erfolgreiche Vicki Baum linkslastig, weil sie unter anderem den »Christian Drive for Spanish Children« unterstützt hatte. Enttäuscht meldet Hoovers Amtsleiter in Los Angeles 1955 an die Zentrale, daß Lion Feuchtwanger bei der HUAC-«Investigation of Communist Activities« weder von »friendly« noch von »unfriendly witnesses«[124] erwähnt wird. Gerhart Seger, ehemals für die SPD im Reichstag und in den USA bekannt als Autor des KZ-Berichts *A Nation Terrorized*, muß sich gar in einem Brief an das Dies Committee gegen den Verdacht verteidigen, daß ihm die Flucht aus dem Lager Oranienburg nur deshalb gelang, weil er zuvor Nazi-Kollaborateur geworden war.

Ähnlich reibungslos wie bei HUAC verlief die Amtshilfe bei anderen Regierungsstellen. Auf der lokalen und regionalen Ebene waren städtische Polizeibehörden bzw. deren Alien und »Red Squads«[125] Ansprechpartner für Hoovers G-Men als es um Informationen über Fritz von Unruh (»it was originally my intention to assign these matters to the New York City Police Department«[126]), das Emergency Rescue Committee (»information... was obtained from the Alien Squad of the New York City Police Department«[127]) oder »Free German Activities in the Los Angeles Area« geht (»files of the Anti-Subversive Detail of the Los Angeles Police Department were checked«[128]). Von den einschlägigen Draft Boards, bei denen sich alle Wehrpflichtigen zu melden hatten, erhält das FBI eine Probe der Unterschrift von F.C. Weiskopf und die Mitteilung, daß Ernst Bloch an der Harvard University an seiner Promotion arbeitet. Das Coroner's Office, also der Leichenbeschauer, von Los Angeles gibt Daten zum Selbstmord von Heinrich Manns Frau

---

Investigation of Nazi Propaganda Activities and Investigation of Certain Other Propaganda Activities. 73rd Congress, 2nd Session, 29. 12. 1934, S. 215ff.
122 FBI-Report, New York v. 4. 4. 1951, S. 3 (FBI-Akte, Erika Mann).
123 FBI-Report, New York v. 19. 3. 1943, S. 2 (FBI-Akte, F. C. Weiskopf).
124 SAC [ausgeschwärzt], Memorandum an Director, FBI, v. 9. 3. 1955, S. 1 (FBI-Akte, Lion Feuchtwanger).
125 Vgl. Frank Donner: *Protectors of Priviledge. Red Squads and Police Repression in Urban America.* Berkeley: University of California Press 1990. Siehe auch Mike Rothmiller: *L.A. Secret Police: Inside the LAPD Elite Spy Network.* New York: Pocket Book 1992
126 P. E. Foxworth, Assistant Director, Brief an Director, FBI, v. 3. 2. 1942, S. 3 (FBI-Akte, Fritz von Unruh).
127 Emergency Rescue Committee (Memorandum o. Datum u. Aktenzeichen; wahrscheinlich Bericht der Visa Division im Department of State, ca. Juli 1943).
128 FBI-Report, Los Angeles v. 21. 10. 1944, S. 2 (862.01/11-1144, dort FBI-Akte, Free German Activities in the Los Angeles Area).

heraus. Erwin Piscator hat, wie Hoovers Männer wissen, seine Kamera, eine »Eastman Baby Brownie #35, Serial #11257«[129], bei der regionalen Vertretung des Attorney General registriert. Und so weiter.

Vollends verwirrend wirkt das bürokratische Gestrüpp der Zuständigkeiten und Informationsquellen, wenn man von der lokalen zur nationalen Ebene mit ihrer unübersehbaren Fülle von offiziellen und halboffiziellen Regierungsstellen übergeht. Security- oder Loyalty-Tests muß über sich ergehen lassen, wer wie Johannes Urzidil mit der Voice of America (»no records... at... the Investigation Division, Civil Service Commission, Security Division Department of State«[130]), wie Alfred Kantorowicz mit dem Office of War Information oder wie Berthold Viertel mit dem Office of the Coordinator of Information zu tun hat. Das FBI bestellt beim gefürchteten Internal Revenue Service (IRS) Kopien der Steuererklärungen von Lion Feuchtwanger für die Jahre 1941 bis 1945 und nimmt nach Ableben von Heinrich Mann vermutlich wegen der Überweisung von Tantiemen durch den Ostberliner Aufbau Verlag mit der Intelligence Section der Finanzbehörde in Los Angeles Kontakt auf. Anna Seghers schrieb einen bis vor kurzem verschollenen Text für die Psychological Warfare Division der U.S.-Armee. Andere Exilanten werden vom FBI mit James G. McDonalds President's Advisory Committee on Political Refugees, dem kurz McCarran Committee genannten Internal Security Sub-Committee of the Senate Judiciary Committee, der Special Defense Unit des Department of Justice oder auch, nach Kriegsende, mit dem Office of the U.S. Political Advisor to Germany in Berlin in Verbindung gebracht.

Umfang und Intensität der Kooperation zwischen den Behörden waren im Einzelfall sehr unterschiedlich. Sie reichten von der Routine, mit der der FBI-Mann in Mexiko Durchschläge seiner Berichte an die militärischen Geheimdienste und das Department of State weiterleitete bis zu J. Edgar Hoovers gezielten Versuchen, einzelnen Exilanten das Leben schwer zu machen – etwa indem er oder einer seiner engsten Mitarbeiter versucht, Brecht 1947 bei der Einwanderungsbehörde dadurch in Mißkredit zu bringen, daß er erst dem INS-Commissioner unaufgefordert eine anonyme Denunziation über Brechts HUAC-Verhör zukommen läßt und dann seinen Zweigstellenleiter in Los Angeles per ›Teletype‹ anweist, »the Bureau has no objection to your furnishing INS with name of Gregory Kheifets as a contact of subject...«[131] Zwischen diesen Extremen liegen Fälle wie die von Alfred Kantorowicz und Erwin Piscator, zu denen das FBI ausführliches Material an G-2 und das Department of State lieferte, und der unerklärliche Eifer, mit dem das FBI eine Zeitungsmeldung über Heinrich Manns Tod an das U.S. Treasury Department, das Außenministerium, den Justizminister und die Armee weitergibt. Belege, daß

129 FBI-Report, New York v. 11. 11. 1943, S. 4 (FBI-Akte, Erwin Piscator).
130 FBI-Report, Washington v. 7. 3. 1951, S. 3 (FBI-Akte, Johannes Urzidil).
131 Hoover, Teletype an SAC, Los Angeles, v. 12. 11. 1947 (FBI-Akte, Bertolt Brecht).

FBI, CIA oder die militärischen Geheimdienste nach 1945 mit ihren einschlägigen Partnern in der Bundesrepublik bei der Observierung der heimgekehrten Exilanten kooperierten, haben sich nicht gefunden – was aber keineswegs heißt, daß eine Zusammenarbeit nicht stattgefunden hat.

Exkurs

Das FBI und die Geheimdienstler mögen bei der Überwachung ihrer »subjects« kreativ vorgegangen sein. Bewußt begrenzt waren dagegen Zahl und Format der Formulare, auf denen sie ihre Untersuchungsergebnisse aufzeichneten und austauschten. Die wichtigsten und am häufigsten benutzten Formblätter sollen im Folgenden anhand von konkreten Beispielen kurz erläutert werden. Sie stammen aus den FBI-Dossiers von Brecht, Feuchtwanger und Heinrich Mann.

Bei den ersten drei abgebildeten Dokumenten handelt es sich um das Deck- und Schlußblatt eines sogenannten FBI-Reports und um ein »Office Memorandum« – Formulare, die sich in fast allen FBI-Dossiers finden. Reporte wurden in unregelmäßigen Abständen von dem für einen Fall verantwortlichen Special Agent eines Field Offices angefertigt, um neue Erkenntnisse an das Hauptquartier und andere Zweigstellen des FBI zu melden. Als verantwortlich gegenüber der Zentrale zeichnet dabei jeweils der regionale Special Agent in Charge, im vorliegenden Fall R. B. Hood (15). Da Reporte häufig an andere Behörden weitergegeben wurden, verbirgt der Autor des Berichts seine wichtigsten Informationsquellen hinter Kürzeln wie LABB-1 oder Source J (22). Ausschwärzungen, die weitere Informanten (11, 14), aber auch den Namen des Special Agent, der den Fall behandelt (6), unkenntlich machen,[132] wurden dagegen erst in unseren Tagen vor der Freigabe der Akte an mich vom FBI vorgenommen.

Federführend für den Fall Brecht war das Büro von Los Angeles (1), wo man den vorliegenden Bericht am 22. Mai 1943 (4) anfertigte (3). Der Beobachtungszeitraum reicht vom 15. April bis 15. Mai 1943 (5).[133] Der Name des »subject«, also des Untersuchungsgegenstandes, wird routinemäßig von allen bekannten Variationen, Pseudonymen, Spitznamen, unterschiedlichen Schreibarten usw. begleitet (7). Der sogenannte »Character of Case«, hier: »Alien Enemy Control – G«, wobei »G« für German steht (8), hilft dem Leser, das vorliegende Dokument rasch einzuordnen und kann deshalb im Laufe

---

132 Fehler beim Ausschwärzen unterlaufen den FOIPA-Mitarbeitern nur sehr selten. Ein Beispiel findet sich in Johannes Urzidils FBI-Akte, wo der folgende Satz unbearbeitet stehen blieb: »The indices of the New York Public Library, which were also checked by SA Clancy, revealed the following for Johannes Urzidil...« (FBI-Report, New York v. 27. 2. 1951, S.7).

133 In vielen Akten wird der angegebene Beobachtungszeitraum zum Teil erheblich erweitert durch Wiederholungen und Zusammenfassungen von älteren Berichten.

FEDERAL BUREAU OF INVESTIGATION

FORM No. 1
THIS CASE ORIGINATED AT   LOS ANGELES (1) ·· ·   ●   FILE NO.   100-18112 (2)

| REPORT MADE AT LOS ANGELES (3) | DATE WHEN MADE 5/22/43 (4) | PERIOD FOR WHICH MADE 4/19/43 5/15/43 (5) | REPORT MADE BY (6) CVB |

TITLE
BERTOLT EUGEN FRIEDRICH BRECHT, with aliases,
Eugen Berthold Friedrich Brecht,
Bert Brecht, Berdat. (7)

CHARACTER OF CASE
ALIEN ENEMY CONTROL - G (8)

(9) SYNOPSIS OF FACTS: Confidential National Defense Informant ▮▮▮▮▮
advises Subject made moving picture with Communist
tendencies, which he showed in Moscow in 1932. Source
▮▮▮ advises Subject is friend of numerous persons in
SALKA VIERTEL's circle, who are known to have Communist tendencies. BRECHT's radical poetry is known
to have been used recently by foreign group on program
in New York. Advertisements in refugee weekly "AUFBAU"
indicate BRECHT still active in New York, although
Source ▮▮ advises he is expected to return to Los Angeles
soon.

(10) (11)   - P -

(12)
REFERENCE: Report of Special Agent ▮▮▮▮▮▮▮▮▮ Los Angeles,
                dated March 30, 1943.
(13)   Letter to Bureau dated April 16, 1943.

DETAILS:

               On April 19, 1943, Confidential National Defense Informant
▮▮▮▮▮ advised that to his knowledge Subject was in Moscow in 1932 to show
a picture with Communist tendencies, entitled "KUHLEWAMPE". Informant stated
that this picture had as its subject the unemployed who lived in a tent
colony near Berlin. HANNS EISLER wrote the music accompanying this picture.
Informant saw Subject in Moscow at that time, although he was not positive
that he had seen EISLER as well.

                                    (14)
               On April 19, 1943, Source ▮▮▮ advised that Subject's wife was
frequently invited to social affairs put on by SALKA VIERTEL, 165 Mabery, Santa

APPROVED AND
FORWARDED ▮▮▮▮▮ (15)   SPECIAL AGENT IN CHARGE   DO NOT WRITE IN THESE SPACES   RECORDED

(16) COPIES DESTROYED 5-11-▮▮▮K▮   ▮▮▮▮▮▮▮ - /▮▮ / ▮ / ▮ - /(17)   RECORDED
       COPIES OF THIS REPORT   COMMUNICATED
       5 Bureau   ▮▮▮ 14 MAY ▮▮ ▮▮▮▮   INDEXED
       1 New York (Info)
(18)   4 Los Angeles

   5 JUN 9 1943   U. S. GOVERNMENT PRINTING OFFICE

LA 100-18112   (19)

UNDEVELOPED LEADS

THE NEW YORK FIELD DIVISION

AT NEW YORK CITY, will identify the occupants of 8 East 41st Street, from which address BERT BRECHT receives letters regularly, one of which is known to have contained a document relating to the political economy (20) of Postwar Germany.

(21)   Will spot check the activities of BRECHT and BERLAU while in New York City. It is desired that this office be advised in advance of the return of BRECHT and BERLAU to Los Angeles. This lead has previously been furnished the New York Office by letter.

THE LOS ANGELES FIELD DIVISION

AT LOS ANGELES, CALIFORNIA, will continue to report the results of the mail cover and censorship stops on BERT BRECHT. Will maintain contact with Confidential Informants ▮▮▮▮▮▮ LA BB-1 and Source J. (22)

Will maintain contact with ▮▮▮▮▮▮ for information concerning ▮▮▮▮▮▮BERT BRECHT ▮▮▮▮▮▮ Will examine the United States District Court records concerning the naturalization status of RUTH BERLAU.

For future reference it is to be noted that the local office of (23) Immigration and Naturalization Service is unable to locate its files pertaining to BERLAU. These files are identified as 23/109276 and 23-L-9280.

Will ascertain the identity of K. L. CERLIN, 237½ West 5th (24) Street, whose telephone was called from the BRECHT residence on August 13 and September 22, 1944.

AT LONG BEACH, CALIFORNIA, will check the Immigration and (25) Naturalization records of RUTH BERLAU at the Immigration and Naturalization Service at Terminal Island, California.

Two copies of this report are being furnished the San Francisco Field Division inasmuch as BERT BRECHT is a suspect in the Comrap Case, of which the San Francisco office is the office of origin.

A copy of this report is being furnished the New Orleans Field Division inasmuch it contains information concerning KARL KORSCH, (26) Professor at The Tulane University of Louisiana, New Orleans.

(1) CONFIDENTIAL

STANDARD FORM NO. 64

Office Memorandum • UNITED STATES GOVERNMENT

TO : DIRECTOR, FBI (100-5143) DATE: 12/31/53

(2)

FROM : SAC, LOS ANGELES (100-6133)

SUBJECT: LION FEUCHTWANGER, was.
~~SM - C~~
IS-R **(3)**

      Reference is made to your O-1 form received by this office on 12/11/53.

      As indicated on my return of this form, the FEUCHTWANGER case is in a pending status at the INS Office in Los Angeles. That office advised they do not feel the subject will make any attempt to obtain his naturalization and feel that should he do so they have enough evidence to block his naturalization. They do not feel, however, that they have sufficient evidence at the present time to deport him.

      There is miscellaneous information which has accumulated in the above-captioned file in this office, which information will be reported in the near future. Until such time, this case is being maintained in a pending status.

(4)

b1

REGISTERED
WLB:sjr

APPROPRIATE AGENCIES
AND FIELD OFFICES
ADVISED BY ROUTING SLIP
DATE 2/16/81 *Class* O.J.
    2-9-81
CLASS. & EXT. BY SP4 Sen abh
REASON-FCIM II. 1-2.4.2 2
DATE OF REVIEW 2-9-91

ALL INFORMATION CONTAINED
HEREIN IS UNCLASSIFIED
EXCEPT WHERE SHOWN
OTHERWISE

RECORDED-39

EX-126

100-5143 -119
JAN 8 1954 **(5)**

5 8 JAN 14 1954 X **(6)**

CONFIDENTIAL

der Zeit mehrfach geändert werden. Zwei Aktenzeichen erscheinen auf dem Report: rechts oben die »File No« von Los Angeles, 100-18112 (2); unten in der Mitte und hier schlecht lesbar das Zeichen des Hauptquartiers, 100-190707 (17).

Jeder Report beginnt mit einer Zusammenfassung der wichtigsten Erkenntnisse und Fakten, »Synopsis of Facts« (9). Wenn nötig, werden in der Rubrik »References« (12) Verweise auf ältere Dokumente oder andere Dossiers aufgelistet. Die Überschrift »Details« (13) leitet dann den eigentlichen Berichtteil ein. Links unten auf dem Vordruck wird vermerkt wieviele Kopien an andere Dienststellen des FBI gehen (18). Der Stempel »Copies destroyed« mit dem Datum 11. Mai 1954 (16) verweist auf routinemäßige Vernichtungsaktionen, bei denen sich das FBI von überflüssigem Material, meist Duplikate und EBFs, also umfangreiche Anlagen, ab und an offensichtlich aber auch von ganzen Dossiers, befreit. Ein handschriftlicher, FOIA/Ed unterzeichneter Vermerk (10) am Rand des Schriftstücks belegt, daß die Brecht-Akte im Jahre 1974 an andere Forscher, darunter James Lyon, freigegeben wurde.

Am Ende fast jedes FBI-Reports findet sich ein mal »Administrative Page«, mal einfach »Undeveloped Leads« (19), also weiterzuverfolgende Spuren, überschriebenes Blatt. Hier listet der Verfasser des Reports nach geographischen oder anderen Gesichtspunkten geordnet auf, wie nach seiner Meinung bei der weiteren Untersuchung vorzugehen ist. So sollen im Fall Brecht in New York die Anwohner eines Gebäudes überprüft werden, weil Brecht von dort Post erhielt (20), und sogenannte »spot checks« (21), also unregelmäßige Beschattungen, von Brecht und Ruth Berlau durchgeführt werden. In Los Angeles möchte das FBI die Überwachung von Brechts Briefwechsel und Telephon (»Confidential Informant [ausgeschwärzt] LABB-1« [22]) fortsetzen, beim INS Informationen über Ruth Berlau einholen (23, 25) und eine(n) K. L. genauer identifizieren, der/die zweimal von Brechts Haus aus angerufen wurde (24). Das New Orleans Field Office wird auf dem Laufenden gehalten, weil man von Brechts Beziehungen mit dem dort lehrenden Karl Korsch weiß (26).

Weitgehend von selbst erklärt sich das zweite hier abgebildete FBI-Dokument, das allgemein »Memorandum« genannt wird. Memoranda dieser Art können zwischen Mitarbeitern einer Dienststelle oder, wie im vorliegenden Fall, zwischen einem Field Office und dem als »Director, FBI« (2) angeredeten Hauptquartier in Washington ausgetauscht werden. Sie enthalten zumeist Anfragen und Anweisungen administrativen Inhalts, etwa zu Verfahrensfragen wie der Eröffnung einer Untersuchung oder Anträge auf Überwachung, übermitteln in besonderen Fällen aber auch wichtige Erkenntnisse über eine observierte Person oder Institution. Die Kürzel »was.« (3) hinter Feuchtwangers Namen steht für »with aliases«. Im Januar 1954 wurde das Dokument offensichtlich im Zusammenhang mit einem nicht genauer identifizierten Vorgang 100-5143 gesichtet (5). Die Stempel »confidential« (1, 6) mußten

(1) OFFICE OF CENSORSHIP UNITED STATES OF AMERICA — CONFIDENTIAL — POSTAL CENSORSHIP — Record No. SA-184304 — Page 1 of 2 pages.

FROM:

PAUL MERKER
TAMAULIPAS 129-6 (FROM INSIDE)
MEXICO, D.F.

(2) LIST: SWI/23 -Bfn-4600

TO:

MR. HEINRICH MANN,
301 SO. SWALL DRIVE, **(3)** E. B. L WATCH UP
LOS ANGELES, CALIFORNIA.

LIST: NONE

Date of communication	Date of postmark	Kind of mail	Mail No.	Register No.	Serial No.
(4) OCT. 11, 1943	**(5)** OCT. 13, 1943	AIR			9413

Language	Previously censored by	Station distribution	**(7)**
ENGLISH **(6)**	NONE		

Previous relevant records: SA-183183, EP-5579

For interoffice use: DR

To be photographed	Photo No.	To whom photograph is to be sent
(8) NO		

SECURITY DIVISION. DISPOSAL OR ORIGINAL COMMUNI- CATION
Mr. McGrath, Mr. Alden, Mr. Buckley, Mr. Burton, Mr. Callan, Mr. Carson, Mr. Cunningham, Mr. Fletcher, Mr. Strickland

Division (or section)	Table **(9)**	Examiner **(10)**	D. A. C.	Reviewer **(11)**	Examination date **(12)**	Typing date **(13)**
REG.	3	2258	2039	2025	OCT. 16, 1943	10/18/43

COMMENT

RESIDENT OF MEXICO (SWI-23, Bfl 4600) DISCUSSES BOOKS AND A NEW GERMAN NEWSPAPER

Writer acknowledges and thanks addressee for his letter of Sept. 26 article enclosed. Writer states that on July 29, he sent addressee a letter and enclosed a check to cover the balance due addressee for his fee in connection with the Terror Book.

Writer says "Lidice" will be published Oct. 18, 1943. Writer advises that a recent Government decree prohibits future exportation of clothbound books; therefore addressee's copies will have to be paper-bound. Writer will send addressee sufficient copies immediately after publication. Writer states (Quote): "The proposal concerning your autogram was meant this way: We would like you to write your name on small slips of paper and send us these slips, which would then be pasted into the books. Two further copies of the 'Black Book Against The Nazi Terror' will be sent to you immediately. Likewise I have arranged that after publication of No. 12 of the 'Free Germany' a bound annual set will be sent to you. The delivery of the magazine has been rather irregular lately and unpleasant interruptions have occurred." Writer reminds addressee of his proposal that "El Libro Libre" (Bj 4600) would like to publish "Lidice" in Spanish writer says friends of the publishing house believe a large number of copies could be sold.

Writer states (Quote): "The movement has made further good progress. Meanwhile, as you probably know, a committee in London has been founded, so that the pioneer work that could be done from here with your kind support evidently begins to bear fruit. I hope that you, Dear friend Heinrich Mann, have received meanwhile the protocol of the first national conference of the movement, which will give you a comprehensive picture of its development in Latin-America. Meanwhile we have started here another small newspaper in the German language, the 'Democratic Post', which is being distributed in Central-America. We will send you the paper regularly."

Writer sends best wishes to addressee's wife along with addressee.

(15) EXAMINER'S NOTE: Writer is secretary of Comite Latino Americano De Alemanes Libres (Bsn 4600), Mexico, D.F., which is active in publishing the monthly magazine "Freies Deutschland," operate's a German publishing house "El Libro Libre (Bj 4600), and sponsored the first congress of the movement Free Germany (Bsn 4600-7000-1064). The publishing house has published numerous German books from various writers, including addressee. (SA-183183) On July 29, 1942, addressee was informed by Walter Janka, The Free Book, Aptdo 10214, Mexico, D.F.,

(14) 1-IC(7) / 6-IC / 1-EPC-R / 1-SC / 1-FBI / 1-CNI / 2-SD / 3-OSS / 7-MID / 2-ONI / 1-CIA / 1-CAM(IR) / (27)

(16) SPECIAL NOTICE.—The attached information was taken from private communications, and its extremely confidential character must be preserved. The information must be confided only to those officials whose knowledge of it is necessary to prosecution of the war. In no case should it be widely distributed, or copies made, or the information used in legal proceedings or in any other public way without express consent of the Director of Censorship. BYRON PRICE, Director.

(17) (Form OC-6a)

vor der Freigabe der Kopien an mich entwertet werden. Das »b1″ am rechten Rand (4) bezieht sich auf die »exemptions« der Freedom of Information/ Privacy Acts, die im Schlußkapitel dieses Buches erläutert werden. Ein Vermerk dieser Art soll nach dem Willen des Gesetzgebers jeder Ausschwärzung beigegeben werden.

Über das Office of Censorship gelangte das vierte hier vorgestellte Formular, die Zusammenfassung eines Briefes von Paul Merker an Heinrich Mann, in die Akten des FBI. Es mag veranschaulichen mit welcher Umsicht und Sachkenntnis sich die Zensoren der Post der Exilanten widmeten. Drei Aspekte stehen dabei besonders heraus. Einmal gilt es, die Diskrepanz zu beachten zwischen der kleingedruckten »Special Notice« von Chefzensor Price am unteren Rand des Formulars (16), in der es um die vertrauliche Behandlung des privaten Inhalts der geöffneten Post geht, und dem »Security Division Routing«-Stempel (7) bzw. der langen Liste von Behörden, die oft mehrere Kopien des Vorgangs erhalten: FBI, ONI, OSS, MID, OWI usw. (14). Zweitens beeindruckt mit welchem Geschick in dem Bericht Zitate und Zusammenfassungen der wichtigsten Passagen aus Merkers Brief gemischt werden und wie genau »Examiner 2258″ (10) und »Reviewer 2025″ (11) mit der Exilszene in Mexiko und den USA vertraut sind. So verweist die durchaus nicht untypische »Examiner's Note« (15) sachkundig auf die Biographien der Korrespondenzpartner. Die Bedeutung der erwähnten Organisationen kommt zur Sprache. Ältere Zensurberichte werden erwähnt. Sicher nicht unwichtig für die Exilanten ist drittens schließlich die relative Effizienz, mit der »Table 2″ (9) der Zensurstelle arbeitet. Merkers Schreiben ist vom 11. Oktober 1943 (4) datiert; zwei Tage später stempelt es die mexikanische Post ab (5). Am 16. Oktober (12) wird die Sendung geöffnet und innerhalb von 48 Stunden bearbeitet (13).

Andere Markierungen auf dem Vordruck erklären sich von selbst: »Record No.« (1) und »List« (2) sorgen dafür, daß die Zusammenfassung des Briefes im Archiv der Zensurbehörde jederzeit auffindbar ist. Ein Übersetzer wurde nicht gebraucht, weil Merker auf Englisch schrieb (6) – wahrscheinlich, um dem Zensor die Arbeit zu erleichtern und dadurch die Beförderung des Schreibens zu beschleunigen. Der Vermerk, daß Form OC-8a erst vor kurzem revidiert wurde (17), macht deutlich, daß das relativ junge Office of Censorship noch damit beschäftigt war, seine Arbeitsweise zu verfeinern. Und der Stempel F.B.I. Watch (3) belegt, daß der Brief nicht bei einer Routineaktion geöffnet wurde, sondern weil sich Hoovers Amt aktiv für die Post der Exilanten Merker und Mann interessierte.

FBI und Exil in Los Angeles

Hexenjagd im Paradies

Los Angeles entwickelte sich nach Ausbruch des Zweiten Weltkriegs neben New York und Mexiko rasch zum führenden Zentrum der deutschsprachigen Exilliteratur in der Neuen Welt – und damit auch zu einem der wichtigsten Arbeitsfelder für die Überwachung der schreibenden Naziflüchtlinge durch das FBI. Heinrich Mann und Franz Werfel flohen im September 1940 vor ihren siegreichen Landsleuten auf abenteuerlichen Wegen zu Fuß über die Pyrenäen in Richtung Los Angeles. Bertolt Brecht, für den sich Hoovers G-Men besonders intensiv interessierten, nahm den kaum weniger gefährlichen Weg durch Stalins Reich und über Japan nach San Pedro, Kalifornien.[1] Andere gerieten nur deshalb nach Hollywood, weil ihnen eines der großen Filmstudios einen sogenannten Lebensrettervertrag angeboten hatte, der ihnen das U.S.-Visum und für ein Jahr ein Auskommen brachte, aber – wie Ludwig Marcuse sich erinnert – keine befriedigende Aufgabe: »So saßen Heinrich Mann, Alfred Döblin, Leonhard Frank, Alfred Polgar, Walter Mehring in den Filmbetrieben; ohne Englisch zu können, ohne das Filmmachen zu kennen, voller Verachtung für dies Gewerbe...«[2] Manche brachte das milde Klima und die im Vergleich zu New York niedrigeren Lebenshaltungskosten nach Los

---

1   Egon Breiner, der mit demselben Schiff wie Brecht und sein Anhang über den Pazifik kam, erinnert sich, daß Brecht kurz vor der Ankunft in den USA die linken Bücher, die er beim Transit durch die Sowjetunion gekauft hatte, über Bord warf (Gespräch mit dem Verfasser am 13. 9. 1994, Hollywood, USA und *Im Visier des FBI* [1995]. ARD-Dokumentarfilm v. Johannes Eglau u. Alexander Stephan). Breiners Name erscheint auch auf einer Liste von Telephongesprächen Brechts, die das FBI im April und Mai 1945 abhörte (FBI-Report, Los Angeles v. 24. 10. 1945, S. 29 [FBI-Akte, Bertolt Brecht, Brecht-Archiv, Berlin]).

2   Ludwig Marcuse: *Mein zwanzigstes Jahrhundert. Auf dem Weg zu einer Autobiographie.* München: List 1960, S. 275. Die folgenden Passagen stützen sich z. T. auf die Arbeit von Erna M. Moore: »Exil in Hollywood: Leben und Haltung deutscher Exilautoren nach ihren autobiographischen Berichten.« In: *Deutsche Exilliteratur seit 1933.* Bd. 1, 1, S. 21-39.

Angeles. Wieder andere, Bruno Frank und eine Handvoll Schriftsteller, die das Schreiben von Drehbüchern für die Filmindustrie beherrschten, waren bereits früher in den Südwesten der USA gezogen. Erfolgsautoren wie Thomas Mann, Lion Feuchtwanger und Franz Werfel vermochten ihren Lebensstil aus Europa an die Küste des Pazifiks oder in das reiche Beverly Hills zu transferieren, mit stattlichen Villen, zwischen seltenen Büchern und in kultivierter Gesellschaft. Alfred Döblin, Heinrich Mann und Leonhard Frank, die sich den Verhältnissen des amerikanischen Kulturbetriebs nicht anpassen konnten oder wollten, fristeten dagegen in den westlichen Vororten der fremden Millionenstadt eine eher kärgliche, oft von den Almosen ihrer reichen Kollegen oder der Unterstützung durch Hilfsorganisationen abhängige Existenz.

Südkalifornien wurde in den vierziger Jahren nicht ohne Grund Hauptstadt der deutschen Literatur oder »Weimar am Pazifik«[3] genannt. So berichtet Thomas Mann in der *Entstehung des Doktor Faustus* von einem Abend in seinem Haus in Pacific Palisades zufrieden: »Nicht Paris noch das München um 1900 hätte einen Abend von intimerer Kunststimmung, Verve und Heiterkeit zu bieten gehabt.«[4] Das Ehepaar Werfel meinte, in einem »Paradies« angekommen zu sein, in dem man nur noch in den »blühenden Tag«[5] zu leben brauche. Eher kritisch reagierte dagegen Curt Goetz auf die Zeit in Kalifornien. Zwar sei es ihm körperlich gut gegangen, auch habe er in Sonnenschein und Überfluß gelebt; genießen konnte er das alles in seiner »seelischen Einsamkeit«[6] nicht. Andere beklagten sich über den Mangel an ›Kultur‹ (»der Dutzendgeschmack der Producers... machte jede Bemühung illusorisch«[7]) und den »ewigen Frühling« mit seinen »künstlich bewässerten Gärten,... gechlorten Swimming-pools und neohispanischen Schlössern«[8]. Brecht, dessen Versuche, sich in Hollywood und am Broadway durchzusetzen, erfolglos blieben, beschrieb Los Angeles gar in einer Reihe von berühmten Elegien, von denen eine den Titel »Nachdenken über die Hölle« trägt.

Paradies oder Hölle, Reichtum oder Mißerfolg – die Dossiers, die das FBI an mich freigegeben hat, zeugen davon, daß J. Edgar Hoover die Fremden,

---

3   Vgl. dazu *Weimar am Pazifik. Literarische Wege zwischen den Kontinenten. Festschrift für Werner Vordtriede zum 70. Geburtstag.* Hrsg. v. Dieter Borchmeyer u. Till Heimeran. Tübingen: Niemeyer 1985 und das Kapitel »Hollywood als Topos und Realität« in Claudia Albert: ›*Das schwierige Handwerk des Hoffens‹. Hanns Eislers ›Hollywooder Liederbuch‹.* Stuttgart: Metzler 1991, S. 36-57.

4   Thomas Mann: *Die Entstehung des Doktor Faustus. Roman eines Romans.* Frankfurt: Fischer 1967, S. 743.

5   Alma Mahler-Werfel: *Mein Leben.* Frankfurt: Fischer 1965, S. 275.

6   Curt Goetz u. Valérie von Martens: *Wir wandern, wir wandern... Der Memoiren dritter Teil.* Stuttgart: Deutsche Verlagsanstalt 1963, S. 278.

7   Alfred Döblin: *Schicksalsreise. Bericht und Bekenntnis.* Frankfurt: Knecht 1949, S. 355.

8   Carl Zuckmayer: *Als wär's ein Stück von mir. Horen der Freundschaft.* O.O.: Fischer 1966, S. 486.

TELEGRAM RECEIVED

FROM

10 wu n 67 nt 4x

T.E Brentwood Calif Jul 13 40

Asst Secy of State A A Berle.

Succeeded in obtaining legal contract from major
Movie studios like Warners M G M etc for twenty three famous
German writers including Franz Wersel, Leonhard Frank, Alfred
Neumann etc now endangered in France Portugal and England .
Since information here unobtainable would you kindly advise
us whether these contracts plus letters of recommendation will
suffice to obtain USA visas please wire collect many thanks
in advance.

                    Erika Mann

                        441 N Rock'   ntwood

1213pm.

FILED
SEP 9 1940

die er oft schon auf ihrem Weg aus dem von den Nazis überrannten Europa beobachtet hatte, nach ihrer Ankunft in Los Angeles intensiver als ihre amerikanischen Schrifsstellerkollegen überwachen ließ. Die Zahl der Akten, angelegt nach dem Motto ›Keiner kommt davon‹, und ihr in vielen Fällen erheblicher Umfang belegen, wie ernst der FBI-Boss und seine Konkurrenten vom Office of Strategic Services und dem kalifornischen Fact-Finding Committee on Un-American Activities des Senators Jack B. Tenney die vermeintlich von den Hitlerflüchtlingen ausgehende Gefahr nahmen. Ja, es ist sicher nicht übertrieben, wenn man R. B. Hood, der als Special Agent in Charge Hoover während der vierziger und frühen fünfziger Jahre in Los Angeles vertrat, als Leiter der ersten Exilforschungsstelle anerkennt.

In der Tat waren es Hood und seine Special Agents, die zuerst wußten, wer mit wem in der Exilkolonie über was telephonierte, welche Autos wie oft und lange am Paseo Miramar vor Feuchtwangers Villa oder in der Mabery Road bei den Viertels parken (»Brecht's car was observed by Special Agent [ausgeschwärzt] and reporting Agent at the Salka Viertel residence«[9]) und was in den Briefen steht, die zwischen den Exilkolonien in Los Angeles, New York, Mexiko und Moskau hin- und hergehen. Hoods Name steht unter den Anweisungen, die öffentlichen Auftritte der eben erst mit knapper Not der Gestapo Entkommenen zu überwachen und sie bei ihren Kontakten zu Amerikanern und verdächtigen Ausländern wie dem sowjetischen Spion und Diplomaten Gregory Kheifetz zu beschatten. Als Heinrich Manns Frau unter Alkoholeinfluß Auto fährt, läßt Hood sich informieren und als sie sich im Dezember 1944 das Leben nimmt, schickt er auf der Suche nach einem Motiv seine Leute zum Los Angeles Police Department. Spitzel, auch aus Exilantenkreisen, tragen dem Stellvertreter Hoovers und über ihn dem FBI-Boss Fetzen von Partygesprächen zu. »Confidential informants«, hinter denen sich meist andere Regierungsstellen verbergen, versorgen ihn mit Nachrichten über die privaten und beruflichen Erfolge und Mißerfolge seiner »subjects«. Wenn nötig, dringen Hoods Special Agents in Wohnungen ein – wie bei Leonhard Frank -, durchsuchen Reisegepäck – wie bei Ruth Berlau- und organisieren sogenannte »pretext interviews«. Selten meldet sich das FBI offen bei einem der Exilanten zu einem Gespräch an – und dann meist nur, wie die Tagebücher von Thomas Mann bezeugen, wenn ein Antragsteller in seinem Einbürgerungsverfahren den Betreffenden namentlich als Referenz genannt hat. Reisen und Wohnungswechsel der Exilanten registrieren die Männer des FBI von Südkalifornien und – vor allem – die Versuche der Vertriebenen, nach Europa zurückzukehren.

Doch nicht nur das tägliche Allerlei in der Exilkolonie, auch die große Politik geht in den vierziger und frühen fünfziger Jahren über Hoods Schreibtisch. Genau informiert sich der SAC über die Treffen dieser oder jener Exi-

---

9   FBI-Report, Los Angeles v. 30. 6. 1945, S. 15 (FBI-Akte, Bertolt Brecht).

lantengruppe zur Planung der Zukunft Deutschlands – ein im Laufe des Krieges für Geheimdienste und Behörden der USA immer zentraler werdendes Thema. Wenn Feuchtwanger zu einem Dinner ins sowjetische Generalkonsulat geladen wird oder der russische Vizekonsul Bertolt Brecht in Santa Monica besucht (»... on October 25, 1943, Gregori Kheifets... visited the residence of Bert Brecht from approximately 1:45 p.m. to 3:05 p.m.«[10]) – Hoods Männer sind dabei. Vom kalifornischen Komitee für unamerikanische Umtriebe läßt Hood sich mit Listen von Organisationen und Personen bedienen, die von »lovers of freedom«[11] wie dem politischen Scharfmacher Jack B. Tenney als »part of a lying, scheming, pernicious army of international gangsters, determined to destroy and desecrate human dignity and civilization«[12] entlarvt wurden. Ungern, aber letztendlich doch kooperativ, gibt Hoovers Statthalter seinerseits ausgewählte Akten an den Kongreßabgeordneten J. Parnell Thomas weiter als Brecht vor Thomas' House Un-American Activities Committee nach Washington zitiert wird.

Als Leitmotiv für die Überwachung der deutschen Exilanten dient Hood, wie nicht anders zu erwarten, dieselbe Angst, die seinen Vorgesetzten Hoover und viele Amerikaner damals umtrieb: »The Communist movement... stands for the destruction of our American form of government; it stands for the destruction of American democracy; it stands for the destruction of free enterprise...«[13] »...Communists with their godless, truthless, philosophy of life... are against the America our forefathers fought and died for; they are against the established freedoms of America.«[14] Politisch kaum exponierte Exilanten wie Franz Werfel (»was a German Communist in New York City«[15]) geraten auf diesem Weg ebenso in die Akten des Los Angeles Field Office, wie der ›linke‹ Brecht, über den der »SAC, Los Angeles« noch im Februar 1948 unter der Überschrift »Brecht's Communist History«[16] nach Washington berichtet: »A confidential source, referred to as ›Source B‹ in the report of Special Agent [ausgeschwärzt] in subject file, dated January 8, 1948, reveals that: ›In reality, Brecht has always acted and written as a propagandist

---

10 FBI-Report, Los Angeles v. 2. 10. 1944, S. 23 (FBI-Akte, Bertolt Brecht).
11 California Legislature, *Fifth Report of the Senate Fact-Finding Committee on Un-American Activities.* Sacramento, 1949, S. 98.
12 »Findings and Recommendations« (1940 Report), a. a. O. S. 701.
13 J. Edgar Hoover: »Communism in the United States.« In: *Confidential – from Washington* (Juni 1948), zitiert nach *J. Edgar Hoover on Communism.* New York: Paperback Library 1970, S. 80-1.
14 J. Edgar Hoover, Address at Annual Commencement Exercises, Holy Cross College, v. 29. 6. 1944, zitiert a. a. O., S. 63. Diese Passage wird von Tenney in seinem Buch *Red fascism.* New York: Arno (Nachdruck) 1977, S. 9 zitiert.
15 Franz Werfel, Memorandum v. 12. 5. 1954, S. 1 (FBI-Akte, Franz Werfel).
16 SAC, Los Angeles, Memorandum an Director, FBI, v. 24. 2. 1948, S. 2 (FBI-Akte, Bertolt Brecht).

of Communism and Sovietism.«« [17] Wer, wie Johanna Kortner, wissentlich oder unwissentlich sein Auto in der Nähe des Büros der KP von Los Angeles auf einer Straße parkt, kann so sicher sein, in Hoods Karteikästen einzugehen, wie ein Sponsor des United American-Spanish Aid Committee, ein Mitglied der Screen Writers Guild oder der Besitzer eines Abonnements für die Exilzeitschrift *Freies Deutschland*, weil diese Gruppen alle auf den Schwarzen Listen des Justizministeriums in Washington oder des Tenney-Komitees in Sacramento stehen. Längst verstummte Exilanten wie Heinrich Mann werden vom FBI ebensowenig links liegengelassen wie der in der Öffentlichkeit weithin sichtbare Lion Feuchtwanger.

R. B. Hood und seine Special Agents haben, wie die nachfolgenden Kapitel zeigen, trotz gelegentlicher Fehler im großen und ganzen gründliche, wenn auch keineswegs flächendeckende Arbeit geleistet bei der Überwachung der Exilkolonie in Südkalifornien. Ergänzt wurde ihre Tätigkeit durch das bereits erwähnte Tenney-Komitee, das Office of Strategic Services und den Immigration and Naturalization Service. Ihnen allen arbeitete das Office of Censorship zu, dessen Spuren sich freilich bis auf die in den Akten erhalten gebliebenen Ablichtungen, Übersetzungen und Zusammenfassungen von Briefen stark verwischt haben. Selten in Erscheinung getreten sind in Südkalifornien dagegen die auf das Ausland spezialisierten Nachrichtendienste von Armee und Marine, das Justizministerium, das Department of State und die »Red Squad« der lokalen Polizei von Los Angeles.

Von den genannten Behörden spielt vor allem das bereits lange vor der McCarthy-Ära aktive Fact-Finding Committee on Un-American Activities des kalifornischen Lokalpolitikers Jack B. Tenney eine für unseren Zusammenhang nicht unerhebliche Rolle. Wer und was in den Jahresberichten dieses Komitees erwähnt wird, findet sich nämlich meist schon bald in den Akten des FBI wieder. Dabei gibt es freilich einen entscheidenden Unterschied zwischen Hoover und Tenney: Während Hoovers Bureau so tief im Verborgenen arbeitet, daß selbst die Betroffenen oft nicht von der Observierung ahnen, publiziert das Tenney-Komitee seine Faktensammlungen und Meinungen regelmäßig in dickleibigen Berichten und vermag dadurch die Presse und die öffentliche Meinung gegen alle Andersdenkenden, »communist fronts« und »stooges« zu mobilisieren. »It was found«, wirbt Tenney denn auch bei den Bürgern Kaliforniens mit erfrischender Offenheit in seinem Jahresbericht für 1943, »the elastic powers of your committee were exceedingly helpful to other law enforcing agencies. The committee, empowered to subpena witnesses and to examine them under oath, not being bound by the rules of evidence and armed with the power to punish for contempt through the initiation of proper criminal proceedings, and for perjury in the event that crime might be

---

17 A. a. O., S. 5.

established, cuts through the technical restriction of other investigative units which are primarily law-enforcing in character rather than fact-finding.«[18]

Jack Breckenridge Tenney, von 1941 bis 1949 in Personalunion Vorsitzender und Chefideologe des Fact-Finding Committees und Autor von vier der fünf Berichte des Komitees, zählt – Ronald Reagan nicht unähnlich – zu der nicht kleinen Schar jener Hexenjäger, die Hannah Arendt mit dem Begriff »ex-Communist« beschreibt: »The ex-Communists... have become prominent on the strength of their past alone. Communism has remained the chief issue in their lives. They... see the whole texture of our time in terms of one great dichotomy...«.[19] »Although a registered Republican until 1933'', bestätigt der kalifornische Senator Arendts Definition für sich in einem bezeichnenderweise in der dritten Person abgefaßten Rückblick aus dem Jahre 1952, »like many others who did not know the truth,... Tenney... succumbed to the vicious propaganda directed at President Hoover in 1932''[20] – trat flugs der Demokratischen Partei bei, machte als Abgeordneter im kalifornischen Unterhaus mit linken Gesetzeseingaben Karriere, trat als Gewerkschaftsboss mit Streikaufrufen an die Öffentlichkeit, engagierte sich für das republikanische Spanien und machte sich als Sprecher auf einer Versammlung der Hollywood Anti-Nazi League, auf der auch Bruno Frank sprach, mit Ironie und scharfen Parolen über das Dies-Komitee in Washington lustig: »Fellow subversive elements, I have just heard that Mickey Mouse is conspiring with Shirley Temple to overthrow the government and that there is a witness who has seen the ›Red‹ card of Donald Duck.«[21]

Zwei Jahre und eine verlorene Wahl in seiner Gewerkschaftsgruppe später waren aus Tenneys alten Freunden über Nacht jene neuen Feinde geworden, die er mit erheblichem persönlichen Einsatz über fast ein Jahrzehnt hinweg als »Communazis«[22] verfolgen wird. Neben den eigenen Landsleuten im linken Lager nimmt der in Sacramento inzwischen zum Senator aufgestiegene Volksvertreter dabei besonders Ausländer ins Visier: »... ascertain, study and analyze all facts relating to the activities of persons and groups known or suspected to be dominated or controlled by a foreign power, and who owe allegiance thereto«[23]. Denn so wie »Naziism« sei auch der Kommunismus

---

18 Zitiert nach Edward L. Barrett: *The Tenney Committee. Legislative Investigation of Subversive Activities in California.* Ithaca: Cornell University Press 1951, S. 27-8.

19 Hannah Arendt: »The Ex-Communists.« In: *The Commonweal* 24 v. 20. 3. 1953, S. 595-6.

20 Jack B. Tenney: *The Tenney Committee... the American Record.* Tujunga: Standard Publications 1952, S. 2.

21 In *Hollywood Now* v. 26. 8. 1938, zitiert nach Barrett, *The Tenney Committee,* S. 5.

22 Tenney gründete unmittelbar nach seinem Übertritt ins Lager der Antikommunisten eine Zeitschriftenkolumne mit dem Namen »Commu-Nazism«. Sein Buch *Red Fascism* erschien 1947.

23 Jahresbericht des Tenney-Committees für 1947, zitiert nach Barrett, *The Tenney Committee,* S. 16.

»foreign« und damit »un-American«[24] bzw. »directed and subsidized by... the Kremlin«[25]. Zu den Leitmotiven seines Komitees zähle folglich seit 1941 die Forderung, daß der Staat fremdsprachige Medien einer Zensur unterstellt, die Subversive Registration Act von 1941 strikt durchsetzt und – wichtig für viele deutsche Exilanten – die Einbürgerung »of any former alien who, since receiving citizenship, has been a member of any subversive organization« rückgängig macht – wobei die Frage was subversiv ist natürlich von Tenneys Komitee und ähnlichen Einrichtungen bestimmt wird.

Wie wenig derartige Drohungen auf die leichte Schulter zu nehmen waren, mußten – wie später gezeigt wird – jene Exilanten am eigenen Leib erfahren, deren Namen auf einer 1949 im Kontext der Scientific and Cultural Conference for World Peace von Tenney zusammengestellten Rangliste erschienen: »*Forty-nine*... sponsors... have been affiliated with from 11 to 20 Communist-front organizations, and include... Albert Einstein... Lion Feuchtwanger... Thomas Mann... *Two hundred and seventy* have been affiliated with from 1 to 10 Communist-front organizations«[26], darunter Stefan Heym und Erika Mann. Fast dreißigmal taucht in den Jahren 1947 bis 1949 der Name von Lion Feuchtwanger in den Berichten von Tenneys Fact-Finding Committee on Un-American Activities auf, mal weil er dem Civil Rights Congress oder dem »Committee of Welcome for ›Red‹ Dean of Canterbury«[27] angehört, mal weil er sich wie Thomas Mann und Albert Einstein für den National Council of American Soviet Friendship engagiert. Nicht viel anders ergeht es Thomas Mann, dessen politisches Engagement die kalifornischen Warner vor dem »brutal, inhumane, antireligious, antifreedom, murderously aggressive, and deceptively hypocritical... World Communism«[28] in ihren Berichten mit 52 Nennungen bis 1951 ›würdigen‹. Öffentlich vorgehalten wird dem seit 1945 offensichtlich nicht ohne Grund von der politischen Stimmung in den USA zunehmend verunsicherten Exilanten unter anderem seine – übrigens in keinem Fall durch Tenney dokumentierte – Mitgliedschaft im American Committee for Protection of Foreign Born, den Progressive Citizens of America, der World Federation of Democratic Youth und der National Federation for Constitutional Liberties. Manns Teilnahme an einem Abendessen zum 25. Jahrestag der Roten Armee und seine Unterschrift für einen Offenen Brief an den Bürgermeister von Stalingrad werden von dem kalifornischen Kommunistenjäger registriert. Seine Mitarbeit an *Soviet Russia Today* und, was

---

24 »Findings and Recommendations« (1943 Report), zitiert nach California Legislature, *Fifth Report of the Senate Fact-Finding Committee on Un-American Activities* (1949), S. 702.
25 »Findings and Recommendations« (1943 u. 1947 Reporte), a. a. O., S. 702 u. 705.
26 A. a. O., S. 498-9.
27 A. a. O., S. 507.
28 A. a. O., S. 1.

immer damit gemeint gewesen sein mag, die Unterstützung durch »*Soviet Agencies, Press or Radio*«[29] geht in die Karteikästen des Senator ein.

Andere prominente und politisch oft durchaus aktive Exilanten, treten in den Berichten des kalifornischen Fact-Finding Committes dagegen nur am Rande auf – Erika und Heinrich Mann bis 1951 je dreimal, Klaus und Golo Mann gar nur ein einziges mal. Eine ganze Rubrik widmet Tenney verschiedenen Petitionen und Aufrufen gegen die Festnahme von Gerhart Eisler und das Deportationsverfahren von Hanns Eisler. Stefan Heym wird als »supporter of Communist Bookshops«, Autor von *New Masses* und *Mainstream* und Unterzeichner einer Resolution gegen die Verhaftung von »Pablo Neruda, Chilean Communist«[30], öffentlich ausgestellt. Mit erheblichen Anstrengungen versucht Tenney 1943, einen auch mit Exilanten hochbesetzten Schriftstellerkongress an der University of California in Los Angeles zu torpedieren (»a Communist Writers Congress«[31]). Immer neue Zusammenstellungen von »Fakten« durch die »agents« des Komitees bringen das Joint Anti-Fascist Refugee Committee (»Gerhart Eisler's living expenses were paid by this organization«[32]), die League of American Writers, die Hollywood Writers Mobilization und 200 weitere Organisationen in Mißkredit. Exilanten werden namentlich vorgeführt, als Tenney versucht, seine Kritiker ins Lager der Stalinisten abzudrängen und sich selber zum Märtyrer für die amerikanische Sache zu stilisieren: »The members of this committee have been denounced with every epithet in the Stalinist catalog. We have been threatened with every possible form of dire punishment, retribution and extinction... Among the committee's more notorious critics have been... Hanns Eisler... Lion Feuchtwanger... Thomas Mann...«[33]

Edward L. Barrett, der erste Chronist des Tenney Committees, mußte 1951 zugeben, daß er zwar von engen Kontakten zwischen dem Fact-Finding Committee der kalifornischen Volksvertreter und Hoovers Bureau ausgehe, den genauen Umfang der Zusammenarbeit aber nicht festzumachen vermag. Heute steht nach der Freigabe der einschlägigen Akten durch das FBI fest, daß das Federal Bureau of Investigation, der Immigration and Naturalization Service und andere Regierungsbehörden sich im Fall der deutschen Exilanten regelmäßig und häufig bei Tenney bedient haben. So nennt – zwei Beispiele aus vielen müssen hier genügen – eine mehrseitige Zusammenstellung des FBI im Frühjahr 1954 zu Organisationen, mit denen Thomas Mann auf die

29 A. a. O., S. 528.
30 A. a. O., S. 525.
31 Jahresberichte für 1945 u. 1947, zitiert nach Barrett, *The Tenney Committee*, S. 133.
32 California Legislature, *Sixth Report of the Senate Fact-Finding Committee on Un-American Activities*. Sacramento, 1951, S. 287.
33 California Legislature, *Fifth Report of the Senate Fact-Finding Committee on Un-American Activities* (1949), S. 687-9.

eine oder andere Weise verbunden gewesen sein soll, die Publikationen von
Tenney und seinen Nachfolgern als Quelle; und ein FBI-Bericht zu Lion
Feuchtwanger vermerkt am 25. Juli 1951, daß die Cultural and Scientific
Conference of World Peace in New York laut »1949 California Un-American
Activities report... an international Communist front activity«[34] sei. An anderen Stellen figurieren die Erkenntnisse, die Tenneys Agenten mit Hilfe von
Informanten, fingierten Mitgliedsanträgen, der Observierung von Versammlungen usw. zusammentragen, verdeckt unter der Rubrik »confidential
sources« oder »reliable informant«. Nicht mehr zu rekonstruieren ist dagegen, ob sich R. B. Hoods Männer in den Karteikästen Tenneys, der nicht nur
die Komiteeberichte selber verfaßte, sondern auch das umfangreiche Aktenmaterial in seinem eigenen Büro in Los Angeles unter Verschluß hielt, direkt
bedienen durften. Ebenso muß die Frage offen bleiben, inwiefern der Infor-
mationsfluß zwischen den Gesetzgebern und den Geheimpolizisten vor allem
in eine oder gleichmäßig in beide Richtungen lief. An Versuchen des Senators, sich bei Hoover anzubiedern, mangelte es jedenfalls nicht: »The FBI under Mr. J. Edgar Hoover is a department of which every American is proud.
Nothing could be more reassuring to patriotic Americans than knowing that
the G-Men are on the trail of the international gangsters working here in
America.«[35]

Im Vergleich zu FBI und Tenney Committee widmete das Office of Strategic Services der Exilszene in Südkalifornien überraschend wenig Aufmerksamkeit. Ein Grund dafür mag gewesen sein, daß Donovans Geheimdienst
sich zwar intensiv für die – fast ausschließlich an der Ostküste der USA angesiedelten – politischen Gruppierungen des deutschen und österreichischen
Exils, nicht aber für kulturelle oder literarische Fragen interessierte. ›Kali-
fornier‹ wie Heinrich und Thomas Mann, Brecht und Hanns Eisler gerieten
denn auch nur dann ins Visier des OSS, wenn sie sich für die Bewegung Freies Deutschland in Mexiko bzw. die Gründung ähnlicher Organisationen in
den USA engagierten oder, wie im Fall der Geschwister Eisler, in die Grabenkämpfe zwischen rechts und links verwickelt waren. Dazu als Beispiel
ein Zitat aus einer bio-bibliographischen Zusammenstellung des OSS vom
28. September 1943 zu »Brecht, Bertolt«: »A very gifted dramatist and a poet
of expressionistic vigor. He is very politically-minded and an ardent anti-fascist.«[36]

Von einem politischen Thema dominiert, nämlich der Zukunft Deutschlands nach Ende des Zweiten Weltkrieges, waren auch jene bereits erwähnten Gespräche, die ein Mitarbeiter des OSS-Büros in San Francisco zur Jah-

---

34 FBI-Report, Los Angeles v. 25. 7. 1951, S. 1 (FBI-Akte, Lion Feuchtwanger).
35 *Red fascism*, S. 175.
36 Memorandum v. 28. 9. 1943, S. 1-2 (OSS, 860).

reswende 1944/1945 in Los Angeles mit Feuchtwanger, Emil Ludwig, Döblin, Bruno Frank und Alfred Neumann führte.[37] Im Zentrum des genau vorbereiteten Fragenkatalogs standen dabei die Komplexe »dismemberment of Germany«, »the idea of an Austro-Bavarian *Anschluß*«[38], »re-education«[39], Dezentralisierung, Verstaatlichung von Industrien und natürlich »the question of the treatment of war criminals«[40]. Nicht mehr realisiert werden konnte dagegen bis zu der wenig später erfolgten Auflösung des OSS der im Kontext des Interviews mit Alfred Neumann im Juni 1945 von »Frederick Thorberg« angeregte Vorschlag eines OSS-Mitarbeiters, sich die »Communist political cells in Hollywood« genauer anzusehen: »A close research into the situation in Hollywood seems to be in place, since there is no doubt that the intellectual leadership of German Communists in this country is found there.«[41]

Eine noch marginalere Rolle als das OSS spielten bei der Observierung der Exilanten in Südkalifornien der Immigration and Naturalization Service, das Department of Justice und das State Department. Da fast alle Flüchtlinge über New York (Ellis Island) in die USA eingereist waren, trat das INS-Büro von Los Angeles vor allem bei einer Reihe von, freilich nicht uninteressanten, Einbürgerungsverfahren in Erscheinung.[42] Das Justizministerium wurde in Los Angeles von Assistant Attorney General Attilio di Girolamo vertreten, der sich bei einem Deportationsverfahren gegen Brecht und einem Problem mit Leonhard Franks Certificate of Identification als ungewöhnlich liberal entpuppte. Mit dem diplomatischen Dienst des Department of State bekamen jene Exilanten zu tun, die zum Umschreiben ihrer Visa oder zur Verlängerung einer Aufenthaltsgenehmigung über Tijuana oder Nogales von Mexiko aus noch einmal in die USA einreisen mußten. So gut wie gar nicht trat die Polizei von Los Angeles in Erscheinung, die gelegentlich vom FBI um Informationen gebeten wurde und einigen Exilanten Führungszeugnisse für Einwanderungsanträge ausstellte. Nicht aktiv mit Bezug auf das Exil waren nach dem Stand der Akten im Westen der USA die militärischen Nachrichtendienste ONI und G-2, denen es offensichtlich genügte, sich in den Berichten und Unterlagen des lokalen Fact-Finding Committee on Un-American Activities zu bedienen.[43]

---

37 Diese Interviews werden weiter unten in den einschlägigen Kapiteln genauer analysiert.

38 Foreign Nationalities Branch, »Foreign Nationalities Groups in the United States«, Memorandum an den Director of Strategic Services v. 18. 1. 1945, S. 2 (OSS, 33GE-75).

39 A. a. O., S. 4.

40 A. a. O., S. 7.

41 Charles B. Friediger, Memorandum an Bjarne Braatoy v. 8. 6. 1945 (OSS, 1571).

42 Die Aktenlage ist auch deshalb schlecht, weil sich das INS-Büro von Los Angeles bei der Freigabe von Material nicht besonders kooperativ erwiesen hat.

43 Vgl. dazu Barrett, *The Tenney Committee*, S. 79: »The chief impact of the reports has come from their circulation to governmental investigating agencies... They have been used, of

Acht Fallstudien, die bedeutende Exilanten in Kalifornien betreffen und sich auf umfangreiches Aktenmaterial stützen, werden im Folgenden besonders herausgestellt. Da die Familie Mann für FBI und Geheimdienste eine zentrale Rolle spielte, erscheint es sinnvoll, die Dossiers der oft in New York logierenden Geschwister Klaus und Erika Mann neben die Akten von Thomas und Heinrich Mann zu stellen. Bertolt Brecht wurde vom FBI aus mehreren Gründen intensiv überwacht, darunter wegen seiner politischen Einstellung und seiner oft unterschätzten Kontakte zu amerikanischen Kulturschaffenden. Im Fall von Lion Feuchtwanger war Hoover – mit Erfolg – über fast zwei Jahrzehnte damit beschäftigt, eine Einbürgerung des viel gelesenen Autors zu verhindern. Die Akte von Leonhard Frank enthält den detaillierten Bericht von einer offensichtlich illegalen Hausdurchsuchung; für Bruno Frank interessierte sich vor allem die Postzensur und das OSS. Andere Fälle – Franz Werfel, Erich Maria Remarque, Emil Ludwig, Alfred Döblin, Vicki Baum, Alfred Neumann, Ludwig Marcuse, Curt Goetz –, bei denen die Unterlagen in den Regierungsarchiven qualitativ und quantitativ wenig ergiebig sind, werden in einem gesonderten Kapitel zusammengefaßt.

course, as a source of information by such governmental organizations as the Federal Bureau of Investigation and the various military intelligence agencies.«

Die Akten der Familie Mann

»Aber es ist ja etwas Besonderes um diese Emigration: sie beruht zu einem großen Teil
nicht eindeutig auf Überzeugung, sondern auf Zwang... Mit welcher Autorität aber außerdem können wir zum deutschen Volk sprechen? Doch nur mit unserer allerpersön-
lichsten, denn wir haben nichts hinter uns, wir sprechen nicht im Einverständnis mit
den Regierungen der Länder, in denen wir leben...«

Thomas Mann, Brief an Ernst Reuter
Pacific Palisades, 24. Juni 1943

Thomas Mann

Thomas Mann war in den USA mit Abstand der bekannteste Exilautor. Seine
Bücher wurden seit vielen Jahren von Alfred A. Knopf verlegt. Schon bei seinem zweiten Amerikabesuch im Jahre 1935 traf der Nobelpreisträger mit
U.S.-Präsident Franklin D. Roosevelt zusammen, mit dem er auch später in
losem Kontakt blieb. Eine Ehrendoktorwürde der Harvard University, die
Gastprofessur an der Princeton University und eine Anstellung bei der Library
of Congress als »Consultant in Germanic Literature« brachten erhebliches
Prestige mit sich. Mann war ein begehrter – und teurer – Redner, wurde in
den Vorstand zahlreicher Kongreßausschüsse und Organisationen gewählt
und 1951 in die renommierte American Academy of Arts and Letters berufen. Mit Radioansprachen, Vorträgen und Essays mischte sich der ungekrön-
te König der deutschsprachigen Exilkolonie in Amerika in die Diskussion um
die Zukunft Deutschlands nach Ende des Krieges ein, bezog zu den Präsident-
schaftswahlen in seinem Gastland Stellung und nahm sich angesichts der Aus-
wüchse des Kalten Krieges kein Blatt vor den Mund. Mitarbeiter des Department of State bis hin zum Außenminister machten sich Gedanken darüber,
ob und wie Mann für ihre Zwecke einzusetzen sei. Funktionäre des von amerikanischen Behörden eng überwachten Freien Deutschlands versuchten von
Mexiko aus, den Mitexilanten für ihre an die Volksfront der dreißiger Jahre
anknüpfenden antifaschistisch-demokratischen Ziele zu gewinnen. Zahlreiche
Freunde von Mann, sein Bruder Heinrich und die Kinder Klaus und Erika wurden als »enemy aliens« und Mitläufer der Kommunisten von den amerikanischen Geheimdiensten observiert. Mann selbst erhielt mehrfach Routinebesuche von »F.B.I. Gentlemen«, die – meist im Zusammenhang mit
Einbürgerungsverfahren – mal nach der »Gruppe in Mexiko, Katz, B. Brecht«[1],

---

1 Thomas Mann: *Tagebücher 1940–1943*. Hrsg. v. Peter de Mendelssohn. Frankfurt: Fischer
1982, S. 614.

mal nach dem Schauspieler Ernst Deutsch, dem Soziologen Leo Matthias, dem Verleger Felix Guggenheim oder dem Literaturwissenschaftler Faber du Faur (»ungünstig geäußert«[2]) fragen. Kurz: J. Edgar Hoover und seine Mitarbeiter hätten allen Grund gehabt, sich intensiv um den Fall »Thomas Paul Mann, Security Matter – C«[3] zu kümmern.

Doch das Material, das vom FBI-Hauptquartier und beim Immigration and Naturalization Service zu dem von der Öffentlichkeit der USA am breitesten zur Kenntnis genommenen Exilanten überliefert wird, ist eher unspektakulär. So enthält das FBI-Dossier von Thomas Mann, der nie selbst Gegenstand einer offiziellen Untersuchung durch das Bureau war, ganze 54 Blätter mit relativ unbedeutenden Vorgängen. Der Rest der insgesamt 153 an mich freigegebenen Seiten besteht aus Kopien von öffentlich zugänglichen Zeitschriftenaufsätzen, von denen mehrere durch Unachtsamkeit des FBI-Personals in Duplikaten in die Akte gerieten bzw. mit Thomas Mann und dem deutschsprachigen Exil in den USA nichts zu tun haben. Und auch die 93 Blätter, die der INS zu Thomas Mann freigegeben hat, zeugen von eher gelangweilter Routine. Endlose Formulare mit immer denselben Daten und Fakten zur Person des Antragstellers bestätigen, daß das Einbürgerungsverfahren von Mann in normalen Bahnen verlief. Gelegentliche Vorstöße des INS in den frühen fünfziger Jahren in Sachen »deportation« kommen über die üblichen Vordrucke und vorläufige Anfragen nicht hinaus.

Wichtig für das Verständnis der Rolle von Thomas Mann im amerikanischen Exil – und meines Wissens bislang so gut wie gar nicht ausgewertet – sind dagegen die Unterlagen von zwei anderen Regierungsbehörden: dem Department of State und der CIA. Im Mittelpunkt des weit über hundert Blätter zählenden Materials beim State Department stehen dabei Briefe, Eingaben und Besprechungsprotokolle zu zwei Themenkreisen: Erstens, zu familiären Angelegenheiten wie der Einreise der Familie Mann in die USA und der Suche nach vermißten Verwandten in den europäischen Kriegswirren. Zweitens, zur großen Politik am Beispiel von Thomas Manns Versuch, sich 1943 mit dem Segen der U.S.-Regierung als öffentlich anerkannter Führer des West-Exils zu etablieren. Ergänzt wird dieses Material durch ein kaum weniger umfangreiches Konvolut aus den Unterlagen der CIA-Vorläuferorganisation OSS, das sich ebenfalls in großen Teilen um Manns Anspruch auf eine Führungsrolle im Exil dreht, aber auch interessante Einzelstücke enthält – darunter das ausführliche Protokoll eines Gesprächs zwischen Mann und einem Mitarbeiter von Donovans Geheimdienst.

Beginnen wir mit den Akten des State Departments zu Thomas Mann, in denen sich schon früh eine offensichtlich gesuchte Nähe zu den Entschei-

---

2 Thomas Mann: *Tagebücher 1944–1. 4. 1946*. Hrsg. v. Inge Jens. Frankfurt: Fischer 1986, S. 116.
3 J. Edgar Hoover, Memorandum an Legal Attache, Paris, France, v. 21. 8. 1950.

dungsträgern in der U.S.-Politik und die für einen Exilanten typischen, eher trivialen Probleme mit Ausweispapieren und Reisegenehmigungen vermischen. »Freudig ehrerbietige Glückwuensche« telegraphiert »Tomas Mann« am 4. November 1936 aus Küsnacht an »President Roosevelt«[4] zu dessen Wiederwahl.[5] Reichlich einen Monat später meldet der ausgezeichnet informierte Botschafter William E. Dodd unter der Überschrift »Proscription of Additional Enemies of the Regime« aus Berlin an das Außenministerium in Washington: »The proscription of Thomas Mann has caused some surprise inasmuch as it was understood that the authorities about a year ago were endeavoring to facilitate his return in order that he might assume his rightful position as an ornament to German literature. Herr Mann has never been a violent opponent of the Nazis and in a letter published in the *Neue Zürcher Zeitung* at the beginning of this year he refused to associate himself with the rabid German emigré press... His brother Heinrich Mann and all the latter's family were outlawed in similar fashion over a year ago.«[6] Es folgen im Rahmen von Manns Eintreten für Flüchtlinge und Verfolgte der Faschisten in Europa in den nächsten Jahren Petitionen zusammen mit Albert Einstein bei Außenminister Cordell Hull »to help and probably save the life of the German refugees in Prague«[7] und mit Dorothy Thompson bei Roosevelt »to protest the announced intention of General Franco to deliver back to Germany... prisoners of war who will most certainly be tortured to death in their countries«[8]. Kurz nach Kriegsausbruch setzt Mann seinen Ruf aufs Spiel als er die Frau des amerikanischen Präsidenten mit der Bitte angeht, ihren Namen der German American Writers Association für einen Ehrenposten zur Verfügung zu stellen.[9] Ein anderes mal bemüht sich das Komitee der Albert Einstein Medal for Humanitarian Services für Manns »»Scroll of Honor«« bei Franklin D. Roosevelt um »an expression of your sentiments towards this noble character and an autographed picture«[10].

---

4 Akz. 811.001-Roosevelt, F. D./4583.

5 Vgl. Thomas Mann: *Tagebücher 1935-1936*. Hrsg. v. Peter de Mendelssohn. Frankfurt: Fischer 1978, S. 389.

6 William E. Dodd, Brief an Secretary of State v. 17. 12. 1936, Anlage, S. 1-2 (862.00 P. R./211).

7 Albert Einstein and Thomas Mann, Telegramm an Cordell Hull v. 8. 10. 1938 (840.48 Refugees/796).

8 Thomas Mann und Dorothy Thompson plädierten dabei offensichtlich an Roosevelts schlechtes Gewissen, wenn sie ihre Bitte mit einer kaum verhüllten Kritik an der amerikanischen Spanienpolitik unterstrichen: »... the persistent embargo of American arms to the Spanish Loyalist government undoubtedly assisted General Franco to win the war...« (Thomas Mann u. Dorothy Thompson, Telegramm an President of the United States v. 13. 5. 1939, S. 1 [752.00114/87]).

9 Thomas Mann, Oskar Maria Graf u. Curt Riess, Brief an Eleanor Roosevelt v. 16. 11. 1939 (811.0011 Roosevelt Family/287).

10 John Hofman, Brief an Franklin D. Roosevelt v. 23. 12. 1938 (811.001 Roosevelt, F.D./6156).

Das Resultat fiel in allen Fällen gleich aus: In die Angelegenheiten anderer Staaten könne sich die U.S.-Regierung nur dann einmischen, wenn es um die Sicherheit von amerikanischen Staatsbürgern geht. Und ein öffentliches Eintreten für deutsche Exilanten und ihre Vereinigungen laufe »long-established practice«[11] zuwider – oder wie Assistant Secretary of State Adolf A. Berle es in etwas fragwürdigen Worten formuliert, als er mit Mann in das Sponsoring Committee des German American Congress for Democracy berufen werden soll: »... it is unwise to permit the use of my name in connection with any groups based on a particular race background.«[12]

Mehr Erfolg hatte Thomas Mann mit seinen Kontakten zum Department of State dort, wo es um Visafragen für sich und seine Familie ging. Spuren dieses Themas gehen bis in das Jahr 1934 zu dem ersten USA-Besuch des Nobelpreisträgers zurück, als die Bitte des Verlages Alfred A. Knopf beim State Department auf offene Ohren traf, Mann trotz seines 1933 abgelaufenen und unter den gegebenen Umständen nicht verlängerbaren deutschen Passes die Einreise in die USA zu ermöglichen (»the purpose of the visit would be entirely literary, and I am sure Mann would agree in advance... to say nothing whatever of a political nature«[13]). Hilfreich reagierte man im Außenministerium auch, als Mann sich 1938 über die Frau des Besitzers der einflußreichen *Washington Post*, »Mrs. Eugene Meyer«, um »German non-preference quota immigration visas«[14] für sich, seine Frau und die Kinder Elisabeth und Michael bemüht. Alles was das Gesetz erlaubt wolle man für den von Frau Meyer als »great artist« und »very distinguished man«[15] Avisierten tun – denn, so Außenminister Hull in einem persönlichen Schreiben an die Verlegerfrau, »I am, as you know, not unmindful of the plight of those unfortunate people, who, like Dr. Mann, find themselves in such a distressing situation.«[16] Da sich freilich die »democratic processes«[17] und die einschlägigen Gesetze selbst für einen Außenminister nicht umgehen ließen, müßten sich die Antragsteller zum Abholen der für sie reservierten Visa leider nach Toronto begeben, wo der amerikanische Konsul durch ein freundlich-bestimmtes Schreiben des Acting Secretary of State Sumner Welles (»the Consul General was asked to give sympathetic consideration«[18]) auf die Besuche

11 George T. Summerlin, Chief of Protocol, Brief an John Dorfman v. 4. 1. 1939, S. 1 (811.001 Roosevelt, F.D./6156).
12 Adolf A.Berle, Brief an Frank Bohn v. 14. 8. 1941 (862.20211 German-American Congress for Democracy/36).
13 Douglas Parmentier, Brief an John F. Simmons v. 25. 4. 1934 (811.111 Mann, Thomas).
14 Damon C. Woods, American Consul, American Consulate General, Toronto, Canada, Brief an Secretary of State v. 6. 5. 1938 (811.111 Mann, Thomas).
15 Mrs. Eugene Meyer, Brief an Secretary of State v. 2. 4. 1938 (811.111 Mann, Thomas).
16 Cordell Hull, Brief an Mrs. Eugene Meyer v. 8. 4. 1938, S. 1 (811.111 Mann, Thomas).
17 Mrs. Eugene Meyer, Brief an Secretary of State v. 18. 4. 1938 (811.111 Mann, Thomas).
18 Sumner Welles, Brief an Mrs. Eugene Meyer v. 23. 4. 1938 (811.111 Mann, Thomas).

eingestimmt wurde: »...their application should be accorded every consideration consistent with the immigration laws... if it is found that the documents required by Section 7 (c) of the Immigration Act of 1924 are not available... the waiving of the requirement would appear to be warranted.«[19]

Außenminister Hull ließ es sich nicht nehmen, der Frau des Herausgebers der *Washington Post* persönlich mitzuteilen (»My dear Mrs. Meyer«), daß »Dr. and Mrs. Mann«[20] ihre Visen am 3. Mai 1938 erhalten hatten. Und auch im Fall der Kinder meldeten der Konsul aus Toronto und der »Chief, Visa Division« dem Banker und Zeitungsboss Ende November Vollzug.[21] Nicht gestoßen zu haben scheinen sich die Berufsdiplomaten dabei an einem Argument von Agnes Meyer, das ihnen angesichts des Flüchtlingselends in Europa eher unwirklich vorkommen mußte: »Thomas Mann, perhaps the leading prose writer of our era,... is obliged to remain in America now that Hitler has annexed Austria... his house near Zürich is just a stone's throw from the Austrian border and therefore no longer a safe habitation.«[22] Wohl aber sah man im Außenministerium penibel genau darauf, daß die für Thomas Mann geführte Korrespondenz dem amerikanischen Steuerzahler nicht zur Last fiel. »Charge to Mr. Eugene Meyer, Washington, D. C. $5.08«, lautet der Dienstvermerk auf einem Telegramm von Hull an die U.S.-Botschaft in Stockholm, das auf eine weitere Eingabe des Mann-Mäzens, diesmal während der ersten Kriegstage, zurückgeht: »Eugene Meyer of Washington Post inquires concerning welfare of Thomas Mann, writer and member of Princeton faculty... Last address Hotel Saltsjeobaden.«[23]

»European War 1939« ist bezeichnenderweise denn auch die Aktengruppe überschrieben, in der das State Department eine weitere Mappe mit Briefen von und an Thomas Mann ablegt. Freilich geht es diesmal nicht um den

19 To the American Consular Officer in charge, Toronto, Canada, Memorandum v. 23. 4. 1938 (811.111 Mann, Thomas). Bei den fehlenden Unterlagen handelte es sich im Fall von Thomas Mann um die Geburtsurkunde, bei Elisabeth und Michael um »police certificates« (Department of State, Telegramm an American Consul, Toronto, Canada, v. 15. 11. 1938 [811.111 Mann, Klaus]), die die Nazibehörden für Ausgebürgerte nicht mehr ausstellten. Andere Exilanten, denen ähnliche Unterlagen fehlten, wurden von den amerikanischen Konsuln in Tijuana und Nogales ebenfalls großzügig behandelt, selbst wenn sie nicht über so gute Beziehungen verfügten wie Thomas Mann.

20 Cordell Hull, Brief an Mrs. Eugene Meyer v. 14. 5. 1938 (811.111 Mann, Thomas).

21 Vgl. dazu den Brief von Thomas Mann an Agnes Meyer v. 19. November 1938 in Thomas Mann, Agnes E. Meyer: *Briefwechsel 1937-1955.* Hrsg. v. Hans Rudolf Vaget. Frankfurt: Fischer 1992, S. 136.

22 Mrs. Eugene Meyer, Brief an Secretary of State v. 2. 4. 1938 (811.111 Mann, Thomas).

23 Hull, Telegramm an American Legation, Stockholm, Sweden v. 7. 9. 1939 (340.1115/ 1426). Vgl. dazu Thomas Mann: *Tagebücher 1937-1939.* Hrsg. v. Peter de Mendelssohn. Frankfurt: Fischer 1980, S. 466: »Telegramm der Meyer, daß das State Department sich beim Gesandten verwandt.«

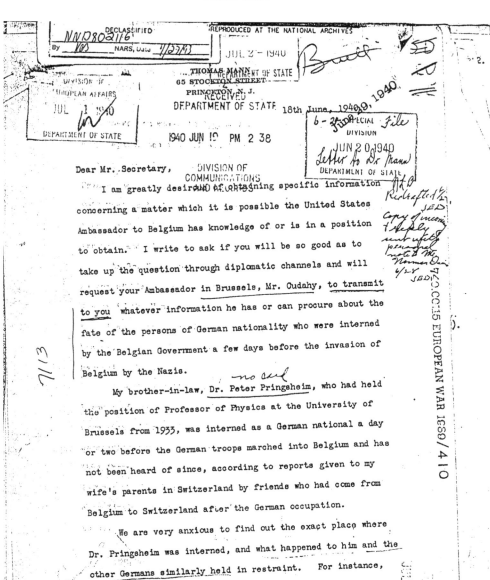

JUL 2 - 1940

THOMAS MANN
65 STOCKTON STREET
PRINCETON, N. J.

DEPARTMENT OF STATE

RECEIVED
DEPARTMENT OF STATE   18th June, 1940.

1940 JUN 19 PM 2 38

DIVISION OF
EUROPEAN AFFAIRS
JUL 1 1940
DEPARTMENT OF STATE

SPECIAL
DIVISION
JUN 20 1940
DEPARTMENT OF STATE

Letter to Dr. Mann

Dear Mr. Secretary,   DIVISION OF
COMMUNICATIONS

I am greatly desirous of obtaining specific information

concerning a matter which it is possible the United States

Ambassador to Belgium has knowledge of or is in a position

to obtain. I write to ask if you will be so good as to

take up the question through diplomatic channels and will

request your Ambassador in Brussels, Mr. Cudahy, to transmit

to you whatever information he has or can procure about the

fate of the persons of German nationality who were interned

by the Belgian Government a few days before the invasion of

Belgium by the Nazis.

My brother-in-law, Dr. Peter Pringsheim, who had held

the position of Professor of Physics at the University of

Brussels from 1933, was interned as a German national a day

or two before the German troops marched into Belgium and has

not been heard of since, according to reports given to my

wife's parents in Switzerland by friends who had come from

Belgium to Switzerland after the German occupation.

We are very anxious to find out the exact place where

Dr. Pringsheim was interned, and what happened to him and the

other Germans similarly held in restraint. For instance,

The Secretary of State,
The Department of State,
Washington, D.C.

97

- 2 -

THOMAS MANN
65 STOCKTON STREET
PRINCETON, N. J.

were these men moved to France at any time before the Belgian
Army capitulated and, if so, to what place where they sent and
what, presumably, became of them? If they were not sent to
France, were they liberated before or when Belgium came under
full Nazi control? Is it known if any Germans who had been
interned in Belgium were handed over to the Nazis on their
arrival, and, if so, was Dr. Pringsheim among their number?

As Dr. Pringsheim is known to be my brother-in-law and
as one of his parents is Jewish he will have been in very grave
danger if the Nazis got hold of him. If he was at liberty at
the time of the surrender of Belgium and managed to get into
hiding, any direct inquiries about him now might prove very
harmful to him.

I enclose full particulars about Dr. Pringsheim, but
because of the gravity of his position, I take the liberty to
urge that if Mr. Cudahy is disposed to make any inquiries
concerning him, the most extreme caution be used. I feel
that there must be available some official information about the
Germans who had been interned in Belgium, and shall be most
exceedingly grateful if what is known about them could be sent
to me.

I have the honour to be, Sir,

Yours faithfully,

Thomas Mann

The Secretary of State,
The Department of State,
Washington, D.C.

98

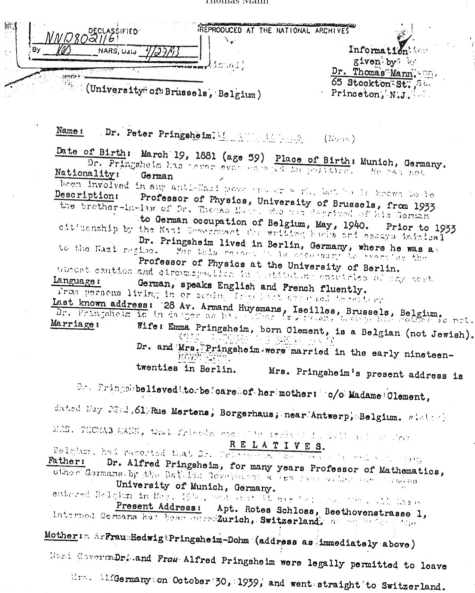

Thomas Mann

Information
given by
Dr. Thomas Mann,
65 Stockton St.,
Princeton, N.J.

(University of Brussels, Belgium)

Name: Dr. Peter Pringsheim.   (None)

Date of Birth: March 19, 1881 (age 59) **Place of Birth:** Munich, Germany.

Nationality: German

Description: Professor of Physics, University of Brussels, from 1933 to German occupation of Belgium, May, 1940.   Prior to 1933 Dr. Pringsheim lived in Berlin, Germany, where he was a Professor of Physics at the University of Berlin.

Language: German, speaks English and French fluently.

Last known address: 28 Av. Armand Huysmans, Ixelles, Brussels, Belgium.

Marriage: Wife: Emma Pringsheim, born Clement, is a Belgian (not Jewish). Dr. and Mrs. Pringsheim were married in the early nineteen-twenties in Berlin.   Mrs. Pringsheim's present address is believed to be care of her mother: c/o Madame Clement, 61 Rue Mertens, Borgerhaus, near Antwerp, Belgium.

R E L A T I V E S.

Father: Dr. Alfred Pringsheim, for many years Professor of Mathematics, University of Munich, Germany.
Present Address: Apt. Rotes Schloss, Beethovenstrasse 1, Zurich, Switzerland.

Mother: Frau Hedwig Pringsheim-Dohm (address as immediately above) Dr. and Frau Alfred Pringsheim were legally permitted to leave Germany on October 30, 1939, and went straight to Switzerland.

Sister: Mrs. Thomas Mann (Katharina Mann-Pringsheim).
Present Address: 65 Stockton Street, Princeton, New Jersey, U.S.A.

(continued on next page)

AIR MAIL

Reference
SD 740.00115 European War
1939/410

THOMAS MANN
65 STOCKTON STREET
PRINCETON, N. J.

441 N. Rockingham,
Los Angeles (Brentwood)
California.

4th July, 1940.

My dear Mr. Hull,

I recently received your letter of June 29th informing me of the helpful action you had taken through Mr. Joseph E. Davies of the American Red Cross on behalf of my brother-in-law, Dr. Peter Pringsheim.

May I let you know how deeply I appreciate you having given this matter your personal attention? Knowing how greatly involved you are in arduous work of national and international importance, I purposely refrained from addressing my previous letter to you specifically, and, therefore, the reply I received signed by yourself meant a great deal to us.

You may from time to time see American citizens or other reliable individuals who have come to the United States from Southern France since the capitulation. If in the course of conversation the opportunity occurred for you to ask news of my brother, Heinrich Mann the writer, who was in Nice when last heard of or of my son, Gottfried (or Golo) Mann, aged 31, who was in a French concentration camp at Loriol, Southern France (Depot A.14 J (or I?) his number C.6/539), my wife and I would be deeply grateful. I do beg of you, however, not to reply to this letter. In less tragic times I would never under any circumstances in acknowledging one favour have asked another, but in the face of so much misery and uncertainty one finds oneself discarding the practices of a life-time.

Yours very sincerely,

Thomas Mann

The Honorable Cordell Hull,
Secretary of State,
Washington, D.C.

Nobelpreisträger selber, sondern – wieder mit Hilfe von Agnes Meyer – um Verwandte, die im Sommer 1940 in Gefahr waren, den Deutschen in die Hände zu fallen – Schwager Peter Pringsheim in Belgien, und, wenig später, Bruder Heinrich und »den sehr ersten Fall«[24] von Sohn Golo in Südfrankreich. Zwei, der Forschung bislang offensichtlich nicht bekannte Briefe[25] von Mann an Cordell Hull werden hier aus der Akte Thomas Mann in voller Länge zitiert, weil sie, besser als jeder Kommentar, veranschaulichen, mit welchen Ungewißheiten selbst prominente und relativ einflußreiche Exilanten damals zu leben hatten.

Dem Brief in Sachen Pringsheim legt Mann drei Blätter mit den zeitüblichen Informationen bei: Weder politisch noch gar im Widerstand gegen die Nazis sei sein Schwager aktiv gewesen; wohl aber sei der Vater Jude (»though his mother is not«[26]) und den Nazis die Beziehung zu Thomas Mann wohlbekannt. Die Reaktion von Hull fällt so oder so aus wie gehabt. Da es sich bei den Gesuchten nicht um amerikanische Staatsbürger handelt, könne man nicht mehr tun, als den Fall mit einer dringlichen Empfehlung an das Rote Kreuz weiterzuleiten.[27]

Kernstück der Mann-Akte beim State Department ist jedoch zweifellos ein Thema, das brisant genug war, um auch das Office of Strategic Services mit zahlreichen Analysen, Gesprächsprotokollen und Hintergrundberichten auf den Plan zu rufen: die im Herbst 1943 an- und schon bald schieflaufenden Vorbereitungen für eine von Mann zu leitende repräsentative Exilorganisation, die zuerst schlicht »»German Committee«« [28], dann »Provisional Thomas Mann Committee«[29] und schließlich »Free Germany Committee or Council«[30] genannt wurde.[31] Ja, es scheint – ein Blick auf die Chronologie der Ereignis-

---

24 Thomas Mann, Brief an Agnes Meyer v. 16. 5. 1940. In Mann/Meyer, *Briefwechsel 1937-1955*, S. 205.

25 Diese Briefe sind weder dem Thomas-Mann-Archiv in Zürich bekannt, noch werden sie in *Die Briefe Thomas Manns. Regesten und Register*. Bd. 2. Hrsg. v. Hans Bürgin u. Hans-Otto Mayer. Frankfurt: Fischer 1980 erwähnt. Vgl. in diesem Zusammenhang u. a. auch das Schreiben an Hull vom 16. Mai 1940, in dem Mann und seine Frau »mit tiefer Dankbarkeit« den »Schutz« erwähnen, »den H. persönlich für ihren Sohn Golo angeordnet hatte« (a. a. O., S. 410).

26 Thomas Mann, Brief an Secretary of State v. 18. 6. 1940, Anlage, S. 2 (740.00115 European War 1939/410). Vgl. dazu zwei Briefe von Katia Mann an Agnes Meyer v. 18. 9. und 28. 9. 1940 in Mann/Meyer, *Briefwechsel 1937-1955*, S. 235-9.

27 Hulls Reaktion widerspricht der Vermutung, daß Golo, der Mitte Juni 1940 »noch in Zürich weilte«, »für den Fall einer deutschen Invasion unter amerikanischen Schutz gestellt« (Mann/Meyer, *Briefwechsel 1937-1955*, S. 883) worden wäre.

28 Emmy C. Rado, Memorandum an DeWitt Poole v. 29. 10. 1943, S. 1 (OSS, 841).

29 Emmy C. Rado, Memorandum an DeWitt Poole v. 8. 11. 1943 (OSS, 847).

30 Thomas Mann, Brief an Mr. Berle v. 18. 11. 1943, S. 1 (862.01/523).

31 Herbert Lehnert hat Manns Rolle bei der Vorbereitung des »German Committees« relativ ausführlich skizziert, freilich ohne Kenntnis des OSS-Materials und des vollen Umfangs

se macht das deutlich -, daß die CIA-Vorläuferorganisation OSS mehr noch als das State Department bei diesem für die Geschichte des Exils und die amerikanische Deutschlandpolitik sicherlich nicht unwichtigen Ereignis die Fäden in der Hand hielt und die Entscheidungen vorbereitete: »On October 27, 1943 Paul Hagen came to see Dr. Thormann in order to talk over ›an idea‹ he just had... Thomas Mann was in town for the Free World Congress and... one should use this opportunity to ›rope him into some German Committee‹«[32], beginnt ein internes OSS-Office Memorandum vom 29. Oktober 1943, mit dem die auf das deutsche Exil angesetzte, aus der Schweiz stammende OSS-Mitarbeiterin Emmy C. Rado DeWitt Poole, den Leiter des Foreign Nationalities Branch in Amerikas erstem Geheimdienst, zum ersten mal mit dem ›Fall Mann‹ konfrontiert. Als Thomas Mann dann einen knappen Monat später in Washington zu einem, wie er meinte, entscheidenden Gespräch mit Assistant Secretary of State Berle zusammentrifft, hatten General Donovan und seine Behörde die Weichen längst gestellt, die den Vorstoß des Nobelpreisträgers ins Leere laufen ließen.

In der Tat stand der Foreign Nationalities Branch des OSS dem Vorschlag des Neu-Beginnen-Mitglieds Paul Hagen, der bei seinem Besuch im OSS-Büro von einer breiten Palette partizipierender Exilorganisationen und »American sponsors«[33] wie Dorothy Thompson und Alvin Johnson geschwärmt hatte und das »›German Committee‹« als »clearing-house for all possible requests« von U.S.-Regierungsstellen zu verkaufen suchte, von Anfang an mit Mißtrauen gegenüber. Daran vermochte auch die Tatsache nichts zu ändern, daß Mann noch am Abend des 27. Oktobers die Führungsrolle in der zu gründenden Organisation angenommen hatte und den linkskatholischen Journalisten und OSS-Mitarbeiter Werner Thormann für den 4. November zu einem Arbeitsessen einlud: »... Dr. Thormann received a telephone call that Thomas Mann had accepted the leadership but before starting anything he wanted to talk it over with four or five Germans.«[34] »Hagen's plan«, resümiert Emmy C. Rado in einer Anmerkung zu ihrem ersten Bericht, »sounds like another version of his own organization, The American Friends of German Freedom, and by organizing this thing through Thomas Mann he is going to have the strings in his hands.«[35]

der internen Debatte beim Department of State (H. L.: »Bert Brecht und Thomas Mann im Streit über Deutschland.« In: *Deutsche Exilliteratur seit 1933.* Bd. 1, 1, S. 77ff.)

32 Emmy C. Rado, Memorandum an DeWitt Poole v. 29. 10. 1943, S. 1 (OSS, 841).

33 A. a. O.

34 A. a. O., S. 2. Für denselben Tag trägt Mann in sein Tagebuch ein: »Von 1/2 12 bis nach 1/2 2 Konferenz von 10 Herren (Tillich, Zuckmayer, Hagen Aufhäuser, Hertz etc.) in Sachen ›Free Germany‹. Glaubte anfangs, es nicht leisten zu können, hielt dann aber bis zu zweifelhaften Resultaten durch« (Mann, *Tagebücher 1940-1943*, S. 646).

35 Emmy C. Rado, Memorandum an DeWitt Poole v. 29. 10. 1943, S. 2 (OSS, 841).

Es würde zu weit führen, das vom OSS genau überwachte Tauziehen zu beschreiben, das in den folgenden Tagen hinter der Szene stattfand. Stichworte aus den einschlägigen Memoranda des Office of Strategic Services müssen deshalb hier genügen: »The Labor Delegation has had a stormy meeting, in which they decided to permit individual members to join the Provisional Thomas Mann Committee.«[36] »After consultation with Carl Zuckmayer, Thomas Mann decided to invite two Social Democrats... Hagen was not informed of this and calls it a ›coup d'Etat‹ against him.«[37] »Excluded from membership would be Hermann Rauschning and Otto Strasser, but Heinrich Bruening and Treviranus would be welcome.«[38] »Only when everything has been decided upon would they let...the Boenheim group or other Communists or near Communists... join them... Carl Zuckmayer would be the writer.. of a German Manifesto,... as Secretary of the provisional committee they named Horst Baerensprung. Hermann Budzislawski was made secretary of the editorial Committee«[39] usw.

Wichtiger als die nicht immer schön anzusehenden Grabenkämpfe der Exilanten und die vielen dazugehörenden Sondierungsgespräche von Mann mit Exilanten wie Paul Hagen, Erich von Kahler und Reinhold Niebuhr und Amerikanern wie dem Ehepaar Meyer ist in unserem Zusammenhang die Rolle des OSS bei der Kaltstellung des ›Thomas Mann Committees‹. »General Donovan... was rather anxious about the whole matter«[40], berichtet dazu die OSS-Angestellte Rado nach einem Gespräch mit dem Boss des Office of Strategic Services und meldet weiter: »... the General felt quite strongly that it was undesirable for this Committee to take the field at this time.«[41] Andere Mitarbeiter des Foreign Nationalities Branch sahen die Dinge ähnlich – »We all, including General Donovan, feel that word should be gotten quickly to Mann and others, that the Government would rather see nothing done in this connection for the moment« – und liefern in einer »SECRET« gestempelten

---

36 Emmy C. Rado, Memorandum an DeWitt Poole v. 8. 11. 1943, S. 1 (OSS, 847).

37 ECR [d. i. Emmy C. Rado], Memorandum an General W. J. Donovan v. 6. 11. 1943, S. 1 (OSS, 847).

38 A. a. O., S. 1-2.

39 A. a. O., S. 2. Bärensprung wurde Anfang 1945 im Zusammenhang einer Untersuchung von Personen, mit denen Bertolt Brecht Kontakt hatte, vom FBI in New York so beschrieben: »At the present time, he is doing some part-time, confidential work for the Office of Strategic Services« (FBI-Report, New York v. 31. 1. 1945, S. 5 [FBI-Akte, Bertolt Brecht, Brecht-Archiv, Berlin]). John Fuegi: *Brecht and Company. Sex, Politics, and the Making of the Modern Drama*. New York: Grove Press 1994 meint, daß Bärensprung, der über seine Lebensgefährtin Elisabeth Hauptmann zu Brecht Verbindung besaß, »a paid informant for the Office of Strategic Services (OSS), the predecessor of the CIA« (S. 424), gewesen sei, »recruited by Maria Deutsch, who also lived at 243 Riverside Drive« (S. 676-7).

40 Emmy C. Rado, Memorandum an DeWitt Poole v. 8. 11. 1943, S. 1 (OSS, 847).

41 Vgl. Irving R. Sherman, Memorandum an Hugh R. Wilson v. 6. 11. 1943 (OSS, 847).

Analyse die Argumente gegen das »German Committee« gleich mit: »Firstly, we do not like some of the personalities involved. Secondly, the Committee is not wisely constituted and a bad action at this time would detract from the effectiveness of a better effort later. Thirdly, and most important, Thomas Mann is extremely important and useful for any Group which might be needed later, and he should not be permitted to expend his usefulness now by an action of this kind. If you can get a quick expression of opinion from the State Department in this matter we can arrange to have Mann contacted and we will do the necessary.«[42]

Der letzte Satz der OSS-Expertise deutet einmal mehr an, wie kurz bei einem Geheimdienst der Schritt von der Nachrichtensammlung zur politischen Intrige ist.[43] Womöglich noch deutlicher in diese Richtung weist dann ein Schreiben des FNB vom 10. November an Adolf Berle, in dem der ex-Diplomat und Antikommunist Poole (»the real danger to our civilization is Soviet Russia«[44]) die Ränke weiterspinnt und dem Assistant Secretary of State höflich, aber betont die Worte in den Mund legt: »... it is likely that within the next few days Thomas Mann... will – quite on his own responsibility – call you on the long-distance telephone and ask your advice in connection with the project... If you are willing to speak with Mr. Mann it is recommended that you say simply that the question of a German National Committee is naturally an important one and ought to be carefully considered with an eye to both the American and German interest and with that in mind you would be glad at some future mutually convenient time to receive Mr. Mann in your office and have a talk with him. If you do find it suitable to speak to Mr. Mann in that vein it is our understanding that the exigencies of the present situation will have been met and that Mr. Mann will defer any definite action on his part until he has had an opportunity of conferring with you. In our handling of the matter emphasis has been placed upon the need to avoid creating a situation in which it might appear that the State Department had actively intervened in a negative way.«[45]

Thomas Mann, der die Pläne des Office of Strategic Services nicht kannte, tappte blind in die Falle. Acht Tage nachdem beim OSS die Würfel gefallen waren und drei Tage nachdem er mit »dem diplomatischen Agenten Pool [!]«

---

42 A. a. O.

43 Smith, *OSS*, S. 25 nennt die Gründung des Foreign Nationalities Branch »another OSS intrusion into the diplomatic process«.

44 Zitiert nach Lawrence C. Soley: *Radio Warfare. OSS and CIA Subversive Propaganda.* New York: Praeger 1989, S. 212. Soley zitiert auch ein Memorandum, in dem Poole pauschal und leicht übertrieben davor warnt, »that the formation of the Free German Committee ›put in jeopardy the whole outcome of the war‹« (a. a. O.).

45 DeWitt Poole, Brief an Mr. Berle v. 10. 11. 1943, S. 1–2 (OSS, 855). Vgl. dagegen Mann/Meyer, *Briefwechsel 1937–1955*, S. 993, wobei Vaget freilich weder das OSS-Material noch die Unterlagen des State Departments kennt.

über »die Free Germany-Frage im Zusammenhang mit den Moskauer Ergeb-
nissen«[46] gesprochen hatte, bietet er Berle in diplomatisch-gewundenen Formulierungen seine Dienste an – und versucht zugleich herauszufinden, ob
sich führende Exilanten wie er nicht für wichtigere Aufgaben in der Zukunft
bereithalten sollten, anstatt in der ersten provisorischen Nachkriegsverwal-
tung zugleich bei Deutschen und Alliierten ihren guten Ruf zu ruinieren. Es
lohnt, den auf Papier des Bedford Hotels in New York geschriebenen, bisher
noch nicht gedruckten[47] Brief von Mann in ganzer Länge zu lesen – als stili-
stisches Meisterstück, als Beispiel für die hohe Kunst des politischen Taktie-
rens und als Dokument für die privaten Ambitionen des führenden Repräsentanten der deutschen Exilkultur.

Berle, dem das OSS gesagt hatte wie er auf Manns Brief regieren sollte
bevor dieser Brief überhaupt verfaßt worden war, ließ sich auch jetzt von Donovans Geheimdienst leiten. Anstatt seine Antwort schriftlich zu formulie-
ren, lud er Mann höflich zu einem Gespräch nach Washington ein – und
entzog sich so geschickt einer offiziellen Stellungnahme. Wie genau das OSS,
bei dem in einer anderen Abteilung damals übrigens Manns Sohn Golo tätig
war,[48] Berle auch dabei beobachtete, belegt ein Schreiben DeWitt Pooles vom
23. November, das mit dem vielsagenden Satz beginnt, »I suppose that Thomas Mann has written you«, und dann den Assistant Secretary of State noch
einmal unmißverständlich an die Position des Office of Strategic Services erinnert: »The move to form a Free Germany Committee in New York seems to
be in suspense for the moment. Naturally a good deal will depend on what
Mann hears from you. Meanwhile I have had a chat with Aufhäuser of the
German Labor Delegation... Aufhäuser and his colleagues have in any case
been reluctant about the Mann committee. Aufhäuser said that they were preparing to go along only because with Thomas Mann as a leader they did not
feel they could do otherwise.«[49]

---

46 Mann, *Tagebücher 1940-1943*, S. 648.
47 *Die Briefe Thomas Manns. Regesten und Register*. Bd. 2, S. 745-6 enthält eine ausführli-
    che, aber nicht ganz komplette Zusammenfassung. Vgl. auch Lehnert, »Bert Brecht und
    Thomas Mann«, S. 78, der meint, Manns Brief sei »voller Skepsis gegen das ›Free Ger-
    many‹-Unternehmen«.
48 Mann, *Tagebücher 1940 bis 1943*, S. 183.
49 DeWitt C. Poole, Brief an A. A. Berle v. 23. 11. 1943 (862.01/507; vgl. auch OSS, 880).
    Unklar ist wie ein Memorandum von Emmy C. Rado an DeWitt Poole vom 23. 1. 1943 in
    die Chronologie paßt, in dem davon die Rede ist, daß Thomas Mann für den 24. 11. ein
    Treffen in seinem Hotel ansagte, um seinen Rückzug bekannt zu geben: »With the excep-
    tion of Baerensprung who has had a talk with Erika Mann the members have no idea of
    his possible withdrawal« (Emmy C. Rado, Memorandum an DeWitt Poole v. 23. 11. 1943
    [OSS, 854]). Eine Antwort mag in einem früheren OSS-Memorandum liegen, in dem es
    ebenfalls um Bärensprung und Erika Mann geht: »Erika Mann informed Baerensprung
    that her father had been bombarded by Paul Hagen with telephone, telegrams, letters and
    visits,... that her father was worried that Hagen uses him as a pawn and... that before he

118 EAST 40 STREET · NEW YORK (16) N. Y.
EAST OF PARK AVENUE · CALEDONIA 5-1000

November 18. 1943

My dear Mr. Berle,

May I take the liberty to submit to you a problem
the solution of which will largely depend for me on your
advice.

Among the politically interested groups of the
German émigrés there is a general feeling that the time
has come for the formation of a Free Germany Committee
or Council in this country. Such a committee could serve
a double purpose: it could, in support of the political
warfare, try to influence the people inside Germany, and,
in view of its knowledge of the German mind, it might
prove useful to the American authorities in an advisory
capacity. It should consist, as far as possible, of all
the political groups from the right to the left. From
various directions it has been suggested that I should
take the initiative in bringing about such a cooperation
of the different parties, probably with the idea that I,
as an independent German born writer committed to no
political party, would be the most suitable person for
this purpose.

I am in no way a man of action or diplomacy, and I
would prefer certainly to carry on my personal work un-
disturbed. Nevertheless, out of a feeling of responsabili-
ty, I would, under certain conditions, come to the conclusion, that I ought not to shirk such a task. The essential
condition would be that the formation of a committee of
this kind would meet with the approval of the authorities in Washington. This is, first, a natural expression
of my loyalty toward the country whose citizen I am
about to become, and further I am convinced that only an
organization acknowledged and in some way backed by
official America could be of any use.

862.01/523

PS/CF FILED DEC 23 1943

REPRODUCED AT THE NATIONAL ARCHIVES

HOTEL BEDFORD

118 EAST 40 STREET · NEW YORK (16) N. Y.
EAST OF PARK AVENUE · CALEDONIA 5-1000

Therefor what I ask you, my dear Mr. Berle, is whether
you think the formation of such a committee altogether desirable and, if so, whether this is the right moment to form it.

It is perhaps not misplaced to use this opportunity in order to express the following idea. Naturally,
all kinds of guesswork and suggestions, in the form of
rumors, and also of comments in the press, are going about
regarding the personalities who may be called upon to play
a leading and representative part in a future democratic
Germany. To my way of feeling all these speculations and
"nominations" are premature and futile. There can be no
doubt that decisions about the near future of Germany after
the defeat have already been reached, and it would be of
the greatest interest to me to know whether you agree with
me, that in a country in the particular circumstances in
which Germany will be, there will be, in the beginning, no
place for a "government" in the genuine sense of the word.
What will be needed is merely a body of men experienced
in administration business, taken from inside Germany and
also perhaps from the Emigrés, which, as a mediating and
executive organ, would cooperate with the occupation authorities. For this job, which can only be a thankless one, there
is certainly no need of personalities with whose names hopes
are connected for a leading part in a reorganized democratic
Germany. By taking part in the first provisional administration by the victorious powers they would doubtless lose a
great deal of their credit and influence in Germany, and, on
the other hand their relations to the Allies might easily
become precarious. Such men should therefore be spared and
saved for the future. How far this principle of sparing and
saving should also be applied to the plan I developed earlier
is an other question which I would like to submit to your
judgment.

I would very much appreciate it if you could let
me have your opinion about these problems at your earliest
convenience, because my stay in New York is to last only
until November 27. and I am to return then to the West Coast.

Respectfully yours

Thomas Mann

DEPARTMENT OF STATE

Memorandum of Conversation

DATE: November 25, 1943

SUBJECT: Offer to Dr. Mann of chairmanship of contemplated Free Germany Committee

PARTICIPANTS: Mr. Thomas Mann;

Mr. A. A. Berle, Jr.

COPIES TO: S, U, PA/D, Eu

FW 862.01/523

I had lunch with Mr. Thomas Mann, as suggested in my letter attached. He stated that he had difficulty in accepting the chairmanship of any committee designed to intervene in German politics because he had applied for American citizenship and expected to spend the rest of his life here. I told him I thought indeed that would place him in a difficult position.

I told him also that his own name was very highly regarded in German circles, and that I rather felt that he might not wish to enter the tangled and contro- versial field until the issues became considerably clearer. With this he agreed.

A. A. B., Jr.

JAN 4 - 1944   FILED   PS/CF

A-B:AAB:GES

DEPARTMENT OF STATE

ASSISTANT SECRETARY

January 26, 1944

EUR:

CE:

FAC:

DEPARTMENT OF STATE
RECEIVED
JAN 3 1 1944
DIVISION OF
COMMUNICATIONS AND RECORDS

The attached report from the FBI makes reference to a supposed refusal by the State Department (acting through me) to permit <u>Dr. Thomas Mann</u> to establish a Free German Committee in the United States.

The facts were that a Free German Committee was organized, largely by Mr. Paul Hagen, and the chairmanship was <u>offered</u> to Dr. Mann. Dr. Mann came down here and had lunch with me. He stated that he did not want to accept this task, partly because he was not a politician and still more because he had filed his declaration of intention to become an American citizen and never expected to go back to Germany. He said he was prepared to accept it if the State Department felt that he ought to do so in the general interest.

I told him that he was perfectly free to do as he pleased in the matter--that we did not object to the formation of committees or to anyone's accepting membership in them. But, I said, I did not feel we were in a position to urge him to accept this chairmanship and I could understand perfectly his point that it might be difficult to reconcile taking an active part in German politics with his desire to become an American citizen. He was actually doing extremely valuable work for us in broadcasting to Germany. I added that most of these committees had led a pretty controversial life. The time might, of course, come when Dr. Mann, as perhaps the best-known German scholar and cultural leader outside Germany, could be of great use. I could not say, from what he told me, that that occasion had arrived.

A. A. B., Jr.

A-B:AAB:GES

DIV. OF FOREIGN ACTIVITY CORRELATION
FEB 4 1944
DEPARTMENT OF STATE

FEB 9 1944 FILED

FW862.01/548   PS/KA

Doch der General brauchte sich keine Sorgen zu machen – das knappe »Memorandum of Conversation«, das Berle unmittelbar nach dem Lunch mit Thomas Mann als Aktennotiz diktierte, belegt, daß sich das Außenministerium an das OSS-Szenario gehalten hat – ein Szenario, das Berle und seinen in Sachen »Freies Deutschland« überaus zurückhaltend operierenden Kollegen ohnehin in den Plan paßte[50]: »Mr. Thomas Mann... stated that he had difficulty in accepting the chairmanship of any committee designed to intervene in German politics because he had applied for American citizenship and expected to spend the rest of his life here. I told him I thought indeed that would place him in a difficult position. I told him also that his own name was very highly regarded in German circles, and that I rather felt that he might not wish to enter the tangled and controversial field until the issues became considerably clearer. With this he agreed.«[51]

Berle tat gut daran, vorsichtig-diplomatisch und ohne Hinterlassen einer schriftlichen Spur vorzugehen, als er Mann die Teilnahme an einem Freien Deutschland-Komitee ausredete. Denn kaum war das Ergebnis des Vieraugengesprächs an die Öffentlichkeit gedrungen, als in Exilkreisen ein kleiner Sturm losbrach. Mit dabei als Beobachter waren einmal mehr die geheimen Nachrichtensammler des OSS und, mit einiger Verspätung und ohne den gewohnten Nachdruck, die Agenten des Konkurrezunternehmens von J. Edgar Hoover.

Thomas Mann und Berle hatten am Donnerstag, dem 25. November in Washington zusammen gespeist. Als der u. a. im Austrian Reconstruction Committee[52] aktive FNB-Mitarbeiter Charles B. Friediger[53] am folgenden Montag in sein Büro kam, wartete bereits eine telefonische Nachricht auf ihn, mit der sich der SPD-Funktionär Siegfried Aufhäuser anmeldete. Mann habe ihn noch vor dem Wochenende angerufen, um ihm mitzuteilen, daß er sich

went any further, he wanted to consult Mr. Berle of the State Department. Dr. Baerensprung had the impression that Thomas Mann is seeking a way out of the newly-formed committee« (Emmy C. Rado, Memorandum an DeWitt Poole v. 15. 11. 1943 [OSS, 913]).

50 »We in Eu [Division of European Affairs des Department of State]«, resümiert zum Beispiel ein an Berle gerichtetes Memorandum im Januar 1943, »still look with misgivings at any project to deal with *any* German group... I should prefer not to have a general interdepartmental committee discussion until within the Department we are in general agreement« (C. W. Cannon, Memorandum an Mr. Berle v. 8. 1. 1943 [FW 862.01/1-843]). Siehe auch unten das Kapitel zu Mexiko.

51 A. A. B. [d. i. Adolf A. Berle], Memorandum of Conversation v. 25. 11. 1943 (FW 862.01/ 523). Vgl. auch *The Adolf A. Berle Diary 1937-1971*. Hyde Park: Franklin D. Roosevelt Library 1978. In *Navigating the Rapids 1918-1971. From the Papers of Adolf A. Berle* kommen dagegen die Namen Thomas Mann, Paul Hagen, Paul Tillich usw. nicht vor.

52 Memorandum v. 28. 1. 1943 (OSS, Int-4Au, 289).

53 Beer, »Exil und Emigration als Information,« S. 136 beschreibt Friediger als »ehemaligen konservativ-monachistischen österreichischen Journalisten«.

von der Planung für ein »Free German Committee in the United States« zurückziehe. »A little upset« sei der Nobelpreisträger gewesen »about the firm-
ness with which he was advised to drop the idea for the time being.«[54] Zudem habe er, immer nach Aufhäuser, in den vergangenen Tagen unter dem
Einfluß von Tochter Erika seine Meinung gegenüber Deutschland und den
Deutschen stark geändert: »Aufhäuser said«, protokolliert Friediger, »that
Thomas Mann is strongly influenced in political matters by his daughter Erica Mann. Erica, a Communist, has changed her ideas recently, according to
A. Her former pleading for the innocent German people has now changed to
strong hostility. Aufhaeuser says she is now convinced that the whole German nation is responsible for the War and that at the Friday meeting and
another meeting a few days earlier Thomas Mann had reflected this attitude
in his talk. He had said that the Germans are all alike anyway.«[55]

Ähnlich schätzt Emmy Rado in einem offensichtlich auf Informationen von
Insidern beruhenden Bericht für DeWitt Poole die Situation ein – wieder mit
Bezug auf die enge Beziehung zwischen Erika Mann und ihrem Vater. »»Mann
ueber Bord««[56] laute der Slogan, der seit dem Treffen des Gründungskomi-
tees der Freien Deutschen am 26. November die Runde mache – ein Treffen,
von dem der Tagebuchschreiber Mann wie nebenher so berichtet: »Sehr
schwer eingeschlafen. Lange auf dem Sofa, sitzend. 1/2 12 Uhr/Versamm-
lung der ›Herren‹ bei mir. Erhitzende Angelegenheit/, sie abschlägig zu bescheiden und zu trösten. Lunch mit Knopf und Blanche im franz. Restaurant. Bouillabaisse.«[57] »Speechless and shocked« waren nach Rado die
Versammelten aber vor allem über das gewesen, was ihr Abgesandter über
sein Gespräch mit Berle erzählte. Eine Organisation für »Post-War Germany«, so Manns Bericht aus Washington, habe beim State Department keine
Chance, weil das Land ohnehin erst einmal »for a minimum of 50 years«
besetzt werde. »Pressed for other reasons, he said that German children were
going to live in a sort of quarantine and that for 30 years no Allied child
should be permitted to get in touch with a German child, etc.«

Emmy Rado interpretierte das was Mann an jenem Freitag in New York
vortrug, als »mixture of reasons which Mr. Berle had given him and reasons
which his daughter Erika might have furnished.«[58] Ähnlich sah es ein anderer Berichterstatter des OSS: »His listeners drew the impression at first that

54 C. B. Friediger, Memorandum of Conversation with Mr. S. Aufhäuser v. 1. 12. 1943, S. 1
    (OSS, 896).
55 A. a. O., S. 1-2. Vgl. dazu Manns Tagebucheintragung vom 19. 11. 1943: »Mit E., wie
    schon morgens, über Deutschland, die Comité-Frage, den Entwurf Tillichs, kritisch«
    (Mann, *Tagebücher 1940-1943*, S. 649).
56 Emmy C. Rado, Memorandum an DeWitt Poole v. 8. 12. 1943, S. 1 (OSS, 904).
57 Mann, *Tagebücher 1940-1943*, S. 651.
58 Emmy C. Rado, Memorandum an DeWitt Poole v. 8. 12. 1943, S. 1 (OSS, 904).

Mann was repeating the State Department's views, but it seems to have become clear in the end that he had absorbered rather uncritically ideas which had originated in other quarters.«[59] Und auch Paul Hagen kritisierte Erika Mann dem FNB gegenüber: »Paul Hagen... was in Washington... and... came to this Branch... on his own initiative... He thought that Mann's withdrawal from the effort had been due less to a talk the famous novelist had had at the State Department than to the influence of Mann's daughter, Erika, whom Hagen deemed an ›unstable radical‹.«[60] Eher persönlich legten dagegen die anwesenden Komiteemitglieder, nachdem sie den ersten Schock überwunden hatten, den plötzlichen Meinungswechsel bei ihrem Vorsitzenden in spe aus: »They were of the opinion later on that Thomas Mann was so confused on political issues that it was rather lucky they had nothing more to do with him.«[61] So oder so, der berühmte Schriftsteller, dem auch das OSS in einer Kurzbiographie nachgesagt hatte, nicht in der Lage zu sein »to distinguish between important and unimportant subjects when approached by political groups and committees«[62], machte den Bruch perfekt, noch bevor etwas von den Ereignissen der vergangenen Tage in die Presse geriet. »Rumors have it that I am about to form a Free German Committee in the United States«, beginnt sein prophylaktisches, in Form eines Leserbriefes am 26. November an die *New York Times* geschicktes und vom OSS archiviertes Dementi, »I understand that in its issue of Nov. 30 The New Masses will announce that the State Department, which up to the Moscow Conference had opposed the formation of such a committee, had now changed its mind and that I had been invited to cooperate. This statement is entirely erroneous. The Department of State has not invited me to join or preside over a Free German Committee, nor do I consider the moment opportune for the formation of such a body.«[63]

Ausgestanden war die Kontroverse um Manns Rückzug aus dem Vorbereitungskomitee für eine Freies Deutschland-Organisation deshalb nicht. »After Thomas Mann's meeting with Secretary of State Berle«, schreibt C.B.

---

59 German National Committee Plans in the United States. FNB-Memorandum B-126 v. 15. 12. 1943, S. 4 (OSS, 914).

60 Foreign Nationalities Branch, Memorandum an Director of Strategic Services u. Secretary of State Nr. S-106 v. 15. 6. 1944, S. 1 (CIA-Archiv).

61 Emmy C. Rado, Memorandum an DeWitt Poole v. 8. 12. 1943, S. 1 (OSS, 904).

62 Dieses nicht weiter gekennzeichnete OSS-Dokument zu Thomas und Heinrich Mann trägt das Datum vom 28. 9. 1943 und ist »Hollywood, California« gestempelt. Zitiert wird S. 5.

63 »No Committee for Mr. Mann«, Ausschnitt aus *New York Times* [v. 29. 11. 1943], Anlage zu Emmy C. Rado, Memorandum an DeWitt Poole v. 8. 12. 1943, S. 2 (OSS, 904). An Agnes Meyer schrieb Mann, schon auf dem Weg zurück an die Westküste, wenig später: »... ich... bin meiner Freiheit froh – trotz der Aeusserung Professor Tillichs, ich hätte ›Deutschland das Todesurteil gesprochen‹ und trotz dem höhnisch verbitterten Gesicht des Bert Brecht, eines Party liners, der, wenn die Russen ihm in Deutschland zur Macht verhelfen, mir alles Böse antun wird« (Mann/Meyer, *Briefwechsel 1937-1955*, S. 524).

OFFICE OF STRATEGIC SERVICES

INTEROFFICE MEMO

TO: Mr. DeWitt Poole   DATE: November 15, 1943

FROM: Emmy C. Rado   *C.C.R.*

SUBJECT:

On Saturday, November 13, Messrs. Aufhaeuser, Baerensprung, Rudzislawski, Hagen, Herz, Hirschfeld, Lips, Staudinger and Tillich met in the apartment of Baerensprung.

Before and after the meeting Hagen, Hirschfeld, Herz and Aufhaeuser met. They form the "Aktions-Komitee".

In the meeting Aufhaeuser suggested that Stampfer be added as one of the original members. The vote was unanimous.

It was discussed that the next group of people to be admitted would be the ISK. Ourian and Baerwald would be asked as Catholics, Mrs. Wachenheim and Mrs. Juchacz would be asked as "women".

The "Aktions-Komitee" promised to plan the next meetings in the hope that Thomas Mann would be present. No date was set.

Baerensprung as secretary had a luncheon date with Thomas Mann on Sunday, November 14th. The lunch was called off, and instead Erika Mann saw Baerensprung on Saturday after the meeting. Erika Mann informed Baerensprung that her father had been bombarded by Paul Hagen with telephone, telegrams, letters and visits, that Hagen wanted to force her father into signing all kinds of things and into making hurried decisions. She said that her father was worried that Hagen uses him as a pawn and that he had always been careful to stay out of organizations. That before he went any further, he wanted to consult Mr. Berle of the State Department.

Dr. Baerensprung had the impression that Thomas Mann is seeking a way out of the newly-formed committee.

SECRET

N.Y. FNB. INT. 13 (cont 8

OFFICE OF STRATEGIC SERVICES

INTELLIGENCE MEMO

TO: Mr. DeWitt Poole

FROM: Emmy C. Rado

SUBJECT:

DATE: December 8, 1943

Excuse me please for being late. A cold has caught up with me and dulled my head.

"Mann ueber Bord" is the slogan which was created after the meeting Thomas Mann held upon his return from Washington.

On Friday, November 26, Mann reported that he had lunched with Mr. Berle in Washington and that the latter had told him that in his opinion no German Committee whould be founded at this particular moment; that possibly the State Department would favor such a creation on a later date, etc. The members were very discouraged and started to question Thomas Mann on the reasons which Mr. Berle had given him.

Thomas Mann said that, of course, he could not quote Mr. Berle. Then he started to give reasons. It was not clear whether he was repeating what Mr. Berle had told him or not. It seems that his answers were a mixture of reasons which Mr. Berle had given him and reasons which his daughter Erika might have furnished.

He said that German refugees in this country should not take up such an unpopular cause as Post-War Germany because Germany was going to be occupied for a minimum of 50 years. Pressed for other reasons, he said that German children were going to live in a sort of quarantine and that for 30 years no Allied child should be permitted to get in touch with a German child, etc.

All members were sort of speechless and shocked because they took this to be the policy laid down by the State Department. Only afterwards did they begin to realize that Thomas Mann must have mixed in other reasons. What he said sounded very much like Rex Stout or Prof. F. W. Foerster. They were of the opinion later on that Thomas Mann was so confused on political issues that it was rather lucky they had nothing more to do with him.

Hagen and Budzislawski formulated immediately a new plan. They wanted Dorothy Thompson to create an American Committee composed of American citizens who would sponsor the cause of a German Committee. Hagen said this would be the only way to be independent of the State Department. Paul Tillich was also in favor of this solution.

NY - FNB-INT - 13   689

- 2 -

I heard that Hagen had said that he was capitulating. He had found nobody among his American friends to do the job.

The German Labor Delegation at first felt that they should never have associated themselves with the Thomas Mann group. They felt that as a group they enjoyed respect and that they might have lost it, Meanwhile they have calmed down. They held a meeting last Saturday in which they passed a resolution to keep in loose touch with the members of the Thomas Mann group (without Thomas Mann). But they realized that it was a gain if they could meet from time to time with members of all the other groups. They also decided to invite Hirschfeld, Hertz and Juchacz ("die Abtruennigen") who had drifted toward the Neu Beginnen group back into the fold. I understand that they, in turn, are going to state conditions.

In the meantime, a new movement has sprung up. It is to be a German Committee to introduce Christian methods into dealings with Post-War Germany. An Austrian, rather an adventurous type, Mr. Künel-Ledine, and Tet von Borsig are the inventors of this. They are using the very nice Pastor Forell for this purpose. The latter is a Bekenntnis-Pfarrer and really interested in Christianity. A meeting was called by Forell, and eighteen to twenty persons attended. Several representatives of the Federal Council of Churches were there, a Czechoslovak parson, Max Fischer (Staats-Zeitung - Catholic convert), Friedrich Hausman, Tet von Borsig and others. It was decided to invite Catholic and Protestant ministers from countries surrounding Germany for the next meeting. The idea is that these ministers, together with the German ministers, should work out Christian methods for the Post-War World. (It is the most open attempt for a soft peace I heard of yet.)

I heard that v. Putlitz is going to England. I was told that his friend Vansittart invited him to come and take care of his farm. The German refugee grapevine has it that v. Putlitz is going to England for a U. S. agency.

Attached is the Letter to the Editor of the New York Times Thomas Mann wrote in answer to the New Masses.

115

Friediger etwas ungenau am 8. Januar 1944 an FNB-Boss Poole, »and his subsequent refusal to form a Free German Committee, I have been watching to see what new initiative will be taken by the German political exiles« – und kommt zu einem dreifachen Schluß: Paul Hagen sei auch diesmal nicht gewillt, seine Niederlage anzuerkennen. »... the recognized Stalinist Germans... Wieland Herzfelde and Bertolt Brecht are in a victorious mood«. Vor allem aber führe das wachsende Prestige von Rußland zu der gefährlichen Situation, »that all these pro-German activities including the Social-Democratic ones must drift sooner or later in the direction of the Moscow Free German Committee«[64]. Ein kleiner Meinungsaustausch zwischen dem über das Institute for Advanced Studies in Princeton zum OSS gekommenen DeWitt Poole und Franz Neumann, der über die linke OSS-Schiene zum Institute for Social Research zu Donovan-Abteilung Research & Analysis gelangte, deutet an, daß man Anfang 1944 beim Office of Strategic Services weiterhin der Meinung war, Erika Mann könne ihren Vater mehr und mehr ins Lager der Vertreter eines ›harten Friedens‹ um »F. W. Foerster and [T. H.] Tetens«[65] ziehen. Ende Januar reagiert ein irritierter Adolf Berle innerhalb von einem Tag auf ein Schreiben von J. Edgar Hoover, der sich von seinen Leuten in Philadelphia berichten ließ, daß ein Vertreter der German-American Emergency Conference in einem Vortrag an der dortigen School of Social Science nicht nur die Arbeit des Nationalkomitees Freies Deutschland in Moskau begrüßte, sondern ausdrücklich die Haltung des State Department kritisierte, weil es Thomas Mann die Gründung einer ähnlichen Organisation in den USA verboten (»refused to permit«[66]) habe. »I told... Dr. Thomas Mann«, so Berle in einer Erklärung, die die Runde durch das Außenministerium machte, »that he was perfectly free to do as he pleased in the matter—that we did not object to the

---

64 C. B. Friediger, Memorandum an DeWitt C. Poole v. 8. 1. 1944, S. 1, 3, 4 (OSS, 940).

65 Franz Neumann, Memorandum an H. C. DeWitt Poole v. 4. 1. 1944 (OSS, 934). Vgl. dazu zwei Kommentare des Sergeanten C. B. Friediger zu Thomas Manns umstrittener BBC-Rede vom 9. Dezember 1943: »In the instance of Thomas Mann«, berichtet Friediger selbstsicher und offensichtlich nicht ohne Genugtuung an seinen Vorgesetzten, »pro-German propaganda has been checked intelligently and discreetly.« Voraussetzung dafür sei gewesen, daß man mit ihm und den anderen deutschen Exilanten »in the language of facts instead of the language of theory« (C. B. Friediger, Memorandum an DeWitt C. Poole v. 10. 1. 1944, S. 1 [OSS, 946]) spreche. Neumann, einer der führenden Köpfe in der OSS-Abteilung Research & Analysis, war durch sein 1942 erschienenes Buch *Behemoth: The Structure and Practice of National Socialism* (Toronto: Oxford University Press 1942; dt. *Behemoth: Struktur und Praxis des Nationalsozialismus 1933-1944*. Köln: Europäische Verlagsanstalt 1977 [=Studien zur Gesellschaftstheorie]) bekannt geworden. Nach Auflösung des OSS übernahm er beim State Department die German Research Section. Siehe auch den Austausch zwischen Erika Mann und Carl Zuckmayer in *Aufbau* (nachgedruckt in *Exil. Literarische und politische Texte aus dem deutschen Exil 1933-1945*. Hrsg. v. Ernst Loewy. Stuttgart: Metzler 1979, S. 1160-6).

66 J. Edgar Hoover, Brief an Adolf A. Berle v. 25. 1. 1944, S. 1 (862.01/548).

formation of committees or to anyone's accepting membership in them. But, I said, I did not feel we were in a position to urge him to accept this chairmanship and I could understand perfectly his point that it might be difficult to reconcile taking an active part in German politics with his desire to become an American citizen.«[67] Und natürlich nahm man beim Foreign Nationalties Branch im Kontext der Berichterstattung über den Council for a Democratic Germany immer wieder auf den »Fall« Thomas Mann Bezug.

Adolf Berle und seine Kollegen beim OSS waren sich bewußt, daß Thomas Mann »as perhaps the best-known German scholar and cultural leader outside Germany«[68] eine besondere Stellung unter den Exilanten einnahm. Entsprechend breit angelegt waren die Sammlungen, die ihre Behörden seit Kriegsbeginn zum Thema Mann und Deutschland führten. Gleich in vier Durchschlägen legte das State Department im April 1942 den Bericht seines Botschafters in Santiago, Chile, über den Vorschlag eines ehemaligen Strasser-Anhängers zu den Akten, Thomas Mann an die Spitze eines repräsentativen Free Germany Movements zu stellen. Strasser selbst, erinnert sich im Juni 1943 ein Mitarbeiter des militärischen Geheimdienstes G-2, habe Mann einst neben Hermann Rauschning, Treviranus und anderen für einen »German National Council«[69] vorgeschlagen. Die Beobachtung des State Departments, daß Mann sich von Alemania Libre in Mexiko als »respectable ›front‹«[70] benutzen lasse, wird ergänzt durch einen frühen OSS-Bericht, der den Autor als Mitarbeiter der Zeitschrift *Freies Deutschland* identifiziert, »now available on 28 news-stands in New York City«[71]. Über einen »confidential informant« des FBI erfährt Berle noch vor der Gründung des NKFD, daß eine provisorische Exilregierung in Moskau Mann das Bildungsministerium anbieten wolle.[72] Aus Ankara übermittelt die U.S.-Botschaft im November 1943 die fünfseitige Übersetzung eines Briefes von Ernst Reuter an »Dr. Thomas Mann, America«, in dem der spätere Berliner Bürgermeister seinen Mitexilanten dringend bittet, »all the Germans in the world« durch einen Aufruf hinter sich zu vereinen: »My plea, our plea to you, Thomas Mann, is this: Please try to unite all the Germans whose voices are heeded to in Germany and issue a common appeal to the German people.«[73] Ungefähr zur gleichen

---

67 A. A. B. [d. i. Adolf A. Berle], Memorandum v. 26. 1. 1944 (FW862.01/548).
68 A. a. O.
69 Junius B. Wood, Special Branch, M.I.S.,»»Free Germany‹ organizations«, Memorandum für Colonel Carter W. Clarke v. 9. 6. 1943, S. 4, Anlage zu Wood, Brief an M. J. McDermott, Chief, Current Information Bureau, State Department, v. 11. 6. 1943 (862.01/284).
70 W. K. Ailshie, Third Secretary of Embassy, Embassy of the United States of America, Mexiko, Brief an Secretary of State v. 25. 6. 1943, S. 7 (862.01/286).
71 Memorandum v. 14. 6. 1942 (OSS, 189).
72 J. E. Hoover, Brief an Adolf A. Berle v. 25. 6. 1943 (862.01/362).
73 Ernst Reuter, Brief an Thomas Mann v. 17. 3. 1943, in Burton Y. Berry, American Consulat General, Istanbul, Türkei, Brief an Secretary of State v. 13. 11. 1943 (862.01/501). Mann

Zeit bietet die New School dem Office of War Information und (inoffiziell?) dem CIA-Vorgänger OSS ihre Dienste an. Auf ihrem »Experts on Germany Available Through the New School for Social Research Classified by Field«[74] überschriebenen Memorandum, das ein »expanded steering committee«[75] unter Leitung des späteren Mitarbeiters von *Time*, Herbert Solow, vorschlägt, erscheint neben Hans Sahl für »Propaganda Techniques« auch »T. Mann« als Experte für »Artistic and Intellectual Life«[76].

Es ist nicht überliefert, ob die New School Thomas Mann um Erlaubnis gefragt hatte, bevor sie ihn dem OWI und OSS als Zuarbeiter empfahl. Dokumentiert ist dagegen, daß sich der Nobelpreisträger – wie einige andere Exilschriftsteller auch –, bereitwillig in einem ausführlichen Gespräch mit Donovans Geheimdienst über alle möglichen Themen ausfragen ließ – freilich ohne das Treffen in seinem sonst überaus detaillierten Tagebuch zu erwähnen. Federführend war dabei das OSS-Büro in San Francisco, das seinen Bericht für DeWitt Poole, der kurz darauf als Sonderbeauftragter des State Departments nach Deutschland geschickt wurde, in trockenem Bürokratenjargon »Report of conversation with Thomas Mann in Pacific Palisades, California, 8 December [1944]«[77] überschreibt.

antwortet Reuter am 24. Juni 1943, daß er »den praktischen und selbst den ideellen Zweck eines solchen Hervortretens« nicht sehe. Da der mit »80-90 Prozent... jüdische Anteil« des Exils nicht aus »Überzeugung«, sondern aus »Zwang« Deutschland verlassen habe und »wir... nicht im Einverständnis mit den Regierungen der Länder, in denen wir leben« sprechen, sei »die Rolle, die wir Emigranten... zu spielen haben,... immer recht bescheiden«.(Thomas Mann, Brief an Ernst Reuter v. 24. 6. 1943. In: *Colloquium* 9/1955, S. 9). Im Laufe des nachfolgenden Briefwechsels schreibt Mann am 29. April 1944 weiter an Reuter: »Ich widerstrebe aus Gründen des Gewissens und des Taktes einem gewissen deutschen Emigranten-Patriotismus, der sich mitten im Kriege... gleichsam mit ausgebreiteten Armen vor Deutschland stellt und verkündet, daß diesem Lande auf keinen Fall etwas geschehen darf... und halte es als Deutscher nicht für schicklich, den Männern Ratschläge zu geben und Vorschriften zu machen, die nach dem noch weit entfernten Siege die Vorkehrungen zu treffen haben werden, die ihnen zur Sicherung des Friedens nötig erscheinen. Aus der Haltung gewisser politisch aktiver Emigranten spricht nicht das geringste Gefühl dafür, was Deutschland den anderen Nationen zugefügt hat...« (Thomas Mann: *Briefe 1937-1947*. Hrsg. v. Erika Mann Frankfurt: Fischer 1963, S. 365).

74 Anlage, S. 1 zu Herbert Solow, Memorandum an President Johnson v. 19. 10. 1942 und zu Herbert Solow, Brief an Mr. Davis v. 8. 9. 1943 (OSS, 789).

75 Herbert Solow, Memorandum an President Johnson v. 19. 10. 1942, Anlage zu Herbert Solow, Brief an Mr. Davis v. 8. 9. 1943 (OSS, 789).

76 Anlage, S. 1-2 zu Herbert Solow, Memorandum an President Johnson v. 19. 10. 1942 und zu Herbert Solow, Brief an Mr. Davis v. 8. 9. 1943 (OSS, 789).

77 John Norman, Report of conversation with Thomas Mann in Pacific Palisades, California, 8 December [1944], Memorandum an DeWitt C. Poole v. 14. 12. 1944, S. 1 (OSS, 1302). Dieses Gespräch ist der Mann-Forschung bislang offensichtlich entgangen (Information des Thomas Mann-Archivs, Zürich).

Doch OSS-Mann John Norman, der das Gespräch führt, ist von der Atmosphäre in Manns Haus und von der Art seiner Gastgeber so stark beeindruckt, daß er, Geheimdienst hin und her, seinen Bericht mit einem kleinen Stimmungsbild eröffnet: »Thomas Mann's retreat is an author's paradise... We were received in a spacious, comfortable room, one side of which... was lined with books. Mr. and Mrs. Mann invited us to sit around a coffee table to sip coffee and liqueur while we talked. We got the coffee but not the liqueur, though glasses were set for it. Mr. Mann poured some for himself but absentmindedly neglected to offer us any. He lit a long cigar which he wielded with deliberate, graceful gestures, somewhat like a baton, to help him drive home a point, meanwhile sprinkling the cigar-ashes liberally on the carpet. Mr. Mann is a gray-haired, mustached, middle-sized person of slender build looking every bit like his published photographs. His manner forms the perfect prototype of the leisurely, gentlemanly, continental man of culture. Mrs. Mann is white-haired and somewhat queenly in bearing.«[78]

Norman und sein unbekannter Begleiter mögen enttäuscht gewesen sei, weil sie keinen Likör bekamen. Nicht beklagen konnten sie sich darüber, daß Mann ihnen auf die achtzehn »prepared questions«, mit denen sie aus San Francisco angereist waren, keine Antworten gegeben hätte. Im Gegenteil. Egal, ob es – Frage 1 – um die Verschiebung von Manns nächster Vortragsreise ging (»his decision was owing to his desire to await further developments before committing himself publicly...«[79]) oder – Frage 17 – um Emil Ludwig (»›wrong,‹ ›tactless,‹ and ›one-sided‹ in his arguments against Germany... sounded too much like ›Jewish resentment‹«[80]): Thomas Mann hielt mit seiner Meinung nicht hinter dem Berg. Klar und deutlich verkündigt der ›Zauberer‹ zu dem für das OSS offensichtlich zentralen Komplex ›Kriegsschuld‹, daß die Alliierten bei der Bestrafung von Kriegsverbrechern keinesfalls übersehen dürfen in welchem Maße »›theoretical‹ men like [Karl] Haushofer and [Ewald] Banse... even more guilty than more active Nazi leaders« seien. Gut wäre es deshalb, »to blacklist such writers«[81]. Gefragt, wie er den territorialen Ansprüchen von

---

78 A. a. O., S. 1-2.
79 A. a. O., S. 2.
80 A. a. O., S. 7.
81 A. a. O., S. 2. Zu Haushofer, Generalmajor und Vertreter einer deutschen ›Geopolitik‹ an der Universität München, schrieb Mann bereits am 16. Juni 1942 an Agnes Meyer, daß »er vor vielen anderen erschossen zu werden verdient, sobald wir gesiegt haben« (Mann/Meyer, *Briefwechsel 1937-1955*, S. 410). Ähnlich heißt es in einer Tagebucheintragung vom 5. Mai 1945: »Es sind aber rund eine Million, die ausgemerzt werden müßten. Meiner Meinung gehörten Menschen wie Haushofer, Johst, Vesper dazu« (Mann, *Tagebücher 1944-1. 4. 1946*, S. 199). Ewald Banse wird im Juni 1942 im Tagebuch erwähnt, als Mann die »monströse Publikation eines Columbia-Professors« kritisiert, der auf einer Nachkriegskarte Europas Deutschland riesenhaft vergrößert darstellt (Mann, *Tagebücher 1940-1943*, S. 438).

Deutschlands Nachbarn gegenüberstehe, spricht Mann sich zwar gegen eine Aufteilung des Landes aus, steht der Vertreibung der Deutschen aus der Tschechoslowakei und einer Internationalisierung von Ruhr und Saar aber positiv gegenüber. Kurz und bündig fällt die Antwort auf Frage 14 aus: »Asked about the feasibility of returning Jewish refugees to Germany, Mr. Mann asserted that ›As a whole, Germans would not object to Jewish return. The Germans were not really anti-Semitic. They are even less anti-Semitic now!‹« Und auch manches Problem der Weltpolitik wird zwischen Kaffee und Likör gelöst: »Stalin is not anxious to communize Germany«[82], denn er fürchtet sich, daß die Deutschen einen besseren Kommunismus machen würden als Rußland.

Wie ernst man beim OSS und in Washington die Gespräche nahm, die John Norman mit Mann und anderen deutschen Exilschriftstellern in Los Angeles führte, ist nicht bekannt. Daß sie nicht völlig mißachtet wurden, belegt eine Zusammenfassung, die der FNB am 18. Januar 1945 für OSS-Boss William Donovan anfertigte. Vier Punkte in Manns Aussage werden von den Analytikern des Geheimdienstes dabei noch einmal besonders hervorgehoben: »›The historic achievement of national unity cannot be turned back. The Poles would not be happy about getting East Prussia. Decentralization will come naturally. I hope to see a federated Germany in a federated Europe in a federated world.‹«[83] Andererseits läßt sich nicht übersehen, daß Mitarbeiter und Zulieferer des OSS Thomas Mann nicht nur mit Wohlwollen gegenüberstanden. »In respect of politics he is a child«, faßt ein biographischer Abriß aus der Zeit unmittelbar nach Gründung des FNB zusammen, »his German is over edged, his order of thoughts... strange,... the language unpopular... and... the pamphlets... which are broadcasted via short-wave to Germany... go far beyond the understanding of the German average listener«[84]. Und auch Emil Ludwig ließ das OSS wissen, daß Mann zu der nicht kleinen Schar jener gehöre, die »incapable for 1945« seien, weil man über sie als »Pan-Germanists«[85] in Deutschland nur lachen würde. Kurz: Thomas Mann ging in die OSS-Akten als »the outstanding literary figure of contemporary Germany«, als »benevolent« und »social-minded« ein, der trotz aller Vorstöße auf diesem Gebiet kein »›homme politique‹«[86] ist.

82 John Norman, Report of conservation with Thomas Mann in Pacific Palisades, California, 8 December [1944], Memorandum an DeWitt C. Poole v. 14. 12. 1944, S. 6 (OSS, 1302).

83 »Five German Writers Discuss What To Do With Germany«, Foreign Nationalities Branch, Memorandum an den Director, OSS, v. 18. 1. 1945, S. 1 (OSS, 33GE–75).

84 »Who's Who? Thomas Mann«, Memorandum v. 4. 8. 1942, S. 1 (OSS, 1718).

85 John Norman, »Conversation with Emil Ludwig in Pacific Palisades, California, 16 December 1944«, Memorandum an DeWitt C. Poole v. 4. 1. 1945, S. 4 (OSS, 1324).

86 Dieses nicht weiter gekennzeichnete OSS-Dokument zu Thomas und Heinrich Mann trägt das Datum vom 28. 9. 1943 und ist »Hollywood, California« gestempelt; zitiert werden S. 4–5 (OSS, 867).

Soweit das Material, das »Wild Bill« Donovans OSS und das Department of State zu Thomas Mann gesammelt haben. Legt man die quantitativ wie qualitativ dünne FBI-Akte von Thomas Mann neben diese Unterlagen, dann wird rasch deutlich, daß Hoover entweder die politische Position von Mann für nicht besonders unamerikanisch hielt oder daß er, wie sich FBI-Agent Elmer F. Linberg erinnert, bei der Überwachung des berühmten Nobelpreisträgers mit besonderer Vorsicht vorging.

Aus dem üblichen Rahmen fällt Manns FBI-Dossier nämlich allein deshalb schon, weil es keinen einzigen jener »Reports« enthält, mit denen die Field Offices bei anderen »subjects« – Feuchtwanger, Brecht, Graf, Heinrich und Klaus Mann – die wichtigsten Erkenntnisse ihrer Überwachungstätigkeit für die Zentrale in Washington zusammenfassen. Nirgends findet sich in den vom FBI freigegebenen Blättern ein Hinweis auf die in anderen Fällen routinemäßig eingesetzten Beschattungen von Person und Haus des Verdächtigen – obwohl sich aus einem Vermerk in der Brecht-Akte ohne Zweifel ergibt, daß Manns Telephon abgehört wurde: »In the report of Special Agent Richard C. Thompson, dated April 15, 1943, entitled Otto Katz with aliases, it was stated that a telephone listed to Eva Landshoff, 79701/4 Sunset Boulevard, Los Angeles, had been called several times from the residence of Thomas Mann.«[87] Die Postzensur beschränkt sich auf einen vom »Imperial Censorship Bermudas« abgefangenen Brief, in dem ein in der Schweiz ansässiger Exilant Mann um Unterstützung für eine noch zu gründende Free Germany-Organisation bittet: »As emigrants living in Switzerland, we are unable to undertake any political activity. All that we can do for the moment for a ›Free Germany‹ is to canvass members.«[88] Special Agent Linberg berichtet in einem Interview mit mir zwar, Mann in einem ausführlichen Gespräch über andere Exilanten, Kommunisten und politische Themen befragt zu haben, weiß aber nicht mehr, ob der Anlaß seines Besuches mit einem der oben erwähnten Gutachten zu tun hatte oder allgemeiner Natur war.[89] Protokolle von

---

87 SAC, Los Angeles, Memorandum an Director, FBI, v. 8. 7. 1948, S. 3 (FBI-Akte, Bertolt Brecht; Brecht-Archiv, Berlin)

88 [Ausgeschwärzt], Brief an Thomas Mann, Imperial Censorship Bermuda v. 4. 10. 1941. Ein zweites Formular der Postzensur bezieht sich auf einen Brief, der im Mai 1945 vom Zoll in Presque Isle, Maine, zusammen mit einem zwölfseitigen Bericht im Gepäck eines Reisenden gefunden wurde, dessen Name das FBI ausgeschwärzt hat. Der Inhalt des Berichts, der Thomas Mann offensichtlich ungelegen kam (vgl. Hans Rudolf Vaget: »Vorzeitiger Antifaschismus und andere unamerikanische Umtriebe.« In: *Horizonte. Festschrift für Herbert Lehnert zum 65. Geburtstag.* Hrsg. v. Hannelore Mundt u. a. Tübingen: Niemeyer 1990, S. 185-6), drehte sich um eine Reihe von namentlich aufgeführten SS- und SA-Wachmännern in verschiedenen Konzentrationslagern ([ausgeschwärzt], Brief an Thomas Mann v. 10. 2. 1945, Office of Censorship, Interception by Customs).

89 Gespräch mit dem Verfasser, Bridgeport, USA, 18. 9. 1994. Vgl. dazu auch die Aussage

Spitzeln und Informanten aus Manns Umgebung wurden entweder nie angefertigt oder sind Vernichtungsaktionen zum Opfer gefallen. Ein sechseitiges
»summary memorandum«, das bis 1941 von ca. 200 Aktenvermerken zu
Mann im FBI-Archiv ausgeht, bezieht sich, so wie weitere »600 references«[90]
aus den folgenden Jahren, nur auf die üblichen Querverweise zu anderen
Aktenbeständen und nicht auf die Stammakte Manns[91] – zumindest deutet
das die Art der in einer beiliegenden Aufstellung gesammelten Informationen und deren Quellen an: »The Daily Worker dated April 25, 1937... stated
that while in this country, Mann has spoken at the celebration of the University of Exile.«[92] Und: »Information was received in 1939 from a confidential
source that Deutscher Weckruf and Beobachter and Free American in the
issue of March 23, 1939, had an article in German entitled, ›The Disgusting
Thomas and his Chaste Joseph,‹ which was a violent attack on Thomas Mann
and his book, ›Joseph in Egypt.‹«[93] Oder: »On page 977, Volume 1, of the
reports of the Special Committee to investigate un-American activities, House
of Representatives, Congressman Starnes (in speaking of Heywood Broun)
said, ›I notice that he advocates in his column here that at the New York
World's Fair that there should be a melting pot parade and that Thomas Mann
should lead the parade. Thomas Mann is one of the world's most noted Communists, is he not?‹ Miss Margaret Kerr, who was testifying before this committee, answered, ›He has that reputation.‹«[94]

von Linberg in meinem Fernsehfilm *Im Visier des FBI:* »Wir sprachen also mit ihm über
die deutsche Emigranten-Kolonie in Los Angeles... denn Thomas Mann galt ja als Kopf der
Kolonie... wir wurden sehr freundlich empfangen... Thomas Mann... wußte einiges über
Gerhart Eisler... Er war kooperativ, und wir sprachen etwa 3 Stunden mit ihm.«

90 Memorandum für Mr. Nichols, Datum unleserlich, wahrscheinlich 29. 10. 1947.
91 Mitgang, *Dangerous Dossiers*, S. 57, der die Mann-Akte als erster beschrieben hat, überin-
terpretiert das Wort »references«, wenn er schreibt: »Eight hundred pages! The effort and
treasure that must have been expended to accumulate such thick file... I was able to obtain
only about one hundred pages.« Ein Beispiel für solche »references« findet sich in Folsom,
Days of Anger, Days of Hope, S. 117 wo aus der FBI-Akte des »eminent social critic« Lewis
Mumford zitiert wird, daß Mumford »a little farther to the left than the exiled writer
Thomas Mann« sei. Robins, *Alien Ink*, S. 434, spricht ebenfalls von einer »153-page file,
consisting of ›approximately 800 references‹«. Sie übernimmt zudem einen Tippfehler des
Bureau, wenn sie behauptet: »The FBI ›first became suspicious of him in 1927 when information was received that he was a member of the American Guild for German Cultural
Freedom‹...« Gemeint ist wahrscheinlich 1937, denn die GAWA, deren europäischem Senat Mann vorstand, wurde erst 1936 gegründet.
92 Re: Thomas Mann – Germany, ohne Datum, S. 1.
93 A. a. O., S. 3.
94 A. a. O., S. 6. Margaret A. Kerr stellte sich dem Komitee als führendes Mitglied der Better
American Federation vor, die seit geraumer Zeit Informationen über »subversive activities
throughout California« (U.S. Congress. *House Committee Hearings.* 75th Congress. Bd.
833, T. 1 [HUAC], S. 713) sammelt. Heywood Broun wird im Verlauf des Verhörs als Ko-

Andere Teile der Mann-Akte sind zwar aussagekräftig, haben aber nur indirekt mit dem Exilanten zu tun. Einmal, 1941/42, fällt Verdacht auf Mann, weil er den Visumsantrag eines polnischen Autors unterstützt,[95] »a Communist and possibly a German espionage agent«[96]: »Today I received the decision of the Board of Appeals in the visa application of [ausgeschwärzt]«, schreibt dazu das FBI-Mitglied des untergeordneten Review Committee C[97] aufgeregt an das FBI-Hauptquartier, »which... is particularly flagrant«[98], weil sie ein Memorandum des Bureau ignoriert, »which contained approximately seven pages of references indicating the Communistic background and activities of sponsor Thomas Mann...«[99] Drohend schlägt der Schreiber deshalb vor, »that this matter be brought to the personal attention of the Director and if it is felt that sufficient data has been accumulated on the Board of Appeals, that action be taken to relieve this situation.«[100] Ein anderes mal scheint der SAC in Los Angeles nach der Meldung eines Informanten, »whose name should be protected«, über ein Gespräch mit »Mrs. Thomas Mann relative to the Heinrich Ludwig Mann estate«, die beiden Brüder zu verwechseln: »The inference is being entertained that Thomas and Katia Mann were or still are

lumnist des *Midwest Daily Record* identifiziert, »the Communist paper for the Middle West« (a. a. O., S. 977). Auf Querverweise in anderen Akten scheint sich auch eine fünfseitige Zusammenstellung vom 5. November 1954 zu berufen, die mit der Bemerkung beginnt: »Thomas Mann. This name is to be found in connection with various organizations, [unleserlich] source material as indicated« (S. 1). Bei den Organisationen handelt es sich um Gruppen wie das American Committee to Save Refugees, das Joint Anti-Fascist Refugee Committee und den National Council of Arts, Sciences and Professions. Als Quellen tauchen vor allem Berichte von Ausschüssen des »US-House« und der kalifornischen Staatsregierung auf – Quellen, auf die u. a. auch das Tenney-Committee und das HUAC zurückgriffen –, womit einmal mehr der Beweis erbracht wird, daß sich die amerikanischen Regierungsbehörden gegenseitig Informationen in einem Teufelskreis zuspielten, aus dem selbst ein hoch angesehener Exilant wie Thomas Mann nicht auszubrechen vermochte.

95   Vaget, »Vorzeitiger Antifaschismus«, S. 182 tippt, daß es hier um Joseph Mischel geht, vermag aber keine konkreten Belege beizubringen. Vagets Darstellung, die die Bedeutung des FBI-Dossiers von Mann erheblich überschätzt, ist generell nicht frei von Vermutungen, Halbwahrheiten und Kurzschlüssen.
96   [Ausgeschwärzt], Memorandum an Mr. [ausgeschwärzt] v. 29. 4. 1942, S. 1.
97   Die Mitglieder des Primary Committee und des Review Committees C, die sich beide gegen den Antrag des Polen aussprachen, sind auf einem Memorandum vom 23. April 1942 aufgelistet: State, War, FBI, USIS, Navy (Memorandum v. 23. 4. 1942 [Excerpt from opinion of Board of Appeals]).
98   [Ausgeschwärzt], Memorandum für [ausgeschwärzt] v. 29. 4. 1942, S. 1.
99   [Ausgeschwärzt], Memorandum an Mr. Ladd v. 5. 5. 1942, S. 2. Offensichtlich handelt es sich hier um ein Schreiben des FBI vom 18. Oktober 1941, von dem am 25. des Monats in einem von Hoover persönlich abgezeichneten Memorandum die Rede ist, das – nahezu vollständig ausgeschwärzt – der Akte-Mann beiliegt.
100 [Ausgeschwärzt], Memorandum an Mr. [ausgeschwärzt] v. 29. 4. 1942, S. 2.

expecting funds from [ausgeschwärzt] to finance their return to the Soviet controlled Eastern Sector of Germany.«[101] Unklar ist wegen umfangreicher Ausschwärzungen, wer der Informant war, der im Sommer 1951 einen negativen Aufsatz aus dem *New Leader* (»Erika berichtet, daß jener kalif. representative die ganze Denunz[i]ation des New Leader...dem Congr. Record hat einverleiben lassen«[102]) an »My dear Mr. Hoover«[103] schickte und sich bei einem anschließenden Gespräch mit einem FBI-Agenten bereiterklärte, dem Bureau seine Sammlung von »several hundred clippings, letters, speeches, articles, etc. relating to Mann«[104] zur Verfügung zu stellen.[105] Ebensowenig läßt es der gegenwärtige Aktenstand zu, eine »she« zu identifizieren, die seit Jahren umfangreiche Akten »dealing with security matters« zu Personen und Organisationen im Umkreis von Seattle »and elsewhere« anlegte und im Dezember 1954 dem SAC für den Staat Washington eine Zusammenstellung »of such references regarding Thomas Mann«[106] übergab. Und schließlich befindet sich in der Mann-Akte noch eine kleine, »secret« gestempelte Korrespondenz aus den fünfziger Jahren zwischen den FBI-Vertretern in Paris, Heidelberg und London, in der es u.a. um Thomas Manns Auftritt bei den Schiller-Feiern in der DDR geht: »According to G-2, Headquarters, USAREUR, the East German radio, on January 4, 1955 announced that Thomas Mann would attend the Schiller Festival on May 9, 1955. This festival will be held in Eastern Germany, probably at Weimar.«[107]

---

101 SAC, Los Angeles, an Director, FBI, v. 25. 5. 1950, S. 1–2.

102 Mann, *Tagebücher 1951-1952*, S. 75-6. Inge Jens hat die Rede dieses Abgeordneten, Donald L. Jackson, abgedruckt (a. a. O., S. 471-2).

103 [Ausgeschwärzt], Brief an John Edgar Hoover v. 16. 6. 1951.

104 SAC, New York, Memorandum an Director, FBI, v. 4. 9. 1951, S. 1.

105 Vaget, »Vorzeitiger Antifaschismus«, S. 193 vermutet, daß es sich um Eugene Tillinger, den Autor des Artikels im *New Leader* handelt. Eine genaue Zuordnung der Korrespondenz ist jedoch wegen der Ausschwärzungen nicht möglich. Fest steht allein, daß man dem Informanten mit einigem Mißtrauen gegenüberstand: »Bureau files contain considerable data of a controversial nature concerning the correspondent« (Memorandum v. 2. 7. 1951, Angaben zu Absender und Empfänger ausgeschwärzt). Aus diesem Grund hatte das FBI offensichtlich auch kein Interesse an dem angebotenen Material: »This case is being placed in a closed status, and [ausgeschwärzt] will not be requested to furnish his material for photostating UACB [d. i. ›unless advised to contrary by the Bureau‹]« (SAC, New York, Memorandum an Director, FBI, v. 4. 9. 1951, S. 2). Zu der Kontroverse zwischen Thomas Mann und Eugene Tillinger s. Manns *Tagebücher 1951-1952*.

106 SAC, Seattle, Memorandum an Director, FBI, v. 2. 12. 1954.

107 Liaison Representative, Heidelberg, Germany, Memorandum an Director, FBI, v. 11. 1. 1955. Von einem bisweilen eklatanten Mangel an Effizienz beim FBI zeugt ein Memorandum von Hoover an den »Legal Attache, Paris, France« vom 21. August 1950, in dem es zu Thomas und Katharina Mann kurz und bündig heißt: »Our records fail to reflect that the Bureau is in possession of any information of a security nature concerning captioned individuals.« Vaget behauptet, daß Luther H. Evans, der Leiter der Library of Congress,

J. Edgar Hoover hat keinen Hinweis hinterlassen, warum er den U.S.-Staatsbürger Thomas Mann selbst während des Kalten Krieges nicht enger von seinen G-Men überwachen ließ. Gründe für eine Beschattung lieferte »subject« Mann nämlich, wie die Akten des Department of State aus der Zeit um 1950 und die oben bereits angesprochenen Berichte des kalifornischen Fact-Finding Committees on Un-American Activities andeuten, damals genug. So benutzte Hoover im Frühjahr 1949 ein von 233 Briefen aufgebrachter Bürger aus Ohio begleitetes Protestschreiben des Kongressabgeordneten Thomas H. Burke gegen die »Cultural and Scientific Conference for World Peace« in New York nicht etwa, um die Nachforschungen über Mann als Mitsponsor des Friedenskongresses[108] zu intensivieren; vielmehr leitet er den Fall unspektakulär auf dem Dienstweg über die Division of Security an das für internationale Angelegenheiten zuständige State Department weiter, weil die Vergabe von Visa an ausländische Teilnehmer des Kongresses von Bürgern des Bundesstaates Ohio kritisiert wurde. Ähnlich verhält es sich ein halbes Jahr später mit Manns Unterschrift unter den Stockholmer »»Appeal for the Interdiction of the Atomic Weapon««[109]: Während Hoovers Amt den Fall nur kurz

---

im Frühjahr 1950 einen Vortrag von Mann absagte, weil ihm ein »»dossier««« mit Material vorlegt wurde, das – »kein Zweifel« – »vom FBI gesammelt und ausgewählt worden war« (Vaget, »Einleitung.« In Mann/Meyer: *Briefwechsel 1937–1955*, S. 66). Einen Beweis für seine Spekulation, daß der Vorgang »unverkennbar die Handschrift des Federal Bureau of Investigation und seines allmächtigen Boss, J. Edgar Hoover« (a. a. O., S. 66) trägt, kann Vaget nicht vorlegen – weil es ihn in Manns FBI-Akte nicht gibt. Das Wort »Dossier« wird offensichtlich auch nur von Agnes Meyer benutzt und das im Kontext einer Warnung vor dem House Un-American Activities Committee (»denken Sie Sich vor einem Congressional Committee wo Sie jedes Wort persönlich verteidigen müssten« [a. a. O., S. 733]). Vom FBI ist weder bei ihr noch bei Evans die Rede, der noch vorsichtiger als Meyer formuliert: »There has just been brought to my attention the extensive publicity aroused by your visit last summer to Eastern Germany...« (a. a. O., S. 1076).

108 Thomas Mann wird neben »Lion Feutchwanger«, Charles Chaplin und anderen im *Sixth Report of the Senate Fact-Finding Committee on Un-American Activities* (California Legislature) von 1951 als »sponsor« der Veranstaltung genannt, »through which the Party is working to impede the American defense effort«. Dieser Bericht widmet der Konferenz in New York einen eigenen Abschnitt und übernimmt von einem »research specialist« der Americanism Commission der extem konservativen American Legion folgendes Bild von den »banqueteers«: »Their faces, in the aggregate, reflected shifty-eyed cunning, hardbitten cynicism, smug self-satisfaction, arrogance, and typical Communist conceit. Friendly, kindly, open countenances were rare... Outside in the rain-drenched pavements lower middle class and poor people picketed... Paraplegic and amputee veterans were wheeled back and forth by other veterans... Only a Dickens, Swift, or Dostoevsky could possibly do full justice to such an obscene and cynical farce as this dinner presented« (S. 269–71; vgl. auch *Fifth Report of the Senate Fact-Finding Committee on Un-American Activities* [1949], S. 479ff.).

109 David Bruce, Foreign Service of the United States of America, Paris, Memorandum an Department of State v. 17. 5. 1950 (751.001/5–1750). Vgl. dazu unten den Abschnitt zu Erika Mann sowie Mann, *Tagebücher 1951–1952*, bes. S. 408 u. 797-809.

in der FBI-Akte von Erika Mann zur Sprache bringt, läßt sich das State Department von seiner Niederlassung in Paris mit der Zusammenfassung eines Mann-Interviews in der kommunistischen *Libération* (»›the fear of Communism manifested by the Anglo-Saxons make them inclined to turn fascism into their ally‹«[110]) und einer telegraphischen Bestätigung versorgen, daß Manns Unterschrift unter den Friedensappell von der *Humanité* »prominently reproduced«[111] worden sei. Der lokale Hexenjäger Jack B. Tenney und seine Nachfolger kümmern sich seit 1947 regelmäßig um das Mitglied von, wie sie meinen, kommunistischen Tarnorganisationen wie dem Hollywood Independent Citizen's Committee of the Arts, Sciences and Professions, dem National Council of Arts, Schools and Professions und dem American Continental Congress for World Peace, der im September 1949 in Mexiko stattfindet – und machen Hoovers Bureau ihre schwarzen Listen zugänglich. Scharf greift Mann im Radio das House Un-American Activities Committee an: »As an American citizen of German birth... I testify that I am very much interested in the moving picture industry and that... I've seen a great many Hollywood films. If Communist propganda had been smuggled into any of them, it must have been thoroughly hidden.«[112] Und während sich das FBI sehr genau über die Vereinbarungen zwischen Heinrich Mann und dem ostdeutschen Aufbau Verlag informiert, überläßt es den viel spektakuläreren Streit zwischen dem S. Fischer Verlag und Aufbau um die Lizenzen für die Bücher von Bruder Thomas dem Auswärtigen Amt. Jedenfalls haben sich in dessen Archiv ein ausführliches juristisches Gutachten aus der Feder des Stuttgarter Rechtsanwalts und Justitiars des Fischer Verlags, Ferdinand Sieger, an Verlagsleiter Rudolf Hirsch und ein mit Fakten und Zitaten untermauertes Protestschreiben des Verlags an den Börsenverein Deutscher Verleger- und Buchhändler-Verbände in Frankfurt erhalten, die Licht auf die rüden Geschäftsgebaren der DDR werfen[113]: Vereinbarungen zwischen Walter Janka, dem stellvertretenden Leiter von Aufbau, und S. Fischer werden da wenig später zurückgezogen; der Transfer von Honorarzahlungen in U.S.-Dollar abgelehnt, weil »der wirtschaftliche Boykott der USA gegen die DDR...

110 A. a. O.

111 Bruce, Telegramm an Department of State v. 15. 5. 1950 (751.00/5–1550). Auch hier ist Senator Jack B. Tenney aus Manns Heimatstaat Kalifornien mit dem fünften Bericht seines *Senate Fact-Finding Committee on Un-American Activities* unter der Überschrift »Important Communist Front Activity: World Peace Conference in Paris« dabei (S. 490ff.).

112 Thomas Mann: »Foreword«, in *Hollywood on Trial*, S. V.

113 Ein ebenfalls in der Department of State Akte 511.62A21/5–2752 enthaltenes Schreiben von G. B. Fischer deutet an, daß sich der Verleger wegen der internationalen Komponente des Rechtsstreits mit der Bitte um Rat an das State Department wandte. Vgl. zu dem Streit zwischen Fischer und Aufbau Thomas Mann: *Briefwechsel mit seinem Verleger Gottfried Bermann Fischer 1932–1955.* Hrsg. v. Peter de Mendelssohn. Frankfurt: Fischer 1973, bes. S. 579–601 und die Eintragungen bzw. die Anmerkungen von Inge Jens in Mann, *Tagebücher 1951–1952.*

jeden Devisenverkehr mit Dollarländern«[114] unterbinde; Bücher ohne vertragliche Vereinbarungen gedruckt, weil es das Ministerium für Volksbildung der DDR so beschließt (»mit Rücksicht auf das öffentliche Interesse hat auf Grund der Kulturverordnung der Regierung der Deutschen Demokratischen Republik vom 16. März 1950 das Herausgeberkollegium... die Drucklegung des Bandes ›Buddenbrooks‹... angeordnet«[115]). Wenn Jankas Besuch bei Mann in Kilchberg im Mai 1954 dennoch ›freundlich‹[116] verlief, wie sich der Memoirenschreiber 1993 in einem Rückblick erinnert, dann allein deshalb, weil der ›Zauberer‹ bei den Auseinandersetzungen zwischen den Verlagen im Interesse der Verbreitung seiner Werke geduldig vermittelt – trotz gelegentlicher bitterer Beschwerden bei Aufbau:»»Freilich war ich nicht wenig unheimlich berührt von dem Schluß Ihres Briefes. Ich hoffe, Sie mißverstanden zu haben, aber was Sie da sagen, klingt ja beinahe, als ob Sie nun entschlossen seien, auf Grund irgendwelcher einseitigen Verfügungen und Entscheidungen meine Bücher vertraglos, freihändig, um nicht zu sagen freibeuterisch herauszubringen. Ich kann die Folgen, die ein solcher Gewaltstreich hätte, nicht absehen... [und] Sie nur vor übereilten Schritten warnen.‹«[117]

Der im Vergleich zu den Mann-Akten beim State Department und beim OSS durchaus unspektakuläre Charakter von Thomas Manns FBI-Dossier wird, wie eingangs bereits angedeutet, noch übertroffen von der bürokratischen Langeweile von Manns INS-Akte. Auf einer schier endlosen Kette von Formularen – Declarations of Intentions, Applications for a Certificate of Arrival and Preliminary Form for Petition for Naturalization, Statement of Facts To Be Used by the Clerk of Court in Making and Filing My Petition for Naturalization usw. – wiederholt Mann bzw. in seinem Namen »Mrs. Thomas Mann«[118] immer wieder dieselben Fakten: »Occupation: Writer & Lecturer,... complexion dark, color of eyes grey, color of hair mixed, height 5 feet 9 inches; weight 150 pounds; visible distinctive marks Wart on right temple, race German; nationality German«[119]. Gehorsam – wenn auch nicht immer ganz korrekt und vollständig – listet der Antragsteller Reisen, Wohnsitze, Ar-

---

114 S. Fischer Verlag, Brief an den Börsenverein Deutscher Verleger- und Buchhändler-Verbände v. 5. 5. 1952, S. 2 (511.62A21/5-2752).

115 Walter Janka, Brief an Thomas Mann v. 22. 3. 1952. In: ›... und leiser Jubel zöge ein.‹ Autoren- und Verlegerbriefe 1950-1959. Hrsg. v. Elmar Faber u. Carsten Wurm. Berlin: Aufbau 1992, S. 288. (=Aufbau Taschenbücher, 100.)

116 Walter Janka: ... bis zur Verhaftung. Erinnerungen eines deutschen Verlegers. Berlin: Aufbau 1993, S. 58.

117 Thomas Mann, Brief an Aufbau Verlag v. 3. 4. 1952, zitiert in S. Fischer Verlag, Brief an den Börsenverein Deutscher Verleger- und Buchhändler-Verbände v. 5. 5. 1952, S. 3 (511.62A21/5-2752). Vgl. auch Die Briefe Thomas Manns. Regesten und Register. Bd. 4, S. 132 und ›...Und leiser Jubel zöge ein.‹ Autoren- und Verlegerbriefe 1950-1959, S. 291.

118 Application for a Certificate of Arrival and Preliminary Form For a Declaration of Intention v. 3. 11. 1938 (INS).

119 Declaration of Intention v. 2. 5. 1939 (INS).

beitgeber (»Library of Congress, Washington D.C., Consultant, 1942 – now; University of Princeton, Princeton N.J., Visiting Professor, Sept. 1938 – July 1940«) und Mitgliedschaften in »organizations, lodges, societies, clubs, or associations... during the last ten years« auf: »American Author's League, New York, 1939 – now; American Academy of Art and Letters, New York, 1939 – now; Committee for Christian Refugees, Center Street, New York, 1938 – now; Phi Beta Kappa, 1944 – now; Emergency Rescue Committee, New York, 1940 – now.«[120] Gefragt, was er bislang getan habe, um die Kriegsanstrengungen der USA zu fördern, erklärt der zukünftige Amerikaner: »I bought war-bonds, donated several mansucripts to the Treasury Dpt. for the purchase of War Bonds, wrote articles and broadcasted for the Government. Furthermore I am broadcasting every month to the German people...«[121] Und natürlich füllt Mann ein schlichtes »yes« ein, wenn es darum geht, ob er voll und ganz an die Regierungsform der Vereinigten Staaten glaubt und, wenn nötig, Waffen zur Verteidigung des Landes in die Hand nehmen würde. »No« steht dagegen dort, wo es um Fragen nach einem Aufenthalt in einer Irrenanstalt geht, um die Zugehörigkeit zu Organisationen, die Anarchie lehren oder die bestehende Regierung der USA stürzen wollen bzw. um sein Verhältnis zu »anarchy or the unlawful damage, injury, or destruction of property«[122] – letzteres ein Thema, mit dem sich Brecht beim FBI durch sein Gedicht »Abbau des Schiffes Oskawa durch die Mannschaft« erheblichen Ärger einhandelte.

Bekannt ist, daß Mann für seinen Einbürgerungsantrag über hochgestellte Sponsoren verfügte – Robert Sproul, den Präsidenten der University of California in Berkeley, Eugene Meyer, »Washington Post Editor«[123], Dean Christian Gauss von der Princeton University, den Philosophieprofessor Charles Henry Rieber aus Pacific Palisades und die Mitexilanten Max und Rose Horkheimer bzw. »Miss Eva Hermann, Artist-Painter«[124]. Bekannt ist auch – eine Kopie der Urkunde liegt der Akte bei -, daß »Thomas Paul Mann, then residing at 1550 San Remo Drive, Pacific Palisades«[125] unter der Nummer 6178188 am 23. Juni 1944, also in etwa innerhalb der normalen gesetzlichen Wartefrist, in Los Angeles eingebürgert wurde.[126]

120 U.S. Department of Justice, Immigration and Naturalization Service, Los Angeles District, Form 16-4 v. 4. 1. 1944, S. 1 (INS).

121 A. a. O., S. 3.

122 Application for a Certificate of Arrival and Preliminary Form for Petition for Naturalization, o. Datum (ca. 23. 9. 1943) (INS).

123 U.S. Department of Justice, Immigration and Naturalization Service, Los Angeles District, Form 16–4 v. 4. 1. 1944, S. 3 (INS).

124 Statement of Facts to be Used by the Clerk of Court in Making and Filing My Petition for Naturalization, o. Datum (INS).

125 Certificate of Naturalization v. 23. 6. 1944 (INS).

126 Ob die *Washington Post* wirklich, wie Mann in einem Brief an Agnes Meyer vom 22. 1. 1944 meint, eine »campai[g]n« eröffnet hätte, wenn das FBI seiner Einbürgerung »wegen

In der Tat schien es von Seiten des INS keinen Grund zu geben, Manns Antrag auf die amerikanische Staatsbürgerschaft abzulehnen oder hinauszuschieben. Pünktlich lieferte der »petitioner« eine beglaubigte Kopie nebst Übersetzung von seiner tschechischen Einbürgerungsurkunde beim INS ab – ein Papier, das ihn übrigens nach Eintritt der USA in den Krieg vor dem unangenehmen Status eines »enemy alien« bewahrte. Wo nötig erkundigten er und seine Frau sich schriftlich, ob Anträge und Formulare wohlbehalten bei der entsprechenden Dienststelle angekommen waren.[127] Und auch die routinemäßig zwischen dem 6. und 8. April 1944 durchgeführten Befragungen von Manns Bekannten und Nachbarn sind ausnahmslos positiv ausgefallen: »Attached to the principles of the constitution« sei der »petitioner«, »not in any way subversive«[128] und »a man of excellent moral character«[129]. Die Tatsache, daß er ein Haus in Pacific Palisades gebaut hatte, deute an, daß er nicht in sein Herkunftsland zurückzukehren gedenkt. Und selbst ein Nachbar, der Mann für »›arrogant‹ in his manner« und für »not a very social person«[130] hält, vermag nicht mehr Schlechtes über ihn auszusagen, als daß er zu allen Tages- und Nachtzeiten Besuch empfange. Zudem hatte Mann im Verlauf einer im März 1942 in Los Angeles für das House of Representatives in Washington abgehaltenen Anhörung des »Select Committee Investigating National Defense Migration« moderat reagiert: Nicht »›enemy aliens‹« seien die Hitlerflüchtlinge in den USA seiner Meinung nach, sondern »the most passionate adversaries of the European governments this country is at war with«[131]. Regelungen, die auf die Japaner an der Westküste zutreffen mögen, ließen sich nicht einfach auf Deutsche übertragen. Wenn nötig, würde er, Thomas Mann, sich jeder Zeit der amerikanischen Regierung zur Verfügung stellen (»I am only awaiting a call from the Government«[132]), um loyale Antifaschisten vor Deportation oder Internierung zu bewahren. Und überhaupt

premature anti-fascism einen Strich durch die Rechnung« (Mann/Meyer, *Briefwechsel 1937–1955*, S. 533) gemacht hätte, sei dahingestellt.

127 Auf diese Weise haben sich eine Reihe von Thomas Mann-Briefen erhalten – an den Commissioner, U.S. Department of Labor, Trenton, N.J., v. 17. 4. 1939; an den INS in Los Angeles v. 19. 9. 1943; und an Albert Del Guercio, District Director [INS?], Los Angeles, v. 29. 2. 1944 (INS).

128 Report of Investigation in Case of Paul Thomas Mann v. 7. 4. 1944 (INS).

129 Report of Investigation in Case of Paul Thomas Mann v. 6. 4. 1944 (INS).

130 Report of Investigation in Case of Paul Thomas Mann v. 8. 4. 1944 (INS).

131 U.S. Congress. House of Representatives. *Hearings Before the Select Committee Investigating National Defense Migration*. 77th Congress, 2nd Session. T. 31, 7. März 1942, S. 11726. Mann beschreibt die Anhörung in *Tagebücher 1940–1943*, S. 402 so: »Äußerst liebenswürdige und schmeichelhafte Behandlung... Einige Questions, persönliche Daten. War froh, als es vorüber.«

132 U.S. Congress. House of Representatives. *Hearings Before the Select Committee Investigating Defense Migration*. 77th Congress, 2nd Session. T. 31, 7. März 1942, S. 11732.

besteht für ihn kein Zweifel, »that the Federal Bureau of Investigation has carefully observed all aliens for quite some time, and has proven to be very well informed about their behavior and intentions«[133].

Merkwürdig mutet allein die Tatsache an, daß J. Edgar Hoover sich nicht, wie etwa im Fall von Lion Feuchtwanger, mit negativen Informationen in Thomas Manns Einbürgerungsverfahren eingemischt hat.[134] Genug Verdachtsmomente lagen seiner Behörde auf jeden Fall vor – etwa im Zusammenhang mit dem Fall jenes Polen Joseph Mischel, bei dem das Bureau von »Communistic background and activities of the...sponsor, Thomas Mann«[135], berichtete; oder in Form von Aktenvermerken wie dem folgenden: »Information was received in August, 1938, that a book ›Coming Victory of Democracy‹ was a reproduction of the text of the lecture which was delivered by the German writer, Thomas Mann, during his lecture tour in the United States. It was said that the book was extremely Communist in its presentation of the case for Democracy and its continuance as a form of Government.«[136] Dennoch notiert ein INS-Mann, unberührt von derartigen, mehr oder weniger plump fabrizierten ›Fakten‹ auf dem routinemäßig im Januar 1944 von seiner Behörde mit der Bitte um Angaben zu »subversive activities or tendencies«, »pro-Nazi sympathies« und Verstößen gegen die »Nationality Act of 1940« an das FBI geschickten Formular lakonisch: »No derog. info held by F.B.I., however, they are interested in him (not derog. interest).«[137] Wenig später, am 11. April, geht ein Blatt in Manns Akte ein mit dem handschriftlichen Vermerk: »Loyalty OK«.[138] Und auch der »Examiner«, der Manns »Alien Enemy Facts Sheet« auszufüllen hatte, kreuzt in der Rubrik »outside investigation« »not recommended«[139] an.

Eine deutliche Veränderung in der Einstellung des INS gegenüber Thomas Mann zeichnet sich dann erst während der heißen Jahre der McCarthy-Ära ab – freilich ohne sichtbare Folgen für »subject Mann«. Aufgestört durch verschiedene Pressemitteilungen, darunter ein Aufsatz zu Manns Mitarbeit im American Committee for Protection of Foreign Born[140] und eine Denunziati-

---

133 A. a. O., S. 11727.

134 Die Vermutung von Inge Jens, daß man Mann »unbehelligt ließ« aufgrund der »Bemühungen seiner einflußreichen Protektoren in den USA, Agnes Meyer an der Spitze« (I. J.: »Vorwort.« In T. M.: *Tagebücher 1949-1950*. Frankfurt: Fischer: 1991, S. X), wird durch das FBI-Material nicht bestätigt.

135 [Ausgeschwärzt], Memorandum an Mr. Ladd v. 5. 5. 1942, S. 1.

136 Re: Thomas Mann – Germany, S. 2.

137 U.S. Department of Justice, Form 16-21 v. 13. 1. 1944, S. 1–2 (INS).

138 Hds. Aktennotiz v. 11. 4. 1944 (INS).

139 Examiners' Alien Enemy Facts Sheet, o. Datum (INS).

140 Der in Manns Akte aufgenommene Bericht aus der »Washington Post« vom 31. Juli 1949 ist »Red Spies Reported Using U.N. as Cloak« überschrieben. In den erhalten gebliebenen FBI-Akten über Mann finden sich außer Zusammenfassungen aus Pressemeldungen in *Counterattack, Los Angeles Herald-Express* usw. überraschend wenige konkrete Spuren

on durch Ruth Fischer vor einem Untersuchungsausschuß des U.S.-Senats[141], bittet der INS im Frühjahr 1951 die Security Division des FBI um eine Untersuchung »whether the naturalization of Thomas Paul Mann is amenable to cancellation or whether he may be subject to denaturalization and deportation«[142]. Die Reaktion von Hoovers Behörde fiel aus wie gehabt. Als sich herausstellt, daß das – nicht erhalten gebliebene, jedenfalls aber nicht an mich freigegebene – Mann-Dossier beim federführenden Los Angeles Field Office zu umfangreich (»voluminous«[143]) war, gibt man den Fall weiter zur »Central Office level«[144], also nach Washington. Die Durchsicht verschiedener Aktenbestände, Indizes mit Querverweisen und Publikationen des »Un american

von der Zivilcourage und der moralischen Empörung, mit der der Exilant seit Kriegsende öffentlich und privat gegen das HUAC zu Felde zog. Dabei wären viele der Aussagen ohne weiteres öffentlich oder durch die Postzensur zugänglich gewesen. Wütend reagiert Mann zum Beispiel vor der Peace-Group in Hollywood im Frühjahr 1948 auf die Mundt-Nixon-Bill, ein von seinem ehemaligen Gesprächspartner im U.S. State Department, Adolf A. Berle, mitformulierter Gesetzentwurf zur Eindämmung der vermeintlichen kommunistischen Gefahr durch ein Registrierverfahren, das Mann als »einen starken und bedrohlichen Schritt weiter zu einem amerikanischen Faschismus« (Thomas Mann: *Tagebücher 28. 5. 1946–31. 12. 1948.* Hrsg. v. Inge Jens. Frankfurt: Fischer 1989, S. 926) interpretiert. »Speiübel« machen ihm täglich die »activities des Unamerican Committee«, schreibt er im selben Jahr an Siegfried Marck, so daß er allein unter dem Gesichtspunkt der »Bequemlichkeit« und der »ästhetischen Moral« »die angelsächsische Weltherrschaft der kommunistischen« (zitiert nach a. a. O., S. 798) vorzuziehen vermag. Und im Zusammenhang mit dem Verhör der »Los Angeles-Ten« übergibt er im Oktober 1948 dem Reverend Stephen H. Fritchman, dem Pfarrer der First Unitarian Church of Los Angeles vier seiner Enkel taufte, ein »Statement«, in dem es u. a. heißt: »The case of the Los Angeles Ten is but one symptom – if a very outstanding and a particularly shocking one – of the incipient decline of legal security which we have of short been witnessing in this country... the American people... have never known, never experienced, fascism, and may not recognize its maturing features in what is happening here. As an American citizen of German birth and one who has been through it all, I deem it not only my right but my solemn duty to state: We – the America of the Un-American Activities Committee; the America of the so-called loyalty checks... – are well on our way towards the fascist police state...« (a. a. O., S. 953–4).

141 Ob der INS von der »Arbeit« wußte, die die Exkommunistin Ruth Fischer beim OSS zu leisten versuchte, ist nicht bekannt. Das mag nicht zuletzt daran gelegen haben, daß der Foreign Nationalities Branch die von »hatred and lust for revenge, not to mention fear« geprägten Stellungnahmen von Ruth Fischer nicht ganz ernst nahm. »Every time I see Miss Fischer«, heißt es so zum Beispiel in einem OSS-Gesprächsprotokoll vom 29. Februar 1944 zu dem »proposed Free German Committee under Paul Tillich«, »I find her more galvanized in her beliefs... She... has reached a stage where it is difficult to discuss on a rational basis... A negative force of the first order... she will certainly contribute to general confusion in the camp of German exiles in this country« (Sgt. Friediger, Memorandum of Conversation with Miss Ruth Fischer v. 29. 2. 1944, S. 1-3 [OSS, 1008]).

142 W. F. Kelly, Assistant Commissioner, Enforcement Division, Central Office, Memorandum an District Director, Los Angeles, California, v. 2. 4. 1951 (INS).

143 FWW, Indexkarte v. 4. 5. 1951 (INS).

144 Thomas Mann, Form 16-21 v. 26. 4. 1951, S. 2 (INS).

Activities committee of Calif. of 1847 [gemeint ist 1947], 48, and 49« resultiert in der Zusammenstellung einer Liste von zumeist neueren Pressemeldungen und »movements or fronts, or files«[145], in denen Thomas Manns Name erscheint – darunter der National Council of American-Soviet Friendship, das Citizens Committee for Motion Picture Strikes und die Hollywood Writers Mobilization. Und schließlich faßt ein FBI- oder INS-Mitarbeiter noch einmal auf zwei eng beschriebenen Blättern die seiner Meinung nach wichtigsten Fakten in einem Bericht zusammen: »After a trip to the Soviet Zone of Germany last year, Mann wrote a glowing account of the growth of democracy in that area... Subject was a signer of a Brief to the United States Court of Appeals protesting the Los Angeles Witch Hunt Trials... and... of a petition urging Attorney General Clark to drop deportation proceedings against Hans Eisler... and... was scheduled to appear in the proposed radio program entitled ›Hollywood Ten‹«, das freilich nach Meinung des Bureau von den »major networks«[146] boykottiert wurde.[147]

Weiter scheinen INS und FBI die Vorbereitungen für die Ausweisung von Thomas Mann nicht getrieben zu haben, obwohl im März 1955 noch einmal der Vorwurf von »Communist-front associations & activities consistantly since 1920's«[148] in der Akte auftaucht und Mann selber sich, folgt man den Tagebüchern, seit geraumer Zeit nicht mehr sicher in den USA fühlt: »Gespräch mit K. und Erika über die Lage in Amerika und unsere Zukunft dort... bei sich steigerndem Chauvinismus und Verfolgung jedes Nonkonformismus. Entziehung des Passes ziemlich sicher...«[149]. Dieser Mangel an Aktivität mag zum einen darauf zurückzuführen zu sein, daß der doppelte Exilant sich seit Juni 1952 ohnehin schon im Ausland aufhielt (»Mann has announced his intention of remaining in East Germany permanently«[150], stellt eine handschriftliche Aktennotiz vom 21. Januar 1953 in Unkenntnis der Tatsachen fest). Zum anderen traute man dem »subject« wegen seines fortgeschritte-

---

145 H. R. Lanton, District Director, Los Angeles District, INS, Brief an Richard B. Hood, SAC, Los Angeles, v. 26. 4. 1951, S. 2 (INS).
146 Information from 1600–37 obtained on May 21, 1951, S. 1–2 (Typoskript ohne Absender, Empfänger und Datum) (INS).
147 Hans Rudolf Vaget geht auf Manns Deutschlandreise ein in »Deutsche Einheit und nationale Identität. Zur Genealogie der gegenwärtigen Deutschland-Debatte am Beispiel von Thomas Mann.« In: *Literaturwissenschaftliches Jahrbuch der Görris-Gesellschaft*. N. F., Bd. 33 (1992), S. 289-96. Georg Potempa: *Thomas Mann. Beteiligung an politischen Aufrufen und anderen kollektiven Publikationen. Eine Bibliographie*. Morsum: Cicero Presse 1988 listet eine Reihe der von Mann mitunterzeichneten Aufrufe auf. Zu Manns Haltung in den Fällen Gerhart und Hanns Eisler vgl. die Eintragungen in Manns *Tagebücher 28. 5. 1946–31. 12. 1948* und die Kommentare von Inge Jens, der Herausgeberin der Tagebücher.
148 Thomas Mann, Deferred Action Case v. 9. 3. 1955 (INS).
149 Mann, *Tagebücher 1949-1950*, S. 223.
150 Hds. Aktennotiz v. 21. 1. 1953 (INS).

nen Alters (»Reasons for Placing Case in Deferred Status: Age 79«[151]) offensichtlich keine Untaten mehr zu, die den von Hoover beschützten American Way gefährden könnten. »...Mr. Mann paid warm tribute to America«, berichtet der amerikanische Konsul im Juni 1953 aus Hamburg von einem Vortrag Manns an der dortigen Universität, »but went on to say that the longer he remained in America, the more he became aware of being a European... He... felt that he had fulfilled an obligation in renouncing the comforts and conveniences of America in order to return to the ›battered old continent of Europe‹... In private conversation later, Thomas Mann stated that he ›deplored the apparent rise of right-wing tendencies‹ in the U.S. at the present time... Although making no definite statement to the effect, he gave the impression that this ›atmosphere‹ might have been one of the things influencing his leaving the United States.«[152]

»1600/104917 Subject deceased, to file«[153] lautet am 10. August 1956 lakonisch der letzte Vermerk in Thomas Manns FBI-Akte.

---

151 Thomas Mann, Deferred Action Case v. 9. 3. 1955 (INS).
152 Clare H. Timberlake, Consul General, American Consulate General, Hamburg, Memorandum an Department of State v. 19. 6. 1953, S. 1-2 (811.41 Mann, Thomas/6-1953).
153 Hds. Aktennotiz v. 10. 8. 1956 (INS).

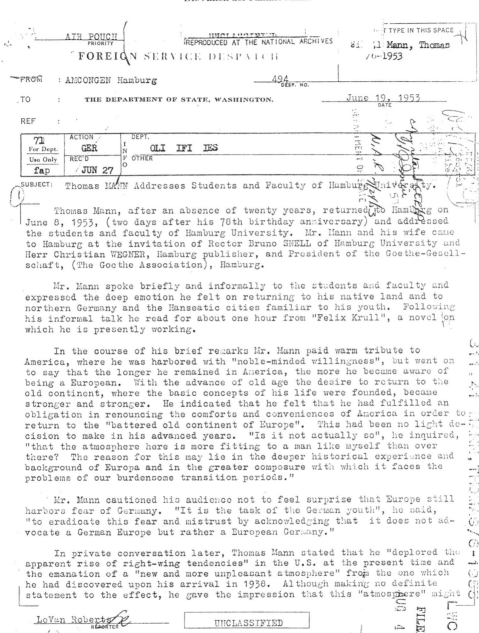

AIR POUCH
PRIORITY

UNCLASSIFIED
(REPRODUCED AT THE NATIONAL ARCHIVES

FOREIGN SERVICE DESPATCH

T TYPE IN THIS SPACE

81 ;1 Mann, Thomas
/6-1953

FROM : AMCONGEN Hamburg

494
DESP. NO.

TO : THE DEPARTMENT OF STATE, WASHINGTON.

June 19, 1953
DATE

REF :

| 71 For Dept. | ACTION GER | I N F O | DEPT. OLI IFI IES |
| Use Only fap | REC'D JUN 27 | | OTHER |

SUBJECT: Thomas MANN Addresses Students and Faculty of Hamburg University.

Thomas Mann, after an absence of twenty years, returned to Hamburg on June 8, 1953, (two days after his 78th birthday anniversary) and addressed the students and faculty of Hamburg University. Mr. Mann and his wife came to Hamburg at the invitation of Rector Bruno SNELL of Hamburg University and Herr Christian WEGNER, Hamburg publisher, and President of the Goethe-Gesellschaft, (The Goethe Association), Hamburg.

Mr. Mann spoke briefly and informally to the students and faculty and expressed the deep emotion he felt on returning to his native land and to northern Germany and the Hanseatic cities familiar to his youth. Following his informal talk he read for about one hour from "Felix Krull", a novel on which he is presently working.

In the course of his brief remarks Mr. Mann paid warm tribute to America, where he was harbored with "noble-minded willingness", but went on to say that the longer he remained in America, the more he became aware of being a European. With the advance of old age the desire to return to the old continent, where the basic concepts of his life were founded, became stronger and stronger. He indicated that he felt that he had fulfilled an obligation in renouncing the comforts and conveniences of America in order to return to the "battered old continent of Europe". This had been no light decision to make in his advanced years. "Is it not actually so", he inquired, "that the atmosphere here is more fitting to a man like myself than over there? The reason for this may lie in the deeper historical experience and background of Europa and in the greater composure with which it faces the problems of our burdensome transition periods."

Mr. Mann cautioned his audience not to feel surprise that Europe still harbors fear of Germany. "It is the task of the German youth", he said, "to eradicate this fear and mistrust by acknowledging that it does not advocate a German Europe but rather a European Germany."

In private conversation later, Thomas Mann stated that he "deplored the apparent rise of right-wing tendencies" in the U.S. at the present time and the emanation of a "new and more unpleasant atmosphere" from the one which he had discovered upon his arrival in 1938. Although making no definite statement to the effect, he gave the impression that this "atmosphere" might

LeVan Roberts
REPORTER

UNCLASSIFIED

FILED

JUN 24 1953

ACTION COPY — DEPARTMENT OF STATE

The action office must return this permanent record copy to DC/R files with an endorsement of action taken.

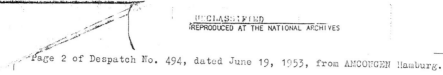

have been one of the things influencing his leaving the United States.
He at no time minimized, however, his deep gratitude to the United States
as a "free and humanitarian country which had been his asylum during the
darkest days of his life".

Clare H. Timberlake
American Consul General

Heinrich Mann

»Man ist, was die Umstände wollen«, schrieb Heinrich Mann 1943/44 im
kalifornischen Exil in seine Autobiographie *Ein Zeitalter wird besichtigt*, »heute gelte ich in einem entfernten Reiche [nämlich der Sowjetunion] viel, indes-
sen gar nichts hier, wo gerade mein Fuß hintritt.«[1] Ein halbes Jahrzehnt später bestätigte Thomas Mann in seinem »Brief über das Hinscheiden meines
Bruders Heinrich« das Selbstporträt des Älteren. »Recht unerkannt« und
»einsam« habe er in Los Angeles seine letzten Jahre hingebracht; »in Ruhe
gelassen« wollte er werden; »gleichgültig« sei er »in letzter Zeit« geworden
und »sehr alt«[2].

Die Forschung hat das zeitgenössische Urteil der Brüder Mann seither vielfach bestätigt: Amerika fand an Heinrich Mann, der bis 1940 im französischen Exil noch eine führende Rolle gespielt hatte, kein Interesse. Die Warner Brothers Studios kündigten dem Drehbuchschreiber nach einem Jahr den
Vertrag, ohne auch nur einen einzigen seiner Versuche ernsthaft geprüft zu
haben. Ungefähr zur gleichen Zeit, im Oktober 1942, schlägt Manns Plan
fehl, aus dem fernen Kalifornien nach New York umzusiedeln. Resigniert
schreibt Nelly Mann damals an Friedel Kantorowicz: »Nun haben wir alle
Hoffnungen aufgegeben und haben uns damit abgefunden, hier zu verstummen. Von hier aus unternehmen kann Heinrich Mann nichts. Nicht einmal
um einen Verleger oder Agenten können wir uns bemühen. Wir sind hier in
einem Grab.«[3] »Heinrich Mann was always very much interested in political
life«, meldet das Office of Strategic Services Ende 1943 in einer biographischen Skizze und fährt dann fort: »He now lives in one of the suburbs of Los
Angeles and seems to have renounced all political activities...«[4] Weder die
einheimische Literaturkritik noch die amerikanische Germanistik kümmert
sich um Manns Werk. Seine Bücher finden keine Verleger; politische und organisatorische Unternehmungen verlaufen rasch im Sande. »Amerika kennt
mich fast so wenig wie ich es kenne«[5], schreibt der 77jährige Anfang 1949 an
Wolfgang Bartsch und klagt im selben Jahr in einem Brief an F. S. Grosshut:
»For the most part I am met nowadays by a meaningful silence«[6] – eine Ein-

1   Heinrich Mann: *Ein Zeitalter wird besichtigt*. Berlin/DDR: Aufbau 1973, S. 258.
2   Thomas Mann: »Brief über das Hinscheiden meines Bruders Heinrich.« In Thomas Mann,
    Heinrich Mann: *Briefwechsel 1900-1949*. Hrsg. v. Ulrich Dietzel. Berlin/DDR: Aufbau
    1977, S. 336-7.
3   Nelly Mann, Brief an Friedel Kantorowicz v. 21. 10. 1942. In: *Das Schönste* (März 1960),
    S. 54.
4   Biographische Skizze, o. Titel u. Verfasser v. 25. 9. 1943, S. 2-3 (OSS, 867).
5   Heinrich Mann, Brief an Wolfgang Bartsch v. 3. 2. 1949. In: *Heinrich Mann 1871-1950.*
    Werk und Leben in Dokumenten und Bildern. Hrsg. v. Sigrid Anger. Berlin/DDR: Aufbau
    1977, S.331.
6   Zitiert in F[riedrich] S[ally] Grosshut: »Heinrich Mann.« In *Books Abroad* 4/1950, S. 359.

sicht, die wenige Wochen später von dem Nachruf der *New York Times* auf ihn bestätigt wird. Gerade 100 Zeilen widmet man dort dem Autor des *Professor Unrat* und des *Untertan*, kaum mehr als einem am selben Tag verstorbenen Aufsichtsratsmitglied der Pillsbury Mills und einem Mitarbeiter des *Norfolk Virginian-Pilot*.[7]

Heinrich Manns problematisches Verhältnis zum amerikanischen Kulturbetrieb ist, wie gesagt, oft beschrieben worden. Nicht bekannt ist dagegen, daß jener wenig sichtbare Zweig der amerikanischen Gesellschaft auch für den greisen Exilanten ein ungewöhnliches Maß an Interesse aufbrachte: neben dem FBI und seinem Special Intelligence Service vor allem das Office of Censorship, und direkt oder indirekt, die Intelligence Division der U.S. Army, das Office of Strategic Services (»Heinrich is... eager to play a role in social life and to be in the foreground... he is... less philosophically minded«[8]), das Office of Naval Intelligence, der Attorney General, der Immigration and Naturalization Service, die Intelligence Section des Internal Revenue Service sowie die entsprechenden Abteilungen bei den Departments of State und Treasury.

Dokumentiert ist dieses Interesse durch 312 Akteneinheiten im Archiv des FBI, von denen 241 Stücke nach jahrelangem Warten mit den üblichen Verstümmelungen freigegeben wurden. Der Intelligence and Security Command der United States Army in Arlington, Virginia, und der Immigration and Naturalization Service haben 19 bzw. 31 Blätter zugänglich gemacht. Weitere 90 Akteteile werden vom FBI und INS mit Hinweis auf »exemptions« unter Title 5, Section 552 des United States Codes zurückgehalten. Hinzu kommen verstreute Berichte und Vermerke in den Akten des Office of Strategic Services, die sich vor allem um Manns Rolle als Ehrenpräsident des Lateinamerikanischen Komitees der Freien Deutschen in Mexiko und sein Eintreten für das Nationalkomitee Freies Deutschland in Moskau drehen.

Zusammengestellt worden war Heinrich Manns FBI-Akte in den vierziger und frühen fünfziger Jahren vom Field Office des FBI in Los Angeles in Kooperation mit Special Agents in New York, San Francisco, El Paso (Texas), Mexiko Stadt und anderen Orten. Dabei ordnete und katalogisierte man das Material unter File No. 100-166834 mit der »Character of Case«-Kategorie »Internal Security – R« – eine Bezeichnung, die das FBI auf all jene Aktivitäten anwendete, die man damals pauschal als »un-American« einstufte. Querverweise auf andere Aktenbestände machen deutlich was unter diese weder vom Bureau of Investigations noch von anderen Regierungsstellen jemals genau definierte Bezeichnung fällt: Comintern Apparatus, German Communist Activities in Western Hemisphere, Free German Activities, Communist Infiltra-

---

7 »Heinrich L. Mann, Novelist, was 79.« In: *New York Times* v. 13. 3. 1950.
8 Biographische Skizze, o. Titel u. Verfasser v. 25. 9. 1943, S. 3 (OSS, 867).

tion of the Motion Picture Industrie, National Council of American-Soviet Friendship usw.

Entsprechend weit gefächert ist die Herkunft der Informationen im Los Angeles Dossier 100-18229. Spätestens seit 1942 wurden Briefe von und an Heinrich Mann routinemäßig vom Office of Censorship und dem nach Kriegsausbruch eingerichteten Büro des Special Intelligence Service an der U.S.-Botschaft in Mexiko Stadt abgefangen und für das FBI übersetzt bzw. zusammengefaßt. In den periodischen Berichten von FBI-Agenten, im Fall Mann gibt es 17 dieser »Reports« mit insgesamt 135 Seiten, finden sich durchgehend Hinweise auf »confidential« oder »highly confidential sources«, von denen einige höchstwahrscheinlich aus Exilantenkreisen stammen. Mit schöner Regelmäßigkeit berufen sich die FBI-Agenten auf gedruckte Quellen wie das *Freie Deutschland*, das offensichtlich relativ vollständig beim Los Angeles Field Office vorhanden war, die *Los Angeles Times* und andere amerikanische Zeitungen und Zeitschriften. Beim Coroner's Office und dem Vital Statistics Bureau hoffte man, Hintergrundmaterial zum Selbstmord von Nelly Mann und zum Tod von Heinrich zu finden. Die Akte von Bertolt Brecht enthält den Hinweis, daß das Telephon von »companion subject«[9] Heinrich Mann abgehört wurde. Und natürlich überwachten, wie sollte es bei einer FBI-Story anders sein, Agenten gelegentlich auch die Wohnung des Verdächtigen und notierten wer bei den Manns ein- und ausging.

Das erste Dokument in Heinrich Manns FBI-Akte ist ein vom 12. Juni 1942 datierter Brief von Ludwig Renn für Free Germany in Mexiko. Im letzten Aktenstück, einem Office Memorandum des Special Agent in Charge in New York an das als Director, FBI, angeredete Hauptquartier in Washington, geht es fünf Jahre nach Heinrich Manns Tod um die Identität und Glaubwürdigkeit eines Informanten: »Rebulet... directed that in all instances information furnished by [ausgeschwärzt] should be attributed to [ausgeschwärzt] by name. He should be characterized as ›an alleged former Comintern representative whose credibility is not known since he has in the past furnished both reliable and unreliable information‹.«[10] Ein Versuch des Los Angeles Field Office, den Fall Mann im Herbst 1945 wegen »apparent lack of activity«[11] zu schließen, führte zwar dazu, daß Heinrich Manns Name von der National Censorship Watch List, auf der er spätestens seit Januar 1944 geführt worden war,[12] nicht aber von jenen FBI Security Index Cards gestrichen wur-

---

9 R. B. Hood, SAC, Los Angeles, Brief an Director, FBI, v. 16. 3. 1945 (FBI-Akte, Bertolt Brecht).

10 SAC, New York, Memorandum an Director, FBI, v. 17. 5. 1955.

11 John Edgar Hoover, Memorandum an SAC, Los Angeles, v. 3. 1. 1946.

12 Dazu folgende Eintragung im FBI-Report, Los Angeles v. 5. 9. 1944, S. 25: »It might be noted that... on January 19, 1944, Mann's name had been placed on this watch list. In addition, on May 20, 1944, Heinrich Mann's name was placed on the local Cable Watch

de, auf denen Personen standen, die bei einem nationalen Notstand zu internieren waren.[13] Ungerührt stellt die Zentrale des Bureaus ungefähr zur selben Zeit denn auch nach dem bekannten Motto, daß jeder der einmal in die Akten des FBI gerät, nie wieder aus ihnen freikommt, in einem internen Memorandum fest: »Through investigation... it has been ascertained that apparently Heinrich Ludwig Mann and [ausgeschwärzt] have received a large number of letters originating abroad including a number of letters to Feuchtwanger with the return address, P.O. Box 850, Moscow, Russia«[14] – und fordert diese Unterlagen beim Office of Censorship an. Drei Jahre später erbittet das Los Angeles Field Office »in view of the tense international situation at the present time« vom FBI-Hauptquartier in Washington Informationen über »the subject's present activities in connection with the Communist Party«[15]. Und obwohl man beim FBI in Los Angeles seit Jahren genau wußte, daß Mann »elderly, in ill health, and... inactive in Communist matters«[16] war, setzte 1949/50 noch einmal eine Welle von Aktivitäten gegen den beinahe 80jährigen ein, die wohl mit seiner geplanten Rückkehr in die DDR zu tun hatte.

Werfen wir zunächst einen genaueren Blick auf jenen 89[17] Blätter umfassenden Bestand der Korrespondenz in Heinrich Manns FBI-Akte. In ihm sind in Auszügen und übersetzt ins Englische 11 Briefe und Telegramme von und 33 Briefsendungen an Heinrich Mann sowie fünf Briefe zwischen anderen Parteien erhalten, in denen Heinrich Mann namentlich erwähnt wird. Sieben dieser Briefe, die zweifellos nur einen kleinen Teil von Heinrich Manns Korrespondenz in jenen Jahren ausmachen, sind an Paul Merker und dessen Kollegen bei der Bewegung Freies Deutschland in Mexiko gerichtet; 21 Sendungen gingen von Mexiko aus nach Kalifornien. Sie gehören demselben Briefwechsel an, aus dem Wolfgang Kießling vor einigen Jahren 65 Stücke veröffentlicht hatte, wobei freilich neun dieser Briefe bei Kießling fehlen: ein

List.« Die große Zahl der zwischen 1942 und 1944 abgefangenen Briefe von und an Mann läßt jedoch annehmen, daß Manns Name bei den einschlägigen Behörden schon viel länger auf den Listen verdächtiger Personen geführt wurde.

13   Ein Schreiben des FBI in Los Angeles an den Director, FBI, v. 6. 12. 1946 listet Informationen für die Security Index Cards auf.

14   J. C. Strickland, Memorandum an D. M. Ladd v. 7. 9. 1945.

15   John Edgar Hoover, Brief an SAC, Los Angeles, v. 19. 10. 1948.

16   SAC, Los Angeles, Memorandum an Director, FBI, v. 10. 2. 1949.

17   Acht Seiten aus diesem Bestand sind einem »Report on the First National Congress of ›Freies Deutschland‹ (Bas 4600) Movement Held in Mexico City« (Comite Latino Americano de Alemanes Libres, Brief an Heinrich Mann v. 15. 5. 1943) gewidmet, den Paul Merker im Mai 1943 verschickte. Weitere 13 Seiten fassen unter der Überschrift »Activities of Free German Movement as Published in Their Periodical in Chile« (Free German Movement, Brief an Heinrich Mann v. September 1942) verschiedene Aufsätze zusammen, die aus der Zeitschrift Freies Deutschland/El Aleman Antinazi stammen.

Schreiben von Ludwig Renn, in dem es um das Zerwürfnis zwischen dem Kunsthistoriker Paul Westheim und der KPD-Gruppe in Mexiko geht; ein Brief von Bodo Uhse, der sich für die Übersendung eines Manuskripts über Alfred Döblin für das *Freie Deutschland* bedankt und Mann eine aufschluß-reiche Liste mit Themen für weitere Beiträge übermittelt[18]; sowie fünf Briefe zur Gründung des Verlags El Libro Libre und zur Überarbeitung des Manu-skripts von Heinrich Manns Roman *Lidice*[19] aus der Feder von Walter Janka, der wegen seiner politischen Aktivitäten im Jahre 1956 bis Ende 1989 in der DDR totgeschwiegen wurde.[20] Andere Teile der Korrrespondenz drehen sich um die Aktivitäten und Querelen verschiedener Exilgruppen in Lateinameri-ka[21], gehen – so ein Brief an Félix Bertaux in Toulouse vom 4. April 1945 – auf den Tod von Nelly Mann und die Beziehungen des Exilierten zu Europa ein[22] oder haben weiter mit dem Fall Paul Westheim zu tun, der Anfang 1943 bei seinen kommunistischen Mitexilanten in Ungnade gefallen war, weil er für Heinrich (Enrique) Gutmann, der Jahre später in der DDR immer noch als »trotzkistischer Gewährsmann und Denunziant«[23] abqualifiziert wird, einen Vortrag gehalten hatte. Hinzu kommt im Mai 1944 als Irrläufer in wirren Zeiten das vom Office of Censorship der U.S. Army abgefangene Schreiben eines Heinrich Mann, wohnhaft »139 Ad. Hitler Str. Bellheim... Germany«, gerichtet an Herbert Mann, z. Z. als P.O.W. in »Camp 20, Cana-da«[24].

---

18 »With the objective of improving his column, writer asks addressee to cooperate with him and contribute articles on the following subjets: How can questions of the day be handled in the novel? The influence of the films on the novel and vice versa. The status of the poet in the ›emigration.‹ Troubles of a dramatist. Relationship of the American short story to the German novel. Influence of emigration upon indigenous literature and the literature of the country receiving the immigrants upon the literature of ›emigration.‹ What tasks will the end of the war leave to the author?« (Bodo Uhse, Brief an Heinrich Mann v. 24. 11. 1943).

19 Walter Janka, Briefe an Heinrich Mann v. 29. 7. 1942, 26. 2. 1943, 6. 5. 1943, 9. 9. 1943, 6. 12. 1943.

20 Walter Janka: *Schwierigkeiten mit der Wahrheit.* Reinbek: Rowohlt 1989. (=rororo aktu-ell, 12731.)

21 So heißt es zum Beispiel in einem Brief von Ludwig Lintz und Julius Heerwagen aus San-tiago de Chile an Heinrich Mann v. 8. 6. 1942:»Senders, replying to Addressee's letter of May 5th, express pleasure at the fact that the addressee did not spurn their request that Mr. Mann be allowed to add his name to the roll of Alemania Libre (Free Germany), even though he didn't give his complete agreement.«

22 H(einrich) Mann, Brief an Felix Bertaux v. 3. 4. 1945.

23 Kießling, *Alemania Libre in Mexiko.* Bd. 2, S. 442-3; vgl. dazu auch Fritz Pohle: *Das mexi-kanische Exil. Ein Beitrag zur Geschichte der politisch-kulturellen Emigration aus Deutsch-land (1937–1946).* Stuttgart: Metzler 1986, S. 193ff. und Bodo Uhse, Brief an F. C. Weis-kopf v. 2. 4. 1943. In: Bodo Uhse, F. C. Weiskopf: *Briefwechsel 1942-1948.* Hrsg. v. Günter Caspar. Berlin/DDR: Aufbau 1990, S. 57.

24 Heinrich Mann, Brief an Herbert Mann v. 21. 2. 1944.

Neue Einsichten in die Beziehungen zwischen Heinrich Mann und der Bewegung Freies Deutschland in Mexiko lassen sich den beim FBI erhaltenen
Briefen nicht abgewinnen. Wohl aber werfen die vom Zensor getroffene Auswahl der wiedergegebenen Briefstellen und die gelegentlich beigefügten, er-
klärenden Zusätze des Übersetzers ein Licht darauf, wonach man beim Bureau in der Korrespondenz zwischen Heinrich Mann und seinen Mitexilanten
suchte. So sei Ludwig Renn, zitiert da bereits im Juni 1942 der »Examiner«
bei der Postzensur einen Aktenbestand »LA-7798 and numerous«, »a communist suspect in Mexico«[25]. Unter der Überschrift »Communistic Activity
in the Americas« übersetzt Examiner 2006 einen Monat später Passagen aus
dem ersten Heft eines »›Free German Newspaper for Chile‹« und fügt die
Notiz an: »...the whole movement of ›Free Germany‹ is merely a cover for
communistic activity... The same newspaper is being sent in separate enve-
lops... to... Hannes Meyer... Released to Keep Channels open.«[26] Miss Wellington, eine Mitarbeiterin des Department of State, stellt dem Office of Strategic Services Anfang Januar 1943 nicht nur die Nummern von »intercepts
she had seen referring to a projected German committee to be headed by
Heinrich Mann« zur Verfügung, sondern bietet dem Foreign Nationalities
Branch gleich auch Kopien der einschlägigen Briefe an.[27] Als Paul Merker
im Frühjahr desselben Jahres einer Sendung mit Reden vom ersten Kongreß
der Bewegung Freies Deutschland an Heinrich Mann und an die Redaktion
der *Internationalen Literatur* in Moskau einen Zettel »bearing seal of Comite
Latino-Americano...« für den Zensor beilegt, »which states that the enclosures are press releases containing speeches of resolutions of the Congress,
and asking that it be allowed to pass«, reagiert der angesprochene Beamte
humorlos mit der Eintragung: »This letter was also condemned.«[28] Und als im

---

25 Heinrich Mann, Brief an Ludwig Renn v. 12. 6. 1942.
26 R. Kupferberg, Brief an Heinrich Mann v. 30. 6. 1942, S. 1–2; vgl. auch Alemania Libre,
    Brief an Heinrich Mann v. 1. 7. 1942.
27 W. J. Gold, Memorandum of Conversation with Miss Wellington v. 7. 1. 1943 (OSS, 490).
28 Paul Merker, in Comite Latino Americano de Alemanes Libres, Brief an Heinrich Mann v.
    13. 5. 1943. Ein weiterer Beleg dafür, daß man in Exilantenkreisen von der Postzensur
    wußte, findet sich in dem weiter oben bereits zitierten Brief von Merker an Mann v. 8.
    April 1943. Manns Bemerkung von 1941, daß er »anonyme« Anrufe erhalte und sein »Te-
    lefon und Haus... unter Polizeiaufsicht« (Heinrich Mann, Brief an Thomas Mann v. 28. 2.
    1941. In: Thomas Mann/Heinrich Mann, *Briefwechsel*, S. 248) stehen, dürfte sich dagegen
    nicht auf die hier beschrieben Aktivitäten des FBI beziehen, sondern auf die Kontrollmaß-
    nahmen unmittelbar nach Ausbruch des Zweiten Weltkriegs gegenüber feindlichen Aus-
    ländern (vgl. dagegen die Anspielungen auf HUAC in Klaus Schröter: *Heinrich Mann*. Rein-
    bek: Rowohlt 1967, S. 141 [=rororo bildmonographien, 125]). Bestätigt durch die
    FBI-Akten wird dagegen Manns Vermutung gegenüber einem Interviewpartner, »that, like
    certain other liberal refugees, he would probably experience some difficulty in securing
    his... American citizenship... papers« (Fred Genschmer: »Heinrich Mann [1871-1950].«
    In: *South Atlantic Quarterly* 50 [1951], S. 209).

März 1945 in einer der letzten erhalten gebliebenen Briefsendung[29] das Manuskript von Heinrich Manns berühmtem Aufruf »An das Volk von Berlin« von Los Angeles nach Mexiko ging, greift sich der Zensor in seiner Zusammenfassung jene Passagen heraus, in denen es um die Beziehung zwischen der Bevölkerung und den Siegern bzw. der Vertreibung jener »common money grabber«, »›Junkers‹« und Mitglieder des »›Grand General Staff‹« geht, die Hitler und seine »blond beasts and supermen«[30] finanziert hatten.

Antikommunismus, die Pläne der Exilanten für eine Neuordnung im Nachkriegsdeutschland und schließlich, 1949/50, die Kontakte von Heinrich Mann zur DDR stehen auch im Mittelpunkt des zweiten zentralen Komplexes der Mann-Akte – jenen siebzehn »Reports«, die zwischen September 1944 und September 1950 von den FBI Field Offices in Los Angeles, San Francisco und New York zum Fall Heinrich Mann angefertigt wurden. Aufgabe dieser Reporte, von denen neun in die Jahre 1944/45, der Rest in die Zeit zwischen Februar 1949 und Ende 1950 fallen, war es, die in den jeweils vermerkten Berichtszeiträumen gesammelten Informationen zu ordnen und interessierten Field Offices zugänglich zu machen.[31] Dazu gehörten neben politischen Themen auch wiederholte Versuche, Informationen über Heinrich Manns Privatleben zu sammeln, von denen man sich Einblicke in Schwächen und Charakterzüge des »suspects« erhoffte, die sich gegebenenfalls mit öffentlichen Aktivitäten rückkoppeln ließen. Oder wie es im Originalton des FBI heißt: »Will conduct all appropriate investigation possible in order to obtain complete coverage of Heinrich Mann's current activities.«[32]

---

29 Der letzte in der FBI-Akte von Heinrich Mann registrierte Brief ist vom 12. Juli 1945. Ein Blick in die FBI-Unterlagen von anderen Exilanten läßt die Vermutung zu, daß das Office of Censorship nicht lange nach Beendigung des Zweiten Weltkriegs die pauschale Überwachung des Briefverkehrs mit verdächtigen Ausländern eingestellt hat.

30 Heinrich Mann, Brief an Paul Merker o. D. [16. 3. 1945] und Kießling, *Alemania Libre.* Bd. 2, S. 411.

31 So ist zum Beispiel auf dem Bericht vom 5. September 1944 in der Rubrik »Copies of this Report« vermerkt: »5 Bureau, 2 San Francisco (Inf.), 2 New York (Inf.), 5 Los Angeles« (FBI-Report, Los Angeles v. 5. 9. 1944, S. 1). Andere »Reports« sind an den Internal Revenue Service in Los Angeles oder das FBI-Büro in Pittsburg geschickt worden. Eine eher beiläufig erscheinende »Examiner's Note« in einem Rundbrief von Otto Katz zu einem »›Nazi Terror‹« genannten Sammelband belegt, wie eng das Netz der verschiedenen Geheimdienste gespannt war: »According to reliable information«, heißt es dort, habe Anna Seghers ihr mexikanisches Visum über eine spanische Kommunistin namens Margarita Nelken erhalten – eine Information, die der »Examiner« offensichtlich aus Querverweisen auf die Seghers-Akte beim FBI gezogen hat (Otto Katz, Brief an [ausgeschwärzt] v. 16. 8. 1942). Und auch das Office of Censorship trug dazu bei, daß Manns Korrespondenz Verbreitung fand, wenn einem Schreiben vom 29. Juli 1942, in dem Walter Janka Heinrich Mann mitteilt, »that a number of German authors have combined their efforts and created a publishing house« (Walter Janka, Brief an Heinrich Mann v. 29. 7. 1942), folgenden Verteilerschlüssel beigibt: »CIAA-1, ED-1, FBI-1, [unleserlich], MID-10, ONI-1, SC-1, SD-1, OSS-1, IRB-1, IC-4, OSS-B-1.«

32 FBI-Report, Los Angeles v. 5. 9. 1944, S. 27.

Wie auch bei anderen Exilanten gingen alle erhalten gebliebenen Berichte des für den Fall Heinrich Mann federführenden Los Angeles Field Office über den Schreibtisch von Special Agent in Charge R. B. Hood. Entsprechend gering ist die Zahl der Fehler, Wiederholungen und Widersprüche, die das Mann-Dossier durchziehen. Keine Rücksicht auf historische Verluste nehmen Hood und seine Untergebenen freilich, wenn sie die positive Rezeption von *Der Untertan* in Beziehung zu der Rolle setzen, die Mann nach 1945 in der Sowjetischen Besatzungszone spielt.[33] Nicht ganz sicher ist sich das FBI in den wiederholt in die Berichte eingeschobenen Personenbeschreibungen, ob Heinrich Mann denn nun 5 Fuß und 7 Zoll, 5 Fuß 8 Zoll oder gar stattliche 6 Fuß groß sei.[34] Und einer von Hoods Kollegen in New York sitzt im Januar 1952 einem Informanten auf, der »Claus«[35] Manns Tod in die DDR verlegt und Erika zu einem Mitglied der »German CP«[36] macht. Ansonsten ist das was das FBI an Fakten über Heinrich Mann und seine Familie zu Papier bringt, durchaus korrekt und verläßlich.

Schon der erste und mit 33 Seiten umfangreichste Bericht aus Hoods Büro legt Ton und Zielsetzung der Heinrich Mann-Akte fest. Er beginnt mit einer Art von politischem Lebenslauf des Observierten, in dem neben Manns Kontakten zu ebenfalls vom FBI beobachteten Personen wie Brecht und Feuchtwanger und Organisationen wie dem Freien Deutschland in Mexiko, ideologische Fragen vornan stehen. »This investigation«, heißt es dazu in der »synopsis of facts«[37] von einem der von Hood abgezeichneten Reporte, »is being instituted for the purpose of keeping abreast with the activities of Heinrich Mann, 301 South Swall Drive, Los Angeles, in connection with the Free German Movement, some of which are already known to this office and are being summarized in this report.«[38] Als Quelle für biographische Daten dienen dem Bureau »various sources«[39], darunter vor allem die Unterlagen der Einwanderungsbehörde, auf deren Aktenbestand noch zurückzukommen ist. Angaben zum Werk des »subject« stützen sich auf eine kurze Eintragung in *Germany: A Self Portrait*, ein Buch, das 1944 bei der Oxford University Press

---

33 FBI-Report, Los Angeles v. 16. 8. 1950, S. 2.
34 Widersprüchliche Angaben dieser Art beruhen zum Teil auf Informationen, die Mann selbst in verschiedene Visa-Anträge eingetragen hat. So führt er zum Beispiel in einer Alien Registration Form am 19. 12. 1940 unter der Rubrik »I have the following specified relatives living in the United States« ein Kind an und beschreibt seine eigene Größe mit »6 feet, 0 inches« (Alien Registration Form, U.S. Department of Justice, Immigration and Naturalization Service).
35 SAC, New York, Memorandum an Director, FBI, v. 28. 1. 1952, S. 1.
36 A. a. O., S. 2.
37 FBI-Report, Los Angeles v. 5. 9. 1944, S. 1.
38 A. a. O., S. 2.
39 A. a. O., S. 1.

erschienen war.[40] Aktuelle Informationen stammen aus den vom Censorship Office hergestellten Zusammenfassungen der Korrespondenz von und an Mann.

»Heinrich Mann, 73 years old Czech citizen of German descent, born 3/27/71, Luebeck, Germany«, resümiert der »personal and confidential« gestempelte »report« vom 5. September 1944, »is exiled German author who was allegedly assisted by underground in departing from France in 1940. Entered US as visitor 10/13/40 at New York City, and reentered for permanent residence 3/29/41 at San Ysidro, California. According to various sources, has been Communistically inclined for years. In US had identified self with various Communist front organizations. Has been affiliated in Los Angeles with Bert Brecht and Lion Feuchtwanger, Commmunistically inclined German refugee writers. These three are very active in Free German Movement, aim of which is establishment of postwar German government favorable to Russia. Heinrich Mann is Honorary President of Latin American Committee For Free Germany, the organization under which all Free German movements in Western Hemisphere united. He attended meeting for purpose of endorsing Moscow Manifesto, announced by Free German Committee in Mexico in July, 1943 [ausgeschwärzt]... he signed declaration of the Council For a Democratic Germany, which is also concerned with the government of postwar Germany.«

Wendungen wie »communistically inclined« und »communist front organization«, der Hinweis auf Heinrich Manns Fluchthelfer im französischen »underground« (anstatt ›resistance‹) und die Hervorhebung der Pläne des »Free German Movement«[41] für eine pro-russische Nachkriegsregierung in Deutschland lassen keine Zweifel zu: So wie die Mitarbeiter des Office of Censorship hatte auch das FBI ungeachtet von Krieg und Allianz mit Rußland weniger die Bedrohung durch Nazi-Saboteure und -Agenten als jene ›rote Gefahr‹ im Visier, in der Hoover seit 1918/19 die eigentliche Bedrohung für den »American Way« sah.

Einmal angeschlagen, blieb das Thema »red scare« für Hood und seine Mannen das Leitmotiv aller Berichte bis in die Zeit nach Heinrich Manns Tod. »This source advised«[42], zitiert das FBI da unter der Überschrift »Personal History and Reputation«[43] eine unbekannte, weil ausgeschwärzte Quelle, »that Heinrich Mann has for many years belonged to Communist front organizations in Germany, and France, and has always been a strong promoter of

---

40 *Germany: A Self-Portrait. A Collection of German Writings from 1914 to 1943.* Hrsg. v. Harlan R. Crippen. New York: Oxford University Press 1944, S. 25-6.
41 FBI-Report, Los Angeles v. 5. 9. 1944, S. 1.
42 A. a. O., S. 5.
43 A. a. O., S. 2.

a ›united socialist front‹. This source, however, did not know Heinrich Mann to be a member of the Communist Party.« »Strongly influenced by Communists, and an instrument in the hands of radicals« sei Mann, so ein anderer anonymer Informant. Wieder andere »sources« bezeichnen ihn als »longstanding friend of the Soviet Union«[44] oder als »one of various writers employed in the Hollywood motion picture industry, all of whom are either Communists or fellow travelers, following the Communist Party line actively...«[45]

Selbstgewiß vermeldet das FBI in einer rückblickenden Zusammenfassung auf Heinrich Manns »Activities in the United States – 1942 ″[46], »that the Free German Movement as its ultimate purpose has the establishment of a postwar German government favorable to Soviet Russia... Information available to this office indicates that at least some of the individuals involved in this movement contemplate transferring their activities to Germany or Europe as soon as this is possible.«[47] Als sich ein Jahr später eine vom FBI als »Russian-German Committee« bezeichnete Gruppe von Exilanten bei Berthold Viertel traf, um über eine Anfrage der russischen Nachrichtenagentur TASS bei Thomas Mann zur Gründung des Nationalkomitees Freies Deutschland in Moskau zu beraten, scheint Thomas Mann dem FBI oder einem seiner Informanten mitgeteilt zu haben, daß die Gruppe eine öffentliche Erklärung abzugeben plane, die das Moskauer Manifest unterstützt: »In corroboration of the above mentioned meeting, this source furnished information received from [ausgeschwärzt] to the effect that Tass, the Russian New Agency, had requested [ausgeschwärzt] Thomas Mann to submit their opinions on a certain matter, the nature of which he did not state. [Ausgeschwärzt] related to this source that after receipt of this message from TASS, a ›Russian-American Committee‹ held a meeting at the home of Berthold Viertel, 165 Mabery, Santa Monica. This source, however, did not learn that Heinrich Mann attended this meeting at the Viertel residence. According to Thomas Mann, who was questioned concerning this meeting, the statement to be drawn up was to be a declaration to be published in American papers expressing agreement with the policy of the Free Germany movement in Moscow and backing the Moscow Manifesto«.[48] An Heinrich Manns Verbindung zum »Council for a Democratic Germany« interessiert das FBI 1944 nicht nur, daß der Council von »nineteen individuals, considerable of whom are Communists«, gegründet wurde und daß »during the period of the organization of the new Council in

---

44 A. a. O., S. 5.
45 A. a. O., S. 6.
46 A. a. O., S. 7.
47 A. a. O., S. 8.
48 A. a. O., S. 15. Bekanntlich hat Thomas Mann wenig später seine Unterschrift von der gemeinsamen Erklärung zurückgezogen (Mann, *Briefe 1937-1947*, S. 339-41).

New York Mann's name was frequently mentioned as future chairman«[49], sondern auch, daß der Council interessiert sei »in shaping the postwar government of Germany«[50]. »Post war problems relating to the democratic reorganization of Germany«[51] stehen ebenfalls im Zentrum der FBI-Zusammenfassung eines Fragebogens, den das Freie Deutschland im Oktober desselben Jahres an Mann und andere verschickte. Penibel genau registriert man bei Hoovers Behörde, daß Heinrich Mann am 25. Juni 1947 Exemplare der »Pravda and/or Moscow News«[52] erhalten habe, Lion Feuchwanger am 10. Juni desselben Jahres in »Room 413« des Sherry Netherland Hotels in New York City einen Brief von Mann in Empfang nahm[53] oder auch, daß Heinrich Manns Name im vierten Bericht von Jack B. Tenneys »Joint Fact-Finding Committees of the California State Legislature« im Zusammenhang mit dem Joint Anti-Fascist Refugee Committee auftauchte,[54] einer vom FBI seit Jahren unter dem Aktenzeichen 100-7061 als »communist front organization«[55] observierten Vereinigung. Wo immer in einem Brief oder einem Aktenstück der Name Alfred Döblin erscheint, erinnert der Sachbearbeiter daran, daß Mann Döblin, »a German Jew of French citizenship«[56], bei der Einreise in die USA behilflich gewesen war.[57] Der Exilzeitschrift *Freies Deutschland*, die man in den FBI Field Offices regelmäßig las, entnahmen die Special Agents, daß Heinrich Mann den Sozialismus als Grundlage für die Demokratie verstand[58] und daß die Moskauer *Internationale Literatur* sein Buch *Looking Over a Century* (*Ein Zeitalter wird besichtigt*) »liberally«[59] zitiert habe. Und noch im August 1950, gut fünf Monate nach dem Ableben des Untersuchungsgegen-

---

49 Nicholas J. Alagan, FBI-Report, New York v. 6. 10. 1944, S. 20, Anlage zu John Edgar Hoover, Memorandum an Frederick B. Lyon, Chief, Division of Foreign Activity Correlation, Department of State, v. 19. 12. 1944 (811.00B/12-1944).

50 FBI-Report, Los Angeles v. 5. 9. 1944, S. 22.

51 FBI-Report, Los Angeles v. 6. 12. 1944, S. 2. Mit der Rückkehr der Exilanten nach Deutschland brachte das FBI offensichtlich auch ein »Certificate of Proof of... anti-Nazi and democratic principles« in Verbindung, das im Sommer 1945 auf dem Weg von Mexiko nach Los Angeles vom El Paso Field Office abgefangen wurde: »Enclosed with this letter was a certificate in passport form to which was attached a photograph of Mann and which stated that he left Germany and the dictatorship of Hitler because ›he was wanted by the Gestapo‹« (FBI-Report, Los Angeles v. 23. 8. 1945, S. 2).

52 FBI-Report, Los Angeles v. 10. 2. 1949, S. 5.

53 A. a. O., S. 4.

54 A. a. O., S. 2.

55 FBI-Report, New York v. 29. 8. 1945, S. 2.

56 FBI-Report, Los Angeles v. 5. 9. 1944, S. 6.

57 A. a. O., S. 6-7, 17 und SAC, Los Angeles, an John Edgar Hoover, 25. 9. 1944.

58 FBI-Report, Los Angeles v. 10. 2. 1949, S. 3. Siehe Heinrich Mann: »Paul Merker und sein Buch.« In: *Freies Deutschland* 11/1945, S. 27-9 (zu Band 2 von Paul Merker: *Deutschland – Sein oder Nichtsein?*).

59 FBI-Report, Los Angeles v. 10. 2. 1949, S. 3.

standes, findet das FBI in einem stark zensierten Bericht Interesse an der Tatsache, daß Manns Roman *Der Untertan* »was able to enjoy a wide Russian circulation«[60].

Mit dem »Report« vom 29. Oktober 1945 brach die erste Berichtserie des Los Angeles Field Office plötzlich ab. Statt mit Heinrich Manns Privatkorrespondenz und den neuesten Heften des *Freien Deutschland* beschäftigten sich die in Los Angeles stationierten Special Agents fortan lieber mit den Hollywood Ten und den Nachrichten, die Ronald Reagan und andere Informanten über linkslastige Kollegen aus ihrem Arbeitsmilieu zusammentrugen.[61] Hinzu kam, daß Hoovers Versuch, seinen Machtbereich über die Grenzen der USA auszuweiten, mit der Gründung jener Central Intelligence Group, die 1947 in CIA umbenannt wurde, endgültig fehlgeschlagen war.

Aktiv wurden Hood und seine Leute erst wieder, als eine Übersiedlung von Heinrich Mann in die DDR konkrete Formen annahm. Auslöser war dabei möglicherweise der Auftritt von Bruder Thomas bei der Goethe-Feier in Weimar, ein Ereignis, das im fernen Washington und Kalifornien einige Aufregung verursachte. »Heinrich Mann... is an older brother of Thomas Mann also an eminent author who was admitted to the Soviet zone of Germany early this year and who was at that time exploited for propaganda purposes by the Soviet authorities«[62], berichtet J. Edgar Hoover dazu am 25. Oktober 1949 und 6. Januar 1950 mit Bezug auf eine »highly confidential and reliable source« in nahezu textgleichen Schreiben an Peyton Ford, den Assistant to the Attorney General, Jack D. Neal, Associate Chief der Division of Security beim Department of State, und den Director of Intelligence beim General Staff des Department of Army. Denkbar wäre aber auch, daß man beim FBI und bei anderen Behörden Briefe mitlas, die Heinrich Mann an den seit längerem im diplomatischen Dienst der Tschechoslowakei tätigen F. C. Weiskopf schrieb: »Ich gehe mit meiner Übersiedlung nach Berlin, Soviet Zone, um. Zu viele Stellen haben mich angefordert, ich bin nicht mehr ruhig... Mein Ziel kann ich hier nicht nennen, das verursacht alsbald Informationen und Verzögerungen. Ich möchte angeben, dass ich nach Prag reise, und wirklich zuerst dorthin gehen. Mich berechtigt, dass ich einen tschechoslowakischen Pass habe... Darf ich Ihnen meinen – abgelaufenen – Pass schicken? Wür-

---

60 FBI-Report, Los Angeles v. 16. 8. 1950, S. 2.

61 Dabei versteht es sich, daß das FBI Verbindungen zwischen Heinrich Mann und den Hollywood Ten genau registrierte. So heißt es im FBI-Report, Los Angeles v. 10. 2. 1949, S. 1 u. 5: »As of March, 1948, Mann supposed to write forword for ›Give Me Liberty,‹ a book which was to contain statements of the ten unfriendly witnesses recently called by House Un-American Activities Committee... to testify regarding Communists.« Vgl. dazu oben das Kapitel zu Thomas Mann.

62 Director, FBI, Memorandum an Peyton Ford, Assistant to the Attorney General v. 25. 10. 1949 und ders., Memorandum an Jack D. Neal, Associate Chief, Division of Security, Department of State v. 25. 10. 1949.

den Sie veranlassen, dass er erneuert wird, und auch Auftrag geben, dass Visa, wenn dennoch erforderlich, besorgt werden?«[63] Es folgen Anfang 1950 verschiedene Memoranda, unter anderem – »confidential by special messenger« – an den Commissioner des Bureau of Internal Revenue[64], die vor der Freigabe an mich nahezu völlig ausgeschwärzt wurden, sich aber offensichtlich auf die Überweisung von $2.000 durch den Aufbau Verlag an Mann beziehen.[65] Und schließlich erstellte das in Deutschland stationierte Counter Intelligence Corps (CIC) der Region VIII am 9. März 1950, also drei Tage vor Heinrich Manns Tod, einen detaillierten Hintergrundbericht über die Geschichte des Aufbau Verlags (»Soviet licensed« und »under the auspices of the Communist controlled Kulturbund«[66]) und die Umstände des verdächtigen Geldtransfers. »Subject has recently been in contact with a representative of the Soviet Embassy«[67], berichtet in diesem Zusammenhang die Intelligence Division der U.S.-Armee aus Washington am 16. Januar 1950. Geheimdienstbeamte sind in Berlin damit beschäftigt, jene Garantie- und Kreditbank auszukundschaften, die die Überweisung getätigt hatte, und kommen zu dem Ergebnis, daß zwei der Bankdirektoren Sowjetrussen sind. »A confidential source« des CIC in Berlin, die auf Lotte Litzck [?], wohnhaft in Berlin-Schlachtensee angesetzt wird, »a cousin of Subject's confidential secretary [ausgeschwärzt], a widow, who is an American citizen and who works with Mann in Los Angeles«[68], liefert die Nachricht, daß Heinrich Mann nach Abklingen einer Krankheit in der Tat nach Deutschland reisen wolle. Ungeachtet der Krisensituation in Berlin kurz nach der Blockade, nimmt man sich beim Nachrichtendienst der U.S. Army die Zeit nachzurechnen, ob jene $2.000 aus den Tantiemen von Manns Roman *Der Untertan* stammen könnten, der kurz nach Kriegsende beim Aufbau Verlag erschienen war: »... in terms of dollars twenty-thousand (20,000) copies of Der Untertan selling retail at 8.40 DM East would realize only a little more than six-thousand dol-

---

63 Heinrich Mann, Brief an F. C. Weiskopf v. 19. 4. 1949 (F. C. Weiskopf-Archiv, Akademie der Künste, Berlin).

64 J. Edgar Hoover, Memorandum an Commissioner, Bureau of Internal Revenue, Treasury Department v. 6. 1. 1950 und FBI-Report, Los Angeles v. 28. 3. 1950, S. 7.

65 Vgl. dazu Heinrich Manns Brief vom 18. September 1949 in dem vor kurzem veröffentlichten Briefwechsel zwischen Mann und dem Aufbau Verlag (*Allein mit Lebensmittelkarten ist es nicht auszuhalten... Autoren- und Verlegerbriefe 1945-1949*. Hrsg. v. Elmar Faber u. Carsten Wurm. Berlin: Aufbau Taschenbuch Verlag 1991, S. 198 (=Aufbau Taschenbücher, 1): »... durch Ihre Vermittlung erhielt ich am 16. Sept[ember] eine Zahlung von $1993,19 ($2000 abzüglich Spesen)...«

66 Report des European Command, Department of the Army v. 9. 3. 1950, S. 3, Anlage zu [unleserlich] Smith, General Staff, United States Army, Brief an J. Edgar Hoover v. [unleserlich] April 1950.

67 A. a. O., S. 2.

68 A. a. O., S. 3.

lars ($6,000.00).«[69] Denkbar sei aber auch, so der Bericht weiter, daß der Aufbau Verlag, der »enormous subsidy from the Soviet Control Commission« erhalte, Heinrich Mann »as a favored author« besondere Zahlungen für ein Buch zukommen läßt, »which may be regarded as an excellent propaganda weapon«[70]. So oder so, beim CIC plane man, die Sache weiterzuverfolgen »in an effort to determine whether or not Mann has arranged with Aufbau Verlag for publication of any further writings and whether or not payment of the money to Mann's account may have been occasioned by the need to finance his proposed trip to Germany«.[71]

Soweit zu den gleichsam »öffentlichen« Aspekten von Heinrich Manns FBI-Akte. Zu ihnen gesellt sich eine nicht unerhebliche Zahl von Aktenstücken, in denen es um das Privatleben des Ehepaars Heinrich und Nelly Mann geht. Fakten und Daten entnimmt das FBI dabei zumeist den zahlreichen Formularen, die Mann für den Immigration and Naturalization Service bei seiner Ankunft in den USA am 14. Oktober 1940, bei der Verlängerung seiner Aufenthaltserlaubnis und für den Antrag auf »permanent residence« im März 1941 ausfüllen mußte. Wen es interessiert, vermag diesen Unterlagen zu entnehmen, daß der Exilant bei seiner ersten Einreise in die USA als »visitor«[72] mit dem griechischen Dampfer Nea Hellas in New York ankam und ein zweites Mal trotz seiner tschechoslowakischen Staatsbürgerschaft mit einem »German quota Immigration Visa« per »private automobile«[73] von Tijuana, Mexiko, aus die Grenze überquerte. Als »employer« führte Heinrich Mann 1940 Warner Brothers an und unter Aktivitäten trägt er in das Einreiseformular ein: »I wrote books edited by the publisher Knopf at New York.«[74] Und natürlich unterschreibt Mann wie alle anderen Exilanten auch anstandslos den Revers, daß er in den vorhergehenden fünf Jahren in keiner Organisation tätig gewesen sei, die irgendwelchen Einluß auf eine ausländische Regierung zu nehmen beabsichtige.[75] Ein wenig merkwürdig mutet es an, daß Herbert Hadley, der 1941 Heinrich Manns Visaangelegenheiten erledigte, unter »race« zunächst »Hebrew«, dann »German«[76] einfüllt, denn derselbe Hadley hatte kurz zuvor in Tijuana dafür gesorgt, daß Mann vom U.S.-Konsul die

---

69 A. a. O.
70 A. a. O., S. 4.
71 A. a. O.
72 Alien Registration Form, United States Department of Justice, Immigration and Naturalization Service, v. 19. 12. 1940 (INS).
73 Application for a Certificate of Arrival and Preliminary Form for a Decleration of Intention, United States Department of Justice, Immigration and Naturalization Service, v. 31. 3. 1941 (INS).
74 Alien Registration Form v. 19. 12. 1940, S. 2 (INS).
75 A. a. O.
76 Application for Certificate of Arrival v. 31. 3. 1941, S. 2–3 (INS).

Vorlage einer Geburtsurkunde und eines polizeilichen Führungszeugnisses aus Nice erlassen wurde, »for the reason that they were found to not be available«[77]. Keine unwichtige Rolle spielt bei einer späteren Untersuchung des FBI ein Blatt vom 28. März 1941 mit den Abdrücken von Heinrich Manns zehn Fingern.

Und so geht es weiter in der Mann-Akte. Mit einigem Eifer kümmern sich Special Agents um Heinrich Manns private Angelegenheiten als Nelly Mann wegen Trunkenheit am Steuer zweimal vom Beverly Hills Police Department festgenommen wird: »The Los Angeles Times of January 5, 1944, contained information concerning the arrest of Mrs. Mann on charges of drunk driving. According to this article, Mrs. Mann was arrested in Beverly Hills, California, on February 26, 1943, for drunk driving. According to this article, Mrs. Mann was given a sixty day suspended sentence. The article went on to state that Mrs. Mann was again arrested for drunk driving by the Beverly Hills Police Department on November 10, 1943. She pled guilty and was to be sentenced on January 4, 1944....«[78] Wenig später läßt SAC Hood, »in an effort to develop possible information of interest concerning the reason for Mrs. Mann's suicide«, von seinen Männern die Akte No. 17943 beim Los Angeles Coroner und den entsprechenden Bericht des Los Angeles Police Department durchsehen. Als »reason or motive for Mrs. Mann's decease« wird dort »despondent«, also ›verzweifelt‹, angegeben. »The basis for this reason was not shown, however... Heinrich Mann did not see Mrs. Mann commit suicide and was unable to give any information. No suicide notes were left by the deceased.«[79]

Wiederholt notieren Mitarbeiter des FBI, die Heinrich Manns Wohnung beobachten, Modelle und Nummern von Autos, die vor dem Haus parken – mal ein Hudson Sedan 1939er Modell, mal ein 1940er Oldsmobile Coupe oder auch ein 1941 Mercury Convertible Coup[80]. Erheblicher Aufwand wird

---

77 Gerald A. Makma, American Consul, American Consulate, Tijuana, Mexico, 28. 3. 1941 (INS).

78 FBI-Report, Los Angeles v. 5. 9. 1944, S. 4. Vgl. dort auch den Hinweis auf einen der Selbstmordversuche von Nelly Mann: »... Mrs. Mann did not appear to receive her sentence in connection with this latter arrest, since she had been taken to the General Hospital in an unconscious condition due to an overdose of sleeping tablets.«

79 FBI-Report, Los Angeles v. 21. 2. 1945, S. 4. Große Teile dieses Berichts werden mit Hinweis auf Title 5, United States Code, Section 552, (b)(1) vom FBI zurückgehalten bzw. sind ausgeschwärzt worden.

80 FBI-Reports, Los Angeles v. 6. 12. 1944, S. 1 und v. 23. 8. 1945, S. 5 und 6. Ein späterer Bericht identifiziert die Besitzerin des Hudson als Nadine Rivers (FBI-Report, Los Angeles v. 12. 5. 1945, S. 4). In anderen Fällen ergab die Durchsicht der FBI-Unterlagen entweder keine weiteren Hinweise (FBI-Report, Los Angeles v. 6. 12. 1944, S. 2) oder der Beobachter war sich noch nicht einmal sicher, ob die Insassen des Wagens nicht bei Manns Nachbarn zu Gast waren (FBI-Report, Los Angeles v. 23. 8. 1945, S. 6).

getrieben, um Manns Briefpartner zu überprüfen[81] bzw. den Adressen von Organisationen wie dem Joint-Anti Fascist Refugee Committee und dem Council for a Democratic Germany oder der Zeitschrift *New Masses* nachzugehen, mit denen Mann in Verbindung steht.[82] Interesse bekundet das FBI verschiedentlich daran, ob Heinrich Mann sich um die amerikanische Staatsbürgerschaft bewirbt[83], wer in Beverly Hills seine Bücher verkauft (»it was ascertained through this source as of July, 1943, that the books of Heinrich Mann and various other German leftist writers are being sold by Reinhard [unleserlich] Braun, 9269 Burton Way, Beverly Hills, California, who describes himself as a representative of the Free German publication of ›Today‹«[84]) oder auf welchen Wohltätigkeitsveranstaltungen er auftritt: »[Ausgeschwärzt]... advised that on November 26, 1940, Heinrich Mann spoke at a dinner given at the Beverly Wilshire Hotel, Beverly Hills, California, by the Exiled Writers Committee of the Hollywood Chapter of the League of American Writers, for the purpose of raising funds for the support of exiled writers.«[85]

Aufmerksam vermerken die Special Agents den Eingang von Honorarschecks und Almosen, hier $40 von Paul Merker für die Ansprache an die Berliner[86], dort $100 vom European Film Fund[87] oder auch schon einmal $300 als Vorschuß für eine spanischsprachige Ausgabe von »›The Contemplation of an Epoch‹«[88] (*Ein Zeitalter wird besichtigt*) – eine Zahlung, die freilich davon abhing, daß Mann die letzten Seiten des Manuskripts möglichst bald an seinen Verleger in Buenos Aires abschickt. In einem langen Brief an Johannes R. Becher, der im Juli 1945 fälschlicherweise noch nach Moskau adressiert ist, bittet Heinrich Mann, der selbst beständig am Rande des Existenzminimums lebt, daß alle Zahlungen für die russischen Ausgaben seiner Bücher an seine Tochter und seine erste Frau nach Prag gehen: »My daughter and her mother were both in a Concentration Camp, the mother is ruined, the child is better off (my God, she will be 29), but they are without funds. The consul here has promised to cable to Moscow but please do whatever you can. I cannot write from here yet.«[89] Ungefähr zur gleichen Zeit para-

81 FBI-Report, New York v. 4. 5. 1945, S. 1–3.
82 FBI-Report, New York v. 29. 8. 1945, S. 1–7.
83 FBI-Reports, Los Angeles v. 5. 9. 1944, S. 27, v. 6. 12. 1944, S. 1 und v. 10. 2. 1949, S. 2.
84 A. a. O., S. 14.
85 A. a. O., S. 6. Elf Seiten später meldet derselbe Bericht: »On November 7, 1943,... Heinrich Mann attended a reception given at the Russian Vice Consulate, Los Angeles... Lion Feuchtwanger, previously mentioned, as an associate of Heinrich Mann, also attended this reception.«
86 FBI-Report, Los Angeles v. 29. 10. 1945, S. 2.
87 FBI-Report, Los Angeles v. 10. 2. 1949, S. 3.
88 FBI-Report, Los Angeles v. 29. 10. 1945, S. 1-2.
89 Heinrich Mann, Brief an Johannes R. Becher v. 12. 7. 1945; zitiert in FBI-Report, Los Angeles v. 23. 8. 1945, S. 4

phrasiert ein FBI-Agent einen Brief an den italienischen Verleger Arnoldo Mondadori, in dem Mann darauf besteht, »that he be given the same compensation per volume as... Lion Feuchtwanger«[90].

Zwei-, dreimal gibt R. B. Hood seinen »Reports« Personenbeschreibungen des »suspects« mit, in denen er Heinrich Mann mit »hunched shoulders, stooped build«[91], »rimless glasses«, »fleshy jowls« und einem »Hitler-type mustache«[92] ausstattet. Unter »Organizations«, mit denen der Exilant in Verbindung steht, werden das »Latin-American Committee for Free Germany« und »probably VOKS«, die in Moskau stationierte Allunionsgesellschaft für kulturelle Verbindungen mit dem Ausland, angeführt; als »Principal contacts« werden »Soviet Consular officials and Communists connected with film industry«[93] genannt. Nahezu völlig im Dunkeln bleibt aufgrund von massiven Ausschwärzungen eine Untersuchung, von der zwei unleserlich gemachte Berichte des FBI-Labors in Washington und ein mysteriöser Satz in einem Bericht von Hood überliefert sind: »Under date of March [unleserlich], 1949, the Bureau furnished an FBI Identification Record on Heinrich Ludwig Mann, reflecting that the individual had been fingerprinted on December 19, 1940, in connection with the Alien Registration Program and assigned AR No. [unleserlich]. On the basis of the description obtained at the time these prints were made, it appears this individual is identical with the subject of instant case.«[94] Und natürlich läßt es sich das FBI nicht entgehen, Nachforschungen in die Umstände von Heinrich Manns Tod anzustellen. »...death due to cerebral vascular accident and chronic pulmonary fibrosis on 3/11/50... at 11:28 p.m.«[95] steht in einem der Berichte aus Los Angeles zu lesen. »Sole heiress« sei »Henrietta Leonie Azkanasy, Subject's daughter, who resides at Praha..., Czechoslovakia«[96]. »In view of the death of this subject... it is recommended that the Bureau cancel his Security Index Card.«[97]

Die Tatsache, daß Heinrich Mann zusammen mit fast allen anderen Exilanten in Nord- und Mittelamerika in die Akten des FBI geriet, verwundert angesichts der seit Ende des Ersten Weltkriegs in der Person von J. Edgar Hoover in den USA öffentlichkeitswirksam und konsequent verkörperten an-

---

90 Heinrich Mann, Brief an Arnoldo Mondadori v. 23. 5. 1945; zitiert in FBI-Report, Los Angeles v. 29. 10. 1945, S. 1.
91 Undatiertes Blatt.
92 FBI-Report, Los Angeles v. 14. 12. 1949, S. 3.
93 Undatiertes Blatt.
94 FBI-Report, Los Angeles v. 14. 12. 1949, S. 2. Vgl. dazu das bereits erwähnte Formular des INS mit Manns Fingerabdrücken.
95 FBI-Report, Los Angeles v. 28. 3. 1950, S. 1 (die folgenden fünf Blätter werden vom FBI zurückgehalten).
96 FBI-Report, Los Angeles v. 2. 6. 1950, S. 3.
97 SAC, Los Angeles, Memorandum an Director, FBI, v. 17. 4. 1950.

NAME: HEINRICH LUDWIG MANN
RESIDENCE: 301 South Swall Drive, Los Angeles, California;
                Telephone CRestview 19823.
DESCRIPTION: Age 75, born 3/27/71 at Luebeck, Germany; 5' 7";
                165 lbs; hunched shoulders, stooped build; gray
                hair; blue eyes, glasses; fair complexion.
OCCUPATION: Writer.
PRINCIPAL CONTACTS: Soviet Consular officials and Communists connected
                with film industry.
MAIL DROP: None known.
ORGANIZATION: Latin-American Committee for Free Germany.
                Probably VOKS.
SURVEILLANCE NOTES: Not surveilled.

ALL INFORMATION CONTAINED
HEREIN IS UNCLASSIFIED
DATE 7/1/86 BY

RECORDED
&
INDEXED
28
100-
F B I
15 JAN 31 1948

52 FEB 6 1948

tikommunistischen Stimmung kaum. Wohl aber überrascht die Intensität und die Ausdauer, mit der man einen alten und, wie die Berichte von Informanten immer wieder bestätigten, müden, resignierten und kranken Mann bis über den Tod hinaus verfolgte. Denn, so wußten nicht nur Thomas Mann und Heinrich Mann, sondern auch das FBI, »upon entering the United States where he was relatively unknown, Mann found life rather difficult and not entirely pleasant. He was short of funds, at times verging on near poverty, and was unable to bask in his former wide acclaim.«[98]

Doch derartige Einsichten vermochten Hoovers Behörde nicht davon abzuhalten linken, gar kommunistischen Verbindungen bei Heinrich Mann nachzuspüren und der Sorge Ausdruck zu verleihen, daß ein liberaler Exilant wie er durch seine Publikationen und seine Person für eine nachkriegsdeutsche Regierung und Gesellschaftsform eintreten könnte, die den amerikanischen Vorstellungen von Demokratie und freier Marktwirtschaft nicht entsprechen. »Heinrich Mann, from the very beginning, appeared to be a liberal and ›fellow traveller‹ as well as a friend and admirer of the Russian people«, faßt Manns Beschatter Hood denn auch in seinem vorletzten, am 16. August 1950 abgefaßten Report[99] den Bericht eines Spitzels zusammen, der seit Jahren mit Heinrich Mann bekannt war und von sich behauptet, »that he has an excellent insight into the workings of subject's mind«[100]. Zwar, heißt es in diesem Bericht weiter, sei Manns Bewunderung »for the liberals of all races and for the Russian people« immer theoretisch und intellektuell geblieben, Bücher wie sein *Untertan* waren dennoch »well-received by the Russians« und »of considerable timely interest«[101]. Oder um es in die Worte des New York Special Agent in Charge zu fassen, der sich im Januar 1952, beinahe zwei Jahre nach dem Tod des Betroffenen, in einem Brief an den Director, FBI, ein letztes mal an einer zusammenfassenden, zugleich politischen und literaturkritischen Charakterisierung des »Subject Heinrich Mann, Internal Security – C« versucht: »Heinrich Mann is more radical than Thomas Mann, according to [ausgeschwärzt] Heinrich Mann was one of the figureheads in United Front Committees, which the German Communist Party had created in Paris when it was exiled due to Hitler's persecution. Heinrich Mann was not a member of the CP but was a fellow traveller of absolute obedience and had the full confidence of the CP. He is very prominent in German literature today and has been in the past. [Ausgeschwärzt] stated it is a matter of discussion as to who is the better in literary work between the two brothers.«[102]

---

98 FBI-Report, Los Angeles v. 16. 8. 1950, S. 2.

99 A. a. O. Der letzte, vom 19. 9. 1950 datierte, in New York angefertigte und nahezu völlig ausgeschwärzte Bericht enthält die handschriftliche Notiz »Disclosure that we have such an informant might prejudice other investigations« (S. 1).

100 FBI-Report, Los Angeles v. 16. 8. 1950, S. 1.

101 A. a. O., S. 2.

102 SAC, New York, Memorandum an Director, FBI, v. 28. 1. 1952.

Klaus Mann

Klaus Mann geriet auf demselben Weg in die Akten des FBI wie viele andere Schriftsteller des deutschen Exils: durch eine anonyme Denunziation. Er und seine Schwester Erika, steht in einem im Frühjahr 1941 an die U.S.-Botschaft in London gerichteten Schreiben ohne Absender, Unterschrift und Datum, seien »very active agents of the Comintern... They were very active in Berlin before Hitler seized power. Klaus Mann was an active agent of Stalin in Paris, for many years.« In den USA bringe Mann, so der Denunziant weiter, eine englischsprachige Zeitschrift heraus – *Decision*, die sich als »neutral anti-Nazi publication« ausgibt, in Wahrheit aber zu den »camouflaged Communist propaganda-instruments« gehört: »The first thing these Soviet propagandists do, is to secure highly unsuspected international personalities, who sign their appeals and declarations in the launching-period of their publication. In this case, besides a number of prominent American people unsuspected of Communist connections, they also obtained the name of Beneš, President of the Czechoslovak Government in London.« Der denunziatorische Teil des Briefes, in dem auch Rudolf Feistmann, Alfred Zahn und »Dr. Radvanij« sowie dessen Frau Anna Seghers genannt werden, schließt mit der freundlichen Wendung: »I hope this information may be of some use to you.«[1]

Autor und Ursprung des im Frühjahr 1941 pflichtgetreu von London nach Washington weitergeleiteten Schreibens werden von der U.S.-Botschaft nicht genannt. Dennoch schlägt das State Department sofort vor, »that the Bureau might desire to index this material for future reference«[2]. Die bürokratische Lawine, die damit losgetreten wird, kommt erst fünfzehn Jahre später mit dem Aktenvermerk »Subject deceased«[3] wieder zum Stehen – lange nachdem Klaus Mann nach Europa zurückgekehrt war und sich das Leben genommen hatte.[4] »Please be advised that the information concerning the

---

1 Undatierte, anonyme Anlage zu A. M. Thurston, FBI, Memorandum für Mr. Foxworth, v. 19. 5. 1941, S. 2. Diese und alle folgenden Akten von Klaus Mann werden beim FBI unter dem Aktenzeichen 65-17395 geführt, das aus unerfindlichen Gründen auch Erika Mann zugeteilt wurde. Fredric Kroll: *Trauma Amerika 1937-1942*. Wiesbaden: Blahak 1986, S. 233 (=Klaus-Mann-Schriftenreihe, 5) weist richtig darauf hin, daß »Confidential Informant [ausgeschwärzt] whose identity is known to the Bureau« dem FBI bereits am 21. 6. 1940 mitteilte, »that the name of Klaus Mann appears on the committee list of the German American Relief Committee for victims of Fascism« (FBI-Report, New York v. 18. 6. 1942, S. 2). Das erste Aktenstück im Mann-Dossier des Bureau ist jedoch auf den 26. 10. 1941 datiert mit der Angabe »Period For Which Made 9-29-41« (FBI-Report, Washington v. 26. 10. 1941, S. 1).
2 A. M. Thurston, FBI, Memorandum für Mr. Foxworth v. 19. 5. 1941.
3 Handschriftliche Notiz v. 10. 8. 1956 (INS).
4 Wie üblich bei FBI und Geheimdiensten hat Klaus Mann sich nie wieder von den denunziatorischen Bemerkungen in dem ersten FBI-Dokument befreien können. Vgl. zum Bei-

subject's activity in Germany was received from an official of the State Department on May 17, 1941", wiegelt nicht lange vorher, nämlich im September 1951, der Special Agent in Charge des FBI in Los Angeles in einem internen Memorandum ab, »at the time that this information was received, the State Department was unable to obtain any additional identifiable data concerning the original communication... and it was not possible to determine the writer of the original document...«[5]

Die geheimnistuerische Weise, mit der das Außenministerium und Hoovers Bureau den Autor der Denunziation behandeln, überrascht, denn sowohl das Office of Censorship als auch das Office of Strategic Services wußte seit geraumer Zeit wer sich hinter dem Schreiben verbarg. »›Klaus‹ and ›Erica‹«, stand nämlich bereits 1943 in einem »Free Germans« überschriebenen »Postal and Telegraph Censorship«-Bericht beim OSS zu lesen, »Son and Daughter – were alleged by Schevenels, to have been active agents of the Comintern in Berlin before the advent of the Nazis... Klaus was active for Stalin in Paris for many years...«[6] Angaben, wer genau Schevenels ist, fehlen in dem Dokument der Zensur, aber es ist anzunehmen, daß der belgische Gewerkschaftsführer Walther Schevenels gemeint war, der 1940 nach England geflohen war

spiel einen FBI-Report aus New York v. 15. 12. 1941, der mit folgendem Satz beginnt: »Bureau letter advised subjects were reported to be active agents of the Comintern... and Klaus Mann was active agent for Stalin in Paris for many years...« Ähnlich heißt es am 12. 5. 1943 in einem Bericht des Office of Naval Intelligence: »Confidential informant from an unverified source, but probably reliable, discloses that Subject's son and daughter [richtig sollte es mit Bezug auf Klaus und Erika Mann wohl heißen: »Subjects, son and daughter] of the well known writer, Thomas Mann, are very active Agents of the Comintern...«

5 SAC, Los Angeles, an Director, FBI, v. 13. 9. 1951. Dieses Memorandum ist Teil der FBI-Akte von Erika Mann.

6 Free Germans, Postal Censorship, Memorandum v. 20. 12. 1943, S. 49 (OSS, 964). Ob hier die oft beschriebene Attacke in Leopold Schwarzschilds Zeitschrift *Neues Tage-Buch* (44 v. 28. 10. 1939, S. 1025) gegen den »«Sowjet-Agenten« Klaus Mann Spätwirkungen zeigte, geht aus den Akten nicht hervor. Erika Mann jedenfalls rechnete es Schwarzschild in einem Brief vom 7. 12. 1940 als »ein ziemliches Stück ruchloser Niedertracht« an, daß er »einen Menschen, der auf Grund eines Visitor-Visums die Gastfreundschaft Amerikas genießt, eben dort, im Lande des Dies-Committees, als Sowjet-Agenten denunziert« und fordert ihn auf zu beweisen, daß auf Grund seiner »Denunziationen« in Frankreich keine Nazigegner »in die Pariser Lager geworfen und, eventuell, den Nazis ausgeliefert worden sind« (E. M.: *Briefe und Antworten*. Bd. 1. Hrsg. v. Anna Zanco Prestel. München: Ellermann 1984, S. 161–3). Dazu aus Schwarzschilds Antwort vom 10. 12. 1940: »... so lange ich in Frankreich lebte habe ich niemals bei irgend einer französischen Behörde als Auskunftsperson über irgendwen fungiert. Vom ersten bis zum letzten Tag habe ich keiner französischen Behörde und keiner französischen Amtsperson jemals meine politische Meinung über irgend einen Emigranten mündlich oder schriftlich bekannt gegeben. Ich bin nämlich ein Schriftsteller. Höher habe ich nie hinaus wollen; nicht einmal die Rolle eines Polizei-Konfidenten hat mich gelockt« (a. a. O., S. 164). Vgl. auch die einschlägigen Briefe beim Leo Baeck Institute (Leopold Schwarzschild Collection) und der Handschriften-

und als hoher Funktionär der mitgliederstarken Federation of Trade Unions in den USA über gute Kontakte zur American Federation of Labor und bis ins Weiße Haus verfügte.[7]

Die Akten, die sich zu Klaus Mann in den fünfzehn Jahren zwischen 1940/41 und 1956 bei FBI, MID, ONI und dem Immigration and Naturalization Service angesammelt haben, umfassen mehr als 200 Einheiten. 109 Blätter liegen beim FBI, das mir 77 Kopien zugänglich gemacht hat, von denen einige wiederum bis auf wenige Worte ausgeschwärzt sind. Weitere 71 Seiten gingen zunächst über den Schreibtisch des FOIPA-Chefs beim United States Army Intelligence and Security Command in Arlington, Virginia, der seinerseits Ausschwärzungen vornahm. Und schließlich gab nach mehrjährigem Warten der Immigration and Naturalization Service des Department of Justice noch einmal 33 Seiten zu Klaus Mann frei.

Der Berichtzeitraum des bei weitem bedeutendsten Teils dieses Materials reicht für die INS- und FBI-Akten – sieht man einmal von dem eben zitierten Hinweis auf Manns Ableben ab – von September 1940 bzw. Mai 1941 bis Mitte 1943 als Mann zur U.S.-Armee eingezogen wird. Dort schließt man die Akte nach einer umfangreichen Loyalitätsuntersuchung im Herbst mit der Empfehlung, daß die ursprünglich in Frage gestellte »discretion, integrity and loyalty of Subject«[8] positiv zu beurteilen seien und weder seinem Dienst in der Armee noch seinem Antrag auf Einbürgerung etwas im Wege stehe. Geordnet und abgelegt wurde das Material beim FBI unter dem Aktenzeichen 65-17395 mit der »Central Records System Classification« »Internal Security – C«, wobei, wie üblich, die 65 für »Espionage« und das »C« für »Communist« stand. Neben J. Edgar Hoover, der zwei-, dreimal persönlich bzw. über seine direkten Stellvertreter in die Untersuchung eingriff,[9]

Sammlung der Stadtbibliothek München. Mehr zu diesem Thema unten in den Abschnitten zu Erika Mann und Oskar Maria Graf.

7 Walther Schevenels, der u. a. Generalsekretär beim Provisional Executive Board der International Federation of Trade Unions (IFTU) war, reiste 1940 und 1941 im Auftrag der IFTU in die USA, wo seine Delegation von Präsident Roosevelt und leitenden Funktionären der American Federation of Labor empfangen wurde. In Frankreich hatte Schevenels sich im unbesetzten Teil des Landes für die Flüchtlingshilfe eingesetzt und Mitgliedern seiner Gewerkschaft bei der Übersiedlung nach England oder in die USA geholfen (Walther Schevenels: *Forty-Five Years International Federation of Trade Unions*. Brüssel: Board of Trustees der IFTU, o. J. [ca. 1956], S. 282-3 u. 290–1). Schevenels Nachlaß ist vor kurzem vom Hoover Institute an der Stanford University geordnet worden.

8 Military Intelligence Division, War Department (Los Angeles), Bericht vom 10. 6. 1943, S. 1.

9 So übermittelt John Edgar Hoover in einem Brief vom 21. September 1942 fünf FBI-Reports an Earl G. Harrison, Commissioner, Immigration and Naturalization Service. Am gleichen Tag beauftragt er seinen SAC in Philadelphia, Harrison klar zu machen, daß das FBI jeden Monat nahezu 100.000 Anfragen zu beantworten habe und in Zukunft keine Informationen mehr zu Personen und Organisationen liefern könne, »who are only collaterally involved in the problem under consideration« (John Edgar Hoover, Brief an SAC, Phil-

waren auf Seiten des FBI vor allem die Field Offices in New York, Los Angeles und Washington, auf Seiten der MID die Büros vom Governor's Island und in Los Angeles aktiv.

Gesammelt haben die U.S.-Behörden und Geheimdienste ohne Rücksicht auf Verluste an Genauigkeit[10] unter Rückgriff auf jede erdenkliche Quelle. Zahlreiche Berichte von »confidential informants«[11], die wohl u. a. aus Exilantenkreisen stammten, stehen da neben seitenlangen Interviews mit Klaus Mann. Verwandte wie Vater Thomas und Mutter ›Catherine‹ – so die von der Military Intelligence Division amerikanisierte Form von Katia – wurden ebenso befragt, wie die Mitexilanten und Bekannten Fritz Landshoff, Bruno Frank, Gerhart Seger und Thomas Quinn Curtiss, das Personal des Bedford Hotels in New York, das Intimitäten über die »sexual perversions«[12] des Dauergastes ausplauderte, Nachbarn der Familie Mann im kalifornischen Pacific Palisades und der für 1550 San Remo Drive zuständige Briefträger: »[Ausgeschwärzt] stated that Klaus Mann had received mail at his father's address and that he had a discussion with Klaus Mann as to where the mail box should be placed at the Thomas Mann residence.«[13] Wenn nötig, griffen FBI und MID auf abgefangene Briefe[14] und Zeitungsmeldungen zurück. Formulare der Ein-

---

adelphia, v. 21. 9. 1942). Klaus Mann, der Harrison im August 1943 im Zuge einer »mühevollen Reise nach Osten« besuchte, um seine Einbürgerung voranzutreiben, wußte von dem Austausch zwischen FBI und INS nicht: »... Unterredung mit dem Comissioner [!] of Naturalization, *Harrison* – ein weltoffener, ziemlich junger Bursche, der mich mit äußerst herzlicher Höflichkeit empfängt. Doch er bleibt unverbindlich, und ich bin nur halb zufrieden« (Mann, *Tagebücher 1940 bis 1943*, S. 165-6).

10 Der SAC in Washington macht da zum Beispiel aus dem Zürcher Verleger Emil Oprecht einen »Dr. Ottrecht« (FBI-Report, Washington v. 26. 10. 1941, S. 2) und aus dem Querido Verlag in Amsterdam die »Kuerido Publishers« (a. a. O., S. 4). Thomas Manns *Unordnung und frühes Leid* wird in einem Memorandum eines Special FBI-Agents in New York vom 18. Juni 1942 zu »›Unrube Und Fruches Leid‹« (S. 2). Kommentarlos heftet das FBI eine Meldung des *New York Daily Mirrors* vom 23. Mai 1949 ab, die berichtet »Heart Attack Kills Son of Thos. Mann«. Und die MID verwechselt auch schon einmal Klaus und Erika Mann, wenn es um die Herausgeberschaft von *Decision* geht (War Department, Summary of Information, Subjekt: Auden, Erika Julia Hedwig, v. 13. 4. 1943).

11 Zum Beispiel FBI-Report, New York v. 15. 12. 1941, S. 3.

12 FBI-Report, New York v. 18. 6. 1942, S. 1.

13 FBI-Report, Los Angeles v. 20. 3. 1942, S. 2.

14 Im Vergleich etwa zu den FBI-Akten von Heinrich Mann und Anna Seghers sind in den Unterlagen zu Klaus Mann nur sehr wenige Briefe erhalten geblieben. So findet sich unter »results of... mail cover« eine Liste mit 14 Postsendungen aus dem Zeitraum vom 25. November bis 20. Dezember 1941 im FBI-Report, New York v. 18. 6. 1942, S. 18f. Am 22. Juli 1942 berichtet das FBI in Los Angeles in einem ›Report‹, daß es einer Person auf der Spur sei, »from whom subject received a letter dated December 1, 1941«. Klaus Manns Brief vom 15. April 1942 an sein »draft board« in New York wird im FBI-Report, New York v. 18. 6. 1942, S. 5 wiedergegeben: »This is to acknowledge the receipt of your note, which informs me that my case will be reopened and is to be decided upon at a meeting of the board on April 24. May I take the liberty to submit the following statements to your consid-

wanderungsbehörde wurden ausgewertet und Einsicht in polizeiliche Unterlagen genommen.

Wie ein Streckbrief liest sich eine Personenbeschreibung, die die Einwanderungsbehörde im Zusammenhang mit einem zehnseitigen Verhör von Klaus Mann erstellt:

Height:	5 ft. 11 in.
Weight:	145 lbs.
Eyes:	Blue
Hair:	Dark Brown
Nose:	Sharp
Complexion:	Light
Face:	Oval
Mouth:	Medium
Distinctive marks:	Hair grows high on each side of forehead[15]

»Confidential Informant T3« ließ das FBI wissen, wo genau Klaus Mann im Bedford Hotel logierte: »... subject occupies room 1403 which faces the front of the hotel and is the fifth window in front from the east side of the building.«[16] Demselben FBI-Report verdanken wir Information darüber, was genau Mann am 28. Mai 1942 zwischen 12:32 und 1:30 nachmittags gemacht hat: »On that date and at the doctor's office as above noted, Klaus Mann entered [ausgeschwärzt] Street at 12:32 P.M. at which time he was wearing a gray suit, no hat, horn-rimmed glasses and brown shoes. He left the doctor's office at 12:47 P.M. and took a Lexington Avenue subway to 86th Street. At this point, he left the subway and walked over to Geiger's Restaurant at 206 East 86th Street and made a purchase of some pastry. It was 1:06 P.M. at this time. He thereafter returned to the Lexington Avenue subway and took an express train to Grand Central Station. Leaving Grand Central Station, he

---

eration. (1) I did not have the opportunity to undergo a physical examination as yet. The sole reason for my classification (4C) is my status as an alien, (I am a citizen of Czechoslovakia) who did not yet immigrate to this country. (2) I want to inform you, however, that my immigration to the United States – which would have automatically changed my military classification – has been delayed for purely technical reasons. The so-called privilege of pre-examination has been granted to me by the State Department which indicates that I am admitted in principally as an immigrant. Yet it may take a considerable amount of time until my new affidavits are in order and all necessary information and formalities taken care of. (3) I want to notify you of my willingness, indeed, eagerness to join the United States forces, even before my immigration has actually taken place. It is my honest desire to serve your country and our case in whatever capacity the Board may deem appropriate. Will you please consider these lines as a formal application. I sincerely hope that your may find it possible to change my classfication right now.«

15 Personal Description of Deponent, o. D. (INS).
16 FBI-Report, New York v. 18. 6. 1942, S. 9.

stopped and made a purchase at ›Filing Equipment and Office Supplies,‹ on the south side of 42nd Street off Lexington Avenue. He thereafter returned directly to the Hotel Bedfort at 1:30 P.M.«[17]

Akribisch genau verzeichnet der Special Agent in Charge in New York den Eingang von Klaus Manns *The Turning Point* in der New York Public Library – freilich ohne sich die Mühe zu machen, das Buch auch zu lesen (»no review was made of this volume«[18]). Das Januar/Februar-Heft 1942 von *Decision* wurde vom Los Angeles Field Office des FBI an die Zentrale in Washington mit der lakonischen Bemerkung weitergeleitet, »that the magazine be disposed of by the Bureau when it has served its purpose«. Enttäuscht berichtet derselbe SAC, daß Klaus Mann in Los Angeles »no credit record«[19] habe. Von einem Angestellten der Los Angeles Mountain Park Company erfährt das Bureau zwar, daß seine Firma Thomas Mann das Grundstück 1550 San Remo Drive vermittelt habe, »but he did not recall any mention of Klaus Mann and had no information concerning him«[20]. Ein »Report of Investigation Under Immigration Laws« beim INS korrespondiert mit der Tagebucheintragung (»Abenteuer mit der *Polizei*... Anschließend... eine Art ›Vorladung‹ ins *Federal Building*«[21]), daß Klaus Mann Anfang September 1940 aus einem eher trivialen Anlaß vom Los Angeles Police Department festgenommen worden war: »Q[uestion] Why were you arrested? A[nswer] I was driving without lights, and did not have the ownership papers, and they found out that the car was registered under my sister's name.«[22] Und auch eine umfangreiche Befragungsaktion in der Nachbarschaft der Familie Mann erbrachte in dem schon damals schnellebigen, anonymen Los Angeles wenig: »The Negro domestic servant at 449 North Rockingham, recalls that the Mann family lived at 449 North Rockingham during the summer of 1940, but had no further information... The domestic servant at 435 North Rockingham advised that his employer has purchased and moved into the house... about three months ago and was unable to supply the name of the previous occupant... [Ausgeschwärzt] who rented the house at 740 Amalfi Drive to Thomas Mann for ten months and who now resides there, had several conversations with Tho-

---

17 A. a. O., S. 5-6. In Klaus Manns Tagebuch findet sich für diesen Tag die entsprechende Eintragung: »Heute, erste Musterung. (Weit uptown. Zivilarzt. Blutuntersuchung.)« (Mann, *Tagebücher 1940 bis 1943*, S. 95).

18 FBI-Report, New York v. 4. 2. 1943, S. 2.

19 FBI-Report, Los Angeles v. 20. 3. 1942, S. 4.

20 A. a. O., S. 3.

21 Mann, *Tagebücher 1940 bis 1943*, S. 56. Klaus Mann dokumentiert in seinem Tagebuch, wie leicht eine solche Befragung in den politischen Bereich abrutschen konnte: »Gestern nach Los Angeles... Sehr detailliertes Verhör von einem Beamten namens Shaw. Will *alles* wissen -; wovon, warum, für was, mit wem ich lebe.- - - Auf der Suche nach ›Fifth Column‹ – nehme ich an« (a. a. O.)

22 »Report of Investigation Under Immigration Laws« v. 5. 9. 1940, S. 7 (INS).

mas Mann and his wife but has no information with regard to Subject... [Ausgeschwärzt] 720 Amalfi, who lives in the house immediately south of 740 Amalfi, was acquainted with none of the members of the Mann family.«[23]

Trotz solcher Fehlschläge ist die Ausdauer, mit der sich FBI, G-2 und INS mitten im Krieg um den nicht übermäßig erfolgreichen Exilautor kümmerten, und der Umfang der zu Klaus Mann zusammengestellten Informationen beachtlich. Zwei Themenkreise scheinen dabei für die staatlichen Schnüffler im Zentrum gestanden zu haben: Klaus Manns berufliche Aktivitäten, in denen man nach offenen oder verdeckten Hinweisen auf alles suchte was unamerikanisch sein könnte; und das Privatleben von Mann, aus dem man nach bewährter Geheimdienstmanier auf Schwächen und Abhängigkeiten des »subject« zu schließen meinte.

Mit Bezug auf Klaus Manns öffentlich-politische Tätigkeit waren sich FBI und MID von Anfang an einig, daß man es hier mit einem linksliberalen Intellektuellen zu tun hatte, der über Kontakte, wenn nicht gar über enge Beziehungen zu Kommunisten und »Communist Front organizations«[24] verfügt. Darüber können auch vereinzelte Hinweise nicht hinwegtäuschen, die Mann im Kontext der öffentlichen Hysterie gegenüber Sabotageakten der Nazis mit pro-deutschen Aktionen in Verbindung brachten.[25] Zwar sei »subject« aufgrund seiner Herkunft »of enemy nationality«[26] und auf den Formularen des INS stand in der Rubrik »race« »German«[27]. Aber das eigentliche und andauernde Interesse der U.S.-Geheimdienste galt von Anfang an den »extreme left-wing associations of Klaus Mann and his group«[28].

23 FBI-Report, Los Angeles v. 20. 3. 1942, S. 3.
24 FBI-Report, New York v. 18. 6. 1942, S. 1.
25 H. Ward Dawson, Agent, CIC, Memorandum zum FBI-Report v. 20. 3. 1942, Military Intelligence Division, War Department (Los Angeles), S. 1 (Memo E). »[Ausgeschwärzt] was interviewed on June 7, 1943, at his home«, heißt es hier. »[Ausgeschwärzt] did not remember much about Subject but believed he was pro-Nazi and connected in some way with the persons involved in the following incident: ›Winifield (Winnie) Sheehan, motion picture producer, Mrs. Maria Jeritza, German opera star, and Quigley, who is associated with Russell Mack and Mahoney, who backs G. Allison Phelps, radio commentator who is apparently a Nazi propagandist. Dick Rosson, with an assistant director of the Metro-Goldwyn-Mayer, went to Germany in 1939... photographed certain things in Germany of a confidential nature and was jailed. He was immediately released when the various persons mentioned above asked Hitler that he be released.«
26 J. F. Delany, District Director, INS, Baltimore District, Memorandum an Edward J. Shaughnessy, Deputy Commissioner, INS, Washington, v. 28. 5. 1943, S. 1. Offensichtlich nahm man beim Immigration and Naturalization Service die tschechoslowakische Staatsbürgerschaft von Mann nicht mehr voll ernst, seit er in seinem Gespräch mit dem INS in Los Angeles erwähnt hatte, daß sie »arranged with the [Czech] Government« (»Report of Investigation Under Immigration Laws« v. 5. 9. 1940, S. 2 [INS]) gewesen sei.
27 »Report of Investigation Under Immigration Laws« v. 5. 9. 1940, S. 2 (INS).
28 FBI-Report, New York v. 15. 12. 1941, S. 3.

Ohne zwischen politischen und humanitären Aktionen zu unterscheiden, berichtet da ein »confidential informant«, der sich seinerseits auf eine Informationsquelle beruft, deren Name vom FBI vor der Freigabe der Akten an mich ausgeschwärzt wurde, daß Klaus Mann für das German-American Relief Committee for Victims of Fascism tätig sei, »which... is actually engaged in getting German Communists who fought in the Spanish Loyalist Army into Central and South American countries«[29]. Ein Jahr später behauptet ein anderer Informant im Brustton der Überzeugung, »that Klaus Mann is definitely a Communist and is unquestionably knowingly furthering the Communist cause in this country«[30]. Verweise in MID-Akten deuten an, daß man beim Immigration and Naturalization Service, bei dem sich der Exilant häufig wegen der Verlängerung seiner Aufenthaltsgenehmigung melden muß[31], einer Einbürgerung der inzwischen als »military petitioner« geführten Zielpersonen mißtrauisch gegenübersteht – und das nicht nur, weil Klaus Mann gelegentlich mit dem INS in Konflikt kommt, zum Beispiel als er ohne Arbeitserlaubnis Tantiemen und Honorare annimmt, ohne sie zu versteuern[32], sondern auch, weil er beim FBI als »well known sexual pervert« und »connected with various Communistic activities«[33] aktenkundig ist. Als Klaus Mann irgendwann einmal den Fehler macht, die Hollywood-Größen Wilhelm Dieterle und Ernst Lubitsch öffentlich zu seinen Freunden zu zählen, gerät über Querverweise in den Akten des Los Angeles Field Office des FBI unter der Rubrik »adverse information« die Bemerkung in ein Loyalitätsformular der Military Intelligence Division des War Departments, daß Dieterle und Lubitsch als »German Communist suspects«[34] geführt werden. Und natürlich kümmern sich die professionellen Kommunistenjäger mit Vorliebe um die Vortragsreisen und die journalistische Arbeit des Schriftstellers.

29 A. a. O.
30 FBI-Report, New York v. 18. 6. 1942, S. 2.
31 A. a. O., S. 17. Dort heißt es, daß Mann beim INS bislang ungefähr zwölf Anträge »as to extension of temporary stay in this country« gestellt habe.
32 Nachdem Mann auf die Frage des INS-Beamten im Rahmen des »Report of Investigation Under Immigration Laws« v. 5. 9. 1940, S. 9 (INS): »Have you ever filed an income tax return since you have been in the United States?« schlicht mit: »No« geantwortet hatte, brachte der INS das gelegentlich angesprochene Thema einer Deportation von Mann mit illegaler beruflicher Tätigkeit und Steuerhinterziehung in Verbindung (Interview mit B. H. Birman, Immigration and Naturalization Service, v. 5. Juni 1943, in Military Intelligence Division, War Department [Governor's Island], Bericht v. 5. 6. 1943, Memo [MID]).
33 J. F. Delany, District Director, INS, Baltimore District, Memorandum an Edward J. Shaughnessy, Deputy Commissioner, INS, Washington, v. 28. 5. 1943, S. 1 (INS). Zwei Tage später machte ein FBI-Beamter mit dem Angebot, »that I would send over whatever we have on Klaus Mann«, noch einmal einen Versuch, die Verleihung der U.S. Staatsbürgerschaft an Mann zu verhindern (Edward A. Tamm, Memorandum for the Director v. 31. 5. 1943).
34 Military Intelligence Division, War Department (Los Angeles), Bericht v. 10. 6. 1943, S. 3 (MID).

Knapp mit nein antwortet Klaus Mann in einem Antrag auf »pre-examination« für das Einbürgerungsverfahren auf die Fragen, ob er je »political speeches or propaganda speeches in the United States« gehalten habe oder »anarchist or member of any group which advocated or taught opposition to all organized government«[35] gewesen sei. Seine Tätigkeit als Herausgeber der Zeitschrift *Decision*, die von Januar 1941 bis Januar/Februar 1942 besteht, wird bei FBI und MID als »most radical activity«[36] verdächtigt, obwohl Gesprächspartner des militärischen Geheimdienstes wie Gerhart Seger und Charles Henry Rieber, Emeritus der University of California in Los Angeles, den Agenten des MID gegenüber bestenfalls von einem »undercurrent of Communistic influence«[37] oder gar nur von »›screwball‹ philosophical ideas«[38] sprechen. Mitarbeiter von *Decision*, Eunice Clark und Sherwood Anderson, geraten in die Akten des FBI, weil sie auch bei anderen Zeitschriften »very active on the Communistic wing«[39] waren bzw. in *Decision* »a very sexy story«[40] publiziert hatten. Der Name von Thomas Quinn Curtiss, den Mann noch in Europa kennengelernt hatte, taucht wiederholt in Informantenberichten, in Analysen von Agenten und in einem langen Interview der MID mit dem Untersuchungsgegenstand auf, und zwar nicht nur, weil er, wie Informant T 5 zu wissen glaubt, »very intimate«[41] mit Klaus Mann ist, sondern auch, weil Curtiss *Decision* mit Geld unterstützt. Ordentlich meldet ein Agent des New York Field Office des FBI im Juni 1942, daß er im dritten Stockwerk eines leerstehenden Gebäudes in der 29. Straße ein Schild mit der Aufschrift »›Decision, Inc. Klaus Mann Editor‹«[42] gefunden habe. Und schließlich verfolgt man bei Bureau und G-2 auf Heller und Pfennig genau den finanziellen Abstieg der Zeitschrift. So erfährt das FBI von Informant T 4, daß ein von Klaus Mann über $4 ausgestellter Scheck geplatzt sei, weil das Konto der Zeitschrift längst gelöscht worden war, während Eileen Garrett, die für ihre Zeitschrift *Tomorrow* die Subskriptionsliste von *Decision* gekauft hatte, einem MID-Mann gleich einen Grund für den kommerziellen Fehlschlag von Klaus Manns Unternehmen mitliefert: »›Decision‹... had never been successful for the reason that Subject and his associates writing for the magazine had remained essentially Teutonic in their thoughts and expressions...«[43].

35 FBI-Report, Washington v. 26. 10. 1941, S. 8.
36 Military Intelligence Division, War Department (Governor's Island), Bericht v. 9. 6. 1943, S. 1 (MID).
37 Interview mit Gerhard Seeger [!] und Rudolph Katz, a. a. O., S. 1 (Memo G) (MID).
38 Befragung von Charles Henry Rieber durch die Military Intelligence Division, War Department (Los Angeles), Bericht v. 9. 6. 1943, S. 1 (Memo A) (MID).
39 FBI-Report, New York v. 15. 12. 1941, S. 3.
40 FBI-Report, New York v. 18. 6. 1942, S. 13.
41 A. a. O., S. 11.
42 A. a. O., S. 6.
43   Befragung von Eileen Garrett durch die Military Intelligence Division, War Department (Governor's Island), Bericht v. 31. 5. 1943 (Memo I) (MID).

Das Interesse von FBI und MID an Klaus Manns beruflichen und politischen Aktivitäten mag sich zumindest zum Teil daraus erklären, daß Mann spätestens seit Eintritt der USA in den Krieg um Aufnahme in die amerikanische Armee bemüht war (»ungeduldig, in die Army zu kommen, als ob die amerikanische Uniform ein Talisman gegen die bösen Geister wäre, die mich verfolgen und quälen«[44]).[45] Die ungewöhnlich umfangreichen Untersuchungen, die die Geheimdienste über Klaus Manns Privatleben führten – homosexuelle Beziehungen, Geldsachen und das Verhältnis zu Vater Thomas –, dürften dagegen andere Ausgangspunkte gehabt haben: zum einen die engen Moralvorstellungen der Zeit; zum anderen die Hoffnung, bei einem potentiellen Gegner des »American Way« Schwachstellen zu finden, die gegebenenfalls für Diffamierungen oder, ein Leitmotiv in Manns INS-Akte, als Anlaß für eine Deportation des Opfers benutzt werden konnten.

Wie zu erwarten widmete man in der selbst nicht immer eindeutig definierten Männerwelt der Geheimdienste vor allem dem Thema Homosexualität Aufmerksamkeit.[46] So plaudert Informant T 3 vor dem FBI aus, »that unquestionably Klaus Mann is a sexual pervert« – und meldet, einmal im Reden, gleich auch noch, daß Schwester Erika bei ihren Aufenthalten im Bedford Hotel bisweilen die Nacht mit einem Arzt verbringe, der eine Praxis an der Ecke Park Avenue und 86. Straße haben soll. Zwei oder drei Nächte in der Woche schlafe ein Soldat vom Governor's Island, so T 3 weiter, bei Klaus Mann im Zimmer, »a large 6 foot heavy set individual with fair complexion and dirty-blond hair... Informant... advised... that the only suitable sleeping place in Mann's room is a single bed... Informant further advised that quite a number of ›longhairs‹ go in and out to see Mann, but that he does not know

---

44 Mann, *Tagebücher 1940 bis 1943*, S. 96.
45 Vgl. z. B. auch Manns Brief an Draft Board No. 15 in New York vom 15. 4. 1942 (in FBI-Report, New York v. 18. 6. 1942, S. 5). Nicht ersichtlich aus dem FBI-Material werden die Gründe für Manns intensives Interesse am Militärdienst. Drei Faktoren mögen jedoch mitgespielt haben: Einmal die Überlegung, daß die Nazis in Deutschland nur auf militärischem Weg zu beseitigen waren; zum anderen die Hoffnung, über den Wehrdienst rascher in den Besitz einer amerikanischen Staatsbürgerschaft zu gelangen; und schließlich wäre es denkbar, daß für Mann, dessen wechselnde Partner in der New Yorker Zeit zum Teil Soldaten waren, Militärdienst und Homosexualität in Verbindung miteinander gestanden haben. Mann selber stellt die Situation in einem Brief an seine Mutter v. 21. 5. 1942 so da: »Das Seltsame ist, ich *möchte* gern genommen werden. Mehr aus Überdruß und Masochismus, als aus eigentlich honorigen Gründen. Gerade bei meiner ›eminent pazifistischen‹ Einstellung... denke ich mir den ganzen Zwischenfall sehr belehrend-gruslig, und vielleicht grad das Richtige, für meine jetzige Größe... Ich weiß nämlich, unter uns gesagt, nicht ganz genau, was jetzt gerade schreiben, denken, und wie mein Brot verdienen... Vaterlandsverteidiger, versteht sich, haben keine Schulden, for the duration...« (in K. M.: *Briefe und Antworten 1922-1949*. Hrsg. v. Martin Gregor-Dellin. München: Ellermann 1987, S. 483).
46 Vgl. Summers, *Official and Confidential. The Secret Life of J. Edgar Hoover.*

FEDERAL BUREAU OF INVESTIGATION

This Case originated at NEW YORK, N.Y.			NY File No. 65-8483
Report made at NEW YORK, N.Y.	Date when made 6/18/42	Period for which made 5/20,22,24,26, 30;6/3,1/42	Report made by

Title CHANGED
KLAUS HEINRICH THOMAS MANN with aliase
Klaus Henry Mann

Character of Case
INTERNAL SECURITY - C

SYNOPSIS OF FACTS:

KLAUS MANN presently residing at Hotel Bedford, 118 East 40th Street, NYC advises subject is Communist and is openly aiding Communist Party in US. Numerous informants indicate that sexual perversion of MANN is common knowledge. Members of Armed Forces involved in same. Subject acted as editor of Decision Magazine and later as President of "Decision, Inc." apparently in violation of the immigration laws pertaining to temporary visitors. Subject's status at Immigration Department verified. MANN has been classified "1A pre-medical" by Local Draft Board and was given physical examination on 5/28/42. History of extinct "Decision, Inc." set out herein as well as information relative to close associates of subject. MANN listed as member of alleged Communist Front organizations and friendly with numerous individuals sympathetic to the Communist cause. One informant advised that subject became a naturalized citizen of Czechoslovakia, never having been in that country, through the courtesy of EDOUARD BENEZ exiled President of Czechoslovakia. Same source indicates that marriage of ERICA MANN to Englishman AUDEN was one of convenience and that neither KLAUS nor ERICA believe in marriage. Banking status of MANN confirmed and results of mail cover set out herein.

ALL INFORMATION CONTAINED
HEREIN IS UNCLASSIFIED
DATE 5/16/80 BY SP16SK11mw

COPIES DESTROYED
85 JAN 11 1961

Approved and forwarded	Special Agent in charge	Do not write in these spaces
		65-17385-12

Copies of this report
- Bureau
- Newark
2 - Philadelphia
2 - Boston
- Los Angeles
- Captain R. C. MacFall, ONI
- Colonel S. V. Constant, G-2

JUN 23 1942

AUG 20 1942

65-8483

On May 26, 1942, Confidential Informant T3 advised that subject MANN is still residing at the Hotel Bedford, 118 East 40th Street and that at this time he owes the hotel about $500., which debt accumulated over the past several months. Informant advised that he usually gets money from his mother when he is hard-pressed. Informant stated that subject's magazine has folded and that it was MANN, himself, who told informant so. Informant also stated that MANN had told him that he had money.

Confidential Informant T3 further advised that Confidential Informant T4 would be better able to give information concerning money matters at the Hotel Bedford. Informant T3 advised that KLAUS MANN had signed checks as principal in the magazine, "Decision." This informant further stated that unquestionably KLAUS MANN is a sexual pervert and that two or three night each week, a soldier by the name of ███████ from Governor's Island spends the night with MANN in his room. Informant stated that the soldier appears during the evening and leaves MANN's quarters after 9 o'clock in the morning.

Informant further stated that the soldier, known as ███████ is a large 6 foot heavy set individual with fair complexion and dirty-blond hair. He advised that ███████ stayed the night of May 25, 1942 and that the only suitable sleeping place in MANN's room is a single bed.

Informant further stated that subject MANN, has received his draft call; that he does not usually leave his room before 10 or 11 o'clock in the morning and that he usually goes to bed rather late. Informant further advised that quite a number of "longhairs" go in and out to see MANN, but that he does not know the names of them, Informant further advised that subject occupies room 1403 which faces the front of the hotel and is the fifth window in front from the east side of the building.

Informant T3 further stated that ERICA MANN was in the hotel on the evening of May 24, 1942 and that she was expected back again either on May 27th or during the following week. He advised that she stays in the Bedford Hotel when she is in New York, but that she is frequently away on lecture tours.

Informant further stated that when ERICA MANN does spend the night in the hotel that ███████ occasionally spends the night with her, which doctor is alleged to have an office on Park Avenue near 86th Street. Informant stated that indications were strong that the doctor had spent the night because he was seen there very early the next morning. Later, the same day, informant T3 telephonically advised agent that at 6 P.M. that day, the man from the army known as ███████ had just arrived at the hotel and was presently up in subject, MANN's room with the subject.

Confidential Informant T4 was also interviewed on this

- 9 -

65-8483

date and advised that a fequent visitor to KLAUS MANN had been a ██████████ who is now thought to be in the army. The informant stated that ██████ had not been in the hotel more recently than two months ago and that it was informant's opinion that he must have been transferred to some point farther away from New York, but informant was unable to supply any information about ████████

This informant also indirectly indicated awareness of sexual perversion on the part of KLAUS MANN and indicated that ████████ was an individual who should have first hand knowledge about such perversion.

██
██
██
██

This informant advised that both KLAUS and ERIC MANN seemed very anti-Nazi and that they have no permanent address for ERIC. Informant further stated that ERIC MANN used to be very suspicious of certain employees at the hotel and complained about them. Informant stated that one ████████ had since been taken to Ellis Island and that ████ was one of the employees about whom ERIC MANN was suspicious.

Informant T4 also advised that another person friendly with KLAUS MANN was CURT REISS STEINAM who was apparently French and was formerly associated with "Paris Soir." This informant stated that CURT REISS STEINAM and KLAUS MANN lived at the hotel at the same time. This informant further advised that the account at X Bank maintained by the Decision magazine has been closed because KLAUS MANN had made out a check on this account for $4. payable to informant and the check bounced because the account had been formerly closed.

While interviewing agent was present, KLAUS MANN entered the next room and presented Confidential Informant T4 with a check to make good for the $4. one which had not been paid. Informant at this time advised that MANN had opened a new special checking account at the X Bank and that he had given a check drawn on this checking account.

On this same date, Confidential Informant T4 furnished agent with the telephone numbers called by KLAUS MANN from the Hotel Bedford during the month of May, 1942. The subscribers to these telephone

- 10 -

the names of them...«[47] Über vier Seiten erstreckt sich ein Report des New York Field Office vom 4. Februar 1943, in dem ein FBI-Agent bis ins kleinste Detail der Frage nachgeht, wie schwer Manns Syphilis-Erkrankung war: »... on August 17, 1942... a notice was sent to the Local [Draft] Board covering Pacific Palisades, California requesting that a Wasserman test of subject be taken. A notation of action taken recorded on the reverse of subject's questionnaire indicates that on October 20, 1942 subject was placed in [draft] classification 4-F by reason of his syphilitic condition. Subject's file included a letter dated October 7, 1942 from subject indicating that he had been treated by a Dr. [ausgeschwärzt], New York City, since June 2, 1942 and expected to be cured of his disease in another three months... At the request of Local Board 15, subject went to the New York City Board of Health, which... diagnosed subject's physical disability as syphilis and stated that from examination it appeared that 13 arsenical and 39 heavy metal injections had been received by subject.«[48]

Ähnlich gnadenlos dringt ein Special Agent des MID namens Paul Abrahamson in einem langen Interview in Klaus Manns Privatleben ein. Der Syphilistest, so Manns eidesstattliche Erklärung vor Abrahamson, habe »a dubious ›plus-minus‹ reaction«[49] erbracht. Und wenn überhaupt, dann habe er sich die Krankheit nicht durch »any form of perversion«, sondern schlicht und einfach »from a prostitute in New York«[50] geholt. »Slanderous..., most

---

47 FBI-Report, New York v. 18. 6. 1942, S. 9. Vgl. auch im Zusammenhang mit dem Interview mit Thomas Quinn Curtiss, Military Intelligence Division, War Department (Governor's Island) v. 9. 6. 1943, S. 12-3 (Memo A) (MID) einen Hinweis auf einen FBI-Bericht (Datum unleserlich): »On the evening of 10/23/1942, subject and a soldier were seen in the bar of the Hotel Bedford, [unleserlich], New York City. When soldier accompanied Mann to his apartment, located in the hotel, he was questioned, and later when detained by local police, stated his name was John C. Fletcher, and admitted that he was a deserter from Camp [unleserlich], Georgia since November 1941. He also admitted... that he had syphilis. It was noted that both Fletcher and Mann were well-known by the Hotel Bedford staff and believed to be homosexuals.« Klaus Mann hat diesen Abend, der mit einem Selbstmordversuch endete (»Ich versuche, mit die Arterie am rechten Handgelenk aufzuschneiden. Aber das Messer ist... ziemlich dreckig« [Mann, *Tagebücher 1940 bis 1943*, S. 119]), sehr genau in seinem Tagebuch beschrieben.

48 FBI-Report, New York v. 4. 2. 1943, S. 1-2. Dazu Klaus Manns Eintragung in sein Tagebuch v. 8. 6. 1942: »Es wäre schwierig, wenn nicht unmöglich, die emotionalen Höhen und Tiefen – die Anfälle von Verzweiflung, relativer Zuversicht und Apathie zu beschreiben, die ich seit dem Tag durchgemacht habe, an dem Gumpert mir meine Krankheit mitteilte. Mehrere Nächte sehr nah am Selbstmord... Die Behandlung. Die *qualvollen* Schmerzen nach der ersten Salvarsan-Injektion vor vier Tagen« (Mann, *Tagebücher 1940 bis 1943*, S. 97).

49 Paul Abrahamson, Befragung von Klaus Mann, Protokoll v. 30. 8. 1943, S. 2 (MID).

50 A. a. O., Bericht v. 7. 9. 1943, S. 1 (MID). Andererseits scheint Mann einem Informanten des FBI gegenüber behauptet zu haben, daß er vor einem Vertreter der U.S.-Armee seine homosexuellen Interessen zugegeben und verteidigt habe, »»because that is nothing to be

fantastic and false rumors« über »alleged homo-sexualism or perversion«[51] führe er, Mann, auf Nazi-Propaganda, seinen Alexander-Roman und auf die späte Veröffentlichung von Thomas Manns »Wälsungenblut« zurück und gibt ungerührt zu Protokoll, »that he had never engaged in any sex practices other than those normal to a young unmarried man, who was more or less ›sewing his wild oats‹«[52]. Und schon gar nichts habe er mit der KP oder »any Communist doctrines«[53] zu tun: »I have never advocated the Communistic form of Government in this country or any other country outside of Russia as it exists. I would not relish living under the Communistic form of government in any form.«[54] Dazu als Gegenstück ein Auszug aus Klaus Manns Tagebuch: »Dieser *Military Intelligence-Beauftragte*, der neulich mit mir sprach, stellte mir wirklich die sonderbarsten Fragen. Ist es wahr, daß ich je behauptet habe (in einer Unterhaltung mit einer Dame ›back East‹), daß es keine Lasterhaftigkeit gibt, die ich mir nicht zur Gewohnheit gemacht hätte?... Wirre und lächerliche Gerüchte über Dinge, die ich angeblich über E[rika Mann] schrieb. Ich deutete an, daß diese albernen Erfindungen wohl etwas mit dem guten alten ›Wälsungenblut‹ zu tun haben könnten.«[55]

Womöglich noch hochnotpeinlicher als das Gespräch mit Klaus Mann muten Inhalt und Stil eines von Suggestivfragen durchsetzten Verhörs durch zwei MID-Agenten an, das Manns Freund Thomas Quinn Curtiss über sich ergehen lassen muß. »Question: He is pro-Communist, isn't he?«[56] »Question: He used to entertain a lot of soldiers in his room, didn't he?«[57] »Question: ...you have no indication whatsoever that he is a homosexual?«[58] Anderen Personen aus Klaus Manns Bekanntenkreis ergeht es nicht besser: »Informant stated«, berichtet ein Spitzel des FBI von einer »drinking party« in New York, »that at this meeting were Vincent Sheean and his wife, Morris Samuels and his daughter, Strelsin and Erica Mann and Klaus Mann. Informant stated that Vincent Sheean seems to be pre-occupied sexually and that there was little doubt in his mind but that Erica Mann and Vincent Sheean

---

ashamed of«. Zugleich habe er sich über die Rückstufung seiner Wehrtüchtigkeit beklagt, weil er nun »in the same Selective Service classification« sei wie »criminals and insane men« (J. Edgar Hoover, Brief an Earl G. Harrison, Commissoner, INS, v. 21. 9. 1942).

51 Paul Abrahamson, Befragung von Klaus Mann, Protokoll v. 30. 8. 1943, S. 3 (MID).
52 Paul Abrahamson, Befragung von Klaus Mann, Bericht v. 7. 9. 1943, S. 1 (MID). Anstatt »sewing« (nähen) heißt es in der Redewendung für »sich austoben« natürlich »sowing«, also säen.
53 Paul Abrahamson, Befragung von Klaus Mann, Protokoll v. 30. 8. 1943, S. 3 (MID).
54 A. a. O., S. 4.
55 Mann, *Tagebücher 1940 bis 1943*, S. 171–2
56 Interview mit Thomas Quinn Curtiss v. 10. 2 1943, Military Intelligence Division, War Department (Governor's Island) v. 9. 6. 1943, S. 6 (MID).
57 A. a. O., S. 7.
58 A. a. O., S. 8.

had separated themselves from the group that night to indulge in sexual pastimes.«[59]

Besonderes Interesse zeigen FBI und G-2 schließlich auch für Klaus Manns finanzielle und familiäre Situation. Auf etwas $500 schätzt Informant T 3 die Schulden, die Mann im Frühjahr 1942 beim Bedford Hotel anlaufen ließ und fügt hinzu, »that Confidential Informant T 4 would be better able to give information concerning money matters at the Hotel...«[60] Aus den Akten des Immigration and Naturalization Service erfahren wir, daß Mann zwar seit 1940 durch die Annahme von bezahlter Arbeit seinen Status als »Besucher« der USA verletzt habe, aufgrund einer rückwirkenden Proklamation von Präsident Roosevelt aber nicht mehr mit Deportation bedroht sei. Klaus Mann selbst teilt dem INS in einem umfangreichen Interview offen mit, »I occasionally make some money with my own work«[61], fügt aber sofort einschränkend hinzu: »I live as my parents' guest«[62]: »Q[estion] Has your father advanced you any money since you have been here? A[nswer] Yes. Q Has he given you any cash? A Yes. Q Approximately how much? A In cash $1,500 or $ 2,000 within the two years. He pays my bills.«[63]

In der Tat sind Geld und Politik die zentralen Themen, für die sich die Geheimdienste in der Beziehung zwischen Sohn Klaus und Vater Thomas Mann interessieren. Da eine Untersuchung von Thomas und Heinrich Mann zur Zeit nicht erwünscht ist, sei freilich, so der ausdrückliche Wunsch des FBI im Oktober 1941, bei der Sammlung von Material über Klaus Manns Familienverhältnisse mit »particular discretion«[64] vorzugehen. Doch solche internen Richtlinien vermochten Hoovers Profischnüffler nicht von der Suche nach einschlägigem Material abzuhalten.[65] Jedenfalls finden sich in einem Bericht des New York Field Office zu Klaus Manns INS-Akte detaillierte Angaben dazu, bei welchen Geldinstituten im Raum Princeton Thomas Mann 1940/41 Konten besaß. Confidential Informant T 3 glaubt zu wissen,

---

59 FBI-Report, New York v. 18. 6. 1942, S. 13-4.

60 A. a. O., S. 9.

61 »Report of Investigation Under Immigration Laws« v. 5. 9. 1940, S. 8 (INS). In demselben Interview antwortet Mann auf die Frage, wieviel er für seine Vorträge verlange und auf welche Gesamtsumme sich sein Einkommen seit seiner Ankunft in den USA aus dieser Quelle beläuft: »My agent gets 50% of what I get – usually around $100 and $250 for a lecture... I would think I make a few thousand dollars – approximately three thousand« – was nicht verhindert, daß er einen »Chevrolet ›6‹ sport roadster, 1930 model« (a. a. O., S. 9) besitzt. Versuche, über Dieterle und Lubich in Hollywood Fuß zu fassen, waren nach Manns Aussage »of no avail« (a. a. O., S. 10).

62 A. a. O., S. 8.

63 A. a. O., S. 9.

64 FBI-Report, Washington v. 26. 10. 1941, S. 2.

65 Wie wenig sich das FBI an diese Direktive gehalten hat, belegt auch die Existenz der umfangreichen Akten, die beim Bureau zu Thomas und Heinrich Mann bestehen.

daß Klaus Mann »usually gets money from his mother when he is hard-pressed«[66]. Und Sohn Klaus teilt dem INS freimütig mit, daß er das Jahreseinkommen seines Vaters auf etwa $25.000 schätze.[67]

Überhaupt scheinen sich die Manns dem FBI als harmonische Familie präsentiert zu haben, in der es weder über Politik noch Geld Meinungsverschiedenheiten gab. So ließ Vater Thomas, der bisweilen selbst von Spitzeln beschuldigt wurde, »docile to any plans of the Communists«[68] zu sein, einen Mitarbeiter der Military Intelligence Division namens H. Ward Dawson, Jr. am 4. Juni 1943 in einem umfangreichen Gespräch in seinem Haus am San Remo Drive wissen, daß sein Sohn und er in politischen Dingen dieselben moderaten politischen Ansichten vertreten: »Mann stated«, faßt Dawson in einem zweiseitigen Protokoll zusammen, »his son had the same democratic ideas that he had, and during 1940 was enthusiastic about ›Aid for Britain.‹ He continued, his son was an ardent Nazi hater and held the same democratic thoughts and ideas as he has held. To be sure, Mann averred, his son was liberal-minded but had never evidenced any radical tendencies« – eine Aussage, die »Mrs. Catherine Mann, Subject's mother…, interviewed on June 6, 1943, at her home«, der Military Intelligence bestätigt: »Quite like his father« sei ihr Sohn Klaus. Die Nazis finde er »unbearable« und sicherlich habe ihn nie jemand als Kommunisten angegriffen. Im Gegenteil, »Subject's last book«, so Katja Mann, »had been given a writeup in the Daily Worker (a New York Communist paper), and… this review had been adverse to the book and Subject.« Thomas Mann »concluded by saying his son had been eager to get into the Army when he was last here at the end of 1942. His son, he told this Agent, joined the Army in January of 1943 in New York, and that from the tone of his letters Subject was enjoying being in the service very much.«[69]

Unterstützt wurden die Angaben von Klaus Manns Eltern durch den verhörenden Beamten – »this Agent believes that Thomas Mann would prefer not to answer a question than to answer it dishonestly«[70] – und durch die Befragung von anderen Informationsquellen. »Subject had come from a fine family, sound stock, and his home life had been excellent«, teilt ein Freund der Familie mit, dessen Namen das FBI ausgeschwärzt hat und fährt fort: »He had been a well-behaved child…, adoring his father, very seldom in the

---

66 FBI-Report, New York v. 18. 6. 1942, S. 9.
67 »Report of Investigation Under Immigration Laws« v. 5. 9. 1940, S. 8 (INS).
68 FBI-Report, New York v. 18. 6. 1942, S. 2.
69 Befragung von Thomas Mann durch die Military Intelligence Division am 4. 6. 1943, War Department (Los Angeles), Bericht v. 9. 6. 1943, S. 1-2 (Memo C) (MID). Es ist interessant, daß weder ein Hinweis auf das Interview noch der Name Dawson in Thomas Manns Tagebuch auftaucht.
70 A. a. O., S. 2.

past having gone contrary to his wishes.«[71] Nachbarn der Manns in Pacific Palisades sagen übereinstimmend aus, daß Klaus Mann in ihrer Gegenwart keine Bemerkungen über »governmental or economical problems« gemacht habe und daß sie »nothing un-American in his statements or conduct«[72] bemerkt haben. Und auch aus Exilantenkreisen hören FBI und MID vorwiegend Positives. Mann »would do nothing to in any way cast suspicion or doubt upon his father or his belief in democracy«[73], stellt ein anonymer Gesprächspartner des MID fest. Bruno Frank, am 7. Juni 1943 in Beverly Hills interviewt, nennt Klaus Mann einen »capable writer, clever psychologist with high character and abilities«[74]. Andere, namentlich genannte oder anonyme Informanten argumentieren ähnlich.

Sexuelle Perversionen und die Nähe zu kommunistischem Denken, Syphilis, fragwürdige Freunde, finanzielle Probleme und die Aussage seiner militärischen Ausbilder, daß es weder um seine Disziplin noch um seine äußere Erscheinung besonders gut bestellt war (»Mann appears on company punishment records as having been restricted... for one week for mixed uniform«[75]) – das War Department, das für den Fall Klaus Mann seit dessen Einberufung in die U.S.-Armee verantwortlich war, ließ sich nicht davon abbringen, »Private Mann« in seine Ränge aufzunehmen und ihn bei seiner Bewerbung um die heiß begehrte amerikanische Staatsbürgerschaft (»wenn jedoch meine Bewerbung geradewegs *abgelehnt* werden sollte..., wäre in der Tat SELBST-

---

71 Memorandum zum FBI-Report v. 20. 3. 1943, S. 1 (Memo E) (MID).

72 FBI-Report, Los Angeles v. 20. 3. 1942, S. 4.

73 Military Intelligence Division, War Department (Los Angeles), Bericht v. 10. 6. 1943, S. 2 (Memo E) (MID). Vorsichtig äußerte sich bei politischen Fragen auch Fritz Landshoff über Mann: »Landshoff stated that he was absolutely certain that Subject had no organizational affiliations with the Communist Party or any pro-Russian sympathies... Subject and his father had resigned [from the German American Writers Association] as soon as it became apparent that the organization was influenced by the Communists... Asked specifically if Mann was a homosexual, Landshoff said, after much hesitation, that there was a lot of talk, some of it gossip, some of it exaggeration, some of it true.... Landshoff expressed the opinion that Subject's abnormal tendencies were not sufficient to in any way interfere with his service in the Army...« (Befragung von Fritz Landshoff, a. a. O., S. 2 [Memo H] [MID]).

74 Befragung von Bruno Frank, a. a. O., S. 1 (Memo B) (MID).

75 Interview mit First Sergeant Merritt, 72nd Training Battalion, Camp Robinson, Arkansas, v. 20. 5. 1943, a. a. O. (Memo [unleserlich]) (MID). Merritt erwähnt in dem Interview ferner: »... subject was irregular in his work..., required frequent correction on minor matters..., was inattentive to instructions, seemed absent-minded or preoccupied with other matters... Sgt. Merritt sums up his impression of Mann by describing him as a fanatic of books with little horse-sense, whose only influence on the other trainees was through his lack of discipline.« Ähnlich urteilt ein anderer Vorgesetzter von Mann in Camp Robinson, Staff Sergeant Rex Kelly: »... his discipline as a soldier was poor...« (Interview mit Staff Sergeant Rex Kelly, 72nd Training Battalion, Camp Robinson, Arkansas, v. 20. 5. 1943, a. a. O. [MID]).

MORD die einzig logische, fast unvermeidliche Reaktion«[76]) aktiv zu unterstützen. [77] »Loyal; trustworthy; honest; discreet; persevering; choosey in friends« sei er, so das Ergebnis der umfangreichen, zwischen New York und Los Angeles durchgeführten Loyalitätsuntersuchung, aus guter Familie, »well-behaved; anti-Nazi; extremely democratic; liberal in ideas; not Communist.«[78] Vergessen war beim MID die Mitgliedschaft in der League of American Writers (»possibly Communist Front Organization«[79]), vergessen das harte Urteil von Gerhart Seger und Rudolf Katz, daß Klaus Mann »shallow and degenerate«[80] sei und nicht ausgeglichen genug, »to adhere to any party or organization«[81]. Vergessen war schließlich auch jener erste denunziatorische Brief an die U.S.-Botschaft in London, in dem von Comintern, Stalin und »Guépéou«[82] die Rede gewesen war. »This agent is of the opinion«, schließen Dawson und Abrahamson ihre Loyalitätsuntersuchungen, »that citizenship should be allowed Subject«[83] »and if no further or other adverse information is uncovered, that Subject be favorably considered for assignment as a student in Military Intelligence Training Center, Camp Ritchie, Maryland.«[84]

Sei es, daß sich am Ende doch so etwas wie eine demokratische Grundeinstellung durchgesetzt hat, die im Zweifelsfall für den Angeklagten wirkt; sei es, daß die verhörenden Agenten der U.S.-Armee tatsächlich von Manns per-

76 Mann, *Tagebücher 1940 bis 1943*, S. 147.
77 Auch eine weitere Untersuchung, bei der es um die Aussage einer Bekannten ging, »that Klaus Mann told her he is in the Secret Service of the United States Government and that he had been sent to a school of training in undercover work« (Paul Abrahamson, Memorandum v. 18. 10. 1943 zu einem Interview mit Klaus Mann am 15. 10, 1943, S. 1 [MID]) vermochte an Manns Aufnahme in die Armee nichts zu ändern. »While at Camp Robinson I met Miss Grace Heiskell, who appeared to be a girl in her middle ›twenties‹...«, heißt es in dem entsprechenden Verhör, »my relations with the Heiskell family were purely of a social nature... Miss Heiskell gave me the impression that she knew Camp Ritchie was an intelligence school of some kind...« (a. a. O., S. 1-2). Und auch das Tagebuch hält fest: »Ein weiteres verwirrendes Ereignis: die Unterredung mit zwei Männern vom *Military-Intelligence*... Thema: *Grace Heiskell*, das nette Mädchen aus Little Rock, das irgendwie verdächtig zu sein scheint. Wirklich äußerst überraschend. Wahrscheinlich alles ein Irrtum. War sehr darauf bedacht, *niemandem* gegenüber eines dieser Gespräche zu erwähnen« (Mann, *Tagebücher 1940 bis 1943*, S. 179).
78 Military Intelligence Division, War Department (Los Angeles), Bericht v. 10. 6. 1943, S. 1 (MID).
79 A. a. O., S. 3.
80 Befragung von Gerhard Seeger [!] und Rudolph [!] Katz v. 31. 5. 1943, S. 1 (Memo G) (MID).
81 A. a. O., S. 2.
82 Undatierte, anonyme Anlage zu A. M. Thurston, FBI, Memorandum für Mr. Foxworth v. 19. 5. 1941, S. 1.
83 Paul Abrahamson, Befragung von Klaus Mann, Bericht v. 7. 9. 1943, S. 2 (MID).
84 Military Intelligence Division, War Department (Los Angeles), Bericht v. 10. 6. 1943, S. 4 (MID).

sönlichen Qualitäten eingenommen waren (»highly intelligent and possesses a wonderful command of the English language«); oder sei es auch nur, daß man angesichts des bevorstehenden Angriffs auf Hitlers Festung Europa pragmatisch der Einsicht folgte, »that Subject would be very useful in combat propaganda«[85]- mit der Vergabe der U.S.-Staatsbürgerschaft an Klaus Mann, »single, former nationality Czechoslovakian«[86], am 25. September 1943 und seiner kurz darauf erfolgenden endgültigen Aufnahme in den Militärdienst wurde, wenn man den FBI- und Armee-Archivaren von heute trauen darf, die Akte Klaus Mann bei den zivilen und militärischen Geheimdiensten Amerikas geschlossen.

Erika Mann

Das FBI-Dossier von Erika Mann unterscheidet sich von den anderen mir vorliegenden FBI-Akten vor allem darin, daß Erika Mann über mehr als ein Jahrzehnt hinweg nicht nur Gegenstand einer Untersuchung war, sondern auch mit Hoovers Behörde Kontakt suchte bzw. sich über verschiedene Themen befragen ließ.[1]

---

85 Paul Abrahamson, Befragung von Klaus Mann, Bericht v. 7. 9. 1943, S. 2 (MID).
86 Certificate of Naturalization v. 25. 9. 1943 (INS).
1   Der Vorabdruck einer früheren Fassung des nachfolgenden Textes in Heft 7/1993 von *neue deutsche literatur* hat bei der Presse im In- und Ausland starke Reaktionen hervorgerufen, die viel über deutsche Befindlichkeit in einer Zeit permanenter Stasi-Enthüllungen und so gut wie nichts über die den Kommentatoren durchweg unbekannte FBI-Akte von Erika Mann aussagen. Die weitaus größte Gruppe von Schreibern belegte Erika Mann mit Begriffen wie ›Informantin‹, ›Spitzel‹ oder gar ›Spionin‹ (*Bild Zeitung* v. 13. 7. 1993) – hatte aber offensichtlich nur eine nicht von mir verbreitete oder autorisierte dpa-Meldung, nicht aber meinen ndl-Aufsatz gelesen, in dem sehr bewußt auf den Gebrauch dieser Worte verzichtet wurde. Andere, darunter auch Mitarbeiter sogenannter seriöser, überregionaler Blätter, bezweifelten pauschal, daß Erika Mann Kontakt mit dem FBI aufgenommen hatte oder sie behaupteten, daß diesen Kontakten keine Bedeutung zukommt – vermochten aber nur Meinungen anzubringen, da sie das Mann-Dossier nicht kannten bzw. keine neuen Fakten vorlegten. Auf die emotionale, inzwischen mehrfach wiederholte Stellungnahme der Erika Mann-Biographin Irmela von der Lühe, die in einer 1993 bei Campus erschienenen Habilitationsschrift »Erika Mann. Eine Biographie« merkwürdigerweise nur sehr knapp auf das FBI-Material eingeht und dabei mit Formulierungen wie »hat Erika dem FBI kurzfristig ihre Dienste angetragen« (S. 159) operiert, habe ich an anderer Stelle bereits geantwortet (*Neuer Nachrichtenbrief der Gesellschaft für Exilforschung* 2 [1994], S. 17–9). Mit der gebotenen Vorsicht – und nach Rückfrage bei mir – haben der *Spiegel* (29, 19. Juli 1993, S. 144-5), die *New York Times* (18. Juli 1992, S. 11) und das Fernsehen (»Arena«, NDR, 19. 8. 1993 u. EINS PLUS, 8. 9. 1993) berichtet, wobei die beiden Druckmedien ebenfalls nicht ohne das Wort »Informantin« auskommen. Verschiedene Rundfunksender haben mich in Live-Interviews um Stellungnahmen gebeten (u. a. HR 3, 13. 7. 1993; HR 2, 13. 7. 1993; BR 2, 14. 7. 1993; Radio Brandenburg, 18. 7. 1993), während die *Frankfurter Allgemeine Zeitung* und die *Süddeutsche Zeitung* zwar mehrere Meldungen zum »Fall« Erika Mann druckten, es aber nicht für nötig hielten, mir die Möglichkeit zu einem Kommen-

Erika Mann war zuerst im Frühsommer 1940 mit dem FBI in Verbindung getreten und blieb über ein Jahrzehnt bis zu ihrer Rückkehr nach Europa im Visier von Hoovers Behörde. Von den Akten, die FBI-Agenten in dieser Zeit in New York, Los Angeles, Newark und Washington mit Gesprächsnotizen, Informationen über die Lebensgewohnheiten und Vortragsreisen der Vertriebenen und mit Angaben über ihre Freunde, Bekannten und Verwandten anfüllten, wurden ca. 100 Blätter an mich freigegeben.[2] Weitere 30 Aktenstücke stammen aus den Beständen des Immigration and Naturalization Service, der freilich unter Berufung auf »exemptions« im Gesetz von 1966 die erstaunliche Zahl von 375 Seiten zurückhält. Nicht mehr ermitteln läßt sich, ob FBI und INS im Zuge von routienemäßigen Vernichtungsaktionen auch die Erika Mann-Akte durchforstet und gesäubert haben. Wie bei anderen Dossiers werden auch hier mal einzelne Worte, mal ganze Seiten durch Ausschwärzungen unleserlich gemacht, um Personen, vertrauliche Informationsquellen und »techniques and procedures for... investigation«[3] zu schützen. Nicht erhalten geblieben sind die Abschriften und Protokolle der Brief- und Telephonzensur, die in den Dossiers vieler Exilanten erheblichen Raum einnehmen. Ein gutes halbes Dutzend FBI-Reporte, von denen der längste immerhin sechzehn eng beschriebene Seiten umfaßt, stellen für die Jahre 1941 bis 1943 und 1951 bis 1954 überblicksartig die neuesten Erkenntnisse im Fall Mann zusammen. Eine von »Erica Mann« über »Mrs. Wystan H. Auden« bis zu »Erika Julia Hedwig Auden, nee Mann« reichende Liste von »aliases«, unter denen das FBI in seinen Archivbeständen nach Querverweisen sucht, deutet an wie eng das Netz war, das man über Exilanten warf, die Hooves Behörde wegen ihrer politischen Überzeugungen und ihres Lebenswandels auffielen.

Zugleich zeugt eine Vielzahl von Aktenvermerken davon, daß die Thomas Mann-Tochter in den vierziger und frühen fünfziger Jahren immer wieder

tar zu geben. Inzwischen haben Elisabeth Mann Borgese und andere in meinem ARD-Dokumentarfilm *Im Visier des FBI* zur Erika Mann-Akte Stellung genommen. Vgl. im Zusammenhang mit dem »Fall« Erika Mann auch die verzerrende Berichterstattung in der deutschen Presse über den vorsichtig und differenziert argumentierenden Aufsatz des amerikanischen Historikers William Chase zu Diego Riveras kurzlebigen Kontakten mit der amerikanischen Botschaft in Mexiko, »The Strange Case of Diego Rivera and the U.S. State Department. A Research Note« [Manuskript]; zuerst spanisch in: *Zona Abierta. Suplemento de Economia, Politica y Sociedad.* Beilage zu *El Financiero.* Bd. II, Nr. 61 v. 19. 11. 1993, S. 8–11 (s. u. das Kapitel »South of the Border«).

2   Da die FBI-Zentrale die Akte von Erika Mann zusammen mit dem Klaus Mann-Dossier führt, sind im Gegensatz zu anderen FBI-Akten keine exakten Angaben mehr zum vermutlichen Umfang der Erika Mann-Papiere zu ermitteln. Das gemeinsame Aktenzeichen 65-17395 wurde auch beibehalten, als das FBI im Juni 1943 die Fälle Erika und Klaus Mann mit folgendem, nicht umgesetzten Vermerk trennte: »The title of this case is being changed in order to drop the name of subject's sister, Erica Mann Auden therefrom inasmuch as investigation to date fails to indicate that she is involved in activities inimical to the United States...« (FBI-Report, New York v. 18. 6. 1942, S. 2 [FBI-Akte, Klaus Mann]).

3   »Explanation of Exemptions«, Merkblatt des FBI.

dem FBI freiwillig ihr Wissen zu verschiedenen Themen, auch aus dem Umkreis der Exilkolonie, antragen hat. So griffen Hoover und seine engsten Mitarbeiter 1940 nach dem Angebot der Tochter von Thomas Mann, »the famed exile«[4], aus ihrem großen Bekanntenkreis in den deutschen Exilorganisationen von New York zwei »very responsible people« auszuwählen, »who would be willing to give us their reactions concerning any of the German leaders in Europe or the United States today«[5]. »I talked with Miss Erica Mann and [ausgeschwärzt] today«, zitiert ein Report vom Dezember 1941 den Assistant Special Agent in Charge der FBI-Dienststelle in New York, T. J. Donegan, »the purpose of Miss Mann's visit... was to introduce [ausgeschwärzt] to me«, der zwar nicht besonders gut Englisch spricht, aber wegen seines Wissens über Deutschland »in an excellent position« sei, »to furnish information regarding refugee activities«. »[Ausgeschwärzt] agreed that he would be available whenever we desired and would be glad to furnish any information.«[6] Als kooperativ beschreibt zehn Jahre später der SAC in Los Angeles Erika Mann nach einem Gespräch »concerning the case Unsub., was [ausgeschwärzt]« und schlägt dem »Director, FBI« vor: »... in view of the fact that the subject appeared to be cooperative in the interview mentioned above, you should consider the advisibility of requesting Bureau authority to interview the subject concerning her Communist activities.«[7] Ein anderer FBI-Mann meldet mit Bezug auf ein Interview im Haus ihres Vaters in Pacific Palisades, daß Erika Mann nicht nur über »Communist Party activities« zu sprechen gewillt sei (»would probably be cooperative if interviewed«), sondern auch »about other matters of which she has knowledge«. Aufgrund ihrer positiven Einstellung solle man sie deshalb auf jeden Fall nach ihrer nächsten Europareise interviewen: »In view of Mann's attitude, it is requested that the Bureau grant

---

4   FBI-Memorandum v. 11. 6. 1940.

5   E. A. Tamm, Memorandum an Director, FBI, v. 4. 6. 1940.

6   FBI-Report, New York v. 15. 12. 1941, S. 4.

7   Director, FBI, Memorandum an SAC, Los Angeles, v. 6. 7. 1951. In Thomas Manns Tagebuch findet sich eine Eintragung, die aufklärt, um wen es sich bei »case Unsub., was« handelt: »Dunkler Morgen. Erika Besuch von der F.B.I. in Sachen Angell-B. Uhse« (Mann, *Tagebücher 1951–1952*, S. 74). Zu Joseph Angell und seiner Frau, bei denen Uhse nach seiner Ankunft in den USA gewohnt hatte, vgl. a. a. O., S. 470. Was Thomas Mann nicht erwähnt ist, daß es bei diesem Gespräch vor allem um den Spionagefall Burgess-MacLean ging, auf den später noch zurückgekommen wird. Dazu aus einem zweiseitigen Telegramm des Los Angeles Field Office vom selben Tag, »4-58 PM«, an das FBI-Hauptquartier in Washington: »Mrs. W. H. Auden, aka. Erica Mann... knows nothing of any pro Soviet or pro Communist tendencies of Burgess in addition to Auden, Isherwood, Spender and Howard. She believes that Burgess would possibly be known to Louis Mc Niece and Cyrill Connolly, both writers who are presently in London, and to Paul Willerd – or Willert –, believed to be Air Attache to the British Embassy in Paris. Willerd described as being quote leftist unquote in political thinking but not to the extent of subscribing to the aims and purposes of the CP as Spender did« (Hood, Los Angeles, Telegramm an Director v. 19. 6. 1951, S. 1).

authority for interview with Mann concerning her knowledge of Communist Party activities upon her return from Europe in September, next.«[8] »... agents stated », resümiert der »Director, FBI« im September 1951 in einer durch den Vermerk »On Yellow Only« als interne Aktennotiz der Hauptquartiers in Washington gekennzeichneten Passage, »she... indicated a desire to be of assistance to that Office« und erinnert sich daran, daß »the best known daughter of Thomas Mann« schon seit vielen Jahren bereitwillig und häufig zu verschiedenen Themen Auskunft gegeben habe: »During the past war, she was frequently contacted by the New York Office on her own initiative and furnished information regarding German matters.«[9]

Im Gegensatz zu den Akten fast aller anderer Exilanten beginnt das Erika Mann-Dossier denn auch nicht mit einer Denunziation oder einer Publikation, die sie als Kommunistin verdächtigt, sondern mit einer Reihe von Memoranda zwischen dem stellvertretenden Justizminister der USA, Francis B. Biddle,[10] und hohen FBI-Beamten. Gleich im ersten dieser Schriftstücke geht es um die Frage, ob und wie das Angebot der Exilantin, dem FBI ihr Wissen mitzuteilen, zu benutzen sei. »I informed the Solicitor General«, teilt E. A. Tamm, einer von Hoovers Stellvertretern, am 4. Juni 1940 dem Direktor mit, »that I would arrange to have an Agent of our New York City Office get in touch with Miss Mann there to arrange a mutually convenient time for a meeting.« Wichtig sei dabei, daß man die Informationen von »Miss Mann and her friends« auf eine Weise entgegennehme, die »any official recognition«[11] von vornherein ausschließe und Thomas und Heinrich Mann aus der Untersuchung heraushalte: »Particular discretion was urged in the investigations of Erika Mann and her brother, Klaus Mann. The Bureau also instructed that no investigation was to be conducted of Thomas Mann or Heinrich Mann.«[12]

Hoover ließ sich die Möglichkeit, eine so hoch in Exilantenkreisen angesiedelte Nachrichtenquelle anzuzapfen, nicht entgehen. »I told Mr. Foxworth«, berichtet Tamm Mitte Juni 1940 per Memorandum an den Boss, »you desired him to contact Miss Mann and try to establish a liaison which might be of possible value.«[13] Einen Tag später schickt Erika Mann über den

8   SAC, Los Angeles, Memorandum an Director, FBI, v. 15. 8. 1951, S. 2.
9   Director, FBI, Memorandum an SAC, Los Angeles, v. 13. 9. 1951. Die mit »On Yellow Only« eingeleiteten Aktennotizen auf dem gelben Durchschlagpapier des FBI-Hauptquartiers enthielten besonders kontroverse Informationen, die selbst den Special Agents in Charge der Field Offices vorenthalten wurden (vgl. in Lion Feuchtwangers Akte den Hinweis auf die Überwachung des U.S. Senators Thomas H. Kuchel).
10 Francis B. Biddle wurde wenig später Justizminister der USA und war von 1941 bis 1945 Hoovers direkter Vorgesetzter.
11 E. A. Tamm, Memorandum an Director, FBI, v. 4. 6. 1940.
12 FBI-Report, Washington v. 24. 10. 1941, S. 2.
13 E. A. Tamm, Memorandum an Director, FBI, v. 10. 6. 1940. P. E. Foxworth, der unter anderem Special Agent in Charge des FBI Field Office in New York war, wurde 1941 als Assistant Director des FBI geführt.

Journalisten Walter Winchell[14] eine erste Kostprobe ihrer Arbeit an J. Edgar Hoover – einen mit einem eindeutigen Vermerk des Vermittlers Winchell versehenen Brief eines Soldaten an Thomas Mann: »She thought you should see it and maybe check this writer.«[15]

Erika Manns Tätigkeit als kooperative (»interviewing agents stated she was most cooperative«[16]) und glaubwürdige Lieferantin von Informationen reichte von 1941 bis zu ihrer endgültigen Übersiedlung nach Europa Anfang der fünfziger Jahre. Mal sah sie in dieser Zeit beim New Yorker Büro von Hoovers Amt vorbei, um einen Hitlerflüchtling als »very suspicious« zu entlarven, weil der – obwohl keine Jude – mit einem »J« in seinem deutschen Paß an den britischen Behörden vorbeigeschlüpft war. Ein anderer Exilant, dessen Name ebenfalls vom FBI in unseren Tagen ausgeschwärzt worden ist, sei in Frankreich der »chief German saboteur for the Nazis«[17] gewesen. Von einem Freund in Florida habe sie erfahren, daß ein Bekannter, der jetzt in Amerika in undurchsichtige Geschäfte verwickelt ist, »a German adventurer during the Polish invasion«[18] gewesen sei. Uneigennützig empfiehlt Erika Mann dem FBI eine »Miss [ausgeschwärzt] who she stated had been her personal secretary for four years«[19] als fähige und verläßliche Übersetzerin – und bietet ihrem Kontaktmann bei der FBI-Niederlassung in New York zugleich ihre eigenen Dienste an: »She also volunteered to do any German translation work which we might desire and she stated that she would handle such matters in an absolutely confidential way.«[20] Und als das Office of Naval Intelligence sie im Dezember 1944 nach ihrer Rückkehr aus Frankreich in Boston ausfragt, gibt sie nicht nur über ihre Arbeit – »was employed as a War Correspondent for Liberty Magazine« –, sondern auch über ihre privaten Verhältnisse Auskunft: »She has no real estate in this country... and... has a nearly defunct bank account...«[21].

Zwei eng miteinander verknüpfte Interviews aus dem Jahr 1951 mögen verdeutlichen, mit welcher Ausdauer sich das FBI um Kontaktpersonen wie

14 Walter Winchell, lange Zeit »one of J. Edgar Hoovers's favorite leaking journalists« (Mitgang, *Dangerous Dossiers*, S. 142), hatte 1939 mit Hoover bei der Verhaftung von Louis ›Lepke‹ Buchhalter, dem Boss einer berüchtigten New Yorker Schutzgeldbande und Anführer des Exekutionsdienstes Murder, Incorporated zusammengearbeitet. Bei der spektakulären Aktion waren Winchell und Hoover, angeblich ohne Begleitschutz, mit dem Gangsterboss zusammengetroffen, der sich in der Annahme, eine milde Strafe zu erhalten, freiwillig gestellt hatte. Lepke wurde 1944 auf dem elektrischen Stuhl hingerichtet.
15 FBI-Memorandum v. 11. 6. 1940. Der Brief des Soldaten ist in der Mann-Akte nicht überliefert.
16 Director, FBI, Memorandum an SAC, Los Angeles, v. 13. 9. 1951.
17 FBI-Report, New York v. 15. 12. 1941, S. 4.
18 A. a. O., S. 5.
19 A. a. O., S. 2.
20 A. a. O., S. 4.
21 SAC, Boston, Memorandum an Director, FBI, v. 21. 2. 1945.

Erika Mann kümmerte, wenn sie sich einmal als nützlich erwiesen hatten. Im Zentrum der ersten Episode stehen eine Reihe von »Top Secret« und »Secret« gestempelte Telegramme, mit denen das New York Office von Hoovers Behörde im Frühsommer jenes Jahres im ganzen Land nach Erika Mann fahndet, weil man sich von ihr Aufklärung über das mysteriöse Verschwinden der britischen Diplomaten Guy Burgess und Donald MacLean verspricht. Doch die Verbindung Mann-Auden-Burgess bringt weniger als erwartet. Zwar gibt Erika Mann, als man sie, von einem Krankenhausaufenthalt in Chicago zurückgekehrt, nach einer aufwendigen Suchaktion endlich im Haus ihres Vaters antrifft (»discharged Billings Hospital Chicago, Illinois, on May 28... returned to her home at 1550 San Remo Drive Pacific Palisades, Calif.«), bereitwillig Auskunft – von Nutzen dürften ihre sofort als »urgent«[22] per Telegramm an Hoover übermittelten Angaben kaum gewesen sein. Jedenfalls vermochte sich »Mrs. W. H. Auden« nur schwer an Burgess, der die westlichen Geheimdienste im Mai 1951 mit seiner Flucht nach Moskau aufgeschreckt hatte, zu erinnern. Kennengelernt habe sie den späteren Schreibtischspion über Bryan Howard als sie für die BBC in London tätig war. Vage schwebe »Erica« vor, daß Burgess auf Parties in London selten in nüchternem Zustand erschienen sei. Und da der Cambridge-Absolvent mit Schriftstellern der Gruppe Auden[23], Christopher Isherwood und Stephen Spender Kontakt pflegte, bestehe nicht nur die Möglichkeit, daß er homosexuell sei, sondern auch, daß er sich, wie Spender und andere, den »aims and purposes of the CP«[24] verschrieben habe. Konkretere »leads«[25] seien von ihr nicht zu erwarten, da sie, wie das FBI enttäuscht feststellt, überhaupt erst durch das Gespräch mit dem Special Agent von der Burgess-MacLean-Affäre erfahren hat. Dazu aus einem unveröffentlichten und undatierten, fragmentarischen Manuskript aus jener Zeit, das sich in Erika Manns Nachlaß befindet: »The F.B.I. have been here again... I had just returned from a Chicago hospital... The man in question, it turned out, was Guy Burgess, one of the 2 British diplomats who are said to have escaped to Russian last summer... Wasn't it odd that I should so completely fail to remember him? Perhaps with a little help...? I thought hard. And true enough – there it was, a bloke by the name of Guy... Hadn't he been working for the B.B.C. at the time of the big ›Blitz‹...? They nodded patiently – not quite trusting my haziness of course... As I proved unable [or unwilling?] to name any one in this [unleserlich] likely to possess additional information, they departed leaving me wondering

---

22 (FBI) Chicago, Telegramm an Director and SAC-s v. 17. 6. 1951.
23 So ging damals unter anderem die Meldung durch die britische Presse, daß Burgess noch am Morgen seiner Flucht bei Spender die Adresse von Auden in Italien in Erfahrung zu bringen versuchte (vgl. Douglas Sutherland: *The Great Betrayal*. New York: Penguin 1982, S. 100, 123).
24 Hood, Los Angeles, Telegramm an Director v. 19. 6. 1951, S. 1.
25 A. a. O., S. 2.

whether there wasn't, after all, something I knew, and which it would have been my duty to report.«[26]

Das Interview zu dem britischen Spionagefall, so unergiebig es auch war, hatte das FBI auf den Gedanken gebracht, Erika Mann noch einmal global über ihre Beziehungen zur KP zu befragen. Sie selber, erzählt die ehemalige Frau des führenden Kopfes der sogenannten »Auden Group«[27] dazu – dies die zweite Episode – am 24. Oktober 1951 im Haus ihres Vater, »has never been remotely connected with the Comintern or the Communist Party of any country, and... has never knowingly espoused a Communist Party cause.« Zudem habe ihr Otto Katz, »an avowed Communist« und »probably a Comintern agent«, den sie im Exil in Paris kennengelernt hatte, schon 1937 gründlich die Freude an einer Zusammenarbeit mit den Kommunisten verdorben. Von der amerikanischen Lincoln Brigade wisse sie dagegen, daß es »definitely a Communist inspired and dominated organization« gewesen sei, während sie selbst aus dem Spanischen Bürgerkrieg völlig »unbiased« berichtet habe. Und überhaupt sei die Kommunistische Partei, »Miss Mann volunteered«, national und international »an extreme menace to the freedom of the democracies«, ähnlich wie es in den dreißiger und vierziger Jahren der Faschismus gewesen war. Aus eben diesem Grund haben sie und ihr Vater sich auch konsequent von allen Vereinigungen ferngehalten, »because of their fear that the organization might be a Communist dominated one«[28]. Berichte aus der DDR zu Thomas Manns Eintreten für die Stockholmer Peace Petition und Nachrichten über ihre eigene Tätigkeit und die ihres Vaters für die damals als kommunistische »party-line assembly«[29] angegriffene Cultural

26 Erika Mann, hds. Manuskript o. Datum u. Ort, S. 1–3 (Erika Mann-Archiv, Handschriften-Sammlung, Stadtbibliothek, München).

27 Zu der Beziehung zwischen Erika Mann und Auden bemerkt ein FBI-Informant im Frühjahr 1942: »...Erica Mann had no use for marriage at all and had discussed this point with informant's wife. Also, he stated... that this marriage might possibly have been for citizenship purposes« (FBI-Report, New York v. 18. 6. 1942, S. 13 [FBI-Akte, Klaus Mann]).

28 FBI-Report, Los Angeles v. 9. 11. 1951, S. 1-3. Erika Mann selber erinnert sich nach dem Treffen mit dem FBI in einem Brief an Victor Jacobs, der sie bis kurz zuvor vor der Einwanderungsbehörde vertreten hatte, offensichtlich an andere Details als die Special Agents: »... I had the extreme pleasure of welcoming... two charming gentlemen of the F.B.I. bent, this time, on talking turkey. Our two hour conversation wound up as follows: They: ›You claim that you are not now and have never been a member of any communist party and that you are not now and have never been an agent – paid or unpaid – of the Soviet government or the Comintern?‹ I: ›I do indeed...‹« (Erika Mann, Brief an Victor Jacobs v. 8. 11. 1951 [Erika Mann-Archiv, Handschriften-Sammlung, Stadtbibliothek München]). Vgl. dazu auch die Eintragung in Thomas Manns Tagebuch: »11/2 stündige Befragung Erikas durch die beiden F.B.I.. Bezahlte Stalin-Agentin oder doch Partei-Mitglied? Nicht zu glauben« (Mann, *Tagebücher 1951-1952*, S. 124).

29 Eugene Tillinger: »Thomas Mann's Left Hand.« In: *The Freeman* v. 26. 3. 1951, S. 397. Tillingers Aufsatz ist in der INS-Akte von Erika Mann archiviert.

JOHN EDGAR HOOVER
DIRECTOR

Federal Bureau of Investigation
United States Department of Justice
Washington, D. C.

EAT:JJW   June 10, 1940

2:30 P.M.

Mr. Tolson
Mr. Nathan
Mr. E. A. Tamm
Mr. Clegg
Mr. Ladd
Mr. Egan
Mr. Glavin
Mr. Nichols
Mr. Heedon
Mr. Rosen
Mr. Tracy
Miss Gandy

MEMORANDUM FOR THE DIRECTOR

      While talking to Mr. Foxworth at New York
City, I advised him that Erika Mann, daughter of the
exiled German writer, was recently in to see the
Solicitor General and stated she thought she might
be in a position to furnish information about Germans.
Her address is 118 East 40th Street, which is the
Bedford Hotel.

      I told Mr. Foxworth you desired him to con-
tact Miss Mann and try to establish a liaison which
might be of possible value.

Respectfully,

E. A. TAMM

CC: Mr. Clegg

ALL INFORMATION CONTAINED
HEREIN IS UNCLASSIFIED
DATE 7/18/85 BY Sp-2TA
#250,599

RECORDED
&
INDEXED

65- 17395- 1

FEDERAL BUREAU OF INVESTIGATION
4   JUN 19 1940
U S DEPARTMENT OF JUSTICE
TOLSON CLEGG FIVE

OFFICE OF DIRECTOR
FEDERAL BUREAU OF INVESTIGATION
UNITED STATES DEPARTMENT OF JUSTICE

June 11, 1940

Sent in by Walter Winchell with the
notation:

   "To Hoover: This letter from a
soldier to Thomas Mann the famed
exile, was given to me by his daughter, Erika Mann. She thought you
should see it and maybe check this
writer.
                    W. Winchell."

st

The other items appear to be of a
routine nature.

st

ALL INFORMATION CONTAINED
HEREIN IS UNCLASSIFIED
RECORDED DATE 2/18/85 BY Sp 27AP/bAc
&
INDEXED

65-17395-1X

FEDERAL BUREAU OF INVESTIGATION
2 JUL 2c 1940
U.S. DEPARTMENT OF JUSTICE

Office Memorandum • UNITED STATES GOVERNMENT

VIA SPECIAL MESSENGER   A-5595035

TO   : J. Edgar Hoover, Director   DATE: June 12, 1951
           Federal Bureau of Investigation
FROM   : James E. Riley, Acting Assistant Commissioner
           Enforcement Division, Immigration & Naturalization Service
SUBJECT: ERIKA JULIA AUDEN-MANN; Bureau File 65-17395

| Mr. Tolson |
| Mr. Ladd |
| Mr. Clegg |
| Mr. Nichols |
| Mr. Rosen |
| Mr. Bε-bo |
| Mr. Alden |
| Mr. Iaughlin |
| Mr. Mohr |
| Telr. Room |
| Mr. Neare |
| Miss Gandy |

Attention: ███████████
           Liaison Officer

The subject alien has pending before this Service an application for a reentry permit and she desires to depart for Europe
from the port of New York on or about June 16, 1951.

In connection therewith, this Service would appreciate being
advised whether your Bureau has any objection to subject's
departure from the United States at this time.

To date, this Service has conducted an extensive investigation
of subject and has not, as yet, obtained sufficient admissible
evidence upon which to base the issuance of a warrant of arrest
in deportation proceedings.   EXPEDITE PROCESSING

In order that it might be determined whether a prima facie case
for the issuance of a warrant of arrest in deportation proceedings exists without further investigation, it is requested that
you advise whether, at this particular time, you are in a position to disclose to this Service, for interview by one of our
representatives, the identity of Confidential Informants
and ███ mentioned in the report of Special Agent
███████ dated April 4, 1951, at New York, entitled, "ERICA
MANN, WAS. SECURITY MATTER - C".

It is further requested that your reply be submitted to this
Service marked for the personal attention of W.W. Wiggins,
Chief, Investigation Section.

James E. Riley

RECORDED - 55
SE-28

5-

Associate Commissioner, Enforcement-   Date

DECLASSIFIED

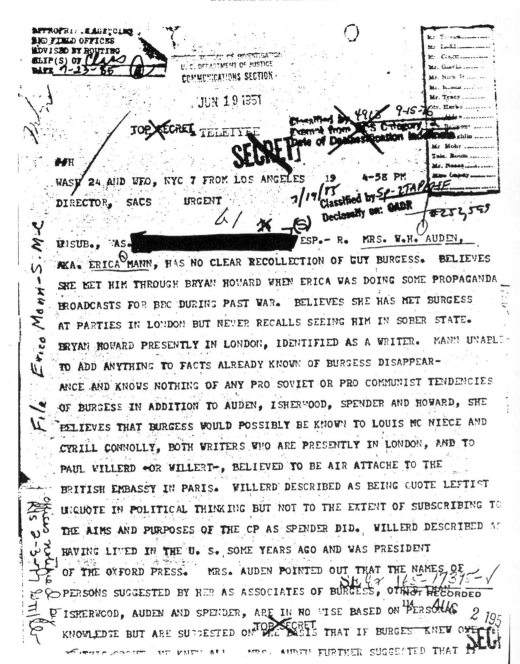

U. S. DEPARTMENT OF JUSTICE
COMMUNICATIONS SECTION

JUN 19 1951

TOP SECRET TELETYPE

SECRET

WASH 24 AND WFO, NYC 7 FROM LOS ANGELES 19 4-58 PM

DIRECTOR, SACS URGENT

INSUB., WAS ████████████ ESP.- R. MRS. W.H. AUDEN,

AKA. ERICA MANN, HAS NO CLEAR RECOLLECTION OF GUY BURGESS. BELIEVES
SHE MET HIM THROUGH BRYAN HOWARD WHEN ERICA WAS DOING SOME PROPAGANDA
BROADCASTS FOR BBC DURING PAST WAR. BELIEVES SHE HAS MET BURGESS
AT PARTIES IN LONDON BUT NEVER RECALLS SEEING HIM IN SOBER STATE.
BRYAN HOWARD PRESENTLY IN LONDON, IDENTIFIED AS A WRITER. MANN UNABLE
TO ADD ANYTHING TO FACTS ALREADY KNOWN OF BURGESS DISAPPEAR-
ANCE AND KNOWS NOTHING OF ANY PRO SOVIET OR PRO COMMUNIST TENDENCIES
OF BURGESS IN ADDITION TO AUDEN, ISHERWOOD, SPENDER AND HOWARD, SHE
BELIEVES THAT BURGESS WOULD POSSIBLY BE KNOWN TO LOUIS MC NIECE AND
CYRILL CONNOLLY, BOTH WRITERS WHO ARE PRESENTLY IN LONDON, AND TO
PAUL WILLERD -OR WILLERT-, BELIEVED TO BE AIR ATTACHE TO THE
BRITISH EMBASSY IN PARIS. WILLERD DESCRIBED AS BEING QUOTE LEFTIST
UNQUOTE IN POLITICAL THINKING BUT NOT TO THE EXTENT OF SUBSCRIBING TO
THE AIMS AND PURPOSES OF THE CP AS SPENDER DID. WILLERD DESCRIBED AS
HAVING LIVED IN THE U. S. SOME YEARS AGO AND WAS PRESIDENT
OF THE OXFORD PRESS. MRS. AUDEN POINTED OUT THAT THE NAMES OF
PERSONS SUGGESTED BY HER AS ASSOCIATES OF BURGESS, OTHER THAN
ISHERWOOD, AUDEN AND SPENDER, ARE IN NO WISE BASED ON PERSONAL
KNOWLEDGE BUT ARE SUGGESTED ON THE BASIS THAT IF BURGESS KNEW ONE
QUOTE NRQIST HE KNEW ALL. MRS. AUDEN FURTHER SUGGESTED THAT H

TOP SECRET

TOP ~~SECRET~~ ~~SECRET~~

PAGE TWO

BURGESS MOVED WITH THIS GROUP, HE WAS POSSIBLY A HOMOSEXUAL. SHE
COULD NOT SPECULATE ON REASONS FOR BURGESS DISAPPEARANCE. SHE
STATED THAT SHE HAD NO PRIOR KNOWLEDGE OF THE BURGESS-MC LEAN STORY
UNTIL ADVISED BY INTERVIEWING AGENTS. SHE HAS NO KNOWLEDGE OF
MC LEAN AND CAN SUGGEST NO FURTHER LEADS IN THIS MATTER. RUC.

HOOD

EHOLD PLS

TOP ~~SECRET~~ ~~SECRET~~

TWO COPIES TWO

and Scientific Conference for World Peace in New York seien schlichtweg
Falschmeldungen (»he... had definitely refused to sign it«)[30]. Ebenso habe sich
Vater Thomas 1948, als er gebeten wurde, den Präsidentschaftskandidaten
Henry Wallace zu unterstützen, sofort von Wallace distanziert, als der auf

---

30 Vgl. dazu Inge Jens in Mann, *Tagebücher 1949-1950*, S. 586: »TM hat später wiederholt in
    Abrede gestellt, den im März 1950 formulierten Stockholmer Appell zur Ächtung der
    Atombombe im Mai 1950 unterschrieben zu haben. Das erscheint um so erstaunlicher, als
    bereits im Mai 1950 mehrere französische Zeitungen von TMs Unterschrift berichteten,
    ohne daß der sich jetzt verleumdet Fühlende öffentlich dementiert hätte.« Zur Kampagne
    gegen die Friedenskonferenz im New Yorker Hotel Waldorf Astoria äußerte sich Thomas
    Mann nicht nur ungewöhnlich emotional in seinem Tagebuch (»unverschämte Druckaus-
    übung des New Leader wegen der Shapley'schen Friedenskonferenz«, »angewidert und
    niedergeschlagen«, »beim Kaffee mit K. über die Traurigkeit und Bösartigkeit der politi-
    schen Lage«, »skandalöse Berichterstattung über die Peace Conference«, a. a. O., S. 35,
    44, 51), sondern auch mit Rundfunkbeiträgen, einem Telegramm an den U.S.-Außen-
    minister Dean Acheson und einem Brief an Francis Biddle: »I am neither a dupe nor a
    fellow-traveller and by no means an admirer of the quite malicious present phase of the
    Russian revolution... But since I find that a great number of mentally high-ranking and
    distinguished Americans are sharing my doubts, I should consider it cowardly if – for fear
    of losing my popularity – I were to refuse them my name and my support« (Thomas Mann,
    Brief an Francis Biddle v. 14. 4. 1949, a. a. O., S. 657).

(22917

September 13, 1951

SAC, Los Angeles

Director, FBI

ERICA MANN, was.
SECURITY MATTER - C
Your file 100-7804
Bufile 65-17395 — 46

RECORDED-20

ALL INFORMATION CONTAINED
HEREIN IS UNCLASSIFIED
DATE 7-19/85 BY sp-r5AS/buy

EX. - 105

Reurlet dated August 15, 1951.

In view of the fact that the subject appeared to be cooperative during
the interview with her concerning the disappearance of Guy De M. Burgess, you are
authorized to interview her concerning her Communist activities.

You should take appropriate steps to assure being promptly advised of
her return to the United States.

Please be advised that the information concerning the subject's activity
in Germany was received from an official of the State Department on May 17, 1941.
At the time that this information was received, the State Department was unable to
obtain any additional identifiable data concerning the original communication
received by them and it was not possible to determine the writer of the original
document which sets forth the allegations regarding the subject's activity in
Germany.

In view of the interest of the Immigration and Naturalization Service in
this matter, the results of your interview should be set forth in report form suitable for dissemination. A copy of this report should be disseminated locally to
the Los Angeles Office of the Immigration and Naturalization Service.

(On Yellow Only) Subject is the best known daughter of Thomas Mann, novelist,
professor, and refugee from Hitler's Germany. During the past war, she was frequen:
contacted by the New York Office on her own initiative and furnished information
regarding German matters. She has been a frequent visitor to the U. S. and is not
a U. S. citizen. She is a citizen of England.

During an extensive investigation no information has ever been developed
that she has been a member of the CP in the U. S., although she has been active in
and loaned her name to some Communist Front organizations. In 1950, in Los Angele:
California, she addressed some meetings sponsored by the Jewish Peoples Fraternal
Order which is part of the International Workers Order which in turn has been cited by
Attorney General. She was interviewed by agents of the Los Angeles Office in June
1951, concerning the disappearance of Guy Burgess, an English scientist. At that
time the interviewing agents stated she was most cooperative and indicated a desir
to be of assistance to that Office. Los Angeles has requested permission to inter
view her specifically regarding her Communist activities. INS has also expressed
interest in the subject and has not as yet obtained sufficient evidence upon which
base the issuance of a warrant of arrest in deportation proceedings.

Tolson
Ladd
Clegg
Nichols
Rosen
Tracy
Mohr
Alden
Belmont
Laughlin
Mohr
Tele. Room
Nease
Gandy

JRN:jas

COMM-FBI
SEP 14 1951
MAILED 13

SEP 19

186

die Frage von Tochter Erika, warum er nur die USA, nicht aber die UdSSR kritisiere, geantwortet hatte, daß Rußland bereits von genug Leuten negativ beurteilt werde.[31]

Der Stand der mir vorliegenden FBI-Akten läßt wohl keine andere Interpretation zu: Erika Mann scheint – aus welchen Gründen auch immer – offener und andauernder mit amerikanischen Behörden wie dem FBI gesprochen zu haben, als alle anderen Exilautoren, wenn man einmal von extremen Fällen wie Ruth Fischer, Karl August Wittfogel[32] und dem undurchsichtigen Richard Krebs[33] absieht. Was nicht heißt, daß die Journalistin, Rednerin und Buchautorin nicht – wie sie offensichtlich mit Unbehagen ahnte – zugleich von demselben Federal Bureau of Investigation, dem sie Nachrichten zutrug, nach allen Regeln der Geheimdienstkunst überwacht wurde: »Where it not for my fierce dislike of the comrades and virtually all that they stand for, I should – out of sheer stubborn courage – promptly commence to fellow travel like mad. For, neither the ›Un-American Activities Committee‹ nor the ›Loyalty Checks‹ nor any of the activities of the F.B.I. and related bodies are at all funny, and it takes considerable mulishness not to be intimidated.«[34] Der Anlaß war dabei derselbe wie bei anderen Flüchtlingen aus Mitteleuropa: ohne konkrete Beweise vorliegen zu haben (»her activities in Los Angeles have not indicated any un-American leanings«[35]), verdächtigte man sie mal, Kommunistin oder zumindest Mitläuferin der Linken zu sein, mal in die Nähe der Deutschlandkritiker um F. W. Förster und T. H. Tetens zu geraten. Ihr Name – wie der von fast allen Exilautoren – wurde auf einer Communist

---

31 Mehrere Eintragungen in *Tagebücher 28. 5. 1946-31. 12. 1948* machen deutlich, daß Thomas Mann über Jahre hinweg den Außenseiter Henry Wallace für einen ernsthaften Anwärter auf das amerikanische Präsidentenamt hielt: »«Nach Tisch mit Erika Message für das Wallace-Dinner, das E. an meiner Stelle besuchte... Bericht Erika beim Frühstück. Ihr Gespräch mit Wallace vorm Dinner. Bewegende Wirkung der Message auf ihn. Wiederholter Applaus... Nach Tische Platten-Aufnahmen im Living Room für den Wallace-Broadcast am Vorabend der Wahl: Ansprache von 1 Minute und 6 Sekunden, doppelt ausgefertigt, das erste Mal etwas rascher« (S. 310-1, 319). Thomas Manns »Message« wurde in *The German-American* v. 21. 10. 1948 abgedruckt (a. a. O., S. 938-9).
32 Vgl. einen Zeitungsausschnitt in Erika Manns INS-Akte: »Says He Knew F. D. Aide as a Communist in '34.« In: *Daily Mirror* v. 7. 8. [unleserlich]. »A former German Red«, heißt es dort, »today testified that a man he had known as ›an organized Communist‹ nine years before occupied a post in the White House during the Roosevelt Administration. Prof. Karl A. Wittfogel... told the Senate Internal Security subcommittee the man was Michael Greenberg...« (Siehe auch Pfanner, *Exile in New York*, S. 156.
33 Vgl. Michael Rohrwasser: *Der Stalinismus und die Renegaten. Die Literatur der Exkommunisten.* Stuttgart: Metzler 1991, S. 177ff. (=Metzler Studienausgabe.)
34 Erika Mann, Brief an Duff Cooper v. 22. 9. 1948 (Erika Mann-Archiv, Handschriften-Sammlung, Stadtbibliothek München).
35 FBI-Report, Los Angeles v. 16. 2. 1942, S. 1.

Index Card erfaßt.[36] Und auch die Methoden der Bespitzelung und Nachrichtenbeschaffung unterscheiden sich nicht von denen in anderen Fällen: Postzensur und Telephonüberwachung (hier sind leider keine Protokolle oder Zusammenfassungen überliefert), Gespräche mit Hotelangestellten und Bekannten, Pressemitteilungen, Gerüchte.

Am Anfang der Bespitzelungen von Erika Mann steht dieselbe undatierte und unsignierte Denunziation aus dem Jahr 1941, die schon Klaus Mann bei der U.S.-Botschaft in London, dem State Department in Washington und dem FBI in Verruf gebracht hatte: »Klaus and Erika Mann are very active agents of the Comintern.«[37] Fast auf den Tag genau zehn Jahre später setzte Louis F. Budenz, ein ex-Kommunist und ehemaliger Mitarbeiter des *Daily Worker*, die U.S.-Geheimdienste mit einer Liste von »400 Concealed Communists« in Aufregung, scheint dann aber schon bald die Namen von Erika Mann und anderen wieder gestrichen zu haben, weil er sie nicht »positively«[38] als verkappte Kommunisten zu identifizieren vermochte. Weitere drei Jahre darauf schließlich, am 23. Juli 1954, vermerkt ein Mitarbeiter des FBI in London – der womöglich, ohne es zu ahnen, dem undatierten Schreiben aus dem Jahre 1941 aufsaß – in einem letzten Report zu der längst nach Europa zurückgekehrten Exilantin knapp: »An anonymous communication received by American Embassy, London, suggests subject (a communist) be investigated thoroughly.«[39]

Zwischen diesen Daten spielte sich das Übliche ab, wobei das FBI freilich mit Sicherheit nicht – wie sich die Zielperson Erika Mann 1965 in einem Interview zu erinnern meint – »jede Woche einmal zum Verhör«[40] kam: »Confidential Informants« entrüsteten sich, »that Klaus and Erica Mann were having affairs together«, daß eines der Bücher von Vater Thomas sich auf diese Affären beziehe, und daß die Leute geschockt seien über die »sexual perversions«[41] der Gruppe Erika Mann, Klaus Mann, Auden und Isherwood. Eine vom FBI angefertigte Personenbeschreibung hebt hervor, daß »subject« ihr Haar »in short mannish bob with part on right side«[42] trage. Lang und breit läßt sich ein FBI-Report vom Oktober 1941 über verlorene oder an mich nicht ausgelieferte Akten des Immigration and Naturalization Service aus, in

---

36 Custodial bzw. Security Index Cards scheinen dagegen nach allem was wir wissen für Erika Mann nicht ausgestellt worden zu sein (FBI-Report, Los Angeles v. 9. 11. 1951, S. 4).

37 Anonyme, undatierte Anlage zu einem Memorandum von A. M. Thurston an Mr. Foxworth v. 19. 5. 1941, Blatt 2.

38 F. J. Baumgardner, Memorandum an A. H. Belmont v. 5. 2. 1951.

39 FBI-Report, London v. 23. 7. 1954.

40 Erika Mann, »Selbstanzeige. Interview mit Fritz J. Raddatz« (1965), S. 21 (Typoskript im Erika Mann-Archiv, Handschriften-Sammlung, Stadtbibliothek München).

41 FBI-Report, New York v. 15. 12. 1941, S. 3.

42 FBI-Report, Washington v. 24. 10. 1941, S. 4.

denen es um den USA-Besuch der Peppermill im Winter 1936/37 (»Erika Mann... described the production as being in intimate European style to bring the audience and players together, making the audience almost a part of the production«[43]) und um die Vitae der Peppermill-Mitarbeiter geht – durchweg »member of the Hebrew race«[44]. In Princeton nimmt sich das FBI »city directory, phone book, and post office records«, den *Princeton Herald* und die *Princeton Pocket*-Zeitung vor – und findet nichts anderes heraus, als daß die Familie Mann »very aloof from the townsfolk«[45] geblieben sei und sich keine linksliberalen Aussagen geleistet habe, »as any such statements would be quite noticeable and remembered in a town like Princeton«[46]. Von seinem Confidential Informant #1 im New Yorker Bedford Hotel läßt sich das Bureau Angaben zu Erika Manns »associates«[47] zutragen und Listen mit ein- und ausgehenden Telephongesprächen anlegen.[48] Aus den Berichten des Dies Committees, des HUAC und des kalifornischen Tenney Committee entnimmt das FBI den Hinweis, daß Erika Mann unter anderem Mitglied des Non-Sectarian Committee for Political Refugees, »an avowed affiliate of the International Labor Defense, ›legal arm of the Communist Party‹«[49], sei. Im Zuge der routinemäßigen Zusammenarbeit mit dem Immigration and Naturalization Service stoßen Special Agents auf eine Fülle von Zeitungsausschnitten, in denen es nicht zuletzt um das auch vom Department of State mit Besorgnis registrierte problematische Verhältnis der Exilantin zur Deutschlandpolitik der USA geht[50]: »Miss Mann declared that ›denazification of Germany has failed entirely‹..., that re-education and rehabilitation programs have ceased, and that occupation forces are not in Germany because of the Germans, but because of the Russians.«[51] Thomas Mann, von FBI-Beamten unter einem

---

43 A. a. O., S. 5.

44 A. a. O., S. 9.

45 FBI-Report, Newark v. 2. 7. 1943, S. 1.

46 A. a. O., S. 2.

47 FBI-Report, New York v. 15. 12. 1941, S. 6.

48 Ein Vermerk in der Klaus Mann-Akte deutet an, daß Erika Mann sich im Bedford Hotel womöglich beobachtet fühlte: »Informant... stated that Erica Mann used to be very suspicious of certain employees at the hotel and complained about them. Informant stated that one [ausgeschwärzt] had since been taken to Ellis Island and that [ausgeschwärzt] was one of the employees about whom Erica Mann was suspicious« (FBI-Report, New York v. 18. 6. 1942, S. 10 [FBI-Akte, Klaus Mann]).

49 FBI-Report, New York v. 4. 4. 1951, S. 2.

50 Der Immigration and Naturalization Service teilte mir mit Schreiben vom 29. September 1988 mit, daß die INS-Akte von Erika Mann neben den oben erwähnten 375 Blättern auch noch 158 Seiten mit »duplicated materials« enthält, die ebenfalls nicht an mich ausgeliefert wurden.

51 »Dr. Brandt, Erika Mann don't agree.« In: *Palo Alto Times* v. 27. 3. 1950. Brandt hatte sich nicht nur neben Erika Mann als Sprecher bei der Emergency Conference on Renazification of Germany einladen lassen, die der American Jewish Congress im März 1950 in San Fran-

Vorwand interviewt, teilt Einzelheiten über die Reisepläne seiner Tochter mit – nicht wissend, daß er selbst von den Geheimdiensten aufs Genauste bespitzelt wurde: »He and Mrs. Mann... purchased the property on the corner of Monaco and San Remo Drives, buying the land, which approximates one acre in area, for $6,500. The building permit as issued was in the amount of $23,000.«[52] Andere Gesprächspartner des FBI schätzen Erika Mann als »very vicious person who has played ball with Communists for years«[53] ein; rügen ihren schlechten Einfluß auf Thomas und Heinrich Mann (»[ausgeschwärzt] stated that... subject was responsible for the ›leftist‹ writings attributed to her father and her uncle«); beschuldigen sie, seit langem »an outstanding ›pro-Communist‹ and ›fellow traveler‹ and a Communist Party front organizer«[54] gewesen zu sein; erinnern sich an lang zurückliegende Treffen in Berlin im Jahre 1924 und in Barcelona während des Spanischen Bürgerkriegs (»[ausgeschwärzt] described this congress as a Communist thing staged by Willy Munsingberg«[55]) oder an den Versuch, 1937 in Paris eine Volksfrontzeitung zu gründen und legitimieren ihre Aussagen dem Stil der Zeit entsprechend dadurch, daß sie sich – kritisch – zu ihrer eigenen linken Vergangenheit bekennen: »[Ausgeschwärzt]... stated that he was in the Communist Party in Germany from 1923 to 1926, [ausgeschwärzt] in Western Europe and [ausgeschwärzt] in Berlin. He stated that he has seen the subject on a few occasions, the last being at the Russian Institute at Columbia University. He concluded that he considered the subject to be a ›fellow traveler‹.«[56] Oder:

cisco abhielt. Er schrieb auch einen detaillierten Bericht für das amerikanische Außenministerium zu Manns Präsentation, in dem er der Exilantin u. a. »ostreperous distortion of facts and deliberate confusion of the terminology« (Dr. Karl Brandt, Food Research Institute, Stanford University, Memorandum an Henry A. Byroade, Director, Bureau of German Affairs, U.S. Department of State v. 28. 3. 1950, S. 3 [Department of State, ohne Akz.]) vorwirft. Vgl. auch Irmela von der Lühe: »Die Publizistin Erika Mann im amerikanischen Exil.« In: *Exilforschung* 7. München: edition text + kritik 1989, S. 65-84. Zu Brandt s. Claus-Dieter Krohn: »Der Fall Bergstraesser in Amerika.« In: *Exilforschung* 4. München: edition text + kritik 1986, S. 254-75.

52 FBI-Report, Los Angeles v. 16. 2. 1942, S. 2.
53 FBI-Report, New York v. 4. 4. 1951, S. 3.
54 A. a. O., S. 4. Vgl. dazu Erika Mann in einem Brief an Duff Cooper v. 22. 9. 1948: »›Stalinistin‹. ›Kommunisten-Mitläuferin, was schlimmer ist, weil weniger mutig‹... Aber muß ich – nur weil ich den Totalitarismus hasse und verachte (und fürchte) – deswegen ›unser‹ (und ich meine hauptsächlich das amerikanische) System eines ignoranten, unzivilisierten und verwerflichen Imperialismus schätzen und lobpreisen?... Hätte ich nicht eine so heftige Abneigung gegen die Genossen und praktisch alles, was sie vertreten, so würde ich – aus schierem störrischem Mut heraus – prompt anfangen, wie verrückt mitzulaufen. Denn Du kannst mir glauben, daß weder der Ausschuß gegen ›un-amerikanische Umtriebe‹ noch die ›Loyalitäts-Kontrollen‹, noch die Aktivitäten des FBI und verwandter Institutionen sonderlich lustig sind...« (in E. M., *Briefe und Antworten*. Bd. 1, S. 247-8).
55 FBI-Report, New York v. 4. 4. 1951, S. 6.
56 A. a. O., S. 8.

»[Ausgeschwärzt] stated that he was a Communist journalist in Germany until 1928 and... advised that the subject... acts like a ›fellow traveler‹ as demonstrated by her sponsoring the recent ›peace swindle‹ at the Waldorf Astoria.«[57] Und natürlich enthält auch das Dossier der Erika Mann ein gerüttelt Maß an Fehlern: Mal wird der Name des Ehemanns der Verdächtigen (» marriage... of convenience«[58]) falsch geschrieben – Audan[59]; mal wird Vater Thomas Mann als »perhaps the most publicized of all Jewish refugees from the Nazi regime«[60] vorgestellt; mal zeichnet ein FBI-Mann ohne Zögern die Aussage eines Informanten auf, daß die Motion Picture Guild im Jahre 1939 gegründet worden war, damit Erika Manns »›School for Barbarians‹«[61] aufgeführt werden konnte.

Doch Erika Mann, »Height: 5'9", Weight: 120, Hair: Brown, Eyes: Brown...No scars or marks«[62], wurde nicht nur vom FBI beschattet. Auch das Office of Strategic Services, für dessen Vorläuferorganisation sie offensichtlich kurz tätig gewesen war,[63] interessierte sich – wenn auch nur in überraschend geringem Maße – für die Tochter des berühmten Thomas Mann, nahm aber im Gegensatz zu Hoovers Behörde meines Wissens nie direkt mit ihr Kontakt auf. Zentral war für das OSS dabei der an anderen Stellen in diesem Buch besprochene Einfluß, den Erika Mann auf die Entscheidung ihres Vaters genommen haben soll, sich von einem Freien Deutschland-Komitee der Exilanten zurückzuziehen. Beobachtet wurden von Donovans Leuten aber auch echte oder vermeintliche Schwankungen in Erika Manns politischer Position (»A[ufhaeuser] said... that he had information that Erica Mann had now joined Foerster and Emil Ludwig in the Society for the Prevention of World War III«[64]) und der alltägliche Klatsch in der Exilkolonie: »Erika Mann, unlike her father, Feuchtwanger continued, was a Vansittartist. Then he confided that Erika's sister, the wife of Professor Giuseppe Borgese, was ›much more intelligent‹ than Erika.«[65]

---

57 A. a. O., S. 7.

58 FBI-Report, New York v. 18. 6. 1942, S. 1 (FBI-Akte, Klaus Mann).

59 FBI-Report, New York v. 15. 12. 1941, S. 3.

60 FBI-Report, Los Angeles v. 16. 2. 1942, S. 2.

61 FBI-Report, New York v. 4. 4. 1951, S. 5.

62 SAC, Boston, Memorandum an Director, FBI, v. 21. 2. 1945, S. 2.

63 So heißt es in einem am 30. Januar 1950 von Erika Mann in der dritten Person verfaßten »Statement Concerning Application for U.S. Citizenship«: »In January 1942 joined the staff of the Coordinator of Information in New York and resigned when her activities as an adviser had become superfluous« (S. 1) (Erika Mann-Archiv, Handschriften-Sammlung, Stadtbibliothek München). Vgl. dazu die oben bereits erwähnte Anmerkung zu Golo Mann in Thomas Manns *Tagebücher 1940 bis 1943*, S. 183.

64 C.B. Friediger, Memorandum of Conversation with S. Aufhäuser v. 1. 12. 1943, S. 2 (OSS, 896).

65 John Norman, Report of conversation with Lion Feuchtwanger at Pacific Palisades, California, on 10 December, Memorandum an DeWitt C. Poole v. 19. 12. 1944, S. 4 (OSS, 1308).

Ob die CIA sich nach der Auflösung des OSS weiter für Erika Mann interessiert hat, ist nicht bekannt. Wohl aber bat der Immigration and Naturalization Service, der aus seinen umfangreichen, dem Untersuchungsgegenstand offensichtlich nicht völlig unbekannten Beständen[66] nur 30 Blätter mit Kopien von relativ nichtssagenden Zeitungsmeldungen an mich freigab, Hoovers Behörde um 1950 im Zusammenhang eines Deportationsverfahrens gegen Erika Mann verschiedentlich um Amtshilfe: »INS has... expressed an interest in the subject and has not as yet obtained sufficient evidence upon which to base the issuance of a warrant of arrest in deportation proceedings.«[67] Die freigegebenen Akten enthalten keinen Hinweis, wie weit INS und FBI das Verfahren trieben, für das es Hoover trotz »extensive investigation of subject« bis Juni 1951 an »sufficient admissible evidence«[68] mangelte.[69] Durch eine

---

66 Vgl. dazu Erika Manns ebenfalls in der dritten Person verfaßtes und vom 30. 1. 1950 datiertes »Statement (concerning the possible reasons for which naturalization is being held up.)«: »When, in the summer of 1947, Miss Mann found it impossible to obtain permission to enter the American zone of Germany, she succeeded in having a Washington friend of hers get a glimpse at her file« (S. 1) (Erika Mann-Archiv, Handschriften-Sammlung, Stadtbibliothek München).

67 Director, FBI, Memorandum an SAC, Los Angeles, v. 13. 9. 1951. Wie nah Realität und Imagination damals nebeneinanderlagen, wird deutlich wenn man bei Hans Wysling und Yvonne Schmidlin liest, daß der Zustand von Erika Mann, die von dem Deportationsverfahren wohl nur geahnt aber nicht gewußt hat, in jener Zeit durchaus labil war: »Sie selbst dachte, erschöpft wie sie war, in den alten Kategorien weiter und war erstaunt, wenn ihre Aufsätze nicht mehr angenommen wurden... Kam dazu, daß sie durch den Gebrauch von Drogen körperlich geschwächt war und zu Depressionen neigte. Während des Schweizer Aufenthalts... steigerte sie sich in psychotische Zustände hinein, glaubte, Amerikas Häscher warteten auf ihre Rückkehr, um sie zu internieren und zur Unperson zu machen.« Als sie dann bei ihrer Reise in die USA in New York »überhaupt nicht beachtet« wurde, »verletzte... gerade das... sie wieder: Sie war unwichtig geworden, wo sie doch geglaubt hatte, so wichtig zu sein« (*Thomas Mann. Ein Leben in Bildern*. Hrsg. v. H. W. u. Y. S. Zürich: Artemis & Winkler 1994, S. 441).

68 James E. Riley, Acting Assistant Commissioner, Enforcement Division, INS Memorandum an J. Edgar Hoover, v. 12. 6. 1951 (INS). Fest zu stehen scheint dagegen, daß man Erika Mann im Sommer 1952 das für eine Rückreise in die USA nötige »Reenter permit« (Thomas Mann, *Tagebücher 1951-1952*, S. 233) verweigerte. Vgl. dazu u. a. Director, FBI, Memorandum an The Commissioner, Immigration and Naturalization Service, v. 21. 6. 1951: »With reference to your request as to whether this Bureau has any objection to the subject's departure from the United States, you are advised that this Bureau has no comment to make in this regard as this is a matter solely within your jurisdiction.«

69 Es ist anzunehmen, daß sich die folgende Passage in einem Brief von Erika Mann an Victor Jacobs entweder auf den Einbürgerungsantrag oder das Deportationsverfahren bezieht: »There are at least 12 or 15 of my friends whom they tortured for between 2 and 4 hours in a stretch, none of whom collapsed, and of all of whom I am entirely certain... There are also a very few people, such as Mrs. Alma Mahler-Werfel (the drunkard whom I mentioned to you) and Dr. Ludwig Marcuse (employed by the University of Southern California, and a very crazy bird indeed) of whom I cannot be sure« (Erika Mann, Brief an Victor Jacobs v. 24. 6. 1950, Erika Mann-Archiv, Handschriften-Sammung, Stadtbibliothek München).

Notiz in einem FBI-Report bestätigt wird dagegen, daß Erika Mann – »Title of Case: Internal Security – C«, »Espionage – C« bzw. »Security Matter – C« – Anfang der fünfziger Jahre ihren Antrag auf Einbürgerung in die USA zurücknahm. Ein wenig überraschend wirkt dabei angesichts der Tatsache, daß sie über mehr als zehn Jahre nicht nur Opfer, sondern auch Gesprächspartnerin des FBI war, die Begründung der Exilantin für diesen Schritt: »...ruined career, reduced means of livlihood and considerable embarrassment resulting from investigations into her loyalty.«[70]

70 FBI-Report, New York v. 4. 4. 1951, S. 10. Erika Manns Brief an Edward J. Shaughnessy, den Director of Immigration and Naturalization in New York, ist abgedruckt in Erika Mann, *Briefe und Antworten*. Bd. 1, S. 275-80. Dazu ein Brief von Erika Mann an Manfred George vom 26. Januar 1950: »Überdies dürfte mein ›file‹ ähnlich aussehen wie der oder das meines Bruders Klaus – damals, als nur seine Vorgesetzten und Gönner in der Armee ihn vor einem Refus bewahrten. Ebendiese machten ihn auch mit dem ungefähren Inhalt jener Dokumente bekannt. Politisches, natürlich, spielte eine Rolle (›premature anti-fascist‹, in Spanien gewesen, von Schwarzschild als Kommunist denunziert, etc.). Aber auch ›Persönliches‹ figurierte stattlich (von der Gestapo, dem Sicherheitsorgan einer befreundeten Macht, hatte man sich sagen lassen, es habe zwischen Klaus' und meinem Zimmer in München eine Verbindungstür gegeben, und überhaupt seien unsere inzestuösen Beziehungen in die Weltliteratur eingegangen...). Meinen Anwalt habe ich in starken Worten ersucht, meine Details zu ergründen... Truman, würde, glaube ich, sein State Department und seine FBI dazu anhalten« (a. a. O., S. 269-70). Vgl. auch zwei Schreiben von Erika Mann an Victor Jacobs vom September 1950, in denen sie folgende Gründe für ihren Rückzieher auflistet: »... I far prefer to refuse to being rejected... I dislike to go to jail because somebody is in hysterics and without having a chance to defend myself... as... a naturalized American citizen... There is in particular one thing that I do not want to lose under any circumstances: the freedom to leave this country whenever I see fit... I am by no means certain that, once a citizen, I'd ever lay hands upon a passport... While they can treat a naturalized American citizen precisely as they please, they cannot – as yet – push a British subject around...« (Erika Mann, Briefe an Victor Jacobs v. 9. u. 29. 9. 1950, Erika Mann-Archiv, Handschriften-Abteilung, Stadtbibliothek München).

Dossiers

Bertolt Brecht

Bertolt Brechts Exil in den USA war von Anfang an durch Widersprüche gekennzeichnet. Enttäuscht von seinem ersten Amerikaaufenthalt im Jahr 1935/6 bemüht Brecht sich doch wenig später in seinem skandinavischen Asyl um Einwanderungspapiere für die USA. Keine Sekunde zögert er bei seinem Transit durch die Sowjetunion, dem ersten sozialistischen Land und seinen Freunden in Moskau den Rücken zu kehren, um in die »Hölle«[1] von Los Angeles und nach New York zu gelangen, wo er es schon früher nur mit einem »kleinen Schluck... Whisky«[2] ausgehalten hatte. Kein gutes Wort verliert Brecht über Hollywood, »den Markt, wo Lügen gekauft werden«[3] und den Broadway, dem es an »Tradition«[4] mangelt – und bemüht sich doch intensiv, Kontakte zu amerikanischen Film- und Theaterleuten anzuknüpfen und seine »Ware«[5] wohlfeil den »Traumfabriken«[6] zu verkaufen. Ironisch kommentierte der Exilant die politische Einstellung von Mitflüchtlingen und die Naivität von amerikanischen Bekannten, mit denen er bei der Planung für ein anderes, besseres Deutschland zusammentrifft. Einem eklatanten Mangel an Wirkung als Autor, Theaterproduzent und Lehrer steht die lange Liste von Stücken, Gedichten, Drehbüchern und theoretischen Schriften gegenüber, die Brecht in den USA (fertig-)schreibt.

Der Exilant Brecht mag ein ambivalentes Verhältnis zu seinem Gastland besessen haben. Keine Probleme mit ihrem Urteil und ihren Arbeitsmethoden hatte die mächtigste Polizeibehörde der USA, wenn es um den Hitlerflüchtling, seine Weltanschauung und seine Aktivitäten zwischen 1941 und 1947 ging: »Subject's writings... advocate overthrow of Capitalism, establishment of Communist State and use of sabotage by labor to attain its ends.«[7]

Zwei Aspekte kennzeichnen die Brecht-Akte beim FBI, von der etwas mehr als 400 Blätter an mich freigegeben wurden[8]: das im Laufe der Jahre immer heftiger werdende Mißtrauen Hoovers gegenüber den Versuchen der Exilan-

---

1 Bertolt Brecht: »Hollywood-Elegien.« In B. B.: *Gesammelte Werke*. Bd. 10. Frankfurt: Suhrkamp 1967, S. 849. (=werkausgabe edition suhrkamp.)

2 Hans Bunge: *Fragen Sie mehr über Brecht. Hanns Eisler im Gespräch*. München: Rogner & Bernhard 1972, S. 234.

3 Bertolt Brecht: »Hollywood.« In B., *Gesammelte Werke*. Bd. 10, S. 848.

4 Henry Marx: »Unterredung mit Bert Brecht.« In: *New Yorker Staats-Zeitung und Herold* v. 7. 3. 1943 (zitiert nach James Lyon: »Brecht auf dem Broadway.« In: *Deutschsprachige Exilliteratur seit 1933*. Bd. 2, 2, S. 1551).

5 Bertolt Brecht: »Liefert die Ware!« In B., *Gesammelte Werke*. Bd. 10, S. 851.

6 Brecht, »Hollywood-Elegien«, in B.: *Gesammelte Werke*. Bd. 10, S. 849.

7 FBI-Report, Los Angeles v. 6. 3. 1943, S. 1.

8 Fuegi, *Brecht and Company*, S. 426 spricht von einer »1,100-page Brecht FBI file«, zitiert

ten, sich im Umkreis der Bewegung Freies Deutschland auf die Rückkehr nach Europa vorzubereiten; und der eingangs bereits erwähnte, ungewöhnlich genau dokumentierte Einblick in die Mechanismen der Bespitzelung und Überwachung von Brechts Privatleben. Hinzu kommt, daß sich das Federal Bureau of Investigation im Fall des »Bertolt Eugen Friedrich Brecht, with aliases« [9] mehr als üblich um die literarische Produktion seines »subject« kümmerte.

Wie eng die Bereiche Freies Deutschland, Überwachung und Literatur im Brecht-Dossier miteinander verknüpft sind, läßt sich mit Hilfe eines Memorandums vom 16. April 1943 zeigen, in dem der SAC in Los Angeles, R. B. Hood, J. Edgar Hoover davon zu überzeugen versucht, über den »United States Attorney« ein Internierungsverfahren gegen Brecht einzuleiten. Von Informanten habe sein Büro erfahren, schreibt Hood dort mit Bezug auf zwei FBI-Reporte vom März 1943, »that subject is a writer of Communist and revolutionary poetry and drama... and... looked upon by German Communists as their poet laureate« [10]. Eine vom FBI angefertigte Übersetzung des Gedichts »Demolition of the Ship Oskawa by the Crew« wird – in Unkenntnis von Louis Adamics amerikanischer Vorlage, *Dynamite* (1931) [11] – als Beleg dafür angeführt, daß Brecht nicht nur für die Errichtung eines »Communist state« eintrete, sondern auch Sabotage und die Zerstörung von amerikanischem Eigentum propagiere: »The poem... specifically refers to a United States Steamer which was destroyed by its crew since they were paid too small wages. It specifically refers to the expense to the United States of this act of sabotage.« Ohne Kommentar, aber sicherlich nicht ohne Wertung, zitiert Hood einen Beitrag aus dem April-Heft der Zeitschrift *Freies Deutschland*, der von einem Brecht-Abend in New York berichtet. Und schließlich nimmt sich der SAC des FBI-Büros in Los Angeles in seinem Bericht einen Text von Brecht vor, der, wie er meint, die Unzuverlässigkeit der Exilanten im Umkreis der Bewegung Freies Deutschland besonders gut kennzeichnet: »Furthermore,the author, and subject of this case, does not consider him-

---

aber kein Material, das mir nicht auch vorliegt. James Lyon: »Das FBI als Literaturhistoriker.« In: *Akzente* 4/1980, S. 362 erhielt »insgesamt 427 Seiten« und wurde vom FBI informiert, daß die Akte »etwa 1000« Blätter umfaßt. Obwohl den an mich freigegebenen Kopien keine der üblichen »FOIPA Deletion Page Information Sheets« beiliegen, ist anzunehmen, daß es sich bei den tausend Seiten nicht um die Stammakte von Brecht, sondern um Querverweise auf andere Bestände handelt, in denen Brecht nur mehr oder weniger kurz erwähnt wird.

9   R. B. Hood, Brief an den Director, FBI, v. 16. April 1943.
10 A. a. O., S. 1-2. John Fuegi läßt sich angesichts dieser Passage dazu hinreißen, Ruth Fischer als mögliche Informantin zu identifizieren (F., *Brecht and Company*, S. 428).
11 Louis Adamic: *Dynamite. The Story of Class Violence in America*. New York: Viking Press 1931. Vgl. auch Michael Morley: »The Source of Brecht's ›Abbau des Schiffes Oskawa durch die Mannschaft.‹« In: *Oxford German Studies* 2/1966, S. 149-62.

self, according to his writings, an immigrant, but rather an exile from Germany, his native country. The poem entitled ›On the Designation »Emigrant«‹…expresses this point of view.«[12]

Beginnen wir bei dem Interesse des FBI für die Verbindungen zwischen Brecht und den Freien Deutschen in Mexiko und Moskau, deren Zeitschrift und Deutschlandpolitik. Wie wichtig man in Hoovers Organisation diese Beziehungen nahm belegt ein »Free German Activity in the Los Angeles Area« überschriebenes Memorandum, das Hood am 18. Mai 1944 an den Director, FBI, schickte: »Since correspondence between the Free German group in Mexico and persons in the Los Angeles area has been carried on… it is recommended that the following subjects be placed on the National Censorship Watch List for ninety days.«[13] Ungefähr zur gleichen Zeit benannte das FBI den Fall Brecht, dessen Name zusammen mit sechs anderen auf der Zensurliste stand, von »Internal Security -G« zu »Internal Security – R« um – wobei »G« für »German« und »R« für »Radical« steht. Leitmotiv der fortan stark intensivierten Überwachung von Brecht ist auch hier neben KP-Beziehungen die Nähe des »subject« zum »Free German movement, which aims at pro-Russian postwar German government«. »In U.S.«, heißt es dazu in einem 36seitigen FBI-Report vom 2. Oktober 1944, »he has written for ›Freies Deutschland,‹ organ of Free German movement, and has affiliated with Lion Feuchtwanger, Heinrich Mann, and Hans Eisler, all communistic German writers now in LA area and active in Free German movement.«[14]

Doch das FBI interessiert sich – ähnlich wie bei Thomas Mann, Heinrich Mann und anderen Exilanten – nicht erst seit 1944 für Brechts Beziehungen zur Bewegung Freies Deutschland und für seine Vorstellungen von einem neuen Deutschland nach Hitler. So konstruieren Hood und seine Mitarbeiter mit Hilfe von Querverweisen in anderen Aktenbeständen bzw. älterem, nicht erhalten gebliebenem oder nicht an mich freigegebenem Material aus der Brecht-Akte nach dem Prinzip der Mitschuld aufgrund von Assoziationen folgende Beweiskette: da Brecht in den Jahren 1939/40 monatliche Zuwendungen von $80 über Fritz Lang erhielt, für die er sich, wie das FBI vermerkte, am 27. August 1939 in einem Brief artig bedankt (»I have received your second money order. Many thanks for your friendly action; it really helps me to work on in independence.«), und Lang seinerseits für diese Aktion von Otto

---

12 R. B. Hood, Brief an den Director, FBI, v. 16. April 1943. In die Nähe einer literarischen Analyse gerät auch ein in Los Angeles angefertigter Bericht zu Brecht, der sich über mehrere Seiten hinweg mit *The Private Life of the Master Race* auseinandersetzt und zu dem Schluß kommt: »After creating in each of the scenes a feeling of antipathy for the Nazi way of life, Brecht closes the play with an appeal for the cause of the common man« (FBI-Report, Los Angeles v. 24. 10. 1945, S. 2).

13 R. B. Hood, Brief an den Director, FBI, v. 18. 5. 1944.

14 FBI-Report, Los Angeles v. 2. 10. 1944, S. 1.

Katz in einem Brief vom 10. August 1939 gelobt wird (»›that which you are doing for Brecht and Kisch is simply wonderful‹«), müssen nach Meinung des FBI enge Beziehungen zwischen Brecht, Lang, Kisch (»presently active for the Free German movement emanating from Mexico«) und Katz bestehen: »... Fritz Lang... is known to this office as a Communist Party sympathizer and supporter, and as a close friend of Otto Katz, alleged OGPU agent presently in Mexico, where he is very active in the Free German movement.«[15]

Bei einem Versuch, Brechts »activities in the United States«[16] für die Jahre 1941/42 zu rekonstruieren, greift das FBI auf Exemplare des *Freien Deutschland* im Archiv des Los Angeles Field Office zurück, listet Brechts Aufsätze in der FD-Zeitschrift auf, zitiert ein Associated Press-Photo aus dem *Los Angeles Examiner* (»This picture shows them [Brecht und Feuchtwanger] to be studying a manifesto which they wrote together with Heinrich Mann as an appeal to the German people... this early manifesto... is quite identical with the Moscow manifesto published by the Free German Committee in Moscow during July 1943...«[17]) und faßt Brechts Einstellung gegenüber den Freien Deutschen zusammen: »It is... known that the Free German movement has as its aim the establishment of a postwar German government favorable to Soviet Russia... The Free German Committee in Mexico is the fountainhead of the movement in the Western Hemisphere. It has recently been learned that some of the individuals active in this movement have indicated a desire to return to Europe or Germany as soon as possible, where they will no doubt carry on their activity at closer range... Bert Brecht is one of the individuals who has indicated an intention to leave the United States for Europe.«[18] Und immer wieder finden sich in den FBI-Reporten aus dem Jahre 1943 in der Rubrik »Undeveloped Leads« Sätze wie: »Will continue to review issues of ›Freies Deutschland‹... for information regarding Subject.«[19]

J. Edgar Hoover hatte seine G-Men unter anderem deshalb auf Brecht und dessen Beziehungen zu den Freien Deutschen angesetzt, weil ihm an Belastungsmaterial für die Internierung des Exilanten gelegen war. Darauf ist später noch zurückzukommen. Ein Exempel wollte dabei freilich weder der U.S. Attorney in Los Angeles noch das Justizministerium in Washington statuieren. Jedenfalls ließ die FBI-Zentrale die federführende Dienststelle in Los Angeles schon nach kurzem wissen, daß an einer fortlaufenden Untersuchung in Sachen Internierung kein Interesse bestehe. Lakonisch vermerkt ein Beamter in Kalifornien dazu Anfang Juli 1943: »This case is being closed

15 A. a. O., S. 10.
16 A. a. O., S. 13.
17 A. a. O., S. 13-4.
18 A. a. O., S. 13.
19 FBI-Report, Los Angeles v. 22. 5. 1943, S. 5; FBI-Report, Los Angeles v. 30. 3. 1943, S. 6; FBI-Report, Los Angeles v. 8. 6. 1943, S. 4.

herewith« – und hält sich dann sofort das übliche Hintertürchen von »periodic checks«[20] offen.

Doch das FBI brauchte solche Hintertüren nicht. Jedenfalls wurde Hood zum Thema Brecht und »Freies Deutschland« ohne Angabe von besonderen Gründen wieder aktiv, als Hoover im Laufe des Jahres 1944 in zunehmendem Maße vor der Bedrohung des American Way durch die rote Gefahr zu warnen begann, die Niederlage des Dritten Reiches absehbar wurde und nach den Invasionen in Nordafrika und der Normandie die Notwendigkeit entstand, sich mit der Umerziehung von deutschen Kriegsgefangenen und der Frage nach Deutschlands Zukunft auseinanderzusetzen. Im Zentrum stand dabei einmal mehr Brechts Tätigkeit für das »Free German movement« und den Council for a Democratic Germany ein Thema, das auch den Foreign Nationalities Branch des OSS interessierte, obwohl man sich dort auffallend wenig um den »gifted dramatist« und »poet of expressionistic vigor«[21] kümmert: »From February to May 1943, and November 1943 to March or April 1944«, resümiert der Bericht vom 2. Oktober 1944, in dem noch einmal alle bis dahin verfügbaren Informationen zu Brecht unter Überschriften wie »Activities in the United States 1941, 1942, 1943« aufgelistet sind, »he [Brecht] visited New York, where he allegedly was active in organization of a Free German group which was to be camouflaged so as not to appear as a Communist front. In May 1944, Council for Democratic Germany, of which Brecht was an organizer, was announced; its personnel identified it with the camouflaged organization.«[22] Als unzuverlässig erweisen sich die Quellen des OSS, die Anfang 1944 erst davon ausgehen, daß »recognized Stalinist Germans in this country like Wieland Herzfelde and Bertolt Brecht are in a victorious mood. They warn their non-Communist friends quite openly to make their peace with the CP if they want to ›obtain return visas‹«[23] – und dann fast zur gleichen Zeit berichten, Brecht stehe dem Tillich-Komitee zwar als »adviser«[24] zur Verfügung, habe es aber abgelehnt, Mitglied zu werden. Aus der FBI-Akte von Anna Seghers stammt ein von der Postzensur abgefangener Brief, in dem Brecht die Gründung eines »anti-Nazi book fund«[25] in Mexiko angekündigt wird. Fritz Kortner, den das FBI während eines Abendbesuchs bei den

---

20 FBI-Report, Los Angeles v. 10. 7. 1943, S. 2.

21 Brecht, Bertolt, 28. 9. 1943, S. 2 (OSS, 860).

22 FBI-Report, Los Angeles v. 2. 10. 1944, S. 1-2.

23 C. B. Friediger, Memorandum an DeWitt C. Poole v. 7. 1. 1944, S. 3 (OSS, 940).

24 Friediger, Memorandum an DeWitt C. Poole v. 22. 2. 1944, S. 1 (OSS, 1000). Friediger beruft sich hier auf ein Gespräch mit Max Bronisch, »who represents George N. Shuster in the German field«.

25 FBI-Report, Los Angeles v. 2. 10. 1944, S. 14. Daß Anna Seghers hier als Absenderin zu identifizieren ist, haben wir einer seltenen Unaufmerksamkeit des FBI-Zensors unserer Tage zu verdanken, der Seghers Namen zwar im Text von Hoods Report, nicht aber in dem angehefteten Personenverzeichnis ausgeschwärzt hat.

Brechts observiert, »the nature of which was unknown«, wird nachgesagt, eine Person zu sein, »who has expressed enthusiasm over the Free German Committee in Moscow and the manifesto issued by it, and has indicated himself as being in favor of supplanting the Nazi government with a Communist government.«[26] Von einem Informanten erfährt das FBI nicht nur »that the tendency on the part of the Free German movement in Mexico is to prepare for the day when refugees could return to Germany«, sondern auch, daß Brecht über sein neuestes Stück gesagt habe: »I am writing this for Germany.«[27] Anträge von Hood, die Überwachung von Brechts Post zu verlängern, werden routinemäßig mit Brechts »Free German Activities in the Los Angeles Area«[28] begründet. Wiederholt fordert der Special Agent in Charge von Los Angeles bei seinen Kollegen in New York, Cincinnati und New Orleans Informationen zu Personen und Adressen mit Free Germany-Verbindungen an (»will ascertain the occupants of Suite 1959, 630 Fifth Avenue, and endeavor to ascertain whether they would have any connection with the Free German movement«), darunter einem »K. (or H.) Kornl at Tulane University«[29] – gemeint war Brechts Gesprächspartner Karl Korsch.[30] Und natürlich widmete das FBI der unglücklichen Zusammenarbeit von Brecht, Feuchtwanger, den Brüdern Mann und anderen bei der Abfassung einer Stellungnahme zur Gründung des Nationalkomitees Freies Deutschland in Moskau besondere Aufmerksamkeit: »During July or August 1943, according to this source, Bert Brecht attended a meeting for the purpose of endorsing the Moscow manifesto issued by the National Committee for Free Germany in Moscow during July. The information furnished by this source was to the effect that on August 9, 1943, Lion Feuchtwanger had advised that TASS, the Russian news agency, had requested him and Thomas Mann, brother of Heinrich Mann, to express their opinions on a certain matter. Feuchtwanger

---

26 A. a. O., S. 19.
27 A. a. O., S. 20.
28 R. B. Hood, Brief an Director, FBI, v. 10. 1. 1945.
29 FBI-Report, Los Angeles v. 2. 10. 1944, S. 32.
30 Zu Karl Korsch vgl. FBI-Report, New Orleans v. 18. 11. 1944 (Brecht-Archiv, Berlin). Hier findet sich u. a. der Hinweis, daß Korschs Wohnung in Boston am 10. Dezember 1942 »in accordance with an executive warrant« durchsucht wurde »and that no contraband was found... and no derogatory information was obtained through interview with Korsch« (S. 3). Der Report aus New Orleans, ein Bericht vom 30. November 1944 aus Cincinnati zu Margarete Schurgast, ein Memorandum zu Eli Jacobson (»alleged Soviet Agent in Los Angeles during 1936« [SAC, Los Angeles, Memorandum an Director, FBI, v. 29. 11. 1944, Brecht-Archiv, Berlin)] aus demselben Zeitraum und ein FBI-Report aus New York vom 31. Januar 1945 zu Horst Wolfgang Baerensprung sind auch deshalb interessant, weil sie verdeutlichen, mit welchem Aufwand das FBI Personen nachforschte, mit denen Brecht in Kontakt stand. Ausgangspunkt ist in allen Fällen ein von Special Agent Ernest van Loon verfaßter FBI-Report vom 2. Oktober 1944.

claimed that he convinced Mann that he should accent TASS's request only after a long discussion, and that thereafter a meeting was held at the home of Berthold and Salka Viertel, 165 Maberg Road, Santa Monica, California, who have been mentioned previously, for the purpose of drawing up a statement. Persons present at the Viertel home and first agreed to sign such a statement, according to Feuchtwanger, were Thomas Mann, Bruno Frank, Ludwig Marcuse, Berthold Viertel, Bert Brecht, probably [unleserlich] Eisler, and a professor whose name could not be recalled by this source. However, on the following day Thomas Mann, Bruno Frank, Ludwig Marcuse, and the professor withdrew their names.«[31]

Der Name des Informanten, der das FBI über das Treffen bei Berthold und Salka Viertel in Kenntnis setzte, wurden vor der Freigabe der Brecht-Akte ausgeschwärzt. Das gleiche gilt für jene »sources«, die von den Planungsgesprächen zur Gründung des Council for a Democratic Germany in New York berichten, an denen Brecht als einer der »leading Communist Party functionaries«[32] teilnahm. Es trifft auf die Quelle zu, die von Brecht auf die direkte Frage, ob er denn nun mit den Freien Deutschland-Bewegungen in Mexiko und Moskau in Verbindung stehe, die Antwort erhielt, daß er, Brecht, nur mit dem Council for a Democratic Germany in New York zu tun habe und daß es in Los Angeles keine Freie Deutschland Organisation gebe, noch eine geplant sei.[33] Und auch die Person, die Special Agents Sidney E. Thwing und Howard H. Davis im Herbst 1944 auf Brecht ansetzen, bleibt hinter einer Kürzel verborgen: »Source D… asked Brecht what the purpose of the Free German movement was and what his reasons were in helping it. Brecht replied, according to Source D, that the purposes of the Free German organization and his reasons for joining the Committee were one and the same, and that they were: (1) to see that no person who is a member of the German Mililtary clique is placed in a responsible governmental position in the postwar German Government; (2) to see that no person who is a member of, or sympathetic to the Nazi Party in Germany is placed in a responsible governmental position in the postwar German government… whether the democratic governments or Russia dominate postwar Germany made no difference to him as long as the persons who belonged to the above mentioned groups gained no power.«[34]

31   A. a. O., S. 21.
32   A. a. O., S. 25.
33   FBI-Report, Los Angeles v. 1. 2. 1945, S. 2.
34   FBI-Report, Los Angeles v. 21. 10. 1944, S. 3-4 (FBI-Akte, Free German Movement in the Los Angeles Area, zitiert nach National Archives 862.01/11-1144). Vgl. auch FBI-Report, Los Angeles v. 1. 2. 1945, S. 2-3, der lange Passagen aus dem Bericht vom 21. 10. 1944 übernimmt.

Es ist hier nicht der Ort, auf das umfangreiche Material einzugehen, das vom FBI zum Council for a Democratic Germany gesammelt wurde.[35] Wohl aber soll ein kurzer Blick auf eine andere Episode im Brecht-Dossier geworfen werden, die deutlich macht, wie schizophren Hoovers Behörde damals mit dem Problem der Heimkehr von FD-nahen Exilanten bzw. der Frage Deportation auf der einen und Verweigerung der Ausreisegenehmigung auf der anderen Seite umging.[36] Besorgt registriert das FBI da 1944 in dem Bericht von »C.N.D.I. [ausgeschwärzt]«, einem Confidential National Defense Informant, auf den noch zurückzukommen ist, »that Bert Brecht and Hanns Eisler had conversed with Beneš (first name believed to be Bohus), then Czechoslovakian Consul at San Francisco about the possibility of obtaining Czechoslovakian passports. This informant advised that Brecht and Eisler are already concerning themselves with an early return to Europe. They apparently believe that possession of Czech passports will facilitate their travel, particularly their departure from this country.«[37] Ähnlich aufmerksam registriert Hoovers Behörde, daß Brecht noch 1936 seinen deutschen Reisepaß in New York verlängern konnte.[38] Dick streicht ein FBI-Agent die Passage in einem Bericht desselben Informanten an, in der davon die Rede ist, daß Hanns Eisler und Brecht, der mit nur einer Ausnahme[39] alle Reisen innerhalb der USA pünktlich bei der zuständigen Behörde anmeldete,[40] Probleme mit einem U.S.-Ausreisevisum mit der Bemerkung abtun: »Well, the border is close by.«[41] Ein paar harmlose Sätze in einem Brief an Anna Seghers – »Holli and the children are well, notwithstanding the fact that a colder climate suits us better. Therefore, we hope to see you again« – verleiten das FBI zu der Spekulation: »It is believed that this reference about seeing Seghers again indicates that Brecht hopes to return to Germany in as much as

35 Vgl. unten das Kapitel »Office of Strategic Services und FBI: Das ›andere‹ Deutschland.

36 Ähnlich erging es den Brüdern Eisler, von denen Hanns ausgewiesen wurde, obwohl er gern in den USA geblieben wäre, und Gerhart inhaftiert wurde, obwohl er so rasch wie möglich nach Europa zurück wollte.

37 FBI-Report, Los Angeles v. 2. 10. 1944, S. 29.

38 »... in placing his name on the American quota waiting list,« wird da vom FBI eine unkenntlich gemachte Quelle zitiert, »he indicated that he possessed a German passport written in New York in 1936« (a. a. O., S. 9). Vgl. auch die einschlägigen Unterlagen im Bertolt Brecht-Archiv der Akademie der Künste in Berlin.

39 »It might be noted that previously prosecution of Brecht for infractions of the alien enemy travel regulations was declined by the United States Attorney at Los Angeles« (a. a. O., S. 30).

40 Bisweilen benutzte Brecht die Reisebeschränkungen auch, um Ruth Berlau seine Abwesenheit zu erklären: »Ich habe..., wie Du weißt, weder das Geld, noch... die Erlaubnis [nach New York zu fahren], denn ich bin Emigrant...« (Bertolt Brecht, Brief an Ruth Berlau v. Juni 1942. In B. B.: *Briefe 1913-1956*. Bd. 1. Hrsg. v. Günter Glaeser. Berlin/DDR: Aufbau 1983, S. 430).

41 FBI-Report, Los Angeles v. 2. 10. 1944, S. 29.

FEDERAL BUREAU OF INVESTIGATION

Form No. 1
THIS CASE ORIGINATED AT   LOS ANGELES   FILE No. 100-21367

REPORT MADE AT	DATE WHEN MADE	PERIOD FOR WHICH MADE	REPORT MADE BY
LOS ANGELES	10/21/44	9/4,19,20; 10/4/44	SIDNEY E. THWING GIF

TITLE	CHARACTER OF CASE
FREE GERMAN ACTIVITIES IN THE LOS ANGELES AREA	INTERNAL SECURITY - C

SYNOPSIS OF FACTS:

Inquiry among members of German organizations in
Los Angeles failed to disclose any efforts on the
part of leaders of Free German movement to influence
these organizations in favor of the Free German
movement. BERTOLT BRECHT in conversation with Source
D stated no effort being made to form Free German
organization in Los Angeles area. BRECHT also stated
his sole connection with Free German movement was as
member of Council For a Democratic Germany in New York.
BRECHT also stated his purpose in joining this Council
was to make certain no member of German military clique
or Nazi Party has any part in formation of postwar
German government. LION FEUCHTWANGER continues to
write for "Freies Deutschland" in Mexico City. CNDI
LA 1461 unable to furnish any additional information
regarding Free German movement in Mexico City.

- P -

REFERENCE: Report of Special Agent RICHARD C. THOMPSON,
                  Los Angeles, August 19, 1944.

DETAILS:

AT LOS ANGELES, CALIFORNIA:

The following investigation was conducted by Special Agent
RICHARD C. THOMPSON:

APPROVED AND FORWARDED:	SPECIAL AGENT IN CHARGE	DO NOT WRITE IN THESE SPACES

COPIES OF THIS REPORT
5 Bureau
2 Chicago   2 Philadelphia
2 Milwaukee   2 San Francisco
2 New York   2 Los Angeles

U. S. GOVERNMENT PRINTING OFFICE   16—27962-1

LA 100-21367

"World" back in 1938. One such ad stated that the organization came into being in 1881, that its main office is in Brooklyn, and that locally information could be obtained about it from ADOLPH SPRENZ, 1250 West 70th Street. The above files also reflected that the organization in question advertised in "The New Militant" in 1935, claiming 50,000 members and 350 branches.

        The files of the Los Angeles Field Division contain no information regarding ADOLPH SPRENZ. Due to the fact that no evidence of Free German activity was found, no further inquiries are being made at this time with regard to the Workmen's Sick and Death Benefit Fund.

        Source D telephonically contacted Special Agent SIDNEY J. THWING on September 20, 1944 at which time he agreed to contact BERT BRECHT and question him in regard to his activities in the Free German movement in Mexico and New York. On September 30, 1944 at the request of Source D, Special Agent HOWARD H. DAVIS and the writer proceeded to the home of Source D, at which time he furnished the following information regarding his talk with BRECHT.

        In response to direct questions put to him by Source D, BRECHT stated that he was not connected with the Free German movement in Mexico City, nor was he connected with the Free German movement in Moscow, his only connection being with the Council for a Democratic Germany, in New York. BRECHT also stated in answer to direct questions by Source D that there is no Free German organization in Los Angeles and that none is contemplated. He also stated that no meetings are ever held in this area which have to do with the postwar government in Germany.

        Source D remarked here that he personally believed BRECHT to be stating the truth in regard to the activity of the Free German movement in Los Angeles because he said if there was any organization of that nature in Los Angeles, BRECHT, FEUCHTWANGER and THOMAS MANN would have solicited his aid in the formation of such an organization because they know that he likes Germany as Germany without Nazism, and that he is not a Communist. They thus would desire his aid as a "front".

        Source D continued that he asked BRECHT what the purpose of the Free German movement was and what his reasons were in helping it. BRECHT replied, according to Source D, that the purposes of the Free German organization and his reasons for joining the Committee were one and the same, and that they were: (1) to see that no person who is a member of the German Military clique is placed in a responsible governmental position in the postwar German Government; (2) to see that no person who is a member of, or sympathetic to the Nazi Party in Germany is placed in a responsible governmental position in the postwar German government.

- 3 -

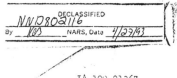

LA 100-21367

Source D explained that BRECHT said that his method of
preventing such persons from gaining prominent positions in the postwar
government in Germany was by articles prepared by himself and other anti-
Nazi authors warning the Allied Governments of all such persons in Germany
who aspired to control the postwar government in that country. BRECHT remarked during this conversation with Source D that his efforts in this regard
were not necessarily pro-Communistic or pro-democratic. He merely wanted to
be certain that no persons who belonged to the German military clique or the
Nazi Party were able to gain any power in the German Government after the war
and whether the democratic governments or Russia dominate postwar Germany
made no difference to him as long as the persons who belonged to the above
mentioned groups gained no power.

Source D also reported that BRECHT remarked to him that he,
BRECHT, intended to return to Germany after the war, and Source D at that time
asked him if he was desirous of returning to Germany because he thought that
he could obtain a position in the postwar German government. BRECHT'S reply
to this was, according to Source D, that he had no desire to obtain any
governmental position in Germany after the war; all he wanted to do was to
return to his work in Germany. Source D remarked that in his opinion BRECHT
was probably stating the truth because he does not think that BRECHT has any
political aspirations. Source D described BRECHT as an artist and writer and
definitely not a politician.

Source D stated that as far as he could learn from BRECHT
only the following persons residing in this area are interested in the Free
German movement: LION FEUCHTWANGER, FRITZ KORTNER, and HEINRICH MANN. Source
D described BRECHT as "certainly a leftist" but said that he could not state
definitely that BRECHT was a Communist. He said he did not think HEINRICH
MANN or FRITZ KORTNER were Communists, but did say that in his opinion LION
FEUCHTWANGER is definitely a Communist.

During his conversation with BRECHT Source D remarked that
he was planning to return to Germany soon, and BRECHT asked him to be sure
to look up CASPAR NEHER, described by BRECHT as his partner in Germany in
the Reinhardt Theater. BRECHT seemed very interested in NEHER and asked
Source D to determine whether NEHER was still living and if so, to have NEHER
get in touch with him. Source D said that he had been acquainted with NEHER
during the period that he was assigned to Berlin and that he knew NEHER was
associated with the theater there.

Source D also furnished five issues of "Freies Deutschland"
for the months of April, May, June, July, and August, 1942, which issues were
sent to him by one Dr. BRUNO FREI, 312 Calle Drive, Mexico City. Source D
described FREI as an Austrian left wing journalist in Berlin prior to the war.
He said that FREI was a Socialist then but is a decided Communist at the presen

- 4 -

the climate in Mexico where Seghers resides is, of course, not colder than the climate in California.«[42] Und selbst Aussagen von Dritten wie Eric Bentleys Brecht-Porträt für die amerikanische Ausgabe von *The Private Life of the Master Race* lassen die G-Men aufhorchen: »Some refugees have adjusted themselves to other countries, have even been fully assimilated. Not so Brecht. He seldom speaks English and that with a strong accent and halting delivery... Brecht... intends, I am sure, to return to Germany after the war to continue his theatrical experiments...«[43]

Und so geht es weiter in der Brecht-Akte. Scheinbar nebensächliche Hinweise auf Brechts Interesse an der Zukunft Deutschlands werden genau registriert: etwa, daß »Bert Brecht, prominent in the Free German movement in Los Angeles, had attended a farewell gathering given for Billy Wilder of Hollywood, who... was selected by OWI to handle American motion pictures in Germany after the war«[44]; oder daß »Mrs. Helene Brecht«[45] zusammen mit anderen über einen GI Pakete an österreichische Schauspieler schickt; oder auch daß Brecht sich am 2. August 1945 gleich zweimal bei einem nur als »›Doctor‹« identifizierten Mann über die Teilung Deutschlands in Besatzungszonen beklagte (»very bad news«[46]). Eine Fülle von mehr oder weniger detaillierten Bemerkungen weist darauf hin, daß sich die Special Agents über die potentielle Wirkung von Brechts Werken Gedanken machten: So vermerkt ein FBI-Report im Juni 1945 in der »Synopsis of Facts« als erste Nachricht, daß Ignazio Silone (»left the Communist Party... in 1930«[47]) Brecht-Stücke für ein Theater in Rom angefordert habe.[48] Als Karl Korsch Brecht am 25. Februar 1945 in einem Brief dazu auffordert, an einem Lesebuch »for Germany after the war« mitzuarbeiten, das in Gottfried Bermann Fischers Verlag erscheinen soll, übersetzt der Zensor »The Army have already given big orders«[49]. Um ein »German language manuscript prepared by Brecht..., and... Ruth Berlau..., alleged mistress of Brecht..., educating German Prisoners of War in the United States« geht es in einem Memorandum, mit dem Hoover Anfang Dezember 1947 den Fall Brecht an den »Director,

---

42 FBI-Report, Los Angeles v. 30. 6. 1945, S. 14.
43 FBI-Report, Los Angeles v. 24. 10. 1945, S. 3-4.
44 R. B. Hood, Brief an Director, FBI, v. 5. 4. 1945, S. 1.
45 FBI-Report, Los Angeles v. 29. 5. 1946, S. 1.
46 FBI-Report, Los Angeles v. 24. 10. 1945, S. 9.
47 A. a. O., S. 22.
48 »Source E advised that on March 29, 1945, B. Viertel, 346 West 8th Street, New York City, wrote the following letter to Bert Brecht: ›My dear Brecht, I had to tell the go-betweens, who came from Silone to ask for the »Gute Menschen« (translator's note: a play), that I had referred their request to you. It might be useful if you reacted yourself on this request. Silone ought not to be able to say, that he is one of those, whom you considered as one not worthy of an answer«« (FBI-Report, Los Angeles v. 30. 6. 1945, S. 13–4).
49 A. a. O., S. 8. Vgl. dazu Brecht: *Briefe 1913-1956*. Bd. 2, S. 170.

Central Intelligence Agency« weitergibt (»please furnish any information you receive or develop on the subject's activities in Europe of a Soviet intelligence nature«[50]). Und natürlich beobachtet das FBI 1947 die Rückkehr Brechts nach Europa mit großem Mißtrauen: »It has come to the attention of this office«, berichtet Hood dazu am 8. August an den Director, FBI, »that the above-captioned subject intends to leave the United States in September of this year for Switzerland and then will proceed to Germany... The Washington Field Office is requested to ascertain at the State Department if Brecht has applied for an exit visa and the type of passport on which he is travelling... It is requested that Philadelphia and Washington Field expedite the leads set forth inasmuch as the Bureau may desire that Brecht be interviewed before his departure for Europe in case he does not apply for a re-entrance permit.«[51]

Das Interview mit Brecht, auf das in den nächsten Tagen und Wochen verschiedene Schriftstücke in der Akte zurückkommen, hat nie stattgefunden. Mangelhafte Informationen über Brechts genauen Abreisetermin (»it [is] not being known« definitely where he is at the moment«[52], meldet ein internes Memorandum der FBI-Zentrale vom 5. November), der schwerfällige Dienstweg zwischen den verschiedenen Field Offices und Hoovers Interesse, Brechts Verhör durch das HUAC nicht zu stören (»...postpone plans to interview subject until after his appearance before House Committee on Unamerican Activities«[53]), ließen die G-Men zu spät kommen: Als Hoover seinen Special Agent in New York am 12. November endlich telegraphisch anweist, »to interview subject without undue delay«[54], war Brecht schon nahezu zwei Wochen in Europa.

Wohl aber diskutierte man in den FBI-Büros von Los Angeles und Washington in den Monaten vor dem HUAC-Verhör allen Ernstes und mit einiger Intensität, ob nicht ähnlich wie im Fall von Hanns Eisler (»Eisler... who is presently out on bond awaiting a deportation hearing, collaborated with Brecht«[55]) noch rasch ein vom Immigration and Naturalization Service in Los Angeles gegen Brecht eingeleitetes Deportationsverfahren durchgedrückt werden könne. »...this office«, berichtet Hood Anfang November dem FBI-Boss, »has furnished information available on Brecht which would aid in deporting him.«[56] Washington, wo man den Fall noch niet- und nagelfester ma-

---

50 John Edgar Hoover, Memorandum an Director, Central Intelligence Agency, v. 2. 12. 1947, S. 2.
51 R. B. Hood, Brief an Director, FBI, v. 8. 8. 1947, S. 1–2.
52 J. P. Coyne, Memorandum an D. M. Ladd v. 5. 11. 1947.
53 Hoover, Telegramm an SAC, New York, v. 23. 10. 1947.
54 Hoover, Telegramm an SAC, New York, v. 12. 11. 1947.
55 John Edgar Hoover, Memorandum an Director, Central Intelligence Agency, v. 2. 12. 1947, S. 2.
56 R. B. Hood, Brief an Director, FBI, v. 5. 11. 1947.

chen wollte, telegraphierte daraufhin zurück, daß Hood ruhig auch den Namen des russischen Konsuls Gregory Kheifetz, neben Brechts Kontakten zum Freien Deutschland ein besonderer Dorn im Auge des FBI, an den INS weitergeben könne – vorausgesetzt, alle Informanten bleiben »fully protected«[57]. Zudem solle man beim INS eine sogenannte »stop notice« bewirken, also einen Aktenvermerk, mit dem sich die Ausstellung des zur Rückkehr in die USA benötigten »re-entrance permits«[58] überwachen ließ.

Doch die Memoranda und Telegramme zwischen Washington und Los Angeles in Sachen Deportation kamen ebenso zu spät wie der Versuch des Bureau, Brecht zu interviewen. Als Hood an seine Zentrale meldete, daß nach Ansicht des regionalen INS-Büros »deportation proceedings against Brecht may be instituted by Saturday, November 8, 1947«[59], war der Verdächtige in Zürich bereits damit beschäftigt, genau das zu tun, was das FBI gefürchtet hatte – nämlich zusammen mit prominenten Kollegen wie Carl Zuckmayer, Erich Kästner, Werner Bergengruen und Max Frisch einen Aufruf zu entwerfen, in dem davor gewarnt wird, daß »die Erwartung eines neuen Krieges... den Wiederaufbau der Welt« paralysiert und »die Existenz zweier verschiedener ökonomischer Systeme in Europa« von den Politikern »für eine neue Kriegspropaganda ausgenutzt«[60] werde. »Experimental theater, NYC, advised informant«, registriert ein Bureau-«Teletyp« vom 20. November 1947 im emotionslosen FBI-Jargon, »Brecht presently in Switzerland. INS records reflect Eugen Brecht, reentry permit A one four three seven nine nine one, left NYC bound for Paris, France, Oct. thirtyone fortyseven via Air France Airlines. Customs stop placed NYC re subjects return.«[61]

Zuende war das vor dem Hintergrund der Umerziehung der Deutschen und der Frage um eine neue nachkriegsdeutsche Kulturpolitik für beide Seiten nicht unwichtige Spiel um Internierung und Deportation, Ausweisung, »reentry permits« und »custom stops« deshalb nicht. »... according to recent column«, telegrafierte das New Yorker Büro des FBI am 20. März 1956 dringlich (»urgent«) an den Director, »subject is to appear at the open stage theatre, NYC... to review his play, ›Private Life of the Master Race‹.«[62] Worauf das

---

57 Hoover, Telegramm an SAC, Los Angeles, v. 12. 11. 1947.
58 R. B. Hood, Brief an Director, FBI, v. 8. 8. 1947, S. 2. In seinem *Arbeitsjournal* vermerkt Brecht mit Datum vom 29. 3. 1947: »bekommen exit- und reenter-permit, um in die Schweiz zu reisen« (B. B.: *Arbeitsjournal*. Bd. 2. Hrsg. v. Werner Hecht. Frankfurt: Suhrkamp 1974, S. 483 [=werkausgabe edition suhrkamp. Supplementband.]).
59 R. B. Hood, Brief an Director, FBI, v. 5. 11. 1947.
60 Klaus Völker: *Brecht-Chronik. Daten zu Leben und Werk.* München: Hanser 1971, S. 117.
61 SAC, New York, FBI-Teletype an Director v. 20. 11. 1947. Ein Memorandum des SAC, Los Angeles, an Hoover vom 24. Februar 1948 deutet an, daß man damals beim FBI in der Tat entschlossen war, Brechts Rückkehr in die USA zu verhindern: »It appears that some action may be taken to prevent the return of Brecht to the United States« (S. 7).
62 SAC, New York, Teletype an Director v. 20. 3. 1956.

Hauptquartier in Washington, dem Brecht offensichtlich auch 1956 noch den Aufwand einer Überwachungsaktion wert war, ohne Zögern beschließt: »… he is of sufficient importance in international Communism that the Bureau should be aware of all of his activities and his contacts.«[63] Doch die Zeiten hatten sich inzwischen geändert. Der Stückeschreiber ließ sich zum angegebenen Termin weder im Open State Theatre noch in den USA blicken und das Theaterpublikum machte sich über die Special Agents des FBI mit Bemerkungen wie »»we expected to see hordes of fbi men here«« und »»we certainly fooled FBI this time««[64] lustig.

Schlappen, wie sie bei der Aufdeckung von Brechts Rolle als einem führenden Repräsentanten der Freien Deutschland-Bewegung auftraten, vermögen nicht darüber hinwegzutäuschen mit welcher Intensität und mit welchem Erfolg das FBI Bertolt Brecht, seine Familie, seine Mitarbeiterinnen, Freunde und Bekannten über Jahre hinweg observierte. Darauf soll im Folgenden – als zweitem Schwerpunkt der FBI-Akte des Bertolt Brecht – genauer eingegangen werden: Die Geschichte der Bespitzelung von Brecht und die Mittel und Methoden, mit denen das FBI u. a. im Kontext eines Internierungsverfahrens bei der Beschaffung von Informationen vorging – also das Abhören von Telephonen, die Installation von Wanzen, Postzensur, Durchsuchung von Reisegepäck und Hausmüll (»trash« bzw. »scrap cover«[65]) sowie das Observieren von Wohnungen, Autos und Personen durch Special Agents.

Im Gegensatz zu den FBI-Akten über andere Exilanten läßt sich im Fall von Brecht nicht mehr rekonstruieren, wann und warum sich Hoovers Bureau für den deutschen Stücke- und Gedichteschreiber zu interessieren begann. Jener weiter oben bereits angeführte Briefwechsel zwischen Brecht und Fritz Lang bzw. Lilli Latte aus dem Jahre 1939 und eine Reihe von Schreiben aus Mexiko vom August 1942 scheinen anzudeuten, daß Washington bereits damals auf Brecht aufmerksam geworden war. Andererseits können Unterlagen dieser Art erst später als Querverweise aus älteren Aktenbeständen anderer Exilanten herangezogen worden sein. Das gleiche gilt für die zahlreichen Hinweise in der Brecht-Akte auf Texte in Zeitschriften wie *Das Wort*, *Internationale Literatur* und *Freies Deutschland* und für Details aus Brechts Biographie vor 1941.

Sicher ist dagegen, daß die ersten fünf »Reports«, die die Dienststelle des FBI in Los Angeles zwischen dem 6. März und 10. Juli 1943 über Brecht anfertigte, ein Thema gemein hatten: die Bereitstellung von genug schlagkräftigem Material, um, wie Hood schrieb, festzustellen »whether… the United States Attorney… will authorize the arrest of Subject as an enemy alien with a

---

63 W. A. Branigan, Memorandum an A. H. Belmont v. 21. 3. 1956.
64 SAC, New York, Teletype an Director v. 22. 3. 1956. Diese Episode wurde durch Eric Bentley bestätigt (Gespräch mit dem Verfasser in New York am 10. 9. 1994).
65 FBI-Report, New York v. [unleserlich] August 1945, S. 16.

view to his internment.«[66] Kein Zweifel besteht da zum Beispiel nach »Source
>A<«, die »Mr. and Mrs. Brecht« noch von Deutschland her persönlich kann-
te, daß »subject« ein Kommunist sei. »Source >B<«, ein gewisser T. W. Baumfeld von Arnold Productions in Las Palmas und Santa Monica, der Brecht in
den USA kennenlernte und unbeschwert Gerüchte nachplappert wie »Subject was imprisoned by the Nazis at one time and is believed to have been
severely treated by them«, »found him still a radical and an enemy of Capitalism«[67]. »Confidential National Defense Informant [ausgeschwärzt] advised
that to his knowledge Subject was in Moscow in 1932 to show a picture with
Communist tendencies, entitled >Kuhle Wampe<.«[68] Und von zwei ebenfalls
unkenntlich gemachten Quellen ließ sich das FBI über jenen bereits erwähnten Brecht-Abend in der New Yorker New School for Social Research informieren (»this Informant learned through a friend of Mrs. Lorre that Peter
Lorre had read some of Brecht's works... which are of a revolutionary nature«[69]) und darüber aufklären, daß Brechts Bekanntenkreis – Lion Feuchtwanger, Berthold Viertel, Alexander Granach, Fritz Kortner – fast nur aus
Personen mit »Communist tendencies«[70] bestehe. Zudem scheint der zu In-
ternierende, wie der Film *Hangmen Also Die* beweist, »through personal experience«[71] mit allen Tricks einer Untergrundbewegung vertraut zu sein (»never tell the police anything«, »establish alibis so as to fool the police«, »work
very secretly«, »guard against informers«[72]) – Fähigkeiten, die jede auf >law
and order< achtende Polizeitruppe zu erhöhter Wachsamkeit ermuntern mußten, egal ob sie Gestapo oder FBI heißt.

Der Film *Hangmen Also Die*, an dem Brecht nach Meinung des FBI »as
Technical Advisor concerning the Underground«[73] mitgearbeitet hatte, war
nicht die einzige literarische Arbeit, die Hoovers G-Men im Zusammenhang
des schwebenden Internierungsverfahrens mit Mißtrauen zur Kenntnis nahmen. Auch *Die Maßnahme*, von der ein FBI-Spezialist eine Übersetzung anfertigte, die leider nur noch in einer ausführlichen Zusammenfassung überliefert ist, erregte Aufmerksamkeit beim Los Angeles Field Office. »A
self-styled >educational play< which advocates Communist world revolution
by violent means«[74] sei dieser Text, »the >Control Committee<«[75] singe allent-

66 FBI-Report, Los Angeles v. 30. 3. 1943, S. 6.
67 FBI-Report, Los Angeles v. 6. 3. 1943, S. 2. Hinter Source A verbergen sich »Mr. and Mrs.
   Fritz Nuernberger« (a. a. O., S. 11; Brecht-Archiv, Berlin).
68 FBI-Report, Los Angeles v. 22. 5. 1943, S. 1.
69 A. a. O., S. 3.
70 A. a. O., S. 2.
71 FBI-Report, Los Angeles v. 6. 3. 1943, S. 2.
72 FBI-Report, Los Angeles v. 2. 10. 1944, S. 16.
73 FBI-Report, Los Angeles v. 6. 3. 1943, S. 1.
74 FBI-Report, Los Angeles v. 30. 3. 1943, S. 1.
75 A. a. O., S. 4.

halben Lieder zum Ruhm der UdSSR, der KP und der illegalen Arbeit, lehren und lernen sollen die Schauspieler bei der Aufführung und schließlich
sei das Stück, wie der beigefügte Brief von Brecht und Eisler beweist, bereits
den deutschen Zensurbehörden unangenehm aufgefallen.[76]

Ob der Assistant United Stated Attorney Attilio di Girolamo, bei dem sich
das FBI um die Internierung von Brecht bemühte, *Die Maßnahme* und die
durchaus passablen Übertragungen von Gedichten wie »Song Against the
War« (»Lied gegen den Krieg«), »Song of the United Front« (»Einheitsfront-
lied«), »Resolution« (»Resolution der Kommunarden«), »Invincible Inscrip-
tion« (»Die unbesiegliche Inschrift«) und dem später vom HUAC zitierten
»Song of Solidarity« gelesen hat, ist nicht bekannt. Wohl aber scheint sich di
Girolamo gescheut zu haben, eigenmächtig Entscheidungen im Fall Brecht
zu fällen. So übernimmt er zwar in einem Schreiben an seine Vorgesetzten
im Justizministerium die wichtigsten Argumente des FBI, weist aber zugleich
auch – eine Seltenheit bei amerikanischen Behörden – auf die antifaschistische Einstellung des Verdächtigen hin, »which is compatible with the ideology of a government« which is an ally of the United States«, und kommt zu
dem Schluß: »Therefore, if internment were based solely on the possibility of
subject's giving aid and comfort to the enemies of this country, there would
be no proper cause for his internment.«[77]

Hoover, der sich mehrfach persönlich bzw. über seine unmittelbaren Stellvertreter um den Fortgang des Internierungsverfahrens gegen den Stückeschreiber aus Deutschland gekümmert hatte (»this action should be taken
without delay«[78]), wird diesmal denn auch von seinen Vorgesetzten im Justizministerium enttäuscht. Trocken und ohne Angabe von Gründen teilt das
»Department« di Girolamo am 26. Juni 1943 mit, daß ein »Presidential
Warrant« »at this time«[79] nicht genehmigt werde. Brecht, der von der ganzen Angelegenheit wohl gar nicht gewußt hatte, war noch einmal davonge-
kommen.

Rückschläge dieser Art waren kein Grund für die Männer in der FBI-Zentrale in Washington und deren Zweigstellen in Los Angeles und New York,
locker zu lassen. Im Gegenteil. Knapp ein Jahr nach der Niederschlagung
des Internierungsverfahrens beginnen Hoover, Hood und ihre Mitarbeiter

---

76 Vgl. Bertolt Brecht: *Versuche 1-12*. Heft 7. Frankfurt: Suhrkamp 1977, S. 351.
77 R. B. Hood, Brief an Director, FBI, v. 18. 6. 1943, S. 1.
78 John Edgar Hoover, Brief an SAC, Los Angeles, v. 22. 5. 1943.
79 FBI-Report, Los Angeles v. 10. 7. 1943, S. 1. R. B. Hood berichtet dazu in einem Brief an
    Hoover vom 28. 7. 1943: »Although not stated in the above report, [ausgeschwärzt] of As-
    sistant United States Attorney di Girolamo's office read the Department's communication
    relative thereto, to the Agent who reported the above matter. This letter contained no refer-
    ence to any reason the Department might have had for not authorizing the issuance of a
    Presidential warrant for subject's apprehension.«

eine neue, bis in den Herbst 1946 andauernde, noch intensivere Runde von Bespitzelungen der Großfamilie Brecht.[80] Am Anfang steht dabei jene bereits zitierte 36-seitige Zusammenfassung der zu Brecht vorliegenden Informationen. Interessant ist an diesem am 2. Oktober 1944 für den Berichtzeitraum vom 22. Juli bis 28. August niedergeschriebenen »Report« neben der hier noch nicht einmal ansatzweise auszuwertenden Materialfülle vor allem die Tatsache, daß Ereignisse aus dem Jahr 1943 referiert werden, die in den mir vorliegenden FBI-Akten nicht zu finden sind. Mit anderen Worten: Es ist anzunehmen, daß das FBI Teile des damals offensichtlich viel breiter angelegten Aktenbestandes vernichtet oder nicht an mich ausgeliefert hat.

Drei Beispiele mögen hier genügen. Das erste findet sich unter der Überschrift »Activities in the United States, 1943« und stammt aus einer nachträglich unkenntlich gemachten Quelle: »This source reported surveillance information to the effect that on January 9, 1943, automobiles registered to Lillie Latte... and Ruth Berlau, 844 26th Street, Santa Monica, California, were observed. It will be recalled that this individual was mentioned above as having received a message from Georg Branting, Stockholm, Sweden, concerning [unleserlich] Wuolijoki of Finland«[81] – eine Anspielung auf ein bislang in den Akten noch nicht erwähntes Telegram vom 1. September 1943, in dem Brecht gebeten wird, sich mit einer notariell beglaubigten Aussage für Hella Wuolijokis einzusetzen, deren Mittlerrolle zwischen dem sowjetischen Konsul in Finland, Bertolt Brecht und »Marguerite Steffin, now dead«[82], bei der Auszahlung von Brechts Rubel-Tantiemen dem FBI genau bekannt ist. Beispiel Nr. 2 deutet an, daß Brecht Anfang 1943 nicht nur in Los Angeles, sondern auch in New York vom FBI beschattet wurde: »Source [ausgeschwärzt]... advised that on February 12, 1943, Bert Brecht arrived in

---

80 Ein Aktenvermerk, der auf eine Weiterführung der Brecht-Akte im Rahmen eines anderen, offensichtlich ungewöhnlich geheim gehaltenen Falles weist (»the [ausgeschwärzt] investigation has been developed along extremely confidential lines« [R. B. Hood, Brief an Director, FBI, v. 16. 4. 1943, S. 2]), ist bei dem gegenwärtigen Informationsstand nicht zu entschlüsseln.

81 FBI-Report, Los Angeles v. 2. 10. 1944, S. 16.

82 A. a. O., S. 12. Das Telegramm wurde von einem schwedischen Rechtsanwalt übermittelt, da von Finnland aus keine Nachrichten in die USA geschickt werden konnten: »... i beg you to send me a following statement duly authenticated by a notary public stop woulijokis says that a couple of days before your departure from helsinki when russian consulate made difficulties about paying to you amounts remitted by your publisher in moscou for nexoetranslation you asked steffin to complain about it to terentjeff visiting wuolijoki who at once proposed to advance to you 8000 finnmarks and collect himself from the consulate stop please answer if terentjeff paid the compensation from his own money or was he forced to borrow the amount from wuolijkoki... the solution of above named matters is very important for mrs wuolijoki because she is accused for her relations to the soviet and expecially to terentjeff...« (a. a. O., S. 11-2).

New York City, and upon arrival went to an apartment house located at 124 East 57th Street, which was ascertained to be rented by Ruth Berlau, previously mentioned, and Ida Bachman, who were then both employed by the Office of War Information.«[83] Und schließlich sei als drittes und letztes Beispiel eine Informationsquelle zitiert, die normalerweise vom FBI nur sehr zögerlich und stark verschlüsselt genannt wird (»it is suggested that it be suitably paraphrased in order to protect the Bureau's coding systems«[84]) – die Telephonüberwachung: »This source reflects that in May 1943 telephone calls made from the Brecht residence for the previous three months had been ascertained. It will be noted that this period coincides with that during which Brecht was in New York. Among the persons called from the Brecht residence during this time were Peter Lorre, Alexander Granach, Mrs. Heinrich Mann, Ludwig Marcuse, William Dieterle, and Oscar Homolk.«[85]

Die Abhöraktion vom Frühjahr 1943 hat in den an mich ausgelieferten Brecht-Akten so gut wie keine Spuren hinterlassen. Der Grund dafür dürfte diesmal freilich weniger bei der nachträglichen Vernichtung von Akten durch das FBI zu suchen sein, als bei der Tatsache, daß Hood und seine Mannen im Eifer des Gefechts eigenmächtig auf Methoden der Informationsbeschaffung zurückgegriffen hatten, die normalerweise einer Genehmigung durch die FBI-Zentrale in Washington und den Attorney General bedurften. Jedenfalls machte Hood, als er sich im Februar 1945 beim Director, FBI, offiziell um die Erlaubnis bemühte, Brechts Telephon anzapfen zu dürfen – »Authority is hereby requested for the installation of a technical surveillance of Bert Brecht, 1063-26th Street, Santa Monica, California, telephone Santa Monica 5-4943« – einen entscheidenden Fehler: »The report of Special Agent [ausgeschwärzt] dated February 1, 1945 in instant case sets forth the results of the check of [ausgeschwärzt] of Bert Brecht«, meldet der SAC von Los Angeles mit Bezug auf »technical surveillance... previously had on Bert Brecht« nach Washington und fährt nicht ohne Stolz fort: »It will be noted from a review thereof that contact was had with telephones listed to a great number of individuals of foreign background. Several of the individuals are mentioned in the Comrap investigation and several others are known to this office as Communist Party members. Still others are known as Communist sym-

---

83 A. a. O., S. 17. Ruth Berlau beschreibt diese Wohnung so: »Wir zahlten zusammen fünfundsiebzig Dollar für ein großes Zimmer, ein etwas kleineres mit Balkon und einer Küche. Von dem Balkon aus blickte man auf die berühmte Wolkenkratzer-Silhouette, die Skyline New Yorks. Natürlich hatten wir – wie üblich in Amerika – zwei Badezimmer. Jetzt, da ich Brecht anständig empfangen konnte, sah ich auch eine Chance, daß er kommt« (Ruth Berlau: *Brechts Lai-Tu. Erinnerungen und Notate.* Hrsg. v. Hans Bunge. Damstadt: Luchterhand 1985, S. 165).

84 Vermerk auf SAC, Los Angeles, Teletype an Director v. 5. 11. 1945.

85 FBI-Report, Los Angeles v. 2. 10. 1944, S. 19.

phathizers.«[86] Worauf Hoovers Zentrale leicht pikiert zurückschreibt, daß das Bureau ihres Wissens keinerlei Unterlagen besitzt, aus denen hervorgeht, daß sie je eine Genehmigung zum Abhören von Brechts Telephon gegeben habe. Aufgefordert, postwendend eine Erklärung zu dem Fall abzuliefern, greift der Special Agent in Charge von Los Angeles zu einer Notlüge: »Brecht was confused with Heinrich Mann, a companion subject on whom there was a technical surveillance. The records of this office fail to show that any technical surveillance has been maintained on Brecht.«[87]

Wie großzügig Hood hier mit der Wahrheit umgeht, hätte man im FBI-Hauptquartier dem Bericht des Los Angeles Field Office vom 1. Februar 1945 entnehmen können, in dem wiederholt auf eine Informationsquelle »C.N.D.I. [ausgeschwärzt]«[88] verwiesen wird, die allem Anschein nach mit dem Abhören von Telephongesprächen zu tun hat. Doch solange die richtigen Nachrichten in der richtigen Menge flossen und unter Geheimhaltung der Quelle verarbeitet wurden[89], wollte man in Washington nicht so genau wissen, mit welchen Mitteln die Field Offices arbeiteten. »Approval granted to install technical surveillance on subject… provided full security assured«[90] telegraphiert Hoover jedenfalls am 9. April nach Los Angeles und tritt damit eine Überwachungslawine los, die erst Ende des Jahres wieder zum Stehen kommt.

Die gleichsam offizielle, von der FBI-Zentrale und vom Attorney General genehmigte Aktion gegen Brechts Telephon dauerte vom 18. April bis »1:00 PM, November 5«[91] 1945 und lief unter dem FBI-Code »CNDI L.A. BB-1«[92]. Sie wurde von der örtlichen Telephonzentrale aus durchgeführt und monatlich in Washington verlängert – mal aufgrund stichhaltiger Argumente wie Brechts Beziehungen zu dem Sowjetdiplomaten und potentiellen Atomspion

---

86 R. B. Hood, Brief an Director, FBI, v. 21. 2. 1945, S. 1-2.

87 R. B. Hood, Brief an Director, FBI, v. 16. 3. 1945. Die Akte von Heinrich Mann ist durch Ausschwärzungen so stark verstümmelt, daß sich die Angabe von Hood nicht mehr verifizieren läßt.

88 FBI-Report, Los Angeles v. 1. 2. 1945, S. 4.

89 »A review of reference report indicates«, rügt John Edgar Hoover seinen SAC in Los Angeles in einem Memorandum vom 8. August 1945, » that information attributed to Confidential Informant BB-1 obviously came from a technical surveillance. Several statements contained on page 33 attributed to this informant could only have been obtained through a technical surveillance… As you have been previously advised, any information obtained through technical sources should be adequately protected when placed in report form.«

90 Hoover, Teletype an SAC, Los Angeles, v. 9. 4. 1945.

91 R. B. Hood, F. B. I. Teletype an Director, FBI, v. 5. 11. 1945. Daß Brechts Telephon schon früher abgehört wurde, belegt u. a. auch Hoods Report vom 30. Juni 1945, in dem davon die Rede ist, daß Brechts Nummer am 18. und 19. März mehrfach von einem Martin Hall angerufen wurde, der vor seiner Einbürgerung Karl Adolf Rudolf Hermann Jacobs hieß und mit Brecht und Hanns Eisler bekannt sei.

92 A. a. O.

Gregory Kheifetz und der linken Szene in Hollywood (»through this technical surveillance it has been ascertained that Brecht is a frequent contact of individuals suspected of espionage activities in behalf of the Soviet Government as well as known Communists active in the movie industrie in the Hollywood area«[93]), mal mit reichlich weit hergeholten Begründungen wie der geplanten Rückkehr von Karin Michaelis, »the Danish writer of Communist tendencies«[94], in ihre Heimat (»according to BB-1, an unknown woman...stated... that... Michaelis knows a ship owner – a Danish seaman – who will take her back to Denmark aboard ship«[95]) oder einer Einladung an Brecht, an einem Internationalen Filmkongress in der Schweiz teilzunehmen[96].

Die wichtigsten Resultate der Abhöraktion lagen für das FBI dabei zweifellos im Bereich der Überwachung von Brechts Bekanntenkreis und – wie bereits erwähnt – seiner Plänen für die Rückkehr nach Deutschland. Dabei fallen die Namen von Amerikanern wie Charles Laughton (»according to BB-1... has had considerable contact with the Brechts during the past month, at least«[97]), Chaplin (»Berlau... wanted ›Chappy‹ to write a short speech for her which she was to make by shortwave radio to Denmark«[98]), Archibald MacLeish (»presently an Assistant Secretary of State, has been a follower of the Communist Party line for many years«[99]), Eugene Meyer (»according to BB-1, Brecht was visited by Eugene Meyer... of the Washington Post«[100]) und E.Y. Harburg (»one of the leading figures of the Communist movement among the motion picture people in Hollywood«[101]) ebenso wie die einer Großzahl von mehr oder weniger prominenten Exilanten. Trivialitäten wie die Meldung, daß die Familie Reichenbach wegen eines Umzugs ihre Möbel in Brechts Garage unterstellt, stehen neben brisanten Nachrichten von Besuchen der sowjetischen Vizekonsuln von San Francisco und Los Angeles bei Brecht – neben Kheifetz nennt das FBI »Stepan Apreslan«, »Mikhail Vavilov«[102] und »Eugene Tumantsev«[103] – und dem Interesse des »subject« dar-

---

93 D. M. Ladd, Memorandum an E. A. Tamm v. 3. 10. 1945.
94 R. B. Hood, Brief an Director, FBI, v. [unleserlich] 5. l945.
95 FBI-Report, Los Angeles v. 30. 6. 1945, S. 29.
96 R. B. Hood, Brief an Director, FBI, v. 2. 8. 1945.
97 FBI-Report, Los Angeles v. 30. 6. 1945, S. 32.
98 A. a. O., S. 15.
99 R. B. Hood, Brief an Director, FBI, v. 30. 6. 1945.
100 FBI-Report, Los Angeles v. 30. 6. 1945, S. 31.
101 A. a. O., S. 34.
102 FBI-Report, Los Angeles v. 24. 10. 1945, S. 7.
103 A. a. O., S. 13: »On August 20, 1945, pursuant to information received on August 16, 1945 from CNDI LA BB-1 to the effect that Eugene Tumantsev, Soviet Vice Consul at Los Angeles, had made an appointment with Bert Brecht for 7 P.M. on August 20th, Special Agents [ausgeschwärzt] and reporting Agent observed Tumantsev arrive in a Consulate

an, wer bei der Los Angeles County Communist Political Association die Nachfolge von Präsident Carl Winter antritt. Und natürlich dreht sich auch im Fall von CNDI LA. BB-1 eine Fülle von Aktenvermerken um politische Themen und um das Interesse der Exilanten an den Ereignissen in Deutschland: also um Billy Wilders Arbeit für das OWI und Alfred Döblins Tätigkeit in Frankreich, um Radioberichte aus der Sowjetunion über die Teilung Deutschlands und um den Sieg der Labor Party über Churchill bei den Wahlen in England.

Relativ mager bleibt dagegen die Ausbeute für jene Brecht-Forscher, die hoffen, Intimitäten über Leben und Werke des Bertolt Brecht durch BB-1 zu erfahren, das von einem Special Agent einmal als »close to Brecht and his residence«[104] beschrieben wird. Kühl lehnt der Stückeschreiber da in einem Telephonat vom 11. oder 12. Mai die Bitte von Ruth Berlau, ihr wenigstens »a little part« in *The Private Life of the Master Race* zu überlassen mit der Begründung ab, »that what he had in mind she could not do because it must be in English«[105]. »This informant was able to gather from various conversations at which he was present«, meldet BB-1 im September 1945 leicht verschlüsselt, daß bei Brecht nahezu jeden Sonntag »open house meetings«, an anderen Tagen »meetings of a closed nature«[106] stattfinden. Und auch die schnippische Antwort von Helene Weigel an »Mrs. Eisler«, die im Mai 1945 ihren Mann dringlich über Brecht per Telephon aus New York zurückzuholen versucht, damit er seinen Job in Hollywood nicht verliert, sagt kaum etwas neues über das Verhältnis der Weigel zu Brechts Mitarbeiterinnen aus: »... Mrs. Brecht stated that the number is in the phone book under the name of Ruth Berlau.«[107]

Ergiebiger ist es da schon, einen Blick auf die Ergebnisse der anderen Überwachungsmethoden zu werfen, die das FBI im Laufe der Jahre gegen Brecht einsetzte: auf die Zensur seiner Post und die Beschattung von Besuchern, auf das Durchsuchen von Privatsachen wie dem Reisegepäck der Ruth Berlau, auf Informantenaussagen, sogenannte »trash« und »scrap covers« und auf den nur zufällig fehlgegangenen Versuch, sich durch die Installation

car driven by the chauffeur. Tumantsev's arrival at the Brecht residence was at 7:05 P.M., at which time he was observed to enter, where he remained for approximately thirty minutes. At the time of Tumantsev's arrival a green Buick station wagon bearing California license 14 D 565, was observed at the Brecht residence. This car is registered to Elsa Lancaster, 14954 Corona Del Mar, Pacific Palisades, California. Elsa Lancaster is the wife of Charles Laughton, and shortly after Tumantsev's arrival an individual apearing to be Laughton departed in the station wagon.«

104 FBI-Report, Los Angeles v. 30. 6. 1945, S. 26.
105 A. a. O., S. 31.
106 R. B. Hood, Brief an Director, FBI, v. 17. 9. 1945, S. 2.
107 FBI-Report, Los Angeles v. 30. 6. 1945, S. 36.

einer Abhöranlage im Chalet Moter Hotel[108] von Santa Monica Zugang zum Bettgeflüster von Brecht und Berlau zu verschaffen.

Beginnen wir mit dem Fall Berlau, an dem sich der Umfang des gegen Brecht und seine Umgebung eingesetzten Überwachungsapparats vielleicht am besten demonstrieren läßt. Interessiert war das FBI nämlich an Ruth Berlau weniger, weil man hier eine schreibende Exilantin kommunistischer Couleur im Visier hatte, die zudem noch für das Office of War Information tätig war (»she has... been said to be critical of the United States' policy and to advocate communism in this country«[109]). Wichtiger war Hood vielmehr die Möglichkeit, über Berlau an Bert Brecht heranzukommen. So entwickelte das FBI unter anderem für jene photographischen Arbeiten besonderes Interesse, die Berlau 1944/45 im Auftrag von Brecht durchführte. »Recent investigation has indicated«, argumentiert Hood in jenem Schreiben an Hoover vom 5. April 1945, in dem er um »blanket authorization for the installation of a microphone surveillance in whichever unit of the Chalet Motor Hotel Berlau might reside upon her return« nachsucht, »that Ruth Berlau, who entered the United States with Brecht... has acted in the capacity of a secretary to Bert Brecht. He is known to visit her almost daily at the Viertel residence and a recent examination of her effects contained some of his letters. On March 31, 1945, Berlau departed aboard the Union Pacific ›Challenger‹ for New York. Prior to departure she moved out of the Viertel residence and shipped all of her belongings to her New York address... These shipments included one-half dozen boxes of photographic laboratory equipment. Her effects reflect that she has done extensive photographic copying of German language poems, etc. (no doubt the work of Bert Brecht)...«[110]

Die Installation der Wanze in Ruth Berlaus Motelzimmer kam nur deshalb nicht zustande, weil sich die Reisepläne der Brecht-Freundin verschoben.[111] Abstand nahm das FBI auch von einem Plan, in Santa Monica eine Wohnung als »Technical Plant«[112] anzumieten, um von dort aus die Überwa-

---

108 Dieses Hotel existiert heute noch unter dem Namen Star Dust Motor Hotel mit der leicht geänderten Adresse 3202 Wilshire Boulevard.

109 FBI-Report, Los Angeles v. 2. 10. 1944, S. 16. Vgl. dazu die Erinnerungen von Ruth Berlau, in denen von einer Denunziation durch einen Mitarbeiter die Rede ist, die sie und Ida Bachmann im Sommer 1944 die Stelle beim Office of War Information kostete (Berlau, *Brechts Lai-Tu*, S. 202-3).

110 R. B. Hood, Brief an Director, FBI, v. 5. 4. 1945, S. 1-2. Vgl. auch Brecht: *Arbeitsjournal.* Bd. 2, S. 449: »daneben photographische experimente mit r[uth], bestimmt, ein archiv von filmen meiner arbeiten anzulegen. unzählige versuche, bei denen uns einmal sogar reichenbach unterstützt... erstes resultat GEDICHTE IM EXIL.«

111 Wenn Charns, *Cloak and Gavel*, S. 17 recht hat und das FBI 1945 wirklich nur »519 wiretabs and 186 buggings« durchführte, hieße das, daß man den Fall Brecht in Hoovers Haus sehr ernst nahm.

112 SAC, Los Angeles, Memorandum an Director, FBI, v. 9. 5. 1945.

chung von Berlau und Brecht leichter und billiger durchführern zu können. Wohl aber lohnt es sich, auf jene Briefe, Unterlagen und Gegenstände einzugehen, an denen Hoods Leute beim Durchsuchen von Ruth Berlaus Gepäck Gefallen fanden.

Lakonisch hält ein FBI-Mann da in seinem Protokoll fest, daß Brecht im Herbst 1944, als Berlau nach der Geburt von Brechts bereits wenig später verstorbenem Sohn im Cedars of Lebanon Krankenhaus mit dem Tod kämpfte, auf einen Briefumschlag des Hospitals folgende Nachricht kritzelte: »Love, I am so glad that you are fighting so courageously. Don't think that I do not want to see you, when you are ill. You are very beautiful, then too. I am coming tomorrow before noon. Yours, Brecht.«[113] Im Zuge einer detaillierten Überprüfung der Telephonkontakte von Brecht trägt ein anderer Special Agent hinter der Nummer »OLympic 2931« knapp ein: »Cedars of Lebanon Hospital, 4833 Fountain Avenue... Called September 1 (twice), 3, 4 (twice), 5, 6, 7, 8, 9, 10, 11 (twice), 12, 13, 14, 15 (twice).«[114] Kommentarlos listet Source A[115] ein Bündel Arztrechnungen auf, die Ruth Berlau zur Jahreswende 1944/45 allem Anschein nach im Zusammenhang mit ihrer Schwangerschaft unbezahlt ließ: $200 für Dr. Gordon Rosenblum und Dr. Eugene Melinkoff, $500 für Dr. Marcus H. Rabwin usw. Mit philologischem Scharfsinn ordnet das Bureau in einem Brief von Brecht den Satz »In August your are beautiful too Ute« Ruth Berlau zu – »Ute being a known nickname for Berlau, used by Brecht« – und entschlüsselt Brechts Bitte, Budzislawski mitzuteilen, daß Dieterle Mitglied des amerikanischen Komitees werden wolle, so: »Budzislawski undoubtedly refers to Herman Budzislawski who is connected with the Council for a Democratic Germany, and Dieterle, of course, refers to either Charlotte or William Dieterle of Los Angeles.«[116] In einem »»My Dear KK«« überschriebenen Brief, den das FBI in Berlaus Gepäck findet, bittet Brecht den Empfänger, offensichtlich Karl Korsch[117], um Hilfe bei der Umarbeitung von »the Manifest«[118] in ein didaktisches Gedicht im Stil von Lucretius' *De Rerum Natura*. Angaben in Berlaus Adressbuch werden vom FBI im sogenannten »criss-cross directory«[119] überprüft, Zeitungsausschnit-

---

113 FBI-Report, Los Angeles v. 30. 6. 1945, S. 4. Leicht verwirrt reagierte das FBI bei diesem und anderen Briefen von Brecht an Berlau auf die Kürzel »e.p.e.p.« neben Brecht Unterschrift – »et prope et procul«, in der Nähe und in der Ferne.
114 FBI-Report, Los Angeles v. 1. 2. 1945, S. 14 (Brecht-Archiv, Berlin).
115 Source A wird in einem Blatt, das im Brecht-Archiv in Berlin einzusehen ist, so beschrieben: »A highly confidential source known to Special Agents Daniel F. Cahill and Ernest J. Van Loon« (FBI-Report, Los Angeles v. 30. 6. 1945, S. 39).
116 A. a. O., S. 2.
117 FBI-Report, Los Angeles v. 2. 10. 1944 und FBI-Report, Los Angeles v. 30. 6. 1945, S. 5ff.
118 A. a. O., S. 5.
119 A. a. O., S. 18.

te, Flugblätter und Photomaterial genau registriert (»Berlau's suitcase contained various supplies of photographic papers and 35mm. film... There was much developed film scattered haphazardly through the bags.«) und zwei »booklets composed of photographic copy material« aus Ruth Berlaus Gepäck analysiert: »This latter booklet entitled ›Studies‹ is undoubtedly the one referred to by Karl Korsch in his letter. It consists of commentaries written by Brecht on the poems and works of such men as Dante, Shakespeare, Kant, Schiller, Goethe and Kleist.«[120]

Komplettiert wurden die Erkenntnisse, die das FBI bei der Duchsuchung von Berlaus Reisegepäck gewann, durch die Arbeit der Postzensur (Beispiel: »On June 13, 1945, a 30 day mail cover was placed on Bertolt Brecht at 124 East 57 Street, New York City, the residence of Ruth Berlau.«[121]) und die Beschattung (»physical surveillance«) von Berlau und Brecht durch Special Agents des FBI. Mehrere Briefe von Berlau an Brecht und von Karin Michaelis an Berlau haben sich auf diese Weise erhalten – Briefe, die von einer erschreckenden Abhängigkeit der Frauen zeugen: »I have opened your letter, o you«, schreibt Berlau am 2. April 1945 im Zug von Los Angeles nach New York an Brecht, »I became so quiet. I am happy. I thank you, thank you. I will become just like you wish... I know that I will be worried again now and then, it is mostly fear, that you might become unfaithful... I thought that you would be thinking ›glad that she finally left, a good riddance‹, and then you told me ›come back as soon as you can...‹; of course, you were right again, when you told me that my photos are still ›dilletante‹ work... it is a good thing that you are so strict with me...«.[122] »Take care the first time you come...«, fährt sie in einem weiteren Brief vom selben Tag fort, »not to make it appear as if it has cleared the air, that I have left, and that you can come again there together with your wife now.«[123] Und auch Karin Michaelis sorgt sich in einem Schreiben mit »various references believed to relate to Berlau's pregnancy« mehr um Brecht als um die Adressatin: »You can always pretend you got it in your vacation. But I had my suspicions since that morning that Brecht went out without having had his morning coffee... But how will it be with Helly (Brecht). Does she know it? Will that not make a rift between them?... And what does Brecht say about it?«[124] »... you were pained by my questions about Brecht, and ›that he felt himself relieved‹... you say that this is your child, but it is only yours if you develop it into a human being... and so I felt,

---

120 A. a. O., S. 20.
121 FBI-Report, New York v. [unleserlich] 8. 1945, S. 11.
122 FBI-Report, Los Angeles v. 30. 6. 1945, S. 21.
123 A. a. O., S. 22.
124 Karin Michaelis, Brief an Ruth Berlau v. 16. 10. 1944, in FBI-Report, Los Angeles v. 24. 10. 1945, S. 25.

involuntarily, that Brecht ought to hear about it, and so I used that word ›being relieved‹. My sorrow in this regard for Helly (Brecht) will never allay, because... she has nothing left since Stef is in the Army and Barbara is not yet sufficiently grown to be able to talk with her.«[125]

Zahllose Aktenvermerke von Special Agents deuten an, daß man den Stückeschreiber und seine Mitarbeiterin in Santa Monica und New York auf Schritt und Tritt observierte. So erfährt das FBI in Kalifornien vom Personal des Chalet Motor Hotel wer regelmäßig die Rechnungen von Berlau bar bezahlt und im September 1944 ihr Gepäck abgeholt hat: »They described this individual as a little fellow with dark hair, who could hardly speak English, and who drove a ›wreck of an automobile‹. This is undoubtedly Bert Brecht.«[126] Ein Informant – nämlich der Verwalter von Berlaus Apartmenthaus in New York – berichtet, daß er Brecht regelmäßig in Berlaus Wohnung gesehen habe – »usually attired in lounging clothes«[127]. Bei Brechts Bank informiert sich das FBI über die finanziellen Transaktionen des Exilantenehepaars: $500 am 30. Januar 1946 von Helene Brecht an Stefan Brecht und $125 am 23. Januar 1946 an Mrs. Salka Viertel. An die Allerton New York Corp. überweist »Bert Brecht« am 7. März desselben Jahres $75: »This check bore a notation ›rent March-Mrs. Berlau, 124 E. 57th Street, New York‹.«[128] Als Ruth Berlau im Dezember 1945 mit einem Nervenzusammenbruch in das »Long Island Home« in Amityville gebracht wird, übernimmt Brecht zumindest einen Teil der Kosten.[129] Kalte Füße dürfte sich ein FBI-Mann geholt haben, der am 17. Januar 1944 in New York beobachtet, daß Gerhart Eisler ✗ »one hour and a quarter«[130] mit Brecht in Berlaus Apartment verbringt. Über mehrere Seiten hinweg beschreibt ein in Los Angeles abgefaßter Report wie, wo und warum Ruth Berlau sich im Winter 1944/45 in Santa Monica photographische Kenntnisse aneignet: »Source [ausgeschwärzt] stated that Berlau is studying photography in order to make .35mm. copies of a German language manuscript consisting of about 190 pages of prose and poetry ›written by people born in another country‹... these copies are then to be bound in book form and sent to Germany after the war«[131] – ein Projekt, dem Hoover so viel Bedeutung zumaß, daß er es im Dezember 1947 noch einmal ausdrücklich in einer Zusammenstellung von Informationen für die CIA erwähnt.[132] Und bevor Berlau nach einem ihrer Besuche an der Westküste am

125 Karin Michaelis, Brief an Ruth Berlau v. 7. 11. 1944, a. a. O, S. 26.
126 FBI-Report, Los Angeles v. 30. 6. 1945, S. 3.
127 FBI-Report, New York v. [unleserlich] August 1945, S. 2.
128 FBI-Report, Los Angeles v. 29. 5. 1946, S. 11 (Brecht-Archiv, Berlin).
129 SAC, Los Angeles, Memorandum an Director, FBI, v. 24. 2. 1948, S. 7.
130 FBI-Report, Los Angeles v. 2. 10. 1944, S. 24.
131 FBI-Report, Los Angeles v. 1. 2. 1945, S. 6.
132 John Edgar Hoover, Memorandum an Director, CIA, v. 2. 12. 1947, S. 2.

31. März 1945 die Rückfahrt nach New York antritt, beobachtet ein Special Agent das Paar einen ganzen Tag lang beim Packen, letzten Einkäufen und dem Abschied auf dem Bahnhof: »On March 31, 1945, Bert Brecht's car was again observed at the Salka Viertel residence at 10:15 A.M.... Ruth Berlau was observed by Special Agent [ausgeschwärzt] and reporting Agent to load Brecht's car with various boxes, papers, etc. After delivering the bulk of this material to a packing service in Santa Monica, Berlau proceeded to Brecht's residence where she deposited two or three boxes of books, papers etc., and what appeared to be files. Bert Brecht assisted Berlau in unloading this material at his residence... After stopping at the Eastman Kodak Store... at 202 Santa Monica Boulevard«, wo Berlau ihre Photoarbeiten für Brecht entwikkeln ließ, »Brecht and Berlau continued to the Union Station at Los Angeles where Berlau was observed to board the Union Pacific Challenger for New York City. She carried with her a suitcase and two briefcases which Brecht carried aboard the train for her.«[133]

Die Berichte des FBI über Ruth Berlau waren so detailliert, daß von ihnen hier nur kleine Ausschnitte vorgestellt werden konnten. Das gleiche gilt für die allgemeinen Ermittlungen gegen Brecht, die von Routinechecks (»two FBI people came and looked at my registration booklet, apparently checking up because of the [enemy alien] curfew«[134]) und Trivialitäten wie der Untersuchung von »identity and character«[135] des Besitzers einer Tankstelle und seiner Angestellten, die Brecht im August und Oktober 1944 mehrfach angerufen hatte, bis zu potentiell schwerwiegenden Rechtsbeugungen reichen, die sich in Nebensätzen wie »his name appeared in the notebook of Gregori Kheifets«[136], dem russischen Vizekonsul in Kalifornien, oder hinter einem harmlosen Satz in der Rubrik »Undeveloped Leads« eines FBI-Reports verbergen: »Will attempt to obtain [ausgeschwärzt] from the Brecht residence.«[137] Ausgewählte Fälle aus drei typischen Bereichen – der Postzensur, dem Spitzelwesen und dem Interesse des FBI an Brechts literarischer Produktion – müssen auch hier als Beispiele ausreichen.

Umfang und Dauer der Zensur von Brechts Post lassen sich anhand der überlieferten Unterlagen nicht mehr voll rekonstruieren. Fest steht jedoch,

---

133 FBI-Report, Los Angeles v. 30. 6. 1945, S. 16-7
134 Fuegi, *Brecht and Company*, S. 425. Ernest J. van Loon, damals Special Agent beim Los Angeles Field Office, erinnert sich, Brecht Anfang 1942 in seinem Haus aus diesem Grund überprüft zu haben (Gespräch mit dem Verfasser, Phoenix, 18. 11. 1994). Daß van Loon in der Tat mit dem Fall Brecht befaßt war, belegen u. a. Verweise in FBI-Reporten aus New Orleans und Cincinnati vom 11. und 30. November 1944 auf »Reference Report of Special Agent Ernest J. van Loon [unleserlich] 10/2/44 at Los Angeles, Calif.«, S. 1 (Brecht-Archiv, Berlin).
135 FBI-Report, Los Angeles v. 1. 2. 1945, S. 24.
136 FBI-Report, Los Angeles v. 2. 10. 1944, S. 19.
137 A. a. O., S. 33.

daß Brechts Name wiederholt auf den National Censorship Watch Lists[138] erschien, daß seine Korrespondenz über Jahre hinweg vom FBI geöffnet wurde und daß ihm das Office of Censorship selbst dann auf den Fersen blieb, wenn er sich auf Reisen befand: »On June 13, 1945, a 30 day mail cover was placed on Bertolt Brecht at 124 East 57 Street, New York City, the residence of Ruth Berlau.«[139] Aufmerksam lasen Special Agents alle Briefe von und an Brecht, auf die sie bei der Durchsuchung von Ruth Berlaus »effects«[140] stießen. Wer sich, wie Karin Michaelis, an Brechts Adresse in Santa Monica Post schicken ließ, geriet unweigerlich in die Akten des FBI – so wie Brechts Freunde, die sein Telephon benutzten, vom Bureau registriert wurden.[141] Und nicht selten gelangte die Korrespondenz anderer Exilanten in die Brecht-Akte, bloß weil in ihr der Name des Stückeschreibers fiel: »Confidential Informant T-1 furnished the writer with a letter dated April 26, address to ›Dear Ruth‹ and signed ›Hanns and Lou‹, presumably Hanns and Lou Eisler. The English translation of the letter is being set forth: ›Dearest Ruth, ›It looks as if Br. and Eisler are really coming to New York. I have to stay home on account of great poverty... Hanns is unfortunately not very economic and the liquor cost also something.«[142]

James Lyon hat »ein halbes Dutzend unbekannte Brecht-Briefe und ein Telegramm« gezählt, die in der Akte »teilweise oder vollständig«[143] wiedergegeben sind und hebt, neben der Korrespondenz von Ruth Berlau, einige Beispiele heraus: ein Telegramm von Paul Czinner, der im August 1945 anbietet, das Galileo-Stück mit Charles Laughton zu inszenieren; Briefe von Paolo Milano und Berthold Viertel vom März desselben Jahres zu Ignazio Silones Plan, *Der gute Mensch von Sezuan* in Rom auf die Bühne zu bringen; und den bereits erwähnten Austausch mit Karl Korsch über die Bearbeitung des Kommunistischen Manifests.

---

138 R. B. Hood, Brief an Director, FBI, v. 18. 5. 1944; FBI-Report, Los Angeles v. 2. 10. 1944, S. 30; R. B. Hood, Brief an Director, FBI, v. 10. 1. 1945; John Edgar Hoover, Brief an SAC, Los Angeles, v. 6. 11. 1945; J. C. Strickland, Memorandum an D. M. Ladd v. [unleserlich; ca. Dezember 1945].
139 FBI-Report, New York v. [unleserlich] August 1945, S. 11.
140 R. B. Hood, Brief an Director, FBI, v. 5. 4. 1945, S. 1.
141 James Lyon wurde von Bekannten der Familie erzählt, daß Brecht über das Abhören seines Telephons informiert war (Lyon, »Das FBI als Literaturhistoriker«, S. 369). Für diese These sprechen Bemerkungen im FBI-Material wie »Mrs. Brecht stated that... she would not go into particulars over the phone...« (FBI-Report, Los Angeles v. 30. 6. 1945, S. 33). Ruth Berlau behauptet, daß sie sich ab und an mit Gerhart Eisler »unter Einhaltung aller konspirativen Regeln« traf, weil ihr »Telephon schon lange überwacht wurde« (Berlau, *Brechts Lai-Tu*, S. 193).
142 FBI-Report, New York v. [unleserlich] August 1945, S. 6.
143 Lyon, »Das FBI als Literaturhistoriker«, S. 379.

Doch das Interesse des FBI reichte noch erheblich weiter. So läßt sich selbst ohne Hilfe der inzwischen wohl vernichteten Unterlagen der Postzensur aus den Akten des FBI rekonstruieren, daß Hoovers Angestellte über die Jahre hunderte von Briefen an und von Brecht gelesen, registriert, übersetzt, verzettelt und analysiert haben. Spuren dieser Arbeit tauchen in Aktenvermerken auf, die sich bisweilen wie ein Adressbuch aus dem Umfeld des Exils lesen: »A letter postmarked February 7 was received by Brecht from W. H. Auden, 16 Oberlin Avenue, Swarthmore, Pennsylvania. A letter postmarked February 13, 1945 was received by Brecht from Wolfgang Roth, 411 East 53rd Street, New York. This letter was addressed to Brecht at his old address of 817-25th Street, Santa Monica. Letters postmarked February 15 and February 17 were received by Brecht from 8 East 41st Street, Room 701, New York. A letter postmarked February 17 was received from Stefan Brecht indicating that his address was Company A, Soc. III, 3663 SU (possibly SV), University of Chicago, Chicago, Illinois. A letter postmarked February 20, 1945 was addressed to Helen Weigel (Mrs. Brecht) by the Academy of Motion Picture Arts and Sciences, Suite 820, 530 West 6th Street, Los Angeles.«[144]

Der Inhalt der zensierten Post reicht, sofern er wenigstens ansatzweise rekonstruierbar ist, von rein geschäftlichen Themen (Oxford University Press, Universal Pictures[145]) über triviale Alltagsangelegenheiten (»10-24-44. Mrs. Brecht, John W. [unleserlich], Electrical Contractor«[146]) bis zu politisch geladenen Nachrichten, wie sie in einem Brief von Charlotte Dieterle an Bruno Frei vom 20. Juli 1943 enthalten sind: »At the present we have here a young Russian lady journalist from whom much information can be had of a kind which would be of much interest to you there. Recently there was a big social gathering at D's, where she spoke at a very interesting international gathering (Thomas Mann, Feuchtwanger, Brecht, Bruno Frank, Eisler, De Kobra, Lubitsch).«[147] Briefeschreiber wie Donald Ogden Stewart und Robin Lord bringen Brecht in die Nähe des Council for Soviet-American Friendship[148] und des Sunset Branch der Los Angeles County Communist Party[149]. Wenn nötig ging das FBI Adressen nach: »It was determined that Room 701, 8 East 41 Street, New York, New York, contained the offices of the Council For A Democratic Germany.«[150] Knappe Hinweise informieren die Leser der Akten darüber, was von Brechts Briefpartnern zu halten ist: »... the New School For Social Research... has a reputation of being extremely liberal...«[151] oder

---

144 FBI-Report, Los Angeles v. 30. 6. 1945, S. 7.
145 FBI-Report, Los Angeles v. 2. 10. 1944, S. 27.
146 FBI-Report, Los Angeles v. 1. 2. 1945, S. 20.
147 FBI-Report, Los Angeles v. 2. 10. 1944, S. 21.
148 A. a. O., S. 29.
149 FBI-Report, Los Angeles v. 2. 1. 1945, S. 20.
150 FBI-Report, New York v. [unleserlich] August 1945, S. 11.

»Germany Today, 305 Broadway, is the newspaper published semi-monthly, sponsored by the German American Emergency Conference and reportedly a Communist front organization engaged in propagandizing for the Free German Movement«[152].

Weniger verläßlich als die Post- und Telephonzensur und die oben andeutungsweise beschriebene Beschattung von Brechts Haus, aber kaum weniger breit angelegt, war eine andere Quelle, aus der das FBI sein Wissen bezog: Aussagen von Informanten und Spitzeln. Bis heute streng geschützt in ihrer Anonymität berichtet da eine »Source B«, daß Brecht »an associate of persons with Communist inclinations«, »a radical and an enemy of Capitalism«[153] sei. Eine Quelle, deren Namen ausgeschwärzt ist, »obtained from Peter Lorre a typewritten program indicating the poems of Brecht which he had read«[154] auf einem Brecht-Abend in New York, dem das FBI im Frühjahr 1943 einige Aufmerksamkeit widmete. Auf einer vierseitigen Namenliste, die dem FBI-Report vom 1. Februar 1945 beigegeben ist, wird unter anderen Mrs. Robert Siodmak als – wissentliche oder unwissentliche – »Confidential Source«[155] genannt. »Informant [ausgeschwärzt]... advised... that on October 7, 1943, Bert Brecht visited with Hanns Eisler. At that time Eisler inquired of Brecht as to whether he had heard anything from Sylvia Sidney, and Brecht replied that while he had heard nothing from her himself, he knew that she was coming to Los Angeles«[156] – ein Gespräch, von dem das FBI nur durch einen Spitzel aus dem Kreis Brecht-Eisler oder über eine Abhöranlage erfahren haben konnte. Aus Brechts Bekanntenkreis dürfte auch der Informant stammen, der das FBI am 30. September 1944 »advised that he had talked with Bert Brecht«[157] über die Bewegung Freies Deutschland in Mexiko und in New York. Und natürlich nutzte das FBI Hollywood-Parties, wie sie zum Beispiel für Billy Wilder vor seiner Abreise nach Deutschland im Frühjahr 1945 gegeben wurden, als Nachrichtenquelle: »During the course of the gathering, Brecht discussed with Wilder the names of various individuals in Germany affiliated with the stage and movie industry. Informant was unable to name the persons mentioned by Brecht with one exception, namely Herbert Ihering... During the course of this gathering, informant also overheard Brecht remark to someone that Otto Katz, alleged OGPU agent in Mexico, had no offical connection and was of no political importance. Informant believes that this is another indication of Brecht's individuality in thinking which renders

---

151 A. a. O., S. 12.
152 A. a. O., S. 14.
153 FBI-Report, Los Angeles v. 6. 3. 1943, S. 2.
154 FBI-Report, Los Angeles v. 22. 5. 1943, S. 3.
155 FBI-Report, Los Angeles v. 2. 1. 1945, S. 4 (Personenverzeichnis).
156 FBI-Report, Los Angeles v. 2. 10. 1944, S. 23.
157 FBI-Report, Los Angeles v. 1. 2. 1945, S. 2.

100-18112

C O N F I D E N T I A L

SOURCE A   A highly confidential source known to Special Agents
D.NIEL F. CAHILL and ERNEST J. VAN LOON.

SOURCE B   LOUISE KLINKHAMER, Office of Superintendent of Nurses,
Cedars of Lebanon Hospital, Los Angeles.

SOURCE C   FELIX GUGGENHEIM, 258 South Tower Drive, Beverly Hills,
California.

SOURCE D   Report of Special Agent JOSEPH B. STEELE, dated January
25, 1945 at Los Angeles, entitled MARTIN HALL, was.,
Internal Security - R, L.A. File 65-1536-56.

SOURCE E   A highly confidential source known to reporting agent.

SOURCE F   Postal Censorship, Los Angeles.

SOURCE G   CIELL H. ROGERS, 2312 Walgrove, Venice, California.

SOURCE H   Mrs. ELSIE MAY BANES and BETTE H. FRANKLIN, 1241 4th
Street, Santa Monica, California, proprietors of packing
service.

SOURCE I   LDB No. 243, 2910 Santa Monica Boulevard, Santa Monica, Calif.

SOURCE J   WILLIAM IBACH, manager, Western Union, Santa Monica, California.

SOURCE K   Memorandum dated April 28, 1945 regarding COUNCIL FOR A
DEMOCRATIC GERMANY, INTERNAL SECURITY, by ROBERT M. W.
KEMPER, Special Employe of the Philadelphia Field Division.

SOURCE L   CONF. INFT.
CONFI L. 1138, L.A. file 100-18558-12.

SOURCE M   LDB No. 178, 6410 Van Nuys Boulevard, Van Nuys, California.

-39-

224

him incapable of being disciplined and hence the type of person whom the Soviets would not want in Russia.«[158]

Wie unzuverlässig Quellen dieser Art waren, machen die zahlreichen Fehler deutlich, von denen die Brecht-Akte durchsetzt ist. So behauptet ein Informant, dessen Name routinemäßig ausgeschwärzt wurde, in einem Gespräch überhört zu haben, daß Brecht 1933 in Frauenkleidern aus einem deutschen Konzentrationslager entkommen sei. Ein anderer Spitzel meldet, Karin Michaelis sei mit Helene Weigel verwandt. Und auch Hoovers Special Agents griffen bisweilen daneben, etwa wenn sie von »Keigs Foto«[159] berichten, aus Visaformularen des Jahres 1935 entnehmen, daß Brechts Frau »A. Skovstastrand« heißt und in »Svenborg, Denmark«[160] lebte oder beim Abhören eines Telephongesprächs zwischen Helene Weigel und Curt Bois über eine von russischen Besatzern in Berlin veranstaltete Party die Namen »Marianne Hopper« und »Gruentchen«[161] mißverstehen.

Mißinformationen und faktischen Fehler dieser Art steht freilich ein ungewöhnliches Maß an durchweg kenntnisreicher Aufmerksamkeit gegenüber, das Hood und seine Kollegen in New York und Washington den literarischen Arbeiten des Bertolt Brecht widmeten. Ein Hintergrundbericht zu Brechts erstem USA-Besuch zur Jahreswende 1935/36 geht da zum Beispiel auf die Inszenierung von *Die Mutter* in New York ein (»contains material favoring Communism«[162]). Recht genau kümmern Hoovers Agenten sich 1945 um die Aufführung (»newspaper reviews... are available to this office«[163]) und die negative Rezeption von *The Private Life of the Master Race* in New York (»neither play, propaganda nor good Red stalling«[164]). Brechts Zusammenarbeit mit Charles Laughton am *Galileo*-Projekt wird ebenso registriert[165] wie die Tatsache, daß Berlau authorisiert war, nach Brechts Abreise aus Amerika über die Verfilmung des *Galileo* zu verhandeln: »On November 20, 1947, a copy of a document sent by Ruth Berlau to Rod Geiger, a film producer...,

158 R. B. Hood, Brief an Director, FBI, v. 5. 4. 1945, S. 1.

159 FBI-Report, Los Angeles v. 30. 6. 1945, S. 23.

160 FBI-Report, Los Angeles v. 2. 5. 1945, S. 3.

161 FBI-Report, Los Angeles v. 24. 10. 1945, S. 6.

162 FBI-Report, Los Angeles v. 2. 10. 1944, S. 8.

163 FBI-Report, Los Angeles v. 24. 10. 1945, S. 6.

164 FBI-Report, Los Angeles v. [unleserlich] August 1945, S. 5.

165 Vgl. zum Beispiel FBI-Report, Los Angeles v. 30. 6. 1945, wo es in der »Synopsis of Facts« heißt, Brecht sei »in frequent contact with Charles Laughton« (S. 1) und im Text Hinweise wie der folgende zu finden sind: »Assistant U.S. Attorney Attilio di Girolamo, Los Angeles, advised that Bert Brecht had appeared at his office in the company of Charles Laughton for a travel permit to New York City« (S. 34). In dem Material, das das FBI HUAC zur Verfügung stellt, steht zu lesen: »Subsequently Bert Brecht and Charles Laughton reportedly worked together on a production of a play entitled ›Galileo‹, which Brecht intends to produce in New York City. Laughton desires to play the leading role in this play« (RE: Bert Brecht, S. 5 [undatiertes Dokument ohne Verfasser]).

was furnished by a highly confidential source… Berlau was extremely up set that the contract had not yet been signed because she stated that she did not have any money and as a result was trying to sell her furniture, ›my apartment, and everything.‹«[166] Und die Warner Brothers-Version der *Dreigroschenoper* kam Anfang der fünfziger Jahre gar im Zusammenhang mit einem Spionageverdacht ins Gerede, als man beim FBI der Meldung aufsaß, daß eine an der University of Illinois verlorengegangene Kopie des Films geheime verschlüsselte Nachrichten enthält: »[Ausgeschwärzt] reportedly told [ausgeschwärzt] that the special characteristics in this particular copy of the film were extra words ›dubbed in‹ to the sound tract, which taken separately mean nothing but when considered as a group comprise some sort of secret message.«[167]

Die vielen Namen von Amerikanern bzw. Wahlamerikanern und die Zahl der Pressemeldungen, die in der FBI-Akte von Brecht auftauchen, deuten an, daß sich der Exilant in seiner kalifornischen »Hölle«[168] keineswegs so stark von seiner Umgebung isoliert hatte, wie oft angenommen wird. Neben Charles Laughton, dessen Besuche in der 26. Straße von Santa Monica genau vermerkt wurden[169], und gelegentlichen Hinweisen auf Charlie Chaplin, interessiert man sich beim FBI für Brecht-Bekannte wie die Produzenten von *Hangmen Also Die* (Arnold Pressburger, »a sympathizer with the Hollywood Communist element«[170]) und *Galileo* (»Rod Geiger… and Brecht had been negotiating for months relative to the Galileo film contract«[171]), für Captain Edward Hogan, der in Deutschland »as the man in control of German theatres«[172] Billy Wilder ablöste und über den Helene Weigel care-Pakete an österreichische Schauspieler schickt, und natürlich auch für jene Verwandten, »DeWitt Bronard,… a cousin, and William Zaiss,…an uncle«[173], deren Namen Brecht 1935 auf seinem Visumsantrag genannt hatte. Über Christopher Isherwood, »one of the co-translators of Brecht's work«[174], vermerkt ein FBI-Report nicht nur, daß er dem Kloster der Vedanta Society, einer Hindusekte, beigetreten sei, sondern auch, daß er mit W. H. Auden auf Reisen ging.

---

166 FBI-Report, Los Angeles v. [unleserlich], S. 4.
167 SAC, Springfield, Memorandum an Director, FBI, v. 17. 7. 1952, S. 2.
168 Brecht, »Hollywood-Elegien«, in B: *Gesammelte Werke*. Bd. 10, S. 849.
169 Vgl. zum Beispiel im FBI-Report, Los Angeles v. 2. 10. 1944, S. 27: »On April 18 an automobile registered to Charles Laughton, 14954 Corona Del Mar, Pacific Palisades, was observed at the residence of Bert Brecht. Charles Laughton is the famous actor… On April 29 the automobile of Charles Laughton was again observed at the Brecht residence.«
170 A. a. O., S. 15.
171 FBI-Report [Datum und Ort unleserlich], S. 4.
172 FBI-Report, Los Angeles v. 29. 5. 1946, S. 2. Vgl. auch Hellmuth Karasek: *Billy Wilder. Eine Nahaufnahme*. Hamburg: Hoffmann und Campe 1992, S. 302.
173 FBI-Report, New York v. 2. 5. 1945, S. 3.
174 FBI-Report, Los Angeles v. 24. 10. 1945, S. 5. Die Namen Bronard und Zaiss ließen sich im Brecht-Archiv nicht verifizieren.

Mordecai Gorelik, »a contact of Brecht, who... had been employed by the
United States Government to teach at the [GI?] University, Biarritz, France«
und als »variously... leftist, liberal, progressive, and Communist« aktenkundig, wird als »very dangerous«[175] und untragbar für einen Regierungsjob klas-
sifiziert. Interessiert verfolgen Hoods Männer im April 1945 einen Streit zwischen Brecht und Eric Bentley, in dem es nach Erkenntnis des
Geheimdienstes um die Produktion von *The Private Life of the Master Race*
in New York und Kalifornien geht: »... according to Source J, Brecht received
a telegram from Minneapolis, Minnesota, signed Bentley. This telegram reads
as follows: ›do not understand Berlaus statement that you intend to bring suit
against me.«[176] Immer wieder greifen die G-Men zurück auf Material der *New
York Times* (»a search was made at the morgue of the... newspaper«[177]) oder
Photos von Associated Press, auf Unterlagen in öffentlichen Bibliotheken
(»New York Public Library advised that no library card could be located for
Brecht«[178]), auf antikommunistische Publikationen wie Ruth Fischers *Stalin
and German Communism* (»hypnotized by its totalitarian and terrorist
features... Brecht... became the minstrel of indoctrination«[179]) oder auch auf
anonyme Briefe von besorgten Bürgern – Denunziationen, die Hoover so ernst
nimmt, daß er sie in Kopie an den INS, CIA und an den Generalstaatsanwalt
schickt. »Dear Mr. Hoover«, schreibt einer dieser Unbekannten 1947 im Stil
der Zeit nach Washington, »I should like to make a confidential report...
Brecht has always acted and written as a propagandist of Communism and
Sovietism... I happen to be in contact with friends of Brecht and therefore I
know that he has not deviated a bit from the official Russian party line... As
far I know Brecht plans to travel to Europe very soon... and I am convinced
that he will try to move to the Eastern Zone of Germany...«.[180] Informant CNDI
LA BB-1 läßt die Nachwelt wissen, daß Mrs. Brecht ein Essen zu Ehren von
Archibald MacLeish als »dull... and... ›sloppy-liberal affair‹« abtat, »»just the
ordinary how do you does, no daring, just liberalism of the weakest kind‹«[181].
Und natürlich bringt das FBI Brecht, dies als letztes Beispiel aus den allgemeinen Ermittlungen gegen den Stückeschreiber, schon lange vor den Verhören der Hollywood-Zehn bzw. -Neunzehn durch das HUAC immer wieder
mit der linken Szene der Filmstadt Los Angeles zusammen: »Berthold
Brecht is a German refugee writer employed in Hollywood free lancing for
various movie concerns«, schreibt in diesem Zusammenhang im Oktober

175 FBI-Report, Los Angeles v. 29. 5. 1946, S. 19.
176 FBI-Report, Los Angeles v. 30. 6. 1945, S. 25.
177 FBI-Report, New York v. [unleserlich] August 1945, S. 5.
178 A. a. O.
179 Fischer, *Stalin and German Communism*, S. 616.
180 [Ausgeschwärzt], Brief an Mr. Hoover v. 5. 11. 1947.
181 FBI-Report, Los Angeles v. 30. 6. 1945, S. 25.

1945 E.A. Tamm, ein enger Mitarbeiter von Hoover, an einen Kollegen in der FBI-Zentrale, »... he... is a suspected agent of the Soviet Government... I recommend the continuance of... technical surveillance... for the purpose of developing additional information relative to Soviet espionage activities in the Los Angeles area and Communist infiltration of the movie industry.«[182]

Hoovers G-Men hatten das Brecht-Gedicht »On the Designation ›Emigrant‹« zweifellos richtig interpretiert: mit Immigration und Akkulturation hatte der Exilant Brecht nichts im Sinn. Andererseits belegen der vom FBI aufgezeichnete Schrift- und Telephonverkehr der Brechts, die vielen Besuche, Reisen, Pläne für Theateraufführungen, Übersetzungen und Filmprojekte, daß der Stückeschreiber in den USA keineswegs den Kontakt mit seiner Umwelt vermied. Welche Aufmerksamkeit ihm manche seiner amerikanischen Gastgeber ihrerseits schenkten, macht neben der umfangreichen FBI-Akte vor allem das Verhör vor dem House Un-American Activities Committee deutlich. Da der Verlauf dieses Verhörs oft beschrieben wurde und der Text der Fragen und Antworten als Schallplatte und im Druck vorliegt[183], soll hier nur auf den Anteil des FBI bei der Bereitstellung von Material für die Befragung durch das HUAC eingegangen werden.

Der erste und wichtigste der erhalten gebliebenen Belege für die Zusammenarbeit zwischen Hoovers FBI und den Kommunistenjägern im amerikanischen Unterhaus ist ein Schreiben des SAC in Los Angeles an die FBI-Zentrale vom 14. Mai 1947. Mit Bezug auf eine Reihe nicht überlieferter Telegramme von den Vortagen meldet Hood hier, daß er in Erfüllung einer Bitte des Kongressabgeordneten und HUAC-Vorsitzenden J. Parnell Thomas eigenhändig Memoranda zu Brecht und anderen »individuals in the Hollywood area«[184] an Robert Stripling, den Chief Investigator des Komitees, übergab. Der Transfer der Dokumente, dessen Inhalt zweifellos auf Informationen in der Brecht-Akte beim FBI beruht, sei am 13. Mai um 18:15 geschehen. Vier Monate später liefert ein Regierungsbeamter bei Brecht eine Vorladung ab, die den Stückeschreiber für Ende Oktober vor das HUAC nach Washington bestellt.

Da Hoods Schreiben in der mir vorliegenden Kopie leider nicht in voller Länge lesbar ist, lassen sich die genaue Herkunft und der Umfang der Tho-

---

182 D. M. Ladd, Memorandum an E. A. Tamm v. 3. 10. 1945.
183 *Bertolt Brecht before the Committee on Un-American Activities. An Historic Encounter.* Hrsg. Eric Bentley. New York: Folkways Records, FD 5531, 1961; U.S. Congress. House of Representatives. Committee on Un-American Activities. *Hearings Regarding the Communist Infiltration of the Motion Picture Industry, October 20, 21, 22, 23, 24, 27, 28, 29 and 30, 1947.* 80th Congress, 1st Session, 1947, S. 491-504; *Thirty Years of Treason. Excerpts from Hearings Before the House Committee on Un-American Activities, 1938-1968.* Hrsg. v. Eric Bentley. New York: Viking 1971, S. 207-25.
184 R. B. Hood, Brief an Director, FBI, v. 14. 5. 1947.

mas zugänglich gemachten Unterlagen über Brecht nicht mehr rekonstruieren. Anzunehmen ist jedoch, daß es sich hier vor allem um einen überblicksartig gehaltenen, undatierten Bericht handelt, der in Brechts FBI-Akte zusammen mit Hoods Brief vom 14. Mai 1946 abgelegt ist. Diese Vermutung wird dadurch bestätigt, daß in besagtem Bericht neben Details aus dem Leben des Bert Brecht nahezu alle Fakten aufgelistet sind, die Stripling später beim HUAC-Verhör anführt.[185] »In 1930 did you, with Hanns Eisler, write a play entitled, ›Die Massnahme‹?«[186] paraphrasiert der »Chief Investigator« des HUAC den nahezu wortgleichen FBI-Bericht: »In 1930 Brecht together with Hanns Eisler wrote an educational play entitled ›Die Massnahme‹...«[187] FBI und HUAC nehmen beide Bezug auf einen Aufsatz von Sergej Tretjakow, der im Mai 1937 in Moskau in der Zeitschrift *Internationale Literatur* erschienen war. Hier wie da kommt die Brecht-Bearbeitung von Gorkis *Mutter* und die Zusammenarbeit von Brecht und Hanns Eisler bei der Herstellung des »Solidaritätsliedes« zur Sprache. Daß Brecht in Moskau gewesen war, konnte Stripling dem FBI-Papier ebenso entnehmen wie die Tatsache, daß der sowjetische Vizekonsul Gregory Kheifetz, den das FBI mit Grund als »espionage assistant to the chief of the N.K.V.D. in the United States«[188] einschätzte, den Stückeschreiber in Santa Monica besucht hatte. Ungewollt bestätigt Brecht mit seiner Aussage eine Angabe, die Stripling mit einiger Sicherheit vom FBI erhalten hat – nämlich, daß er das Drehbuch für *Hangmen Also Die* an Arnold Pressburger verkauft hatte. Parallelen mögen zwischen der Frage des HUAC-Fahnders – »Mr. Brecht, since you have been in the United States, have you attended any Communist Party meetings?«[189] – und einer FBI-Information über ein Treffen des Russian-American Club in Los Angeles im Mai 1945 bestehen, bei dem der Besuch einer sowjetischen Delegation anläßlich der

---

185 Hoover hat prinzipiell nur bearbeitete Akten an andere Behörden weitergegeben. Einen Grund Fuegi zu folgen in der Annahme, daß der FBI-Boss bei Brecht eine Ausnahme gemacht hat und dem HUAC »raw file data« (Fuegi, *Brecht and Company*, S. 474) zuspielte, gibt es nach den mir vorliegenden Unterlagen nicht.

186 *Thirty Years of Treason*, S. 210.

187 RE. Bert Brecht, S. 1 (undatiertes und unsigniertes Dokument).

188 R. B. Hood, Brief an Director, FBI, v. 8. 8. 1947, S. 1. Als Ironie der Geschichte mutet es an, daß just zu der Zeit als Brecht in Washington verhört wurde, Kheifetz in Moskau im Zuge von Stalins Kampagne gegen den ›jüdischen Kosmopolitismus‹ erst isoliert und dann inhaftiert wurde. Dazu noch einmal Pavel Sudoplatov: »Kheifetz, who had performed so brilliantly in obtaining atomic information for us and establishing high-level contacts in the American Jewish community, was suddenly out of favor« (Sudoplatov, *Special Tasks*, S. 294). Zu den Kontakten zwischen Kheifetz und Brecht s. auch den ehemaligen FBI-Agenten Elmer F. Linberg in *Im Visier des FBI* (ARD-Dokumentarfilm, 1995): »In dieser Zeit wurde Brecht von Gregori Kheifetz, dem Chef des KGB an der Westküste, in Los Angeles besucht... Ließ die Sowjetunion also Brecht die Nachricht überbringen, bestimmte Dinge zu schreiben?«.

189 *Thirty Years of Treason*, S. 214.

Konferenz der Vereinten Nationen in San Francisco vorbereitet werden soll-te. Unbeachtet ließ das HUAC in dem FBI-Dokument dagegen eine Reihe von relativ kompomittierenden Fakten über Brechts Beziehung zur Bewegung Freies Deutschland und seiner Verbindung zu »Communist« bzw. »Russian sympathizers«[190] unter den Exilanten wie William und Charlotte Dieterle, Karin Michaelis, Lion Feuchtwanger und Ruth Berlau. Weitere Details – etwa die genauen Angaben zu Treffen zwischen Kheifetz und Brecht am 14. und 27. April 1943 und am 16. Juni 1944[191] – hatte das Bureau dem HUAC offensichtlich auf anderen Wegen zugespielt.

Stripling war allem Anschein nach so gut mit Hintergrundmaterial zu Brecht versorgt, daß seine eigene Nachrichtenabteilung nur noch ein paar Primärtexte von Brecht zusammentragen mußte. Alle anderen Fragen – »Mr. Brecht, are you a member of the Communist Party or have you ever been a member of the Communist Party?«[192] – gehörten ohnehin zum Standardre-pertoire der Hexenjäger. Hinzu kam, daß der Fall Brecht das HUAC augen-scheinlich nicht mehr besonders interessiert hat. Richard M. Nixon, Karl E. Mundt, John E. Rankin und andere Ausschußmitglieder waren gar nicht erst zu dem Verhör erschienen. Stripling und Thomas gaben sich widerstandslos mit Brechts unklaren und unrichtigen Antworten zufrieden (ein zeitgenössi-scher Beobachter meint, das Komitee sei mit dem Exilanten »over-polite, over-cautious, over-solicitous«[193] umgegangen) und ließen seine Beziehungen zu den anderen Hollywood-Neunzehn und zu seinen liberalen Bekannten in Exi-lantenkreisen links liegen. Sogar die Möglichkeit, Brecht durch Querverwei-se auf das umfangreiche Verhör von Hanns Eisler, in dem es unter anderem um *Die Maßnahme* gegangen war, in die Enge zu drängen, wurde von den Mitgliedern des Ausschusses nicht genutzt. Da sich zudem die amerikani-sche Öffentlichkeit Ende Oktober mehr und mehr gegen das Vorgehen und den Stil des HUAC zu stellen begann, brach Thomas die Verhöre nicht lange nach der unergiebigen Vernehmung von Brecht kurzerhand ab.

Wir wissen heute, daß Hoover im House Un-American Activities Commit-tee einen unliebsamen Konkurrenten bei der Reinhaltung Amerikas von lin-kem Denken sah. Die Zusammenarbeit zwischen den Kommunistenjägern des Justizministeriums und des Kongress im Fall Brecht war denn auch, sieht man einmal von der oben erwähnten Bereitstellung von FBI-Informationen und der Entscheidung der FBI-Zentrale ab, ein geplantes Interview mit Brecht bis zur HUAC-Anhörung zu verschieben, kurzlebig und für Hoover eine Ein-bahnstraße. »Enclosed is a newspaper clipping from the New York Times da-ted 10/31/47 concerning Brecht's testimony before the House Committee on

190 RE. Bert Brecht, S. 5 (undatiertes und unsigniertes Dokument).
191 *Thirty Years of Treason*, S. 214-5.
192 A. a. O., S. 209.
193 Kahn, *Hollywood on Trial*, S. 121.

Un-American Activities«, informiert am 3. November der SAC, New York, seinen Vorgesetzten – so als ob dem FBI keine besseren Quellen zur Verfügung gestanden hätten. Über Martha Dodd Stern, »subject in the MOCA-SE«[194], erfahren die Special Agents in New York, daß Ruth Berlau Brechts ausweichende Aussage vor dem HUAC zu seinen politischen Sympathien, besorgt über eine negative Reaktion der anderen, standfesteren Hollywood-Neunzehn, im nachhinein mit seinem Status als Ausländer zu erklären versuchte.[195] Und in Washington scheinen die Hoover-Mitarbeiter Ladd und Coyne gar einer Falschinformation aufgesessen zu sein als sie annahmen, daß der Exilant seine seit achzehn Monaten geplante Europareise verschoben habe, um vor dem HUAC aussagen zu können.[196]

Brecht war, vom House Un-American Activities Committee wegen seiner Aussagebereitschaft als »good example to the witnesses«[197] gelobt, am 31. Oktober 1947, dem Tag nach dem Verhör, von New York aus in Richtung Paris und Zürich abgereist. Aus den Akten des FBI verschwand sein Name deshalb nicht, selbst nachdem seine Security Index Card im Januar 1949 endgültig gelöscht worden war. Neben den umfangreichen Beständen zur Illinois-Affäre um den Dreigroschenopenfilm und der Observierung der Inszenierung von *The Private Life of the Master Race* im Jahre 1956 interessiert sich das FBI u. a. für die Photokopie einer Rezension der *Selected Poems* im *Daily Worker*. Eine nicht weiter markierte Personenbeschreibung aus Zürich sieht das Ehepaar Brecht so: »age 48,... hair, cut short and combed forward,... married to Helene Weigel Brecht... brown hair, combed straight

194 SAC, New York, Memorandum an Director, FBI, v. 3. 11. 1947, S. 1. Eine Anfrage des Verfassers beim FBI zum Inhalt des MOCASE ist unbeantwortet geblieben.

195 »Brecht konnte sich als Emigrant nicht auf die amerikanische Verfassung berufen, sondern mußte diese sechsundsechzigste Frage [›Sind Sie Kommunist?‹] beantworten. Auch das war mit der Partei und den Rechtsanwälten der ›Achtzehn‹ vereinbart worden. Aber nach dem Verhör kamen einige deutsche Genossen zu mir und mäkelten an Brechts Verhalten herum... ich mußte ihn... verteidigen« (Berlau, *Brechts Lai-Tu*, S. 185-6). Vgl. dazu die Eintragung zum 30. Oktober 1947 in Brechts *Arbeitsjournal*. Bd. 2: »die 18 sind sehr zufrieden mit meiner aussage« (S. 491) und einen Brief an Hanns Eisler vom November 1947: »Aus Zeitungsausschnitten sah ich übrigens, daß einige Journalisten annahmen, ich sei in W[ashington] ganz und gar selbstherrlich vorgegangen; in Wirklichkeit hatte ich einfach den 6 Anwälten zu folgen, die mir anrieten, die Wahrheit zu sagen und *nichts* sonst« (Brecht, *Briefe 1913-1956*. Bd. 1, S. 529). Siehe auch James K. Lyon: *Bertolt Brecht in Amerika*. Frankfurt: Suhrkamp 1984, S. 446ff. u. Fuegi, *Brecht and Company*, S. 478-86.

196 Brecht erwähnt seit 1946 in seiner Korrespondenz, daß er im Frühsommer 1947 die USA verlassen wolle. Da er sein Haus nicht verkaufen kann und kein Durchreisevisum für Frankreich erhält, muß er den Termin für die Reise freilich immer wieder hinausschieben. Erst im September – die Vorladung des HUAC wurde ihm am 19. 9. zugestellt – schreibt er dann an Ferdinand Reyher und Hermann Hesse, daß er Mitte bzw. Ende Oktober endgültig in der Schweiz sein werde (Brecht, *Briefe*. Bd. 1, S. 524-6).

197 *Thirty Years of Treason*, S. 220.

back and cut short; dark complexion; mannish looking; dresses very oddly at times, wearing ankle length skirts and peasant costume«[198]. Und ein undatierter CIA-Bericht aus der Zeit nach 1956 operiert mit genau denselben Attributen, die den Stückeschreiber einst auch für das FBI interessant gemacht hatten: »Bert Brecht was well known for his communist writings and associations while in this country... Prior to his death in East Berlin... Brecht was known as the communist Poet Laureate of East Germany... His literary works included the libretto for Kurt Weill's ›Three Penny Opera,‹ and royalties from... its theme, ›Mack the Knife,‹ are reportedly still paid to the Brecht estate.«[199] Grund genug für die Central Intelligence Agency, »Helen Weigel Brecht«, die man verdächtigt, ostdeutschen Volkspolizisten Unterricht in »American slang« gegeben zu haben, und »son Stefan Sebastian Brecht« Anfang der sechziger Jahre noch einmal mit Postzensur zu überziehen: »Arrange for coverage of correspondence between persons in U.S. and Helen Brecht by Communications Intercept Service. This coverage should include correspondence to her son at Chausseestr. 125, Berlin...«[200]

Lion Feuchtwanger

Um es gleich vorweg zuzugeben: Die FBI-Akte von Lion Feuchtwanger hat für den Literaturwissenschaftler im engeren Sinne relativ wenig Nachrichtenwert. Kaum etwas erfahren wir auf den nahezu 1.000 Blättern, die vom Federal Bureau of Investigation und dem Immigration and Naturalization Service freigegeben wurden, über Feuchtwangers literarische Tätigkeit. Vergeblich sucht man im Feuchtwanger-Dossier nach Informationen wie sie sich in der viel schmaleren Akte von Heinrich Mann finden zu Trunksucht, Autounfällen oder Selbstmordversuchen von nahestehenden Menschen. Porträts des Autors beschränken sich auf Verallgemeinerungen wie »is the arch-type of intellectual who believes in a patent solution for all problems... vain and not always reliable... has no physical or moral courage... should not be considered as an ›homme politique‹«[1]. Feuchtwangers Verbindungen zur Bewegung Freies Deutschland in Mexiko, denen das Los Angeles Field Office des FBI in anderen Fällen mit zum Teil erheblicher Ausdauer nachgeht, weil man hier pro-kommunistische Pläne für eine deutsche Nachkriegsregierung vermutet, werden eher am Rande abgehandelt. Nirgends finden sich in Feucht-

---

198 Undatiertes Dokument ohne Verfasser.
199 Director, CIA (undatiertes Memorandum), S. 3.
200 John Edgar Hoover, Memorandum an Director, Central Intelligence Agency v. [unleserlich] 1962, S. 5–6 (Brecht-Archiv, Berlin).
1   Feuchtwanger, Lion, Ph. D., v. 30. 9. 1945, S. 3 (OSS, 862).

wanges Akte seitenlange Berichte über tote Briefkästen, mit Geheimtinte geschriebene Nachrichten, Deckadressen, observierte Wohnungen und potentielle Kontaktpersonen, wie sie das FBI über Anna Seghers angefertigt hat. Und schon gar nicht geben die Feuchtwanger-Papiere intime Details aus dem Privatleben des Autors her, wie sie in der Klaus Mann-Akte zuhauf zu finden sind – mit einer kleinen Ausnahme: Als Feuchtwanger in Zusammenhang seiner Bewerbung um die amerikanische Staatsbürgerschaft im Jahre 1958 von drei Beamten des INS verhört wird, bittet der »Examiner« an einer Stelle Feuchtwangers Sekretärin Hilde Waldo, den Raum zu verlassen und befragt den Autor über die Art seiner Bekanntschaft mit Eva Hermann: »Q[estion] It has been reported that she had been your mistress. Is that true, Mr. Feuchtwanger? A[nswer] No. Probably it was reported, but she was not. Q You deny that you have ever had any sexual relations with her? A. Yes, I do. (At this point, Miss Waldo is called back into the room.) *Questioning resumed.*«[2]

Dennoch lohnt es sich, File 100-5143[3] genauer anzusehen. Und zwar aus zwei Gründen: Einmal, weil sich hier – mehr als bei den anderen mir bekannten FBI-Dossiers – anhand der umfangreichen INS-Unterlagen besonders gut Aufschluß gewinnen läßt über die enge Kooperation zwischen FBI und Immigration and Naturalization Service bei der Bearbeitung von Einbürgerungsanträgen – ein Thema, das für viele Exilanten in den USA von besonderer Bedeutung war. Zum anderen liefert die Akte Feuchtwanger in den über 120 Seiten umfassenden Protokollen der Vernehmungen von Lion und Marta Material für eine Art von Ästhetik des politischen Verhörs – einem internationalen Genre, das, würde man es genauer betrachten, ungeachtet seiner unterschiedlichen Inhalte zu verschiedenen Zeiten und in verschiedenen Ländern starke Gemeinsamkeiten in der Form aufweist. Gelegentliche Hinweise auf Feuchtwanger in den Archiven des Office of Strategic Services und des Department of State beschränken sich dagegen – sieht man einmal von dem bereits erwähnten OSS-Interview ab – auf die Hilfestellung des President's Advisory Committee on Political Refugees bei der Rettung von Lion und Marta Feuchtwanger aus Frankreich (»these cases have the approval of the Department of Justice«[4]), auf negative Kommenta-

---

2   Protokoll des Verhörs von Lion Feuchtwanger durch den Immigration and Naturalization Service am 20. 11. 1958, S. 18.

3   Volker Skierka: *Lion Feuchtwanger. Eine Biographie.* Berlin: Quadriga 1984, S. 366 gibt fälschlicherweise »File No. 100-6133« als Quelle an – das Aktenzeichen des Feuchtwanger-Dossiers beim FBI Field Office in Los Angeles.

4   Henry M. Hart, Brief an Eliot B. Coulter v. 6. 8. 1940 (811.111 Refugees/22). Wie im Fall von Thomas Manns Angehörigen ist das Außenministerium freilich auch bei Feuchtwanger nicht gewillt, direkt Hilfestellung zu leisten (vgl. Franklin Folsom, Brief an Eleanor Roosevelt v. 10. 6. 1940 und die Antwort von Joseph E. Davies v. 29. 6. 1940 [740.00115 European War 1939/418)].

League of American Writers, INC.

381 Fourth Avenue   NEW YORK   Murray Hill 6-8790

CABLE ADDRESS: LEAGWRITER

JUN 11 1940

Buell

DEPARTMENT OF STATE
RECEIVED
JUN 24 1940
DIVISION OF
COMMUNICATIONS AND RECORDS

June 10, 1940

June 29, 1940

6-26 SPECIAL
DIVISION *File*
JUN 24 1940
Letter to Mr Folsom
DEPARTMENT OF STATE (RLB)

Mrs. Eleanor Roosevelt
The Whitehouse
Washington, D. C.

Dear Mrs. Roosevelt:

It has come to our attention that the distinguished
anti-Nazi writer Lion Feuchtwanger has been sent to a
concentration camp at Les Milles, Aix en Provence, France.
There he is housed in an old factory in a region in which
the Nazis are said to have bombed factories -- and he is
not in the best of health.

Thinking you might wish to intercede in some way
on behalf of this great fighter against Nazism, we call
his plight to your attention. It is our hope that something may be done to save him his freedom and his life.

Should you care to communicate directly with Mr.
Feuchtwanger's secretary, I give you her address: Miss
Sernau, Villa Ker Collette, Sanary s.m. (Var) France.
I believe that you will find from Miss Sernau that
Mrs. Feuchtwanger is likely to be sent to a camp very
soon. Thus a cable from you to Ambassador Bullitt, who
knows Feuchtwanger, might not only bring about his re-
lease, but protect his wife from confinement.

Yours sincerely,

Franklin Folsom
National Executive Secretary

FF/EB

740.00115 EUROPEAN WAR 1939 / 418

JUL 1 1940   FILED

re von Ruth Fischer bzw. Leopold Schwarzschild über die Weltanschauung ihres Mitexilanten und auf die positive Einstellung des Untersuchungsgegenstands zu den Freien Deutschland-Initiativen in Mexiko, Moskau (»zweifellos trägt die Kundgebung des National Komitees dazu bei, die Sache der Verbündeten Nationen zu fördern«[5]) und den USA.

Die ersten Versuche, Einsicht in die Feuchtwanger-Unterlagen bei FBI und INS zu erlangen, reichen ungewöhnlich weit zurück, nämlich bis in die Zeit unmittelbar nach dem Tod des Schriftstellers. Für $12 lieferte damals dasselbe INS-Büro, das die Einbürgerung des als linkslastig verdächtigen Schriftstellers über ein Jahrzehnt lang verschleppt hatte, auf Anfrage von Marta Feuchtwanger hin innerhalb weniger Tage eine beglaubigte Kopie der Vernehmungsprotokolle an den »Feuchtwanger Estate«[6] aus. Gut zwanzig Jahre später, aber immer noch zu Lebzeiten von Marta, beantragte dann das Feuchtwanger Institute for Exile Studies unter Berufung auf die Freedom of Information and Privacy Acts die Freigabe aller FBI- und INS-Akten und erhielt, so wie auch ich, 453 Blättern aus INS-Archiven und knapp 500 Seiten FBI-Material. Weitere 430 Seiten werden vom Federal Bureau of Investigation mit Bezug auf die üblichen »Exemptions« unter »Subsection of Title 5, United States Code, Section 552« zurückgehalten. Ausgewertet wurde dieses Material von der Feuchtwanger-Forschung bislang freilich noch nicht – von wenigen kursorischen und nicht immer ganz richtigen Hinweisen in den Arbeiten von Volker Skierka[7], Wilhelm von Sternburg[8] und Wolfgang Jeske/ Peter Zahn[9] abgesehen.

Vier Aspekten des FBI-Dossiers über Lion Feuchtwanger soll im Folgenden genauer Aufmerksamkeit gewidmet werden: den sogenannten »Reports« der FBI Field Offices, den Protokollen und Übersetzungen der Postzensur, dem Dossier des Immigration and Naturalization Service und dem allgemeinen Schriftverkehr von FBI und INS zu Feuchtwanger.

Kernstück der Feuchtwanger-Akte beim FBI sind zweifellos jene 43 »Reports«, die vor allem von den FBI-Büros in Los Angeles und New York, aber

---

5   Lion Feuchtwanger, in *What will Happen with Germany? The Creation of the National Committee Free Germany*, o. S., Anlage zu Emmy C. Rado, Memorandum an DeWitt Poole v. 19. 8. 1943 (OSS, 763).

6   Marta Feuchtwanger, Executrix, Estate of Lion Feuchtwanger, Brief an Richard Hoy, District Director, INS, Los Angeles, v. 11. 6. 1959 und ein INS-Formular v. 17. 6. 1959.

7   Skierka, *Lion Feuchtwanger*, S. 263ff.

8   Wilhelm von Sternburg: *Lion Feuchtwanger. Ein deutsches Schriftstellerleben*. Königstein: Athenäum 1984, S. 306. Auch in der 1994 in Berlin bei Aufbau erschienenen »erheblich« (S. 7) erweiterten Neufassung kommt J. Edgar Hoover gar nicht und Jack B. Tenney nur einmal vor.

9   Wolfgang Jeske u. Peter Zahn: *Lion Feuchtwanger oder Der arge Weg der Erkenntnis. Eine Biographie*. Stuttgart: Metzler 1984, S. 286 passim. Andere Studien zu Feuchtwanger erwähnen die FBI-Akte noch nicht einmal am Rande.

auch in El Paso (Texas), San Francisco, Phoenix (Arizona), Milwaukee und Albany (New York) zwischen Juli 1941 und Januar 1959 angefertigt wurden.[10] Anliegen dieser »Reports« war entweder die Beantwortung spezifischer Anfragen oder – wie in den meisten Fällen – die routinemäßige Überwachung der Kontakte und Aktivitäten von »subject« Feuchtwanger. Ihr Inhalt ist entsprechend weit gefächert. Angaben zu Feuchtwangers Pseudonym (»the name J. L. Watcheck is being dropped as an alias, inasmuch as it was erroneously set forth in reference report«[11]) stehen da neben Berichten von »spot surveillances«[12]: »On November 15 and 23, 1944... surveillances on the residence of Feuchtwanger were conducted. On the latter date a 1930 green Chevrolet Coupe, License No. [ausgeschwärzt] registered to [ausgeschwärzt] was noted at the residence.«[13] Eine Woche später beobachtet das FBI an der gleichen Stelle einen »1938 blue-green Willys Coupe«[14], den man zwei Jahre später nach ›intensiver‹ under-cover-Arbeit endgültig enttarnt: »It has.. been determined in this investigation that this car belongs to [ausgeschwärzt] who is believed to be a gardener employed in that capacity by Feuchtwanger.«[15] Ein Special Agent, der Feuchtwanger im Juli 1944 »under pretext« interviewt, berichtet, daß sein Gesprächspartner »freely« über den Council for a Democratic Germany gesprochen habe, »with [ausgeschwärzt] and other proponents of a partition of Germany«[16] nicht einer Meinung sei und auf die Frage, ob er nach Deutschland zurückkehren wolle, ausweichend geantwortet habe. Häufig sind in die Reporte Nachrichten aus verschiedenen Tageszeitungen und Zeitschriften wie der *New York Times*, dem *Daily Worker*, *Atlantic Month-*

10 Querverweise in verschiedenen Akten deuten an, daß sich das Dies Committee bereits im August 1938 für Feuchtwanger interessiert hatte, damals im Zusammenhang mit dessen Unterstützung des als »Communist Front« verdächtigten North American Committee to Aid Spanish Democracy (Memorandum RE: Lion Feuchtwanger, alias J. L. Wetcheek, alias James Wetcheck v. 18.4. 1941, S. 1).
11 FBI-Report, New York v. 8. 5. 1942, S. 1. Gemeint ist das von Feuchtwanger bei der Flucht aus Frankreich benutzte Pseudonym »Wetcheek««, eine Übersetzung von »Feuchtwanger« ins Englische.
12 Zwei Anträge des SAC von Los Angeles auf »technical surveillance on the residence of Lion Feuchtwanger« wurden dagegen 1948 und 1955 von der Zentrale in Washington aus nicht ganz durchsichtigen Gründen abgelehnt (Director, FBI, Memorandum an SAC, Los Angeles, v. 25. 3. 1948 und SAC, Los Angeles, Memorandum an Director, FBI, v. 11. 7. 1955, S. 2): »Under the new criteria Detcom tabbing for the Subject is not warranted, nor has he been approved under the criteria in SAC letter Number 55-12 (A).« Dessen ungeachtet findet sich in der FBI-Akte von Bertolt Brecht folgender Satz: »In the spring of 1945 the telephone listed to Eva Landshoff was called several times from the residence of Lion Feuchtwanger...« (SAC, Los Angeles, Memorandum an Director, FBI v. 8. 7. 1948, S. 3 [Brecht-Archiv, Berlin]).
13 FBI-Report, Los Angeles v. 24. 1. 1945, S. 15.
14 A. a. O., S. 16.
15 FBI-Report, Los Angeles v. 2. 10. 1946, S. 3.
16 FBI-Report, Los Angeles v. 24. 1. 1945, S. 14.

ly und *Reader's Digest* eingearbeitet – besonders, wenn sie Hinweise auf die kommunistischen Umtriebe des Untersuchungsgegenstandes enthalten oder wie ein Bericht der *Los Angeles Times* vom 22. März 1941 eine FBI-nahe Ideologie propagieren, die mit Begriffen wie Communazis operiert oder Kommunisten und – der Autor des *Arturo Ui* würde sich freuen – Nazis in einen Topf mit Chicago-Gangstern wirft: »Lion Feuchtwanger... appears to take Russian pretense for reality still and to see a fundamental difference between the Hitler and the Stalin regime... ... the Germany and the Russia of today... are run by a gang of robbers and cutthroats with a hoodlum at the head... Neither Hitler nor Stalin has any different ideals from Al Capone. Feuchtwanger is not sufficiently familiar with the Capone type to be able to recognize it.«[17] In mehreren Fällen, darunter vor allem »*Moscow 1937*«, läßt sich anhand von endlosen Exzerpten und ausgedehnten Passagen in den Vernehmungsprotokollen nachweisen, daß die Agenten des FBI und ihre Informanten (ebenso wie Mitarbeiter des OSS: »Stalin was very lucky – because Feuchtwangers book... was a one and only glorification of the conditions in Sovjet-Russia«[18]) in den Büchern jenes Mannes gelesen haben, den sie über Jahre hinweg observieren. Und natürlich verfolgen die Special Agents eifrig jede Spur, die die Vermutung erhärten könnte, daß Feuchtwanger Kommunist war. Bekannte, mit denen der Erfolgsautor und seine Frau in Verbindung stehen – Brecht, Thomas und Heinrich Manns, Bruno Frei, Peter Lorre, Charlie Chaplin, Upton Sinclair, Dorothy Thompson, Benjamin Huebsch – werden routinemäßig auf ihre politische Verläßlichkeit hin untersucht (»the names of individuals who were either contacted by the subject, or who contacted him... were checked against the indices«[19]). Mit großer Akribie zeichnet das FBI auf, wenn Feuchtwanger sich an den Aktivitäten des »Russian-American Clubs«[20] beteiligt, den sowjetischen Vizekonsul empfängt (»on February 11, 1947, the automobile baring consular service plates #290 and belonging to the Russian consulate in Los Angeles was observed in front of the subject's house, staying from about five o'clock in the afternoon until 6:15 p.m.«[21]) oder eine Auszeichnung aus der DDR erhält. Vom Zensor unserer Tage zurückbehalten werden mehrere nahezu 100 Seiten umfassende Berichte des FBI-Laboratoriums zu einer »Cryptoanalysis«, die – »with negative results«[22] – im Frühjahr 1948 im Kontext der Untersuchung von »possible espionage

---

17 FBI-Report, Los Angeles v. 18. 11. 1942, S. 10. Ein Querverweis in der FBI-Akte von Bertolt Brecht identifiziert den Autor dieses Berichts als Special Agent H. Bruce Baumeister (FBI-Report, Los Angeles v. 2. 10. 1944, S. 35 [Brecht-Archiv, Berlin]).
18 Lion Feuchtwanger, o. Datum (1942), S. 1 (OSS, 1718).
19 FBI-Report, New York v. 10. 11. 1947, S. 13.
20 FBI-Report, Los Angeles v. 15. 5. 1945, S. 2.
21 FBI-Report, Los Angeles v. 3. 7. 1947, S. 7.
22 FBI-Report, Washington v. 27. 5. 1948.

contacts« des »subject« Feuchtwanger vom SAC in Los Angeles bestellt worden war[23]. Und immer wieder finden sich in den FBI-Reporten und INS-Akten zu Feuchtwanger Berichte von »highly confidential informants« – wobei auch hier die Namen und der größte Teil der Aussagen der Spitzel von FOIPA-Spezialisten sorgfältig ausgeschwärzt wurden mit Bezug auf Exemption (b) (7) (D) von Title 5, United States Code, Section 552: »... would... reveal the identity of... confidential information furnished only by the confidential source«.[24]

›Confidential informants‹, hinter denen man sowohl Amerikaner wie auch Exilanten vermuten darf, wenn es sich nicht einfach um Querverweise auf andere Akten handelt, lassen das Bureau wissen, daß Feuchtwanger »sympathetic to Communism, pro-Soviet, reliable in eyes of CP, and useful to the CP as a writer«[25] sei, plaudern aus, daß er und »Mr. and Mrs. Bert Brecht«[26] zusammen auf einer Geburtstagsparty einer Person waren, deren Name unkenntlich gemacht wurde, und versteigen sich in von Haß und Neid bestimmten Verleumdungen: »[Ausgeschwärzt]... decribed the subject as a clever writer whose success has been prodigious... he... added that the subject is a potential enemy of this country and if given an opportunity would undoubtedly injure this country... The informant described the subject further as unscrupulous, insidious, a supporter of Communist ideology and an implacable enemy of America.«[27]

Wie derartige Informantenberichte – zumindest in einigen Fällen – zustande kamen, deutet ein unzensiert gebliebenes »sworn statement« von einem ehemaligen Mitglied der kommunistischen Partei der USA namens Paul Crouch an, das sich in Feuchtwangers INS-Akte erhalten hat. Nach den üblichen Fragen zur Person wird der Profizeuge Crouch dort vom »Examining Officer« in guter Geheimdienstmanier zunächst einmal an seine eigenen politischen Fehltritte erinnert und zugleich als Spezialist in Sachen linke Subversion vorgeführt – »member of the Communist Party of the United States... from 1925 until 1942«, »County Organizer for the Communist Party in Alameda, California«, Kontakte zu Mitgliedern der KPD usw. Es folgt die Frage, ob der Zeuge auch mit Feuchtwanger, dessen Bild ihm an dieser Stelle vorgelegt wird, bekannt sei oder ob er »any knowledge of a person by the name of Lion Feuchtwanger« habe. Als die Antwort von Crouch recht dünn ausfällt (»only by his reputation both within and outside the Communist Party«), hakt

---

23 Memorandum, SAC, Los Angeles, an Director, FBI, v. 16. 3. 1948; FBI-Report, Washington v. 6. 5. 1948; FBI, Laboratory Work Sheet v. 22. 3. 1948 und FBI, Laboratory Work Sheet v. 7. 4. 1948.
24 Explanation of Exemptions (Rev. 12/4/86).
25 Memorandum, [ausgeschwärzt] an [ausgeschwärzt] v. 27. 7. 1955, S. 1.
26 FBI-Report, Los Angeles v. 30. 10. 1945, S. 3.
27 FBI-Report, New York v. 10. 11. 1947, S. 12.

der »Examiner« ungerührt mit einer Suggestivfrage nach: »... based upon your extensive knowledge... would you feel hesitant in forming the conclusion that Mr. Feuchtwanger was regarded as at least a consistant Communist Party sympathizer...« – und erhält prompt die gewünschte Antwort: »Yes, he would have had to be regarded as at least a sympathizer, certainly.«[28]

Die eklektische Arbeitsweise des FBI und die Vielfalt der von Hoover und seinen Mitarbeiter benutzten Quellen – »Confidential Informants«, literaturwissenschaftliche Handbücher, Zeitungsberichte, Postzensur, Archivmaterial, die Observierung von Feuchtwangers Villa am Paseo Miramar in Pacific Palisades und, nach 1945, Angaben der Niederlassungen von FBI, CIA, G-2 und State Department in Europa – lassen die Anhänger des New Historicism unserer Tage wie Epigonen dastehen. Andererseits ist verständlich, daß das Bureau, wie wohl alle Geheimdienste der Welt, bei einer derartig offenen Methode der Informationssammlung gelegentliche Kurz- und Zirkelschlüsse nicht vermeiden konnte. So wirft ein »Report« vom Januar 1945 Feuchtwanger vor, einer Gruppe von »German refugee writers with Communist or pro-Russian inclinations«[29] anzugehören, bloß weil der Hitlerflüchtling mit der als kommunistisch verdächtigten German American Emergency Conference zu tun hat. Anonyme Denunziationen werden ernst genommen, wenn sie davon berichten, daß Feuchtwanger »desires socialization under proper management in Germany«[30]. Ein »tan colored Ford bearing California licence [ausgeschwärzt]«, der am Paseo Miramar parkt, wird mit Hilfe des Department of Motor Vehicles überprüft – und entpuppt sich als Dienstwagen der Bank of America, 996 South Western Avenue, Los Angeles«[31]. Und immer wieder beruft sich das FBI auf die als »reliable«[32] bzw. »confidential source«[33]eingestuften Protokolle des Un-American Activities Committees in Washington, seines kalifornischen Ablegers, des Tenney-Committees und des McCarran Committees[34], wenn es darum geht nachzuweisen, daß eine Organisation, Zeitung oder Person »Communist

---

28 Sworn Statement of Paul Crouch made to Investigator Oral K. Chandler, INS, v. 16. 9. 1952, S. 2-3. Crouch gehörte zu jenen »professional witnesses«, die damals im Solde des Department of Justice bei Prozessen, Deportationsverfahren und Kongressanhörungen auf Abruf die gewünschten Aussagen machten (vgl. Rovere, »The Kept Witnesses«, S. 25-34 und Victor S. Navasky: *Naming Names*. New York: Penguin 1980).
29 FBI-Report, Los Angeles v. 24. 1. 1945, S. 3.
30 FBI-Report, Los Angeles v. 15. 5. 1945, S. 1.
31 FBI-Report, Los Angeles v. 2. 10. 1946, S. 2-3.
32 FBI-Report, Los Angeles v. 23. 1. 1956, S. 1.
33 A. H. Belmont, Memorandum an Supervisor in the Security Division v. 18. 6. 1951.
34 A. a. O. Pat McCarran war Vorsitzender des Senate Internal Security Subcommittees und Autor der McCarran Internal Security Act »requiring the registration of all Communists and Communist organizations, establishing a registration agency, the Subversive Activities Control Board, and providing for ›internal security emergencies‹ and the detention of sus-

front«[35] oder einfach auch nur »progressive«[36] ist – vergißt dabei aber zugleich, daß es selbst in vielen Fällen das HUAC und seine Nachahmer mit den entsprechenden Informationen ausgestattet hatte.[37]

Federführend bei der Koordinierung der Nachforschungen und bei der Erstellung der FBI-Reporte war im Fall von Feuchtwanger zunächst das Field Office in New York und dann, nach Übersiedlung des Autors nach Los Angeles, das dortige FBI-Büro. Dessen Special Agent in Charge, R. B. Hood, zeichnete, wie bei anderen Exilanten auch, im Laufe der vierziger und frühen fünfziger Jahre für die zum Teil umfangreichen »Reports« verantwortlich. Der »character of case« der Feuchtwanger-Akte war zunächst »Security G-R«, seit der Übergabe des Dossiers nach Los Angeles »Security – C«.

Gelegentliche Versuche, den Fall Feuchtwanger durch einen sogenannten »change of character« von »Internal Security – C« zu »Security Matter -C« tiefer zu hängen, scheiterten entweder an der Hartnäckigkeit irgendeines Beamten oder der Entdeckung von neuen Unterlagen, die auf Feuchtwangers kommunistische Umtriebe zu verweisen schienen. »It is recommended«, heißt es dazu im Report des Los Angeles Field Office vom 9. März 1956, zu einer Zeit also, als der oberste Kommunistenjäger Joseph McCarthy bereits mit einer Rüge aus dem Amt gejagt worden war, »Feuchtwanger be retained on the Security Index in view of his continuing expressions of pro-Soviet sympathy and his stature as an apologist for pro-Soviet activities.«[38] Endgültig gestrichen wurde der Name des Exilanten von diesem Index erst im letzten Report des FBI, auf den Tag genau ein Monat nach Ableben des »Fellow traveller« – was allerdings keineswegs hieß, daß damit die Sammelleidenschaft von Hoovers Behörde befriedigt gewesen wäre: »On January 7, 1959«, versicherte ein Mitarbeiter des FBI nach einem Besuch beim Los Angeles City Bureau of Vital Statistics seinem Auftraggeber, »that death certificate Num-

---

pected ›subversives‹«« (Larry Ceplair u. Steven Englund: *The Inquisition in Hollywood. Politics in the Film Community 1930-1960.* Garden City: Anchor Press 1980, S. 362).

35 FBI-Report, Los Angeles v. 25. 7. 1951, S. 2.

36 SAC [ausgeschwärzt], Memorandum an Director, FBI, v. 9. 3.1955, S. 5.

37 Ein besonders eklatantes Beispiel für diese Praktik ist ein Office Memorandum für Hoover vom März 1955, in dem die »HCUA publication ›Investigation of Communist Activities‹« ausgewertet wird: »Fifteen witnesses appeared before the HCUA of which seven were ›friendly witnesses‹ and eight were ›unfriendly witnesses‹.The seven ›friendly witnesses‹ identified some 131 individuals as Communists [ausgeschwärzt]. Six of the eight ›unfriendly witnesses‹ are Security Index subjects [ausgeschwärzt] and the other two are Communist Index subjects.« Das Fazit des bearbeitenden SAC – »This review failed to uncover any new information« (a. a. O., S. 1) – hält das FBI freilich nicht davon ab, jene Personen, die vor dem HUAC denunziert wurden, darunter auch Feuchtwanger, als Verdächtige zu observieren: »The Bureau is being furnished 116 additional copies of this letter for dissemination to their respective files« (a. a. O., S. 9).

38 FBI-Report, Los Angeles v. 9. 3. 1956, S. 3.

ber 23929 reflects the death of Lion Jacob Feuchtwanger on December 21, 1958... cause of death was shock due to gastic hemorrhage«[39]. Ein für die Akten übernommener Ausschnitt aus dem *Los Angeles Examiner* vom 9. Juli 1959 berichtet, daß »author Lion Feuchtwanger« »left an estate valued at $22,631.28« und daß er diese Summe an seine Frau vermacht habe. Drei weitere FBI-Memoranda, das letzte vom 2. September 1960, sind vom Zensor so stark verstümmelt worden, daß sie keinen Informationswert mehr besitzen.

Das zweite Kernstück der Feuchtwanger-Akte beim FBI entstand, als der Autor aus nicht ganz zu klärenden Gründen für mehrere Monate auf die »FBI Watch List« geriet und das Office of Censorship begann, seine Korrespondenz abzufangen und regelmäßig Kopien und Übersetzungen an das FBI zu liefern. Über 40 dieser Zensurberichte sind erhalten geblieben. Sie wurden mit bürokratischer Gründlichkeit von den Zensoren unserer Tage ausgeschwärzt und drehen sich – soweit noch rekonstruierbar – zumeist um Verlagsverträge, zuweilen um finanzielle Zuwendungen für Verwandte und Bekannte oder die Publikationen von anderen Exilanten – sind aber in keinem Fall ähnlich aufschlußreich wie die Berichte der Postzensur in den FBI-Akten von Anna Seghers oder Heinrich Mann.

So vergibt Feuchtwanger im Frühjahr 1944 telegraphisch die Rechte für »Double Double and Paris Gazette«[40] an einen schwedischen Verleger mit der Auflage, daß beide Bücher vor dem 1. Januar 1947 erscheinen müssen. Aus Argentinien schickt die Editorial Futuro eine Abrechnung für »›Success‹ and ›Exile‹«[41] und kündigt die Übersetzung von *Simone* an. Einem unbekannten Exilanten in der Dominikanischen Republik muß Feuchtwanger mitteilen, daß es nach seiner Erfahrung zur Zeit »out of the question« sei »to obtain a visa for a German or Austrian who is not in immediate danger«[42]. Ein anderer Briefpartner, dessen Name unleserlich gemacht wurde, verhandelt mit Feuchtwanger darüber, ob sich die Zuwendung von $20 monatlich nicht auf $30 erhöhen ließe. Im Februar 1953 kabelt der Autor an den Europa Verlag in Zürich, der angefragt hatte, »if Lola Sernau Humm was authorized to make contract... concerning stage rights to play Sezuan«, daß »[ausgeschwärzt] is authorized by this cbl [cable] to make contract with adse [addressee] for stage production and publication of works of sndr [sender] and Brecht«[43]. Vom FBI-Zensor ausgeschwärzt sind Name und Adresse des Absenders eines wenige Monate später möglicherweise in Mexiko aufgegebenen Telegramms, in dem Feuchtwanger um Vermittlung bei einer Verhandlung mit Brecht gebeten

39 Report of [ausgeschwärzt], FBI, Los Angeles, v. 21. 1.1959.
40 Lion Feuchtwanger, Telegramm an [unleserlich], Stockholm, v. 11. 4. 1944.
41 [Ausgeschwärzt], Brief an Lion Feuchtwanger v. 22. 11. 1944.
42 Lion Feuchtwanger, Brief an [ausgeschwärzt] v. 1. 1. 1943.
43 Lion Feuchtwanger, Telegramm an Europa Verlag, Zürich, v. 26. 2. 1943.

CONFIDENTIAL

STANDARD FORM NO. 64

Office Memorandum • UNITED STATES GOVERNMENT

b7C

TO :

FROM :

DATE: July 27, 1955

Tolson ___
Boardman ___
Nichols ___
Belmont ___
Harbo ___
Mohr ___
Parsons ___
Rosen ___
Tamm ___
Sizoo ___
Winterrowd ___
Tele. Room ___
Holloman ___
Gandy ___

SUBJECT: LION FEUCHTWANGER, was.
INTERNAL SECURITY - R

To advise Los Angeles office has recommended retention of subject on Security Index (SI) and Domestic Intelligence Division agrees based on file review.

b7C

BACKGROUND AND ACTIVITIES:

Feuchtwanger was born 7-7-84 in Munich, Germany. On 5-22-12 he married Marta Loeffler at Uberlinger, Germany. Feuchtwanger and his wife arrived from Europe at New York City on 10-5-40 in possession of temporary visitors' visas. They proceeded to Mexico and re-entered the U.S. from Nogales, Arizona, on 2-10-41. At the time of this entry, subject claimed he was not a citizen of any country due to his expatriation by the German Government in 1933. He filed Declaration of Intention to become citizen on 2-15-41 and submitted Petition for Naturalization on 3-5-48. He has not been naturalized.

Subject is rather widely known both in Europe and U.S. as an author, and while residing in France in late 1930's authored various replies to the anti-Soviet writings of Andre Gide, a French author. He wrote "Moscow - 1937" a flattering account of his visit to Russia. Since coming to U.S. he has been associated with, for various periods of time, approximately 15 Communist Party front groups, mainly as a "sponsor." There is no evidence of actual CP, USA, membership; however, numerous persons interviewed have described him as sympathetic to Communism, pro-Soviet, reliable in eyes of CP, and useful to the CP as a writer.

ALL INFORMATION CONTAINED
HEREIN IS UNCLASSIFIED
EXCEPT WHERE SHOWN
OTHERWISE

CLASS. & EXT. BY SP4 Jen/abh
REASON-FCIM II, 1-2.4.2 2 3
DATE OF REVIEW 2-7-91

6 C 100-5143 1955
Ticklers -

b7C

RECORDED - 36

100-5143-136

RPC:J___

21 AUG 16 1955

CONFIDENTIAL

242

wird: »Need urgently cable confirmation from Brecht that I am authorized contract Brecht plays Stop… I got nothing till now my situation desperate.«[44] Zwei Briefe an Arnold Zweig, in denen es um die Publikation von dessen Roman *Das Beil von Wandsbek* bei Huebsch geht,[45] sind inzwischen im Feuchtwanger-Zweig *Briefwechsel* abgedruckt worden.[46] Und schließlich zeichnet das Office of Censorship im Jahre 1945 noch als kleine, peinliche Kuriosität des Exils das Schreiben einer französischen Versicherungsfirma auf, »announcing ›Stock Issue of 100,000 New Shares‹«, mit der Auflage, daß »would-be subscribers«[47] eine eidesstattliche Erklärung abgeben, keine Juden zu sein.

Der dritte Teil des an mich freigegebenen Feuchtwanger-Dossiers umfaßt ein über 400 Blätter zählendes Konvolut aus dem INS-Archiv mit Kopien der üblichen Visa-, Einreise- und Adressenformulare, einer relativ umfangreichen Sammlung von Hintergrundmaterial zu Feuchtwanger und mehreren Vernehmungsprotokollen, auf deren Inhalt und Form später noch genauer eingegangen wird. Beruhigt stellt man bei der Lektüre dieser Formulare fest, daß Feuchtwanger während seines beinahe zwanzig Jahre währenden Amerikaaufenthalts nur zehn Pfund an Gewicht zugenommen hat und daß sich in dieser Zeit weder sein Geburtsdatum noch seine Größe verändert hat – Angaben, die Exilanten wie Anna Seghers und Heinrich Mann beim Ausfüllen ähnlicher Formulare zu bisweilen beachtlicher Kreativität verführten.

Eher nachdenklich stimmen dagegen zwei andere Vordrucke: auf dem einen hatte Feuchtwanger oder ein INS-Beamter unter der Rubrik »race« die Eintragung »Jewish« ausgestrichen und durch »white« ersetzt. Auf dem anderen, einer Application for Certificate of Identification, zählt Feuchtwanger in einem zweiseitigen, handgeschriebenen Zusatz auf, was ihm die Nationalsozialisten angetan haben: »I had to leave Germany in October 1932. My Berlin house was raided by the Nazis in Feb. 1933. On August 23, 1933, I was expatriated… and all my possessions were confiscated. Goebbels himself announced my expatriation over the radio….«[48] – nur um dann sagen zu können: »Therefore I cannot feel to be an enemy alien.«[49] Und natürlich ist auch die INS-Akte stark durchsetzt von Angaben zu möglichen linken Aktivitäten und Kontakten des Exilanten. So unterzieht sich ein Angestellter des Immi-

---

44 [Ausgeschwärzt], Telegramm an Lion Feuchtwanger v. 6. 9. 1943.
45 Lion Feuchtwanger, Brief an Arnold Zweig v. 14. 10. 1942 u. Lion Feuchtwanger, Brief an Arnold Zweig v. 29. 4. 1944.
46 Lion Feuchtwanger, Arnold Zweig: *Briefwechsel 1933-1958*. Bd. 1. Hrsg. v. Harold von Hofe. Berlin/DDR: Aufbau 1984, S. 257-60 u. 294-8.
47 [Unleserlich], Brief an Lion Feuchtwanger o. D. [ca. April 1945].
48 Supplemental Sheet zu Lion Feuchtwangers Application for Certification of Identification (Department of Justice) v. 5. 2.1942, Blatt 1.
49 A. a. O., Blatt 2.

gration and Naturalization Service der Mühe, handschriftlich eine Liste jener 23 »C.P. Front Membership & Affiliations« angefangen von der »Hollywood Writers Mobilization (Speaker)« und dem »Joint Anti-Fascist Refugee Committee (sponsor)« bis zur »League of American Writers School in Hollywood (lecturer)«[50] zusammenzustellen, deren Namen in den »Calif. HUAC Records (Tenney)«[51] auftauchen. Informant I-92, ein Kollege von Informant T-10, jenem Schauspieler namens Ronald Reagan, der sich Jahrzehnte später als Präsident der USA noch genauer mit dem Reich des Bösen befassen wird, erinnert sich daran, daß er Feuchtwanger 1943 auf einer Wohltätigkeitsveranstaltung für die Hollywood Anti-Nazi League im Hause des Drehbuchschreibers Dalton Trumbo[52] kennengelernt hat, wo – man höre und staune – auch »non-communists«[53] zugegen gewesen sein sollen. Ohne Kommentar findet sich zwischen anderen INS-Akten die Vergrößerung eines Fotos, auf dem Feuchtwanger ernsten Gesichtes auf Josef Dschugaschwili, genannt Stalin, blickt. Vorsorglich berichtet ein Immigration Inspector im Juni 1944 an seinen District Director: »In the event that the subject applies for naturalization it is noted that an article was published under his name in the May 16, 1944 issue of ›New Masses‹, a Communist publication.«[54] Gut zehn Jahre später, am 29. November 1956, bittet der INS das State Department per Vordruck, ausgerechnet von Max Horkheimer ein »sworn statement« in Deutschland einzuholen, »covering knowledge Dr. Horckheimer, President of the University of Frankfort in 1953, may have regarding Feuchtwanger's character, political loyalties and sympathies« – und fügt gleichsam als Warnung sofort hinzu: »Feuchtwanger who has long been known for his leftist views is a petitioner for naturalization.«[55] Ungefähr zur gleichen Zeit teilt die sonst allwissende CIA dem INS in der Spalte »Organizations with which... affiliated« eines Formulars, auf dem »derogatory information« angefordert wird, ebenso trocken wie falsch mit: »Communist Party of Germany.«[56] Wiederholt wird in den Akten des INS ein freimütiges Interview in der *Los Angeles Times* vom 21. März 1941 zitiert, in dem sich der

---

50 C. P. Front Memberships & Affiliations Lion Feuchtwanger Calif. HUAC Records (Tenney). Vgl. dazu *Fifth Report of the Senate Fact-Finding Committee on Un-American Activities* (1949).

51 Diese Liste trägt weder ein Aktenzeichen noch ein Datum.

52 Dalton Trumbo gehörte in den vierziger Jahren zu den erfolgreichsten Drehbuchschreibern von Hollywood. Er kam 1947 als einer der ›Hollywood Ten‹ auf die schwarze Liste des HUAC und konnte bis in die sechziger Jahre nur unter Pseudonymen arbeiten.

53 Maschinenschriftliches Blatt, ohne Aktenzeichen, gezeichnet WARD, 20. 8. 1952.

54 J. Rae, Immigrant Inspector, Memorandum an District Director, Los Angeles, v. 22. 6. 1944.

55 Request for Foreign Investigation or Document, United States Immigration and Naturalization Service, Los Angeles, an Director, Visa Office, Washington, D. C., v. 29. 11. 1956.

56 Director, Central Intelligence Agency, Form G-135a (Agency Name Check) für Investigative Division, INS, v. 20. 11. 1956.

eben in Kalifornien angelangte Exilant naiv und ehrlich für »planned econo-my« und »socialism without bitter strife« ausgesprochen hatte, Hitlers Natio-nalsozialismus dagegen als »basically still capitalistic«[57] abtat. Unkenntnis der kalifornischen Verhältnisse spiegelt auch die Tatsache wider, daß Feucht-wanger glaubte, seinen Fall beim Immigration and Naturalization Service durch die beglaubigte Übersetzung eines Nazidokuments stärken zu können, auf dem mit Datum vom 3. Mai 1935 bzw. 17. Juni 1937 vermerkt ist: »The emigrant Lion Feuchtwanger... is occupied internationally for the Commu-nist Party of Germany according to instructions from Darmstadt May 25, 1937, Daybook II Ca Number 66... see personnel file with the Kommissariat for Marxism and Communism.«[58]

Viertens und letztens schließlich enthält die FBI-Akte von Lion Feuchtwan-ger noch einen sporadischen, aber nicht unerheblichen Schriftwechsel zwi-schen der FBI-Zentrale in Washington, verschiedenen Field Offices des Bu-reau, dem INS, Department of State, CIA, G-2 und dem Internal Revenue Service. Thema dieses Teils des Dossiers sind zumeist bürokratische Routi-neangelegenheiten, ab und zu aber auch die Identität von FBI-Informanten[59], die Qualität von deren Angaben oder der für den Fall Feuchtwanger wichtige Besuch einer Delegation sowjetischer Journalisten, auf den später noch zu-rückzukommen ist.

Zwei Aspekte verleihen dem internen Schriftverkehr des FBI besondere Bedeutung. Zum einen weist eine beträchtliche Zahl von Dokumenten dar-auf hin, daß das FBI Feuchtwanger seit seiner Ankunft in den USA beschat-tet hat. Wie bei anderen Exilanten ist dabei das erste Aktenstück von File 100-5143 ein »anonymous communication« gestempelter, später oft zitierter denunziatorischer Brief. Mit Datum vom 4. November 1940 wird in ihm der eben mit Mühe und Not aus Vichy-Frankreich Entkommene[60] als »chief liter-ary Kremlin crawler« beschrieben und aus seinem Buch »»Moscow—1937‹« zitiert als Beleg dafür »what he thinks of the western democracies«[61]. Ande-re Akten deuten an, daß man sich im Oktober/November 1940 bei der Unit-ed States Maritime Commission im weit abgelegenen New Orleans Sorgen

---

57 Zitiert nach einem Zeitungsausschnitt in Feuchtwangers INS-Akte.

58 Hannelore Drab, INS, beglaubigte Übersetzung aus dem Deutschen, ohne Akz.

59 SAC, New York, Memorandum an Director, FBI, v. 6. 6. 1955, S. 2.

60 Vgl. dazu in den Unterlagen des Department of State ein Telegramm vom 6. Juli 1940 an den amerikanischen Konsul in Marseilles, in dem neben Politikern wie Hans Vogel, Fried-rich Stampfert, Rudolf Breitscheid, Rudolf Hilferding und Erich Ollenhauer auch »Leon Feuchtwanger« avisiert wird: »Should any of the outstanding intellectuals listed below and members of their families apply for visas within the next two weeks, their cases should re-ceive immediate consideration without regard for office hours or holidays« (Department of State, Telegramm an American Consul, Marseilles, v. 6. 7. 1940 [811.111 Refugees/127]).

61 Lion Feuchtwanger, anonymous Communication, New York, 4. 11. 1940.

über die Ankunft von »alleged ›refugee‹« »Lion Feuchtwanger« in den USA machte und das New Orleans Büro des FBI um Amtshilfe bat, »with negative results«[62]. Ein paar Tage zuvor hatte sich einer der engsten Mitarbeiter von J. Edgar Hoover, E.A. Tamm, »a summary of the information in the Bureau's file on the above captioned individual« zusammenstellen lassen. In ihr wird in trockenem Amtsenglisch, aber nicht ohne kritische Untertöne, davon berichtet, daß die von Feuchtwanger mitherausgegebene Exilzeitschrift *Wort* über »Mezhdunarodnaja Kniga« in Moskau zu beziehen sei und – einer Meldung des *Aufbaus* zufolge – Feuchtwanger 1939 von der französischen Regierung wegen »Communistic activities«[63] interniert wurde. Einige Verwirrung mag dagegen ein Feuchtwanger-Interview mit Associated Press in den Köpfen der damals gerade mit dem Begriff ›Communazi‹ experimentierenden FBI-Männer gestiftet haben, das vom State Department an Tamm weitergeleitet wurde: »This file... contained a clipping from the Baltimore Sun dated October 4, 1940, which contained considerable information concerning Feuchtwanger's experience with the German Gestapo in France...«[64] Und mit Sicherheit werden die Mitarbeiter des FBI Probleme gehabt haben, ein Feuchtwanger-Interview über den Selbstmord des deutschen Stückeschreibers »Hassen Clewer«[65] richtig einzuordnen.

Interessanter als derartige Routineaktionen des FBI anläßlich der Einreise eines prominenten politischen Flüchtlings in die USA ist freilich ein zweiter Aspekt des allgemeinen Schriftverkehrs in der FBI-Akte von Feuchtwanger – die Tatsache nämlich, daß, wie und warum sich der FBI-Boss J. Edgar Hoover bzw. seine engsten Mitarbeiter von Anfang an persönlich in den Fall Feuchtwanger eingemischt haben. »In view of the reported activities and affiliations of Lion Feuchtwanger«, heißt es zum erstenmal am 4. Juni 1941 in einem als »*Personal and Confidential*« gekennzeichneten Memorandum Hoovers an Major L. R. Schofield vom INS, »it is suggested that all legal and proper methods be used to effect the deportation. This Bureau, at the present time, is conducting an investigation to ascertain whether Lion Feuchtwanger is engaged in any actions that would constitute a violation of existing United States statutes...«[66] Da die Sammlung des Belastungsmaterials nicht schnell genug vorangeht, mahnt Hoover während der nächsten Wochen den Assistant Director des FBI in New York und andere SACs wiederholt: »... it

---

62 A. C. Rutzen, SAC, New Orleans, Memorandum an SAC, New York, v. 7. 12. 1940.
63 Lion Feuchtwanger. Anlage zu [ausgeschwärzt], FBI, Washington, Memorandum für E. A. Tamm v. 23. 11. 1940, Blatt 1.
64 [Ausgeschwärzt], FBI, Washington, Memorandum für E. A. Tamm zu Lion Feuchtwanger v. 28. 12. 1940, Blatt 2.
65 »Feuchtwanger Tells How He Escaped From Gestapo.« In: *The Sun* (Baltimore) v. 4. 10. 1940 (zitiert nach Feuchtwangers INS-Akte).
66 John Edgar Hoover, Memorandum an L. R. Schofield v. 4. 6. 1941.

is requested that you immediately institute a thorough and discreet investigation... It is believed that informants well known to your office will be of assistance in developing additional information regarding the subject. It is also believed that in view of the allegations against the subject this case is of the type that should receive preferred investigative attention and reports should be submitted to the Bureau without undue delay.«[67] Als auch das nicht hilft, weist der FBI-Boss seinen Mann in Los Angeles an: »You will prepare without delay a 5″x 8″ white card... for filing in your Confidential Custodial Detention Card File«[68] – muß aber schließlich, mehr als zehn Jahre später, einsehen, daß ihm der Endsieg über den Exilanten verwehrt bleibt, da Feuchtwanger sich weder als Autor mundtot machen, noch in seiner Weltanschauung beeinflussen ließ. Und auch ein letzter Versuch des »Director, FBI«, den alternden Exilanten über die »deportation list« des Attorney General und die Übergabe des Falls an die »Espionage Section for further supervision and dissemination to INS«[69] aus den USA zu vertreiben, verkommt wegen der mangelhaften Beweislage zu einem Teilerfolg: »... the INS Office in Los Angeles«, berichtet der SAC, Los Angeles, im Dezember 1953 an seinen Dienstherren in Washington, »advised that they do not feel the subject will make any attempt to obtain his naturalization and feel that should he do so they have enough evidence to block his naturalization. They do not feel, however, that they have sufficient evidence at the present time to deport him.«[70]

Der zuletzt zitierte und von überraschender Offenheit zeugende Notenaustausch zwischen der FBI-Zentrale, dem SAC in Los Angeles und dem INS läßt keinen Zweifel zu: während Feuchtwanger seit 1945[71] darauf hofft, einen amerikanischen Paß und eine gewisse Reisefreiheit zu erhalten, war Hoover und seinen Mitarbeitern von Anfang an daran gelegen, die Deportation des unliebsamen Gastes zu bewirken.

Zwei Versuche des Los Angeles Field Office, die Akte Feuchtwanger »due to inactivity« zu schließen, vermochten denn auch nicht, das FBI vom rechten Weg abzubringen. Das erstemal, im April 1946, ließ der FBI-Boss die Untersuchungen bruchlos weiterlaufen – wobei leider die entsprechenden Reporte aus Los Angeles und New York, denen man die Gründe für Hoovers Entscheidung hätte entnehmen können, bis heute zurückgehalten werden. Das zweitemal, im Frühjahr 1949, wird Feuchtwanger tatsächlich für zwei

---

67 John Edgar Hoover, Brief an E. J. Connalley v. 4. 6. 1941, S. 2.
68 John Edgar Hoover, Brief an SAC, Los Angeles, v. 8. 5. 1943.
69 Director, FBI, Memorandum an SAC, Los Angeles, v. 9. 6. 1953.
70 SAC, Los Angeles, Memorandum an Director, FBI, v. 31. 12. 1953.
71 Ein vom 5. Mai 1945 datiertes Formular des INS für Petition for Naturalization deutet an, daß Feuchtwanger – offensichtlich in Unkenntnis der amerikanischen Einwanderungsgesetze – bereits unmittelbar nach seiner Ankunft in den USA einen Antrag auf Einbürgerung gestellt hatte.

JCM:jlg

May 8, 1943

Special Agent in Charge
Los Angeles, California

35584

RE: CUSTODIAL DETENTION

Dear Sir:

Please be advised that a custodial detention card has been
prepared at the Bureau, captioned as follows:

FEUCHTWANGER, LION, WITH ALIASES   ALIEN   COMMUNIST
Leon Feuchtwanger
J. L. Wetcheek
James Wetcheek

13827 Sunset Boulevard
Pacific Palisades, California

The above caption should be checked immediately for accuracy
against the information contained in your files, and the Bureau should
be informed of any discrepancies. You will prepare without delay a
5" x 8" white card captioned as above and reflecting your investigative
case file number for filing in your Confidential Custodial Detention Card
File. In the event the above caption is not correct, the card you
prepare should be correctly captioned, and the Bureau should be informed
of the correct caption.

The caption of the card prepared and filed in your Office
must be kept current at all times and the Bureau immediately advised of
any changes made therein in that connection.

Mr. Tolson
Mr. E. A. Tamm
Mr. Clegg
Mr. Coffey
Mr. Glavin
Mr. Ladd
Mr. Nichols
Mr. Rosen
Mr. Tracy
Mr. Carson
Mr. Hendon
Mr. Mumford
Mr. Kramer
Mr. Quinn Tamm
Mr. Nease
Miss Gandy

COMMUNICATIONS SECTION
MAILED 3
MAY 7 1943 P.M.
FEDERAL BUREAU OF INVESTIGATION
U. S. DEPARTMENT OF JUSTICE

Very truly yours,

J. E. Hoover

John Edgar Hoover
Director

100-5143-
NOT RECORDED

DECLASSIFIED ON 2-2-81
BY SP/GSK/abh

Jahre von der »Key Figure List« genommen – nur um danach wegen eines
Geburtstagstelegramms an Stalin, seiner »social functions«[72] beim sowjetischen Vize-Konsul und der Verleihung des DDR-Nationalpreises erneut mit
frischer Energie bespitzelt zu werden.[73] Ab 1954 erscheint sein Name auf
den wöchentlichen Listen von INS und der Criminal Division des Department
of Justice zusammen mit »racketeers and subversives« »being considered
under the Denaturalization and Deportation Program« des Generalstaatsan-
walts der USA. Schon vorher, am 22. Juni 1953, hatte SAC Hood einen fünf-
undvierzigseitigen Bericht unterzeichnet, in dem noch einmal, angefangen
von Feuchtwangers Vita und den Adressen der in alle Welt verstreuten vier
Brüder und drei Schwestern des Exilanten bis hin zu dem Dies-Committee
Bericht von 1938, Ruth Fischers Denunziationen in *Network* und einer Vielzahl von Informantenberichten (»all souces indicated by ›T‹ symbol in this
report are of known reliablity«[74]), die wichtigsten Fakten übersichtlich geordnet zusammengetragen werden. Höhepunkte dieser Aufstellung sind eine lange Liste von potentiell subversiven Zeitungen und Zeitschriften, in denen man
den Namen Feuchtwanger gefunden hat; mehr als zwanzig Seiten mit Angaben zu »Communist-front« Organizationen vom American Committee for Yu-
goslavian Relief (Quelle: die Wegwerfzeitung *Los Angeles Downtown Shop-
ping News* vom 13. Februar 1945) bis zu den Weltfriedenskonferenzen in
New York und Mexiko; Hinweise auf die Bewegung Freies Deutschland und
auf Exilblätter wie *Internationale Literatur* und *Wort*; und eine Aufzählung
jener Feuchtwanger-Bekannten, die vom FBI ebenfalls als verdächtige »fellow
traveller« eingestuft werden: »*Berthold Brecht*... is the author of the book
›Svendborger Gedichte‹ which was published in 1939. This book... contains
poems lauding the U.S.S.R., the Communist revolution, and Lenin. Other
poems in the book specifically refer to the overthrow of the Capitalistic system by violence, and advocate the taking over of the government by the Pro-
letariat.«[75] »Henrich Mann, a Czechoslovakian citizen..., according to this
source... had always been a strong promoter of a ›united Socialist front‹ and
for many years belonged to Communist front organizations in Germany and
France.«[76] »Hans... Eisler... became the center of an international culture
clique;... French, Hungarian, German, Czechoslovakian, and Russian agents

72 FBI-Report, Los Angeles v. 22. 6. 1953, S. 31.
73 Das Feuchtwanger-Dossier scheint in diesem Fall durch eine Information aus dem McCar-
    ran Committee reaktiviert worden zu sein – ein Beleg dafür, wie eng die verschiedenen na-
    tionalen und regionalen Behörden selbst im Fall der relativ unwichtigen deutschen Exilan-
    ten zusammengearbeitet haben.
74 FBI-Report, Los Angeles v. 22. 6. 1953, S. 2.
75 A. a. O., S. 35. Es ist beachtenswert, daß das Wort» Capitalistic« hier mit großem An-
    fangsbuchstaben geschrieben wird.
76 A. a. O., S. 19.

took advantage of his liberality and drank whiskey with the literati at parties he threw in London, Prague, Paris, Barcelona, and Los Angeles.«[77] Das FBI-Büro in Heidelberg versorgt die Zentrale in Washington 1953 mit Informationen zur Verleihung des Nationalpreises der DDR an Feuchtwanger. Im November 1955 bringt der Besuch einer Delegation sowjetischer Journalisten bei Feuchtwanger erhebliche Unruhe in das Los Angeles Field Office: »Rosemary Haskell had, on November 3, 1955, through [Frank] Kluckhohn, invited the Soviets to the reception at Feuchtwanger's and Kluckhohn had told the Soviets that is was unwise for them to attend. Boris Kampov-Polevoy, Head of the Soviet Delegation, objected and accused Kluckhohn and the State Department of attempting to unjustly limit their activities. He further stated that if the Soviets were not permitted to attend Feuchtwanger's reception, they would cancel the tour and return to the U.S.S.R.«[78] Der U.S.-Senator Thomas H. Kuchel und das Mitglied des Abgeordnetenhauses und des Un-American Activities Committees Donald L. Jackson ließen sich vom FBI über den Fall Feuchtwanger informieren, was die Special Agents zum Anlaß nahmen, gleich auch noch einmal in ihren Akten zum »Honorable... Senator Kuchel« zu blättern: »... is highly regarded as both able and honest..., Bureau files contain no derogatory information identifiable with Kuchel.«[79] Und schließlich kümmert sich ausgerechnet jener Senator und Vizepräsident der USA Richard M. Nixon um die Feuchtwanger Akte, dessen Watergate-Affäre wir es indirekt verdanken, daß es die Möglichkeit gibt, Einsicht in die FBI-Unterlagen von Feuchtwanger und seiner Frau zu nehmen. »... delay of final naturalization hearings in these cases«, heißt es dazu in einer offensichtlich als Beruhigung gemeinten und bis zum Ableben Feuchtwangers gültig gebliebene Antwort des INS-District Directors vom 29. Mai 1952 an den »Honorable Richard Nixon«, »has been occasioned by an investigation contemplating possible action under the Internal Security Act of 1950.«[80]

Bliebe noch, einen kurzen Blick auf jenes weiter oben bereits zitierte Interview zu werfen, das John Norman für William Donovans Nachrichtendienst Office of Strategic Services mit Feuchtwanger an einem Sonntagnachmittag im Dezember 1944 in dessen »beautiful estate at 520 Paseo Miramar, Pacific Palisades«[81] führte. Wie bei anderen Befragungen dieser Art schneidet der Mann vom OSS dabei auch diesmal spezifische politische Themen

---

77 A. a. O., S. 34.
78 FBI-Report, Los Angeles v. 23. 1. 1956, S. 4.
79 Maschinenschriftlicher Aktenvermerk auf einem Brief von J. Edgar Hoover an Thomas H. Kuchel v. 18. 3. 1954, S. 1–2. Diese Passage ist durch den Vermerk »Note on Yellow« als interne, vertrauliche Aktennotiz für den Hausgebrauch der FBI-Zentrale gekennzeichnet (vgl. oben das Kapitel zu Erika Mann).
80 District Director, INS, Brief an Richard Nixon v. 29. 5. 1952.
81 John Norman, Report of conversation with Lion Feuchtwanger at Pacific Palisades, California on 10 December, Memorandum an DeWitt C. Poole v. 19. 12. 1944, S. 1 (OSS, 1308).

an wie die Kollektivschuld (»Emil Ludwig is lonely. We exiled writers all agree against him. I don't agree with Thomas Mann on many things, but we agree on Ludwig.«[82]), den Widerstand gegen die Nazis (»»underrated««[83]) und die Teilung Deutschlands (»it would be wise to occupy three parts of Germany, but not wise to make three different countries«[84]). Wenig hält Feuchtwanger, »a jolly little man with twinkling eyes... and a respectable pauch«[85], von den Exilpolitikern (»I don't like Bruening. I don't like Rauschning. Prince Hubertus zu Lowenstein has only a muddled mind and a title.«[86]). Und auch seine Schriftstellerkollegen kommen nicht gut weg bei ihm: »Vicki Baum... he did not consider a great writer«[87] und Ludwig schreibe zu viel, sei »»superficial«« und ohne »»inhibitions««[88].

Wer in den Akten liest, die Geheimdienste über Kulturschaffende anlegen, merkt rasch, daß sich Sprache und Form der Dokumente ähnlich sind, egal ob Special Agents des FBI, Behörden totalitärer Staaten wie das Dritte Reich, die viel überschätzte Stasi oder Beamte der Staatsschutzabteilung der Züricher Polizei als Verfasser zeichnen. Doch es ist hier nicht der Ort, das Genre ›Geheimdienstprotokoll‹ einer vergleichenden Analyse zu unterziehen oder gar eine Typologie jener Akten zu entwickeln, die sogenannte Staatsschützer in diesem oder jenem Land zu Schriftstellern und Intellektuellen zusammengestellt haben. Wohl aber soll im Folgenden der Versuch gemacht werden, anhand jener sechs Interviews, die der INS ausgestattet mit FBI-Material zwischen 1942 und 1958 mit Lion und Marta Feuchtwanger durchgeführt hat, einer Reihe von Formen nachzugehen, die diese Verhöre kennzeichnen.

Die erste, unter Eid geführte Befragung von Feuchtwanger fand am 15. Juni 1942 statt und drehte sich offenbar weniger um den Befragten, als um eine Untersuchung der Rechtsanwaltspraxis Button, Gayland and Butts, die Feuchtwanger 1941 gegen ein nicht unerhebliches Honorar bei seiner Wiedereinreise in die USA über Nogales, Mexiko, behilflich gewesen sein soll.[89] Sie braucht hier nicht weiter behandelt zu werden. Wichtig ist dagegen jenes fünfseitige Dokument, »subscribed and sworn to before« Ben J. Ginn vom INS

---

82 A. a. O., S. 4.
83 A. a. O., S. 1.
84 A. a. O., S. 3.
85 A. a. O., S. 1.
86 A. a. O., S. 6.
87 A. a. O., S. 7.
88 A. a. O., S. 4.
89 In den Akten des INS ist die Rede von $8.000 (Lemuel B. Schofield, Special Assistant to the Attorney General, Brief an Sylvester Pindyck, Supervisor, Special Inspection Division, INS, v. 29. 3. 1941). Feuchtwanger selbst macht bei der Befragung durch den INS folgende ausweichende Aussage: »I paid at least an original fee of $1,500.00 in New York and some expenses« (Statement by Lion Feuchtwanger taken by Clarence R. Porter, INS, am 15. 6. 1942, S. 5).

October 13, 1952

246/P/135253
246/P/135254 Inv.Enf.
E

Patricia Wright
c/o Honorable Richard Nixon
United States Senate
Washington D.C.

Dear Miss Wright:

     This is in response to your telegram of October 10,
1952 making inquiry concerning the naturalization cases of
Lion Feuchtwanger and his wife, Marta.

     As indicated in our previous replies to Senator
Nixon, the history of past activities in these cases has been such
as to require an intensive investigation contemplating possible
action under the Internal Security Act of 1950. Information
developed to date has shown the need of further investigation.

     Although it is not possible to fix an approximate date
of completion at this time, you may be assured that the cases
will be completed as rapidly as possible consistent with our
responsibilities under existing statutes.

                Very truly yours,

                District Director

cc--Commissioner, Washington D.C.
    Your A-7510026 andA7510027
    Attention: Congressional Mail Unit

cc--District Director, N.Y.
    Ours of 3-14-52, your file number unknown
    Attention: Chief, Investigation Section

in Los Angeles am 5. März 1948, das Feuchtwangers »Petition for Naturalization« beiliegt. Im Kontext der üblichen Angaben zur Person (»served... in the German army, as far as I can remember from October 1914 to December 1914 as Private Second Class of the Infantry«), sieht Feuchtwanger sich nämlich veranlaßt, seine politische Tätigkeit herunterzuspielen. Wenn er sich überhaupt an irgendwelche Mitgliedschaften und Auftritte bei »organizations, lodges, societies, clubs or associations« erinnert, so der Antragsteller, dann seien diese durchweg von offiziellen Organen gefördert worden: »As far as I recall, I spoke for instance in Paris for the PEN Club under the auspices of the President of France and all the French Ministers;... for an organization for assistance to Cardiacs, I believe under the auspices of President Roosevelt;... furthermore in Los Angeles at the University of California under the auspices of the Dean of the university... I do not remember having attended meetings of any organizations if not requested to make a speech.«[90] Auf die Frage »What, if anything, have you done or tried to do to further the war effort of the United States?« antwortet Feuchtwanger: »I bought war bonds, and I sent a voluntary contribution to the Treasury... The novels which I wrote since I live in the United States, pursue, besides their literary aims, the purpose to fight fascism with all means and to inspire understanding for the institutions and the philosophy of the United States...«[91] Und als der INS wissen will, bei welchen »patriotic, civic or social welfare agencies«[92] man ihn kenne, listet Feuchtwanger nur den Jewish Club of 1933 auf.

Die Art, sich gegen unliebsame Fragen abzusichern, anstatt offen seine Meinung zu sagen, wird sich in den Interviews der kommenden Jahren nicht mehr grundsätzlich ändern. Wendungen wie »as far as I know«, »I do not remember«, »at several occasions« und »as far as I recall« sorgen dafür, daß bei genauerem Nachfragen ein Ausweg für den Verhörten offenbleibt. Der Bezug auf hochgestellte Persönlichkeiten, sicherlich nicht ganz frei auch von Eitelkeit, soll potentieller Kritik von Anfang an die Spitze nehmen. Sätze wie »according to the reviews of most American newspapers from the far Right to the far Left«[93] haben die Aufgabe, politischen Zuordnungen frühzeitig vorzubeugen.

Soweit die ersten, knappen Befragungen von Feuchtwanger durch den INS während und kurz nach Beendigung des Zweiten Weltkriegs. Komplexer sind jene zum Teil mehrtägigen »Gespräche«, die ein Team von INS-Mitarbeitern 1957 und 1958 in Feuchtwangers Villa in Pacific Palisades durchführte. Anwesend waren diesmal zwei »Examiner« des INS, Samuel L. Hozman und

90 Statement of Lion Feuchtwanger, Petitioner for Naturalization, Los Angeles, 5. 3. 1948, S. 1–3.
91 A. a. O., S. 5.
92 A. a. O., S. 4.
93 A. a. O., S. 5.

Sidney H. Gren, eine Stenotypistin sowie beim ersten Verhör ein INS-Investigator.[94] Dazu kommt eine wechselnde Gruppe von Zuhörern: Feuchtwangers Rechtsanwalt Milton S. Koblitz, »Miss Hilde Waldo-Witness« oder auch Marta Feuchtwanger. Da Feuchtwangers Gesundheit zu diesem Zeitpunkt bereits stark angegriffen war, wurden wiederholt Pausen in den Verhören eingelegt oder die Fortsetzung der Vernehmung auf einen anderen Tag verschoben. Dennoch haben Lion und Marta Feuchtwanger unabhängig voneinander berichtet, daß sie die INS-Verhöre zwar als »very strenuous«[95], aber nicht als unmenschlich empfanden. So seien die Herren von der Einwanderungsbehörde, als Feuchtwanger sich »nicht für wohl genug erklärte, den weiten Weg in die Büros der Immigrations-Behörde zu machen«, in sein Haus gekommen, um ihre »ungewöhnlich törichten« Fragen zu stellen. Durchaus höflich seien sie dabei gewesen und »voll äußerster Rücksicht«, so daß ihm die ganze Angelegenheit »nicht sehr tief«[96] gegangen ist. »...at the end they said«, erinnert sich Marta Feuchtwanger, »it's not our fault that we have to ask all those questions, to press you so much, because we have to do what Washington asked us to do.«[97]

Es ist nicht überliefert, ob den »Examiner« tatsächlich Fragen aus Washington vorgeschrieben wurden und wie eng die Auswahl dieser Fragen war. Der relativ offene Verlauf der Verhöre von 1957/58 gibt eher Grund anzunehmen, daß die Beamten einen relativ großen Spielraum besaßen. Dennoch lassen sich in den vier, fast 100 Seiten umfassenden Protokollen mehrere zentrale Themen ausmachen. Erstens war den INS-Männern daran gelegen herauszufinden, mit wem Feuchtwanger in den USA bekannt war und mit wem er Umgang pflegte. Die Namen, die hier fallen, sind im allgemeinen durchaus prominent: das Ehepaar Dieterle, Hanns und Gerhart Eisler, um die sich in den späten vierziger Jahren FBI, INS und HUAC intensiv gekümmert hatten, Brecht, die Brüder Mann, Werfel, Chaplin, Kisch und Viertel. Hier und da verliest Hozman aber auch Listen mit sechs, sieben oder mehr Namen, auf die Feuchtwanger, gefragt, ob er sie erkenne, mit einem stereotypen »No« antwortet. Wann und wo der Exilant mit Brecht über den Kommunismus gesprochen habe, wollen die Examiner wissen, ob er je dem russischen Vizekonsul in Los Angeles ein Geheimnis verriet, »which was

---

94 Ob es sich hier um jenen FBI-Mann handelt, an den sich Marta Feuchtwanger später zu erinnern meint, bleibt unklar: »And there was usually also a man with them. I had the feeling he was from the FBI. He was sitting in a corner and looking very lugubrious« (Marta Feuchtwanger: *An Emigre Life. Munich, Berlin, Sanary, Pacific Palisades*. Los Angeles: University of Southern California 1976, S. 1573 [Typoskript]).

95 A. a. O., S. 1571.

96 Lion Feuchtwanger, Brief an Ben Huebsch v. 1. 12. 1958; zitiert nach Skierka, *Lion Feuchtwanger*, S. 294.

97 Marta Feuchtwanger, *An Emigre Life*, S. 1573.

against the best interests of the United States«[98] und ob er »intimately acquainted with Mr. Horskheimer«[99] gewesen sei.

Doch die personenbezogenen Passagen der INS-Protokolle weisen noch eine andere, für politische Verhöre typische Methode auf. Durch die mal überfallartige, abrupte, mal psychologisch geschickt vorbereitete Überleitung von simplen Sachfragen bezüglich der Biographie von Freunden und Bekannten (»To your knowledge, where is Hans Eisler at the present time?«[100]) zu Feststellungen über deren politische Überzeugung, wird aus dem Verhörten kaum merklich ein Informant gemacht. »Do you know that they [Hanns Eisler und Bertold Brecht] both collaborated in the writing of a play, ›Die Massnahme‹? What was the theme of this play?« fragen die verhörenden Beamten Feuchtwanger an einer Stelle und fassen nach der ausweichenden Antwort: »Frankly, I don't remember. It was one of the minor plays. I didn't like it too much« mit ihrem eigentlichen Anliegen nach: »Isn't it true that this play praised the Soviet Union and lauded Communism?«[101]

Feuchtwanger hat die Taktik des INS von Anfang an durchschaut. Jedenfalls liefert er immer nur dort die erhofften Antworten (»Q[estion]. Does Brecht believe in Communism? A[nswer]. Yes, but he never was a member of the Party.«[102]), wo es dem Betroffenen nicht mehr schaden kann, weil er entweder verstorben oder längst nach Europa zurückgekehrt ist. In vielen Fällen verweigert er durch passiven Widerstand die Aussage (»Q. What well known persons have you met at the Dieterles? A. I don't remember everybody – most everybody is famous«[103]) und nimmt bisweilen riskante politische Meinungen, die er einem Bekannten nicht zumuten möchte, für sich selbst in Anspruch: »Q. You were in agreement with his [Hanns Eislers] political views? A. I didn't talk with him about politics... Q. But my question was, were you in agreement or in sympathy with his political views? A. I don't know his political views because I was not interested in the political views. I was interested in his historical views and his historical views of the Marxist... Q. You were in agreement with much of Marxist theories? A. Yes.«[104]

Ein zweiter Themenkomplex der INS-Verhöre drehte sich um Feuchtwangers eigene Publikationen. Genau gelesen hatte der Examiner, wie schon angedeutet, freilich nur jenes Buch, das auch in den Unterlagen des FBI wiederholt zitiert wird: *Moscow 1937*. Eingeleitet wird dieser Teil der Befragung

98 INS-Verhör v. 20. 11. 1958, S. 29.
99 INS-Verhör v. 20. 11. 1958, S. 26.
100 Protokoll des Verhörs von Lion Feuchtwanger durch den Immigration and Naturalization Service am 8. 8. 1957, S. 4.
101 INS-Verhör v. 20. 11. 1958, S. 20.
102 A. a. O., S. 21.
103 INS-Verhör v. 8. 8. 1957, S. 3.
104 A. a. O., S. 5.

durch eine jener seltenen Situationen, in denen die Examiner zunächst in einen sarkastischen, dann in einen aggressiven Ton fallen. Gefragt, ob er schon immer gegen Stalins Diktatur gewesen sei, hatte Feuchtwanger seinem Gegenüber zweimal hintereinander »always opposed« geantwortet, worauf der Frager mit einem ironischen »Always opposed to it« auf die Moskauberichte von Gide und Feuchtwanger zu sprechen kommt und dabei den Ton deutlich verschärft: »Q. Would you say your book was favorable or unfavorable to Russia? A. I think it was very objective... Q. Your opinion, Mr. Feuchtwanger, would you say your book was favorable or unfavorable to Russia and Stalin? A. That depends on... Q. Your opinion.«[105] Doch Feuchtwanger läßt sich weder hier noch als er mit einer ganzen Batterie von zum Teil umfangreichen Zitaten aus seinem Buch konfrontiert wird, aus der Ruhe bringen. Auf die Frage, ob *Moscow 1937* in der Sowjetunion publiziert worden sei, reagiert er trocken: »Yes, they wanted to make some changes but I didn't allow that... Later this book was forbidden in Moscow...«[106] Konfrontiert mit einer Passage aus dem ersten Kapitel zu den sozialen Sicherheiten im Sowjetstaat, zieht Feuchtwanger sich durch den Satz »I reported the observations of the Soviet citizen«[107] aus der Affäre. Als man ihm einen Abschnitt aus Kapitel 3, »Democracy and Dictatorship«, über die Verstaatlichung der Industrie vorhält, reagiert er wie weiland der Tscheche Schweyk und andere Figuren in den Theaterstücken seines Freundes Brecht: »I agree wholeheartedly as Mr. Roosevelt did when he stated that the political democracy has to be completed by the economic democracy«[108] – was der Fragesteller, der als guter INS-Mann offensichtlich kein Roosevelt-Freund war, etwas später mit dem Bekenntnis quittiert: »It may be that some of us are not entirely familiar with the Rooseveltian theories.«[109] Und als er gefragt wird, ob er 1937 persönlich an den Prozessen in Moskau teilgenommen habe, antwortet Feuchtwanger ähnlich geschickt: »Together with American Ambassador Mr. Davies. He had exactly the same explanation as I did and we exchanged our opinions about this.«[110]

Seine beste Verteidigung gegen den Versuch, ihn mit Passagen aus *Moscow 1937* in die Enge zu drängen und als Kommunisten zu überführen, leitet Feuchtwanger jedoch aus jenen Überlegungen zum historischen Roman ab, an denen er unter dem Titel *Das Haus der Desdemona* seit einigen Zeit intensiv arbeitete: »I feel I am a historian, not a politician«[111], »even the contem-

---

105 A. a. O., S. 11.
106 A. a. O., S. 12.
107 A. a. O., S. 13.
108 A. a. O., S. 14.
109 A. a. O., S. 27.
110 A. a. O., S. 16. Vgl. Joseph E. Davies: *Mission to Moscow*. New York: Simon and Schuster 1941.
111 Protokoll des Verhörs von Lion Feuchtwanger durch den Immigration and Naturalization Service am 24. 11. 1958, S. 47.

porary novels are historical novels, not political novels.« Zudem sei *Moscow 1937* nicht viel mehr als »just a little docket in order to give some report about personal and private travel«[112]. Mit Politik jedenfalls habe dieses Buch ebensowenig zu tun wie alles andere was er geschrieben hat: »I tried to stay away from politics and I try to emphasize that I contemplate world history and contemporary history only from the view point of the historian.«[113] »The only thing which can be considered political are the pages about America in my novel, ›Proud Destiny‹, glorifying America.«[114]

Der dritte Themenkomplex von Feuchtwangers INS-Befragung schließlich dreht sich um die politischen und religiösen Überzeugungen des »petitioners«. Hier spricht der Originalton des Verhörs am besten für sich selbst: »Q. Were you ever a member of the Communist Party of either Czechoslovakia or Germany? A. No, no, no.«[115] »Q. Would you say that this novel [*Simone*] ridiculed the capitalistic system of government? A. Maybe one of the characters ridiculed it, I don't know. I don't remember.«[116] "Q. Can you state briefly as to what portion of the theories expounded in Marxist economic theories you do agree with?... A. You see I go with Marx as far as President Roosevelt went with him.«[117] »Q. Did you agree with the theories expressed by Lenin? A. I didn't study Lenin enough in order to know that, to me Lenin is very difficult to study.«[118] »Q. Do you favor public ownership of all utilities? A. In the same way as England had it, Great Britain, in the sense of the way the British Labor Party wanted it.«[119] »Q. Were you an admirer of Stalin's? A. It is a ticklish question. He had – he did a lot in order to rescue the world from Fascism.«[120] »Q. Have you ever written any articles against Communism? A. I don't write political articles...«[121] »Q. Did you ever attack or criticize the western democracies? A. Of course I did. Q. In what manner? or respect? A. When they allowed Hitler to attack Spain.«[122] »Q. Mr. Feuchtwanger, you said you had sent a congratulatory telegram to Stalin; had you ever sent a birthday message greeting to President Truman [or]... to President Eisenhower? A. Probably he doesn't know my name. How should I?«[123]

112 INS-Verhör v. 8. 8. 1958, S. 19.
113 A. a. O., S. 20.
114 INS-Verhör v. 24. 11. 1958, S. 43.
115 A. a. O., S. 44.
116 A. a. O., S. 41.
117 INS-Verhör v. 8. 8. 1957, S. 10.
118 A. a. O., S. 11.
119 A. a. O., S. 26.
120 A. a. O., S. 13.
121 A. a. O., S. 19.
122 A. a. O., S. 20.
123 A. a. O., S. 29-30.

Die Kette der Zitate ließe sich leicht über viele Seiten hinweg verlängern. Statt dessen soll lieber noch ein kurzer Blick auf jene Verhörpassagen geworfen werden, in denen es um transzendentale Dinge geht. Ziel dieser Teile der Unterredung ist es festzustellen, wie Feuchtwanger es mit dem Satz des »oath of allegiance to the United States« halten würde, in dem es heißt »so help me God‹‹[124]. Gleichsam in einem Atem mit der Frage: »...do you feel that private owners should be compensated for their property that is taken over by the State?« werden die Examiner des Immigration and Naturalization Service beim Department of Justice der Vereinigten Staaten von Amerika denn auch religiös (»Q. Dr. Feuchtwanger, do you believe in God?«) – und erhalten prompt dieselben ausweichenden Antworten wie bei ihren Fragen über Marx, Lenin, Stalin und Ulbricht: »›God‹ is such a many-sided word that I couldn't say yes.« Unzufrieden mit dieser Aussage hakt der Frager nach: »Q. Then, do you believe in a Theistic philosophy or conception of God?« und erhält eine weitere unbefriedigende Antwort: »I believe that there is ›sense‹ in the universe.« Ein kleiner theologischer Disput zwischen dem INS-Mann und dem Exilanten Lion Feuchtwanger dreht sich u. a. um die »three forms of Judaism today; the Reformed, the Conservatives, and the Orthodox«, wobei sich Feuchtwanger als »Extreme Reformist« bezeichnet. Schwergewichtige Namen wie Spinoza und Einstein werden von dem Verhörten angeführt, mit deren Theorien die Regierungsangestellten nicht vertraut sind: »Q. What was their theory? A. The theory of Spinosa is that God is in the things; that He is not above the things. He is in the universe; not above the universe.«[125]. Und schließlich führt Feuchtwanger jene 10% Atheisten in den USA gegen die These des »examiner« ins Feld, daß der Eid »so help me God« zumindest den Glauben »in a supernatural Being« voraussetze: »Q. Would you classify yourself among this ten percent? A. Not necessarily, because probably I believe stronger in some Sense in the universe which can be called ›God‹ and which can be wronged through a false statement.«[126]

Man kann sich denken, daß Lion und Marta Feuchtwanger bei diesem Teil des Verhörs nur schwer ein Schmunzeln zu unterdrücken vermochten. Die Examinatoren, genervt von den Sophismen des Examinierten, ziehen es denn auch vor, bruchlos vom lieben Gott auf festeres Terrain zurückzukehren: »Kruschev recently announced a Seven-Year Plan...«[127] usw.

Feuchtwanger wußte nach seinen Erfahrungen mit deutschen und französischen Behörden, daß »einer böswilligen Bürokratie« allemal »viele Wege zur Verfügung« stehen, um ihn »zu schikanieren«[128]. Was er 1955 über Tho-

---

124 INS-Verhör v. 24. 11. 1958, S. 46.

125 A. a. O., S. 45.

126 A. a. O., S. 46.

127 A. a. O.

128 Lion Feuchtwanger, Brief an Arnold Zweig v. 23. 7. 1957. In F./Z., *Briefwechsel 1933–1958*. Bd. 2, S. 361.

mas Mann sagte, der drei Jahre vor seinem Tod nach Europa zurückgekehrt war, mag denn auch in Maßen auf ihn selber zugetroffen haben: »Der sensible Dichter ertrug nicht das politische Klima der McCarthy-Jahre... Er schrieb mir von den ›widerlichen Angriffen‹, die gegen ihn gerichtet würden, schrieb mir, seine ›produktive Laune werde niedergedrückt durch die politische Atmosphäre des Landes‹...«[129] »...im Wortsinn verrückt geworden« seien die Zeitungen nach der Wahl von Dwight D. Eisenhower zum Präsidenten. Umgeben vom »Geschrei von Narren«, »albernen Lügen« und der »meertiefen Dummheit der Masse«[130] habe sich »wieder einmal die politische Luft« um ihn »verdickt«[131]. »Nicht sehr schön« sei es zur Zeit für ihn, läßt er auch Arnold Zweig wissen und beklagt sich weiter: »Die neuen semifaschistischen Gesetze bedeuten zwar im Augenblick noch keine unmittelbare Bedrohung für mich, sie erschweren aber noch mehr jede Reise ins Ausland und geben den Behörden bequeme Vorwände für Schikanen.«[132]

Das Ehepaar Feuchtwanger scheint, wie bereits angedeutet, die INS-Verhöre zwar als anstrengend und lästig, aber nicht als unmenschlich empfunden zu haben. Schaut man jedoch genauer in die Verhörprotokolle, dann stellt sich rasch heraus, daß die Methoden der INS-Beamten zwar streng innerhalb der gegebenen Gesetze blieben, in Stil und Form aber alles andere als zimperlich waren. Nichts mit Feuchtwangers Antrag auf Einbürgerung in die USA hatten so zum Beispiel jene Fragen zu tun, in denen es um die politischen Überzeugungen anderer Exilanten oder Personen der internationalen Kulturszene ging: »Q. In the event there was an armed conflict would the Dieterles be favorable to Russia, the Soviet Union, or would they be favorable to the United States?«[133] »Q. From your observation and discussions with Thomas Mann, would you say that he was in favor of Communism?«[134] »Q. Does Brecht believe in Communism?«[135] »Q. Did... Franz Werfel... believe in capitalism?«[136] »Q. Do you think... Boris Pasternack ... should have accepted the Nobel Prize?«[137]

Das häufige Auftauchen von rhetorischen Fragen, Suggestiv- und Fangfragen macht deutlich, daß man beim INS weniger daran interessiert war, her-

---

129 Lion Feuchtwanger: »Gedenkrede für Thomas Mann.« Los Angeles, 15. 10. 1955; zitiert nach Skierka, *Lion Feuchtwanger*, S. 272.
130 Lion Feuchtwanger, Briefe an Thomas u. Katia Mann v. 16. 12. 1952, 10. 2. 1953 u. 25. 8. 1952; zitiert nach a. a. O., S. 272-3.
131 Zitiert nach a. a. O., S. 273 (dort ohne Quellenangabe).
132 Lion Feuchtwanger, Brief an Arnold Zweig v. 23. 10. 1950. In F./Z.: *Briefwechsel*, Bd. 2, S. 88.
133 INS-Verhör v. 8. 8. 1957, S. 7.
134 INS-Verhör v. 20. 11. 1958, S. 21.
135 A. a. O., S. 21.
136 A. a. O., S. 24.
137 INS-Verhör v. 24. 11. 1958, S. 42.

auszufinden woran Feuchtwanger wirklich geglaubt hat, als jene Informationen aus der FBI-Akte bestätigt zu bekommen, die gebraucht wurden, um dem »petitioner« die amerikanische Staatsbürgerschaft zu verweigern: »... is it not true that the Dieterles were very much in favor of the Government as is presently demonstrated in Russia?«[138] Oder: »Have you ever attacked anti-Communism as you have the Fascist form of government?«[139] Und: »Is it your opinion that a writer who makes a full disclosure of everything he knows to an Un-American Investigation Committee would be jeopardizing his professional standing?... And... supposing you yourself were called before such a Committee and were asked to give the names of persons whom you actually knew were members of the Communist Party, would you disclose the information or would you refuse to answer... and... stand on the Fifth Amendment?«[140] Wo nötig bedrängen die Männer vom INS den Verhörten durch beharrliches Nachfragen (»but my question was«[141]), barsches Unterbrechen (»your opinion«[142]), Einschübe wie »I think we are getting away from the question«[143] oder auch ein einschüchterndes »it is reported that...«[144]: »Q. Do you consider Communism a threat to world peace? A. I don't know; I think they are much interested in peace. Q. My question was do you consider Communism a threat to world peace? A. No. Q. You don't? A. No.«[145]

Doch die Form, in der FBI und INS 1957/58, also mehrere Jahre nach dem Ende der sogenannten McCarthy-Ära, einen potentiellen Einwanderer mit internationalem Ruf behandelten, ist nur die eine Seite der Münze. Problematischer noch ist, wie durch derartige Verhöre selbst ein Mensch wie Feuchtwanger, dem erhebliche intellektuelle Ressourcen und politische Erfahrung zur Verfügung standen, gezielt in seiner moralischen Integrität bedrängt wurde. So vermag sich der »petitioner«, nach Gott und Marx befragt, bisweilen nur mit Mühe, Not und List gegen die vorgefaßten Meinungen seiner Gegenüber zu behaupten und muß an vielen Stellen des Verhörs auf Taktiken zurückgreifen, die ihm nicht lieb gewesen sein können. Jene viele dutzend Male wiederholten Wendungen »I do not remember«, »I don't think so« oder »I haven't the slightest idea. It is always the same thing with me and organizations. I have no idea about it«[146] gehören hier hin – denn in fast allen dieser Fällen hätte der Befragte natürlich sehr wohl eine konkrete Antwort

138 INS-Verhör v. 8. 8. 1957, S. 8.
139 A. a. O., S. 20.
140 INS-Verhör v. 20. 11. 1958, S. 14-5.
141 INS-Verhör v. 8. 8. 1957, S. 5.
142 A. a. O., S. 11.
143 A. a. O., S. 9.
144 A. a. O., S. 39.
145 A. a. O., S. 40.
146 Protokoll des Verhörs von Lion Feuchtwanger durch den Immigration and Naturalization Service am 13. 11. 1958, S. 7.

geben können. Dünn dürfte für ihn oft der Grad zwischen Selbstverleugnung und einer Freimütigkeit gewesen sein, die mit Sicherheit seinen staatenlosen Zustand perpetuiert hätte. Lügen sind nötig, um Freunde und sich selbst vor einer Bürokratie zu schützen, der das Prinzip »guilty by suspicion« höher stand als ein »innocent until proven guilty«, die Bill of Rights oder die verschiedenen Zusätze zur amerikanischen Verfassung, auf die sich Feuchtwanger im Laufe der Verhöre mehrfach ausdrücklich bezieht: »Q. Did you know an organization called ›The Hollywood Writers Mobilization‹? A. I don't know. Maybe in wartime... Q. In 1942 did you know an organization called ›The League of American Writers‹ calling for a second frout? A. That's very improbable.«[147] »Q. Do you know of an organization by the name of ›Bill of Rights Congress‹? A. I know about Civil Rights, Bill of Rights, of course I am for the Bill of Rights«, worauf der verhörende Beamte zwar irritiert nachfaßt: »My question was, do you know an organization by name of Bill of Rights Conference?«, Feuchtwanger aber nicht aus der Ruhe zu bringen vermag: »It was in 1792.«[148]

Widerspruch, Zynismus oder Komik blitzen denn auch nur selten in Feuchtwangers Antworten auf. Trocken reagiert der Verhörte auf die Frage, ob er wisse wann Hanns Eisler, dessen Fall jahrelang breit durch die amerikanische Presse gegangen war, die USA verlassen habe: »Certainly can find out.«[149] Ein gelegentliches Aufbegehren in Form von Wendungen wie »You must know it better than I« hat zur Folge, daß der Examiner sofort nachhakt: »I am asking your opinion.«[150] Als Mr. Gren vom INS an einer Stelle des Verhörs wissen will, ob Feuchtwanger meinte, daß man Nikita Chruschtschow trauen kann, erwidert der Gefragte lakonisch: »This is a question for Mr. Dullas, not for me.«[151] Ungerührt besteht Feuchtwanger darauf, daß die Anredeformel seines Geburtstagsgrußes an Stalin nicht »Most highly revered Josef Stalin«, sondern einfach »Dear Stalin« gewesen sei, »the usual address«[152]. Im Zusammenhang mit jenem politisch recht gewagten Interview für die *Los Angeles Times* beruft er sich im nachhinein wie Brecht vor dem Un-American Acitivities Committee darauf, daß er damals, 1941, noch schlechter Englisch gesprochen habe als heute und nicht wissen konnte »what the interviewers understood«[153]. Und als die INS-Männer ihn im August 1957 fragen »Where is Berthold Brecht now?« antwortet er ungerührt: »He is dead, unfortunately.«[154]

---

147 INS-Verhör v. 8. 8. 1957, S. 41.
148 A. a. O., S. 43.
149 A. a. O., S. 4.
150 A. a. O., S. 7.
151 A. a. O., S. 28.
152 A. a. O., S. 21-2.
153 A. a. O., S. 26.
154 A. a. O., S. 37.

Aufmüpfiger gibt sich da schon Feuchtwangers Frau Marta. Gefragt, ob sie einer Meinung mit ihrem Mann sei in politischen Dingen, antwortet sie schnippisch: »Yes, as the Bible says ›where you go, I shall go.‹ I do not have much opinion of my own... If he says it is right, I say it is right.« Und als der Herr vom INS wissen will, ob sie wirklich gar keine »independent feelings« habe, lautet die Antwort der leidenschaftlichen, aber kinderlosen Gärtnerin: »No, just about things about gardening and our kids.«[155]

Das Resultat der Befragungen von Lion und Marta Feuchtwanger stimmt mit dem überein, was J. Edgar Hoover seit 1940/41 ohnehin wußte. Der einzige Unterschied war, daß jetzt, 1957/58, nicht mehr die Deportation des Hitlerflüchtlings Feuchtwanger zur Debatte steht, sondern ›nur noch‹ die Verweigerung der U.S.-Staatsbürgerschaft: »The petitioner admitted«, heißt es in dem siebenseitigen »Findings of Facts, Conclusions of Law and Recommendation« genannten Aktenstück, das der Immigration and Naturalization Examiner Samuel L. Hozman am 4. Dezember 1957 in Sachen Feuchtwanger abliefert, »that he did permit the use of his name and prestige by several organizations which he considered to be anti-Fascist and that he did not care whether they were pro-Communist... that he does not think that capitalism as practiced in the United States is the ideal economic system;... that he was photographed with Josef Stalin in Moscow in 1937..., that he discounted the reliability of the American newspapers concerning Russian affairs and was convinced of the true situation in Russia only when Kruschev disclosed it. He refused to comment regarding Russia's part during the recent Hungarian uprising. He admitted that he had been very closely associated with Berthold Brecht...«

»The record further shows«, fährt Hozman in seiner ›Urteilsbegründung‹ fort, »that on August 3, 1956, the ›Daily Peoples World‹ reprinted an article by the petitioner on the death of Thomas Mann from the Soviet magazine ›New Times‹... He admitted receipt of royalties from the Soviet Union... He stated that he did not consider Communism a threat to world peace... The record discloses that the petitioner had sponsored the American Youth for Democracy and the National Council of American-Soviet Friedship... organizations... previously... cited as subversive and as Communist fronts by the Attorney General...« Zudem sei der »petitioner« »not an ordinary person«: »His name carries prestige and influence to the public. It is a fair inference that the organizations which solicited his sponsorship believed that they derived an advantage from the use of his name for their activities...«

Summa summarum: »... applicant... is an ardent proponent of Socialism; he does not advocate Capitalism; he substitutes an economic system which

155 Protokoll des Verhörs von Marta Feuchtwanger durch den Immigration and Naturalization Service am 8. 8. 1957, S. 2.

favors nationalization of industry for that of private ownership... It is apparent that he strongly advocates the discarding of the economic system that has made the American working man the envy of the civilized world... It is noteworthy that the entire pattern of petitioner's conduct has been that of a Communist fellow traveler... He admits close association with pro-Communists. There is no indication in his testimony before the Naturalization Examiner that he has been as cooperative with anti-Communist organization as with anti-Fascist groups...« Da es nicht ausreiche für einen Kandidaten zur Einbürgerung, nur »›lip service‹ to the principles of our Constitution« zu geben, habe »petitioner... totally failed to carry the burden placed upon him of establishing, beyond a reasonable doubt, his eligibility to naturalization«. »I recommend«, schließt Hozman seinen Bericht, »that the petition for naturalization of Lion Feuchtwanger be denied on the grounds that he has failed to establish... that he has been attached to the principles of the Constitution and well disposed to the good order and happiness of the United States...«[156]

Lion Feuchtwanger, der während der letzten INS-Verhöre bereits unheilbar an Krebs erkrankt war, verstarb wenige Monate nach dem negativen Bescheid der Einwanderungsbehörde als staatenloser Exilant. Weder war ihm die deutsche Staatsbürgerschaft, die ihm das Dritte Reich 1933 in einem nach damaligem Recht legalen Verfahren aberkannt hatten, nach 1949 von der Bundesrepublik zurückerstattet worden, noch wollte ihn das Einwandererland Amerika in seine Mitte aufnehmen. So blieb dem Exilanten, der die de facto Ausweisung seines Freundes Charlie Chaplin[157] aus den USA aus nächster Nähe mitverfolgt hatte, die Möglichkeit verwehrt, jenes Land noch einmal wiederzusehen, von dessen Sprache und Kultur er sich trotz aller Verfolgungen Zeit seines Lebens nicht hatte lösen können und wollen. Den einzigen anderen Weg, der ihm offengestanden hätte, um seine Reisefreiheit wiederzuerlangen, nämlich wie Brecht, Thomas Mann, Döblin und andere mit der Rückkehr nach Europa die Brücken in Kalifornien abzubrechen, hatte er offensichtlich nicht gehen wollen – so wenig wie er gewillt gewesen war, sich als Denunziant bei den amerikanischen Behörden anzubiedern, nur um einen U.S.-Paß zu erhalten. Dazu war ihm jenes Amerika, das ihn mit einem ungeheuren Aufwand an Zeit, Geld und ideologischem Eifer über achtzehn

---

156 »In the Matter of the Petition of *Lion Feuchtwanger* to be Admitted a Citizen of The United States Of America, Findings Of Facts, Conclusions Of Law; And Recommendation Of The Designated Naturalization Exminer« v. 4. 12. 1957, S. 2ff. Bekanntlich ist Feuchtwanger trotz dieses negativen Bescheids 1958 noch einmal vom INS vernommen wurde. Unklar ist in diesem Zusammenhang, ob die Entscheidung von Hozman zurückgenommen wurde oder ob Feuchtwanger Einspruch eingelegt hat. Ebenfalls unklar bleibt aufgrund der vorliegenden Akten, ob Feuchtwanger 1958 eine realistische Chance hatte, doch noch die amerikanische Staatsbürgerschaft zu erhalten.

157 David Robinson: *Chaplin. His Life and Art*. New York: McGraw-Hill 1985 S. 753-4.

Jahre hinweg bespitzelt hatte, zu sehr zu einer neuen Heimat geworden. Oder sollte Feuchtwangers Antwort auf die Frage der Männer vom INS, warum er denn überhaupt Amerikaner werden wolle, ironisch gemeint gewesen sein? »Well, I owe to the United States a lot... and I feel very much love for this country... I found here a home where I can write what I wish to write, without restrictions... I ardently believe in the Fifth Amendment, and I feel that here I can have free speech and free writing...«.[158]

Leonhard Frank

Leonhard Frank gehört zu jenen Autoren, für die das Exil in Los Angeles eine ausgesprochen negative Erfahrung war. Versuche, als Drehbuchschreiber in Hollywood Fuß zu fassen, sind gescheitert. Eigene Arbeiten machten in den amerikanischen Jahren nur schleppend Fortschritte. *Mathilde*, ein märchenhafter Liebesroman im Bauernmilieu, erschien 1943 als Privatdruck in der Pazifischen Presse. Die *Deutsche Novelle*, in der Thomas Mann Spuren seines *Doktor Faustus* erkannte, wurde erst Jahre später in Deutschland gedruckt. Zeitschriftenbeiträge gibt es, folgt man der einschlägigen Bibliographie zu Franks amerikanischen Jahren,[1] so gut wie keine zu verzeichnen.

Entsprechend verhalten hat Frank im Rückblick auf seine Zeit in Kalifornien und New York reagiert. Wie »ein vorbeizuckender farbloser Vogel«[2], erinnert er sich in der autobiographischen Schrift *Links wo das Herz ist*, seien die Jahre in Los Angeles vergangen; »viel Zeit, kostbare Zeit« habe er in dem »blutverdünnenden tropisch warmen, weichen Klima«[3] Südkaliforniens verloren. Da hilft es auch nicht, daß – folgt man den FBI-Unterlagen – das Warren Committee[4] bzw. die American Federation of Labor[5] dem Verfolgten bei der Flucht aus dem besetzten Frankreich behilflich waren und die Warner Studios ihn bei der Ankunft in den USA mit einem einjährigen »Lebensret-

---

158 INS-Verhör v. 8. 8. 1957, S. 45-6.
1 *Deutsche Exilliteratur seit 1933.* Bd. 1, 2, S. 42.
2 Leonhard Frank: *Links wo das Herz ist.* München: Nymphenburger 1952, S. 217.
3 A. a. O., S. 214.
4 Ein FBI-Report, New York v. 25. 8. 1943 zu Leonhard Frank ist ausschließlich dem International Migration Service und Warrens President's Advisory Committee on Political Refugees gewidmet. Dabei geht es um die im FBI-Report, Los Angeles v. 19. 1. 1943, S. 3 unter »undeveloped leads« aufgeworfene Frage, »whether the fact that subject came to the U.S. through the efforts of this committee is evidence that he is a Communist or Fellow Traveller«.
5 Auf dem bereits zitierten dringlichen Telegramm, das das State Department am 24. Juli 1940 im Namen der American Federation of Labor an das amerikanische Konsulat in Marseille schickt – unklar ist, ob mit oder ohne den Satz »...should receive immediate consideration without regard for office hours or holidays« -, erscheinen zwar die Namen von Fride-

tungsvertrag«[6] begrüßten. Die Filmstadt, in der, wie Frank es sah, nur das Geld entscheidet, nahm von dem armen Exilanten aus Europa keine Kenntnis. Und auch für seine »erfolgreichen Landsleute« blieb er ein »körperloses, unsichtbares Gespenst«[7].

Leonhard Frank war was man geläufig »links« nannte, freilich ohne parteiliche Bindungen. Oder wie sich das FBI von der stilistisch sonst verläßlicheren »Encyclopaedia Brittanica« informieren ließ – »violently pacifist«[8]. Ob ihm Hoovers Leute deshalb zwischen April 1941 und März 1962 in Los Angeles, New York und Bonn auf den Fersen blieben und zusammen mit den Kollegen von der CIA und der 66. Intelligence Corps Group der U.S.-Armee in Europa weit mehr als100 Blätter mit Informationen füllten – eine INS-Akte hat sich bislang nicht gefunden –, läßt sich nicht mehr rekonstruieren. Wohl aber enthält die Akte Frank einen Aspekt, der aus dem Allerlei der FBI-Dossiers anderer Exilanten herausfällt: Nämlich den detaillierten Bericht von einer Hausdurchsuchung, die – wie der SAC von Los Angeles, R. B. Hood, offen zugibt – im Sommer 1941 »unknown to subject«[9] durchgeführt wurde. Neben Franks Büchern kümmerten sich die Männer vom FBI dabei vor allem um Franks unveröffentlichte Manuskripte: »›Ein langes Leben mit dir‹«... (Novel – unfinished) – ›Not for printing, but for trusted hands‹« oder »›Marya‹... (A play – submitted by [ausgeschwärzt])«[10]. Die Korrespondenz des Exilanten wird durchwühlt und dort in den Bericht aufgenommen, wo in ihr ein Bezug auf die USA zu finden ist: »›Wire from [ausgeschwärzt] dated January 4, 1941, at New York to Leonhard Frank, c/o [ausgeschwärzt] Beverly Hills, Cal.: ›State Department asks American Federation of Labor whether it supports granting visas to your family members

rike Zweig, Alfred Polgar, Walter Benjamin und Balder Olden, nicht aber der von Leonhard Frank (Akz. unleserlich, wahrscheinlich 811.111 Refugees). Vgl. dagegen einen Brief von Hubertus Prinz zu Löwenstein an Robert T. Pell, Assistant Chief, Division of European Affairs, Department of State v. 24. 6. 1940, in dem es unter anderem heißt: »It is almost futile to single out individual names – authors of world fame like Alfred Neumann, Heinrich Mann, Fritz von Unruh, Leonhard Frank, Lion Feuchtwanger... while... only a broad and general action may bring a certain hope of saving them...« (740.00115 European War 1939/420). Erika Mann fragte am 13. 7. 1940 telegraphisch bei Assistant Secretary of State Adolf A. Berle an, ob die Verträge, die sie unter anderem für Frank und Alfred Neumann bei den großen Studios von Hollywood herausgehandelt hatte, ausreichen, »to obtain USA visas« (811.111 Refugees/178). Wolfgang D. Elfe: »Das Emergency Rescue Committee.« In: *Deutsche Exilliteratur seit 1933.* Bd.1, 1, S. 218 nennt den Namen von Frank im Zusammenhang mit dem Emergency Rescue Committee.

6   Frank, *Links wo das Herz ist*, S. 209.
7   A. a. O., S. 214.
8   FBI-Report, Los Angeles v. 22. 9. 1942, S. 5. Zitiert wird, laut FBI, die 14. Auflage der *Encyclopaedia Britanica* aus dem Jahre 1936.
9   FBI-Report, Los Angeles v. 22. 9. 1942, S. 6.
10 FBI-Report, Los Angeles v. 6. 8. 1941, S. 6.

Stop A. F. of L. hesitant because never heard from you although they procured your visa Stop Advise you telegraph immediately to [ausgeschwärzt] New York City, appreciation for your own visa and ask support visa request for your family members Stop Otherwise great difficulties.‹«[11] Notizzettel neben dem Telephon von Frank liefern dem FBI Hinweise auf den gesellschaftlichen Umgang (»[ausgeschwärzt]... couldn't keep date«[12]) des Bewohners von 1924 North Argyle Avenue und auf eine Tankstelle in der Nachbarschaft, mit der er zu tun hatte. Unter Franks Dokumenten findet das FBI eine »Identification Card issued in Paris, December 7, 1939«[13] und die Ankündigung für ein Treffen der Screen Writers Guild von Hollywood. Und natürlich überprüften Hoovers Leute die Namen in Franks Adressbuch – und bestätigen dabei unfreiwillig, wie isoliert der Exilant in Hollywood lebte. »... subjet's address book contained approximately twenty-one names and addresses, of which three are set forth below with supplementary information«: »An avowed Communist«, der seinen Job bei [ausgeschwärzt] verlor, weil er große Geldsummen für die Rettung von »Communist refugees«[14] nach Amerika ausgibt; eine [ausgeschwärzt], die für ihre Parties und ihre positive Einstellung zum Kommunismus bekannt ist; und ein gebürtiger Deutscher, über den das FBI den Ausschwärzungen nach zu urteilen bis heute keine Informationen freigeben will.

Andere Teile des Frank-Dossiers vermitteln eher den Eindruck von Routine. So tauschen die FBI-Niederlassungen in Washington, New York und Los Angeles über Jahre hinweg Memoranda darüber aus, ob, warum und wie lange Leonhard Frank auf einer Custodial Detention Card geführt werden soll. Aus dem Archiv des Immigration and Naturalization Service besorgt sich das Bureau eine eidesstattliche Aussage des Flüchtlings, in der Frank »admits having departed from his Switzerland home and family about April 1937« wegen »domestic difficulties... and... seeking better economic future«[15]. Der Assistant United States Attorney Attilio di Girolamo, der sich schon Feuchtwanger gegenüber großzügig gezeigt hatte, blockiert 1942 einen Vorstoß des FBI, dem 1934 vom Dritten Reich ausgebürgerten »honorary citizen of Czechoslovakia« (»on April 29, 1940 he obtained a Czechoslovakian passport from the Czechoslovakian consul in Marseille«)[16] Schwierigkeiten zu machen, weil er sich als »alien enemy« nicht um ein »Certificate of Identification«[17] beworben hatte. Ein Interview des FBI mit Thomas Mann

11 A. a. O., S. 7. »A.F. of L.« steht für American Federation of Labor.
12 A. a. O., S. 6.
13 A. a. O., S. 7.
14 FBI-Report, Los Angeles v. 22. 9. 1942, S. 6.
15 FBI-Report, Los Angeles v. 6. 8. 1941, S. 3.
16 FBI-Report, Los Angeles v. 22. 9. 1942, S. 7.
17 FBI-Report, Los Angeles v. 21. 9. 1942, S. 1.

(»it is believed that the Bureau has considerable information concerning Thomas Mann«), das Frank bei einem Verhör in Sachen Certificate of Identification vorschlägt, platzte trotz eines »appointments« für den 14. September 1942: »... Dr. Thomas Mann... was unavoidably absent when the reporting agent and Special Agent [ausgeschwärzt] appeared to interview him.«[18] Anfang 1943 macht Hoover aus nicht weiter erläuterten Gründen Teile der Akte-Frank dem »Chief, Special War Policies Unit« und, per Durchschlag, Assistant Attorney General Wendell Berge zugänglich.[19] Zweimal, 1947 und 1954, wird die wegen »paucity of derogatory information«[20] geschlossene Akte nach dem Eingang von anonymen, in Stil und Inhalt ungewöhnlich primitiven Denunziationen wieder geöffnet – im folgenden Fall gar unter Erstellung einer Expertise des »F.B.I. Laboratory« (»the typewriting... was concluded to have been prepared on a machine equipped with a Style of Pica Type... normally found on Remington and Underwood Noiseless typewriters«)[21]: »Und welche Elemente, gefaehrliche haben Sie noch hier ... eienen Leonh. Frank, den ich in New York sah., von Frauen lebt und mit Frauen lebt, sich um seine Frau und Kind nicht kuemmert... Er war immer Kommun. und nicht nur ein Mitlaeufer. Efr hasst Amerika, er hasst die Amerikaner, wie sie es alle tun diese Herrn Kommun. die herueber kamen.«[22]

Frank fällt beim FBI zum letzten mal 1962 auf, zwölf Jahre nach seiner Rückkehr nach Deutschland und zehn Jahre nach seiner Wiedereinbürgerung (»24 March 1952 – German citizenship reinstated«), als der »Legat, Bonn« seinem Boss Hoover einen ausführlichen Bericht der »Intelligence Division« der U.S.-Armee in Deutschland schickt. Interessant sind die Informationen, die »Headquarters, 66th INTC Group, USAREUR, APO 154, US Forces AEUC-OCE (O&R) EE 564 953«[23] zusammenstellte, vor allem aus zwei

---

18 FBI-Report, Los Angeles v. 22. 9. 1942, S. 7. Warum sich die FBI-Agenten und Mann verpaßt haben ist nicht ganz klar, es seie denn die Special Agents sind zur Mittagsstunde am San Remo Drive vorbeigekommen, als Mann zum Lunch bei MGM war (Mann, *Tagebücher 1940-1943*, S. 473).

19 J. Edgar Hoover, Memorandum an L. M. C. Smith, Chief, Special War Policies Unit, v. 9. 2. 1943.

20 SAC, New York, Memorandum an Director, FBI, v. 26. 4. 1954.

21 Report of the F.B.I. Laboratory, Washington, an SAC, Los Angeles, v. 12. 3. 1948.

22 Anonymer Brief, ca. 3. 2. 1948, an FBI, Los Angeles, Anlage zu FBI Laboratory Work Sheet v. 5. 3. 1948. Die in dem Brief enthaltenen orthographischen Fehler sind nicht korrigiert worden. Die zweite Denunziation kam aus Deutschland und richtete sich gegen »Mrs. Leonhard Frank« (SAC, New York, Memorandum an Director, FBI, v. 19. 7. 1954). Die Schreibweise der Adresse auf dem in München abgestempelten Luftpostumschlag deutet an, daß der Absender über schlechte Englischkenntnisse verfügte: »Feder. Buro of Investig., Los Angeles, Californien« (Anlage zu a. a. O.). Dennoch schlug das seit Franks Umzug an die Ostküste federführende New York Field Office »possible dissemination to CIA« (a. a. O.) vor.

23 Summary of Information v. 12. 3. 1962, S. 1 (Army Intelligence). Ein Versuch, die Angaben zur »Preparing Office« zu entschlüsseln, wurde nicht unternommen.

Gründen: Einmal, weil sich die Militärs in einer detaillierten »chronology on Subject« auf negative Angaben konzentrieren (»April 1908 – Under observation because of mental illness«) und dabei ohne Rücksicht auf historische Verluste Parallelen zwischen 1919 und 1934 ziehen: »1919 – Participated in the communist revolt in Munich; sought by police because of suspected treason… November 1934 – Deprived of his German citzenship. Sought by Gestapo because of suspected treason.«[24]. Zum anderen, weil die ausführlichen Bezüge auf Franks Nähe zu dem als »left-oriented« klassifizierten Tukan Kreis[25] und dem eine atomfreie Zone für Deutschland fordernden Fränkischen Kreis belegen, in welchem Maße sich die amerikanischen Geheimdienste noch in den sechziger Jahren in innerdeutsche Angelegenheiten mischen – womöglich mit tatkräftiger Unterstützung durch ihre deutschen Kollegen: »The Frankische Kreis was designated as a supporting organization of the communist party of Germany by Dr. Schroeder, the West German Federal Minister of the Interior«, weiß der Agent der U.S.-Armee, der offensichtlich über Zugang zum deutschen Postverkehr oder zu den Akten des Fränkischen Kreises verfügt. »In his correspondence with Prof. Schneider,… secretary of the Frankische Kreis,… Subject has indicated his concurrence with Prof. Schneider's point of view.«[26]

Leonhard Frank, »Height 5 feet, 7 inches, Weight 150 pounds… Race White – Gentile«[27], Nationalpreisträger der DDR (»files do not disclose type of

---

24 A. a. O.
25 A. a. O., S. 2. G-2 meldet zum Tukan Kreis, der 1930 von dem Schriftsteller Rudolf Schmitt-Sulzthal gegründet worden war, außerdem: »… Subject is active in the Tukan Kreis, a literary association which was banned during the Third Reich and reorganized in 1950. It is an association of authors, editors, publishers and newsmen which frequently acts as host to speakers from East Germany. Among other festivities scheduled was a memorial meeting in honor of Berthold Brecht, a prominent German man-of-letters who spent his last years in East Germany. The Tukan Kreis is comparable to the Komma Klub in Munich which advocates an all-German interchange of cultural activities and maintains close ties to East German cultural groups and personalities« (a. a. O.). Woher G-2 diese Einschätzung nahm, ist nicht bekannt. Jedenfalls deutet die Jubiläumsschrift *Dichter und ein großer Schnabel. 25 Jahre Tukan-Kreis*. Hrsg. v. Rudolf Schmitt-Sulzthal. München, o. V. u. o. J. (1955) ebensowenig in diese Richtung wie die von Hans Egon Holthusen über Luise Rinser bis zu Erich Kästner, Eugen Roth, Rudolf Hagelstange und Alexander Spoerl reichende Liste von Sprechern bei Tukan-Veranstaltungen. Als problematisch könnte sich allein die »Genugtuung« des Kreises erwiesen haben, »verpönt gewesene und emigrierte Autoren« zu begrüßen und für sie »den ersten persönlichen Kontakt mit der Heimat ihrer Sprache« (a. a. O., S. 7) zu vermitteln.
26 Summary of Information v. 12. 3. 1962, S. 3 (Army Intelligence). Zum Fränkischen Kreis heißt es im Bericht der Army Intelligence weiter: »The Frankische Kreis has been active in cultural circles propagandizing against the use of atomic weapons. The Frankische Kreis advocates that neither of the two German states arms its armed forces with atomic weapons… and that an atomic free zone (a zone free of atomic weapons) be created in Central Europe.«
27 FBI-Report, Los Angeles v. 22. 9. 1942, S. 4.

CONFIDENTIAL   HAF/t

SUMMARY OF INFORMATION

DATE
12 March 1962

PREPARING OFFICE
Headquarters, 66th INTC Group, USAREUR, APO 154, US Forces AEUC-OCE(O&R) EE 564 953

SUBJECT

Leonhard FRANK (C)

CODE FOR USE IN INDIVIDUAL PARAGRAPH EVALUATION
OF SOURCE:
COMPLETELY RELIABLE .... A
USUALLY RELIABLE .... B
FAIRLY RELIABLE C
NOT USUALLY RELIABLE .... D
UNRELIABLE .... E
RELIABILITY UNKNOWN ..... F

OF INFORMATION:
CONFIRMED BY OTHER SOURCES 1
PROBABLY TRUE 2
POSSIBLY TRUE 3
DOUBTFULLY TRUE 4
IMPROBABLE 5
TRUTH CANNOT BE JUDGED... 6

SUMMARY OF INFORMATION   WARNING NOTICE - SENSITIVE SOURCES AND METHODS INVOLVED

ACTION

1. (U) Subject is listed in the Degener Who's Who, 1951 edition as born on 4 September 1882 in Wuerzburg, Germany. Prior to his emigration in 1933 he resided in Berlin. He can be reached through Peter Davies Ltd., 99 Graet Russel Street, London WC 1. Until 1933 he was a member of the Berlin Academy of Arts. Among his works are the books: Die Raeuberbande (The Robber Band), Die Ursache (The Cause), Der Buerger (The Citizen), Der Mensch ist gut (The Human is Good), Bruder und Schwester (Brother and Sister), Karl und Anna, Hufnaegel (Hobnails) and others.

2. (C) ▮▮▮▮▮▮▮ listed the following chronology on Subject:

9 April 1908 - Under observation because of mental illness.

August 1915 - Published the periodicals Pan, Forum and Das Freie Wort described as politically suspect publications.

1919 - Participated in the communist revolt in Munich; sought by police because of suspected treason.

29 January 1920 - Indictment for treason dismissed by States Attorney, Munich because of lack of sufficient evidence.

8 March 1920 - Conducted camouflaged communist meetings in Frankfurt. Was active in KPD (Kommunistische Partei Deutschlands — Communist Party of Germany) in ensuing years.

22 October 1929 - Married in Berlin to Elena Peysner born 18 August 1899 in Kiev, Russia. Divorced 18 March 1952.

5 November 1934 - Deprived of his German citizenship. Sought by Gestapo because of suspected treason.

22 October 1950 - Registered in Munich upon return from the United States.

15 February 1951 - Received residence permit in Munich.

24 March 1952 - German citizenship reinstated.

18 April 1952 - Obtained pass to visit Switzerland.

DOWNGRADED AT 12 YEAR INTERVALS. NOT AUTOMATICALLY DECLASSIFIED. DOD DIR 5200.10

DISTRIBUTION

DA FORM 568
1 APR 62

CONFIDENTIAL

CONFIDENTIAL   HAF/t

⊱ SUMMARY OF INFORMATION	DATE 1? March 1962

PREPARING OFFICE
Headquarters 66th INTC Group, USAREUR, APO 154, US Forces AEUC-OCE(O&R) EE 564 953

SUBJECT	CODE FOR USE IN INDIVIDUAL PARAGRAPH EVALUATION
Leonhard FRANK (C)	OF SOURCE: COMPLETELY RELIABLE .... A USUALLY RELIABLE .... B FAIRLY RELIABLE .... C NOT USUALLY RELIABLE .... D UNRELIABLE .... E RELIABILITY UNKNOWN ..... F OF INFORMATION: CONFIRMED BY OTHER SOURCES 1 PROBABLY TRUE .... 2 POSSIBLY TRUE .... 3 DOUBTFULLY TRUE .... 4 IMPROBABLE .... 5 TRUTH CANNOT BE JUDGED .. 6

SUMMARY OF INFORMATION

28 May 1952 - Married in Berlin to Charlotte London nee Jaeger born 30 June 1909 in Berli█████████████-1)c

10 June 1953 - Issued interzonal pass to visit Berlin for conference with Cultural Minister Tiburtius.

Subject is also listed as the father of one child named Andreas born in Berlin on 24 February 1929. The ████████ chronology does not indicate the sources or basis for the various entries. Other ████████ notations show that the police on 11 November 1919 were advised that Subject had fled to Switzerland while he was sought in Munich for alleged participation in the communist revolt in 1919. There is also a note dated 10 August 1920 that the military commandant in Munich designated Subject a dangerous communist. Other information indicates that Subject travelled extensively in East Germany, the USSR and the Soviet satellites during 1950 including a stay of approximately one year in Moscow.

3. (C) The Central Registry also lists a report which indicates that Subject is active in the Tukan Kreis, a literary association which was banned during the Third Reich and reorganized in 1950. It is an association of authors, editors, publishers and newsmen which frequently acts as host to speakers from East Germany. Among other festivities scheduled was a memorial meeting in honor of Berthold Brecht, a prominent German man-of-letters who spent his last years in East Germany. The Tukan Kreis is comparable to the Komma Klub of Munich which advocates an All-German interchange of cultural activities and maintains close ties to East German cultural groups and personalities. Both these groups are recognized as left-oriented.

4. (U) Subject is recorded as the holder of US Passport # 5959 issued in December 1950 in Washington, D.C. and as the holder of the German Passport # 28953 issued in October 1954 by the Police Praesidium in Munich.

5. (C) An item dated 1952 shows Subject to have been in negotiation with the East Berlin publishing house, Aufbau Verlag, regarding the publication of his book "Das Ochsenfutter Maennerquartette" and "Die Raeuberbande".

6. (U) A newspaper account appearing in the 7 October 1955 issue of the Natinale Zeitung published in East Berlin tells of Subject's having been awarded the National Prize. (Files do not disclose type of prize.)

7. (C) Subject is listed as attending the 4th Congress of German Writers held in East Berlin in 1955.

2

DISTRIBUTION

DA 1 APR 52 FORM 568

CONFIDENTIAL

CONFIDENTIAL

SUMMARY OF INFORMATION	DATE 12 March 1962

PREPARING OFFICE
Headquarters, 66th INTC Group, USAREUR, APO 154, US Forces AEUC–OCE(O&R) EE 564 953

SUBJECT	CODE FOR USE IN INDIVIDUAL PARAGRAPH EVALUATION
Leonhard FRANK (C)	OF SOURCE:	OF INFORMATION:

CODE FOR USE IN INDIVIDUAL PARAGRAPH EVALUATION

OF SOURCE:
COMPLETELY RELIABLE .... A
USUALLY RELIABLE .... B
FAIRLY RELIABLE C
NOT USUALLY RELIABLE .... D
UNRELIABLE .... E
RELIABILITY UNKNOWN ..... F

OF INFORMATION:
CONFIRMED BY OTHER SOURCES 1
PROBABLY TRUE 2
POSSIBLY TRUE 3
DOUBTFULLY TRUE 4
IMPROBABLE 5
TRUTH CANNOT BE JUDGED ... 6

SUMMARY OF INFORMATION

8. (C) An item dated 5 May 1957 indicates that Subject was a signatory to the "Public Declaration to the Government of the German Federal Republic Against Atomic Weapons".

9. (C) Information dated 1 April 1959 indicates that Subject has stated his agreement with the aims of the Frankischer Kreis. The Frankischer Kreis was designated as a supporting organization of the communist party of Germany by Dr. Schroeder, the West German Federal Minister of the Interior. The Frankischer Kreis has been active in cultural circles propagandizing against the use of atomic weapons. The Frankischer Kreis advocates that neither of the two German states arms its armed forces with atomic weapons; that the troops armed with atomic weapons, whether NATO or Warsaw Pact forces, not be stationed on German soil; and that an atomic free zone (a zone free of atomic weapons) be created in Central Europe.

10. (C) In July 1961 Prof. Dr. Paul Franz Schneider of Wuerzburg, secretary of the Frankische Kreis, spoke in Stuttgart on the occasion of the 1st State Party Day of the Deutsche Friedens Union (DFU — German Peace Union). He threw down the gauntlet to the blind anti-communism, rearmament and atomic weapons. He said that if we desire to maintain the peace we must live in coexistence. In his correspondence with Prof. Schneider Subject has indicated his concurrence with Prof. Schneider's point of view.

11. (C) Subject has been repeatedly reported as a signatory to various anti-atomic and peace petitions.

12. (C) It is noted that no record has been uncovered nor has any evidence been produced which would show that Subject was a member of the communist party. However, a perusal of Subject's works and a survey of his activities would indicate that he has consistently advocated a left socialist course and has aligned himself with many communist causes. Subject is reputed to be a communist.

3

UNCLASSIFIED

DISTRIBUTION

DA FORM 568
1 APR 52

CONFIDENTIAL

prize«[28]) und »reputed to be a communist«[29], verstarb im Alter von 78 Jahren am 18. August 1961 in München – knapp sieben Monate bevor der Nachrichtendienst der U.S.-Armee das besagte Memorandum abfaßte und mit der »Warning Notice – Sensitive Sources and Methods Involved«[30] versah.

Bruno Frank

Merkwürdig mutet der Fall des Bruno Frank an, zu dem sich beim FBI – traut man dem FOIPA-Verfahren – außer einer Reihe von verstreuten Briefen aus den Jahren 1942 bis 1945 nichts finden läßt. Schon ein flüchtiger Blick auf Franks Aktivitäten im kalifornischen Exil deutet nämlich an, daß es eine ganze Reihe von guten Gründen gab, warum gerade dieser, in seinem schmalen in Amerika entstandenen Exilwerk eher unpolitische Autor für J. Edgar Hoover interessant gewesen wäre: Früher als andere Hitlerflüchtlinge tritt Frank kurz nach seiner Ankunft in den USA im August 1938 anläßlich einer Kundgebung der Hollywood Anti-Nazi League gegen das eben von dem demokratischen Kongreßabgeordneten Martin Dies Jr. wiederbelebte Un-American Activities Committee auf.[1] Zusammen mit seiner Frau Liesl setzt er sich über Jahre hinweg für die Flüchtlingshilfe ein, unterstützt den European Film Fund[2] und wendet sich im März 1942 bei den National Defense Migration Hearings, die ein Komitee des amerikanischen Abgeordnetenhauses in Los Angeles durchführt, öffentlich und viel vehementer als der ebenfalls befragte Thomas Mann gegen eine »Evakuierung« der Exilanten: »... I am told, that at first the refugees should be evacuated as enemy aliens, and that later on, by and by, individual readmission might be granted. Sir, that would never do. Such a procedure would spell disaster.... The bitterest and most consistent foes of nazi-ism and fascism won't be treated the same way as Nazis and Fascists themselves. Not in this country.«[3] Hoovers Mißtrauen gegenüber Zuwan-

---

28 Summary of Information v. 12. 3. 1962, S. 2 (Army Intelligence).

29 A. a. O., S. 3.

30 A. a. O., S. 1.

1 *Hollywood Now* berichtet am 26. August 1938 von dieser Veranstaltung unter der Schlagzeile »›Red‹ Scare Fails to Scare Speakers« (vgl. Virginia Sease: »Bruno Frank.« In: *Deutsche Exilliteratur seit 1933*. Bd. 1, 1, S. 369).

2 Das FBI hat in seinem Central Records Index zum European Film Fund fünf Querverweise mit 29 Seiten Material gefunden, die freilich alle mit den üblichen Begründungen zurückgehalten werden.

3 U.S. Congress. House of Representatives. *Hearings before the Select Committee Investigating National Defense Migration*. 77th Congress, 2nd Session. T. 31, 7. März 1942, S. 11731 u. 11728. Thomas Mann berichtet in *Tagebücher 1940-1943*, S. 402 so über Franks Auftritt: »Frank zu laut und teilweise unerquicklich.... Ziemlich hysterische Aufregung Franks, dem ich mit dieser Herausstellung einen Dienst erwiesen, von dem er nicht den glücklichsten Gebrauch gemacht.«

derern, die sich nicht bedingungslos dem Sog des ›melting pots‹ Amerika ergaben, scheint Frank nicht ins Visier des FBI gebracht zu haben, obwohl der Exilant klipp und klar feststellt, »unsere Aufgabe im Exil ist es, die deutsche Sprache über eine Periode der Verschmutzung und Verwüstung hinwegzutragen«[4]. Und auch ein offenes Bekenntnis gegen die Gleichsetzung von Deutschen und Nazis – »eines steht mir fest: nirgends wird das deutsche Volk verwechselt mit dem tollwütigen Fälscher, der versucht, es in den Abgrund zu führen«[5] – ruft die Staatsschützer nicht auf den Plan.

Auf Interesse stößt beim FBI – sieht man von Querverweisen in anderen Akten auf das offene Haus ab, das die Franks in ihrer stattlichen Villa am Camden Drive in Beverly Hills führten – allein die Geschäftspost des Exilanten mit dem Verlag El Libro Libre im fernen Mexiko.[6] Im Mittelpunkt steht dabei neben der El Libro Libre-Ausgabe des Romans *Die Tochter* – »The writer says that some acquaintances of his, when trying to order his book, ›Die Tochter‹ [›The Daughter‹] at the book shop of Mary S. Rosenberg... were told that the book is not available in New York... He deplores the fact that anybody wishing to buy his book... cannot obtain it.«[7] – der Versuch der mexikanischen Exilgruppe, Frank enger in ihre politische Arbeit einzubinden.

Wenn es zu einer solchen Annäherung dann nicht kommt, liegt das unter anderem daran, daß das Office of Censorship, das Frank auf einer »F. B. I. Watch List«[8] führt, unter den verschärften Zensurbestimmungen des Jahres 1943[9] ganze Sache macht. Eine Spende von $5, die der im englischen Exil ebenso wie im amerikanischen Buch-, Theater- und Filmgeschäft (»The Hunchback of Notre Dame«) keineswegs unerfolgreiche Autor für die Drucklegung einer BFD-Broschüre per »personal check«[10] nach Mexiko zu übermitteln versucht, wird ebenso von den Zensoren vernichtet wie ein Rundschrei-

---

4 Bruno Frank: »Juden müssen die deutsche Sprache bewahren.« In: *Aufbau* (New York), Nr. 52 v. 27. 12. 1940, S. 9 (zitiert nach Sease, »Bruno Frank«, S. 360).

5 Bruno Frank: »Lüge als Staatsprinzip«, unveröffentlichtes Manuskript (zitiert nach a. a. O., S. 359).

6 Die von Thomas Mann in einem Brief an Agnes Meyer vom 30. 7. 1944 ausgesprochene Vermutung, daß sich Franks Einbürgerung wegen einer »F.B.I.-Investigation« hinauszögere, war also womöglich nicht so falsch: »Er steht im Verdacht des Kommunismus, weil er die deutsche Ausgabe seines letzten Buches in Mexiko in einem Verlage hat erscheinen lassen, der seinerseits für kommunistisch gilt.« »Das Tragischkomische« dabei sei, fährt Mann fort, »dass Frank persönlich geradezu reaktionär kapitalistisch empfindet und am liebsten im Jahre 1850 in Baden-Baden gelebt hätte« (Mann/Meyer, *Briefwechsel 1937-1955*, S. 576).

7 Bruno Frank, Brief an [ausgeschwärzt], c/o El Libro Libre v. 20. 7. 1943. Vom »Information Service« der »L.A. Public Library« erhält die Postzensur wenig später den korrekten Titel der englischen Übersetzung, »›One Fair Daughter‹« (Examiner's Note zu [ausgeschwärzt], Editorial ›El Libro Libre‹, Brief an Bruno Frank v. 3. 9. 1943).

8 Unleserlich, Basel, Brief an Bruno Frank v. 12. 10. 1941.

9 Vgl. dazu weiter unten das Kapitel zu Mexiko.

10 Bruno Frank, Brief an Movimiento Alemania Libre v. 19. 6. 1943.

ben der Exilgruppe um Merker und Renn, in dem Exilanten in den USA um eine Stellungnahme zur Gründung des Nationalkomitees Freies Deutschland in Moskau gebeten werden: »»In view of the extraordinary impetus given the role which the German Anti-Nazi opposition may play in the battle for the victory of the United Nations... we ask you... to send us a statement of your point of view as soon as possible.‹‹«[11] Hier wie da schiebt das Office of Censorship den politischen Inhalt der Korrespondenz als Begründung für die Aktion vor: »As participation of European refugees, residing in the U.S., in free discussions outside the U.S. on controversial issues of international politics may be falsely interpreted abroad, and may tend to contribute to dissension within the U.S., the communication is condemned.«[12]

Andere Stücke des zensierten Briefwechsels drehen sich um Copyrightfragen und Probleme von El Libro Libre beim Satz deutschsprachiger Manuskripte (»the writer... ascribes... the typographical errors... to the fact that the type-setter did not know the German language«[13]), um die Publikation von *El Libro Negro* (»an outstanding achievement, deeply stirring and very important«[14]), um Franks Mitarbeit an der Zeitschrift *Freies Deutschland*, wegen der ihn der FBI-Vertreter in Mexiko ohne Zögern einer Gruppe von »German-Communists in the United States«[15] um Brecht, Graf, Weiskopf und Ernst Bloch zuschlägt, und um den Bermann-Fischer Verlag, zu dem der alerte »Examiner« einen Brief der »L.B. Fisher Publishing Corp.« vom 26. Januar 1945 an »Mrs. Netty Radvanyi, Mexico City« zitiert: »The Querido connection is still in existence and will assume its activity anew. During this period of transition, [ausgeschwärzt] has taken over the production for this publishing house and Weiskopf, Feuchtwanger... and Bruno Frank have made the same sort of contracts I have proposed to you.«[16]

Bruno Frank, »eyes grey, color of hair brown, height 5 feet 10 inches, weight 180 pounds«[17], wurde am 12. Januar 1945 in Los Angeles eingebürgert. Steine legte ihm dabei, soweit man das nach Einsicht der Akten sagen kann, weder das FBI noch die Einwanderungsbehörde in den Weg – von einem offensichtlich folgenlosen Blatt mit der üblichen Mischung aus Verdächtigungen, Halbwahrheiten und Fakten abgesehen: »He has been reported as pro-Nazi, a close associate of known Communist Party members and is possibly communistic himself.«[18] Ein sogenannter »Heimatschein«, auf dem das

11 [Ausgeschwärzt], Freies Deutschland, Brief an Bruno Frank v. 29. 7. 1943.
12 D. A. C's Note, a. a. O. (Federal Emergency Management Agency und National Archives).
13 [Ausgeschwärzt], c/o El Libro Libre, Brief an Bruno Frank v. 26. 6. 1943.
14 Bruno Frank, Brief an [ausgeschwärzt], c/o ›El Libro Libre‹ v. 4. 6. 1943.
15 Clarence W. Moore, Civil Attache, Memorandum v. 26. 3. 1943, S. 5, Anlage zu Raleigh A. Gibson, First Secretary, Embassy of the United States of America, Mexiko, Brief an Secretary of State v. 20. 4. 1943 (862.01/256).
16 Examiner's Note zu [ausgeschwärzt], Brief an Bruno Frank v. 25. 2. 1945, S. 2.
17 Bruno Frank, Certificate of Naturalization v. 12. 1. 1945.

Polizeipräsidium in Stuttgart am 5. Juli 1933 dem fünf Monate zuvor aus Nazideutschland Geflohenen gegen eine Gebühr von 8 Mark bestätigt, daß er Deutscher ist und sich bis Juli 1943 im Ausland aufhalten darf[19], wird vom INS ohne weitere Fragen zu den Akten gelegt. Und als John Norman, der damals in Südkalifornien auch mit anderen Exilanten sprach, am 10. Dezember 1944 im Namen des Office of Strategic Services in Franks »fine Beverly Hills home« auf ein Interview vorbeisieht, geht es nicht um die Loyalität des Neuamerikaners gegenüber seinem Gastland, sondern um die Frage »what should be done with Germany«.

Eine Auswahl der wichtigsten Antworten, die Frank (»bushy eyebrows, dimples, and a strong square jaw«[20]) für jene Organisation formuliert, die wenig später in die CIA übergehen wird, zeugt von der vorsichtigen und ausgewogenen Art, mit der der Exilant die Lage in Europa beurteilt: »Long-time military occuption.. without oppression«[21] sei von Nöten, Sumner Welles' Vorschlag, Deutschland zu teilen, ist dagegen nur akzeptable wenn dadurch »recurrence of aggression«[22] wirksam verhindert würde. In der Territorialfrage reagiert Frank mit Zögern auf einen selbstständigen Staat Bayern-Österreich, hätte aber keine Schwierigkeiten, Gebiete an Frankreich, Dänemark und die Tschechoslowakei abzugeben. Eine Umerziehung der Deutschen sei am wirksamsten von den Besatzungsmächten durchzuführen und nicht mit Männern wie Brüning, die schon einmal wenig Voraussicht gezeigt hatten. Bestraft werden sollten »about one hundred thousand... and not all by death«, um »some hope for the German people«[23] zu lassen. Gefragt nach den Interessen der Russen meint Frank, daß Expansionspläne, wenn überhaupt, in Asien bestünden, im Westen dagegen nur die Sicherung der Grenzen angestrebt wird: »I don't believe Russia wants a soft peace for Germany. It does not want a Bolshevik but an innoccuous Germany.«[24]

Zwei Jahre nach Ablauf des Heimatscheins und sechs Monate nach seiner Einbürgerung in die USA schließt ein Mitarbeiter des FBI die Frank-Akte mit einem Ausschnitt aus der *New York Times*: »Dr. Bruno Frank, expatriated German author of many novels, including ›Lost Heritage‹ and ›The Man Called Cervantes,‹ died today of a heart attack in his home at Beverly Hills. His age was 58.«[25]

18 Unleserlich, INS-Memorandum v. 17. 5. 1944.
19 Frank wurde erst relativ spät, nämlich im März 1938 auf der 34. Liste von den Nazis ausgebürgert.
20 John Norman, Conversation with Bruno Frank in Beverly Hills, California on 12 December, Memorandum an DeWitt C. Poole v. 9. 1. 1945, S. 1.
21 A. a. O., S. 1–2.
22 A. a. O., S. 2.
23 A. a. O., S. 4.
24 A. a. O., S. 5.
25 »Dr. Bruno Frank, 58, Expatriated Author.« In: *New York Times* v. 22. 6. 1945 (Zeitungsausschnitt in der FBI-Akte von Bruno Frank).

Württemberg.

Heimatſchein
(für den Aufenthalt im Ausland).

XX Bruno Sebald F r a n k , Dr.phil.

geboren am   13. Juni 1887 in S t u t t g a r t

~~sowie seine Ehefrau~~   ~~geborene~~

und folgende von ihm kraft elterlicher Gewalt geſetzlich vertretene Kinder:

1. _____ , geboren am _____ in _____
2. _____
3. _____

beſitzt die Staatsangehörigkeit in Württemberg und ist ſomit
Deutſche.

Dieſe Beſcheinigung gilt bis zum – – – 4. Juli 1943.

Stuttgart, den – – 5. Juli 19 33.

Polizeipräſidium, ~~Abt. III.~~

I. A.

Keiner wurde vergessen:
Werfel, Remarque, Ludwig, Döblin und die anderen

Thomas Mann, Bertolt Brecht und Lion Feuchtwanger waren wegen ihrer liberalen oder ›linken‹ Weltanschauung ins Visier des FBI geraten, weil sie sich öffentlich in politische Dinge wie die Debatte um die Zukunft Deutschlands einmischten und weil sie über einen zum Teil erheblichen Bekanntheitsgrad verfügten. Exilanten, auf die diese Beschreibung nur bedingt zutrifft, wurden von den Geheimdiensten und Behörden der USA weniger intensiv beobachtet. So gehörten Franz Werfel, Erich Maria Remarque, Emil Ludwig und Vikki Baum zwar zu den Erfolgsautoren des Exils, waren aber entweder nur wenig oder, wie im Fall von Ludwig, im konservativen Lager politisch tätig. Alfred Döblin, Alfred Neumann, Ludwig Marcuse und der zugleich über seine eigenen Mißerfolge und den Materialismus der Amerikaner klagende Curt Goetz fielen gar weder mit ihren literarischen Produkten noch mit ihrer politischen Gesinnung auf. Dennoch gilt für sie alle, Nobelpreisträger wie Selbstverleger, die Regel, daß Hoover und seine Kollegen in anderen Behörden kaum einen der vor den Nazis nach Kalifornien geflohenen Autoren vergaßen.

Franz Werfel

Franz Werfels FBI-Dossier etwa beschränkt sich auf einen sogenannten »name check«, der aus unerfindlichen Gründen neun Jahre nach dem Tod des Dichters durchgeführt wurde und auf drei Seiten Text und dreizehn Formularblättern fast nichts als Fehler und Verzerrungen der politischen Position des »subject« enthält. Wer immer dem FBI im Juli 1941 zuspielte, daß Werfel »a leader of the Communist Party in Germany« gewesen war und »for many years... in Vienna, Austria, and Berlin, Germany,... with radical activities« in Verbindung gestanden habe – »reliable«[1], wie der Berichterstatter meint, waren die Quellen gewiß nicht. So wie der *Daily Worker*, dessen Ausgabe vom 20. August 1940 das FBI zitiert, saßen auch Hoovers Leute einer aus Mexiko kommenden Denunziation auf. Dort nämlich hatten Gegner der Kommunisten die Nachricht verbreitet, der mexikanische Gewerkschaftsführer Vincente Lombardo Toledano habe die Rettung einer Gruppe von »Fifth Columnists... closely connected either with Nazism, Fascism or Communism«[2] aus Europa organisiert, darunter – wie der Geheimdienst der U.S.-Marine am 15. August 1940 registriert – ein »Franz Werfel, author of the best seller of six years ago

---

1 Franz Werfel, Name Check v. 12. 5. 1954, S. 2.
2 Naval Intelligence Report, Mexiko, v. 2. 6. 1941, zitiert in »Memorandum Re: Gerhart Eisler and Others« v. 24. 7. 1941, S. 4 (862.20211/3242).

Alfred Neumann

Franz Werfel und seine Frau Alma

Emil Ludwig

Bertolt Brecht

›The Forty Days of Musa Dagh‹«[3]. Und auch die in der Hochzeit der McCarthy-Ära üblichen Versuche, unliebsame Personen durch ihre Verbindung zu Organisationen zu diskreditieren, die vom Generalstaatsanwalt der USA oder dem kalifornischen Komitee für unamerikanische Umtriebe auf schwarze Listen gesetzt worden waren, wirken im Fall von Werfel eher hilflos: Auf dem Briefpapier der American Rescue Ship Mission, Arm des United American-Spanish Aid Committee »designated by the Attorney General of the United States pursuant to Executive Order 10450«[4], sei Werfels Name im Dezember 1940 erschienen. Laut Office of Censorship trete er als »national sponsor« des von demselben Erlaß stigmatisierten Joint Anti-Fascist Refugee Committee auf. Der *Los Angeles Times* vom 17. Mai 1945 entnimmt das FBI, daß »Franz Werfel, author of the ›Song of Bernadette‹«[5], beim neu ernannten Botschafter Jugoslawiens zu einem Essen eingeladen war, wohl weil er sich, wie man aus einer anderen Quelle weiß, kurz zuvor als Sponsor eines »›Yugoslav Liberation Day‹«[6] hervorgetan hatte. Der Congress of American-Soviet Friendship, mit dem Werfel 1942 zu tun gehabt haben soll, erscheint gar zugleich auf Excecutive Order 10450 und im vierten Bericht des »California Un-American Activities Committee« von 1948. Im Dunkeln bleibt, warum das FBI seinem unbekannten Auftraggeber am Ende des »name check« vorschlägt, sich auch noch bei der »Military Intelligence«[7] über Werfel zu erkundigen. Und auch das OSS hat sich nur am Rande mit Werfel befaßt: »Former close friend of Chancellor Schuschnigg. Has always been very active on behalf of Austria's independence...«[8]

Ergänzt wird das dünne FBI-Material zu Werfel – eine INS-Akte ist nicht überliefert[9] – durch eine Reihe von Querverweisen allgemeiner Art und ein kleines Dossier zu »Alma Maria Mahler-Werfel« im Archiv des State Departments. In ihm befinden sich Spuren, die auf die Hilfestellung durch das President's Advisory Committee on Political Refugees[10], Erika Mann (»succeeded in obtaining legal contract from major Movie studios like Warners

---

3 Earl S. Piper, Assistant Naval Attache, Mexiko, Intelligence Report v. 15. 8. 1940, S. 1 (840.48 Refugees/2253). Vgl. dazu unten den Abschnitt zur Überwachung der Exilanten in Mexiko durch die amerikanischen Geheimdienste.

4 Franz Werfel, Name Check v. 12. 5. 1954, S. 1.

5 A. a. O., S. 3.

6 A. a. O., S. 2.

7 A. a. O., S. 3.

8 List of politically active Austrians in America [accompanied by brief biographies] v. 14. 4. 1942, S. 15 (INT-4AU, 38).

9 Unklar ist, warum der INS meinen FOIPA-Antrag an die Zweigstelle in Philadelphia weitergeleitet hat, von der dann der abschlägige Bescheid kam.

10 George L. Warren, Executive Secretary, President's Advisory Committee on Political Refugees, Brief an Henry M. Hart, Special Attorney, Office of the Solicitor General, Department of Justice v. 5. 8. 1940, S. 1 (Akz. unleserlich, wahrscheinlich 811.111 Refugees) und Eliot B. Coulter, Acting Chief, Visa Division, Brief an George L. Warren v. 10. 8. 1940, S. 1 (811.111 Refugees/221): »The Consuls General in Marseille, France, and at Lisbon, Por-

MGM etc. for twenty three famous German writers including Franz Werfel«[11]) und das Emergency Rescue Committee (»more than five hundred men and women, among them some of the most distinguished Europeans of our day, have been saved from the Gestapo by the... Emergency Rescue Committee«[12]) bei der Beschaffung des lebensrettenden Visums für die USA weisen. Vor allem aber gehört ein Briefwechsel hierher zwischen einem ehemaligen Angehörigen der amerikanischen Besatzungsmacht namens Harry A. Freidenberg und dem Außenministerium in Washington um juristische Probleme bei der Übergabe von Werfels Nachlaß an die Universität von Kalifornien in Los Angeles. Alma Mahler-Werfels Antrag nämlich, sobald wie möglich nach Kriegsende nach Wien fahren zu dürfen, um das beschlagnahmte Eigentum der Familie und die Manuskripte ihres Mannes abzuholen (»those holdings have been partially siezed by former members of the Nazi party, who justified their seizures by the fact that Mrs. Mahler-Werfel, a Catholic, had twice married Jews [Mahler and Werfel]«[13]) war von den Besatzungsbehörden mit dem üblichen Hinweis auf »shortage of food, transportation, and housing«[14] abgelehnt worden. Daran vermochte auch eine Intervention der University of California beim War Department nichts zu ändern, deren Dekan neben dem »store of literary treasures in the United States«[15] den Ruhm seiner Universität zu vergrößern sucht. Zudem, so das State Department weiter in einem Brief, von dem nicht klar ist, ob er Entwurf blieb oder tatsächlich an Alma Mahler-Werfels Vertreter, Harry A. Freidenberg[16], abgeschickt wurde, müsse vor einer Reise zuerst die rechtliche Seite der Erbschaftsfrage geklärt sein und eine Einladung der österreichischen Behörden vorliegen. Sieben Tage nach Freidenbergs Schreiben gehen die entsprechenden Angaben von der Militärverwaltung in Wien telegraphisch beim Department of State ein: »Dr. Renner, Pres Aus and Dr. Hurdes, Aus Minister of Education both indorce

---

tugal, have been informed by telegraph at the expense of the Committee concerning the names of the refugees residing in their districts... for appropriate action under the procedure agreed upon.«

11 Erika Mann, Telegramm an A. A. Berle, Assistant Secretary of State, v. 13. 7. 1940 (811.111 Refugees/178). Berle telegraphierte am 15. 7. zurück nach Brentwood in Kalifornien: »Evidence of contracts obtained will be most helpful to the Consul who under the law must make the decision« (811.111 Refugees/178).

12 »Saved by America...«, Anlage zu einem Rundschreiben von Frank Kingdon, Chairman, Emergency Rescue Committee, v. 25. 6. 1941 (FBI-Akte, Emergency Rescue Committee).

13 Harry A. Freidenberg, Brief an Major General Hilldring, Department of State, v. 23. 6. 1947, S. 1 (FW 363.115 Mahler-Werfel, Alma Maria/6-2347).

14 J. H. Hilldring, Brief an Mr. Freidenberg o. D. (FW 363.115 Mahler-Werfel, Alma Maria/6-2347).

15 Harry A. Freidenberg, Brief an Major General Hilldring, Department of State, v. 23. 6. 1947, S. 2 (FW 363.115 Mahler-Werfel, Alma Maria/6-2347).

16 Freidenberg war mit dem Fall Werfel schon aus seiner Zeit als »Administrative Officer, Military Government Section, Vienna Area Command« (a. a. O., S. 1) bekannt.

need for presence of Mrs. Werfel in Vienna in connection with litigation now pending Aus Supreme Court with regard to this property.«[17] Kurz darauf fährt Alma Mahler-Werfel nach Wien und bringt das österreichische Archiv ihres Mannes nach Kalifornien.

Erich Maria Remarque

Wie bei Werfel beschränkt sich auch die Akte von Erich Maria Remarque auf einige wenige Blätter, diesmal freilich – mit Ausnahme einer anonymen Zuschrift an »Mr. J. Edgar Hoover«[18] – aus dem Archiv des Immigration and Naturalization Service. Das mag daran liegen, daß Remarque sich konsequent von allen Exilorganisationen fernhielt, nicht an den Zeitschriften der Vertriebenen mitarbeitete, selten Interviews gab und mehr für seine elegante Lebensart als für sein politisches Engagement bekannt war. Oder es mag mit dem beträchtlichen Einkommen zu tun haben, das den Autor von *All Quiet on the Western Front* in verschiedenen Ländern zu einem gern gesehenen Gast machte. So oder so, der Appetit des FBI auf Informationen wurde weder durch Remarques breit gestreute Beziehungen in Hollywood und New York, wo er in dem auch von Hoover bevorzugten Stork-Club ein- und ausging, noch durch den riesigen Erfolg seiner Romane in den USA, allen voran *Arch of Triumph*, geweckt. Noch nicht einmal eine anonyme, mit »I am just a true American«[19] unterzeichnete Denunziation, sonst ein sicheres Mittel, um das FBI auf den Plan zu rufen, hatte eine Wirkung. »Dear Edgar« ignorierte die Warnung seines besorgten Landsmanns (»I hope it's not a crime to be suspecious, ... but... these german men what are they doing here in our country...«[20]) und war auch nicht durch die Tatsache zu mobilisieren, daß Remarque 1946/47 bei seinem Antrag auf Einbürgerung auf Kontakte zurückgreift, die den ungeliebten Präsidenten Roosevelt noch einmal ins Spiel bringen. Dazu aus den INS-Akten ein Schreiben von Remarques Anwalt an den Executive Assistant des Attorney General in Washington. »If you get up to New York... don't forget to give me a ring«, geht hier einer der Partner der Kanzlei Greenbaum, Wolff & Ernst ohne Schnörkel zur Sache, »because I would like to show you some correspondence I had with FDR in regard to legislation which... the President called a ›Plan to End all Aliens‹ – und fügt zur Sicherheit handschriftlich hinzu: »Do I need to send you a copy of Remarque's newest best seller – Arch of Triumph?«[21]

17 COMGENUSFA, Vienna, Telegramm an HQ EUCOM Frankfurt v. 30. 6. 1947 (363.115 Mahler-Werfel, Alma Marie/6-3047).
18 Anonymer Brief an J. Edgar Hoover v. 10. 6. 1942, Blatt 1.
19 A. a. O., Blatt 3.
20 A. a. O., Blatt 1.
21 Morris L. Ernst, Brief an Ugo Carusi, Executive Assistant to Attorney General, v. 7. 3. 1946.

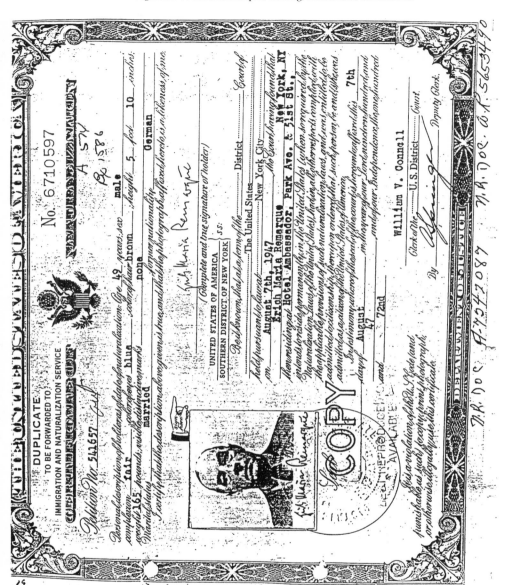

Certificate of Naturalization Nr. 6710597 belegt, daß die nachfolgende Mahnung des Executive Assistant an das New Yorker INS-Büro, Remarques Einbürgerung »as expeditiously as possible«[22] durchzuziehen, ihre Wirkung nicht verfehlte. Sechs Jahre nachdem er bei San Ysidro in Kalifornien als »permanent resident« in die USA eingereist war und kurz bevor er seinen Hauptwohnsitz zurück in die Schweiz verlegte erhält der prominente Antragsteller (»complexion fair,... color of hair brown, height 5 feet 10 inches,... married«[23]) offensichtlich ohne weitere Nachforschungen vom District Court in New York City jene Staatsbürgerschaft verliehen, über die er sich im Gegensatz zu vielen seiner Mitexilanten noch Jahre später in *Newsweek* positiv äußert: »I am very happy to have become an American... Americans have an innate sense of freedom, whether they realize it or not.«[24]

Emil Ludwig

Wohl gefühlt in seinem kalifornischen Exil hat sich auch ein anderer in den USA erfolgreicher Autor: Emil Ludwig. Ludwigs Bücher, darunter eine lange Reihe von Biographien von großer Männern, die Geschichte gemacht haben sollen, erreichten schon vor der Ankunft ihres Verfassers in Amerika ein breites Publikum. Zahlreiche Vorträge und drei Schriften über Deutschland – *The Germans. Double History of a Nation* (1941), *How to Treat the Germans* (1943) und *The Moral Conquest of Germany* (1945) – brachten dem in Breslau geborenen und seit 1906 in der Schweiz lebenden Exilanten erhebliche Popularität, wegen ihrer Ableitung der Nazis aus dem deutschen Nationalcharakter aber auch bittere Angriffe von jenen Mitexilanten ein, die sich als Sprecher eines anderen, besseren Deutschlands verstanden. Beziehungen zum Weißen Haus und zu hochgestellten Mitgliedern der amerikanischen Regierung von Vizepräsident Harry S. Truman und Innenminister Harold Ickes bis zu Secretary of State Edward R. Stettinius, ein Auftritt vor dem Committee on Foreign Affairs des Repräsentantenhauses und Schriften wie »Fourteen Rules for the American Occupation Officer« ermöglichten es Ludwig, recht direkt Einfluß auf die Politik der Amerikaner in Deutschland nach dem Krieg zu nehmen.

Für J. Edgar Hoover, der sich sonst für jede Äußerung von Exilanten über die Zukunft Deutschlands interessierte, war Ludwig freilich kein Thema. Wer sich mit Rex Stout und der Society for the Prevention of World War III identifizierte, bei »linken« Kreisen um die Freien Deutschen als »regular swine«

22 Ugo Carusi, Commissioner, Brief an Morris L. Ernst v. 2. 4. 1946.
23 Erich Maria Remarque, Certificate of Naturalization v. 7. 8. 1947.
24 »Erich Maria Remarque, Violent Author... Quiet Man.« In: *Newsweek* v. 1. April 1957, S. 108.

und »pig«[25] angeschwärzt war und von Mitgliedern des Council for a Democratic Germany öffentlich mit »violent criticism«[26] überzogen wurde, kollidierte nicht mit dem Weltbild des FBI-Bosses. »No investigation has been conducted by this Bureau concerning the above-named individual«[27] heißt es dementsprechend in einem stark ausgeschwärzten FBI-Memorandum aus dem Jahre 1954. Und eine elf Blätter umfassende Liste mit Querverweisen auf andere Aktenbestände scheint ebenfalls nichts Nachteiliges über den Untersuchungsgegenstand zutage gefördert zu haben. Ein, zwei knappe und inkorrekte Hinweise auf Ludwig in Verbindung mit der Abraham Lincoln Brigade und dem Congress of American-Soviet-Friendship und eine übereifrige Meldung des Legal Attachés über einen Auftritt des Exilanten in der kubanischen Hauptstadt Havanna (»lecture on Bolivar was poorly presented«[28]) – mehr hat das FBI über den ungewöhnlich erfolgreichen und ständig im Mittelpunkt öffentlicher Kontoversen stehenden Hitlerflüchtling nicht zusammengebracht.

Ähnlich nichtssagend ist der Inhalt des immerhin als »secret« eingestuften Materials beim Militärischen Geheimdienst MID und bei der Einwanderungsbehörde. So soll Ludwig zwar 1937 vor der American Writers Union gesprochen haben und für die Gleichberechtigung der »negroes«[29] eingetreten sein – »substantial reason to question the loyalty of the subject to the cause of the United Nations«[30] besitzt der MID nicht. Und auch die 149 von 150 vom INS, dem State Department und dem Counsel to the President an mich freigegebenen Blätter aus dem Archiv des Immigration and Naturalization Service enthalten außer einem persönlichen Schreiben an Franklin D. Roosevelt, ihm durch eine Empfehlung an den U.S.-Konsul in Tijuana über den Status eines Lektors am State College von Santa Barbara zu einem Einwanderervisum zu verhelfen, nichts besonderes.

Einige Mühe mit Emil Ludwig machte sich allein das Office of Strategic Services, dessen Foreign Nationalities Branch sich in knapp zwei Dutzend Dokumenten mit dem oft angefeindeten Autor und Redner über Deutschlands Zukunft beschäftigte: »The burden of his talk [im Ford Hall Forum von Boston am 9. Januar 1944] was the familiar thesis that Germans are incorrigibly authoritarian and militaristic, and that with negligible exceptions all are pan-German nationalists... The audience... adjusted itself to his poor English and inadequate delivery; before long, however, Ludwig's extreme vagueness and untempered anti-Germanism aroused resentment.«[31]

25 FBI-Report, Los Angeles v. [unleserlich] 6. 1945, S. 4 (FBI-Akte, Berthold Viertel).
26 P., (»»Freies Deutschland««), Memorandum v. 9. 8. 1942, S. 3 (OSS, 381).
27 Emil Ludwig, Memorandum v. 5. 3. 1954, S. 1.
28 FBI-Report, Habana, Cuba, v. 20. 6. 1944, S. 2.
29 Ludwig, Emil, Memorandum v. 30. 9. 1944, S. 1 (Army).
30 A. a. O., S. 2.
31 Henry H. Balos, Memorandum an Malcolm W. Davis v. 9. 1. 1944 (OSS, 945).

Höhepunkt der hier nicht weiter zu verfolgenden FNB-Analysen ist ein ausführliches Interview, das der OSS-Mitarbeiter John Norman zusammen mit einem nicht genauer identifizierten Mann namens Edward B. Stanton am 16. Dezember 1944 in »Ludwig's residence at 303 Grenola Street, Pacific Palisades, California« führt. »Ludwig received us in a large, comfortable, slightly disordered room, which boasted a large plate glass window affording a beautiful view of the ocean just below. It reminded one immediately of Hitler's eyrie at Berchtesgaden. Ludwig easily presented a picture of the story-book genius, what with his huge head, his long hair resting on his ears, and extraordinarily big bags under his eyes... He wore elegant paint-splashed trousers and a neatly tailored sport coat.«[32] Nach anfänglichen Kommunikationsschwierigkeiten (»every question I asked him met with such replies as ›I have already written a book on that‹«) kommt Ludwig dann rasch zur Sache, also zu Deutschlands Zukunft: »Dismemberment of inner Germany«[33] stehe er ebenso negativ gegenüber wie Morgenthaus Plan, Deutschland zu entindustrialisieren. Wohl aber sollten die Amerikaner als »»conquerors««[34] auftreten, auf zehn Jahre eine Art von Mauer um Deutschland aufrechterhalten und die Umerziehung seiner Landsleute durch antifaschistische Lehrer auf das Genauste überwachen: »... the Allies should not abolish the swastika but should compel the Nazis to wear it as a sign of humiliation... Let them be contrite. Let the youth become critical of their elders who brought this about.«[35] Nicht setzen würde er beim Neuaufbau von Deutschland auf Exilanten wie Thomas Mann (»They would laugh at Thomas Mann in Germany. He wrote Pan-German things in 1923.«) und Hubertus Prinz zu Löwenstein (»a nobody«[36]) oder auf Amerikaner wie Dorothy Thompson (»she is a good writer, but she... talks against me«). Einzig Männer wie der alt-Vansittartist Friedrich Wilhelm Foerster, der gegen Preußen polemisierende »Kurt Reiss«[37] (gemeint ist wohl Curt Riess), Hermann Rauschning (»an honest man«[38]) und er selbst könnten den Amerikanern mit Rat zur Seite stehen, weil sie im Gegensatz zu allen anderen Exilanten den Mut besitzen, gegen Deutschland zu sprechen.

---

32 Converation with Emil Ludwig in Pacific Palisades, California, 16 December 1944. John Norman, Memorandum an DeWitt C. Poole v. 4. 1. 1945, S. 1 (OSS, 1324).
33 A. a. O., S. 2.
34 A. a. O., S. 4.
35 A. a. O., S. 6-7.
36 A. a. O., S. 4.
37 A. a. O., S. 3.
38 A. a. O., S. 4.

Vicki Baum

Vicki Baum, wie Emil Ludwig den Amerikaner seit *Grand Hotel* ein Begriff als Autorin von Erfolgsromanen, aber entschieden weniger aktiv in politischen Dingen, spielt in den Akten des FBI nur eine periphäre Rolle mit zwei knappen, im Februar 1954 und Mai 1957 aus unbekannten Gründen angefertigten »review of the files«. Zu mehr als einer Reihe von zum Teil sehr weit hergeholten Assoziationen mit allerlei Organisationen und Personen (»one of a group of signers of a call for a ›Second Front‹ sponsored by the League of American Writers«[39]), die ihrerseits von den Behörden als unamerikanisch verdächt werden, reicht es dabei freilich nicht.[40] Dazu als Beispiel der Vermerk, daß der Name Vicki Baum 1937 auf einer Liste von Sponsoren eines »›Christmas Drive for Spanish Children‹« stehe, die in der Zeitschrift *News of the World* veröffentlicht wurde, welche sich nach Meinung des Tenney Committees »in the Stalin Solar system««[41] bewegt. »No investigation has been conducted by this Bureau concerning the above-named individual«[42], resümiert das FBI und auch die Einwanderungsbehörde teilte mir per Brief im März 1988 mit, daß »three extensive index searches of our Central Office records systems«[43] keine Unterlagen zu der bereits vor 1933 in die USA übergesiedelten und 1938 naturalisierten Autorin zutage gefördert habe.

Alfred Döblin

Ähnlich steht es mit Alfred Döblin, der in den USA ein tristes Schattendasein fristete. Nur ist es diesmal das FBI, das behauptet, keine Akte geführt zu haben. Aber auch die 39 vom Immigration and Naturalization Service ausgelieferten Blätter scheinen nicht über die üblichen Formulierungen hinauszugehen mit ihren immer wieder aufgewärmten Angaben zur Einreise in die USA (New York, 6. Mai 1939 und 12. September 1940[44]; Nogales, Arizona, 11. März

39 Vicky Baum, Name Check v. 15. 2. 1954, S. 1, 2.
40 Warum Ende 1957 mehrere Blätter aus zwei Berichten des FBI-Büros in St. Louis zu dem Sozialdemokraten Horst Wolfgang Baerensprung in die Baum-Akte geraten sind, läßt sich wegen der intensiven Ausschwärzungen nicht mehr rekonstruieren.
41 Vicky Baum, Name Check v. 15. 2. 1954, S. 1.
42 A. a. O. und Vicki Baum, Name Check v. 3. 5. 1957, S. 1.
43 Alice M. Neary, FOIA/PA Reviewing Officer, Immigration and Naturalization Service, Washington, Brief an den Verfasser v. 7. 3. 1988.
44 Alfred Bruno Döblin, Alien Registration Form v. 7. 12. 1940, S. 1. Vgl. dagegen Klaus Weissenberger: »Alfred Döblin.« In: *Deutsche Exilliteratur seit 1933*. Bd. 1, 1, S. 299, der den 13. 9. als Tag der Einreise in die USA nennt.

1941- mit Hilfe von Heinrich Mann[45]), zur Staatsbürgerschaft (»I became a French citizen in 1936«[46]), zur »rassischen« Zugehörigkeit (»Q[estion] Of what race of people are your? A[nswer] I am Hebrew.«[47]) und zu den Anstellungsverhältnissen in den USA (»my employer... is Metro-Goldwyn-Mayer... whose business is Film Production«[48]).

Doch der sachlich-kalte, bürokratische Jargon der Anträge auf ein Quotenvisum, der eidesstattlichen Erklärungen zu nicht mehr erhältlichen deutschen Dokumenten und der polizeilichen Führungszeugnisse (» the Los Angeles Police Department... found no record to indicate that—Bruno Alfred Döblin—... is... wanted for the commission of any crime«[49]) vermag, liest man genau, oft nur oberflächlich die menschliche Tragödie der von den Nazis und ihrem Krieg in alle Welt zerstreuten Exilanten zu überdecken. So ist Döblin im März 1941 in einem verlorenen Wüstenort an der Grenze zwischen Arizona und Mexiko beim Ausfüllen einer »Application for Immigration Visa« für den amerikanischen Konsul gezwungen, sich daran zu erinnern, daß von seinen vier Söhnen einer von der französischen Armee als vermißt gemeldet wird[50] und ein zweiter, Klaus, sich nach der Demobilisierung in Marseille vor seinen ehemaligen Landsleuten verstecken muß. Anderthalb Jahre später führen die verzweifelten Versuche der Eltern, den in Südfrankreich untergetauchten Sohn – sein ältester Bruder ist inzwischen von der U.S.-Armee eingezogen worden – aus Europa zu retten, zu einem detaillierten Verhör vor dem INS in Los Angeles. Briefe, die Döblin an das State Department, das Emergency Rescue Committee und das President's Advisory Committee on Political Refugees in New York schickte, werden bei dieser Gelegenheit inspiziert. Döblins eigene Einreise in die USA nimmt man noch einmal unter die Lupe, u. a. weil in sie derselbe Rechtsanwalt Ronald H. Button verwickelt war, der dem INS auch im Fall von Lion Feuchtwanger unangenehm auffiel.[51]

45 »In the early part of 1941«, heißt es dazu in Heinrich Manns FBI-Akte, »Mann was active, according to the records of the Immigration and Naturalization Service, in assisting Alfred Doblin, a German Jew of French citizenship, in entering the United States on March 11, 1941« (FBI-Report, Los Angeles v. 5. 9. 1944, S. 6).

46 Bruno Alfred Döblin, Eidesstattliche Erklärung v. 3. 3. 1941. Sein Quotenvisum, »No. 23569«, erhält Döblin wegen seines Geburtsortes freilich unter »German« (Paul M. Smith, Special Inspector, Immigration and Naturalization Service, Los Angeles, Report of Investigation Regarding Klaus Döblin v. 30. 10. 1942, S. 4).

47 A. a. O., S. 2.

48 Alfred Döblin, Alien Registration Form v. 7. 12. 1940, S. 1.

49 Department of Police, Los Angeles, v. 3. 3. 1941.

50 Wolfgang Döblin nahm sich angesichts der drohenden Gefangennahme durch die Deutschen im Juni 1940 in Frankreich das Leben (Minder, *Dichter in der Gesellschaft*, S. 181).

51 In einem Brief an Elvira und Arthur Rosin schreibt Döblin dazu im März 1941: »... die ›immigration‹... war, bezw. ist grausig teuer (ca 200 u[nd] mehr Dollars pro Person), aber nicht für das Offizielle natürlich, sondern für die Anwälte etc. (ich bitte Sie, darüber immerhin nicht zu reden; man kann ja noch froh sein, wenn es überhaupt geht)« (in Alfred Döblin: *Briefe*. Hrsg. v. Walter Muschg. Olten: Walter 1970, S. 251).

Für Döblins Verhältnis zu Thomas Mann interessiert sich der INS-Beamte (»Is Thomas Mann his real name?«[52]), weil Mann seinen Mitexilanten, der sich um ein mexikanisches Visum für seinen Sohn bemühte, an den Generaldirektor der Bank von Mexiko, Eduardo Villaseñor, empfahl. Und schließlich besorgt sich die Einwanderungsbehörde nach dem Verhör bei den Kollegen von der Postzensur eine Zusammenfassung des von Döblin und Mann an die Banco de Mexico geschickten Hilfeersuchens: »My son Klaus... was not yet demobilized when I went over in August 40 with my wife and my youngest son to the United States. We had got an Emergency Visa being in danger by political reasons. Arrived in America, we asked immediately the visa for our son Klaus, got the recommendation from Washington some months later, but it took long months until Klaus got the French Exit. In the mean-time the general situation had changed, the recommendation from Washington was no longer valuable, we had to begin again. Since the United States are in war it is awfully hard and difficult to get the visa and the danger for my son becomes more and more acute with the political situation in France.«[53] Was der besorgte Vater und Sponsor Mann nicht wußten war, daß jener mexikanische Banker bei den amerikanischen Behörden nicht den besten Ruf hatte: »The records reveal«, vermerkt die einschlägige Examiner's Note auf dem Formular des Office of Censorship, »that the addressee was involved in a plot to blow up Boulder Dam, and that he is associated with a German confidential agent of the German-American Bund operating in Southern California«.[54]

Klaus Döblin hat den Krieg im französischen Untergrund und, wie die Eltern erst viel später erfahren, in der Schweiz überlebt. Sein jüngster Bruder, ursprünglich Stephan, dann auf den Formularen Stephen[55], jetzt Stephane[56] genannt, kehrte bei Kriegsende aus den USA nach Europa zurück, um als Übersetzer für die französische Armee zu arbeiten. Vater Alfred, dessen Roman *Berlin Alexanderplatz* zu den Höhepunkten der deutschen Literatur im zwanzigsten Jahrhundert gehört, verläßt Kalifornien Ende 1945 ausgestattet

---

52 Paul M. Smith, Special Inspector, Immigration and Naturalization Service, Los Angeles, Report of Investigation Regarding Klaus Döblin v. 30. 10. 1942, S. 7.
53 Alfred Döblin, Brief an Eduardo Villasenor v. 24. 4. 1942, S. 1.
54 Examiner's Note zu a. a. O., S. 2. Ob es sich hier um denselben Villaseñor handelt, der 1939 als »Mexican Undersecretary of the Treasury« mit der amerikanischen Botschaft abgesprochen hatte, einen U.S.-Agenten in seiner Behörde zu stationieren, den Amerikanern dann aber als Nachrichtenquelle zu heiß wurde, als sich das Gerücht verbreitete, er sei »one of the OGPU's representatives« (Mr. Boal, Brief an George S. Messersmith, Assistant Secretary of State, v. 22. 12. 1939, S. 18-9) in Mexiko, läßt sich nicht verifizieren. Vgl. zu Eduard, Isabel und Victor Manuel Villaseñor Wolfgang Kießling: *Brücken nach Mexiko. Traditionen einer Freundschaft.* Berlin/DDR: Dietz 1989.
55 Alfred Bruno Döblin, Application for Immigration Visa (Quota), Nogales, Mexiko v. 11. 3. 1941.
56 Formular v. 27. 8. 1945, S. 1 (Application for Permission to Depart from the United States).

mit einem französischen Paß und einem amerikanischen »Exit Permit«[57] und tritt eine – wie wir heute wissen – unglückliche Mission als Mitglied der »Education nationale, Mission Militaire Alliée en Allemagne«[58] in Deutschland an. Die einzige größere Spur, die er bei seiner Abreise in den Akten der amerikanischen Geheimdienste hinterläßt, ist das Protokoll eines Gesprächs, das John Norman vom Office of Strategic Services am 12. Dezember 1944 mit ihm führte.

Wie in den anderen Gesprächen dieser Art stellt Norman sein Gegenüber dabei zuerst auf einer gleichsam persönlichen Ebene vor: »Modest« sei das Hollywood-Haus des Autors von »*November, 1918*«, »a short, grey, old man with very thick glasses« der Interviewte, dessen English 1945 noch so schlecht ist, »that a good portion of the time he conversed in French«[59]. Was der OSS-Mann dann zu Döblins Meinung über Deutschland und die Deutschen rapportiert, klingt im Vergleich zu den Aussagen anderer Exilanten entsprechend gemäßigt: Wichtiger als eine Diskussion über die Teilung Deutschland oder Gebietsabtritte sei die Einrichtung einer »true League of Nations«[60] und, auf der Basis von »non-interference«[61], die Etablierung eines föderativen Regierungssystems. Die kriegsgeschwächte Sowjetunion würde Deutschland nur dann einen ›weichen Frieden‹ anbieten, wenn sich ihre Beziehungen zu den Westalliierten verschlechtern. Während sich die Bestrafung der großen Kriegsverbrecher von selbst regeln wird, seien nach Döblin die von Heinrich Manns Briefpartnerin Eva Lips in einem Beitrag für das *Authors' League Bulletin* vom Oktober 1944 aufgelisteten Schriftsteller[62] zu isolieren, weil sie die Nazis aktiv unterstützt haben (»prohibit their writings [and] treat the bigger ones as you would treat the Nazis«[63]). Wünschenswert ist es ferner, beim Neuanfang des Landes Exilanten wie Heinrich Brüning und Hermann Rauschning heranzuziehen. Da die »roots of Hitlerism«[64] sehr tief sitzen in Deutschland, rate er Juden allerdings vorerst von einer Rückkehr ab.[65]

57 Information, Mail and Files Section, Immigration and Naturalization Service, Philadelphia, Memorandum an Visa Division, Department of State (Exit Permit Unit) v. 17. 9. 1945.

58 Formular v. 27. 8. 1945, S. 1.

59 John Norman, Report of conversation with Alfred Doeblin in Hollywood, 12 December 1944, Memorandum an DeWitt C. Poole v. 6. 1. 1945, S. 1 (OSS, 1325).

60 A. a. O., S. 2.

61 A. a. O., S. 3.

62 Eva Lips: »The Death of Literature in Germany and its Human Consequences.« In: *Authors' League Bulletin*, Nr. 7, Oktober 1944, S. 3-7. Thomas Mann, *Tagebücher 1944–1. 4. 1946*, S. 132 tut den Beitrag von Lieps als »kommunistische Eseleien« und »Kulturgeschwätz« ab, »nicht klüger, als das der Nazis und mit derselben Totschlageneigung«.

63 John Norman, Report of conversation with Alfred Doeblin in Hollywood, 12 December 1944, Memorandum an DeWitt C. Poole v. 6. 1. 1945, S. 5.

64 A. a. O., S. 6.

65 Dazu Döblin in einem Brief vom 3. Dezember 1948 aus Baden-Baden an Hermann Kesten:

Alfred Neumann, Ludwig Marcuse, Curt Goetz

Mehr als ein paar biographische Daten geben die Archive von FBI und INS auch für Alfred Neumann nicht her, der in den USA bekannt war, weil sein *Hochverrat* einst als Vorlage für einen Ernst Lubitsch-Film mit einem Oscar in Verbindung gebracht wurde. »6 feet 1/2 inches«[66] groß, 170 amerikanische Pfund schwer und blauäugig sei er; das Exiled Writers Committee habe ihm bei der Flucht aus Europa geholfen; im Dezember 1947 wurde er eingebürgert; und bei der Polizei von Los Angeles liege nichts Nachteiliges gegen ihn vor.[67] Aufschlußreicher ist da schon das Protokoll eines Gesprächs, das ein namentlich nicht genannter Vertreter von General Donovans Office of Strategic Services am 24. Mai 1945 mit Neumann in dessen Haus in Hollywood führte – in der Hoffnung auf »information about the Communist political cells in Hollywood«[68]. Jedenfalls geht der Mann vom OSS nach einigen, auch anderen Exilanten gestellten Fragen zur großen Politik wie der Bestrafung Deutschlands (»is not an advocate of a harsh peace«[69]) und der Angst der Amerikaner vor Werwölfen (»does not anticipate a very active or successful Nazi underground movement««[70]) ohne viel Federlesen zur Sache und erkundigt sich nach der Stimmung unter den Exilanten in Südkalifornien. Neumanns Antworten fallen knapp und bestimmt aus. Sein Freund Thomas Mann, läßt er den Geheimdienstler wissen, werde allgemein als »outstanding representative of the German-American colony« anerkannt. Aber auch Alfred Döblin sei »very highly respected«. Nicht übereinstimmen könne er dagegen mit Emil Ludwig, der mit seiner Forderung, die Deutschen hart zu bestrafen, der Propaganda von Hitler und Goebbels zuarbeite, »that if Germany were defeated the Jews would return to work their vengeance upon the German people«. Und auch zu Feuchtwanger, der »the most pronounced pro-Russian tendencies among the writers of his acquaintance in this vicinity« habe, halte er wegen einer länger zurückliegenden Verstimmung Distanz. Ansonsten behauptet Neumann, so das Fazit des OSS-Mitarbeiters, »out of touch«[71] mit der

---

»... brauchen Sie das Wort ›Jude‹ selten und am besten nicht. Es ist aber im Lande hier ein Schimpfwort, und ist es geblieben. Wenden Sie es also nur an, wenn Sie dem Antisemitismus wohltun wollen« (in *Deutsche Literatur im Exil. Briefe europäischer Autoren 1933–1949*, S. 286).

66 Alfred Neumann, Certificate of Naturalization v. 26. 12. 1947 (INS).

67 Die zwei vom FBI ausgelieferten Blätter haben mit dem Visumsantrag einer unbekannten Person zu tun. Vier weitere Aktenstücke werden mit Bezug auf »exemption (b) (7) (c)« zurückgehalten.

68 Charles B. Friediger, Memorandum an Bjarne Braatoy v. 8. 6. 1945 (OSS, 1571).

69 Martin H. Easton by Capt. A. D. McHendrie, Memorandum an John O'Keefe v. 25. 5. 1945, S. 1 (OSS, 1559).

70 A. a. O., S. 2.

71 A. a. O., S. 1.

Entwicklung in der Filmindustrie und den politischen Debatten der Exilanten zu sein – und verschafft sich derart, bewußt oder unbewußt, Schutz vor weiteren unliebsamen politischen und persönlichen Fragen. »It is obvious«, resümiert ein Memorandum des Geheimdienstes trocken, »that either Neumann did not want to talk, or was not asked the right questions.«[72]

Auf biographische Daten beschränkt bleibt auch das Dossier von Ludwig Marcuse, das aus 29 Blättern des INS besteht, aber keine FBI-Aktivitäten aufweist. »Little English« spreche der bereits im April 1939 aus Europa Geflüchtete, »Hebrew« trägt er auf einem INS-Formular in der Rubrik »race«[73] ein und »Professor Max Horkheimer, Columbia University« könne für seine »loyalty«[74] bürgen. Das Certificate of Naturalization von Marcuse, den die Nazis am 27. Oktober 1937 ausgebürgert hatten, wurde am 13. Juli 1945 ausgestellt.

Zu Curt Goetz schließlich, der hier als letzter Schriftsteller aus der kalifornischen Exilkolonie genannt wird, gab der INS – eine FBI-Akte scheint auch bei ihm nicht existiert zu haben – statt Kopien der Dokumente nur eine schriftliche Zusammenfassung an mich frei. In ihr steht unter anderem zu lesen, daß der Autor von »›Dr Praetorious‹, ›People Will Talk‹ and ›The Road to Rome‹«[75] vierzig Wochen lang bei MGM für $1.000 pro Woche angestellt war und ein Muttermal mitten auf der linken Backe hat.

72 Charles B. Friediger, Memorandum an Bjarne Braatoy v. 8. 6. 1945 (OSS, 1571).
73 Application for Immigration Visa (Quota), Paris, v. 16. 2. 1939.
74 Supplemental Sheet zu Application for Certificate of Identification, Los Angeles, v. 5. 2. 1942.
75 Robert M. Moschorak, District Director, Immigration and Naturalization Service, Los Angeles, Brief an den Verfasser v. 25. 4. 1991. Ein erneuter Antrag auf Auslieferung der eigentlichen Akten von Goetz wurde mit dem Satz abgelehnt: »We, the FOIA Department, have stated all the information available to you on Bertolt Brecht and Kurt Goetz that can be given to you« (Robert M. Moschorak, Brief an den Verfasser v. 14. 5. 1991). Wie umfangreich und bedeutend das Material ist, das der INS in Los Angeles zu Goetz und Brecht zurückhält, ist nicht zu rekonstruieren.

FBI und Exil in New York

Office of Strategic Services und FBI: Das ›andere Deutschland‹

New York und seine Einwandererinsel Ellis Island waren, wie für 16.000.000 Immigranten in den fünf vorhergegangenen Jahrzehnten, auch für die relativ kleine Schar deutschsprachiger Hitlerflüchtlinge das Tor zur neuen Welt der USA. Eingerahmt wurde dieses Tor von der Skyline von Manhattan auf der einen und der Freiheitsstatue auf der anderen Seite. »Wunder großartiger Schönheit«[1], »ein dem Meer entstiegenes riesenhaftes, phantastisches Gewächs«[2], »Druse eines nadelschlanken, nadelscharfen Kristalls«[3], so beschreiben Arnold Brecht, Leonhard Frank und Vicki Baum die zugleich faszinierende und fremdartige Anhäufung von Wolkenkratzern.[4] Furchteinflößend wirkte das Gebirge der Gebäudeketten auf Fritz Kortner[5], während der durchreisende Bruno Frei in den Bürotürmen ein Symbol »demokratischer Geschäftigkeit«[6] und eine Perversion des menschlichen Freiheitsdranges sah.

Gemischt fielen die Reaktionen der Neuankömmlinge auch auf die Statue of Liberty aus. Was für die einen als Symbol für Rettung und Freiheit und »ein hinreißender Gruß für jeden, der vor einer Diktatur flieht«[7] war, erin-

---

1   Arnold Brecht: *Mit der Kraft des Geistes. Lebenserinnerungen. Zweite Hälfte 1927-1967.* Stuttgart: Deutsche Verlags-Anstalt 1967, S. 371.
2   Frank, *Links wo das Herz ist*, S. 209.
3   Vicki Baum: *Es war alles ganz anders. Erinnerungen.* Köln: Kiepenheuer & Witsch 1987, S. 403.
4   Pfanner, *Exile in New York*, S. 36ff. stellt eine umfangreiche Sammlung von Zitaten zur Skyline von New York, zur Statue of Liberty und zu Ellis Island zusammen. Die vorliegenden Bemerkungen stützen sich zum Teil auf diese Vorarbeit.
5   Fritz Kortner: *Aller Tage Abend.* München: Kindler 1959, S. 439.
6   Bruno Frei: *Der Papiersäbel. Autobiographie.* Frankfurt: Fischer 1972, S. 234.
7   Brecht, *Lebenserinnerungen*, S. 371.

Berthold Viertel

F. C. Weiskopf

Oskar Maria Graf

Ernst Bloch

Hermann Broch

Ferdinand Bruckner

Ellis Island (by courtesy of the Ellis Island Immigration Museum)

nerte andere in Nachfolge von George Bernard Shaw an Dantes Inschrift für das Tor zur Hölle: »Ihr, die Ihr eintretet, lasset alle Hoffnung draußen«.[8] Die Wienerin Hertha Pauli veröffentlichte 1948 eine Geschichte der Freiheitsstatue, *I Lift My Lamp. The Way of a Symbol*.[9] Hans Marchwitza erinnert sich an den Gegensatz zwischen der »steinernen Dame« mit ihrer »Siegesfackel« und den kalten »Betontürmen« in ihrem Rücken,«jeder eine Festung des Teufels Geld«[10].

Die unterschiedlichen Reaktionen auf die Skyline von New York und die Statue of Liberty waren gefärbt durch die Weltanschauung der Ankommenden. Einig waren sich die Flüchtlinge dagegen in ihrer Abneigung gegen die INS-Insel Ellis Island. Beamte, die hochnotpeinliche Fragen nach Einkommens- und Wohnverhältnissen stellen, Probleme mit ungültigen oder fehlen-

---

8 Zitiert nach Volker Dürr: »Zwischen Welten und Ideologien.« In: *Deutschsprachige Exilliteratur seit 1933*. Bd. 2, 2, S. 1310.
9 New York: Appleton-Century-Crofts 1948.
10 Hans Marchwitza: *In Amerika*. Berlin/DDR: Tribüne o. J., S. 20.

den Reisepapieren, ablaufende Visen, verweigerte Aufenthaltsgenehmigungen – all das hatten die meisten von ihnen in den vergangenen sieben, acht Jahren in Europa zur Genüge gesehen. Gustav Regler beschreibt das einem Bahnhof ähnliche viktorianische Gebäude denn auch als »Gefängnis« mit »Eisengittern«, aber ohne »Maschinengewehre«[11]. Frei sah die »riesige Glashalle von Ellis Island« als »eine Art Treibhaus für Deportierte«[12]. Theodor Balk, der wie Anna Seghers gezwungen wurde, nach Mexiko weiterzufahren, schreibt in seinen Erinnerungen, ähnlich wie Regler, von »Eisengittern« im Vordergrund, »im Hintergrund die Freiheitsstatue«[13]. Maximilian Scheer hebt die »gut organisierte, sachliche »und empfindungslose« Atmosphäre der »Gefängnis«-Insel[14] hervor, auf der nach 1917 schon einmal ein paar tausend verdächtige Deutsche und 1919/20 ebensoviele »rote« Ausländer interniert worden waren.

Kaum in den USA angekommen wurden viele der Flüchtlinge von INS-Kommissionen verhört, die nichts von dem Kampf der Exilanten gegen die Nazis wissen wollten, sich dafür aber umso intensiver mit möglichen und tatsächlichen Verbindungen zur politischen Linken befaßten: »Were you ever a member of the Communist party?... In your writings have you advocated the Communist form of government?... Were you ever in Russia?... Were you a member of the Loyalist warring forces [im Spanischen Bürgerkrieg]?«[15] Unverständnis rief bei den Flüchtlingen die regelmäßig auftauchende Frage nach den Gründen für das Verlassen ihrer Heimat hervor. Notlügen mußten herhalten, wenn die Sprache auf die Dauer des Aufenthalts in den USA und die Mittel zum Bestreiten des Lebensunterhalts kam.

Die meisten Exilanten vermochten die in unmittelbarer Nachbarschaft zur Freiheitsstatue gelegene »Träneninsel«[16] ohne größere Probleme schon bald wieder verlassen, wenn sie sich nicht, ausgestattet mit gültigen Papieren und als Passagiere der ersten oder zweiten Klasse vom Zoll bereits auf ihrem Schiff abgefertigt, direkt nach New York begeben hatten. Eine Handvoll wurde für ein paar Tage oder Wochen auf Ellis Island interniert bis Verwandte, Freunde oder die häufig auf der Insel auftauchenden Vertreter einer der vielen Hilfsorganisationen für Flüchtlinge die Einwanderungsbehörde überzeugt hatten, daß ihre Schützlinge weder die innere Sicherheit der USA gefährden noch dem amerikanischen Steuerzahler zur Last fallen werden: »... the Ex-

---

11 Gustav Regler: *Das Ohr des Malchus. Eine Lebensgeschichte.* Köln: Kiepenheuer & Witsch 1958, S. 484.
12 Frei, *Papiersäbel*, S. 235.
13 Theodor Balk: *Das verlorene Manuskript.* Berlin/DDR: Dietz 1949, S. 249.
14 Maximilian Scheer: *Paris – New York.* Berlin/DDR: Verlag der Nation o. J., S. 114.
15 Board of Special Inquiries, Ellis Island, Verhör v. Hans Marchwitza am 28. 6. 1941, S. 9, 4, 6 (INS-Akte, Marchwitza).
16 Scheer, *Paris – New York*, S. 108.

iled Writers‹ Committee in New York«, weiß so zum Beispiel der Militärattaché im fernen Mexiko von Laszlo Radvanyi, Anna Seghers' Mann, »endeavored to sponsor subject's entry into the United States«.[17] Einige wenige Exilanten schickte der INS mit dem nächsten Schiff weiter in ein anderes Asylland. Nach Europa zurücktransportiert und damit der Gestapo ausgeliefert wurde niemand. Mit Ausnahme des KP-Funktionärs Gerhart Eisler war keiner der schreibenden Naziflüchtlinge während oder nach dem Krieg konkret von Deportation bedroht, obwohl die Internal Security Act Ellis Island Anfang der fünfziger Jahre noch einmal soviele »Gäste« brachte, daß der INS für die Kinder der Internierten eine Schule auf der Insel einrichten mußte.

Wer, wie Heinrich Mann, Franz Werfel und Erwin Piscator, einen großen Namen besaß oder über Beziehungen verfügte, wurde – wie das FBI eifrig notierte[18] – bei der Ausschiffung von Kollegen und Journalisten empfangen. Klaus Mann begab sich 1938 »geradewegs vom Hafen«[19] zum Madison Square Garden wo sein Vater gegen die Besetzung der Tschechoslowakei sprach. Zuckmayer kam für einige Wochen »fürstlich«[20] bei Dorothy Thompson in Central Park West unter. Alfred Kantorowicz wurde von Hemingway unter die Arme gegriffen. Nicht wenige waren wie Lili Körber, Hans Natonek und Hans Marchwitza von den Almosen einer Hilfsorganisation abhängig. Richard Krebs, der illegal von einem Schiff aus in die USA gelangt war, verbrachte die ersten Nächte in New York auf Parkbänken. Andere streiften tagelang ziellos durch die Straßen von Manhattan, fasziniert oder abgestoßen von der fremden Metropole, aber fast immer dankbar, daß sie vor den Fängen der Gestapo eine Zuflucht gefunden hatten.

Der kleinere, aber bekanntere Teil der Neuankömmlinge wanderte schon bald weiter nach Südkalifornien, angelockt von den Lebensretterverträgen der großen Filmstudios und einem milden, mediterranen Klima, in dem es sich angenehmer und billiger leben ließ. Wer keine Beziehungen in Hollywood hatten, ließen sich in dem europäischen Städten ähnlicheren New York oder in anderen Orten an der landschaftlich und klimatisch vertrauteren Ostküste der USA nieder.[21] Zu ihnen zählte neben schreibenden Exilanten wie

---

17 Cantwell C. Brown, Assistant Military Attaché, Mexiko, Anlage zu Raleigh A. Gibson, First Secretary of Embassy, Embassy of the United States of America, Mexiko, Brief an Secretary of State v. 26. 6. 1945, S. 38 (862.01/6-2645).

18 They Fought Humanity's Battle…, ERC-Broschüre, Anlage zu einer anonymen Zuschrift an das FBI (FBI-Akte, Emergency Rescue Committee).

19 Klaus Mann: *Der Wendepunkt. Ein Lebensbericht.* Reinbek: Rowohlt 1984, S. 388. (=rororo, 5325.)

20 Carl Zuckmayer: *Als wär's ein Stück von mir. Horen der Freundschaft.* O. O.: Fischer 1966, S. 473.

21 Die Herausgeber von *Deutschsprachige Exilliteratur seit 1933.* Bd. 2, 1, S. IX sprechen davon, daß sich »der weitaus überwiegende Teil der deutschen Exilautoren« an der Ostküste niedergelassen habe. Diese These wird rein quantitativ gesehen durch ihre Aufsatzsamm-

Hermann Broch, Ferdinand Bruckner, Oskar Maria Graf, Hans Marchwitza, Fritz von Unruh, Johannes Urzidil, F. C. Weiskopf und Carl Zuckmayer fast die gesamte Elite der von den Nazis vertriebenen Politiker, Gewerkschafter und Journalisten. Während sich Los Angeles seit 1940/41 rasch zur Hauptstadt der deutschsprachigen (Exil-)Literatur entwickelte, wurde der Großraum New York schon bald zum Zentrum der Exilpolitik.

Befördert wurde diese Entwicklung dadurch, daß sich die Exilanten an der Ostküste der USA in unmittelbarer Nähe zum politischen Machtzentrum Washington und den dort stationierten Regierungsbehörden befanden, die sich mit dem deutschen und österreichischen Exil und mit der Zukunft von Mitteleuropa befaßten. »He remarked«, paraphrasiert ein OSS-Mitarbeiter Lion Feuchtwanger zu diesem Thema, »that Washington was listening to the German exiles in the East and not those in the West, because of distance.«[22] Exilpolitiker und -journalisten hielten enge Kontakte zu den Deutschland-Experten im Department of State. Mitarbeiter des Institute for Social Research und exilierte Professoren von den Eliteuniversitäten der Ostküste berieten das Office of Strategic Services. Brecht und Hanns Eisler traten in Washington vor dem House Un-American Activities Committee auf. Behörden wie das Office of War Information und Abteilungen der Streitkräfte wie die Psychological Warfare Division und das Counterintelligence Corps wurden von der amerikanischen Hauptstadt aus geleitet. In Washington und New York waren die großen Zeitungen angesiedelt, die eine entscheidende Rolle in der Berichterstattung und Meinungsbildung über das deutsche Exil und die amerikanische Politik gegenüber Deutschland spielten. Kurz: Wenn man sich in den USA überhaupt für die politischen Geschicke von Deutschland und den Deutschen interessierte, dann sicherlich mehr im Osten des Kontinents als an der damals noch relativ wenig entwickelten, nach Asien gewandten Pazifikküste von Kalifornien.

Verglichen mit dem politischen Bereich ist die Bedeutung von New York für die Literatur des Exils denn auch eher zweitrangig. Der Revolutionsautor Ernst Toller, der Ende 1936 in die USA gekommen war, als Redner Erfolg hatte und zeitweilig eine gut dotierte Stelle in Hollywood besaß, beging im Frühjahr 1939 im New Yorker Mayflower Hotel Selbstmord. Carl Zuckmayer zog sich mit seiner Frau nach negativen Erfahrungen in Hollywood und New York auf eine Farm in Vermont zurück, weil er in seiner literarischen Arbeit keine Kompromisse machen wollte. Der bayerische Volksautor Oskar Maria Graf publizierte mit dem Roman *Die Flucht ins Mittelmäßige* einen der weni-

---

lung unterstützt, die »über achzig Einzelaufsätze und Teilmonographien« der Ostküste widmet »gegenüber vierzig solcher Einzelaufsätze« über Kalifornien.

22 John Norman, Report of conversation with Lion Feuchtwanger at Pacific Palisades, California, on 10 December, Memorandum an DeWitt C. Poole v. 19. 12. 1944, S. 3 (OSS, 1308).

gen Versuche des Exils, sich zumindest ansatzweise literarisch mit dem Phänomen New York auseinanderzusetzen. Hermann Broch vollendete zwar mit Hilfe einer Reihe angesehener Arbeitsstipendien in Princeton und New Haven einige seiner wichtigsten Schriften, darunten den *Tod des Virgil* – in welchem Maße er sich, wie Thomas Mann in einem weiter unten zitierten Gutachten vorausgesagt hatte, bis zu seinem Tod im Jahre 1951 an sein Gastland anzupassen vermochte, sei dahingestellt. Brecht und der nach seiner Übersiedlung von Princeton nach Kalifornien bei seinen Reisen zumeist im New Yorker Bedford Hotel logierende Thomas Mann kamen nur besuchsweise aus Los Angeles an die Ostküste.

Womöglich noch schlechter als um die schreibende Zunft war es um jene Theaterleute bestellt, die am Broadway oder in der off- und off-off-Broadway-Szene Fuß zu fassen versuchten. Der berühmte Max Reinhardt, damals schon fast siebzig Jahre alt, brachte es bis zu seinem Tod im Oktober 1943 nur zu einigen Achtungsergebnissen – und das vor allem in der von ihm wenig geliebten Operettenbranche. Erwin Piscator versuchte ohne den gewohnten Erfolg, über sein Dramatic Workshop in den amerikanischen Theaterbetrieb einzubrechen. Brecht, der weitgehend an der für Amerika ungewohnten Theorie des epischen Theaters festhielt, blieben die Bühnen an der Ostküste von wenigen Ausnahmen abgesehen bis zu seiner Rückkehr nach Europa verschlossen – trotz fünf, zum Teil mehrmonatiger New York-Aufenthalte, in denen er sich intensiv um Kontakte bemühte. Nur eine kleine Handvoll Schauspieler, darunter Elisabeth Bergner und Oskar Homolka, wurde am Broadway angenommen, während die einheimische Presse einen Fritz Kortner gnadenlos als altmodisch und europäisch verriß: »He is strictly of the old scenery-chewing Continental school, flailing his arms, twitching his fingers, bobbing his head around and frequently speaking in a throaty whisper that can't be heard beyond the first few rows. His acting is so furiously out of key... that it becomes ludicrous.«[23]

Laufzeiten von mehr als ein paar Wochen erreichten in der fremden, kurzlebigen und hoch kommerzialisierten Theaterwelt der USA nur wenige Stücke, die wie eine *Nathan*-Bearbeitung von Ferdinand Bruckner zudem oft genug dem Exil nur sehr indirekt zuzuordnen sind, darunter Friedrich Wolfs *Matrosen von Cattaro* und *Professor Mamlock* und Franz Werfels *Jacobowsky und der Oberst* in einer Bearbeitung von S. N. Behrman. Amerikanische Kritiker hielten den Stückeschreibern aus Deutschland und Österreich vor, komplizierte und statische Texte ohne Dramatik zu produzieren. Sprachliche Barrieren, eine zunehmende Abwehr gegen deutsche Themen, das in den vierziger Jahren in der einheimischen Öffentlichkeit anwachsende Bedürfnis nach Flucht aus der grauen Wirklichkeit des Krieges und eine zunächst la-

---

23 Cohen: »Herod and Mariamne.« In: *Variety* v. 2. 11. 1938, S. 56.

tente, später offene Antipathie gegen das linke oder liberale Denken der politischen Flüchtlinge aus Hitlerdeutschland taten ein übriges.

Nicht gut war es schließlich auch um die verlegerische Situation der Exilliteratur bestellt, obwohl New York schon damals das unangefochtene Verlagszentrum der USA war. Aurora, die einzige Neugründung von und für Exilautoren, begann erst zum Kriegsende mit der Produktion von Büchern wie Bertolt Brechts *Furcht und Elend des Dritten Reiches* (1944), F. C. Weiskopfs *Die Unbesiegbaren* (1945), Anna Seghers' *Der Ausflug der toten Mädchen* (1946) und der von Heinrich Mann eingeleiteten Anthologie *Morgenröte* (1947). Als der Verlagsleiter Wieland Herzfelde nach (Ost-)Berlin zurückkehrte, stellte Aurora nach nur drei Jahren die Arbeit wieder ein. L. B. Fischer wollte sich von Anfang an als amerikanischer Verlag etablieren. Versuche von Gottfried Bermann Fischer und Fritz Landshoff, deutsche Bücher aus der Filiale in Stockholm in der Neuen Welt zu vertreiben, kamen trotz tatkräftiger Unterstützung durch die Tochter des Hausautors Thomas Mann bei Archibald MacLeish und verschiedenen Regierungsstellen[24] über Achtungserfolge nicht hinaus. Dagegen brachte es die für deutsche Kriegsgefangene eingerichtete 25¢-Taschenbuchreihe immerhin auf 24 Titel mit Auflagen von je 50.000 Exemplaren.[25] Eingesessene amerikanische Verlage wie Viking, Knopf und Doubleday hatten schon vor der Flucht ihrer deutschsprachigen Autoren aus Europa mit Übersetzungen von Feuchtwanger, Thomas Mann, Stefan Zweig, Werfel und Vicki Baum Erfolg. Buchclubs, die hohe Auflagen und satte Tantiemen garantierten, übernahmen nur erfolgversprechende Titel wie Anna Seghers' Bestseller *The Seventh Cross*[26] und Werfels *The Song of Bernadette*. Weniger publikumswirksame Autoren vermochten dagegen ihre Manuskripte oft genug noch nicht einmal mit Hilfe von in New York ansässigen einheimischen (Maxim Lieber[27]) und zugereisten (F. C. Weiskopf, Wieland Herzfelde) »literary agents« an Verlage und Leser zu bringen.

Einen Grund, das Kapitel New York in der Geschichte des literarischen Exils kurz abzutun, gibt es trotz dieser negativen Statistiken freilich nicht. Im Gegenteil. In keinem anderen Teil der USA befaßten sich amerikanische Geheimdienste so intensiv wie an der Ostküste der USA mit für sie zentralen

---

24 Vgl. dazu die State Department-Akte zu Fritz Landshoff bei den National Archives (862.20211 Landshoff, Fritz Helmut) und dort besonders einen undatierten Brief von Erika Mann an John [Farrar?].

25 Wulf Koepke: »Exilautoren und ihre deutschen und amerikanischen Verleger in New York.« In: *Deutschsprachige Exilliteratur seit 1933*. Bd. 2, 2, S. 1425.

26 Alexander Stephan: »Ein Exilroman als Bestseller. Anna Seghers' *The Seventh Cross* in den USA. Analyse und Dokumente.« In: *Exilforschung* 3. München: edition text + kritik 1985, S. 238-59.

27 Maxim Lieber war zwar auch kein gebürtiger Amerikaner, arbeitete aber schon seit geraumer Zeit als »agent« in den USA.

Thema des Exils – nämlich der Planung der Exilanten für ein neues Deutschland nach Hitler. Nirgends sonst vermochten Exilautoren die Nähe zu den politischen und publizistischen Machtzentren besser zu nutzen, um über Behörden und einheimische Mäzene Einfluß auf die amerikanische Deutschlandpolitik zu nehmen. In keiner Stadt der USA gab es eine vergleichbare Zahl von Exilorganisationen und englischsprachigen Zeitschriften, in denen man auch als Schriftsteller wenn schon nicht seine literarischen Produkte, dann zumindest seine Meinung zu Fragen der Zeit – und das hieß fast immer auch zu einem neuen, freien Deutschland – zur Diskussion stellen konnte. Mit Yorkville und anderen deutschen Kolonien an der Ostküste und im Mittleren Westen stand Autoren wie Oskar Maria Graf, in New York bekannt durch seine Lederhosen und seinen Bierkonsum, ein Publikum zur Verfügung, das zwar in der Mehrzahl eine andere Meinung über den Nationalsozialismus vertrat als die Exilanten, aber immerhin dieselbe Sprache sprach und über eine ähnliche Kulturtradition verfügte. In New York kommen 1939 vom PEN-Club bzw. der League of American Writers ausgerichtete Kongresse zusammen, bei denen zum Teil extra für diesen Zweck aus Europa angereiste Exilanten auftreten oder angekündigt werden wie Bruckner, Döblin, Graf, Mitglieder der Familie Mann, Remarque, Renn, Werfel, Weiskopf und Zuckmayer. Hier werden rauschende Feste gefeiert wie zu Thomas Manns 70. Geburtstag, bei dem sich der amerikanische Innenminister, Felix Frankfurter vom Supreme Court, der Pressekorrespondent William L. Shirer und Freda Kirchwey, »editor of ›The Nation‹«[28], zeigen und das OSS »in the gallery«[29] sitzt. Hier finden die großen – und bisweilen kontroversen[30] – Auftritte von Exilrednern zu Themen der Zeit statt. Hier beobachtet das FBI 1949 mit Mißtrauen Thomas Manns Engagement für den Frieden anläßlich einer internationalen Konferenz im Waldorf Astoria Hotel.

Die Palette der Themen, für die sich FBI, OSS und State Department bei der Observierung der deutschsprachigen Exilszene von New York interessierten, kann nur ansatzweise beschrieben werden. Zuerst und vor allem gilt es, die im Council for a Democratic Germany kulminierenden Versuche von exilierten Schriftstellern, Politikern, Hochschullehrern und Journalisten zu nennen, sich noch vor Ende des Krieges in einer repräsentativen Organisation zusammenzuschließen, die in Washington wenn nicht als Exilregierung dann

---

28 »Thomas Mann Warns U.S. on Misuse of Power.« In: *New York Herald Tribune* v. 26. 6. 1945, Kopie als Anlage zu Charles B. Friediger, Memorandum an Bjarne Braatoy v. 27. 6. 1945 (OSS, 1615).

29 A. a. O.

30 »Prince Loewenstein on the ONE Germany, a Riotous Meeting« überschreibt ein OSS-Mitarbeiter zum Beispiel im April 1944 einen Bericht von einem Auftritt des Prinzen Hubertus zu Löwenstein vor dem New World Club (Friediger, Memorandum an DeWitt C. Poole v. 5. 4. 1944, S. 1 [OSS, 1063]).

zumindest als Sprachrohr für die Mehrzahl der Exilanten gehört würde. Verdächtig waren den amerikanischen Geheimdiensten und Regierungsstellen aber auch die von unterschiedlich ausgeprägten, aber zumeist liberal orientierten politischen Programmen gekennzeichneten Fluchthelferorganisationen wie das Emergency Rescue Committee, bei dem Hermann Kesten, Thomas und Erika Mann aushalfen, das Exiled Writers Committee der League of American Writers, hinter dem u. a. Ernest Hemingway, Vincent Sheean, Donald Ogden Stewart und John Steinbeck standen, und das Joint Anti-Fascist Refugee Committee, über das beim FBI mehr als 9.000 Akteneinheiten liegen. Mitglieder des Institute for Social Research dienten der CIA-Vorläuferorganisation OSS als »think tank«, der Expertisen zu Exilpersönlichkeiten, zu wichtigen tagespolitischen Themen wie der Gründung des Nationalkomitees Freies Deutschland in Moskau und zur Zukunft Deutschlands erstellte. Und auch die von Hubertus Prinz zu Löwenstein gegründete und von Thomas Mann, Feuchtwanger, Neumann, von Unruh, Werfel und anderen unterstützte American Guild for German Cultural Freedom taucht in den FBI-Dossiers auf.

Wer sich, wie FBI und OSS, für die zahlreichen Organisationen der Exilanten interessierte, mußte notgedrungen die entsprechenden Vereinsblätter lesen. Regelmäßig finden sich daher in den einschlägigen Akten Hinweise auf Aufsätze und Meldungen im linkslastigen *German-American* der German-American Emergency Conference, in der *Neuen Volks-Zeitung* der sozialdemokratischen German Labor Delegation und im *Aufbau* des German-Jewish Club/New World Club. Ruth Fischers mimiographiertes Mitteilungsblatt *The Network* wurde besonders beim OSS konsultiert; in den größeren FBI Field Offices las man das in Mexiko erscheinende *Freie Deutschland*. Aufmerksam verfolgten Hoovers und Donovans professionelle Nachrichtensammler, wer wann über was in linken amerikanischen Zeitschriften und Zeitungen wie *New Masses*, *Daily Worker* und *Anti-Nazi News* oder in politisch weniger exponierten Blättern wie *Direction*, *Nation*, *New Republic* und *Saturday Review of Literature* schrieb bzw. dort beschrieben wurde.

Und schließlich war für das FBI von Bedeutung, welche Exilanten über Verbindungen zu Persönlichkeiten im amerikanischen Kulturbetrieb und Regierungsapparat verfügten. Dabei tauchen, wie zu erwarten, vor allem zwei Namen immer wieder auf. Agnes Meyer wird aktenkundig, als sich, wie weiter oben beschrieben, Thomas Mann mit seinen Anliegen an sie wandte. Für Dorothy Thompson interessierten sich die G-Men, weil sie den ehemaligen Herausgeber der *Neuen Weltbühne*, Hermann Budzislawski, als Mitarbeiter

---

31 OSS-Berichte sprechen sogar davon, daß Dorothy Thompson 1944 das Manifest des Council for a Democratic Germany entworfen (Friediger, Memorandum an DeWitt C. Poole v. 28. 4. 1944 [OSS, 1101]) bzw. redigiert (»Volksfront or Communist Front?« Foreign

beschäftigte[31] und in einer Vielzahl von Exilorganisationen und Komitees mitwirkte. »... social events going on on Dorothy Thompson's Vermont estate« werden vom OSS als »The Vermont ›Conspiracy‹«[32] kolportiert. Das FBI ist dabei als Frau Thompson, »88 Central Park West, telephone TRafalgar 4-4121«, zum Hörer greift, um beim INS einen Hitlerflüchtling wie Otto Katz als »member of the OGPU« und »very closely connected with the Communist cause«[33] vorzustellen. Alvin Johnson, der als Leiter der New School die University in Exile ins Leben rief und als Sponsor verschiedener Exilkomitees auftritt, die Präsidenten der University of Newark und des Smith College, Frank Kingdon und William Allen Neilson, George N. Shuster vom Hunter College und andere prominente Amerikaner fallen dem FBI auf. Und natürlich ist das Interesse der Geheimdienstler besonders dort groß, wo – wie bei der American Association for a Democratic Germany – ganze Gruppen von amerikanischen Sponsoren eine Organisation wie den Council for a Democratic Germany mit Rat und Tat unterstützten.

Das New York Field Office von Hoovers Behörde war gut ausgestattet, um die Aktivitäten der Exilanten und ihrer einheimischen Freunde zu beobachten. Deutsche, Emigranten und »Rote«, bisweilen auch rote Emigranten wurden in New York in den zwanziger Jahren bereits vor der Gründung des FBI vom Justizministerium überwacht und mit Deportationsverfahren überzogen. Der SAC von New York trug den Titel eines Assistant Directors und war damit hochrangigen Beamten in der FBI-Zentrale von Washington gleichgestellt. Die relative Nähe zum FBI-Hauptquartier sorgte für einen raschen Austausch von Nachrichten. Mit der »Red« oder »Alien Squad« genannten politischen Abteilung der städtischen Polizei stand dem New Yorker FBI-Büro ein Partner zur Seite, der nach Kriegsbeginn auch schon einmal zum Konkurrenten wurde als der lokale Police Commissioner seine Polittruppe auf 100 Beamte ausbauen wollte. Hinzu kam, daß sich für kurze Zeit auch ein Komitee von Volksvertretern des Staates New York auf die Suche nach unamerikanischen Elementen machte. Doch dieses von einem demokratischen Senator namens John J. McNaboe geleitete Joint Legislative Committe to Investigate the Administration and Enforcement of the Law in New York arbeitete zu chaotisch, um dauerhafte Spuren zu hinterlassen, was allerdings nicht hieß, daß McNaboe und seine Komiteemitglieder ideologisch und sprachlich ihren Kollegen in anderen Teilen des Landes nachgestanden hätten: »The entire situation has been found by this committee in New York to be a parallel situation to that

Nationality Groups in the United States, Memorandum des FNB an Director, OSS, Nr. 187 v. 12. 5. 1944, S. 4 [CIA-Archiv]) habe .

32 C. B. Friediger, Memorandum an DeWitt C. Poole v. 8. 1. 1944, S. 4-5 (OSS, 940).

33 FBI-Report, New York v. 15. 2. 1940, S. 2 (zu Otto Katz), Anlage zu J. E. Hoover, Brief an Adolf A. Berle, Assistant Secretary of State, v. 20. 4. 1940 (800.00B Katz, Otto, 12).

discovered by the Dies Committee in the national government... therefore... the members of the committee deemed it necessary and of the utmost importance to investigate the Communists, the source of their unbelievable power in this State today and the commission by them of ›crimes against the Constitution‹«.[34]

Nun waren – wie bereits gezeigt wurde – das McNaboe-Komitee, die »Red Squad«, das New York Field Office des FBI und der INS von Ellis Island keineswegs die einzigen Regierungsbehörden, die sich um Leben und Werke der an der Ostküste der USA ansässigen Exilanten kümmerten. Hitlerflüchtlinge, die sich mit der Feder oder in Organisationen am Kampf gegen die Nazis beteiligten, fielen auch jener Behörde auf, die sich seit 1941/42 unter dem Namen Office of Strategic Services rasch zu einem würdigen Vorläufer der CIA entwickelte. Gemein war dem OSS, seinem auf Ausländer spezialisierten Foreign Nationalities Branch und dem FBI dabei, daß sie sich kaum um literarische oder gar ästhetische Fragen kümmerten, dafür aber um so mehr Interesse für politische Themen aufbrachten wie die internen Querelen der Exilgruppen und die verschiedenen Entwürfe für ein anderes Deutschland nach dem Krieg. Nicht gemein war den beiden Behörden der Dienstauftrag: Während Hoover sich ausdrücklich auf das Sammeln von Fakten beschränken sollte, war General Donovans Geheimdienst damit befaßt, Analysen anzufertigen, Hintergrundmaterial bereitzustellen und, in seltenen Fällen, in die Aktionen der Exilanten einzugreifen.

Aus der Vielzahl der beim OSS in Auftrag gegebenen Expertisen über die politischen Standpunkte der verschiedenen in New York ansässigen Exilanten und Exilgruppierungen können hier aus Platzgründen nur zwei Themenkomplexe kurz nachverfolgt werden, die ihre Spuren auch im Aktenmaterial des FBI hinterlassen haben: die Freie Deutschland-Idee, die punktuell am Beispiel der Analysen des OSS zum Moskauer Manifest vom Juli 1943 und seinen Unterzeichnern aus Kreisen der Exilautoren behandelt wird; und – im Kontext anderer Exilvereinigungen – die eng mit dem Nationalkomitee Freies Deutschland verbundenen Auseinandersetzungen um den Council for a Democratic Germany.[35]

---

34 »Communism. Preliminary Statement.« In: State of New York. *Report of the Joint Legislative Committee to Investigate the Administration and Enforcement of the Law.* Legislative Document (1939), Nr. 98. Albany: Lyon 1939, S. 183, 176. Vgl. Lawrence H. Chamberlain: *Loyalty and Legislative Action. A Survey of Activity by the New York State Legislature 1919-1949.* Ithaca: Cornell University Press 1951, S. 55ff. und ders.: »New York. A Generation of Legislative Alarm.« In: *The States and Subversion.* Hrsg. v. Walter Gellhorn. Ithaca: Cornell University Press 1952, S. 231-81.

35 Der von Kermit Roosevelt eingeleitete *War Report of the OSS,* S. 202 spricht von mehr als 1.500 Berichten und von mehr als 20.000 erfaßten Personen, 3.500 Organisationen und 2.000 Publikationen.

Meldungen und Analysen zu den Moskauer Ereignissen gingen im Hochsommer 1943 beinahe täglich über die Schreibtische des Foreign Nationalities Branch, mal unter den Überschriften »Various Opinions on Formation of National Committee of Free Germany in Moscow«[36] oder »Data on Some Signers of German Manifesto«[37], mal als Informationsgespräche mit Exilpolitikern wie Gerhart Seger, mal als Analyse von Exilpublikationen wie *Freies Deutschland.* Dabei reichte der Arm des OSS, ähnlich wie später bei der Nachfolgeorganisation CIA, von Anfang an ungewöhnlich weit. Ausführliche Porträts von den Unterzeichnern des Manifests von Moskau fallen, von gelegentlichen Fehlern abgesehen (»Johannes Becher... spent some time in America writing for the Communist press here«[38]), überraschend kenntnisreich aus: »*Wolf, Friedrich*, around 55, born in Stuttgart... Arrested after the outbreak of the present war by the French authorities and put into a concentration-camp. The Russian government made him a naturalized Russian citizen and obtained his liberation in the short time between the French armistice and the outbreak of the German-Russian war.«[39] »Erich Weinert, one of leading ›People's Poets‹ of pre-Hitler Germany. Used to tour country, reciting own poems... Went to Spain and fought in Thaelman Battalion... Poem on poster on page four of attached pamphlet is probably his.«[40] »Willi Bredel: ... was imprisoned in one of the worst concentration camps at Fulsbuttels...«[41] usw. Über einen Mittelsmann bringt die FNB-Mitarbeiterin Emmy C. Rado in Erfahrung, daß dem *German-American* Bilder und Vitae der Unterzeichner des Manifests vorliegen, die möglicherweise mit sowjetischer Diplomatenpost in die USA gelangten. Und auch mit seinen frühen Lageberichten traf das OSS meist ins Zentrum: »... I think«, steht so bereits am 30. Juli 1943 in einem Memorandum für den FNB-Boss DeWitt Poole, »that the announcement of this Committee... was timed as a message to the British and the Americans.« Die Veröffentlichung der Ergebnisse der »phony Rheinland-Konferenz of the German underground« deuten an, daß das Manifest von langer Hand vorbereitet wurde. »I also think«, fährt die Autorin der Expertise fort, »that the Russians possibly did not like ›Amgot‹ [d. i. Allied Military Government of Occupied Territories] and want us to know that if they are not in on military administration decisions in Italy (European soil) they will go ahead with the realizations of their plans in Germany – a fellow-traveller' government, secretly led by a party cell.«[42]

36 22. u. 30. 7. 1943 (OSS, 705).
37 3. 7. 1943 (OSS, 709).
38 [Signers of ›Free German Manifesto‹], 29. 7. 1943, S. 1 (OSS, 706).
39 Emmy C. Rado, Memorandum an DeWitt Poole v. 30. 7. 1943, Anlage (OSS, 730).
40 [Signers of ›Free German Manifesto‹], 29. 7. 1943, o. S. (OSS, 706).
41 A. a. O.
42 Emmy C. Rado, Memorandum an DeWitt Poole v. 30. 7. 1943, S. 3 (OSS, 730).

Doch nicht nur die große Politik war in den Augen des FNB wichtig für die Meinungsbildung der Exilanten, ihren Anspruch auf Einfluß in Washington und ihre Hoffnung auf Wirkung in Deutschland nach dem Krieg. Für mindestens ebenso bedeutend hielten die Experten der Geheimdienste die Tätigkeit der durchweg in New York ansässigen kulturellen und politischen Vereinigungen des Exils. Vier dieser Organisationen, über die das FBI zum Teil umfangreiche Dossiers führte, sollen im Folgenden kurz und mit besonderem Blick auf den Beitrag exilierter Schriftsteller vorgestellt werden: der von FBI, OSS und Außenministerium beobachtete Council for a Democratic Germany, dessen Gründungskomitee u. a. Bertolt Brecht und Erwin Piscator angehörten; das Exiled Writers Committee und das Emergency Rescue Committee, denen eine große Zahl von Exilautoren die Rettung aus Frankreich verdankten; und die von Thomas Mann, Feuchtwanger, Unruh, Werfel und anderen geförderte American Guild for German Cultural Freedom. Hinzu kommt eine schmale FBI-Akte über das verlegerische Gemeinschaftsprojekt Aurora Verlag.

Council for a Democratic Germany

Die Aktenlage macht deutlich, wie intensiv sich OSS und FBI um die Gründung und die Tätigkeit des als amerikanischer Zweig des NKFD verstandenen Council for a Democratic Germany kümmerten.[43] Mehr als fünfzig zum Teil umfangreiche OSS-Dokumente sind ausschließlich oder zu großen Teilen dem Council gewidmet. Von 753 Blättern im FBI-Dossier über den Council wurden 224 an mich freigegeben.[44] Ja, es scheint, daß sich die Bewacher gar um das Wohl der Bewachten Sorgen machten: »Most members of the committee have never lost their fear of the police. They feel that their activities are continually observed and under surveillance, which especially hampers the activities of those members who are not American citizens.«[45]

Die Gründe für dieses ausgedehnte Interesse der U.S.-Geheimdienste liegen auf der Hand: FBI, OSS und Department of State sahen den Council als einen weiteren, für eine kurze Zeit relativ erfolgreichen Versuch der Exilan-

---

43 Eine detaillierte Untersuchung der Überwachung von deutschen Exilpolitikern in den USA durch FBI, OSS und Department of State steht noch aus. Für viele der wichtigsten Exilorganisationen liegen bislang noch nicht einmal einführende Darstellungen vor (vgl. Ehrhard Bahr: »Paul Tillich und das Problem einer deutschen Exilregierung in den Vereinigten Staaten.« In: *Exilforschung* 3. München: edition text + kritik 1985, S. 31).

44 Die mit ca. 9.000 Einheiten ungleich größere FBI-Akte über das Joint Anti-Fascist Refugee Committee ist noch nicht an mich ausgeliefert worden, weil es dem FBI an Personal mangelt, um die für das deutschsprachige Exil relevanten Teile auszusortieren und zu bearbeiten.

45 Nicholas J. Alaga, FBI-Report, New York v. 6. 10. 1944, S. 47, Anlage zu John Edgar Hoover, Memorandum an Frederick B. Lyon, Chief, Division of Foreign Activity Correlation, Department of State, v. 19. 12. 1944 (811.00B/12-1944).

ten, eine Organisation zu schaffen, die zwar nicht als Exilregierung auftrat, wohl aber repräsentativ genug war, um als eine Art von »»committee of national intercession«« [46] auf die amerikanische Deutschlandpolitik Einfluß zu nehmen. Oder anders gesagt: Hoover, Donovan und ihre Ansprechpartner im Außenministerium – Adolf A. Berle, Frederick B. Lyon von der Foreign Activity Correlation und Secretary of State Edward R. Stettinius – sahen im Council zugleich die Nachfolgeorganisation von Zusammenschlüssen wie dem Thomas Mann-Komitee vom Spätherbst 1943 und eine Art von Zweigstelle der von Moskau über London und Stockholm bis nach Mexiko verbreiteten Bewegung Freies Deutschland. Ihr »Subject« nennen E. E. Conroy und R. B. Hood, die Special Agents in Charge von New York und Los Angeles, zunächst denn auch »Comintern Apparatus« [47] bzw. »Free German Movement New York City« [48]. Und noch im Dezember 1944, ein dreiviertel Jahr nach Eröffnung der Council-Akte, muß Hoover seinen SAC in Philadelphia in einem ausführlichen Memorandum darüber aufklären, daß »material relating to various phases of Free German activities in the United States and in the Western Hemisphere« [49] nicht pauschal unter »Free Germany« archiviert werden darf. Zu benutzen seien vielmehr die Kategorien »Free German Activities in the Area«, »Free Germany« »when the data to be submitted are concerned with the Free Germany Movement in Moscow, Stockholm, London and Mexico City« [50], und »Council for a Democratic Germany, also known as The Tillich Committee, Internal Security – C« [51].

Das Interesse der amerikanischen Nachrichtendienste und Regierungsstellen am Deutschlandbild der Exilanten und an der Bildung von Exilorganisationen in den USA war – wie oben bereits ausgeführt – lange Zeit mit der Person von Thomas Mann und – weniger – mit der seines Bruders Heinrich verbunden. »Thomas Mann«, heißt es in einem der ersten Schriftstücke, das dem damals noch Coordinator of Information genannten Donovan im September 1941 auf dem Weg über General Sherman Miles, Acting Assistant Chief of Staff, G-2, auf den Schreibtisch kommt, »as the most distinguished German writer of this generation, ... must be enlisted in the propaganda service«. In einer OSS-Aufstellung von »circles where the German Problem is discussed« [52] wird neben einem »»Open Letter to the German People«« von

46 »Volksfront or Isolation? The Dilemma of German Social Democracy.« Foreign Nationality Groups in the United States. Memorandum des FNB an Director, OSS, Nr. 182 v. 10. 4. 1944, S. 2 (CIA-Archiv).
47 R. B. Hood, SAC, Memorandum an Director, FBI, v. 21. 4. 1944.
48 E. E. Conroy, SAC, Memorandum an Director, FBI, v. 13. 5. 1944.
49 John Edgar Hoover, Memorandum an SAC, Philadelphia, v. 26. 12. 1944, S. 1.
50 A. a. O., S. 2.
51 A. a. O., S. 1.
52 [Dr. Frank Bohn's 1940 mission to France], Report Number Two, S. 3 (OSS, 4).

Heinrich Mann, Bertolt Brecht und Lion Feuchtwanger erwähnt, daß sich Thomas Mann als »superior above party politics«[53] sehe. Wenig später berichtet eine umfangreiche Analyse des FNB vom 2. Februar 1943 zum Thema »The German American Emergency Conference and the Freies Deutschland Movement« von der zunehmend enger werdenden Zusammenarbeit zwischen GAEC und den Freien Deutschen in Mexiko und erwähnt, wie an anderer Stelle auch das FBI in einem ausführlichen Memorandum für Adolf A. Berle[54], Heinrich Mann als potentiellen »director« »for a combination of all anti-Fascist German movements, whether in North and South America or in the British Commonwealth«[55] – eine Meldung, die sich mit Unterlagen der Postzensur deckt, die das State Department in jenen Wochen auswertet.[56] Hoovers Amt ist auf dem Laufenden, als Thomas und Heinrich Mann, Feuchtwanger, Brecht und andere die Gründung des Nationalkomitees Freies Deutschland in Moskau begrüßen: »... it is known that in August of 1943 the group of individuals met for the purpose of sending a telegram to Moscow in support of the Free German movement. The meeting of this group was held at the house of Berthold Viertel.«[57] Als die German Labor Delegation im selben Monat über DeWitt Poole das Außenministerium wegen einer neu zu gründenden Gruppe »Trustees for Democratic Germany«[58] angeht, hält Berle sich ebenso bedeckt, wie später gegenüber den Mann-[59] und Tillich-Komitees[60]. »Reactions in the Domestic Foreign Language Press to the Manifesto of the National Committee of Free Germans in Moscow« ist ein umfangreiches Memorandum vom 28. August 1943 überschrieben, in dem der FNB seine Erfahrung mit der deutschen Exilpresse in den USA einbringt.[61] Und

---

53 Memorandum v. 4. 3. 1942, S. 3 (OSS, 47).

54 The German American Emergency Conference and the Freies Deutschland Movement, o. D., Anlage zu DCP, Memorandum an A. A. Berle, Jr., v. 21. 1. 1943 (811.00B German American Emergency Conference 16).

55 The German American Emergency Conference and the Freies Deutschland Movement, OSS-Memorandum 101 v. 2. 2. 1943, S. 4 (OSS, 537).

56 W. J. Gold, Memorandum of Conversation with Miss Wellington, Department of State v. 7. 1. 1943 (OSS, 490).

57 R. B. Hood, SAC, Brief an Director, FBI, v. 15. 1. 1945, S. 1.

58 DeWitt C. Poole, Brief an A. A. Berle, Assistant Secretary of State, v. 23. 8. 1943 (862.01/ 429). Vgl. auch ein Memorandum der Division of European Affairs im Department of State an »Mr. Berle«, in dem es deutlich heißt, »we in Eu... still look with misgivings at any project to deal with *any* German group here« (FW 862.01/1-843).

59 Siehe oben das Kapitel zu Thomas Mann.

60 Vgl. Rebecca Wellington, Memorandum of Conversation with Joseph Kaskel v. 20. 10. 1944, S. 1: »Mr. Kaskel suggested that ›as the Free Germany Committee in Moscow is the tool of Soviet policy, the United States might find it helpful to use the Council for a Democratic Germany as a tool of its policy.‹ Ignoring the first part of this remark, I replied that such use of the Council would seem inconsistent with our long-held policy toward all ›free movements‹« (862.01/10-2044 EG).

61 Zum NKFD siehe unten das Kapitel über Mexiko.

selbst nachdem das sogenannte Thomas Mann-Komitee im Dezember 1943 mit jener Spottzeile »»Mann ueber Bord‹«[62] zu Grabe getragen worden war, bleiben das OSS und andere Regierungsstellen dem Nobelpreisträger weiter auf den Fersen. Manns Name (»contributor, ›Freies Deutschland‹«, aber »Confirmed Democrat«[63]), erscheint – wie der seines Bruders – in einem 168 Seiten umfassenden, mit einem durch bio-bibliographische Daten angereicherten Index ausgestatteten Bericht zum Thema »Free Germans«, den das Office of Censorship kurz vor Weihnachten 1943 dem OSS, FBI, ONI, MID und anderen Regierungsbehörden zukommen läßt. Ungefähr zur gleichen Zeit faßt das OSS in Memorandum B-126 noch einmal die Mann-Affäre zusammen und kommt trotz einiger Ungereimtheiten zu dem – nicht ganz korrekten – Schluß: »Out of a welter of political activity among German refugees in the United States directed toward the achievement here of a German National Committee comparable to the German national committees created first at Moscow and then at London, Stockholm, and Mexico City, the prospect emerged for a while of a fairly comprehensive committee to be headed by Thomas Mann, but the working leadership back of this movement was not such as to command full confidence all along the line, and in any case there was no encouragement from American official quarters.«[64] Franz Neumann, ehemals Mitglied der Frankfurter Schule, wird im Januar 1944 vom Leiter des Foreign Nationalities Branch im Kontext von Manns Kontakten mit dem State Department darüber informiert, daß Mann »rather uncritically«[65] Ideen anderer übernehme. Wenige Tage später geht dem FNB-Boss eine handschriftlich stark korrigierte Übersetzung von Manns umstrittener BBC-Rede vom Dezember 1943 in der *Aufbau*-Fassung zu mit der einleitenden Bemerkung: »The influence of the German refugees and their press is not overestimated by this desk. However, this influence will be greater once the sectarian quarrels between the German groups cease or are patched up.«[66] In dem Protokoll einer am 31. Januar 1944 geführten Unterredung zwischen dem

---

62 Emmy C. Rado, Memorandum an DeWitt Poole v. 8. 12. 1943, S. 1 (OSS, 904).

63 Free Germans, Postal and Telegraph Censorship, 20. 12. 1943, S. 49 (OSS, 964).

64 German National Committee Plans in the United States. FNB-Memorandum B-126 v. 15. 12. 1943 (OSS, INT-33GE, 30).

65 DeWitt C. Poole, Memorandum an Franz Neumann v. 6. 1. 1944 (OSS, 934).

66 C. B. Friediger, Memorandum an DeWitt C. Poole v. 10. 1. 1944, S. 1 (OSS, 946). Vgl. als Anlage die von einem Unbekannten handschriftlich korrigierte Übersetzung der Mann-Rede sowie das deutsche Original, »Sendung nach Deutschland«, in *Aufbau* 1 v. 7. 1. 1944. Eine andere FNB-Analyse kommentiert die politischen Folgen der Mann-Rede so: »Hagen and out-and-out Communist elements are not the only source of attack on the German Labor Delegation. In the chorus raised against the old-liners a prominent part has been taken by the widely read weekly *Aufbau*. A weapon made to order was provided in a broadcast early in January over BBC to Germany made by Thomas Mann, after he had

Neu Beginnen-Politiker Paul Hagen und DeWitt C. Poole über Hagens Ruf als Kommunist und seine jüngsten Pläne für eine Free Germany-Organisation kommt die Sprache auf das Mann-Komitee: »I then said«, notiert Poole, »that I wanted to make clear the record with regard to the Thomas Mann episode... The controlling fact in the case... had been Dr. Mann's unreadiness to be chairman of the committee unless the formation of the committee at the time was deemed desirable by the American Government...« [67]. Und als Ende März 1944 beim OSS bereits Kopien der »Prinzipienerklaerung«[68] des Tillich Committees, sprich: Council for a Democratic Germany, herumgereicht werden, streitet sich ein Unbekannter mit Ruth Fischer über einen Aufsatz in Fischers antikommunistischem Nachrichtenblatt *The Network* (»preposterously and maliciously misleading«[69]), in dem es unter anderem um die Zusammensetzung des Mann-Komitees geht: »The decision to admit Schreiner and Boenheim was reached after a deal of debate and under the insistence of Thos Mann who said that it was their duty to make every attempt to reach an agreement with the communists.«[70]

Thomas Mann hatte mit der Gründung und der Tätigkeit des Council for a Democratic Germany nichts mehr zu tun. Während er mehr denn je davon überzeugt war, daß er ohne Rückendeckung aus dem Department of State keine Chance besaß, über eine Exilorganisation bei der Neuordnung Deutschlands nach dem Krieg eine führende Rolle zu spielen, waren die Organisatoren des beim OSS ursprünglich als »The Free German Committee (Hagen-Tillich)« geführten Zusammenschlusses offensichtlich entschlossen, Manns »mistake of asking for ›orders to go ahead‹«[71] nicht zu wiederholen. »...it has been learned«, berichtet Poole dazu mit Bezug auf eine »entirely reliable... source« u. a. an Berle, »that Mr. Hagen and others in this new enterprise have been in touch with numerous high officials in Washington said to include Mrs. Roosevelt, Mr. Ickes, and Mr. Morgenthau, it being the inten-

---

abandoned his plans for heading up a German national committee in the United States. In extreme reaction from the shattered plan, Thomas Mann told the German population that in the face of their sins the emigration must be quiet. The impact upon the Social Democrats of the implicit criticism in Thomas Mann's speech resulted in a distressed feeling of stultification, expressed by Siegfried Aufhaeuser in conversation when he said that Mann's speech was a denial of all meaning and value to the political emigration, and made the latter worthless for the vital tasks of psychological warfare« (»Volksfront or Isolation? The Dilemma of German Social Democracy.« Foreign Nationality Groups in the United States. Memorandum des FNB an Director, OSS, Nr. 182 v. 10. 4. 1944, S. 11-2 [CIA-Archiv]).

67 DeWitt C. Poole, Memorandum an General Macruder v. 2. 2. 1944, S. 4 (OSS, 973).
68 Friediger, Memorandum an DeWitt C. Poole v. 23. 3. 1944 (OSS, 1041).
69 Memorandum on the Observations of Ruth Fischer, in ›The Network‹ Concerning the Formation of the Free German Committee in America, Anlage zu a. a. O., S. 6.
70 A. a. O., S. 5.
71 Sgt. Friediger, Memorandum an DeWitt C. Poole v. 22. 2. 1944, S. 1 (OSS, 1.000).

tion, perhaps, to circumvent the Department of State if possible.«[72] Aus der Gerüchteküche des Exils scheint dagegen eine Meldung zu stammen, aus der Hoover im August 1944 in einem Memorandum an Berle zitiert: »... reports are being disseminated in the vicinity of Los Angeles to the effect that the Council... ›was an idea of the State Department to be used as a counter-balance to the Free German Committee in Moscow‹.«[73]

Manns Abwesenheit bedeutete nicht, daß Hoover oder das Office of Strategic Services der Arbeit des Council weniger Aufmerksamkeit schenkte. Eher schon traf das Gegenteil zu, denn in Washington war man der Meinung, »that... the Council... is functioning with the approval of its counterpart in Mexico City und may be endeavoring to become, like that organization, the counterpart of the Free Germany Committee in Moscow«[74]. In der Tat wird die vom Zensor unserer Tage arg verstümmelte Council-Akte denn auch von einer für das FBI ungewöhnlich politisch formulierten Analyse eines »Free Germany in Moscow« überschriebenen Aufsatzes von Alfred Kantorowicz in *Free World* eröffnet, in der R. B. Hoods Büro auf die internationalen Verbindungen der Freien Deutschen eingeht: »It is suggested that in the above paragraph, Kantorowicz has stated what may be the Soviet policy...This policy may be to have a ›gap‹ in Germany, Italy, Poland, etc., after the war by agreement between Soviet Russia, Great Britain and the United States, in which there will be ostensibly democratic governments cooperating with allied representatives in such countries. This will, however, only preface a later communist government...«[75] Im *Daily Worker* lasen die G-Men wenige Tage später die Aufforderung, der Council solle »fraternal relation with the Free Germany committee in Moscow« und den »Freie Deutschland groups in Mexico and London«[76] aufbauen. Aufmerksam registrierte man im New York Office die Auseinandersetzungen zwischen dem Council und dem *German-American* (»leans toward the Communist outlook«[77]) auf der einen und Rex Stouts Society for the Prevention of World War III, der *Neuen Volkszeitung* (»attacked the Committee as being Communist«[78]) und dem *Aufbau* auf der anderen Seite. Und nachdem bekannt wurde, daß das FD-Komitee in Mexi-

---

72 DeWitt C. Poole, Memorandum an General Macruder v. 2. 2. 1944 (mit Kopien an Mr. Berle u. a.), S. 7 (OSS, 973).

73 John Edgar Hoover, Memorandum an Adolf A. Berle, Assistant Secretary of State, o. D. (ca. 1. 8. 1944).

74 John Edgar Hoover, Memorandum an Adolf A. Berle, Assistant Secretary of State, o. D. (ca. 22. 7. 1944).

75 R. B. Hood, SAC, Memorandum an Director, FBI, v. 21. 4. 1944, S. 1.

76 Joseph Starobin: »About the Newly-Formed Council For a Democratic Germany.« In: *Daily Worker* v. 4. 5. 1944 (Kopie in FBI-Akte, Council for a Democratic Germany).

77 FBI-Report, Chicago v. 5. 10. 1944, S. 9.

78 A. a. O., S. 10. Vgl. dazu in FBI-Report, New York v. 7. 11. 1945, S. 16ff. und 19ff. die Ab-

ko seine Arbeit eingestellt hat, will Hoover von seinem Mann vor Ort wissen, ob der Council dort als Ersatzorganisation auftritt.

Vor allem aber gilt es hier noch einmal auf jene schon mehrfach zitierte geheimnisvolle Source D zurückzukommen, über die Special Agent Sidney E. Thwing im September 1944 Brecht auszuhorchen versucht: »Brecht remarked during this conversation with Source D that his efforts... were not necessarily pro-Communist or pro-democratic. He merely wanted to be certain that no persons who belonged to the German military clique or the Nazi Party were able to gain any power in the German Government after the war... Source D stated that as far as he could learn from Brecht only the following persons residing in this area are interested in the Free German movement: Lion Feuchtwanger, Fritz Kortner, and Heinrich Mann. Source D described Brecht as ›certainly a leftist‹ but said that he could not state definitely that Brecht was a Communist. He said he did not think Heinrich Mann or Fritz Kortner were Communist, but did say that in his opinion Lion Feuchtwanger is definitely a Communist.«[79]

Womöglich noch intensiver als beim FBI interessierte man sich beim OSS für die Gründung (»exit Thomas Mann, enter Paul Tillich«[80]) und die Tätigkeit des Council. Einige wenige Beispiele aus dem umfangreichen, das literarische Exil nur streifenden Material müssen hier genügen. So weiß der OSS-Sachbearbeiter T/3 Friediger bereits Tage vor einem von Hagen und Tillich »as secret as possible«[81] gehaltenen Treffen der Council-Gründer, daß die zu verabschiedende Resolution dem Entwurf des Thomas Mann Komitees von 1943 sehr ähnlich sei. Eine fünfzehnseitige Expertise zur Haltung der Sozialdemokraten zum Council, die wie andere einschlägige Unterlagen bis heute beim CIA achiviert ist, listet drei Gründe auf, die einem »politically viable German committee im Wege stehen: »The first obstacle is the fact that such a committee cannot in the nature of things become a ›committee of national liberation‹... Second,... is the difficulty of programmatic planning by such a committee within the framework set by the United States and Great Britain in the demand for ›unconditional surrender.‹ Third obstacle is the traditional hostility between the German Social Democrats and Communists...«[82] Andere Berichte aus CIA-Beständen drehen sich unter Überschriften wie »Volks-

---

schnitte »›Association For a Democratic Germany Makes Counter-Charges‹« und »›Volkszeitung Ends Debate With Democrats‹«.

79 FBI-Report, Los Angeles v. 21. 10. 1944, S. 4 (FBI-Akte, Free German Activities in the Los Angeles Area, zitiert nach National Archives 862.01/11-1144).

80 »Volksfront or Isolation? The Dilemma of German Social Democracy.« Foreign Nationality Groups in the United States. Memorandum des FNB an Director, OSS, Nr. 182 v. 10. 4. 1944, S. 3 (CIA-Archiv).

81 Friediger, Memorandum an DeWitt C. Poole v. 20. 4. 1944 (OSS, 1084).

82 »Volksfront or Isolation? The Dilemma of German Social Democracy.« Foreign Nationality

front oder Communist Front?« und »Paul Tillich Attacks ›Vatican-White House Axis‹«[83] um die Frage, wie kommunistisch die Mitgliedschaft (»nearly half are writers and theatrical people, and these are almost to a man Communist followers«[84]) und das Programm des Council sind. Von Hans Sahl, »author of bad poetry and formerly a Communist, but now an admirer of Ruth Fischer«, erhält das OSS eine Liste von Namen, die für eine »Anti-Tillich Group« in Frage kommen: »Herrmann Broch... Alfred Doeblin (?)... Bruno Frank... Hermann Kesten... Erich Kahler... *Thomas Mann*... Gustav Regler... K. A. Wittfogel... Fritz v. Unruh (?).« »The only real thing about this plan«, kommentiert der OSS-Referent Sahls Vorstoß trocken, »is that it seems to have some backing from Varian Fry... It was he who made it possible for most of these refugees to get into the US in 1940 and 41... Lately, however, Varian Fry has taken a definite anti-Stalinist stand. Fry's personal interests or reputation are somehow at stake in the matter....Now... his proteges have formed a committee which seems to be not beyond the influence of Moscow. Therefore, he would like to see annother committee formed which would be... not Stalinist, but also not Social Democratic.«[85] Robert M. W. Kempner, 1944 u. a. in »geheimer«[86] Mission beim Justizministerium – gemeint ist wohl eine Tätigkeit für das FBI[87] – und später einer der Ankläger in Nürnberg, läßt das OSS entirely »off the record«[88] wissen, daß das FBI und die Geheimdienste der U.S.-Armee und Marine über detaillierte Informationen zu den deutschen Exilorganisationen verfügen. Und als der Council im Herbst 1945 an der Auseinandersetzung über das Potsdamer Abkommen zerbricht, ist das OSS immer noch dabei: »The non-Communist members who remain strongly opposed to the Potsdam Declarations seem to realize that a continuation of their

Groups in the United States. Memorandum des FNB an Director, OSS, Nr. 182 v. 10. 4. 1944, S. 2 (CIA-Archiv).

83 Foreign Nationality Groups in the United States. Memorandum des FNB an Director, OSS, Nr. 187 v. 18. 5. 1944 (CIA-Archiv).

84 Office of Strategic Services, Foreign Nationalities Branch, New Notes N-204 v. 16. 2. 1945, S. 3 (CIA-Archiv).

85 Friediger, Memorandum an DeWitt C. Poole v. 5. 5. 1944, S. 1-2 (OSS, 1108).

86 Robert M.W. Kempner: »Vorbemerkung.« In Thomas Schneider: *Robert M.W. Kempner. Bibliographie*. Osnabrück: Universität Osnabrück 1987, S. 11.

87 Kempners Name kommt in der nur wenig ausgeschwärzten FBI-Akte von Bertolt Brecht zweimal vor, einmal als Special Agent in Philadelphia und Autor eines »German Communist Activities in Western Hemisphere« überschriebenen FBI-Memorandums vom 30. August 1943, und ein anderes mal als »Special Employee of the Philadelphia Field Division« mit einem Bericht vom 28. April 1945 zum »Council for a Democratic Germany« (FBI-Report, Los Angeles v. 2. 10. 1944, S. 35 u. FBI-Report, Los Angeles v. 30. 6. 1945, S. 39; FBI-Akte, Bertolt Brecht; Brecht-Archiv, Berlin).

88 Sanford Schwarz, Memorandum of Conversation with Robert M. W. Kempner v. 17. 11. 1944, S. 2 (OSS, 1280).

political cooperation with the Communists is impossible. In order... to avoid a public debacle the suggestion has been made that the Tillich Committee continue in its present form as a relief agency.«[89]

Umfang und Inhalt der FBI-Akte über »Subject: Council for a Democratic Germany, formerly known as Tillich Committee«[90] machen deutlich, daß Kempner mit seinen Informationen genau richtig lag. »*Very thoroughly*« ging die Security Division des Bureau im Frühjahr 1944 die einschlägigen Indizes durch. Als »personal and confidential« übermittelt die Postzensur die Nachricht an Hoover, Paul Merker habe die Gründung des Council gegenüber Heinrich Mann als »a sign of progress for our cause«[91] gelobt. Ein Schreiben des SAC in Philadelphia an Hoover mit zehn Kopien eines Memorandums zum Thema »Free Germany« enthält den handschriftlichen Vermerk: » 1 Set retained in my office«.[92] Von einem Spitzel, der Zugang zum Büro des Council in der 8 East 41 Street von New York hat, läßt sich das FBI mit Informationen über Tillichs Korrespondenz mit der Exilgruppe in Mexiko und August Siemsen von »›La Otra Alemania‹« in Buenos Aires berichten: »Siemsen... asked for detailed information regarding the Council, including membership and relations with the Mexican Committee (Free Germany Committee of Mexico). Siemsen states that it is their sad experience that cooperation with the Mexican Committee is impossible.«[93] Auf dem Weg über einen Informanten geraten auch die Organisationsstatuten des Council und die Mitgliederlisten verschiedener Council-Komitees an Hoover: »Prisoners of War:... (Brecht)... Research:... (Brecht).«[94]

Hoover, der die internationale Bedeutung des Council durchschaute, hielt das State Department von 1944 bis 1946 mit einem ständigen Fluß an Informationen auf dem Laufenden – ein Service, für den sich Assistant Secretary Berle, der auch von Paul Tillich direkt mit Material beliefert wurde[95], ausdrücklich bedankt (»such reports are most helpful to us«[96]). Zu

---

89 Friediger, Memorandum an Bjarne Braatoy v. 11. 10. 1945 (OSS, 1705).

90 John Edgar Hoover, Memorandum an Frederick B. Lyon, Chief, Division of Foreign Activity Correlation, State Department, v. 3. 1. 1945.

91 R. B. Hood, SAC, Memrorandum an Director, FBI, v. 21. 6. 1946.

92 SAC, Philadelphia, Memorandum an Director, FBI, v. 23. 6. 1944. Die »Bearbeitung« des Council-Dossiers läßt nicht zu, mit Sicherheit zu sagen, ob es sich hier um denselben umfangreichen Bericht handelt, den Robert M. W. Kempner »concerning the above styled organization« (John Edgar Hoover, Memorandum an SAC, New York, v. 9. 10. 1944) vorlegte.

93 FBI-Report, New York v. 7. 11. 1945, S. 12 (FBI-Akte, Council for a Democratic Germany).

94 A. a. O., S. 5-6.

95 Paul Tillich, Brief an Mr. Berle v. 25. 4. 1944: »I thought you might like to be informed of developments and I am sending you herewith an advance copy of... a declaration stating its [Council for a Democratic Germany] platform« (862.01/592). Vgl. auch James W. Riddleberger, Chief, Division of Central European Affairs, Brief an P. Tillich v. 28. 5. 1945 (111.723/5-2345).

den bereits erwähnten Berichten aus Mexiko kamen dabei ein Memorandum des Legal Attachés aus Kuba über die Pläne des dort ansässigen Malers Gert Caden, eine Filiale des Council zu gründen,[97] und ein Schreiben aus Chile, in dem davon die Rede ist, daß »Albert Theile and Udo Rukser, publishers of ›Deutsche Blätter‹ in Santiago... had received a request to form a branch of the Council..., but turned down the request as they had no confidence in the future of the Council because of the Communist influence«[98]. Vor allem aber muß hier auf einen 61 Seiten umfassenden Bericht aus der Feder des New Yorker Special Agent Nicholas J. Alaga verwiesen werden, der sich in einer stark ausgeschwärzten Fassung beim FBI und einer unzensierten Version in den Unterlagen des Department of State erhalten hat. Neben Kopien verschiedener Originaldokumente wie der Resolution vom Mai 1944 und Kurzbiographien von Personen aus dem Umfeld des Council enthält dieser Report ein halbes Dutzend Analysen der Geschichte, Zusammensetzung und Ziele des Council aus der Feder von offensichtlich ausgezeichnet plazierten Kennern der Exilszene. »Confidential Source T-1 has furnished the following analysis«, beginnt der »Political Analysis of Council« überschriebene Teil des Berichts: »Out of 84 persons, 25 can be regarded as long-standing friends of the Soviet Union«[99], darunter Brecht, Bloch, Feuchtwanger, Alexander Granach, Elisabeth Hauptmann, Alfred Kantorowicz, Fritz Kortner, Peter Lorre, Heinrich Mann, Hans Marchwitza, Erwin Piscator und Berthold Viertel. »T-2 stated«, referiert Alaga die Aussage eines anderen Informanten, »he considers Brecht to be an out-and-out agent of Russia; not necessarily in the pay of Russia but ideologically a Communist and an admirer of Soviet Russia and willing to work in its best interests.«[100] Zudem habe Brecht Tillich als »Provisional Chairman of the organizing committee« ausgewählt, weil Tillich »an excellent front man«[101] sei. T-3 meint zu wissen, daß Hubertus Prinz zu Löwenstein sich aus dem Council zurückgezogen hat, »due to some hidden dispute arising from Loewenstein's sub-rosa Communist connections«[102]. Und nur T-5 präsentiert auch »the other side of the picture«[103], wenn er be-

96 Adolf A. Berle, Assistant Secretary, Department of State, Brief an J. Edgar Hoover v. 13. 7. 1944 (Department of State, Council for a Democratic Germany).
97 Vgl. Jacob Landau, Managing Director, Overseas News Agency, Brief an Bjarne Braatoy, OSS, v. 17. 4. 1945 und das beiliegende spanischsprachige »Memorandum on the Free German Movement in Havana«, das Landau von Caden erhielt (OSS, 1470).
98 [Ausgeschwärzt], Legal Attache, Embassy of the United States, Santiago, Chile, Brief an Director, FBI, v. 28. 5. 1946.
99 Nicholas J. Alaga, FBI-Report, New York v. 6. 10. 1944, S. 30, Anlage zu John Edgar Hoover, Memorandum an Frederick B. Lyon v. 19. 12. 1944 (811.00B/12-1944). Hier wird nach der unzensierten Fassung aus den Unterlagen des Department of State in den National Archives zitiert.
100 A. a. O., S. 35.
101 A. a. O., S. 36.
102 A. a. O., S. 8.

hauptet, »that the committee's principles are broadly humanistic, moderate-Socialist, and Pan-European«[104].

Confidential Informant T-1 vertrat die Meinung, daß der Council nur dann eine Überlebenschance besitzt, wenn sich die Sowjetunion und die USA bei der Behandlung von Deutschland nach dem Krieg einig sind. Wie genau seine Analyse zutraf, belegt ein Bericht des SAC von Philadelphia vom Februar 1946, der folgende Passage aus einer Meldung im *Aufbau* zitiert: »After the Potsdam Conference... the Council split inasmuch as the right wing socialists and the conservative groups took issue with the policies set down by the Big Three...«[105] Zehn Monat später erhält ein Special Agent des FBI, der bei der amerikanischen Hilfsorganisation des Council, der American Association for a Democratic Germany, unter einem Vorwand nach dem Tillich Committee fragt, von einer jungen Vorzimmerdame die Antwort, »that the Council had folded quite some time ago and that, to her knowledge, no resumption of activities was contemplated at the present time«[106].

Exiled Writers Committee

Der Council for a Democratic Germany verstand sich zwar nicht als offizielle deutsche Vertretung, wohl aber als Plattform für die Deutschlandpolitik und die Ambitionen der Exilanten in den USA, in den politischen Neuaufbau ihrer Heimat nach der Zerschlagung des Dritten Reiches einzugreifen. In genau dieser Funktion war er für jene amerikanischen Regierungsstellen von Interesse, die sich um die Exilanten und ihre Freies Deutschland-Initiativen kümmerten. Doch nicht nur politische Gruppierungen wie der Council wurden von Hoover beobachtet, auch Rettungs- und Hilfsorganisationen des Exils wie das Exiled Writers Committee und das Emergency Rescue Committee gerieten in das Blickfeld des FBI.

So fiel das Exiled Writers Committee (EWC) dem FBI nicht nur auf, weil es Personen mit – wie Hoover und seine Geheimdienstkollegen es sahen – fragwürdigen politischen Biographien, Verbindungen und Überzeugungen aus Europa in die USA brachte (»is playing a part in the international movement of Communists from Germany to Mexico via the United States, possibly on orders from Moscow«[107]) sondern vor allem, weil es eine Dependance der League of American Writers war, die das FBI unter »Character of Case: Internal Security – C« seit ihrer Gründung im Jahre 1935 beobachtete.[108] In

---

103 A. a. O., S. 38.
104 A. a. O., S. 40.
105 SAC, Philadelphia, Memorandum an Director, FBI, v. 19. 2. 1946.
106 FBI-Report, New York v. 12. 12. 1947, S. 4.
107 S. S. Alden, Memorandum an Mr. Ladd v. 5. 2. 1942.
108 Vgl. dazu die detaillierten Erinnerungen von Franklin Folsom in *Days of Anger, Days of Hope*.

der Tat geht es in dem New Yorker FBI-Report, der im Dezember 1941 die EWC-Akte eröffnet, vor allem um die League of American Writers (»this organization has been Communist influenced since its origin and has changed its program with the Communist Party change in line«[109]) und nur am Rande um das EWC: »Fifty visas for Mexico, USA and Cuba have been obtained«, 40 Schiffspassagen von Europa nach Amerika wurden vom EWC besorgt und Pakete mit Nahrungsmitteln an 60 bedürftige Autoren geschickt. »Interventions have been made constantly with State Dept; with successive French Governments; with the President's Advisory Committee on Political Refugees, etc. Hollywood contracts were obtained by Mrs. Dieterle for 12 writers. Literary fellowships aiding in the rehabilitation of exiled writers in this hemisphere were granted to 4 writers. Loans were granted to 3 exiled writers.«[110] Nur schleppend, vermerkt der federführende Special Agent weiter, kommen die Aktivitäten des im Oktober 1940 gegründeten »Hollywood Chapter« des EWC in Gang, obwohl ein Abendessen im Beverly Wilshire Hotel, bei dem Heinrich Mann und Emil Ludwig sprachen, immerhin $6.000 einbrachte. »Pledges of $1 a month from thirty members«[111] machen es möglich, Ludwig Renn von Hollywood aus monatlich $30 zukommen zu lassen. »Mrs. Bruno Frank and Mrs. William Dieterle of the European Film Fund«[112] haben sich bereiterklärt, mit dem EWC zusammenzuarbeiten. Und immer wieder geraten Exiled Writers Committee und League of American Writers in den Blick der Special Agents, wenn Franklin Folsom, damals Sekretär der League, und seine Kollegen Hitlerflüchtlingen wie Anna Seghers, Egon Erwin Kisch, Bruno Frei und Otto Katz auf Ellis Island Hilfestellung zu leisten versuchen. Dazu als Beispiel Folsoms Erinnerungen an den Fall Frei: »Soon after losing his wife, Bruno was sent to Le Vernet, and Hans and Lisa[Freis Kinder] stayed in a series of orphanages... the Exiled Writers Committee obtained Mexican visas for all three. But Bruno hoped that the children could get into the United States, where he thought they would have a better education than in Mexico. That would be possible if a U.S. citizen legally adopted them. Bruno himself could not enter the United States because of his Communist politics. The Exiled Writers Committee sent out word that Hans and Lisa were seeking an American parent. Before long, a Mrs. Miller, a schoolteacher in Evanston, Illinois, volunteered... The children came from Ellis Island, and in the League office I introduced the tense, bright-eyed boy and the timid girl to their new parent.«[113]

---

109 FBI-Report, New York v. 10. 12. 1941, S. 1.
110 A. a. O., S. 40.
111 A. a. O., S. 27.
112 A. a. O., S. 81.
113 Folsom, *Days of Anger, Days of Hope*, S. 56. Vgl. das Kapitel »Hans and the 32 Grams« in Carey McWilliams: *Witch Hunt. The Revival of Heresy*. Boston: Little, Brown 1950, S. 82–101.

Zugang zu Informationen über das EWC beschaffte sich das FBI auf den üblichen Wegen. Ein Informant versorgte das Bureau mit Namenlisten geretteter Autoren (»Hans Marchwitza... Anna Seghers, her husband and 2 children... Franz Pfempffert... Alfred Kantorowicz and wife... Lion Feuchtwanger, Henrichh Mann... Bertold Brecht... Alfred Neumann... Weiskopf«[114]), Aufstellungen von finanziellen Zuwendungen (»Kantoorowitz $30... Kisch $45«[115]), den Kassenbüchern (»failed to reveal anything of particular value«[116]) und dem Briefpapier des Komitees. Die Postzensur liefert die Kopie eines Telegramms ab, in dem die League Anna Seghers zum Erfolg ihres Romans *The Seventh Cross* gratuliert. Öffentlichen Quellen wie Pressemeldungen und Werbebroschüren entnimmt das FBI, daß der Gouverneur von New York, Herbert Lehman, dem EWC seine Unterstützung entzog, weil es mit kommunistischen Aktivitäten in Verbindung gebracht wird,[117] und daß es inzwischen $600 kostet, um einen Autor von Frankreich nach Mexiko zu bringen.

Das Interesse des FBI am Exiled Writers Committee erlahmte Anfang 1942, als der Strom der Flüchtlinge aus Europa versiegt. Ein Versuch, das EWC und andere progressive Organisationen bei der Finanzbehörde anzuschwärzen, weil sie ihren steuerlichen Sonderstatus nicht angemeldet hatten, scheint im Sand verlaufen zu sein.[118] Und als das FBI im Herbst 1944 noch einmal alte Informantenberichte zusammenstellt (»T-2 said that the subject organization was responsible for bringing into the United States many so-called German radical intellectuals«[119]), hatte sich die League of American Writers längst aufgelöst und das Exiled Writers Committee sich dem Joint Anti-Fascist Refugee Committee angeschlossen[120] – was die Vigilanten von Counterattack nicht davon abhält, 1950 immer noch vor dem Komitee als »Communist front«[121] zu warnen. Ob die offensichtlich erhebliche Summe, die eine »she« im Frühjahr 1944 dem EWC aus Mexiko übermittelt, von

114 FBI-Report, New York v. 18. 12. 1941, S. 3-4.

115 A. a. O., S. 6.

116 A. a. O., S. 7. Eine Kopie dieses Berichts befindet sich auch als einziges Dokument in Paul Zechs FBI-Akte.

117 Lehmann war bereits Ende der dreißiger Jahre scharf vom McNaboe-Komitee angegriffen worden, weil er einen Gesetzesvorschlag zu Fall gebracht hatte, mit dem Kommunisten aus dem öffentlichen Dienst entfernt werden sollten (State of New York. *Report of the Joint Legislative Committee*, S. 179ff.).

118 [Unleserlich], Commissioner, Treasury Department, Brief an Attorney General v. 2. 12. 1942 (Department of the Treasury).

119 FBI-Report, New York v. 5. 9. 1944, S. 5.

120 Nach einem Bericht der Postzensur vom 27. Mai 1944 wurde Anna Seghers von [ausgeschwärzt] mitgeteilt, »that the League had been liquidated in NYC and Hollywood, California, and was defunct as a national organization« (Correlation Summary v. 8. 3. 1974, S. 26 [FBI-Akte, Anna Seghers]).

121 *Red Channels*, S. 181.

Anna Seghers stammt, läßt sich wegen Ausschwärzungen in der einschlägigen Akte nicht mehr sagen. Fest steht allein, daß ein Vertreter der League die betreffende Person um Erlaubnis bittet, das Geld an den neuen Partner des EWC, das Joint Anti-Fascist Committee, weiterleiten zu dürfen.[122]

Emergency Rescue Committee

Langwieriger als die Observierung des Exiled Writers Committee gestaltete sich die Überwachung des Emergency Rescue Committee (ERC), das durch die Person und die Publikationen seines Frankreich-Emissärs Varian Fry zu einigem Ruhm gelangte.[123] »Espionage – ?« ist noch ein wenig unsicher eine Initiative der SAC von Miami und New York überschrieben, die drei Monate nach der Gründung des ERC Informationen zu Frank Kingdon zusammenträgt, der dem hochkarätigen »National Committee« der Organisation vorsteht. Wachsame Bürger lassen dem FBI Werbematerial des ERC zukommen, darunter eine Broschüre mit Bildern von Heinrich Mann, Franz Werfel, Hans Habe, André Breton und anderen, die zu den über 500 »distinguished Europeans«[124] gehören, die das Komitee im ersten Jahr seines Bestehens vor der Gestapo in Sicherheit gebracht haben will.[125] Der Presse entnehmen die G-Men, daß Innenminister Harold Ickes bei einer »fundraising rally« in Washington seinem Land vorwarf, »»fat, soft and rich«« zu sein – »»a perfect prize for Hitler to kill, pluck and roast on a slow fire«««[126]. Und auch die Visa Division im State Department widmet dem ERC Aufmerksamkeit: Aktenkundig wird so ein Vorstoß von Charlotte Dieterle beim Solicitor General, Quotenvisen für die Mitarbeiter von MGM und Warner Brothers – Döblin, Heinrich Mann, Leonhard Frank und Friedrich Torberg – zu bewilligen.[127] FBI-Material bewirkt, daß sich bei den einschlägigen Ämtern die Meinung herausbildet, der Zusammenschluß von ERC und International Relief Association vereine »the worst features of both«[128]: »The Committee... has never gone on record to the effect that it is anti-Communistic.«[129] Und im Sommer 1943 gehen das

---

122 FBI-Report, New York v. 5. 9. 1944, S. 6-7.

123 Varian Fry: *Surrender on Demand*. New York: Random House 1945; gekürzt als *Assignment Rescue*. New York: Four Winds 1968; dt. *Auslieferung auf Verlangen. Die Rettung deutscher Emigranten in Marseille 1940/41*. München: Hanser 1986.

124 Saved by America..., Broschüre des Emergency Rescue Committee, anonyme Zuschrift an das FBI.

125 Wolfgang D. Elfe: »Das Emergency Rescue Committee.« In: *Deutsche Exilliteratur seit 1933*. Bd. 1, 1, S. 218 spricht von mehr als 2.000 Klienten.

126 »Ickes Pleads For Refugees«, Zeitungsausschnitt o. Quelle u. Datum.

127 Charlotte Dieterle, Brief an Edward F. Prichard, Jr., Office of the Solicitor General, v. 21. 2. 1941 (National Archives, Akz. unleserlich).

128 Mr. Teller, Memorandum an Mr. Travers v. 19. 7. 1943 (National Archives, Akz. unleserlich).

129 Emergency Rescue Committee (Memorandum o. Datum u. Aktenzeichen; wahrscheinlich Bericht der Visa Division im Department of State, ca. Juli 1943).

Außen- und das Justizministerium in Verteidigungsstellung, als das Dies Committee Unterlagen anfordert »about the former practice of admitting certain ›intellectual‹ refugees... without investigation... of their political affiliation«: »Mistakes were made. There is no doubt that certain persons should not have been admitted..., but... we were all interested in the humanitarian phases...«[130] Doch nicht um Fry, ERC-Berater wie Thomas Mann oder die Rettungsaktion von »anti-Nazi writers«[131], darunter – wie das FBI meint – eine große Zahl von »extremely questionable applicants«[132], geht es in dem 255-Seiten Dossier, von dem nur 98 Blätter an mich ausgeliefert wurden. Interessant wird die ERC-Akte erst, als sich das antifaschistische Flüchtlingskomitee zu einer antikommunistischen Organisation wandelt – und dabei Hoover auf andere Weise erneut unangenehm auffällt.[133]

Erste Anzeichen für diesen Frontenwechsel finden sich im Jahre 1946 als eine Studie des in New York ansässigen National Information Bureau, Incorporated,[134] der inzwischen mit der International Relief Association (IRA) zum International Rescue and Relief Committee (IRRC) verschmolzenen Organisation »in short« bescheinigt, »an anti-fascist-anti-totalitarian-pro-democracy-fight-for-freedom-relief-committee«[135] zu sein. Aus einer »Fourteen Years of IRRC from 1933 to 1947« überschriebenen Broschüre zitiert ein FBI-Mann, daß das IRRC sich als »distinctly partisan« verstehe, und zwar »partisan in behalf of all those who will not capitulate to the totalitarian forces in Europe, no matter what the disguise«[136]. Ein Jahr später, im April 1948, tritt das Komitee öffentlich als Sponsor bei einem Vortrag von Arthur Koestler in Erscheinung, »hated and feared by Communists,... he knows what makes the madmen in the Kremlin tick«. Angezeigt wird diese Veranstaltung in *Alert. The Confidential Weekly Report on Un-American Activities in California*[137]. Zu den Mitgliedern des Southern California Committee des IRRC, das Koestlers Auftritt unterstützt, zählen neben Mrs. Bruno Frank, Ernst Toch und Alma Mahler-Werfel auch Gary Cooper und Ronald Reagan.

---

130 B. L., Memorandum an Secretary of State u. Undersecretary of State v. 13. 8. 1943, S. 1-3 (National Archives, Akz. unleserlich).
131 FBI-Report, New York v. 26. 11. 1940, S. 1.
132 [Ausgeschwärzt], Memorandum an Mr. Ladd v. 3. 9. 1942.
133 Die Bestände des Deutschen Exilarchivs 1933-1945 an der Deutschen Bibliothek in Frankfurt zum Emergency Rescue Committee beschränken sich, aus verständlichen Gründen, auf die Jahre 1940 bis 1946 (*Quellen zur deutschen politischen Emigration 1933-1945. Inventar von Nachlässen, nichtstaatlichen Akten und Sammlungen in Archiven und Bibliotheken der Bundesrepublik Deutschland*. Hrsg. v. Heinz Boberach u. a. München: Saur 1994 [=Schriften der Herbert und Elsbeth Weichmann Stiftung.]).
134 Angaben zur Geschichte und Zielsetzung dieser Agentur waren nicht ausfindig zu machen.
135 International Rescue and Relief Committee (IRRC), 4. 5. 1949, S. 3.
136 A. a. O., S. 4.
137 Kopie aus *Alert*, o. D.

ALERT

The confidential
weekly report
on
Un-American
Activities in
California

Urges Los Angeles Civic Leadership

● . . . to take advantage of the opportunity to hear the brilliant analyst of Communism . . . author of the sensational best-sellers: "Darkness at Noon," "The Yogi and the Commissar" and "Thieves in the Night" . . .

Don't Miss . . .

Arthur Koestler

● Hated and feared by Communists, Arthur Koestler has plumbed the psychology of Marxism-Leninism-Stalinism to its depths. He knows what makes the madmen in the Kremlin tick . . . This international expert on Communism will speak under the auspices of the outstanding American relief organization that works to rescue defenders of liberty and freedom from the horrors of totalitarianism.

His only Los Angeles appearance

PHILHARMONIC AUDITORIUM
Tuesday, April 6, 1948, 8:30 p.m.

TICKETS: 90c to $3.60

(All Mutual Agencies and at Philharmonic Boxoffice)

SPONSORED BY

International Rescue and Relief Committee

ROBERT MONTGOMERY, Southern California Chairman
ROY M. BREWER, Southern California Vice-Chairman
KAY THORNE, Executive Secretary
6636 Hollywood Boulevard, Room 216
Los Angeles 28, California • Phone: HUdson 2-1151

Southern California Committee:

Art Arthur, W. J. Bassett, Ingrid Bergman, Curtis Bernhardt, G. Raymond Booth, Oliver Carlson, Gary Cooper, Irwin De Shetler, Mrs. Bruno Frank, Robert Guggenheim, Jr., Dick Haymes, Milton Lazarus, Louis Levy, Leon Lewis, Dr. Peter Lindstrom, George Murphy, Dr. Frederick Pollock, Dick Powell, Tyrone Power, Thomas Ranford, Ronald Reagan, Ted Robinson, Irving Stone, Ernst Toch, Robert Vogel, Walter Wanger, Alma Mahler Werfel, Margaret Whiting.

100 - 1852 - 24

ENCLOSURE

Hoover hätte über die Entwicklung des ERC von einer anti-Nazi Organisation zu einer Vereinigung, die sich um sudentendeutsche Aussiedler, Flüchtlinge aus Ungarn und Opfer der Berliner Mauer kümmert, froh sein können – wäre die inzwischen in International Rescue Committee (IRC) umbenannte Organisation in den fünfziger Jahren nicht für einige Zeit von seinem langjährigen Rivalen, dem ehemaligen OSS-Boss General William Donovan, dominiert worden. Einladungen des IRC, bei einem Essen für den Frontstadtbürgermeister Ernst Reuter oder bei der Verleihung des Freedom Awards an Willy Brandt teilzunehmen, bei der u. a. der Exilant und ehemalige Fry-Mitarbeiter im Centre Américain de Secours von Marseille Hans Sahl anwesend ist, schlägt Hoover denn auch aus. Sponsor der mit Adolf A. Berle, Francis Biddle, Hubert Humphrey, Eleanor Roosevelt und Arthur Schlesinger hochbesetzten Iron Curtain Refugee Campaign des IRC will er nicht werden. Und seine SACs weist er 1956 unmißverständlich an, »to... be alert to any encroachment on the part of the IRC into matters primarily within the Bureau's investigative jurisdiction«[138].

Geändert hat sich Hoovers ablehnende Haltung offensichtlich erst nach dem Tod von Donovan. Zusammen mit prominenten Amerikanern und Altexilanten erscheint er 1965 auf einer Liste von IRC-Sponsoren – neben Martin Luther King, Reinhold Niebuhr, Rex Stout und Paul J. Tillich. Nicht bekannt ist, ob er im August 1965 auch jenes von seinen G-Men beobachtete »Freedom Award Dinner« besucht hat, bei dem IRC-Chairman Leo Cherne noch einmal die Geschichte der Organisation Revue passieren läßt, die Leistung von Varian Fry hervorhebt und auf die Rettung von Hitlerflüchtlingen wie Lion Feuchtwanger, Hannah Arendt und Franz Werfel verweist, mit deren Leben in den USA sich Hoover einst z. T. intensiv beschäftigt hatte.

AmGuild und Aurora Verlag

Bliebe noch kurz über zwei Exilgruppen zu berichten, die das FBI nach dem Umfang der Akten zu urteilen nur wenig interessiert haben – vielleicht, weil sie sich vordringlich um kulturelle Angelegenheiten zu kümmern schienen: die American Guild for German Cultural Freedom, zu der das Bureau mir 23 von 26 Blättern und der Intelligence and Security Command der U.S.-Armee bzw. das Department of State je 2 Blätter freigegeben haben; und der Aurora Verlag.

Geschichte und Bedeutung der 1936 von Hubertus Prinz zu Löwenstein ins Leben gerufenen und von prominenten Exilanten und amerikanischen Sponsoren unterstützten Guild sind vor einigen Jahren durch eine Ausstellung der Deutschen Bibliothek in Frankfurt und den dazugehörenden Kata-

---

138 A. H. Belmont, Memorandum an L. V. Boardman v. 26. 4. 1956.

log ausführlich dokumentiert worden.[139] Hoovers Behörde wurde auf die kurz AmGuild genannte Vereinigung freilich erst mehr als einenhalb Jahrzehnte nach ihrer Gründung und fast zwölf Jahre nachdem sie ihre Tätigkeit wieder eingestellt hatte aufmerksam – nämlich im Herbst 1952 als der INS das Bureau um Amtshilfe bat, »in order to determine whether an employee of subject is within the proscription of the Act of 9-16-18«[140]. Viel heraus kam bei der nachfolgenden Untersuchung nicht: Hubertus Prinz zu Löwenstein wird als Gründungsdirektor der AmGuild genannt, die schon 1938 vom New Yorker FBI zusammen mit dem American Committee for Anti-Nazi Literature »reliably« als »communistic«[141] identifiziert worden war; und beim County Clerk von Manhattan kopiert ein Special Agent eine Auflistung der Ziele der AmGuild, die für eine Eintragung ins Vereinsregister hinterlegt worden war: »›The purposes for which the organization is to be formed are: To forster the tradition of free Germanic culture..., to forster the publication of works of German writers..., to combat the false theories of race‹«[142] usw. Da weitere Nachforschungen bestenfalls Fakten zur Geschichte einer nicht mehr existierenden Organisation zutage fördern würden, schlägt der SAC von New York am 9. Dezember 1952 und dann noch einmal am 30. Januar 1953 vor, den Fall zu schließen.

Ähnlich unspektakulär verläuft die 1945/46 unter »Internal Security -C« bzw. »G« für »German« durchgeführte Untersuchung gegen den Aurora Verlag, zu dessen Gründern immerhin Ernst Bloch, Bertolt Brecht, Ferdinand Bruckner, Alfred Döblin, Lion Feuchtwanger, Oskar Maria Graf, Heinrich Mann und vier weitere prominente Exilautoren zählten. So weiß man im Field Office von New York zwar, wie übrigens auch beim OSS[143], daß der Verlag von »leftist emigre Germans« ins Leben gerufen wurde, »many of whom have reliably reported to be members of the KPD«. Zudem werden mehrere der Aurora-Autoren verdächtigt, »active in Soviet intelligence work«[144] zu sein. Auf eine breit angelegte Untersuchung des Verlages möchte sich der SAC dagegen nicht einlassen. Zu geringfügig sind die Aktivitäten des Unternehmens

---

139 *Deutsche Intellektuelle im Exil. Ihre Akademie und die ›American Guild for German Cultural Freedom‹.* München: Saur 1993. Die entsprechenden FBI-Akten waren den Organisatoren der Ausstellung nicht bekannt.

140 Director, FBI, Memorandum an SAC, New York, v. 7. 10. 1952 (FBI-Akte, American Guild for German Cultural Freedom). Gemeint ist wahrscheinlich das Gesetz gegen »anarchists and aliens« vom 16. 10. 1918.

141 A. a. O.

142 FBI-Report, New York v. 9. 12. 1952, S. 2-3 (FBI-Akte, American Guild for German Cultural Freedom).

143 Vgl. Charles B. Friediger, Memorandum an Bjarne Braatoy v. 23. 5. 1945 (OSS, 1543).

144 John Edgar Hoover, Memorandum an SAC, New York, v. 5. 12. 1945 (FBI-Akte, Aurora Verlag).

(»not very greatly active«[145]); zu mieslich erscheinen dem FBI-Mann die Geschäftsgrundlage und Ausstattung des Verlages: »...from personal observation of the writer, it was determined that it is in a very small booth occupying a floor space of approximately fifteen feet by fifteen feet with a sign on the outside advertising the establishment as the Seven Seas Stamp and Book Shop... located in the back part is a fairly large desk where apparently [ausgeschwärzt] carried on a business of a publishing house...«[146]. Außerdem stelle das Produkt des »subject«, »about a dozen German language books,... a majority of which were found to contain fiction,... by German refugee writers presently residing in this country«[147], trotz einer unübersehbaren Kritik an der kapitalistischen Gesellschaft keine besondere Bedrohung für die USA dar.

Dossiers

Oskar Maria Graf

So wie Klaus Mann und andere geriet auch Oskar Maria Graf aufgrund einer Denunziation in die Akten des FBI. Besonders ist in seinem Fall freilich, daß diese Denunziation nicht anonym war, sondern eine offene Spur hinterließ, die über Zwischenstationen leicht bis zu ihrem Urheber zurückzuverfolgen ist: Leopold Schwarzschild, Herausgeber der in Paris erscheinenden Exilzeitschrift *Das Neue Tage-Buch*.

»This investigation«, meldet der SAC von New York, E. E. Conroy, am 5. Mai 1943 gleich im ersten Satz des ältesten der erhalten gebliebenen FBI-Dokumente zu Graf, »is predicated upon a review of the files in the New York Field Division, which indicate that subject was a member of the German-American Writers' Association, which organization is alleged to have Communistic tendencies.«[1] Grafs Vergehen scheint nach dieser Aussage nicht besonders schwerwiegend gewesen zu sein, denn die German-American Writers

---

145 A. a. O., S. 4.
146 FBI-Report, New York v. 7. 2. 1946,S. 2-3.
147 SAC, New York, Memorandum an Director, FBI, v. 2. 5. 1947.
1   FBI-Report, New York v. 5. 5. 1943, S. 1. Die Formulierung »is predicated upon a review of the files in the New York Field Division« belegt, daß Graf bereits vor dem 5. Mai 1943 vom FBI überwacht wurde. Die entsprechenden Unterlagen sind entweder vernichtet worden, verloren gegangen oder nicht an mich ausgeliefert worden. Grafs Akte wird in der FBI-Zentrale unter der Nummer 100-203532, im New York Field Office als 100-48892 geführt. Sie wurde zuerst an Sigrid Schneider freigegeben, die 1986 unter der Überschrift

Association (GAWA), die 1938 als eine Art amerikanischer Ableger des Schutz-
verbandes deutscher Schriftsteller gegründet worden war, zählte nie mehr als
180 Mitglieder und löste sich, ohne in der einheimischen Öffentlichkeit besondere Aufmerksamkeit erweckt zu haben, nach knapp zwei Jahren wieder auf.

Dennoch waren die Geschütze, die Conroy im Zuge der Untersuchung auf-
fuhr, von beachtlicher Größe. Ausgestattet mit einem »Executive Search Warrant« durchsuchen Beamte des regionalen FBI-Field Office und der berüchtigten Alien Squad des New York City Police Department zunächst am 16.
Februar 1943 Grafs Wohnung in der Hillside Avenue von Manhattan. Als
diese Aktion nichts Verdächtiges zutage fördert (»no contraband was
found«[2]), versucht man dem Exilanten durch ein ausgedehntes Verhör näher
zu kommen, in dem es um »Background and Personal History« und »Sympathies and Tendencies«[3] geht. Und schließlich wird auf den kurz zuvor dem
Nazi-Terror Entkommenen die Postzensur angesetzt, von deren Tätigkeit freilich nur die Zusammenfassung eines einzigen Briefes erhalten geblieben ist,
in dem ein Mitarbeiter des *Freien Deutschland* in Mexiko im März 1943 zu
Grafs Memoiren (»which writer likes very much«) und zu seinem *Banscho*-
Manuskript Stellung nimmt (»writer states that addressee's manuscript has
been read, and writer is sure that a decision regarding same will be reached
at the next meeting of the publishing firm«[4]).

Wer die Aufmerksamkeit von FBI und Alien Squad auf Graf – »an individ-
ualist, though with strong Communist leanings«[5] – gelenkt hat, hebt dann
ein zweiter »Report« des SAC von New York in der vorangestellten »Synopsis of Facts« hervor: »[Ausgeschwärzt] advised that in a pamphlet entitled
›That Good Old Fool Uncle Sam — A Refugee Sounds a Warning‹ by Rudolf
Brandl, subject, President of German-American Writers Association was labelled as an individual of Bavarian peasant stock who has been built by the
Communist propaganda as a high ranking figure in the literary sphere.«[6] Dr.

»Die FBI-Akte über Oskar Maria Graf« im Graf-Sonderheft von *Text + Kritik* einen Bericht
mit Dokumenten veröffentlicht hat (S. 131-50).

2 FBI-Report, New York v. 5. 5. 1943, S. 1.

3 A. a. O., S. 2.

4 Ausgeschwärzt, Brief an Oscar Maria Graf v. 29. 3. 1943. Offensichtlich hat man sich bei
El Libro Libre gegen das Manuskript entschieden, denn *Banscho* ist erst 1964 bei Aufbau
in der DDR erschienen. Vgl. dazu Oskar Maria Graf, Brief an Kurt Kersten v. 17. 1. 1943.
In: *Oskar Maria Graf in seinen Briefen.* Hrsg. v. Gerhard Bauer u. Helmut F. Pfanner.
München: Süddeutscher Verlag 1984, S. 169.

5 P., Memorandum v. 4. 3. 1942, S. 3 (OSS, 47).

6 FBI-Report, New York v. 24. 4. 1950, S. 1. Brandls Broschüre, die ohne Angaben zu Ort
und Datum der Veröffentlichung mit dem Vermerk »Printed in the U.S.« erschien, ist
wahrscheinlich im Mai 1940 gedruckt worden (vgl. FBI-Report, New York v. 1. 6. 1944, S.
16 zu Heinz Jacob Pol, nach National Archives, 800.00 Pol, Heinz Jacob). Sie ist u. a. in
die Unterlagen des Office of Strategic Services eingegangen (OSS, 617). Gerhard Bauer,

Rudolf Brandl, den das FBI später als ehemaligen Redakteur der *Frankfurter Zeitung* identifiziert (Graf selber spricht von dem »gutbezahlten Archivar... Brandel [!]«[7]), war in der Tat eine informierte Quelle – in Deutschland hatte er als Mitarbeiter von Ullstein im selben Verlagshaus wie Grafs Schwager, Manfred George, gearbeitet; in den USA leitete Brandl von 1937 bis 1939, als er von George auf diesem Posten abgelöst wurde, die Redaktion des *Aufbau*. Kein Wunder also, daß er allerlei Interna über Graf zu berichten wußte. So habe der Bayer (»of... peasant stock«[8]) nach einer kurzen Besprechung unter den »top reds«[9] in seiner Funktion als Präsident der GAWA einen gewissen Dr. Hermann H. Borchardt, ehemals Gastprofessor in Minsk und deshalb mit den »realities of Soviet Russia« genau vertraut, rüde zurecht gewiesen als der bei einem Treffen im Frühjahr 1939 einen Vergleich zwischen Nazis und Kommunisten zog.[10] Mehrfach sei Graf, so Bandl weiter, seit seiner Emigration aus Deutschland, »where Dr. Groebbls found no fault with his printed outpourings«, in der Sowjetunion mit Speis und Trank verwöhnt worden (»lavishly wined and dined in Stalinland«[11]). Zudem schreibe er regelmäßig für kommunistische Zeitschriften in Moskau, etwa zum 20. Jahrestag der Oktoberrevolution in der *Internationalen Literatur*. Fähig von »Dr. Manfred George-George and a bunch of other masked Communists of European repute«[12] unterstützt, verstehe es Graf denn auch nach Brandl, der sich 1943 mit einem »conversation and phrase book« *Blitz German, a Language Guide for Invasion and Occupation*[13] hervortat, seine ›Herde‹ mit Erfolg ›auf den richtigen Wiesen‹ zu weiden.

Lügen und Halbwahrheiten dieser Art mögen aus der Feder von Rudolf Brandl stammen.[14] Die gleichzeitig geführte Attacke auf Manfred George und

---

der auch in der durchgesehenen und aktualisierten Neuauflage seiner Graf-Biographie nicht auf die FBI-Akte eingeht, schreibt vage, daß Graf unter »Denunziationen zu leiden« (Gerhard Bauer: *Oskar Maria Graf. Ein rücksichtslos gelebtes Leben*. München: Deutscher Taschenbuch Verlag 1994 [=dtv, 30413.], S. 311) gehabt habe.

7 Oskar Maria Graf: »Rede zum ›Deutschen Tag‹.« In O. M. G.: *Reden und Aufsätze aus dem Exil*. Hrsg. v. Helmut F. Pfanner. München: Süddeutscher Verlag 1989, S. 138.

8 Brandl, *That Good Old Fool*, S. 17.

9 FBI-Report, New York v. 24. 4. 1950, S. 7.

10 Graf selber stellt die Konfrontation in seiner »Rede an die Mitgliederversammlung der GAWA« anders da und spricht von »ein paar rein parteipolitisch eingestellten Mitgliedern«, die »eine der Tagespolitik angepaßte Statutenänderung vorzunehmen« versuchten (in Graf, *Reden und Aufsätze aus dem Exil*, S. 141).

11 FBI-Report, New York v. 24. 4. 1950, S. 7.

12 A. a. O., S. 8.

13 Harrisburg: Military Service Publishing Company.

14 Hans-Albert Walter: *Deutsche Exilliteratur 1933-1950*. Bd. 4. Stuttgart: Metzler 1978, S. 586 gesteht Brandl »Zurückhaltung« gegenüber George zu, weil er offensichtlich nicht mit Brandls denunziatorischer Schrift *That Good Old Fool, Uncle Sam* vertraut ist, in der George u. a. als »one of the most versatile Communist chieftains« (S. 19) beschimpft und George,

FEDERAL BUREAU OF INVESTIGATION

Form No. 1 THIS CASE ORIGINATED AT **NEW YORK**	CONFIDENTIAL		NY FILE NO. 100-48892	&c

REPORT MADE AT	DATE WHEN MADE	PERIOD FOR WHICH MADE	REPORT MADE BY	
NEW YORK	APR 2 4 1950	7/28/48;3/23; 8/20/49;1/3; :2/2,9;3/1,15/50	▓▓▓▓▓▓▓	**b7C**

TITLE	CHARACTER OF CASE
OSKAR MARIA GRAF	SECURITY MATTER - C

SYNOPSIS OF FACTS: Subject, an alien writer, resides at 34 Hillside Avenue, Manhattan. Since his entry into US in 1938, subject has been affiliated with numerous German-American literary groups many of which have been Communist dominated. Subject was described by ▓▓▓▓▓ in 1943 as a "German active fellow traveler and writer" located in the US. In a pamphlet "Die Links-Kurve", Communist monthly written in Germany, published in Berlin in September, 1930, subject is quoted as having denounced Capitalism and extolled the virtue of Communism. ▓▓▓▓▓ advised that in a pamphlet entitled "That Good Old Fool Uncle Sam -- A Refugee Sounds a Warning" by RUDOLF BRANDL, subject, President of German-American Writers Association was labelled as an individual of Bavarian peasant stock who has been built by the Communist propaganda as a high ranking figure in the literary sphere. Description set forth.

APPROPRIATE AGENCIES AND FIELD OFFICES ADVISED ▓▓▓▓ SPECIAL AGENCY(IES) ▓▓▓▓

- P* -

ALL INFORMATION CONTAINED HEREIN IS UNCLASSIFIED EXCEPT WHERE SHOWN OTHERWISE.

Classified by SP 7 MAC/PSK
Declassify on: OADR

DETAILS: At New York

Residence and Employment

The Manhattan telephone directory for January, 1950, contained a listing for OSKAR MARIA GRAF, 34 Hillside Avenue, Manhattan, telephone Lorraine 7-0852.

APPROVED AND FORWARDED *Edward Schutt* SPECIAL AGENT IN CHARGE

COPIES DESTROYED 6-2-54

COPIES OF THIS REPORT
5 Bureau
3 New York

DO NOT WRITE IN THESE SPACES

100-203532-5 RECORDED 68

APR 23 1950
37

5 8 MAY 3 1950

CONFIDENTIAL

die simple Gleichschaltung von Nazis und Kommunisten weist, wie man beim FBI weiß, auf einen anderen Urheber hin – Leopold Schwarzschild. »How right we have been«, meldet der Special Agent in Charge der New Yorker FBI-Filiale im Zusammenhang mit Brandls Schrift *That Good Old Fool, Uncle Sam* an seine Zentrale, »in exposing the camouflaged gang of red penman was evidenced when the ›Neue Tage-Buch‹ (the new diary) issue of October 28, 1939 arrived from Paris.« Dort nämlich, in »Schwarzschild's intrepid paper«[15], sei endlich der Vorhang gelüftet worden, hinter dem Organisationen wie die German American Writers Association ihre unverwechselbar sowjetischen Züge zu verbergen suchen.

Leopold Schwarzschilds Beitrag zu Heft 44/1939 des *Neuen Tage-Buchs* ist von der Exilforschung mehrfach analysiert worden. Der hysterisch-denunziatorische Ton und dessen Folgen für Exilanten wie Graf und Klaus Mann läßt sich freilich weder durch irgendeine ›tiefe Enttäuschung‹[16] des ex-Sympathisanten der Sowjetunion, noch durch die Vermutung, daß Schwarzschild sich nicht voll über die Folgen seines Tuns bewußt war, wegreden. Wer, wie der Herausgeber des *Neuen Tage-Buchs*, seine Mitexilanten »angestellte Sowjet-Agenten«[17] nennt, ihren Antifaschismus als pro-Stalinismus verketzert und den »Schutzverband deutsch-amerikanischer Schriftsteller« als »russisch-probolschewistische«, »skrupellose Irreführung-Firma« für »nichtsahnende, gutgläubige, schwachsichtige Vordergrunds-Intellektuelle«[18] hinstellt, wer die Internierung von andersdenkenden Mitexilanten in Frankreich be-

---

Graf und andere kaum verdeckt mit Internierung bedroht werden: »According to the Aufbau, the first movement of a World-Change Symphony is being played. As far as the rendition is taking place in America, it would be altogether fitting and proper for Uncle Sam to roll his sleeves up, seize the score along with the instruments, and get the performers, too« (S. 30). Vgl. auch Rudolf Brandl: »Der ›Kulturverband‹ und seine Sippe.« In: *Gegen den Strom*. Jg. 2, Nr. 11-12 (1939).

15 FBI-Report, New York v. 24. 4. 1950, S. 8.

16 Walter, D*eutsche Exilliteratur 1933-1950*. Bd. 4, S. 103.

17 Anonym: »Affäre des deutschen ›Schutzverbands‹.« In: *Das Neue Tage-Buch* 44 v. 28. 10. 1939, S. 1025. Walter scheint recht zu haben mit der Vermutung, daß dieser Aufsatz »stilistisch« (Walter, *Deutsche Exilliteratur 1933-1945*. Bd. 4, S. 105) Schwarzschild zuzuordnen ist. Vgl. dazu auch den ähnlich gelagerten Streit zwischen Klaus Mann und Schwarzschild, den Erika Mann in einem Brief an Schwarzschild auf den Punkt bringt: »Immerhin werden Sie nicht bezweifeln, dass Ihre oeffentlichen Angriffe auf Leute, die Ihnen, zu Recht, oder Unrecht ›Sowjet-Agenten‹ zu sein schienen, ebenso wirksam gewesen sein koennten, wie direkte Anzeigeerstattung bei der zustaendigen Stelle« (Erika Mann, Brief an Leopold Schwarzschild v. 17. 12. 1940, S. 2 [Erika Mann-Achiv, Handschriften-Sammlung, Stadtbibliothek München]). Klaus Mann schreibt am 12. Januar 1940 in seinem Tagebuch kurz und bündig von »Schwarzschild-Sau« (M., *Tagebücher 1940 bis 1943*, S. 13). Vgl. dazu Leopold Schwarzschilds Aufsatz »The Hoax of ›Guilt by Association‹ in der rechten Zeitschrift *Plain Talk* 8/1950, S. 19: »As for injured reputations – well, the injury can be expected to pass, once the matter is cleared up.«

grüßt und in seiner Zeitschrift lobende Worte für die Kommunistenjäger des Dies-Committee druckt[19], der muß bewußt einkalkuliert haben, daß er mit seinen Stellungnahmen Karrieren zerstören und Leben gefährden konnte. Schwarzschilds Aufsatz vom 28. Oktober 1939, faßt der federführende FBI-Referent denn auch folgerichtig zusammen, unterstreicht nicht nur, »that in France the so-called German Writers Association was suppressed and dissolved by order of the Seine-Tribunal since perusal of its files and examination of its accounts had proved beyond doubt that it was a Soviet agency ›of the first class‹,« sondern der besagte Artikel stelle auch ohne Zögern fest, daß »Graf and George-George ... notorious Soviet agents«[20] seien.

Oskar Maria Graf und Manfred George haben die Attacken von Schwarzschild, Brandl und anderen überstanden, wenn auch im Fall von Graf mit Blessuren, die dazu beigetragen haben mögen, daß sich der Bayer Anfang der vierziger Jahre zunehmend aus der Öffentlichkeit zurückzog. Nichts mehr zu tun haben wolle er, schreibt Graf im Juli 1943 an Kurt Kersten, mit den »ewig« diskutierenden »Emigrantenzirkeln«[21] und ihrem »charakterlosen Ehrgeiz«. »Mißgunst und Unkameradschaftlichkeit« präge das Verhalten vieler Hitlerflüchtlinge. »Nachgerade... hassen« müsse er ihre »unsauberen Intrigen«[22].

Die durch Exilanten wie Schwarzschild und Bandl ausgelösten bzw. angeheizten Aktionen des FBI – Hausdurchsuchung, Verhöre, Postzensur und »background checks« – machen deutlich, daß der lederbehoste ›Provinzschriftsteller‹ mit seiner Schelte nicht völlig daneben lag. Dabei kann hier nur kurz skizziert werden wie weit Hoovers Behörde ihre Kreise zog, mit welchem Ernst die Special Agents Denunziationen aufnahmen und wie grob im Eifer des Gefechts der Nachrichtensammlung die Fehler ausfielen, die den G-Men unterliefen. So bat zum Beispiel der INS im September 1948 den Director, FBI um Amtshilfe bei der Vorbereitung eines Ausweisungsverfahrens gegen Graf – keine lebensgefährdende Aktion mehr zu jenem Zeitpunkt, aber doch die potentielle Entwurzelung einer Existenz, die sich ein Hitler-Flüchtling in einem Jahrzehnt mit Mühe und Not in der fremden Welt von New York aufgebaut hatte. Sechs Jahre später, die Ära des berüchtigten Senators Joseph McCarthy kam gerade zuende, wies Hoover seine Dienststelle in New York an, Grafs Security Index Card mit sogenannten »TABs« für DETCOM und COMSAB auszustatten. DETCOM steht dabei für »Detention of Com-

---

18 Anonym, »Affäre des deutschen ›Schutzverbands‹«, S. 1023.
19 Boris Souvarine: »Die andere Unterwelt.« In: *Das Neue Tage-Buch* 51 v. 16. 12. 1939, S. 1184-7. Dieser Aufsatz trägt interessanterweise auf dem Titelblatt des *Neuen Tage-Buchs* die abweichende Überschrift: »Kommunazis in Amerika.«
20 FBI-Report, New York v. 24. 4. 1950, S. 8.
21 Oskar Maria Graf, Brief an Gustav u. Else Fischer v. 4. 10. 1942. In: *Oskar Maria Graf in seinen Briefen*, S. 118.

munists«, ein FBI-Programm, das unter bestimmten Umständen die Internierung von kommunistischen Funktionären und sogenannten subversiven Elementen vorsah; COMSAB, »Communist Sabotage«, wurde vom FBI zur Identifizierung von Personen eingerichtet, denen man aufgrund ihrer Ausbildung oder ihrer Stellung besondere Fähigkeiten für Sabotageakte zuschrieb.[23] Aufmerksam notiert das FBI 1943 – offensichtlich auf der Spur von Schwarzschilds Rechnung »›Rot = Braun‹«[24] -, daß Graf, der mit den vielfach konservativen, wenn nicht gar pro-Nazi ausgerichteten alteingesessenen deutschen Emigranten Verkehr pflegte, nie »Rueckwanderer Marks«[25] gekauft habe, bis 1941 mit dem deutschen Konsulat keinen Kontakt aufnahm und auch keine Unterlagen von der German Library of Information erhielt. Mißtrauisch registriert Hoovers Dienst zugleich Grafs Kontakte zu den Freien Deutschen in Mexiko, zitiert aus der *Internationalen Literatur*, daß der Exilant Mitglied des »Schutz Verband Deutscher Schriftsteller in Frankreich«[26] gewesen war, einer Vorläuferorganisation der von Schwarzschild verunglimpften GAWA, und entnimmt dem *New York Herald Tribune* vom 23. April 1940, daß der selbst unter extremen finanziellen Schwierigkeiten leidende Autor[27] an einer Auktion der unter »Executive Order 9835«[28] als kommunistisch verdächtigten League of American Writers für notleidende Kollegen in Europa teilgenommen habe.

So wie bei anderen Untersuchungsgegenständen nimmt man in Washington und New York auch im Fall Graf Denunziationen, wie sie das *Neue Tage-Buch* verbreitete, für bare Münze. Von einem Exilanten, der eben ein Buch beim Book of the Month Club untergebracht hatte, läßt sich das FBI berichten, daß Graf »a rather stupid writer of popular fiction of no literary merit«[29] sei, der beständig der kommunistischen Parteilinie folgt. Eine Journalistin, die in Deutschland und in den USA gearbeitet hat, hält Graf für einen »skilful propagandist for Communism«[30]. Andere nennen ihn schlicht »one of the ›German-Communist and International Comintern leaders‹«[31] oder »one of the most cunning Moscow agents under his mask of a harmless, jovial, beer-

22 Oskar Maria Graf, Brief an Kurt Kersten v. 24. 5. 1943, a. a. O., S. 171.
23 Die Tatsache, daß das FBI beide TAB's innerhalb von vier Monaten wieder von Grafs Akte entfernte, deutet an, daß man womöglich zunächst etwas übereifrig gehandelt hatte.
24 Walter, *Deutsche Exilliteratur*. Bd. 4, S. 104.
25 FBI-Report, New York v. 5. Mai 1943, S. 2.
26 FBI-Report, New York v. 24. 4. 1950, S. 12.
27 Vgl. Grafs Briefwechsel mit der American Guild for German Cultural Freedom, der in Auszügen abgedruckt ist in *Oskar Maria Graf*. Frankfurt: Buchhändler-Vereinigung 1978, S. 33-54 (=Kleine Schriften der Deutschen Bibliothek, 1.).
28 FBI-Report, New York v. 24. 4. 1950, S. 12.
29 A. a. O., S. 14.
30 A. a. O., S. 13.
31 A. a. O., S. 5.

guzzling Bavarian peasant writer«[32] und sind überzeugt davon, daß er – »almost fanatical in his devotion to Communism«[33] – nichtsahnende katholische Freunde für seine Zwecke ausnützt. Falschinformationen werden unbesehen in die Akten übernommen, solange sie in das Bild passen, das man sich ohnehin schon von Graf gemacht hat – etwa, daß der Autor seit 1918 Mitglied der KPD sei[34] oder daß er längere Zeit in der Sowjetunion gelebt habe[35]. Und natürlich durchleuchten FBI, INS und die Alien Squad der New Yorker Polizei Grafs Biographie von vorn bis hinten: Für Bruder »Eugene«, der in Deutschland wohnt, Bruder »Lawrence«, der naturalisierter Amerikaner ist, und Schwester Anna, die ebenfalls in den USA lebt,[36] interessiert man sich in diesem Zusammenhang und dafür, daß Graf in »Ber Am Starberger«[37] geboren wurde, Flüchtling in Österreich und der Tschechoslowakei war, Autor von mehreren Romanen »concerning life on German farms«[38] ist, Gegner der Nazis und mäßig erfolgreicher Exiltautor in den USA.

So und ähnlich geht es weiter in den Graf-Akten der Geheimdienste. Als sich das Office of Strategic Services und die British Political Warfare Mission in New York im Herbst 1942 Gedanken darüber machen, wie die Propagandaarbeit in Deutschland zu verbessern sei – »Dorothy Thompson talks with an American accent and is pretty highbrow. What we need is a man who can appeal to peasants and workers...«[39] – kommt die Sprache auf den bodenständigen Bayern: »Graf is a splendid orator, and he knows how to talk to Germans of the lower classes... he would... have far more influence on the masses of German people than a man like Thomas Mann whose primary appeal is only to intellectuals.«[40] Gegen ihn spreche zwar, daß er »strong Communist leanings«[41] habe. Andererseits sei anzunehmen, so die British Political Warfare Mission, »that in a clash of loyalties to Bavaria and Russia he would choose Bavaria[42]«. Gleich mehrfach kommt im FBI-Material ein kurzer Beitrag Grafs aus dem Jahre 1930 zu einer Umfrage der *Linkskurve* über den ersten Fünfjahrplan in der Sowjetunion zur Sprache, in dem der Pazifist ausdrücklich erklärt, im Kriegsfall auf der Seite der Oktoberrevolu-

---

32 A. a. O., S. 11.
33 A. a. O., S. 7.
34 SAC, New York, Memorandum an Director, FBI, v. 7. 9. 1955, S. 4.
35 FBI-Report, New York v. 24. 4. 1950, S. 7.
36 FBI-Report, New York v. 5. 5. 1943, S. 2.
37 SAC, New York, Memorandum an Director, FBI, v. 24. 4. 1950.
38 FBI-Report, New York v. 5. 5. 1943, S. 2.
39 Dr. Heilbrunn, Brief an Major Littauer v. 4. 6. 1942 (OSS, 321).
40 L. V. Heilbrunn, Brief an John C. Wiley v. 18. 9. 1942 (OSS, 321).
41 Philip Horton, Memorandum an Mr. Wiley v. 22. 9. 1942 (OSS, 321).
42 John W. Wheeler-Bennett, British Political Warfare Mission, Brief an Mr. Horton v. 3. 10. 1942 (OSS, 321).

tion zu stehen. Ein Mitarbeiter des OSS, der sich in Philadelphia Zugang zu einer geschlossenen Veranstaltung des German American Emergency Committee mit Graf verschafft, referiert, daß der Redner Thomas Mann in die Nähe von Emil Ludwig und Lord Vansittart rückt (»Mann's broadcast over the BBC... did not make it clear whether he still considered himself a German«[43]). Ausführlich listen Hoovers Leute alle Zeitschriften auf, in denen sie den Name des Exilanten entdecken – *Gegen-Angriff, Wort, Internationale Literatur, Aufbau, Freies Deutschland, New Masses, Daily Worker* usw. Auf dem Umweg über eine dieser Zeitschriften, das *Freie Deutschland* in Mexiko, gerät die Nachricht von der Gründung einer »literary organization« namens »Die Tribüne« in das Dossier, deren Treffen nach Aussage eines Informanten »»German-Communist literati«[44] von der Couleur Grafs zusammenbringen. Die üblichen Personenbeschreibungen werden angefertigt – »Height: 6', Weight: 215 lbs., ...Characteristics: Subject speaks with a decided German accent, has little knowledge of the English language«[45]. Und bis in die fünfziger und sechziger Jahre – die letzte Akte zu Graf trägt das Datum 1. Juni 1964 – läßt sich Hoover aus Deutschland Informationen über seinen Schützling zutragen, obwohl der nach seiner verspäteten Einbürgerung in die USA nur viermal die alte Heimat besucht: darunter einen knappen Hinweis auf Wiedergutmachungszahlungen (»DM 5,000 per year for five years and, in addition, a lump sum of DM 20,000«); Aufzeichnungen des 66. Counter-Intelligence Corps in Stuttgart und der amerikanischen Botschaft in Bonn von Gesprächen mit einem ehemaligen bayerischen KPD-Funktionär (»[ausgeschwärzt] stated that during his activity in the KPD LL Bavaria he saw no indication... that Subject had... maintained connections with that organization or any of its members«[46]); Zitate aus einer Broschüre des Deutschen Ge-

---

43 Memorandum o. D. [ca. 22. 2. 1944], S. 3 (OSS, 1002). Es ist anzunehmen, daß es sich hier um dieselbe Rede handelt, die Graf unter der Überschrift »Das deutsche Volk und Hitlers Krieg« am 26. Februar 1944 in Chicago vor der German-American Anti-Axis League hielt (in Graf, *Reden und Aufsätze aus dem Exil*, bes. S. 209ff.). Grafs Kritik an Mann hatte bereits am 10. Juni 1940 in einem Brief an »den engeren Vorstand der German American Writers Assn« einen Höhepunkt erreicht: »... die ganze Aktion... der... Gruppe Mann und Herr Gumpert... läuft... eindeutig darauf hinaus, die GAWA und deren Mitglieder als suspekt in diesem Lande zu denunzieren. Damit begeben sich diese absonderlichen ›Kulturträger‹ auf dasselbe Niveau wie jenen kleinen und... nicht immer ganz zurechnungsfähigen Verleumder, die sich einfach irgendwelche unlauteren Dinge über unseren Verband... aus den Fingern gesogen habe, um sich an einer lächerlichen Rachsucht zu befriedigen« (Oskar Maria Graf-Sammlung, Handschriftenabteilung, Bayerische Staatsbibliothek, München).
44 FBI-Report, New York v. 24. 4. 1950, S. 5.
45 FBI-Report, New York v. 5. 5. 1943, S. 3. Grafs Englisch war so schlecht, daß er in Vorbereitung der erhofften Einbürgerung einen Sprachkurs in einer Abendschule belegte.
46 Memorandum der 66th CIC Group, Stuttgart; Anlage zu Legat, Bonn, Memorandum an

---

werkschaftsbundes (»he is a convinced Socialist«); und eine Reihe von vor der Freigabe an mich leider vollständig unkenntlich gemachten Auszügen aus den »Regional files of [ausgeschwärzt] in Munich«[47], hinter denen sich wahrscheinlich das lokale Amt eines amerikanischen Nachrichtendienstes versteckt.

Oskar Maria Graf, dessen relativ schmale FBI-Akte[48] und erst 1955 gelöschte Security Index Card unter den Bezeichnungen »Alien Enemy Control – C«[49], »Security Matter – C«[50] und »Internal Security – C«[51] geführt wurden, starb am 28. Juni 1967 in New York als amerikanischer Staatsbürger. Daß er zwanzig Jahre auf seine Einbürgerung warten mußte, hatte freilich, im Gegensatz etwa zum Fall Lion Feuchtwanger, nicht nur mit J. Edgar Hoovers politisch motiviertem Arbeitseifer bzw. den Denunziationen von Schwarzschild und Brandl zu tun – »auf Grund sehr lächerlicher Denunziationen aus dem Jahre 1938 bin ich hier noch immer suspekter ›Staatenloser‹ und gelte überall als wilder Kommunist«[52] – sondern auch mit dem Schriftsteller selbst. Als Pazifist vermochte Graf nämlich erst in dem Augenblick den Treueeid auf die USA zu schwören, als man eigens für ihn jene Zeile aus dem Text strich, in der von der Verteidigung seiner neuen Heimat mit der Waffe die Rede ist.

Graf war der amerikanischen Demokratie für diesen Sonderdienst bis zu seinem Ende dankbar, obwohl er im Gegensatz zu vielen seiner Mitexilanten geahnt zu haben scheint, daß er über Jahrzehnte hinweg durch die Behörden seines Gastlandes bespitzelt wurde[53]: »... ich muß doch sagen«, läßt er

Director, FBI, v. 30. 9. 1955, S. 4. Vgl. zur Höhe der Wiedergutmachungszahlungen die »Erläuterungen« zu einem Brief von Graf an Gustav und Else Fischer v. 26. 8. 1956. In: *Oskar Maria Graf in seinen Briefen*, S. 358.

47 Memorandum der 66th CIC Group, Stuttgart; Anlage zu Legat, Bonn, Memorandum an Director, FBI, v. 30. 9. 1955, S. 5.

48 FBI und INS haben 53 von ca. 80 Blättern an mich freigegeben. Graf behauptet dagegen, eine »Riesenakte« (Brief an Lion Feuchtwanger v. 14. 5. 1958. In: *Oskar Maria Graf in seinen Briefen*, S. 281) gehabt zu haben, in der, wie er bei einem INS-Verhör festzustellen meinte, alles zusammengetragen wurde was man brauchte, um ihn »partout zum Kommunisten zu stempeln: uralte Beiträge in sozialistischen und kommunistischen deutschen Zeitungen aus den Jahren 1924 bis 1930, Zuschriften an irgendwelche Emigrationsblätter zugunsten der Befreiung Niemöllers, Thälmanns und anderer – ich war einfach platt!« (Brief an Robert Warnecke v. 18. 6. 1951, a. a. O., S. 236).

49 FBI-Report, New York v. 5. 5. 1943, S. 1.

50 FBI-Report, New York v. 24. 4. 1950, S. 1.

51 Legat, Bonn, Memorandum an Director, FBI, v. 30. 9. 1955.

52 Oskar Maria Graf, Brief an Thomas Mann v. 15. März 1949. In: *Oskar Maria Graf in seinen Briefen*, S. 219. Es ist anzunehmen, daß Graf hier eine Ungenauigkeit unterläuft und 1939 gemeint ist.

53 »Nun ganz plötzlich vor ungefähr zweieinhalb Monaten wurde ich abermals vor das Naturalisationsamt geladen«, schreibt Graf dazu am 14. Mai 1958 an Feuchtwanger, »da ich immer noch nicht Englisch kann, ging meine Frau mit... Der Beamte hatte die Riesenakte

den immer noch auf seine Einbürgerung wartenden, totkranken Lion Feuchtwanger 1958 wissen, »daß ich aufgrund *meiner* Einbürgerung der amerikanischen Demokratie einigen Respekt entgegenbringe.«[54]

Berthold Viertel

Berthold Viertel, Lyriker, Erzähler, Essayist, Theatermann und Filmregisseur,
gehörte zu jenen Hitlerflüchtlingen, bei denen sich alte Beziehungen zu Amerika mit der Exilerfahrung vermischen. Seit 1928 in Hollywood bei Fox und
Paramount tätig, wird dem gebürtigen Wiener 1932 im mexikanischen Grenzort Ensenada das Quotenvisum ausgestellt. Zahllose Anträge auf »Reentry
Permits« legen Zeugnis von Viertels Film- und Theaterarbeit in England ab:
»Reasons for going abroad to fulfill contract... with Gaumont-British«[1], »negotiating the production of a play in London«[2] usw. Viertels Frau, die erfolgreiche Drehbuchautorin Salomea Sara Viertel, genannt Salka, wurde im Februar 1939 Amerikanerin. Er selbst erhielt die U.S.-Staatsbürgerschaft am
10. März 1944[3] nachdem sich ein prominenter Fürsprecher, der Direktor des
National Symphony Orchestra in Washington, Hans Kindler, bei »My dear
Francis«[4], dem Justizminister Francis Biddle, mehrfach für ihn eingesetzt
hatte. »... the fact that the Los Angeles office did have knowledge of the
subject's alleged Communistic activities and did cause an investigation to be
made«, vermerkt ein Special Agent der Investigation Division des INS dazu
trocken, »did not affect subject's naturalization.«[5]

---

vor sich und sagte: ›Herr Graf, diese Akten haben dem [!] amerikanischen Staat Tausende
von Dollars gekostet... Sie können sich *hauptsächlich* bei Ihren Mitexilanten bedanken für
all die Denunziationen« (a. a. O., S. 281–2). Ähnlich heißt es in dem stark autobiographischen »New Yorker Roman« *Die Flucht ins Mittelmäßige.* München: Süddeutscher Verlag
1976, S. 76-7: »Überall witterte man kommunistische Wühlarbeit... Die Geheimpolizei,
das ›Federal Bureau of Investigation‹, arbeitete fieberhaft. Jeder Klub, jeder Mensch, der
irgendwann einmal Sympathien für den Kommunismus oder Sowjetrußland bekundet hatte, wurde dutzendmal verhört, verdächtigt und auf Grund von Denunziationen privat ge-
ächtet und beruflich ruiniert.«
54 Oskar Maria Graf, Brief an Lion Feuchtwanger v. 14. 5. 1958. In: *Oskar Maria Graf in sei-*
nen Briefen, S. 283.
1   Application for Reentry Permit v.8. 8. 1934 (INS).
2   Extension of Permit to Re-Enter the United States v. 7. 9. 1938 (INS).
3   In den Anmerkungen zu Berthold Viertel: *Die Überwindung des Übermenschen. Exilschrif-*
ten. Studienausgabe, Bd. 1. Hrsg. v. Konstantin Kaiser u. Peter Roessler. Wien: Verlag für
Gesellschaftskritik 1989, S. 344 (=Antifaschistische Literatur und Exilliteratur – Studien
und Texte, 2.) wird die Einbürgerung auf das Jahr 1942 verlegt.
4   Hans Kindler, Brief an Francis Biddle, Attorney General, v. 20. 8. 1943 (INS).
5   Maurice Spalter, Special Inspector, District Investigations Divison, New York, v. 20. 5. 1946
(INS).

Ob J. Edgar Hoover von dem Eingriff seines Vorgesetzten in das schwebende Einbürgerungsverfahren wußte, geht aus dem umfangreichen Viertel-Dossier beim FBI (140 von 214 Blättern wurden ausgeliefert) nicht hervor. Glücklich hätte ihn der Alleingang von Biddle sicher nicht gemacht, denn seine Männer in New York, Los Angeles, Boston und Washington waren dem als »Internal Security-R«[6] eingestuften Ehepaar[7] seit Januar 1942 mit zum Teil beachtlichem Aufwand auf der Spur.

Zwei »Employee Investigations«[8] für potentielle Arbeitgeber stehen dabei am Anfang. Die erste läuft von Januar bis Juni 1942 im Auftrag der OSS- und CIA-Vorläuferorganisation Office of the Coordinator of Information, bei der sich Viertel offensichtlich um Arbeit bewarb.[9] Sie fördert außer einigen, nicht immer ganz korrekten, bio-bibliographischen Daten nicht viel zutage: »... was brought to the West Coast by Winfield Sheehan where he directed pictures for Fox Films Company in 1929«[10], »employed by Paramount Picture Corp., Hollywood, California as a film-director, at a salary of approximately $25,000«[11], »at the New York Public Library it was ascertained that Berthold Viertel was the author of the following publications: *Gedichte* ›Die Spur‹..., ›Die Bahn‹..., *Drama*: ›Die Bacchantinnen Des Suripides‹«[12] usw. Noch schneller kam Anfang 1943 die zweite, unter »Internal Security, Hatch Act« geführte Untersuchung von Viertels Verbindung zum Office of War Information zuende, obwohl Hoover dem OWI mit erheblichem Mißtrauen gegenüberstand: »As has been pointed out to you previously«, warnt er den federführenden SAC von New York in einem Schreiben vom 30. Januar 1943 ausdrücklich, »it is of the utmost importance to the Bureau that specific and definite information be obtained... particularly in cases involving the Office of War Information, in view of the numerous allegations received concerning employees of this Agency«[13].

---

6 FBI-Report, New York v. 24. 1. 1942, S. 1.

7 Da ich ursprünglich nur die Akte von Berthold Viertel bestellt hatte, wurde der im September 1942 hinzugefügte zweite Name im »Title« vor der Freigabe ausgeschwärzt. Zahlreiche Hinweise in den Akten lassen jedoch keinen Zweifel, daß es sich hier um Salka Viertel handelt.

8 J. Edgar Hoover, Brief an SAC, New York, v. 7. 4. 1942, S. 1.

9 James B. Opsata, Chief, Personnel Division, Coordinator of Information, Brief an D. M. Ladd, Assistant Director, FBI, v. 31. 3. 1942 (CIA). Die Kopie des beiliegenden Bewerbungsformulars ist nicht lesbar.

10 FBI-Report, New York v. 18. 6. 1942, S. 2.

11 J. Edgar Hoover, Brief an SAC, New York, v. 7. 4. 1942, S. 1.

12 FBI-Report, New York v. 18. 6. 1942, S. 7.

13 J. Edgar Hoover, Brief an SAC, New York, v. 30. 1. 1943. Viertels Anstellung beim OWI war bereits im April 1942, »without prejudice« (E. E. Conroy, SAC, New York, Brief an Director, FBI, v. 15. 2. 1943), beendet worden. Warum Hoover in dieser Sache mit so viel Verspätung aktiv wurde, läßt sich aus den vorliegenden Akten nicht entnehmen.

Dennoch begann gerade in jener Zeit ein großer Lauschangriff auf Viertels Post und Telephon, der dem Fall Brecht kaum nachsteht. Ja, es war, wie wir sehen werden, vor allem die Beziehung der Viertels zu Brecht und zu Ruth Berlau, die das FBI über mehrere Jahre hinweg und von Los Angeles bis New York beschäftigte.

Wie weit Hoovers Bureau im Fall Viertel seine Kreise zog, macht gleich der erste Hinweis auf die Postzensur deutlich: »On August 1942 [ausgeschwärzt] Santa Monica Branch Post-Office... said that for many years the motion picture actress Greta Garbo received a great deal of mail at... 165 Mabery Road, Santa Monica, California.«[14] Aus der unter »Undeveloped leads« angekündigten »30 day mail cover« sind dann, folgt man den vorliegenden Akten, vier Jahre geworden. Doch so groß der Nutzen dieser Aktion für Hoover und R. B. Hood gewesen sein mag, so unergiebig ist die Überwachung von Viertels Post für die Exilforschung. Kopien und Zusammenfassungen der geöffneten Korrespondenz haben sich nur in wenigen Fällen erhalten – etwa wenn Anna Seghers ein Jahr nach ihrer Ankunft in Mexiko schreibt »I don't miss the United States, not for one moment«[15], oder wenn ein Mitarbeiter der Zeitschrift *Das andere Deutschland* aus Buenos Aires Viertel »not only as poet but also as a true socialist« um Beiträge bittet. Die Listen mit abgefangenen Briefen (Zuckmayer, Isherwood, Brecht, Joint Anti-Fascist Refugee Committee usw.) sind zwar bisweilen mehrere Seiten lang, aber fast vollständig ausgeschwärzt.

Erheblich interessanter fallen da schon die Ergebnisse der Überwachung von Viertels Telephongesprächen in Santa Monica und, seit seinem Umzug an die Ostküste, in New York aus: »A check at the apartment house at 346 West 84th Street, New York, New York, showed that the subject's name was still on the building directory as a resident. It is a small residential building and there were only twelve names on the directory. The one name, [ausgeschwärzt], which appeared to be that of [ausgeschwärzt], was checked through the indices and it was noted that in previous years she was a known correspondent of Viertel's and for some time a resident of the same house.«[16] Zwar sind auch hier die Abschriften der Aufzeichnungen nicht erhalten geblieben oder nicht freigegeben worden. Querverweise und Zitate in Berichten und Memoranda der entsprechenden Field Offices entwerfen jedoch ein recht lebhaftes Bild von der Arbeit und den Zielen der Abhörer.

Hoover holte sich zum erstenmal am 26. Januar 1945 beim Attorney General eine Erlaubnis für »technical surveillance on the residence of Berthold

---

14 FBI-Report, Los Angeles v. 3. 9. 1942, S. 2.
15 Anna Seghers, Brief an Berthold Viertel v. 11. 7. 1942. Das Datum von Anna Seghers Brief deutet an, daß Viertels Post womöglich schon vor September 1942 überwacht wurde.
16 FBI-Report, New York v. 6. 12 1945, S. 1.

Viertel« – eine Prozedur, die u. a. deshalb nötig war, weil beide Viertels inzwischen amerikanische Staatsbürger geworden waren. Zwei Gründe gibt er dabei an. Einmal sei Viertel »a known contact of agents of the Soviet Secret Intelligence (NKVD)«. Zum anderen habe man festgestellt, daß eine »she« »access to the telephone located at 165 Mayberry Street«[17] besitzt, die in Kontakt mit einem führenden Kominternvertreter aus Europa steht und zur Zeit damit befaßt ist, Dokumente zu photographieren: »...[ausgeschwärzt] who is a close contact of Bert Brecht, has been living in an apartment on the property of Viertel and has been using his telephone. Preliminary investigation indicates that [ausgeschwärzt] is now photographing documents for Bert Brecht. She made the statement to an instructor in photography that she was going to photograph certain manuscripts, to be made up in the form of a book and to be sent to Germany after the war.«[18] Ein Blick in die Vita und in die FBI-Akte von Bertolt Brecht läßt keinen Zweifel, daß es sich hier um Ruth Berlau handelt, die bei ihren Besuchen in Kalifornien häufig bei den Viertels wohnte (»resides above Viertel's garage«[19]), Brechts Werke auf Film kopierte und in New York dabei war als Brecht und Viertel im Frühsommer 1945 die Aufführung von *The Private Life of the Master Race* vorbereiteten.

In der Tat spielen Brecht und Berlau eine zentrale Rolle bei der Überwachung von Viertels Telephon. »From the time that the service of this informant was engaged«, berichtet Hood seinem Vorgesetzten im Zuge von Anträgen auf Verlängerung der Abhörgenehmigung im Februar und März 1944, »namely on February 6, 1945, considerable information has been obtained concerning the above subject... It was made known by this informant that the subject has had repeated contacts with Berthold Brecht [ausgeschwärzt] during this period... therefore request is made that the services of the informant be continued.«[20] Kontakte zwischen Thomas Mann, Feuchtwanger und Brecht, »all of whom are principals in the Free German« group in Los Angeles area«[21], seien durch die Abhöraktion aufgedeckt worden ebenso wie die eine oder andere Verabredung zu einem Abendessen mit Charlie Chaplin und Hanns Eisler oder einer Party mit Thomas und Heinrich Mann. Hoovers G-Men hören mit als [ausgeschwärzt] von den Viertels aus im Cedar of Lebanon Krankenhaus anruft, um sich nach dem Befinden einer Bekannten zu erkundigen. Aus einem Gespräch mit einer nicht identifizierbaren Frau referiert der Bureau-Protokollant die Sätze: »They were discussing the potentialities of President Truman... She... stated that things might go to the left, especially when the soldiers come back from the war. She added that Brecht

17 J. Edgar Hoover, Director, Memorandum an Attorney General v. 26. 1. 1945.
18 R. B. Hood, SAC, Brief an Director, FBI, v. 15. 1. 1945, S. 1-2.
19 FBI-Report, Los Angeles v. 1. 2. 1945, S. 6 (FBI-Akte, Bertolt Brecht).
20 R. B. Hood, SAC, Los Angeles, Briefe an Director, FBI, v. 21. 2. 1945 u. 9. 3. 1945.
21 R. B. Hood, SAC, Los Angeles, Briefe an Director, FBI, v. 10. 4. 1945.

Federal Bureau of Investigation
United States Department of Justice
Los Angeles 13, California
January 15, 1945

IN REPLY. PLEASE REFER TO
FILE NO. 100-9727

CONFIDENTIAL

PERSONAL AND CONFIDENTIAL

Director, FBI

Re: BERTHOLD VIERTEL
Mexico—INTERNAL SECURITY – R
REFER 5 IS

Classified by
Declassify on:

Folson
E. A. Tamm
Clegg
Coffey
Mr. Glavin
Mr. Ladd
Mr. Nichols
Mr. Rosen
Mr. Tracy
Mr. Carson
Mr. Egan
Mr. Hendon
Mr. Pennington
Mr. Quinn Tamm
Mr. Nease

Dear Sir:

Reference is made to the report of Special Agent
dated April 18, 1942 at Los Angeles, in the case entitled BERTHOLD VIERTEL,
OFFICE OF THE COORDINATOR OF INFORMATION, EMPLOYEE INVESTIGATION (Bureau
file 77-23002). Reference is also made to the report of Special Agent
dated April 22, 1943 at Los Angeles, entitled BERTHOLD
VIERTEL; INTERNAL SECURITY – R, CUSTODIAL DETENTION.

It is noted from the above references that BERTHOLD VIERTEL
has been the subject of investigation by this office for a considerable
length of time. Although no active investigation has been conducted through
subject file, this individual has been a frequent reference in the Comrap
Case, of which the San Francisco Field Division is origin.

It is also noted that VIERTEL has been a close contact of
who is also a principal in the Comrap Case, and is the
subject of a separate investigation in this office.
collaborated with , who is the subject of a separate
investigation, on the preparation of

In addition, it is known that in August of 1943 the group of
individuals met for the purpose of sending a telegram to Moscow in support
of the Free German movement. The meeting of this group was held at the
home of BERTHOLD VIERTEL. It is also known that the subject has been in
correspondence with the Free German group operating in Mexico City, and that
he has contributed articles to their publication "Freies Deutschland". It
is further reported that he was one of the signers of the declaration of
the Council for Democratic Germany, which has its headquarters in New York
City.

RECORDED

Recently it was brought to the attention of this office that
who is a close contact of BERT BRECHT, has been living in an
apartment on the property of VIERTEL and has been using his telephone.

COPIES DESTROYED 11-19-58

RECORDED &
INDEXED

100-70151-13

ALL INFORMATION CONTAINED
HEREIN IS UNCLASSIFIED
EXCEPT WHERE SHOWN
OTHERWISE

Director, FBI   CONFIDENTIAL   January 15, 1945

Re: BERTHOLD VIERTEL
INTERNAL SECURITY - R
REFER 5 IS

Preliminary investigation indicates that ████████ is now photographing documents for BERT BRECHT. She made the statement to an instructor in photography that she was going to photograph certain manuscripts, to be made up in the form of a book and to be sent to Germany after the war.

In view of the fact that VIERTEL is so closely connected with individuals who have been considered principals in the Comrap Case, and that he is known to support the Free German Group of Mexico City, and finally, that ██████████ has access to his telephone, it is requested that a technical installation be made at the home of VIERTEL, 165 Mayberv Street, Santa Monica, California. It is intended that this technical will be run to the central plant and will be identified by symbol █████████

Very truly yours,

R. B. HOOD
SAC

100-9727

CONFIDENTIAL

-2-

shares her opinion on this possibility of a sharp swing to the left.«[22] Ein anderes mal, am 25. Mai 1945, schreibt das FBI mit als man im Hause Viertel über eine Aufsatzreihe von Emil Ludwig in der *Los Angeles Times* herzieht: »[Ausgeschwärzt] stated ›That every one of these articles should be saved and when Ludwig comes back they should be spit into his face. That fellow Ludwig is a regular swine, a stupid pig.‹... She added that Thomas Mann, or somebody, should answer Ludwig.«[23]

Wann genau das FBI die Überwachung von Viertels Telephon wieder abgesetzt hat, läßt sich nicht mehr rekonstruieren. Der letzte erhalten gebliebene Hinweis jedenfalls findet sich in einem FBI-Bericht aus New York vom 19. Juni 1946. »Investigation reveals«, heißt es dort, »that there is no telephone listed to the Subject, and that there is a telephone listed to [ausgeschwärzt] 346 West 84th Street. Since the Subject resides in care of [ausgeschwärzt] and receives his mail at her mail box, attempts will be made to obtain the long-distance telephone calls made over the telephone of [ausgeschwärzt].«[24]

Doch Hoover hat nicht nur Post- und Telephonzensur, sondern auch einfachere Überwachungsmethoden gegen Berthold und Salka Viertel eingesetzt. Von Anwohnern der kurzen, leicht überschaubaren Mabery Road im Nordwesten von Santa Monica lassen sich seine G-Men 1945 bestätigen, daß ein 1935er Plymouth, als dessen Besitzer man (wohl fälschlicherweise) Brecht ermittelt,[25] und ein 1937 Cadillac fast täglich vor Viertels Haus parken. Salka Viertels langjährige Sekretärin Marion Bach – »she does not wish her identity disclosed« – ist für das FBI interessant, weil sie weiterhin Kontakt hat mit den Viertels und deshalb in der Lage ist, »to know Salka's friends, many of whom are Communists, one of whom is Brecht«[26]. Wendungen wie »Will contact confidential informants close to the Viertels«[27] und die Tatsache, daß jemand eine Aussage »in the presence of this source«[28] gemacht habe, deuten an, daß das FBI im Fall von Viertel, »height 5 feet 4 inches... mole on each cheek«[29], mehrere Informanten einsetzte. Querverweise in Brechts FBI-Akte machen E. E. Conroy in New York darauf aufmerksam, daß Viertel als »stage director« an der Aufführung von Brechts *The Private Life*

---

22 FBI-Report, Los Angeles v. [unleserlich] 6. 1945, S. 3.
23 A. a. O., S. 4.
24 FBI-Report, New York v. 19. 6. 1946, S. 2.
25 Salka Viertel: *The Kindness of Strangers*. New York: Holt, Rinehart and Winston 1969, S. 283 spricht bei einem anderen Anlaß von Brechts »battered Ford«.
26 FBI-Report, Los Angeles v. 22. 5. 1943, S. 6 (FBI-Akte, Bertolt Brecht; Brecht-Archiv, Berlin).
27 FBI-Report, Los Angeles v. 18. 4. 1945, S. 15.
28 FBI-Report, Los Angeles v. 5. 10. 1945, S. 2.
29 Petition for Naturalization v. 13. 4. 1943, S. 1 (INS).

of the Master Race beteiligt war: »The play was produced at the Pauline Edwards Theatre at the City College of New York, 23rd Street and Lexington Avenue, New York City from June 12th to June 17th, 1945.«[30] Immer wieder wurde »spot surveillance«[31] eingesetzt, unter anderem, um das Untersuchungsobjekt am Abend des 17. Januar 1946 beim Treff mit einem Unbekannten in New York in Tony's Restaurant zu beobachten. Mit Wendungen wie »It is reported that... he is closely associated with Bert Brecht, Lion Feuchtwanger, Hanns Eisler« und »the Viertel home is gathering place of German refugees and known Communists and liberals in Los Angeles area« leitet Hood einen Bericht über die Teilnahme des Exilanten an »forums on post-war Germany in New York«[32] ein – ein Thema, das in Viertels Beziehung zum Council for a Democratic Germany wieder auftaucht: »... was one of the signers of a declaration dated in May, 1944... in this, Viertel was associated again with Bertolt Brecht.«[33]

Edward Scheidt, damals SAC in New York, ließ seine Zentrale in Washington im August 1947, also wenige Tage vor der Rückkehr des Exilanten nach Europa, noch einmal wissen was beim FBI längst bekannt war – nämlich, daß Viertel einer Gruppe von »refugee writers, actors, and directors of an extremely liberal and revolutionary viewpoint« angehört. Zu diesem Personenkreis, »some of whom are suspected Soviet Agents«[34], zählen nach Meinung von Scheidt u. a. Brecht, die Brüder Eisler, Thomas Mann und Egon Erwin Kisch, der einige Zeit zuvor noch in einem Brief geschrieben hatte, daß er mit Viertel keine Kontakte haben wolle, »because he is a feeble person... and... mixes with bad people«[35]. Und auch das House Committee on Un-American Avtivities macht sich 1947 um Viertels schlechten Umgang Sorgen, darunter Treffen im Haus des Untersuchungsgegenstands zwischen »German Communist refugees among the movie people in Hollywood« und »known American Communist Party line followers as [ausgeschwärzt]«[36]. Am 13. Mai um 18 Uhr 15, meldet R. B. Hood dazu aus Los Angeles nach Washington, habe er deshalb nach einem persönlichen Gespräch mit dem Kongreßabgeordneten Thomas eine Reihe von Memoranda an Robert Stripling, dem auch beim HUAC-Verhör von Brecht auftretenden Chief Investigator of the Committee, abgeliefert, in denen neben Viertel und Brecht u. a. Hanns Eisler, Peter Lorre und »Communist Activities in Hollywood« behandelt wer-

---

30 FBI-Report, New York v. 6. 12. 1945, S. 2.
31 A. a. O., S. 5.
32 FBI-Report, Los Angeles v. 18. 4. 1945, S. 1.
33 FBI-Report, New York v. 6. 12. 1945, S. 2.
34 FBI-Report, New York v. 19. 8. 1947, S. 2.
35 FBI-Report, Los Angeles v. 18. 4. 1945, S. 4.
36 Re: [ausgeschwärzt], o. D., S. 1. Dieses zweiseitige Dokument ist wahrscheinlich eine Anlage zu R. B. Hood, SAC, Los Angeles, Brief an Director, FBI, v. 14. 5. 1947.

den. »Chairman J. Parnell Thomas« und Stripling »appeared to be very friendly and appreciative of this cooperation afforded them.«[37]

Die Viertel-Akte endet mit zwei Dokumenten, in denen es um die amerikanische Staatsbürgerschaft des 1885 in Wien geborenen Exilanten geht. Das erste stammt aus dem Jahr 1949 und handelt davon, daß Viertel trotz der vom FBI aufgedeckten politischen Fehltritte kein Fall für »revocation proceedings«[38], also einen Widerruf seiner Einbürgerung, sei. Das zweite ist vier Jahre jünger und meldet dem State Department, daß der ehemalige Exilant »prior to his death at Vienna, Austria on September 24, 1953«[39] die österreichische Staatbürgerschaft wiedererhalten habe und damit kein Bürger der USA mehr ist.

F. C. Weiskopf

»Frantisek Carl Weiskopf, with aliases, Dr. F. C. Weiskopf; Franz Carl Weiss-kopf; Franz Carl Weiskopf«[1] kam im Juni 1939 als Gast der League of American Writers zu einem kurzen Arbeitsbesuch in die USA – und kehrte fast auf den Tag genau zehn Jahre später, intensiv vom FBI beschattet, als Diplomat der Tschechoslowakei wieder nach Europa zurück. Stereotyp beantwortete er in der dazwischen liegenden Zeit auf endlosen, weil immer nur für sechs Monate gültigen Applications to Extend Time of Temporary Stay die Frage warum er sein Herkunftsland verlassen habe so: »I am of Jewish descent and my convictions are strictly opposed to Hitlerism.«[2] Zudem sei sein Visum für Frankreich, wo er sich seit der Annexion der Tschechoslowakei durch die Nazis aufhielt, mit Ausbruch des Krieges verfallen.

Begrüßt wurden Weiskopf und seine Frau Grete, die unter dem Namen Alex Wedding als Jugendbuchautorin bekannt war, in New York (»delivered at Ellis Island, June 12, 1939, 10a.m.«) von einem dreiköpfigen Board of Special Inquiry, das dem Besucher über einen Dolmetscher die üblichen Fragen stellt – nach seiner Rasse (»Hebrew«[3]), seinen Gründen für das Verlassen der Tschechoslowakei (»Did you go away because of the Munich agreement?«[4]), seinen Lebensverhältnissen in Frankreich (»Q. What have you there? A. An apartment and my effects.«[5]) und nach dem Anlaß, der ihn in

---

37 R. B. Hood, SAC, Los Angeles, Brief an Director, FBI, v. 14. 5. 1947.

38 L. Paul Winings, General Counsel, Memorandum an W. F. Kelly, Assistant Commissioner, Enforcement Division v. 7. 10. 1949.

39 Certificate of the Loss of the Nationality of the United States v. 9. 11. 1953 (Department of State).

1 FBI-Report, Washington v. 10. 3. 1943, S. 1.

2 Application to Extend Time of Temporary Stay v. 12. 2. 1942 (INS).

3 Verhör, Board of Special Inquiry, Ellis Island, v. 12. 6. 1939, S. 1 (INS).

4 A. a. O., S. 2.

5 A. a. O., S. 3.

die USA bringt (»I want to talk with several prominent Czechoslovakian statesmen like [ausgeschwärzt] and my American publisher [ausgeschwärzt]«[6]). Ausführlich erkundigen sich die INS-Beamten bei dem ebenfalls anwesenden Vertreter der League of American Writers nach finanziellen Arrangements, nach dem Vorleben des Gastes (»you don't seem to know very much about Mr. Weiskopf«[7]) und, vor allem, nach der Dauer des geplanten Aufenthalts (»I will guarantee that they will leave the United States at the end of six months«[8]).

Doch nicht nur die League of American Writers, auch die Männer vom INS scheinen nicht besonders gut über das Leben und die Werke des Neuankömmlings informiert gewesen zu sein. Jedenfalls bleiben Fragen nach Weiskopfs politischer Vergangenheit aus, obwohl der Besucher nach 1920 beim ZK der KPČ beschäftigt war, dem Bund proletarisch-revolutionärer Schriftsteller angehörte und in den zwanziger und dreißiger Jahren an den großen Literaturkongressen in der Sowjetunion teilnahm. Unbekannt ist den Beamten auf Ellis Island, daß ihr Gegenüber schon einmal wegen literarischem Hochverrat angeklagt worden war. Und natürlich kümmert sich bei der Einwanderungsbehörde niemand um die literarische Produktion des Gastes, zu der u. a. eine Reihe von erfolgreichen Reportagen über den Aufbau der Sowjetunion gehören.

Als F. C. Weiskopf, geboren 1900 in Prag als Sohn deutscher Eltern, die USA am 28. April 1949 wieder verläßt, um den Posten des tschechoslowakischen Gesandten in Stockholm zu übernehmen, ist aus dem ursprünglich für ein halbes Jahre geplanten Besuch ein Jahrzehnt geworden, das zu den produktivsten im Leben des Prosaautors, Essayisten und Journalisten gehört. Vier Romane sind in dieser Zeit entstanden und in englischer Übersetzung erschienen, von denen einer, *Dawn Breaks* (1942; dt. *Vor einem neuen Tag*, 1944), zu einem kleinen Bestseller wird als Auswahlband eines amerikanischen Buchclubs und als Geschenkband für GIs (»over one thousand copies of subject's book... were sent to union members in the Armed Forces as a Christmas gift from various locals of the department store employees' union«[9]), in slowakischer Übersetzung in New York erscheint, auf Deutsch bei El Libro Libre, in einer russischen Ausgabe sowie in drei weiteren Sprachen. Weiskopf schreibt in Amerika regelmäßig für angesehene Zeitschriften wie *Books Abroad*, *The New Republic* und *Saturday Review of Literature* und stellt seinen amerikanischen Lesern systematisch die wichtigsten Neuerscheinungen der Exilliteratur vor von Brechts *The Private Life of the Master Race* und Ludwig Renns *Adel im Untergang* bis zu Bruno Franks *Die Tochter* und

6   A. a. O., S. 4.
7   A. a. O., S. 5.
8   A. a. O., S. 6.
9   FBI-Report, New York v. 11. 3. 1944, S. 2.

Lion Feuchtwangers *Exil*. Sein *Unter fremden Himmeln* überschriebener »Abriß der deutschen Literatur im Exil 1933-1947«, der kurz nach Kriegsende in Berlin herauskommt, enthält den Vermerk »New York und Cape Cod Januar 1944 – Juni 1947«[10]. Zusammen mit Brecht, Bruckner, Döblin, Feuchtwanger, Graf, Heinrich Mann und anderen war er an der Gründung des Aurora Verlags beteiligt, »designed«, wie man beim FBI fälschlicherweise meint, »principally for German Prisoners of War in the United States«[11]. Zahllose Briefe[12] zeugen davon, in welchem Maße Weiskopf sich für die Rettung von Mitexilanten aus dem besetzten Europa und für die Verbreitung ihrer Werke in der Neuen Welt einsetzte.

Das FBI wurde zuerst im Juli 1942 durch einen vom Office of Censorship vermittelten Brief an Egon Erwin Kisch auf Weiskopf aufmerksam[13] – und fertigte bis zur Abreise des Untersuchungsgegenstands aus den USA fast 1.000 Akteneinheiten mit Informationen aller Art an. Nahezu 800 dieser Dokumente, die sich offensichtlich auf Weiskopf Tätigkeit im diplomatischen Dienst der Tschechoslowakei als Kulturattaché in New York und Botschaftsrat in Washington während der Jahre 1947 bis 1949 beziehen, hält das FBI zurück mit Bezug auf »exemption (b) (1)... specifically authorized under criteria established by an Executive order to be kept secret in the interest of national defense or foreign policy«[14]. Ergänzt wird das ungewöhnlich umfangreiche FBI-Dossier durch 88 Blätter INS-Material und vier kurze, aber aufschlußreiche Dokumente des Department of State und der 66th CIC Group bei der United States Army in Europa aus den Jahren 1948 und 1955.

J. Edgar Hoover interessierte sich aus drei Gründen für Weiskopfs Brief an Kisch. Einmal war der Empfänger als »notorious German Communist in Mexico City« bei ihm aktenkundig. Zum anderen hatte sich das FBI von unkenntlich gemachten Nachrichtenquellen zutragen lassen, daß der Absender öffentliche Vorträge halte »presumingly spreading Communism« und als einer der »directing spirits in formulating Communist strategy... extremely careful in hiding his Communist affiliation« sei. Vor allem aber nahm Hoover Weiskopfs Brief ernst, weil Kisch in ihm angewiesen (»instructed«) wird, »in the manner in which Gustav Regler, a German communist writer, should be attacked as a Nazi Agent«[15].

1o F. C. Weiskopf: *Unter fremden Himmeln. Ein Abriß der deutschen Literatur im Exil 1933–1947*. Berlin/DDR: Aufbau 1981, S. 5.

11 FBI-Report, New York v. 26. 2. 1947, S. 2.

12 Bodo Uhse, F. C. Weiskopf: *Briefwechsel 1942–1948*. Hrsg. v. Günter Caspar. Berlin/DDR: Aufbau 1990; Seghers, »Briefe an F. C. Weiskopf«, S. 5-46.

13 Bei einem früheren, vom 10. Dezember 1940 datierten Schreiben des New Yorker SAC an Hoover, in dem es um die Beziehungen eines F. C. Weiskopf zu der Zeitschrift *Health and Hygiene* geht, dürfte eine Verwechslung vorliegen.

14 Explanation of Exemptions, Subsections of Title 5, United States Code, Section 552.

15 J. Edgar Hoover, Brief an SAC, New York, v. 7. 7. 1942, S. 1–2.

Weiskopfs Schreiben ist nicht erhalten geblieben und der SAC von New York ließ die Aufforderung seines Chefs, »to determine if the subject, in reality, has any international Communist contacts«[16], liegen, weil seine KP-Spezialisten mit wichtigeren Aufgaben überlastet waren. Und auch der allwissende FBI-Boss und seine Mitarbeiter erwiesen sich als schlecht informiert als sie einen Tag nach einem Mahnbrief an die Dienststelle in New York (»you are instructed to assign the matter immediately«[17]) unter einem falschen Aktenzeichen anläßlich des Antrags eines SAC, Weiskopf für sechzig Tage auf der National Censorship Watch List zu führen, erst einmal wissen wollen, worum es in diesem Fall überhaupt gehe.

Doch das kleine Mißverständnis ist rasch ausgeräumt und das New York Field Office macht sich in sieben an mich ausgelieferten und einer unbekannten, aber zweifellos erheblichen Zahl von zurückgehaltenen »reports« an die Sammlung von Nachrichten über den Fall F. C. Weiskopf, »Internal Security (C) Custodial Detention«[18]. Im Zentrum stehen dabei neben dem üblichen Verdacht auf kommunistische Umtriebe Weiskopfs Beziehungen zur Exilkolonie in Mexiko, sein Eintreten für die Bewegung Freies Deutschland in den USA, eine nicht mehr genau zu rekonstruierende Verbindung zu der in Deutschland gegen die Nazis tätigen Untergrundgruppe Rote Kapelle und die bereits erwähnte diplomatische Tätigkeit in New York und Washington. Im Oktober 1943 weist Hoover seinen Mann in New York an, eine jener berüchtigten 5″ x 8″ »white cards«[19] für die Confidential Security Index Card File auszufertigen. Bis Anfang 1944 scheint Weiskopf auch auf der »key figure list«[20] der New York Field Division geführt worden zu sein.

Mit schweren Kalibern fährt gleich der erste, am 19. März in New York abgefaßte und zwölf Seiten lange FBI-Report auf. »Literary GPU chief«, »comintern dictator« und »commissar in the ›League of American Writers‹«[21] sei Weiskopf, und in der Zeit des Hitler-Stalin Paktes habe er in New York als GPU Agent für die Gestapo gearbeitet. Belegt werden diese Anschuldigungen wie üblich nicht. Jedenfalls vermag das FBI den Namen Weiskopf nicht im Index des *Daily Worker* zu lokalisieren. In der New York Public Library findet der offensichtlich mit Bibliotheken wenig vertraute Reporting Agent zwar eine Reihe von einschlägigen Titeln, listet sie jedoch alle unter »Hörspiel Germinal« auf. Und auch die »Morgue Section«, also das Archiv der *New York Times*, fördert nicht viel mehr als eine Rezension von *Dawn Breaks* zutage.

16 A. a. O., S. 2.
17 J. Edgar Hoover, Memorandum an SAC, New York, v. 2. 4. 1943.
18 FBI-Report, New York v. 19. 3. 1943, S. 1.
19 J. Edgar Hoover, Brief an SAC, New York, v. 29. 10. 1943.
20 E. E. Conroy, SAC, New York, Brief an Director, FBI, v. 21. 3. 1944.
21 FBI-Report, New York v. 19. 3. 1943,S. 1.

Ähnlich geht es weiter in den Berichten der folgenden Jahre. Ein FBI-Report vom 11. März 1944 hebt in der »Synopsis of Facts« hervor, Weiskopf habe gesagt, daß »wir« in dem Kampf nach der Niederwerfung des Hitlerregimes bewaffnet sein werden – vermag dann aber in der besonders verdächtigen Korrespondenz zwischen New York und Mexiko keinen Hinweis auf einen »known mail drop«[22] zu finden. Ein paar Monate später macht man sich beim New York Field Office auf, Hoovers Verdacht nachzugehen, der tschechisch-deutsche Schriftsteller »may possibly be an agent of the Soviet Secret Intelligence Service (NKVD)«[23] und findet bei einer mehrtägigen Beschattung nicht viel mehr heraus, als daß »subject« immer noch in 308 East 15th Street wohnt (»Special Agent [ausgeschwärzt] telephonically contacted the wife of the subject using a suitable pretext«[24]), daß er »clean shaven«[25] sei, keinen Hut trägt und am 14. November 1944 bis 16:40 Uhr mit [ausgeschwärzt] im Bickfort's Restaurant Ecke 5. Avenue und 42. Straße gespeist habe. Von der Postzensur erfährt das FBI unter anderem, daß Weiskopf mit Bodo Uhse, »an associate of Anna Seghers«[26], in Kontakt steht. Aus »subjet's Selective Service file«[27] besorgen sich die G-Men ohne Angabe von Gründen Beispiele von Weiskopfs Handschrift und die Information, daß er 1941 ca. $1.200 verdient und monatlich $45 Miete gezahlt hat. Als Kisch sich im Februar 1946 auf dem Weg nach Europa ein paar Tage in New York aufhält, meldet ein mit der Überwachung von Telephonen befaßter FBI-Mann, daß Weiskopf einen Anruf erhielt. Von der Military Intelligence Division der Armee erfährt das FBI, daß man sich dort Sorgen mache, weil Weiskopfs Roman *Dawn Breaks* zuviel Hoffnung auf die Rote Armee bei der Befreiung der Tschechoslowakei setzt – ein Thema, das dem FBI bereits anläßlich des Essays »Mihailovich und die Partisanen« im *Aufbau* unangenehm aufgefallen war.[28] Ungehalten reagiert Hoover auf die vermeintliche oder tatsächliche Bummelei seiner Untergebenen, als der Name des Exilanten Ende 1946 auf nicht mehr zu klärende Weise mit der kommunistischen Roten Kapelle in Verbindung gebracht wird – wobei dem FBI gleichgültig zu sein scheint, daß es sich bei der Roten Kapelle um erbitterte Gegner der Nazis handelt, die unter Lebensgefahr den Kriegszielen der Alliierten zugearbeitet hatten: »In connection with the further investigation of Weiskopf your attention is specifically directed to my letter to you dated May 28, 1946, captioned Rote Kapelle (The Red Orchestra or The Red Choir); Rote Drei (The Red Three) Espio-

---

22 FBI-Report, New York v. 11. 3. 1944, S. 3.
23 John Edgar Hoover, Memorandum an SAC, New York, v. 2. 12. 1944, S. 1.
24 FBI-Report, New York v. 26. 4. 1945, S. 1.
25 A. a. O., S. 2.
26 FBI-Report, New York v. 30. 12. 1946, S. 3.
27 SAC, New York, Memorandum an Director, FBI, v. 4. 6. 1945.
28 *Aufbau* v. 15. 1. 1943.

nage... reflecting information received in connection with the investigation of the Western European Soviet-espionage networks known as Rote Kapelle and Rote Drei concerning direct communications and connections with the Western Hemisphere... through the Directors of Aurora Verlag (The Aurora Press) in New York City including the subject Weiskopf...«[29]

Im Februar 1947 erinnert sich SAC Edward Scheidt in einem Bericht, der unter anderem auf den Aurora Verlag eingeht (»most of its financial support is believed to come from Leon Feuchtwanger and Berthold Brecht, who have been successful as writers in Hollywood«[30]), an eine Pressemeldung vom Oktober 1943 über einen Free World Congress, auf dem Weiskopf, Bruckner, Graf und andere mit einer Resolution für die sowjetische NKFD-Initiative zum Sturz Hitlers an die Öffentlichkeit gingen.[31] Und im April 1955, wenige Monate vor Weiskopfs frühem Tod, schickt das Counter Intelligence Corps der U.S.-Armee in Europa noch einmal ein umfangreiches Sündenregister an Hoover, das die Denkweise der amerikanischen Geheimdienste recht gut repräsentiert: »... was listed by the RSHA in 1939 as a communist who had fled from Germany... and... was arrested by the French authorities along with a group of German... refugee communists considered to be security threats to the French nation... In his capacity as a liaison agent for the international communist movement, he was closely associated with the ›Anti-Fascist Refugee Committee‹... exposed as a communist front organization engaged in international communist financial transactions, espionage, and propaganda. Subject also directed the activities of communist authors and literati in the United States... Although a writer and editor by profession, he has served in the past as a Czechoslovakian foreign representative.«[32]

Sei es, daß Weiskopf wegen seiner politischen und literarischen Tätigkeit in der Tat vor »trouble with the American authorities«[33] geschützt werden sollte, wie das FBI vermutete; sei es, daß man in Prag einen Mann mit Amerikaerfahrung brauchte – aus dem Exilschriftsteller Weiskopf wurde im Frühjahr 1947 der Diplomat Weiskopf, dessen steile Karriere vom Department of State und der U.S.-Botschaft in Prag (»his rapid promotion since coup stressed«[34]) aufmerksam verfolgt wurde. So oder so, die quälenden Probleme mit immer neuen Verlängerungen der Aufenthaltserlaubnis und Anträgen auf einen festen Wohnsitz (»applications for immigrant visas disapproved 1941, 1943, 1946 because it appeared he was Communist...«[35]) waren fortan aus-

---

29 Director, FBI, Memorandum an SAC, New York, v. 28. 10. 1946, S. 1–2.
30 FBI-Report, New York v. 26. 2. 1947, S. 3.
31 Vgl. *New York Times* v. 30. 10. 1943.
32 Headquarters, 66th CIC Group , U.S. Army, Europe, v. 19. 4. 1955, S. 1–2 (Army).
33 FBI-Report, New York v. 1. 8. 1947, S. 2.
34 Department of State, Telegramm an AMEMBASSY, Prag, v. 24. 12. 1948, S. 2 (State).
35 A. a. O., S. 1.

Form I-539
U. S. DEPARTMENT OF JUSTICE
IMMIGRATION AND NATURALIZATION SERVICE
Rev. 4-15-44

Budget Bureau No. 43-R068.
Approval expires May 31, 1948.

APPLICATION TO EXTEND TIME OF TEMPORARY STAY
(To be submitted in duplicate)

AR No. **99485-433**

File No. _____

NOTE.—*This application will not be considered unless completely filled out and sworn to.*

1. My name is __Franz__ (First) __Carl__ (Middle) __W E I S K O P F__ (Last)

2. I have also been known by the following names (include maiden name if a married woman, professional names, nicknames, and aliases) _____

3. My occupation is __free lance writer, novelist and essayist__

4. I am married—~~single, divorced, widow, widower.~~ (Strike out inappropriate designations.) **b6**

5. The name and present address of my ~~husband~~ | wife | is ████████ (Name) ████████ (Address)

6. The names, ages, and present address of my children are:
   none

   (Name)   (Age)   (Address)   (AR number)

   (Name)   (Age)   (Address)   (AR number)

   (Name)   (Age)   (Address)   (AR number)

7. My place of birth is __Prague__ (City or town) __Bohemia__ (Province) __Czechoslovakia__ (Country)

   Date of birth __April__ (Month) __3rd__ (Day) __1900__ (Year)

8. At present I owe allegiance to __Czechoslovakia__ (Country)

9. My foreign residence is ████ (Street) ████ (City or town) ████ (Province) ████ (Country) **b6**

10. I arrived in the United States on the __12__ day of __June__, 19__39__, at

    __New York, NY__ (Port of entry) by __"Champlain"__ (Name of vessel or railroad)

11. I am in possession of passport No. __4512__ issued by __Czechoslovakia__ (Country)

    (Passport must be valid for at least 60 days beyond requested extension)

    on (date) __April__ (Month) __2__ (Day) __1936__ (Year) at (place) __Czechoslovakia__ (Country) __Prague__ (City or town)

    which will expire on __January__ (Month) __7__ (Day) __1947__ (Year) I came as a nonimmigrant,

    class __Par 2__ of Section 3, Immigration Act of 1924. **b6**

12. My residence in the United States is ████ (Street and number) ████ (Town or city) ████ (State) **b6**

13. I was admitted for a temporary period of __six__ months.

14. I have secured __eight__ extensions, the last extension to expire on __Oct__ (Month) __29__ (Day) __1945__ (Year)

15. I | have | ~~have not~~ | been fully registered and fingerprinted in compliance with the Alien Registration Act of 1940.

16. My Alien Registration Receipt Number is __2247023__

349

b7C

17. The names and addresses of {relatives / friends} I am visiting are:

relative

_____ ....relative......... _____
(Name)   (Relative or friend)   (Address)

_____ relative _____
(Name)   (Relative or friend)   (Address)

18. I {am / am not} employed in the United States. (If employed, state nature of occupation and by whom

employed.) _____
(Name)   (Address)

19. My employment began _____
(Month)   (Day)   (Year)

20. My monthly salary or wages are _____

21. I {am / am not} engaged in business in the United States. (If engaged in business, state nature, character,

and location of the business.) _____

22. My monthly income derived from such business is _____

23. If not employed or engaged in business in the United States, describe fully the source and amount of your income abroad and how supported while in the United States. I am a writer, having various book contracts with publishers in this country and abroad, and writing articles, reviews etc for magazines. No fixed income, but always self suppor

24. I desire to secure an extension of _____12 months_____ to my present temporary period of admission
(Time desired)

and submit herewith in detail the reasons why I cannot depart at the time as originally fixed or as previously extended. Due to war and postwar conditions I cannot return to Czechoslovakia. Being of German descent I am faced with the fact that Czechoslovak citizenship is taken away from all Czechoslovaks of German & Hungarian descent; population transfer is in motion; I am trying to apply for a regular US immigr. visa.

Traiu C. Wlisken
(Signature of applicant)

THE ABOVE STATEMENTS MAY BE SWORN TO BEFORE ANY IMMIGRATION AND
NATURALIZATION OFFICER WITHOUT COST

STATE OF New York }
COUNTY OF New York } ss:

Subscribed and sworn to before me this the _____2nd_____ day of _____October_____, 1945

[SEAL] JOHN T. CONWAY
NOTARY PUBLIC, KINGS COUNTY
KINGS CO. CLK'S No. 251, REG. No. 302-C-6
N. Y. CO. CLK'S No. 630, REG. No. 30-C-6
COMMISSION EXPIRES MARCH 30, 1945

_____
(Official title)

FINAL ACTION

NOTE.—This form, properly executed by the alien, must be forwarded to the immigration and naturalization officer in charge at the port of arrival in the United States, not less than 15 nor more than 30 days prior to date fixed for departure.
IMPORTANT.—A separate Form I-559 shall be filed by each member of the family, with the exception that the father or mother may apply on the same form for children under 16 years of age, if such children were accompanied by the father or mother at time of entry.
For sale by Superintendent of Documents, Washington 25, D. C.

350

gestanden. Ausgestanden war auch die drohende Ausweisung, die den Weiskopfs im Januar 1947 vom INS angekündigt wurde (»you should... make arrangements to effect your departure from the United States on or before March 8, 1947«[36]), obwohl die Antragsteller im Herbst 1945 noch ausdrücklich festgestellt hatten, daß sie permanent in den USA bleiben wollten, weil Deutsche nach Kriegsende in der Tschechoslowakei ihre Staatsbürgerschaft verlieren und in der Region ein »population transfer in motion«[37] sei. Und auch das leidige Thema der Arbeitsgenehmigung, das bereits im Februar 1942 bei einem zweiten INS-Verhör zur Sprache gekommen war, ist jetzt geschlossen: »... it appears that the above named male alien has violated his status as a temporary visitor to the United States by writing and publishing books. It will be noted, however, this work is of a nature that does not displace an American citizen or a permanent resident. His writings appear to be of Anti-Nazi nature and at this time valuable to American readers in knowledge of present conditions under Nazism.«[38]

Nicht erlahmt war dagegen das Interesse von Hoovers Behörde an Weiskopf. Im Gegenteil. Zu den rund 200 Aktenstücken aus den Jahren 1942 bis 1947/48 kommen 1948/49 jene eingang erwähnten 800 vom FBI zurückgehaltenen Dokumente. Was dieses beachtliche Bündel an Material enthalten mag, deuten die wenigen freigegebenen Blätter aus jenen Jahren an. Eines von ihnen zitiert den Direktor des tschechoslowakischen Pressebüros in New York, der vor einem Informanten »accidentally«[39] ausplaudert, daß der frischgebackene Diplomat zahllose Zitate von Lenin und Stalin auswendig hersagen kann. Bei einem anderen handelt es sich um einen IDA-Bericht (d. i. wahrscheinlich Institute for Defense Analysis) vom 9. November 1948 zum Thema »Aliens of Russian or Russian Satellite Nations, origin entering or departing the United States from— to Mexico through ports in the Fourth Army area, with brief biographical sketches of each, based on routine reports of the Immigration and Naturalization Service ports within the Fourth Army area«. In ihm taucht, ausgestattet mit Diplomatenpässen Nr. 140-48 und 141-48, unter anderem das Ehepaar Weiskopf auf, »admitted at Laredo, Texas, October 19, 1948«.[40] Zwei Monate später erhält das State Department, dies das wichtigste Beispieldokument, »through Liaison Channels« ein »Blind Cover memorandum«, das ein Schreiben von »F. C. Weiskopf, Minister Plenipotentiary of the Czech Embassy, Washington, D. C.«, an das tschechi-

---

36 W. F. Watkins, District Director, INS, New York, Brief an Mr. and Mrs. Franz C. Weiskopf v. 8. 1. 1947 (INS).
37 Application to Extend Time of Temporary Stay v. 2. 10. 1945, S. 2 (INS).
38 Richard L. Lay, Immigration Inspector, Ellis Island, Verhör von F. C. Weiskopf v. 24. 2. 1942, S. 9 (INS).
39 FBI-Report, New York v. 1. 8. 1947, S. 2.
40 RE: Frantisek Carl Weiskopf, 29. 4. 1948, Blatt 353.

sche Außenministerium in Prag zusammenfaßt – ohne anzugeben, wie dieser offensichtlich mit diplomatischer Post übermittelte Bericht in die Hände des amerikanischen Geheimdienstes gelangt ist. Weiskopfs Memorandum wird »secret« eingestuft. Sein Inhalt dreht sich um die vertrauliche Rede des »Chief Administrators ECA«, der Economic Cooperation Administration, in der die restriktive Politik des Marshall Plans gegenüber Ländern in Mittel- und Osteuropa kritisiert wird.[41]

Es steht zu vermuten, daß das vom FBI zurückgehaltene Material von ähnlich brisanter Natur ist. Keinen Zweifel gibt es jedenfalls, daß State Department und FBI weder bei der Abreise des schreibenden Diplomaten aus den USA (»on April 28, 1949, he left the United States on the ›Queen Mary‹ according to the records of the Cunard Lines«[42]), noch bei seiner Ernennung zum tschechischen Botschafter in China locker lassen und sich auch in den fünfziger Jahren weiter um den Fall Weiskopf »Internal Security-R & GE«[43] kümmern. Mal geht es dabei um Kleinigkeiten wie ein Foto, das vom Counter Subversive Desk von G-2 in Europa angefordert wird. Mal läßt sich der Legal Attaché in Bonn von der U.S.-Armee mit dem Bericht eines Informanten versorgen, der 1938 in Frankreich mit Weiskopf – »1.72 m. tall, has a round face, and is considered handsome« – zu tun gehabt hat. Mal gelangen Memoranda der 66th CIC Group, USAREUR, an Hoover, in denen es um die Tätigkeit des »Subject« für die Tschechoslowakei und seine Aktivitäten in der DDR geht: »Weiskopf... was a communist supervisor of the Czechoslovakian embassy in Washington. He was subsequently Ambassador to Sweden and China. Weiskopf was recalled to Prague in the winter of 1952, and shortly thereafter was arrested.«[44] »Subject resides in Berlin-Friedrichshain, Strausbergerplatz 19, in a building occupied by SED members.«[45] »His name appeared on a list of East German authors and journalists who were to be utilized in the Land Hesse KPD election campaign in the fall of 1954.«[46]

---

41 Wie wichtig man in sowjetischen Geheimdienstkreisen damals den Marshall Plan nahm, wird aus Pavel Sudoplatovs Memoiren *Special Tasks* ersichtlich. So habe Donald MacLean, der als Erster Sekretär an der britischen Botschaft in Washington eine ähnliche Position wie Weiskopf hatte, erinnert sich Sudoplatov, mit seiner Meldung, »that the goal of the Marshall Plan was to ensure American economic domination in Europe« (S. 231) einen plötzlichen Wandel in Stalins Außenpolitik bewirkt. Über die Befragung von Erika Mann durch das FBI zu Donald MacLean und Anthony Burgess wurde weiter oben bereits berichtet.
42 RE: Frantisek Carl Weiskopf, 29. 4. 1948, Blatt 479.
43 Legal Attache, Bonn, Memorandum an Director, FBI, v. 24. 10. 1955.
44 Headquarters, 66th CIC Group, US Army, Europe, v. 19. 4. 1955, S. 2 (Army). Die Meldung von Weiskopfs Verhaftung hat sich im Nachlaß des Autors bei der Akademie der Künste in Berlin nicht bestätigen lassen.
45 Headquarters, 66th CIC Group, USAREUR, v. 7. 10. 1955 (Army).
46 Headquarters, 66th CIC Group, US Army, Europe, v. 19. 4. 1955, S. 2 (Army).

»Reds«: Marchwitza, Kantorowicz, Bloch

Wie F. C. Weiskopf wurden auch die drei Autoren, um die es auf den folgenden Seiten geht – Hans Marchwitza, Alfred Kantorowicz und Ernst Bloch –, vom FBI mit gutem Grund als Kommunisten eingestuft. Marchwitza war schon früh über den Ruhrbergbau zur Arbeiterbewegung gekommen, nahm aktiv am Kapp-Putsch teil und machte sich in der Weimarer Republik als Arbeiterkorrespondent mit Romanen wie *Sturm auf Essen* und *Schlacht vor Kohle* einen Namen. Im Exil und nach seiner Rückkehr nach Deutschland vollendete der mehrfache Nationalpreisträger der DDR mit dem *Kumiak*-Zyklus einen Klassiker der Arbeiterliteratur. Alfred Kantorowicz' Werdegang führt nach einem Jurastudium 1931 über die Bekanntschaft mit linksbürgerlichen Autoren wie Bloch und Brecht zur KPD, zur Volksfront im französischen Exil und in den Spanischen Bürgerkrieg. Nach Deutschland zurückgekehrt erhält Kantorowicz einen Lehrstuhl an der Humboldt Universität in Ost-Berlin und widmet sich der Herausgabe von Heinrich Manns Werk. Enttäuscht von der Entwicklung nach 1956 siedeln er und der Philosoph und Revolutionstheoretiker Ernst Bloch, der seit seiner Heimkehr aus den USA in Leipzig lehrte und mit seinem Werk *Das Prinzip Hoffnung* bekannt wurde, nach Westdeutschland über.

Hans Marchwitza

Ähnlich wie im Dossier von F. C. Weiskopf steht auch bei der Akte von Hans Marchwitza – »born in Ober-Schlesien... a miner by trade,... openly a Communist and anti-Nazi..., claims that he fought in the Spanish war on the Republican side, but French officials suspect him of being morale commissar« – eine nach Mexiko gerichtete Postsendung am Anfang. Ihr Inhalt hat freilich weniger mit den politischen Geschäften des Tages als mit Literatur zu tun: »Writer is sending via air express a 452-page double-spaced manuscript entitled ›The Landslide‹ which relates writer's experiences as an internee in France during the Second World War.« Doch was folgt ist das Übliche. Nicht Stil und Struktur des Textes interessieren den Zensor – obwohl der Arbeiterkorrespondent Marchwitza gegen Ende der Weimarer Republik gerade damit bei seinen Genossen im sozialistisch-realistischen Lager angeeckt war. Wichtig sind für Polizei und Geheimdienste vielmehr Themen wie die illegale Ein- und Ausreise des Erzählers in Frankreich, seine Internierung als Nazi im Lager Les Milles und seine Flucht während der Deportation. Erschwerend kommt hinzu, daß der Briefschreiber offen zugibt, Kommunist und anti-Nazi zu sein und nicht leugnet, aus Rußland, »where he says his books were translated«[1], Geldzuwendungen erhalten zu haben.

---

1 Hans Marchwitza, Sendung mit Pan American Express Way an El Libro Libe v. 27. 4.

Ähnlich liest sich der Rest des 67 Blätter INS-Material und 41 FBI-Dokumente umfassenden Dossiers. Während die literarische Produktion von Marchwitza, der in den USA ohnehin nicht besonders aktiv war und von der Exilforschung weitgehend vergessen wurde[2], kaum eine marginale Rolle spielt, kommt den Verhandlungen des Exilanten mit dem INS bei der Einreise in die USA um eine Aufenthaltsgenehmigung bzw. um die Erlaubnis, nach Mexiko weiterreisen zu dürfen, eine zentrale Rolle zu.

Recht antagonistisch verläuft bereits das erste Verhör des Board of Special Inquiry auf Ellis Island am 28. Juni 1941, einen Tag, nachdem Marchwitza mit der SS Acadia in New York angekommen war. Geschickt versteckt zwischen Fragen über andere Themen erkundigen sich die INS-Beamten im Laufe der fast zwei Stunden dauernden Befragung auf der Suche nach kommunistischen Verbindungen mehrfach und gezielt nach der journalistischen Tätigkeit des ehemaligen Arbeiterkorrespondenten in der Weimarer Republik: »Q. Did you ever work for a newspaper named Ruhr Echo? A. No... Q. Did you subscribe to it? A. No. Q. Did you ever read the newspaper? A. No.«[3] Aus welcher Quelle Inspector Galvin, der das Verhör leitet, seine Informationen bezog, ist nicht bekannt. Wohl aber deuten Anstreichungen im Verhörprotokoll an, daß man beim INS genau wußte, daß Marchwitza log. Entsprechend pointiert fallen die Fragen nach der Beteiligung des schon vorab als »doubtful transit«[4] eingestuften Reisenden am Spanischen Bürgerkrieg aus – ein Thema, das Hoovers FBI im August 1952, sechs Jahre nach der Rückkehr des Verdächtigen nach Europa, in einem »Veterans of the Abraham Lincoln Brigade«[5] überschriebenen Memorandum an seinen Legal Attaché in Madrid immer noch interessiert: »Q. What induced you to join the Loyalist forces in Spain? A. Because this way I had a chance to fight Hitler. Q. And incidentally to help Stalin and his principles of government? A. I had nothing to do with Stalin. Q. Do you approve of the principles of Communism? A. I didn't take up in my studies, the principles of Communism.«[6]. Vor allem aber fällt dem Board of Special Inquiry auf, daß Marchwitza zu einer Gruppe von »Autoren« gehört – Dragutin Fodor (Ps. Theodor Balk), Hans Bene-

    1943. Ein Manuskript mit dem Titel »The Landslide« hat sich im Marchwitza-Nachlaß bei der Akademie der Künste in Berlin nicht finden lassen. Es ist möglich, daß er sich hier um den autobiographischen Bericht *In Frankreich* handelt.

2   Das von John M. Spalek und Joseph Strelka herausgegebene zweibändige Mammutwerk über das Exil in New York versteckt Marchwitza, Alfred Kantorowicz, F. C. Weiskopf und andere »marxistische Autoren« als »verschwindend kleine, aber entschlossene Minderheit« in einem knappen Sammelaufsatz mit dem unauffälligen Titel »Zwischen Welten und Ideologien« (Volker Dürr, in: *Deutschsprachige Exilliteratur seit 1933*. Bd. 2, 2, S. 1300.

3   Board of Special Inquiry, Ellis Island, Verhör v. Hans Marchwitza am 28. 6. 1941, S. 8 (INS).

4   A. a. O., S. 1.

5   John Edgar Hoover, Memorandum an Legal Attache, Madrid, v. 21. 8. 1951.

6   Board of Special Inquiry, Ellis Island, Verhör v. Hans Marchwitza am 28. 6. 1941, S. 9 (INS).

dict (gemeint ist wohl Benedikt Freistadt, also Bruno Frei), Elisabeth Freistadt, Ruth Jerusalem und Albert Norden -, die vom Exiled Writers Committee der League of American Writers unterstützt wird.

In der Tat erscheint zwei Tage nach dem Verhör von Marchwitza als Vertreter der League derselbe Franklin Folsom auf Ellis Island, der kurz zuvor schon bei dem fehlgelaufenen Versuch von Anna Seghers, in die USA einzureisen, als Sponsor aufgetreten war.[7] Aber auch Folsom, der recht wenig über seine Schützlinge zu wissen schien, wird schwer in die Enge getrieben: Warum seine Organisation überhaupt an diesen Leuten Interesse habe, fragt man ihn und wie die Exilanten in Frankreich ausgewählt wurden (»Our interest was humanitarian and literary... We tried to determine first whether they were writers and second whether they were bona fide anti-Nazis...«[8]). Ob er wissentlich Kommunisten in die USA bringen würde, will der INS von Folsom wissen (»I am aware of the fact that there is a ruling in the immigration laws prohibiting those people who advocate the use of force or violence«), ob Marchwitza Reporter beim *Ruhr-Echo* gewesen war und ob ihm, Folsom, bekannt sei, daß Transitäre nach denselben Regeln behandelt werden wie Einreisende – eine Regel, die für die Exilanten im Juni 1941 besondere Bedeutung erhielt, nachdem der INS seine Grenzposten angewiesen hatte, daß deutsche Staatsbürger fortan »under no consideration«[9] die USA wieder verlassen dürfen.

Einstimmig – und absurd – fällt entsprechend der neuen Regelung die Entscheidung des Boards gegen Marchwitza aus. Weil er als Transitär nach Mexiko nicht die entsprechenden Papiere hat, darf er nicht in die USA einreisen. Und weil er als Deutscher die USA nicht mehr verlassen darf, kann er nicht nach Mexiko weiterfahren. Zudem wird ihm schriftlich übermittelt, daß er im Fall einer Deportation in das Land seiner Herkunft zurückgebracht werde.

Fünf Jahre nach der Entscheidung von Ellis Island beantragt Marchwitza die sechste Verlängerung seines »temporary stay« mit der Begründung, daß sein »exit permit«[10] für die Rückkehr nach Deutschland noch nicht bewilligt wurde. In der dazwischen liegenden Zeit war sein, übrigens von dem legendären mexikanischen Konsul in Marseille, Gilberto Bosques, ausgestelltes Visum für Mexiko ungültig geworden[11], ein Antrag auf Wechsel von »transit

---

7 In Folsoms Buch *Days of Anger, Days of Hope* kommt Marchwitza merkwürdigerweise nicht vor.
8 Board of Special Inquiry, Verhör v. Hans Marchwitza am 30. 6. 1941, S. 13 (INS).
9 A. a. O., S. 15.
10 Application to Extend Time of Temporary Stay v. [unleserlich] Mai 1946, S. 1-2 (INS).
11 Unklar bleibt, warum Marchwitza 1941 nicht nach Mexiko gefahren ist, nachdem ihm ein Board of Immigration Appeals eine Ausreise innerhalb von 60 Tagen genehmigt hatte. Vgl. dagegen den Vermerk in einem Hoover-Memorandum an den SAC in New York, daß sich

visitor under Section 3 (3) to that of visitor for pleasure under Section 3 (2)«[12] bewilligt und eine Arbeitserlaubnis erteilt worden (»helper in building trade«[13] bzw. »painter's helper«[14]). Hoovers Leute in New York, die bisweilen »extreme delinquency... in this matter«[15] an den Tag gelegt hatten, lassen sich von den üblichen »confidential sources« darüber informieren, daß Marchwitza »one of the more important individuals in the current German sector of the international Communist picture operating between Mexico and the United States«[16] sei. Offensichtlich vom Briefträger erfährt ein G-Man, daß neben Marchwitza ein(e) [ausgeschwärzt] Post in »apartment 16, 224 East 11th Street, New York City«[17] erhält, darunter einige Eilbriefe ohne Absender. In der Stadtbücherei von New York kopiert ein Special Agent die »Summary of My Life« aus einem von Marchwitzas Büchern und übersetzt Alexander Abuschs Einführung zur deutschen Ausgabe von *Sturm auf Essen*. Eine unbekannte Quelle – möglicherweise das OSS – steuert einen detaillierten, vierseitigen Lebenslauf »RE: Hans Marchwitza«[18] bei, in dem das BPRS-Blatt *Linkskurve* für die Jahre 1930-32 ausgewertet wird, Einzelheiten über die Initiative des mexikanischen Präsidenten Cárdenas zur Rettung von Exilanten aus Südfrankreich angeführt und Hinweise auf Marchwitza in der Exilantenpresse der USA zusammengestellt werden. Robert M. W. Kempner hilft dem FBI mit seinem Memorandum vom 30. August 1943 weiter, das die Überschrift trägt »German Communist Activities in the Western Hemisphere«[19]. Und natürlich schreibt das FBI mit, als der Untersuchungsgegenstand eine Grußbotschaft an das NKFD in Moskau schickt und mit großem Erfolg auf einem GAEC-Treffen in der Bronx sein Gedicht »Sevastopol« vorträgt.[20]

Marchwitzas Rückkehr nach Europa im Jahre 1946 wurde, wie die der »German Comintern agents Alfred Kantorowicz,... Jakob Walcher, Albert How Schreiner und Horst Baerensprung«, von G-2 ohne große Lust beobachtet (»left the United States recently and are operating in the European theater«[21]). Das State Department reagiert nur schwach sarkastisch mit dem handschriftlichen Vermerk »I want my cake + eat it too« auf ⁰Hilde Marchwitzas Wunsch, als Deutsche nach Europa zurückzukehren, ohne ihre ame-

---

das Interdepartmental Visa Committee am 23. Mai 1942 einstimmig gegen ein »Exit Permit« (J. Edgar Hoover, Memorandum an SAC, New York, v. 1. 6. 1943) ausprach.

12 Hans Marchwitza, Eidesstattliche Erklärung, County of New York, v. 12. 12. 1941 (INS).
13 Application to Extend Time of Temporary Stay v. [unleserlich] 1945, S. 2 (INS).
14 Application to Extend Time of Temporary Stay v. 5. 9. 1944, S. 2 (INS).
15 John Edgar Hoover, Memorandum an SAC, New York, v. 20. 7. 1944.
16 FBI-Report, New York v. 22. 9. 1944, S. 4.
17 A. a. O., S. 9.
18 Dieses Dokument ist nur durch sein Datum gekennzeichnet, 28. 10. 1942 (INS).
19 FBI-Report, New York v. 22. 9. 1944, S. 18.
20 FBI-Report, New York v. 6. 10. 1944, S. 20 (811.00B/12-1944).
21 [Ausgeschwärzt], Memorandum an D. M. Ladd v. 12. 2. 1947.

rikanische Staatsbürgerschaft (»which I price dearly«[22]) zu verlieren.[23] Und selbst das FBI sah keinen Grund, dem Heimkehrer Steine in den Weg zu legen, obwohl ein achtzehnseitiger Bericht des New York Field Office vom 22. September 1944 andeutet, daß man ziemlich genau über Hans Marchwitza, »Custodial Detention«[24] bzw. »Security Matter-C«[25], Bescheid wußte – als Mitarbeiter von *Linkskurve, Internationaler Literatur* und *Aufbau*; als Autor von linken Roman wie *Storm Over the Ruhr* und *Die Kumiaks*; als Flüchtling in Frankreich (»Subject has never tired to avail himself of a chance to leave internment camps«[26]); als Delegierter der German-American Emergency Conference, Mitglied der German Anti-Nazi Writers League und Sponsor des Kurt Rosenfeld Memorial Funds (»allegedly Communistic«[27]); als Empfänger von Post des »›German-American, Inc.‹, semi-monthly publication, room 207, 305 Broadway, New York City«[28] und der Nature Friends of America; und als Träger einer herzförmigen Tätowierung an der linken Hand.

Alfred Kantorowicz

So wie Hans Marchwitza hatte auch Alfred Kantorowicz bei seiner »Einreise« in die USA Schwierigkeiten mit dem INS. Versehen mit einem zehntägigen Transitvisum, das der amerikanische Konsul in Marseille am 7. März 1941 ausgestellt hatte, und Reisegeld von der League of American Writers[29] kamen Kantorowicz und seine Frau Friedel am 16. Juni auf demselben Schiff, der SS Borinquem, in New York an wie Anna Seghers und ihre Familie. Schon

---

22 Hilde Marchwitza, Brief an Special Projects Division, Department of State, v. 28. 8. 1946 (711.62115P/8-2846).

23 Ein Formular des State Departments macht deutlich, welche Schwierigkeiten der »first group of voluntary returnees« (Richard E. Hibbard, Chief, Foreign Interests Section, Special Projects Division, Brief an Hilde Marchwitza v. 10. 9. 1946 [711.62115P/8-2846]) noch Ende 1946 in den Weg gelegt wurden: »Applicants for such permission must show – 1. that they are German nationals; 2. that they desire to travel at their own expense; 3. that they have skills or abilities which will enable them to support themselves in Germany; 4. that they were formerly bona fide residents of what is now the American Zone of Occupation; 5. that they have been consistent and active opponents of Nazism« (a. a. O., Anlage).

24 J. Edgar Hoover, Memorandum an SAC, New York, v. 1. 6. 1943, S. 1.

25 J. Edgar Hoover, Memorandum an SAC, New York, v. 20. 7. 1944.

26 FBI-Report, New York v. 22. 9. 1944, S. 6.

27 A. a. O., S. 8.

28 A. a. O., S. 9.

29 So schreibt Kantorowicz am 24. Mai 1941 noch aus Ciudad Trujillo an F. C. Weiskopf in New York: »Wir fanden hier einen Brief on Folsom vor... Er teilte uns mit, dass die Genehmigung für die Ueberweisung der erbetenen Reisegelder beschleunigt angefordert wird... Ferner gibt Folsom uns zu bedenken, ob es nicht zweckmässiger wäre, wenn wir gleich von hier nach Mexiko führen« (F. C. Weiskopf-Sammlung, Akademie der Künste, Berlin).

am nächsten Tag wurden sie vom Board of Special Inquiry auf Ellis Island verhört. Was dann geschah faßt ein auf der INS-Akte 7577100 basierender Bericht des FBI Field Office in Philadelphia so zusammen: »After entering the United States the subject and his wife found that they were unable to depart from the United States due to the lack of exit permits required of German nationals by executive order. They then requested an extension of three months to permit them to obtain such documents.«

Was Kantorowicz nicht wissen konnte war, daß sein Antrag nicht nur aufgrund der neuen Direktiven des INS für Deutsche, sondern auch wegen einer denunziatorischen Pressemeldung im fernen Mexiko, auf die in einem anderen Kapitel weiter unten zurückgekommen wird, unbearbeitet liegen blieb. Dazu noch einmal der G-Man aus Philadelphia: »This request was held in abeyance by the Central Office when information was received from the United States Naval Attache in Mexico City to the effect that a semi-political organization called the ›Socialist Groups of the Mexican Republic‹ made certain statements in the press that many fifth columnist agents were to be granted asylum in Mexico as political refugees, and further, that a number of high officials in the German Communist Party were being permitted to enter Mexico, who were actually coming as Communist agents. It appeared that this situation was brought about through the efforts of Margarita Nelken, a very prominent member of the Spanish Communist Party.« Weder ein Anruf eines Vertreters der mexikanischen Botschaft in Washington beim »Chief Examiner for the Board of Immigration Appeals« (»his government was interested in a number of persons enroute to his country who were political refugees«) noch die Unterstützung der ohnehin mit Mißtrauen beobachteten League of American Writers (»a representative of the League, Jane Sherman Lehac,... was prepared to furnish the bond money in the amount of $1000«[30]) vermochte dem Flüchtling denn auch zu helfen. Besser wurde Kantorowicz' Lage erst im Frühsommer 1942, als der Status des Ehepaars nach einem weiteren INS-Verhör (»it was ascertained that his pen name in Europe was Helmuth Campe«[31]) von »transits to visitors«[32] und im Mai 1946 nach einem angedrohten Deportationsverfahren durch eine Neueinreise über Kanada zu »permanent residence«[33] aufgewertet wurde.

Doch Alfred Kantorowicz, der – wie man beim FBI wußte – in den ersten Wochen nach seiner Ankunft in den USA von Ernest Hemingway unterstützt und von William L. Shirer, »noted news analyst«[34], mit einem Affidavit aus-

---

30 FBI-Report, Philadelphia v. 29. 7. 1946, S. 2–3.

31 A. a. O., S. 4. Ein anderer FBI-Bericht buchstabiert den Namen »Kampe« (FBI-Report, New York v. 12. 2. 1947, S. 1).

32 FBI-Report, Philadelphia v. 29. 7. 1946, S. 3.

33 A. a. O., S. 4.

34 A. a. O., S. 6.

gestattet wurde, seit 1942 beim Columbia Broadcasting System arbeitete (»records of the Columbia Broadcasting System indicate that Kantorowicz was formerly employed as Manager of the CBS short-wave listening post in New York City«[35]), für mehrere Zeitschriften schrieb (»subject is a Moscow follower... and all of his writings follow the Party line closely«[36]) und u. a. beim Propaganda Branch des Office of War Information über Beziehungen verfügte, nahm das neue Privileg nicht mehr wahr. »On 11/9/46 left U.S. for permanent residence in Germany«[37], notiert das FBI Mitte Februar 1947, einen Tag nachdem die Security Group der Armee aus Frankfurt gemeldet hatte, daß die »highly dangerous trouble makers« und »top Comintern agents«[38] Kantorowicz und Marchwitza illegale Kontakte in der Sowjetischen Besatzungszone besitzen. Wenig später versorgt Hoover den Director of Intelligence der Armeeführung im Pentagon mit einem Satz älterer FBI-Berichte und der Nachricht, daß der Untersuchungsgegenstand die League for Culture and Democratic Renewal of Germany leite und für einen »Johannes Beckhler, a prominent German Communist«[39], arbeite. Und das State Department läßt sich Anfang 1948 zuerst von Ruth Fischer – »liaison man between the CP-Apparat and the NKVD in the International Brigades in Spain«[40] – und dann von der spanischen Regierung über Deutsche informieren, die im Spanienkrieg gekämpft hatten und jetzt mit »Communist activities in the Western Hemisphere«[41] zu tun haben. Unter ihnen ist Alfred Kantorowicz, »Cheka Agent,... residing in New York a long while and doing propaganda work there... the newspaper ›Lucha Obrera‹, Trotzky's organ,... designated... Kantorowicz... as a Stalin agent paid by Moscow...«[42].

Kantorowicz, der INS und das Department of State gerieten ein letztes mal im Frühjahr 1968 aneinander, als der ex-Exilant, der inzwischen zum Exilforscher geworden ist, im Auftrag des Westdeutschen Rundfunks in die USA reisen möchte und ihm der amerikanische Konsul in Hamburg das Visum verweigert »because of KPD membership 1931-49 and SED from 1949 to 1957«. Erst als sich herausstellt, daß Kantorowicz 1957 die DDR verlassen hatte, daß er ein prominenter Autor ist und »now anti-communist in his

---

35 FBI-Report, New York v. 12. 2. 1947, S. 2.
36 FBI-Report, New York v. 30. 12. 1943, S. 1.
37 FBI-Report, New York v. 12. 2. 1947, S. 1.
38 WDG ID REURAD, Telegram an Assistant Chief of Staff v. 11. 2. 1947, S. 1 (Army).
39 John Edgar Hoover, Memorandum an Director of Intelligence, Department of the Army General Staff, v. 11. 5. 1948.
40 Headquarters, Counter Intelligence Corps Region VI, 970th Counter Intelligence Corps Detachment v. 9. 1. 1948, S. 4; Anlage zu C. Offie, Political Officer, United States Political Advisor for Germany, Brief an Secretary of State v. 20. 1. 1948 (862.00B/1-2048).
41 Edward P. Maffitt, Second Secretary of Embassy, Embassy of the United States of America, Madrid, Brief an Secretary of State v. 18. 3. 1948 (862.00B/3-1848).
42 German Communists in the International Brigade, Anlage zu a. a. O., S. 1-2.

PROF. DR. ALFRED KANTOROWICZ

2 Hamburg 39
Sierichstraße 148
Telefon: 48 47 38

23. April 68

To whom it may concern !

Zu Abschnitt 30 habe ich zu erklären, dass ich im
Herbst 1931 der Kommunistischen Partei Deutschlands beigetreten bin und nach meiner Berufung als Professor
der Ostberliner Humboldt Universität und meiner Übersiedlung
nach Ostberlin 1949 in die SED übernommen wurde. Funktionen welcher Art auch immer habe ich niemals ausgeübt.
Ich habe dem Schriftstellerverband und bis zu seiner Auflösung dem Bund der Verfolgten Nazisregimes angehört.
Über meine anfänglichen Hoffnungen auf Vermenschlichung
der Gesellschaft durch den Marxismus , sowie meine Enttäuschungen, Konflikte mit der Partei, die schliesslich zu
meiner nochmaligen Flucht im Jahre 1957 führten, habe ich
in den Büchern: "Deutsches Tagebuch" Band I (1959) Band II
(1961) im Kindler Verlag, München, sowie in den Bänden
"Das Ende der Utopie" (Walter Verlag, Olten, 1963),
"Deutsche Schicksale" (Europa Verlag, Wien, 1964),
"Im 2ten Drittel unseres Jahrhunderts" (Verlag Wissenschaft und Politik, Köln, 1967) im Einzelnen Rechenschaft abgelegt.

Alfred Kantorowicz

beliefs and writings«[43], läßt man sich bei den Konsulaten in Hamburg und Frankfurt erweichen – mit Kopie an FBI und Secret Service. »Zu Abschnitt 30« des Antragsformulars, schreibt Kantorowicz dazu in einem »To whom it may concern!« überschriebenen Statement, »habe ich zu erklären, dass ich im Herbst 1931 der Kommunistischen Partei Deutschlands beigetreten bin und nach meiner Berufung als Professor der Ostberliner Humboldt Universität und meiner Übersiedlung nach Ostberlin 1949 in die SED übernommen wurde. Funktionen welcher Art auch immer habe ich niemals ausgeübt. Ich habe dem Schriftstellerverband und bis zu seiner Auflösung dem Bund der Verfolgten [des] Naziregimes angehört. Über meine anfänglichen Hoffnungen auf Vermenschlichung der Gesellschaft durch den Marxismus, sowie meine Enttäuschungen, Konflikte mit der Partei, die schliesslich zu meiner nochmaligen Flucht im Jahre 1957 führten, habe ich in den Büchern: ›Deutsches Tagebuch‹,... ›Das Ende der Utopie‹..., ›Deutsche Schicksale‹..., ›Im 2ten Drittel unseres Jahrhunderts‹... im Einzelnen Rechenschaft abgelegt.«[44]

Aber das Kantorowicz-Dossier handelt nicht nur von Visaproblemen. R. B. Hood liefert seinem Direktor im Frühjahr 1943 auch eine detaillierte Analyse der Stellungnahme des »subject« zu »Free Germany in Moscow« und einer negativen Reaktion in der sozialdemokratischen *Neuen Volkszeitung*[45]. Das FBI ist dabei als der unter »Internal Security-C Custodial Detention«[46] geführte Exilautor Anfang 1943 ein Stipendium für einen Arbeitsaufenthalt in der Künstlerkolonie Yaddo in Saratoga Springs, New York, erhält und sich – darauf wurde bereits weiter oben eingegangen – zur Gründung des Council for a Democratic Germany äußert. »A very fine man« sei »subject« gewesen, erinnert sich einer von mehreren Gesprächspartnern des FBI auf Yaddo, »very tall..., blond, fair, having a long sharp nose and a slight cast in one eye«[47]. Eng angefreundet habe der Exilant sich mit der jungen amerikanischen Romanautorin Carson McCullers,[48] berichtet ein anderer und schlecht sei sein Gesundheitszustand gewesen, »which resulted from the strain and depravations of his last few years in Europe«[49]. Aus Kantorowicz' Bewerbungsunterlagen, die in Yaddo offensichtlich nicht vertraulich behandelt wurden oder behandelt werden konnten, entnimmt der G-Man, daß Feuchtwanger ein Gutachten für seinen Kollegen schrieb (»passionate and intelligent fighter

---

43 In RE: Alfred Kantorowicz, o. D. [ca. Mai 1968] (INS).
44 Alfred Kantorowicz, »To Whom it may concern!«, 23. 4. 1968 (Department of State).
45 R. B. Hood, SAC, Los Angeles, Brief an Director, FBI, v. 21. 4. 1944.
46 FBI-Report, Albany v. 30. 3. 1943, S. 1.
47 A. a. O., S. 3.
48 Carson McCullers, geb. 1917, hatte damals gerade Bücher wie *The Heart is a Lonely Hunter* und *Reflections in a Golden Eye* publiziert. Vgl. den Bericht des Literaturkritikers Alfred Kazin in *Six Decades at Yaddo*. Saratoga Springs, o. V., 1986, S. 28f.
49 FBI-Report, Albany v. 30. 3. 1943, S. 4.

for Democracy«"[50]) und der Stipendiat seinerseits die mit Brecht bekannte dänische Autorin Karin Michaelis für einen Aufenthalt in dem Künstlerheim vorschlug. Wenig vertraulich geht es schließlich auch bei einem Gespräch zu, das ein FBI-Mann im Juni 1944 in der Universitätsstadt New Haven mit einem männlichen Informanten führt, der offensichtlich gut mit dem Ehepaar Kantorowicz bekannt ist: »...after the subject left Germany and went to France, the subject appeared to lose his interest in Communism. However, the informant stated that the subject's wife was very ambitious and stimulated his interest in Communism and was always desirous of having the subject be a very important Communist leader.«[51]

Kantorowicz stellte im April 1943 den Antrag, seinen Freund Dr. Ernst Bloch in Cambridge, Massachusetts besuchen zu dürfen. Der Grund für den Besuch ist nicht überliefert. Wohl aber bringt das FBI auf demselben Aktenblatt noch einmal die Beziehungen der Zielperson zu den Freien Deutschen in Mexiko zur Sprache: »In view of the fact that the original investigation in instant case was instigated by information which indicated subject was the liaison agent between German Communists in Mexico and German Communists in the United States and because this original allegation has not as yet been disproved it is deemed advisable to conduct further investigation.«[52]

Ernst Bloch

Die Exilgruppe in Mexiko und das Free German Movement stehen auch im Zentrum der 75 Blätter umfassenden Akte des Ernst Bloch, von der das FBI 73 an mich freigegeben hat. Ein Telegramm von Bodo Uhse vom Februar 1942 macht dabei – sieht man einmal von einer anonymen Denunziation aus dem Jahre 1940 ab, die dem Exilphilosophen eine nicht weiter nachzuverfolgende Untersuchung wegen Spionage und »possible UnAmerican activities«[53] einbrachte – den Anfang: »Subject received a telegram from Mexico City which was suppressed by the Radio and Cable Censorship at New York, New York. Meaning of telegram not clear but believed possibly to be of subversive nature.« Die aus Ungeschick oder aus finanziellen Gründen knapp formulierte Botschaft wirkt in der Tat etwas kryptisch, subversiv ist sie sicher nicht: »Work out lecture language culture 10 pages air mailed next issue Free Germany.«[54]

---

50 A. a. O., S. 6.
51 FBI-Report, New Haven v. 17. 6. 1944, S. 2.
52 FBI-Report, New York v. 19. 10. 1943, S. 4.
53 FBI-Report, Boston v. 13. 11. 1940, S. 1.
54 FBI-Report, Boston v. 11. 5. 1942, S. 1.

Ähnlich dünn fällt, ohne daß man beim FBI die schmale Spur zur Bewegung Freies Deutschland deshalb aufgibt, das Ergebnis der nachfolgenden Untersuchung des Boston Field Office aus. Fünf dicht aufeinanderfolgende Berichte aus Boston, wo Bloch (»had been writing ten hours a day«[55]) sich seit Anfang 1942 aufhielt, um Philosophie zu studieren (»the records of Local Draft Board #47,... Cambridge, Mass., reflect that Ernest Block... gave as his employer Robert Ulich [später: Ulrich], Harvard University,... and... stated he was... working full time for a Ph.D. degree«[56]), fassen die Resultate der Arbeit von Hoovers Agenten im Jahre 1944 zusammen. So informiert sich der berichterstattende FBI-Mann im Archiv seiner Behörde mit Hilfe eines Übersetzers systematisch über Beiträge von und zu Bloch in der Exilzeitschrift *Freies Deutschland*, darunter Aufsätze mit »glorification of the Soviet Union«[57], »sarcastic references to the Second Front«[58] und einer Warnung vor der Untergrundarbeit der Nazis nach Kriegsende, die – wie man beim FBI aufmerksam registriert – auf Kritik bei den Herausgebern der Zeitschrift stößt: »Following this article the editorial staff of the paper expressed some disagreement with Bloch's position declaring that the unity of the German people in the struggle for democracy will gain such strength that the Nazi underground will receive a severe setback.«[59] Aufmerksam und besorgt notieren die G-Men die Meldung, daß nach einem Vortrag von Bloch die Idee aufkam, in Boston ein »chapter of the ›Friends of Free Germany‹«[60] zu gründen – ein Thema, das das örtliche Field Office in den kommenden Monaten nicht mehr losläßt (»the ›Friends of Free Germany‹ is the Subject of an Internal Security-C case in the Boston Office«[61]) und einen FBI-Mann zur Teilnahme an einem »open meeting« des Kreises über die Rolle der Literatur bei der Umerziehung deutscher Kriegsgefangener bewegt: »[Ausgeschwärzt], Bloch [ausgeschwärzt] recognized by the writer, who attended the meeting, from the photographs contained in their alien enemy registration files.«[62] Erhebliche Umwege – nämlich über das in Mexiko erscheinende *Freie Deutschland* – geht das FBI, um sich über einen Auftritt von Bloch bei der New Yorker »Tribüne« zu informieren: »... it was the first time in some years that Bloch had been among his friends and admirers in New York... ›The public was charmed by... the great logician.‹«[63] Der Postverkehr des »Communist philoso-

---

55 FBI-Report, Boston v. 16. 2. 1944, S. 2.
56 FBI-Report, Boston v. 18. 4. 1944, S. 2.
57 A. a. O., S. 1.
58 A. a. O., S. 2.
59 FBI-Report, Boston v. 17. 8. 1944, S. 2.
60 FBI-Report, Boston v. 16. 2. 1944, S. 3.
61 FBI-Report, Boston v. 22. 6. 1944, S. 2.
62 A. a. O., S. 1-2.
63 A. a. O., S. 3.

Office Memorandum • UNITED STATES GOVERNMENT

STANDARD FORM NO. 64

CONFIDENTIAL

DATE: September 29, 1961

TO : DIRECTOR, FBI

FROM : LEGAT, BONN (105-0-481)

SUBJECT: PROFESSOR ERNST BLOCH
IS-EAST GERMANY

ALL INFORMATION CONTAINED
HEREIN IS UNCLASSIFIED
EXCEPT WHERE SHOWN
OTHERWISE

An item in the September 21, 1961, issue of the West German
newspaper "General Anzeiger", disclosed that ERNST BLOCH,
Professor Emeritus at the University of Leipzig, who was
forced into retirement by the East German Communist regime
in 1957, and who had been staying in West Germany during
the period when Berlin was recently sealed off, has decided
to remain in the West and settle down in Tuebingen where
he may obtain a professorship at the university. BLOCH
sent an open letter to the East Berlin Academy of Sciences
in which he set out a detailed philosophical basis for his
having remained in the West. Friends of BLOCH explained
"his coming over to West Germany is a protest against the
East but does not necessarily denote approval of the West."

In 1949 BLOCH answered a call to the University of Leipzig
and went to the Soviet Zone of Germany from America where
he had been an emigre. He turned down the offer of a
professorship at the University of Frankfurt/Main with
the comment that "he would not think of serving capitalism."
In his letter BLOCH recalled how he had at first been allowed
freedom at Leipzig but had later been subjected to many
restrictions. In the beginning of 1957, ULBRICHT himself
took a stand against BLOCH and attacked him and his
students as purveyors of "unrealistic, un-Marxist ideas,"
which "are directed against the party and the government."

(C)

3 - Bureau
1 - Bonn
HDG:eds
(4)

Classified by
Declassify on:

CONFIDENTIAL

REC- 17   65- 31509- 17

Copy
by routing slip for
☑ info ☐ action
date 10-17-61   (65.31509-16)
by

OCT 6 1961

64 OCT 18 1961

pher« mit Mexiko wird systematisch überwacht. Und natürlich interessiert man sich in Boston und Washington dafür, daß der Autor von »Erbschoft Unserde Zeit« und Mitarbeiter von »Das Wurt«[64] zu den Signataren des Gründungsaufrufs des Council for a Democratic Germany gehört.

Ernst Bloch – mal 5 Fuß 5, mal 5 Fuß 8 Zoll groß, 190 bzw. 170 amerikanische Pfund schwer, »very near sighted and wears thick glasses«[65] – war am 13. Juli 1937 vom polnischen Gdynia aus mit der SS Pilsudski in New York angekommen. Am 6. Juni 1939 reichte er seine »Declaration of Intention«, am 14. April 1944 seine »Petition« ein, wird am 17. März 1947 mit der Nummer 6648940 amerikanischer Staatsbürger[66] (»... ich hatte für die Esel mehr Dreck am Stecken als Du«, schreibt Bloch dazu an den geschockten Herzfelde, »nämlich in Amerika, was entscheidend ist«[67]) und kehrt 1949 nach (Ost-)Deutschland zurück. Schwierigkeiten mit dem INS scheint er in dieser Zeit trotz seiner in den Augen der amerikanischen Behörden überaus fragwürdigen Vergangenheit (»is a refugee from Berlin and Moscow where he was an active writer in the interest of Communism«[68]) nicht gehabt zu haben.

Aufmerksam werden INS und FBI auf Bloch dann erst wieder in den fünfziger und sechziger Jahren. Zuerst versucht das Boston Field Office im September 1953 über Hoover einen »National Stop with the U.S. Customs Service«[69] durchzusetzen, um eine Rückkehr des Exilanten, den man richtig in Leipzig (»member of the Eisler Group«[70]), aber falsch als »Director« an der dortigen School of Engineering vermutet,[71] in die USA zu verhindern. Dann meldet der »Legat« in Bonn unmittelbar nach dem Bau der Berliner Mauer,

---

64 FBI-Report, Boston v. 16. 2. 1944, S. 3.

65 FBI-Report, Boston v. 4. 8. 1942, S. 2. Zwei Jahre später ist Bloch plötzlich 5' 8" groß und wiegt nur noch 170 Pfund (FBI-Report, Boston v. 16. 2. 1944, S. 6).

66 FBI-Report, Boston v. 29. 9. 1953, S. 2.

67 Ernst Bloch, Brief an Wieland Herzfelde v. 23. 4. 1947 (Wieland Herzfelde-Sammlung, Akademie der Künste, Berlin). Herzfelde hatte Bloch kurz zuvor über seine eigenen Erfahrungen mit dem INS berichtet: »Unsere Frist für die Einreichung um den Second Papers lief am 31. Oktober ab. Am 28. haben wir, um nicht ganz ohne Status auf der Welt zu sein, den Antrag hingebracht, dort staunte man nicht schlecht und arrangierte sofort für die Einschwörung am 31. Unsere unglücklichen Zeugen hatten das Vergnügen, stundenlang zu warten, während man mich drinnen aufs gründlichste, wenn auch nicht auf freundlichste, ausfragte an Hand eines mehrpfündigen Aktenbündels mit dem schönen Stempel »Special«. Man entliess mich mit der Versicherung, dass ich, wenn auch nicht mit Sicherheit mit der Staatsbürgerschaft, dagegen bestimmt mit weiteren Verhören rechnen könne« (Wieland Herzfelde, Brief an Ernst Bloch v. 2. 11. 1946 [a. a. O.]).

68 FBI-Report, Boston v. 16. 2. 1944, S. 2.

69 SAC, Boston, Memorandum an Director, FBI, v. 29. 9. 1953.

70 FBI-Report, Washington v. 22. 5. 1953, S. 2. »The Eisler Group«, erklärt der Autor des Reports, sei eine Organisation »within the German Communist Party... made up of German Communists who had returned to Germany from the United States« (a. a. O.).

71 A. a. O., S. 3.

daß Bloch in den Westen übergesiedelt sei, aber einen Ruf an die Universität Frankfurt mit der Begründung ablehnt, »that ›he would not think of serving capitalism‹«[72]. Und schließlich verfolgt Hoovers Mann in Bonn im Mai 1962 das immer noch als »IS-East Germany« geführte »subject« bis nach England: »An item in the 5/6 May 1962 issue of the West German newspaper ›General-Anzeiger‹ indicated that Ernst Bloch has been invited to Oxford University for the end of May, where he will speak concerning his philosophical work. Ernst Bloch is undoubtedly identical with subject. The following items are enclosed for Legat, London: Bonn letter to Bureau dated 9/29/61. Report of [ausgeschwärzt] dated 9/29/53 at Boston. Buform 0-7 dated 10/17/61.«[73]

Unpolitische und ›Mitläufer‹:
Bruckner, Piscator, Unruh, Habe, Broch, Zuckmayer, Urzidil

Von den Autoren, die im Folgenden behandelt werden – Ferdinand Bruckner, Erwin Piscator, Fritz von Unruh, Hans Habe, Hermann Broch, Carl Zuckmayer und Johannes Urzidil – gerieten Bruckner, Piscator, Unruh, Habe und Urzidil ins Visier des FBI. Bruckner und Piscator verdächtigte man wegen ihrer Verbindungen zum Freien Deutschland als »Mitläufer« der Kommunisten. Unruh wurde als »Aryan Protestant Prussian aristocrat«[1] aktenkundig. Habe versuchte, sich durch eine Art von Selbstanzeige beim FBI gegen Angriffe auf seine fragwürdige journalistische Vergangenheit zu schützen. Urzidil fiel auf, weil er für tschechische Exilblätter in England schrieb. Für Broch und Zuckmayer interessierte sich dagegen nur der Immigration and Naturalization Service. FBI-Dossiers scheinen, sieht man von einer Reihe »cross-references« zu Zuckmayer in anderen Akten ab, über sie nicht vorzuliegen. Dabei war Broch aktiv in der Flüchtlingshilfe tätig, erhielt wie Alfred Kantorowicz und Oskar Maria Graf ein Yaddo-Stipendium und stand mit dem Präsidenten der New School for Social Research, Alvin Johnson, in engem Kontakt. Zuckmayer ging bei Dorothy Thompson ein- und aus[2] und soll 1943/44 gar für das Depart-

---

72 Legat, Bonn, Memorandum an Director, FBI, v. 29. 9. 1961.
73 Legat, Bonn, Memorandum an Director, FBI, v. 8. 5. 1962.
1 Interdepartmental Visa Review Committee, New York, Minutes v. 9. 6. 1943, S. 2 (FBI).
2 Peter Kurth: *American Cassandra. The Life of Dorothy Thompson.* Boston: Little, Brown 1990.

ment of Biographical Records des Office of Strategic Services über 100 »biographische Porträts von führenden Persönlichkeiten des deutschen Kulturlebens«[3] geschrieben haben.

Ferdinand Bruckner

Ferdinand Bruckner, der in der Weimarer Republik mit den Schauspielen *Krankheit der Jugend* und *Die Verbrecher* bekannt wurde und als Theaterdirektor zu Ruhm gelangte, erfuhr, wie viele Exilanten, die Flucht vor den Nazis als einen scharfen Einbruch in seine Karriere. Nur eines von elf in den USA geschriebenen Dramen wurde während seines Amerikaaufenthalts aufgeführt – und das von Erwin Piscators Dramatic Workshop.[4] Ein anderes, *Simon Bolivar*, erschien in seinem Gastland im Druck – in dem von Bruckner mitbegründeten Aurora Verlag. Sechs weitere Manuskripte sind bis heute nicht publiziert worden. Und auch nach seiner langsamen Rückkehr nach Deutschland um 1950 wartete der einst berühmte Dramatiker vergebens auf seine Wiederentdeckung.

Wie gut es dem während einer Reise seiner Mutter als Österreicher im bulgarischen Sofia unter dem Namen Theodor Tagger Geborenen bis zu seiner Flucht nach Übersee ging, belegt eine im Oktober 1936 bei seiner Einwanderung in die USA über Calexico für den INS angefertigte, notariell beglaubigte Aufstellung seiner Einkünfte. »My income at the present time from Europe from plays and motion pictures in Europe amounts to at least Twenty Thousand Dollars ($20,000.00) per year and will continue indefinitely so long as my plays are being produced...«, schreibt Bruckner hier und listet dann im Detail die Quellen seiner Bezüge auf: »S. Fischer in Berlin – 12,000 Marks«, »Albert de Lange – 1200 florins«, »Thalia-Edition Paris – 70,000 francs«[5] usw. Doch nicht die finanziellen Verhältnisse des mit einem bulgarischen Quotenvisum in die USA einreisenden Österreichers, sondern seine politischen Verbindungen interessieren den INS und das FBI in der Folgezeit. So fragt ihn im März 1946 ein INS-Beamter im Rahmen seines Einbürgerungsverfahrens ausgiebig, ob er in zehn Jahren Amerikaaufenthalt im-

---

3   Henry Glade: »Carl Zuckmayer.« In: *Deutschsprachige Exilliteratur seit 1933*. Bd. 2, 2, S. 1045.

4   Dennis M. Mueller: »Ferdinand Bruckner«, a. a. O., Bd. 2, 1, S. 167. Bruckner selber behauptete 1946 bei einem INS-Interview, daß die New School zwei seiner Stücke aufgeführt habe »for which he received royalties« (Joseph M. Wehler, In re: Theodor Tagger v. 20. 3. 1946, S. 1 [INS]).

5   Theodor Tagger/Ferdinand Bruckner, Eidesstattliche Erklärung, Los Angeles, 14. 10. 1936 (INS).

mer »well disposed to the good order and happiness of the United States«[6] gewesen sei. Bruckner antwortet, daß er zwar »a certain Mr. Piscator« kenne, »alleged to be a member of the German Communist Party«[7], selbst aber nie irgendwelche Treffen der Kommunistischen Partei besucht und immer an die amerikanische Regierungsform geglaubt habe. Das ihm übertragene Amt des »vice president«[8] in der German American Writers Association habe nichts mit Politik zu tun gehabt; der German American Emergency Conference wäre er auch beigetreten, wenn sie nicht nur anti-Hitler, sondern auch »anti-Communist«[9] gewesen wäre. Als Mitglied der »literary group called ›Die Tribuene‹« war er vor allem »engaged in raising of money on behalf of the war effort of the United States«[10]. Die New School for Social Research habe zwar seine Stücke aufgeführt, Gehalt sei ihm jedoch nie ausgezahlt worden und einen Lehrauftrag habe er nicht besessen. Und seine Aufsätze für *Soviet Russia Today* und *Freies Deutschland* mögen für unbedarfte Leser vielleicht pro-Russisch klingen, pro-kommunistisch sind sie gewiß nicht: »›I personally describe it that way – that because of the fact that the Communists were the strongest fighters against Hitlerism, they made a lot of friends with anti-Hitler writers... That's why occasionally pro-Russian expressions are considered as pro-Communist...‹«

Der Immigration and Naturalization Service war offensichtlich gewillt, Bruckner Glauben zu schenken, besonders da »none of the organizations are within the proscription of Section 305 of the Nationality Act of 1940«[11]. Anders, mißtrauischer verhielten sich Hoovers Special Agents, die sich nicht nur an mehr oder weniger gesicherten Fakten orientierten, sondern nach dem Prinzip der Mitschuld durch Assoziation vorgingen. So läßt sich das New York Field Office im Mai 1942 von [ausgeschwärzt] erzählen, daß Bruckner in der letzten Nummer von *Freies Deutschland* einen Brief publiziert habe, in dem er u. a. lobend auf einen Aufsatz von Paul Tillich eingeht, der in *The Protestants* erschienen war, »an American magazine which is regarded in some quarters as Communist controlled«[12]. Und die Aufsätze, die »Tagger, as Ferdinand Bruckner« 1943/44 im *German-American* publizierte, sind zwar selbst nach Meinung der Special Agents »mostly of a literary nature and do not reflect to any great extent subject's alleged Communist sympathies«, seien aber dennoch verdächtig, weil in ihnen Heinrich Mann, »alleged Communist«[13], gelobt wird. Zudem ist der *German-American* dem mehr auf ›law and

6   Joseph M. Wehler, In re: Theodor Tagger v. 20. 3. 1946, S. 1 (INS).
7   A. a. O., S. 4.
8   A. a. O., S. 2.
9   A. a. O., S. 3.
10 A. a. O., S. 2.
11 [Unleserlich], Re: Theodor Tagger/Ferdinand Bruckner v. 18. 2. 1946, S. 2 (INS).
12 FBI-Report, New York v. 16. 5. 1944, S. 2.
13 A. a. O., S. 5.

order‹ als auf Antifaschismus bedachten FBI suspekt, weil er »open revolt in Germany«[14] fordert.

Der Rest des Bruckner-Dossiers liest sich wie gehabt. »Affiliated with Free German Movement in NYC« sei der »refugee writer«[15], steht da am 16. Mai 1944 gleich in der ersten Zeile des ersten FBI-Reports zu lesen. Als »ardent Communist«[16] habe er nach dem Einmarsch der Nazis aus Österreich fliehen müssen. Einer Rezension in *Newsweek* von Bruckners *Nathan*-Bearbeitung entnimmt ein G-Man, daß dieses berühmte Stück »still elegant propaganda, if pretty helpless theatre«[17] sei. Im *Freien Deutschland* vom 17. April 1942 habe »subject« auf »Page 18« Bücher von »two Communists«[18], Berthold Viertel und Anna Seghers, besprochen. Und noch 1949 schickt Hoover seinem Legal Attaché in Paris ein Telegramm mit den Namen von »alleged Communist and Communist line publications... and... organizations«[19], mit denen der Untersuchungsgegenstand Bruckner in den letzten Jahren zu tun gehabt hat.

»Theodore Tagger, with alias Ferdinand Bruckner, Security Matter-C«[20], seit seiner Einbürgerung in die USA offiziell Ferdinand Bruckner genannt, »Height: 6' Weight: 170 lbs..., Peculiarities: Speaks with slight foreign accent«[21], wohnhaft Bregenzerstraße 7 in Berlin 15, »expatriated himself« im Juni 1954 »by having a continuous residence for five years in a foreign state other than that of which he was formerly a national or in which his birthplace is situated.«[22]

Erwin Piscator

Ähnlich wie Bruckner und, wie wir sehen werden, von Unruh und Zuckmayer, vermochte auch der in der Weimarer Republik berühmte Theaterregisseur Erwin Piscator im Exil nicht an seine früheren Erfolge anzuknüpfen. Zwar gestaltete sich seine über das Dramatic Workshop laufende Zusammenarbeit mit der New School als durchaus fruchtbar mit Lehrinszenierungen, Kontakten zu Autoren wie Tennessee Williams und Arthur Miller und Workshops mit Schauspielern wie Harry Belafonte, Tony Curtis, Rod Steiger, Marlon

---

14 A. a. O., S. 3.
15 A. a. O., S. 1.
16 A. a. O., S. 2.
17 FBI-Report, New York v. 2. 11. 1944, S. 2.
18 FBI-Report, New York v. 16. 5. 1944, S. 2.
19 FBI, Telegram an Legal Attache, Paris, v. 11. 5. 1949.
20 FBI-Report, New York v. 16. 5. 1944, S. 1.
21 A. a. O., S. 6.
22 Certificate of the Loss of the Nationality of the United States, Berlin, 4. 6. 1954 (Department of State).

FEDERAL BUREAU OF INVESTIGATION

Form No. 1
THIS CASE ORIGINATED AT **NEW YORK, N. Y.**   NY FILE NO. 100-44893 DH

REPORT MADE AT	DATE WHEN MADE	PERIOD FOR WHICH MADE	REPORT MADE BY
NEW YORK, N. Y.	11/11/43	10/21,25,29/43	

TITLE	CHARACTER OF CASE
ERWIN FRIEDRICH MAX PISCATOR	ALIEN ENEMY CONTROL - G

SYNOPSIS OF FACTS:
Subject, German National, reported to be former
member of German Communist Party and to be active
in NYC. Alleged to be in possession of contraband.
Residence at 56 W. 10 St. searched 10/21/43 on
authority of Executive Search Warrant issued by
USA, SDNY with negative results. Subject is
registered AR #5564253, AER #2195. Born 12/17/93
Marburg, Germany and entered U.S. from Montreal,
Canada 6/20/39 at NYC via Canada Colonial Airlines.
Subject advised he served in German Army 1915-18,
produced motion pictures in Russia 1931-33 and has
not been in Germany since 1931 and was member of
German Communist Party 1922-23. PISCATOR teaches
drama at New School for Social Research at NYC
and has permission of USA, SDNY to use camera at
place of employment. Denies any organizational
activity in U.S. and asserts allegiance is entirely
with U.S. Records of INS at NYC checked with negative
results. Facts presented to Assistant USA Healey,
SDNY who declined further action.

- C -

DETAILS:
Investigation in this case is predicated upon several
reports received at the New York Office as follows:

APPROVED AND
FORWARDED: SPECIAL AGENT IN CHARGE   DO NOT WRITE IN THESE SPACES

100 - 244212 - /

COPIES OF THIS REPORT
5 - Bureau
1 - Capt. R. C. MacFall, DIO, 3 N.
1 - Col. S. V. Constant, ID, 2 S.D.
2 - USA, SDNY
2 - New York

NOV 13 1943

ALL INFORMATION CONTAINED
HEREIN IS UNCLASSIFIED
DATE 11/12/86 BY

COPY IN FILE

370

NY 100-44893

At New York, N. Y.

On October 21, 1943, the reporting agent accompanied by ▮▮▮▮▮▮ conducted a search of the subject's residence at 56 West 10 Street, pursuant to authority of an Executive Search Warrant issued by the United States Attorney for the Southern District of New York. However, prior to the search the subject executed a written voluntary waiver of search which waiver is being made a part of the files of the New York Office. A thorough search of subject's residence failed to reveal any contraband or propaganda material. It was observed during the search that although subject has a large library consisting of books on philosophy, drama and politics, there were no volumes which could be characterized as propaganda material.

BACKGROUND AND PERSONAL HISTORY

The subject was interviewed at this time and he exhibited his Certificate of Identification which reflected that he was registered, Alien Registration #5564253 and that he had been assigned Alien Enemy Registration #2195. Subject furnished the following information concerning himself:

Brando und Walter Matthau. Am Broadway und in anderen Zentren des amerikanischen Theaters gelang dem in Weimar erfolgverwöhnten Begründer des politisch-dokumentarischen Theaters der große Durchbruch nicht.

Erwin Piscator gelangte Anfang 1939 zunächst als Besucher und wenig später über Kanada als Einwanderer in die USA. Mit dem FBI bekam er es unter der Fallbeschreibung »Alien Enemy Control – G« zum ersten mal vier Jahre später, am 21. Oktober 1943, zu tun als ein Trupp Agenten des New York Field Office ausgestattet mit einem Executive Search Warrant, in der 56 W 10th Street von New York erschien, um seine Wohnung nach »contraband«[23] zu durchsuchen – was immer mit diesem Begriff gemeint gewesen sein mag. Da Widerstand zwecklos war und Piscator sich wohl auch nichts vorzuwerfen hatte, ließ er die Männer vom FBI freiwillig ein und gewährte ihnen gleich auch noch ein ausführliches Interview: »The subject admittedly belonged to the Communist Party in Germany from 1922 until 1923... but became dissatisfied with the Communist movement and in 1923 ceased his membership... He engaged in the production of political plays expressing a relatively strong reaction against the war.« »Communistic«, wie seine Feinde meinen, seien diese Stücke ebensowenig wie der 1933 in Moskau fertiggestellte »anti-Nazi«-Film »The Revolt of the Fisherman«. »He stated«, protokollieren die Special Agents in Unkenntnis der Tatsachen gläubig, »that the fisherman is represented to be the common man in Germany and that the theme is that the common man must fight Fascism or will be deprived of his rights.«[24] Jetzt, in den USA, arbeite er als Leiter des Dramatic Department der New School for Social Research, wünsche sich nichts mehr, als Amerikaner zu werden und habe vor kurzem als Zeichen seiner Übereinstimmung mit der amerikanischen Form von Demokratie »a patriotic pageant for the Civilian Defense Office in Brooklyn«[25] produziert. Sein Einkommen beträgt $330 monatlich bei $100 Miete, zu denen noch einmal $2.000 im Jahr von einem »trust fund«[26] seiner Frau kommen, die er 1936 als »wealthy widow«[27] in Paris geheiratet hatte.

Die genauen Gründe für die Durchsuchung von Pisctors Wohnung wurden in dem einschlägigen Protokoll ausgeschwärzt. Was bleibt, ist eine kurze Passage in einem 1951 von der U.S. Navy freigegebenen Dokument, in der von einer »security-type investigation« die Rede ist und davon, daß der ex-Kommunist seit seiner Ankunft in den USA »»on the quiet««[28] in New York tätig gewesen sei. Gefunden haben die Special Agents jedenfalls bei dem

---

23 FBI-Report, New York v. 11. 11. 1943, S. 1.
24 A. a. O., S. 3.
25 A. a. O., S. 5.
26 A. a. O., S. 4.
27 A. a. O., S. 3.
28 L. L. Laughlin, Memorandum an D. M. Ladd v. 24. 9. 1951 (Navy).

Theatermann nichts außer einer großen Bibliothek »consisting of books on philosophy, drama, and politics«[29]. Für die Kamera, die Piscator gehörte, lag eine Genehmigung des zuständigen Vertreters des U.S. Attorney General vor. Und über die New School wußte man beim FBI merkwürdigerweise nicht viel mehr als daß sie der Erwachsenenbildung dient und ihre Zeitschrift *Social Research* kein Propagandamaterial enthält.

Vielseitiger, aber letztendlich ähnlich ergebnislos wie die Hausdurchsuchung, verlaufen die Untersuchungen, die das FBI zwischen 1945 und 1957 zu Piscator führt. Mal geht es da, 1945, um zwei ältere Beiträge im kommunistischen *Daily Worker* über Inszenierungen von Daniel Lewis James' *The Winter Soldiers* (»ends with Russian soldiers victory over the German Army«[30]) und die Bruckner-Bearbeitung von »»Nathan The Wise«« (»Subject... stated he was not Jewish«[31]). Mal, im Sommer 1947, versucht Hoover dem INS und dem Department of Justice bei den Voruntersuchungen zu einem Deportationsverfahren gegen »Erwin Friedrich Max Piscator, Security Matter-C«[32] mit Informanten auszuhelfen, von denen sich die Mehrzahl freilich als unergiebig erweist, weil sie verzogen, gestorben oder wegen ihrer gegenwärtigen Stellung unbrauchbar für eine Aussage sind.[33] Ein anderes mal, 1951, geht das FBI öffentlichen Denunziationen der ex-Kommunisten Louis F. Budenz und Ruth Fischer, einer Anfrage des gefürchteten McCarran Committees (»requested a file check on a group of persons, all of whom are New Yorkers and engaged in Show Business, Radio, or Television«[34]), und dem Brief eines besorgten Bürgers aus Kansas nach, der sich offensichtlich in der Rolle des Anklägers nicht ganz wohlfühlt – »this memorandum is *in no sense* to be regarded as *a denunciation*« -, dann aber doch patriotisch zur Sache geht:»I have no desire to make things difficult or unpleasant even for Herr Piscator, however harmful his influence upon the contemporary theatre and drama.«[35]

Wie bei anderen Exilanten, erlahmt auch im Fall von Piscator das Interesse des FBI mit der Rückkehr des Untersuchungsgegenstands nach Deutschland nur langsam. Beim Counter Intelligence Corps der Armee interessiert sich Ende 1951 ein als Spezialist für KPD-Angelegenheiten vorgestellter »Mr.

---

29 FBI-Report, New York v.11. 11. 1943, S. 2.

30 FBI-Report, New York v. 30. 5. 1945, S. 5.

31 A. a. O., S. 6.

32 FBI-Report, New York v. 4. 6. 1947, S. 1.

33 Als besonders kurios, weil weit hergeholt, erweist sich hier ein Bericht der U.S.-Armee aus Darmstadt zu einem potentiellen Informanten namens Oscar Matzelt, dessen verstorbene Schwester mit einem Otto Jurczyk verheiratet war, dessen Tochter sich um 1924 von Piscator hatte scheiden lassen (Director, FBI, Memorandum an H. Graham Morison, Executive Assistant to the Attorney General, v. 2. 10. 1947 [Army]).

34 [Ausgeschwärzt], Memorandum an D. M. Ladd v. 24. 9. 1951.

35 [Ausgeschwärzt], Brief an J. Edgar Hoover v. 13. 4. 1951.

D. Benjamin«[36] für die Beziehungen des Heimkehrers zu früheren Mitarbeitern, die zur Zeit selber in Deutschland unter Beobachtung stehen. Hoovers Mann in Heidelberg berichtet im März 1954, daß CIC dem High Commissioner empfohlen habe, Pisctors Namen auf eine Liste zu setzen »for screening in connection with speeches to be made at America Houses in Germany«[37]. Ein Versuch »to interview... subject«[38] verläuft 1957 ergebnislos, weil man Piscator nicht finden kann. Und so wie bei Alfred Kantorowicz und anderen vermag sich das U.S.-Konsulat in Berlin 1965 erst nach Rückfrage beim Department of State und »in view of the compassionate and humanitarian aspects of the case«[39] zu entschließen, dem ehemaligen Spartakisten ein Visum auszustellen, mit dem er seine Frau über Weihnachten in New York zu besuchen vermag.

Als das Un-American Activities Committee Piscator, der wegen seiner politischen Inszenierungen von einheimischen Kollegen mit Mißtrauen und der Theaterkritik mit Mißbilligung betrachtet wurde, für den 7. Oktober 1951 zu einem Verhör nach Washington bestellte, entschloß sich der Exilant am Vortag in jenes Land zurückzukehren, aus dem er 1933 vertrieben wurde und in das ihn nach 1945 niemand zurückrief. Ein im April 1951 gestellter Antrag auf ein »re-enter permit«, das der Heimkehrer gebraucht hätte, wenn er wie manch einer seiner Schicksalsgenossen wieder in sein Asylland hätte zurückkehren wollen, wurde ihm zuvor ebenso verwehrt wie die amerikanische Staatsbürgerschaft, um die er sich im Juli 1944 beworben hatte.

Fritz von Unruh

So wie Ferdinand Bruckner und Erwin Piscator hatte auch Fritz von Unruh vor 1933 zu den großen Namen des deutschen Theaters gezählt. Von den Nationalsozialisten aus Deutschland, dann von italienischen Faschisten aus seinem Haus in Zoagli vertrieben, gelangte Unruh über Frankreich und Portugal am 10. August 1940 in die USA. Behilflich waren ihm dabei zwei Pässe auf die Namen Fred Onof bzw. Frederique Onof, die ihm der französische Verteidigungsminister Edouard Daladier besorgt haben soll und ein Quotenvisum, das ihm Cordell Hull vermittelte.[40] Nicht zu helfen war Unruh dagegen,

---

36 George A. VanNoy, Liaison Office, Heidelberg, Memorandum an Director, FBI, v. 16. 11. 1951 (Army).

37 Liaison Representative, Heidelberg, Memorandum an Director, FBI, v. 8. 3. 1954 (Army).

38 SAC, New York, Memorandum an Director, FBI, v. 25. 3. 1957, S. 2.

39 Cecil Peterson, Acting Officer in Charge, In RE: Erwin Friedrich Max Piscator, 19. 11. 1965 (INS).

40 Ulrich R. Fröhlich: »Fritz von Unruh.« In: *Deutschsprachige Exilliteratur seit 1933.* Bd. 2, 2, S. 916-7.

trotz verschiedener Kontakte in der Exilkolonie, besonders zu Erwin Piscator und dessen Dramatic Workshop, als Schriftsteller. Weder in den USA noch in Deutschland nach 1945 besteht an seinem pathetisch-expressionistischen Stil und den exaltierten Gefühlsausbrüchen seiner Figuren Interesse. Von den Dramen, die er in den vierziger Jahren in New York entwirft, wird keines aufgeführt. Nicht viel besser ergeht es ihm, als er, ›dem Broadway fremd‹[41], u. a. über das Office of Overseas Publications versucht, sich mit Romanen ein neues Publikum zu erschließen. Und auch mit dem inzwischen nach Deutschland zurückgekehrten Piscator kommt er nicht mehr ins Geschäft. Dazu aus einer ungewöhnlich einfühlsamen biographischen Skizze des OSS vom September 1943: »Fritz von Unruh is a vigorous and colorful poet... In the last year he developed leanings toward mysticism. His misfortunes and the long years in exile without literary successes have filled his life with bitterness.«[42]

Unruh geriet auf bekanntem Weg in die Akten des FBI – über ein als »generally reliable and highly confidential source« eingestuftes »individual«, das Anfang 1942 in ähnlich formulierten Briefen mehr als 100 Personen bei Hoover denunzierte. Dabei ging es diesmal freilich nicht um die üblichen linken Umtriebe, sondern – ein überaus seltener Fall in den Dossiers der Exilanten – darum, »that the above named subject was connected with the Gestapo«[43]. Ein Versuch von P. E. Foxworth, in jenen Jahren als Assistant Director des FBI verantwortlich für das New York Field Office, den Auftrag zur Überwachung dieser Personen als überzogen und zu arbeitsaufwendig an andere Behörden weiterzugeben bzw. abzublocken (»in view of the absence of any corroborating information from sources other than this informant, the above mentioned cases were of such nature that they should be placed in a deferred status«[44]), brachte nur einen Teilerfolg. Die entsprechende Abteilung beim New York City Police Department, ließ man Foxworth wissen, sei mit ähnlichen Fällen derart überlastet, daß sie keine neuen Aufgaben mehr annehme. Und FBI-Boss Hoover bestand darauf, daß zumindest fünfzehn Personen, »chosen at random«[45], als Testfälle genau durchleuchtet werden – darunter Fritz von Unruh.

Ein Komplex fällt bei den nachfolgenden, unter »Espionage-G«[46] geführten Untersuchungen von FBI und INS freilich weit aus dem üblichen Rahmen: nämlich die Kontroverse um Unruhs Einwanderungsvisum, das erst im Juli 1943 beim dritten Anlauf vom Board of Appeals bewilligt wird, »strongly supported by Germans now in the United States, including Emil Ludwig, Thomas Mann, Albert Einstein, and also by Dorothy Thompson, Alfred

---

41 Zitiert nach a. a. O., S. 920.
42 Unruh, Fritz von v. 29. 9. 1943, S. 3 (OSS, 873).
43 P. E. Foxworth, Assistant Director, Brief an Director, FBI, v. 3. 2. 1942, S. 1.
44 A. a. O., S. 2.
45 John Edgar Hoover, Brief an SAC, New York, v. 13. 2. 1942.
46 FBI-Report, New York v. [unleserlich] 10. 1943, S. 1.

Knopf, publisher, and by President Shuster of Hunter College«[47]. Vorher hatten ein Primary Committee und das Review Committee, in denen unter anderem das FBI vertreten war, den Antrag des Exilanten jeweils einstimmig abgelehnt – mit durchaus ungewöhnlichen Agumenten. Unruhs Verwandte in Deutschland könnten »rise to a hostage situation«[48] geben. Der Vertreter des Department of State war zwar von Unruhs Auftreten vor dem Komitee beeindruckt, vermochte aber nicht zu übersehen, daß der Antragsteller in seinem Privatleben »a typical Prussian militaristic aristocrat related to and connected with the German imperial monarchy«[49] ist. Pazifist sei er erst geworden als Deutschland ohnehin entmilitarisiert wurde. Bei Ausbruch des Zweiten Weltkriegs wurde er von der französischen Regierung interniert, »which assuredly was in a position to know whether or not he was a dangerous enemy«. Seine »Flucht« aus dem von Deutschen besetzten Frankreich versieht der amerikanische Regierungsvertreter gar mißtrauisch mit Anführungszeichen. Kurz: Unruh »will undoubtedly, because of his Prussian character and culture which he possesses in the highest degree, be as undesirable in United States after the war as he was in France and Germany before the war and for the same reason.«[50]

Andere Teile von Unruhs Dossier zeugen eher von Routine. Aus den »Alien Enemy registration files« und den Unterlagen des INS schreibt das FBI die üblichen Daten zur Person (»5′ 9«, 218 lbs., with blue eyes, grey hair, fair complexion and no identifying marks«[51]) und zur Biographie ab (»born in Vienna, *Germany*..., relatives living outside the United States consist of... three brothers, Karl, Franz and Curt, and two sisters, Mathilde and Karla, with whom he had no contact since 1934«[52]). Dem Exiled Writers Committee verdanke der Exilant seine Rettung aus Europa. Maler sei »subject« von Beruf und mit Albert Einstein stehe er in Kontakt. Und aus der Zeitschrift *New Republic*, von der Hoover höflich sagt, »that this publication has been unable to make a harmonious adjustment in a capitalistic America«[53], übernehmen G-Men ein bio-bibliographisches Porträt, mit dem ein Professor an der kanadischen University of Saskatchewan den Expressionisten in den USA bekannt zu machen versucht: »Without wishing to make invidious comparisons, I must nevertheless point out that, while many of our German exiles left the Third Reich only because they were deprived of their livelihood, Unruh left as a matter of sacred principle, as a living protest against the Nazi Weltanschauung.«[54]

47 Excerpt from opinion of the Board of Appeals, 2. 7. 1943.
48 Minutes, Interdepartmental Committee, 23. 6. 1942.
49 Minutes, Interdepartmental Visa Review Committee, 9. 6. 1943, S. 1.
50 A. a. O., S. 2.
51 FBI-Report, New York v. [unleserlich] 10. 1943, S. 2.
52 A. a. O., S. 1-2.
53 Director, FBI, Memorandum an SAC, Newark, v. 13. 12. 1956.
54 FBI-Report, New York v. 12. 11. 1943, S. 7.

Der nicht unerhebliche Rest von Unruhs Dossier, zu dem neben 81 von 102 ausgelieferten FBI-Akten einige Dokumente zählen, die von der Air Force, der Armee und dem INS freigegeben wurden, dreht sich um Paß- und Wohnsitzangelegenheiten als Unruh in den fünfziger Jahren unentschieden zwischen Europa und den USA hin und her pendelt. Mal archiviert das FBI dazu eine Meldung des *Herald Tribune* vom 30. Januar 1947, daß Unruh eine von 400 Briefen junger Deutscher begleitete Einladung des Bürgermeisters von Frankfurt angenommen habe und gewillt sei, in einer Ruine lebend zum Wiederaufbau beizutragen. Mal versucht das FBI über »pretext interviews«[55] herauszufinden, ob die Zielperson weiterhin in Atlantic City wohnhaft ist. Ein anderes mal geht es darum, daß man Unruh, der 1952 doch noch amerikanischer Staatsbürger geworden war, einen neuen Paß verweigert, weil er sich zu lange außerhalb der USA aufhält. Dann wieder schaltet sich der Chief, Counterintelligence Division der U.S. Air Force im Zusammenhang mit einem wegen Ausschwärzungen nicht mehr rekonstruierbaren Disziplinarverfahren (»Court martial«[56]) in den Fall ein.

Unruhs Beziehungen zu Deutschland stehen schließlich auch im Mittelpunkt eines Berichts, den der amerikanische Konsul in Hamburg im Jahr 1948 an das Department of State schickt. Anlaß für dieses Kommuniqué ist ein Aufsatz von Walther Victor in der *Hamburger Volkszeitung* vom 24. Juni 1948 über Unruhs Rede in der Frankfurter Paulskirche, den der Konsul als »interesting... illustration of certain Communist propaganda devices« analysiert. So sei, nach Victor, der Auftritt des Exilautors in Deutschland »a State-Department-sponsored propaganda attempt which backfired« gewesen. Offensichtlich sitze Unruh in New York in einem Glashaus, habe keine Ahnung von Diskriminierungen gegen Neger und Juden und würde nie wagen, seine neue Heimat mit ähnlichen Worten zu kritisieren, weil er genau weiß, daß ihm dann die gleichen »›democratic‹ experiences« drohen wie seinem »fellow-author Gerhard Eisler«[57].

Die Unruh-Akte wurde vom Büro des FBI in Newark, New Jersey, zum erstenmal im März 1959 »in view of subject's advanced age (74) and inactivity«[58] und zuletzt am 29. Januar 1970, zehn Monate vor Unruhs Tod, geschlossen, weil der Untersuchungsgegenstand seit 1962 nicht mehr in die USA zurückgekehrt war.

---

55 FBI-Report, Newark v. 28. 11. 1956, S. 1.

56 4th District Office, OSI-IG, Bolling [?] Air Force Base, District of Columbia, Memorandum an Director of Special Investigations, The Inspector General, Headquarters, USAF, Washington, v. 18. 5. 1959.

57 Edward M. Groth, American Consul General, Hamburg, Brief an Secretary of State v. 14. 7. 1948, S. 1-2 (862.00B/7-1448).

58 SAC, Newark, Memorandum an Director, FBI, v. 26. 3. 1959.

Hans Habe

Im Gegensatz zu Unruh bekam es Hans Habe – bekannt in Ungarn und Österreich als Journalist mit fragwürdigem Berufsethos, Autor von rasch hingeschriebenen Erfolgsromanen wie *Ob tausend fallen* und Ehemann von sechs zum Teil ungewöhnlich wohlhabenden und einflußreichen Frauen – auf eine Weise mit dem FBI zu tun, die seinem Lebens- und Arbeitsstil entsprach: nämlich durch eine Art von Selbstanzeige, mit der er sich gegen öffentliche und anonyme Angriffe zur Wehr zu setzen versuchte.

In der Tat nahmen Hoover und seine G-Men von dem Exilanten und Erfolgsjournalisten (Habe über Habe: »... probably... the only foreign writer who is a regular contributor to the American magazine literature«[59]) erst Kenntnis, als er sich im Frühjahr 1942 beim FBI als Opfer von »threatening letters« und übler Nachrede meldete und um ein Gespräch bat. Weit gekommen zu sein scheint der erfahrene Redner dabei freilich nicht, denn der federführende Beamte des Washington Field Office meldet über die Begegnung am 2. Mai 1942 trocken an seine Zentrale: »There is definitely no extortion violation involved in this case... within the provisions of the Federal Extortion Statute... Mr. Bekessy's principle object in calling at the Bureau appeared to be his desire to counteract any reports which might be received at any time relative to his activities having a tinge of international intrigue rather than the reporting of an extortion violation.« Eher peinlich ist der FBI-Mann von Habes ausführlicher Selbstdarstellung berührt, »placing particular emphasis upon the fact that he had just recently married the daughter of Ambassador Joseph E. Davies, and likewise going into some detail relative to his literary successes«. Widerwillig und nur im Wissen um die Sammelleidenschaft seiner Security Division läßt sich der G-Man von seinem Gegenüber ein siebzigseitiges Konvolut[60] aufdrängen (»at the conclusion of the interview, he insisted on leaving a dossier«[61]), in dem sich Habe noch einmal schriftlich von seiner besten Seite darstellt: mit Kopien von Meldungen aus dem *Österreichischen Abendblatt*, die belegen sollen, daß er Hitler 1933 als Juden enttarnte; durch eidesstattliche Erklärungen von Bekannten, die ihn aus Österreich (»always led an irreproachable life«, »not the slightest shadow has ever fallen on his high character«, »unimpeachable as private individual... journalist and writer«[62]) oder von seiner Zeit als Reporter beim Völkerbund in

---

59 »Hans Habe«, o. D. Dieser nicht weiter gekennzeichnete Lebenslauf ist in der »er«-Form abgefaßt, dürfte aber wegen der vielen Hinweise auf »documentary evidence« von Habe selber stammen.

60 Habe scheint eine weitere Kopie dieses Materials an das Office of Strategic Services gegeben zu haben (OSS, INT-15HU, 52).

61 [Ausgeschwärzt], Memorandum an Mr. Rosen v. 2. 5. 1942.

62 Ferenc Gondor, Declaration v. 2. 4. 1942, S. 1.

Genf her kennen (»the most promising journalist of the rising generation«[63]); und durch allerlei offizielle Dokumente über seine Zeit als Soldat in der französischen Armee (»his conduct under fire was always perfect«[64]). Habes zweite Ehefrau, Erika, steuert eine in Los Angeles notariell beglaubigte Aussage bei, in der sie den Verdacht, sie sei »›obviously... for money‹« geheiratet worden, als »ridiculous«[65] zurückweist. Eine schier endlose Kette von Zitaten aus Rezensionen und Briefen, die Habe nach Vorträgen erhielt, zeugt davon, daß sich der Exilant trotz seines unruhigen Lebenswandels keine Gelegenheit entgehen ließ, Material zu sammeln, um sich gegebenenfalls in Szene setzen zu können (»documentary evidence:... several hundred reviews... and... over 3,000 clippings, which are in the possession of the author«[66]).

Habes offene, wenn auch etwas einseitige Art, sein Leben und Werk herauszustellen, scheint das FBI wenig beeindruckt zu haben. Ebensowenig wußten Hoovers Leute mit Habes Gegnern und den Anwürfen anzufangen, die vom MID gesammelt wurden, nachdem der noch-Ehemann der Stiftochter des ex-Botschafters der USA Anfang 1943 zur U.S.-Armee eingezogen wurde,[67] obwohl einige der Aussagen von »distinguished Hungarian and Austrian newspapermen and writers«[68] stammten: »a clever opportunist«[69], »unbridled vanity«[70], »krankhafter Geltungstrieb, gepaart mit pathologischer Luegenhaftigkeit«[71], »sued for libel«.[72] Leicht frustriert zog man bei den Field Offices von Washington und New York nach einer ergebnislosen Nachfrage auf Ellis Island wegen INS-Material deshalb Anfang 1943 die logische Konsequenz und legte den Fall »Hans Habe-Bekessy, with aliases Hans Habe [ausgeschwärzt]« zu den Akten.

Es sei dahingestellt, ob Habe vom FBI gleichsam recht liegengelassen wurde, weil ihm selbst seine erbittertsten Feinde eher Verbindungen zu den Nazis (»young Hans Habe was in the service of the fascist Heimwehr Movement in Austria«[73]) als zu Kommunisten vorhalten konnten. Hinweise auf eine Überwachung des Offiziers der U.S.-Spionageabwehr, Direktor der deutschen Abteilung von Radio Luxemburg und Managers der sogenannten AG Zeitungen (Army Group newspapers) in der amerikanischen Besatzungszone nach

63 Marie Ginsberg, Brief an Hans [Habe] v. 1. 4. 1942, S. 1.
64 DeBuissy, Eidesstattliche Erklärung v. 18. 4. 1942.
65 Erika Habe-Bekessy, Eidesstattliche Erklärung. o. D.
66 Hans Habe, o. D., S. 2-3.
67 »Author to Join Army Friday.« Ausschnitt aus *Washington Post* in Habes FBI-Unterlagen, o. D.
68 Maschinenschriftliches Dokument o. Titel u. D., S. 2.
69 Memorandum on Hans Habe v. 25. 3. 1942.
70 SGJ, Re: Hans Habe v. 3. 3. 1942, S. 2.
71 Maschinenschriftliches Dokument o. Titel u. D., S. 2.
72 Die Aktenstücke mit negativen Informationen über Habe sind wegen der schlechten Qualität der Fotokopien in der Mehrzahl nicht lesbar.
73 Maschinenschriftliches Dokument o. Titel u. D., S. 1.

JOHN EDGAR HOOVER
DIRECTOR

Federal Bureau of Investigation

United States Department of Justice

Washington, D. C.

May 2, 1942

ALL INFORMATION CONTAINED
HEREIN IS UNCLASSIFIED
DATE 4/15/92 BY ___
33496

62-

Call: April 28, 1942
Dictated: 1:45 P.M.
             April 30, 1942

MEMORANDUM FOR MR. ROSEN

RE: HANS HABE BEKESSY,
a.k.a. Hans Habe

FACTS

    Following his reference from the Director's Office, Mr. Bekessy was interviewed by the writer on the above date.

    Mr. Bekessy at first indicated that he desired to report the receipt of threatening letters and displayed some quotations from correspondence which he had recently received. It was readily observed that these threats did not bring the matter within the provisions of the Federal Extortion Statute, and Mr. Bekessy was so advised.

    He thereupon launched into a detailed recounting of his background and activities, placing particular emphasis upon the fact that he had just recently married the daughter of Ambassador Joseph E. Davies, and likewise going into some detail relative to his literary successes.

    At the conclusion of the interview, he insisted on leaving a dossier containing certified copies of correspondence relating to his experience as a correspondent in Europe, his service in the French Army, his internment in a German Prison Camp, and his eventual escape to the United States, in addition to other biographical data. He likewise made available a copy of his recent publication "A Thousand Shall Fall" which is described as a soldier's story of the battle against Germany.

    Mr. Bekessy's principal object in calling at the Bureau appeared to be his desire to counteract any reports which might be received at any time relative to his activities having a tinge of international intrigue rather than the reporting of an extortion violation. Bureau file 100-92729 contains information received from a confidential source, Washington, D. C., to the effect that

    The files likewise contain information to the effect that Bekessy was listed as a sponsor for the entry into the United States of one

COPIES DESTROYED 12-12 ___

Respectfully,

100-92729-3

MAY 9 1942

ACTION RECOMMENDED

    There is definitely no extortion violation involved in this case. However, in view of the fact that the information furnished by Bekessy will undoubtedly be of interest to the Security Division, it is suggested that same be referred for their attention.

1945 finden sich jedenfalls in den FBI-Unterlagen nicht. Aktenkundig wird Habe – »the pronounciation of H. B. – Hans Bekessy«[74], wie man beim Bureau weiß – dann erst wieder als sich der Heimkehrer nach seinem Ausscheiden aus der Armee 1956 anläßlich eines Vortrags in München negativ über die Arbeit von Geheimdiensten äußert (»true freedom cannot exist as long as intelligence agencies exist«[75]) und 1964 in einem kurzen Beitrag für die Zeitschrift *Stern* über J. Edgar Hoover schreibt: »Es heißt, daß Hoover über jeden amerikanischen Bürger ein Dossier angelegt habe. Mag das auch übertrieben sein, so verfügt Hoover doch über ein furchterregendes Wissen.«[76]

Hermann Broch

Das INS-Dossier von Hermann Broch beschränkt sich fast ausschließlich auf das Jahr 1938 als der kurz von den Nazis Inhaftierte versuchte, über England und Schottland in die USA zu gelangen. Vier Gutachten – von Thomas Mann, Albert Einstein, dem Verleger Benjamin Huebsch und Edward A. Blatt – für den Honorable John C. Wiley, damals Consul General an der U.S.-Botschaft im inzwischen nationalsozialistischen Wien und wenig später Donovans Kandidat für den leitenden Posten im Foreign Nationalities Branch des OSS, stehen dabei am Anfang und im Mittelpunkt. Ruth Norden, Lektorin beim Verlag Alfred Knopf sorgt in einer konzertierten Aktion dafür, daß diese Schreiben innerhalb von drei Tagen abgefaßt wurden.[77]

Thomas Manns Affidavit, das bislang noch nicht vollständig veröffentlicht wurde,[78] und das deshalb hier in voller Länge abgedruckt wird, spricht für sich selbst: »I am writing to you on behalf of Mr. Hermann Broch who, I understand, is applying to you for a visa to enter the United States. I have known Mr. Broch intimately for many years and in my opinion he is one of the finest living German writers; not is this my opinion alone. His works, the product of a rich and wise personality, have been unanimously acclaimes [!] by critics as among the outstanding contributions to modern literature. To pay tribute to Mr. Broch's intellectual and creative attainments by no means exhausts his high qualities. I know him also as a man of the highest moral

---

74 A. a. O., S. 2.
75 Federal Bureau of Investigation, Washington, Re: Hans Habe v. 24. 10. 1956.
76 »Hoover« [Zeitungsausschnitt aus *Stern* v. 15. 3. 1965]. Anlage zu [ausgeschwärzt], Memorandum an Director, FBI, v. 16. 3. 1954. Dieser Beitrag ist namentlich nicht gezeichnet, wird vom FBI aber offensichtlich Habe zugeschrieben.
77 Paul Michael Lützeler: *Hermann Broch. Eine Biographie.* Frankfurt: Suhrkamp 1985, S. 231–2.
78 Hermann Broch: *Briefe 1 (1913–1938). Dokumente und Kommentare zu Leben und Werk.* Hrsg. v. Paul Michael Lützeler. Frankfurt: Suhrkamp 1981, S. 505. (= Kommentierte Werkausgabe, 13/1.)

character and personal integrity who has gained the greatest esteem of all those who have come to know him. So far as Mr. Broch's contemplated emigration to the United States is concerned, I am convinced that Austria's loss will be America's gain. There can be no question of Mr. Broch's ability to adapt himself to the new coutry [!] of his choice. And there is every reason to believe that in due time he will make valuable and lasting contributions to American culture. As one who has himself but recently accepted the generous hospitality of this country, I earnestly and respectfully ask you to give favorable consideration to Mr. Broch.«[79]

Einstein beschränkt sich in ein paar Zeilen auf einen allgemeinen moralischen Appell, in dem von der »Menschenpflicht, unschuldig Verfolgten Zuflucht zu bieten«[80] die Rede ist. Huebsch beruft sich als Verleger auf seine literarischen Kenntnisse, schreibt Broch »rare talent« zu und schließt mit dem Satz, »immigrants of the character and ability of Hermann Broch cannot fail to be a lasting asset to the United States...«[81]. Ähnlich argumentiert Edward Blatt in einer notariell beglaubigten Bürgschaft: »Mr. Bloch should not find it difficult to make his livelihood in America since the American public is already to some extent familiar with his work for two of his novels have been translated into English... I am an American citizen and... I hereby undertake and agree to maintain and support Mr. Hermann Broch from the time of his arrival in the United States until he should become self-supporting... I annex hereto a copy of my income tax return... from which it will appear that I am in a position to discharge the obligation undertaken herein.«[82]

Die Gutachten aus Amerika scheinen in Wien nur zum Teil gewirkt zu haben. So informiert der amerikanische Konsul Broch zwar am 1. Juli, daß sein Fall bearbeitet wird – ein Visum ist aber bis zu Brochs Abflug nach England am 24. Juli nicht ausgestellt worden.[83] Und schließlich enthält das INS-Dossier, in dem sich unter anderem Kopien von Brochs »Geburts-Zeugniss... der isreal. Cultusgemeinde in Wien«[84] und ein »Sitten-Zeugnis« des Bürgermeisteramts von Teesdorf aus dem Jahre 1920 befinden, noch ein Dokument

79 Thomas Mann, Brief an John C. Wiley, Consul General, American Consulate General, Wien, v. 15. 5. 1938.
80 A. Einstein, Brief an John C. Wiley, Consul General, American Consulate General, Wien, v. 15. 5. 1938. Dieser Brief befindet sich auch in der Hermann Broch-Sammlung beim Deutschen Literaturarchiv in Marbach (*Inventar zu den Nachlässen emigrierter deutschsprachiger Wissenschaftler in Archiven und Bibliotheken der Bundesrepublik Deutschland.* Bearb. im Deutschen Exilarchiv 1933-1945 der Deutschen Bibliothek, Frankfurt am Main. Bd. 1. München: Saur 1993, S. 260.)
81 Ben Huebsch, The Viking Press, Brief an John C. Wiley, Consulate of the United States, Wien, v. 16. 5. 1938.
82 Edward A. Blatt, Eidesstattliche Erklärung, New York, v. 18. 5. 1938, S. 1-2.
83 Vgl. Lützeler, *Hermann Broch*, S. 230-3.
84 Hermann Broch, Geburts-Zeugnis, Wien, 12. 9. 1894.

The Bedford
118 EAST 40TH STREET
NEW YORK

Dr. Thomas Mann   15.V.38.

Mr. John C. Wiley

    Consul General
    American Consulate General
    Vienna, Austria

        Dear Mr. Wiley:

        I am writing to you on behalf of Mr. Hermann Broch
who, I understand, is applying to you for a visa to enter the
United States.

        I have known Mr. Broch intimately for many years
and in my opinion he is one of the finest living German
writers; nor is this my opinion alone. His works, the product
of a rich and wise personality, have been unanimously acclaimes by critics as among the outstanding contributions to
modern literature.

        To pay tribute to Mr. Broch's intellectual and
creative attainments by no means exhausts his high qualities
I know him also as a man of the highest moral character and
personal integrity who has gained the greatest esteem of
all those who have come to know him.

        So far as Mr. Broch's contemplated emigration to

"Visit the New York World's Fair 1939 — May to November"

the United States is concerned, I am convinced that Austria's

loss will be America's gain. There can be no question of

Mr. Broch's ability to adapt himself to the new country of

his choice. And there is every reason to believe that in due

time he will make valuable and lasting contributions to

American culture.

As one who has himself but recently accepted the generous hospitality of this country, I earnestly and respectfully

ask you to give favorable consideration to Mr. Broch.

Very truly yours

des Zentralmeldungsamts beim Polizeipräsidenten in Wien vom 6. August 1938 »zum Vorweise bei Behörden«, auf dem bestätigt wird, daß der Romancier, der bereits Ende Juli ins Exil gegangen war, »gemeldet vom 26. 7. 1923 bis auf weiteres« in der »Peregringasse 1/6«[85] wohnhaft sei. Wie immer das Dokument des Wiener Meldeamts zu verstehen ist, der Antrag auf ein amerikanisches Quotenvisum wird am 21. September 1938 im schottischen Glasgow bewilligt und Broch, »6 feet 1 inch, weight 150 pounds«[86], »burn mark on neck«[87], »divorced..., race: Hebrew«[88], kommt am 9. Oktober mit der SS Statendam in New York an. Fünf Jahre später, nämlich am 27. Januar 1944, wird er in dem in der Nähe seines Wohnorts Princeton gelegenen Trenton amerikanischer Staatsbürger.

Carl Zuckmayer

Broch erhielt sein Einwanderungsvisum Nr. 18592 unter der »quota nationality German«, obwohl sein Paß im September 1929 in Wien ausgestellt worden war und der Antragsteller selber bis zu seiner Einbürgerung auf allen Formularen unter »Race«[89] bzw. »nationality« »Austrian«[90] oder zumindest »German-Austrian«[91] eintrug.

Genau diese Frage – nämlich wie die Konsulatsbeamten im Ausland und der INS in den USA den »Anschluß« von Österreich an das Dritte Reich interpretieren – steht im Zentrum der über fünfzig Blätter umfassenden INS-Akte von Carl Zuckmayer. Wie kompliziert die Dinge dabei zugingen, deutet ein handschriftlicher Vermerk an, den Zuckmayer, »small mole right cheek«, 1942 einer Application for Certificate of Identification beigibt – unmittelbar nach der Veröffentlichung eines Erlasses, der Österreicher vom Status des »enemy alien« befreit:[92] »German by birth. I applied for Austrian citizenship

---

85 Eine Kopie befindet sich in Brochs INS-Akte.
86 Declaration of Intention v. 15. 2. 1946.
87 Petition for Naturalization [Datum unleserlich].
88 Declaration of Intention v. 15. 2. 1939.
89 Application for Immigration Visa (Quota) v. 21. 9. 1938.
90 Certification of Naturalization v. 27. 1. 1944.
91 Declaration of Intention v. 15. 2. 1939.
92 Vgl. ein OSS-Memorandum vom 6. 2. 1942, in dem es heißt: »The decision of the Department of Justice not to consider Austrians enemy aliens has created great satisfaction amongst the Austrians in this country... The Department of Justice announced that those who have declared themselves as Austrians at the last registrations are not to be regarded as enemy aliens. Now, many Austrians do not remember just how they registered after arrival in the U.S. This can be understood, as the immigration laws were altered after the Anschluss so as to render Austrian birth places GERMAN« (Memorandum v. 6. 2. 1942, S. 1 [OSS, INT-4AU, 269]). Ein Vorstoß von Thomas Mann, Bruno Frank, Albert Einstein und anderen bei Präsident Roosevelt, eine ähnliche Statusänderung für deutsche Exilanten

in 1938 which was granted to me by decision of the Austrian government in February, 1938. Before I could be wholly naturalized, Austria has been occupied by Nazi Germany and I had to leave it because of political persecution. I was expatriated from the German Reich in May, 1939.«[93] Kaum weniger verwirrend muß Zuckmayers Aussage auf einen Beamten der Einwanderungsbehörde gewirkt haben, der die Ehepartner Carl und Alice am 17. Juni 1943 in ihrem Wohnort Barnard im U.S.-Bundesstaat Vermont getrennt verhört. Neben allerlei anderen Themen (»Q. Are you of Jewish blood? A. No«[94] und »Q. To what organizations have you belonged during the past ten years? A. Authors' Guild, Screen Writers' Guild... Oesterreichischer Alpenverein«[95]) interessieren INS-Inspector A. H. MacGregor dabei vor allem zwei Dinge. Einmal möchte er wissen, warum ›der Österreicher‹ Zuckmayer im Juni 1939 bei seiner Einreise in die USA bzw. seiner Meldung als Ausländer »German« als Staatsbürgerschaft angegeben hat. Worauf die Antwort lautet: »Well, I always claimed stateless because I was expatriated from Germany but I entered as German because I was travelling on a German passport... I discussed my situation with the Postmaster in Woodstock [der in den USA derartige Formulare weiterleitet, A. S.], and he said that as far as they knew there was no more Austria and I would have to register as a German.«[96] Zum anderen fragt der INS-Beamte nach, warum Zuckmayers Antrag auf »reclassification« als Österreicher keine Urkunde über seine Einbürgerung in Österreich beiliegt: »Q. Wasn't it usual to have a certificate of some kind issued to show possession of Austrian citizenship through naturalization? A. No, I just got a notification that naturalization had been completed and that my Austrian passport would be awaiting me at the Passport office of the Austrian Government in Salzburg, but I was in Vienna at that time and before I could get to Salzburg the invasion of Austria occured, making it impossible for me to go there. I was notified by letter but in the confusion of leaving Austria I left it behind me. It could have been dangerous for me to have it in my possession when crossing the border, too, because the letter congratulated me on becoming a citizen of Austria under the Schuschnigg Government which would have labled me as an enemy of the German Reich.«[97] Und auch Alice Zuckmayer machte es dem INS nicht leicht. Gefragt nach der Herkunft ihrer El-

zu bewirken, verlief erfolglos (Hans Bürgin u. Hans-Otto Mayer: *Thomas Mann. Eine Chronik seines Lebens*. Frankfurt: Fischer 1965, S. 160).

93 Application for Certificate of Identification 26. 2. 1942, S. 2.
94 A. H. MacGregor, Special Inspector and Examining Inspector, INS-Verhör von Carl Zuckmayer, Barnard, Vermont, 17. 6. 1943, S. 3.
95 A. a. O., S. 5.
96 A. a. O., S. 3-4.
97 A. a. O., S. 2.
98 A. H. MacGregor, Special Inspector and Examining Inspector, INS-Verhör von Alice Alber-

tern antwortet sie so: »This is complicated. I think... my father... was born in Bucharest, Rumania, but I am not sure. You see my parents were divorced two months before I was born and I met my father only once. He was a citizen of Austria when I was born, I think. Originally, he was a citizen of Rumania. I know he was naturalized in Austria and I think it was in 1911 or 1912. Q. Then he was a citizen of Rumania at the time of your birth? A. Yes. Q. Would that have made you Rumanian at birth? A. I think it would, yes, but I am not sure, but I was always treated as an Austrian... mother's... father and mother were Germans. Then, she became Rumanian by marriage. Then, after she was divorced she became Austrian, in about 1912. The only proof I have is a certificate of naturalization for my mother but it was issued a long time after she became Austrian. I became Austrian when my father was naturalized because I was under twenty-one.«[98] Sicher war für die Zuckmayers inmitten dieser Verwirrungen nur eins: »We intend to become United States citizens and become loyal to it, and to do our best for it even after the war and always.«[99]

Ohne Zweifel verwirrt und wohl auch nicht ohne Grund mißtrauisch entschloß man sich beim INS trotz der Loyalitätsbekundung des Exilantenpaars, der Sache weiter nachzugehen und die von Zuckmayer aufgeführten Zeugen zu befragen. Franz Werfel, im September 1943 von einem Special Inspector in Beverly Hills interviewt, antwortet dabei u. a. auf die Frage »Of what race or people is Mr. Zuckmayer?«: »I do not know whether he was of the Jewish religion but his parents were certainly Jewish... Of my absolute knowledge I can say this man is a real Austrian—really got his Austrian citizenship, and it would be only right to consider him as a simple alien and not an enemy alien.«[100] Friderike Zweig, wohnhaft 1 Sheridan Square in New York, läßt den verhörenden INS-Beamten wissen, daß Zuckmayer Österreicher geworden war, »because the Nazis said that was why they seized his property«[101]. Guido Zernatto, 1938 Mitglied des Kabinetts von Kurt von Schuschnigg, Generalsekretär der Vaterländischen Front und »überzeugt von der Lebensfähigkeit des Ständestaates«[102], bestätigt kurz vor seinem Tod in einer eidesstattlichen Erklärung, daß »Carl Zuckmayer... has been bestowed upon the

ta Henriette Zuckmayer, Barnard, Vermont, 17. 6. 1943, S. 2.

99 A. H. MacGregor, Special Inspector and Examining Inspector, INS-Verhör von Carl Zuckmayer, Barnard, Vermont, 17. 6. 1943, S. 6.

100 Harold Woods, Special Inspector, INS-Verhör von Franz Werfel, Beverly Hills, 11. 9. 1943, S. 2, 4.

101 [Unleserlich], Special Inspector, Examining Officer, INS-Verhör von Friderike Zweig, New York, 28. 8. 1943, S. 2.

102 Otmar M. Drekonja: »Guido Zernatto.« In: *Deutschsprachige Exilliteratur seit 1933.* Bd. 2, 2, S. 998.

103 Guido Zernatto, Eidesstattliche Erklärung, New York, 30. 10. 1942.

citizenship of Austria... in the course of a regular Cabinet meeting in February 1938«[103]. Und auch Ferdinand Czernin, Vorsitzender der »Austrian Action«, tritt für seinen ›Landsmann‹ ein, indem er pauschal zurückweist, daß »most... Austrians ever recognized the validity of... decree... that... all citizens of Austria were automatically supposed to have become citizens of Germany«[104].

Carl Zuckmayer, »5 feet, 8 inches,... 192 pounds..., black hair and grey eyes«[105], wurde am 4. Dezember 1945 in Woodstock, Vermont, Amerikaner. Kurz darauf reicht der frischgebackene Einwanderer einen Antrag für ein Special Certificate of Naturalization to Obtain Recognition by Country of Applicant's Former Allegiance ein, um Tantiemen, die die U.S.-Armee in ihrer Besatzungszone zurückhält, freizubekommen. Zwölf Jahre später – eine Zeit, in der der Exilant unentschlossen zwischen den USA und Europa hin- und herwandert – erhält das Department of State von seinem Konsul in Salzburg Nachricht, daß »Mr. Karl Zuckmayer profession: author residing at 31 Kreuzbergpromenade, Salzburg,–Parsch, Austria (c/o Tomaselli)«[106], geboren in Nackenheim am Rhein mit Wohnsitz in Saas-Fee, Schweiz, »last resided in the United States at 42 River St., Woodstock«[107], seine U.S.-Staatsbürgerschaft aufgegeben habe, weil er und seine Familie (wieder) Österreicher wurden.

Kein Interesse für Zuckmayers Ein- und Rückwanderung bzw. seine Aktivitäten in den USA scheint das FBI aufgebracht zu haben. Jedenfalls teilte mir der Chief, Freedom of Information-Privacy Acts Section der Behörde im November 1994 nach mehrfachen Nachfragen kurz und bündig mit, »that Mr. Zuckmayer was not the subject of an FBI investigation«. Da der Name Zuckmayer aber in den Akten einer Reihe anderer Personen und Organisationen auftaucht, sei das Bureau gewillt, 66 von 76 Blätter mit »cross-references«[108] freizugeben.

---

104 Murray Boriskin, Special Inspector, Examining Officer, INS-Verhör von Ferdinand Czernin, New York, 12. 8. 1943, S. 3.

105 Alien Registration Form v. [unleserlich] Oktober 1940, S. 1.

106 American Consulate, Salzburg, Übersetzung des Document Attesting the Granting of Citizenship v. 7. 8. 1958 (Department of State).

107 Certificate of the Loss of the Nationality of the United States, Consulate of the United States of America, Salzburg, 1. 10. 1958. (Department of State).

108 J. Kevin O'Brian, Brief an den Verfasser v. 15. 11. 1994. Richard Albrecht berichtet in einem Aufsatz fälschlicherweise über »Das FBI-Dossier Carl Zuckmayer« (in *Zeitschrift für Literaturwissenschaft und Linguistik* 73 [1989], S. 114-21), wohl weil er nicht mit der Arbeitsweise des FBI vertraut ist. Fehler unterlaufen Albrecht auch in seinem von Vermutungen durchsetzten Beitrag auch an anderen Stellen, etwa wenn er von »Edgar J. Hoover« (S. 118) schreibt oder dem FBI vorwirft, bei der Datierung von Zuckmayers Einreise in die USA »amateur- und stümperhaft« (S. 117) zu arbeiten, obwohl man dort durchaus korrekt zwischen Zuckmayers Einreisen in die USA als Besucher und als Einwanderer unterscheidet. Einen Grund, darüber enttäuscht zu sein, daß »der Literaturhistoriker aus der un-

form no. 202
FOREIGN SERVICE
Established April 1944

B4640

CERTIFICATE OF THE LOSS OF THE NATIONALITY OF THE UNITED STATES

C 6501189

(This form has been prescribed by the Secretary of State pursuant to Section 501 of the Act of October 14, 1940, 54 Stat. 1)

DEPARTMENT OF STATE

OCT 20 1958
(Date)

CERTIFICATE

APPROVED

Frances G. Knight
Director, Passport Office

By _____

Consulate .... of the United States of |
America at ...Salzburg............, ...Austria...... | 88:

I, ...Louis L. Kirley........, hereby certify that, to the best of my knowledge and belief,

......Carl ZUCKMAYER............ was born at .....Nackenheim......., ..Germany......,
                                                      (Town or city)   (Province or county)

........................., on ....December 27, 1896.........;
(State or country)   (Date)

That ....he resides at ..Saas-Fee, Switzerland............., ...;
                              (Street)   (City)   (State)

That ....he last resided in the United States at ...42 River St., Woodstock, Vermont......,
                                                              (Street)   (City)

................................; _____
(State)

That ....he left the United States on ...June 1956............................
                                                  (Precise date should be given)

That ....he acquired the nationality of the United States by virtue of naturalization before the
                                                                                  (If a national by birth

County Court of Windsor County at Woodstock, Vermont, on December 4, 1945.
In the United States, so state; if naturalized, give the name and place of the court in the United States before which naturalization was granted

and the date of such naturalization)

That ....he has expatriated himself under the provisions of Section 349(a)(1) of Chapter III IV of the
Immigration and Nationality Act of 1952 by having obtained naturalization in Austria upon his
                                                                                          (The action causing

own application on August 7, 1958.
expatriation should be set forth succinctly)

That the evidence of such action consists of the following: Copy of document issued by the Office
                                                                                  (Here list the sources of information

of the Salzburg Land Government, dated August 7, 1958. (True copy and translation thereof
and such documentary evidence as may be available concerning the action causing expatriation of the individual concerned)

attached).

In testimony whereof, I have hereunto subscribed my name and affixed my office seal this ...1st.........

day of ...October..........., 1958.
              (Month)

[SEAL]

_____
(Signature)
Louis L. Kirley
American Consul
_____
(Title of officer)

Certificate of Naturalization No. 6501789 issued by the County Court of Windsor County
at Woodstock, Vermont, on December 4, 1945 (attached)
                                                (OVER)

STATISTICS

389

Schwerpunkt des sporadischen Interesses der G-Men an dem relativ zurückgezogen lebenden Exilanten war einmal mehr der Komplex Freies
Deutschland. So meldet der SAC des Philadelphia-Büros Anfang September
1944, daß neben Feuchtwanger, Graf und Kantorowicz auch Zuckmayer in
The German-American die Gründung des Nationalkomitees Freies Deutschland in Moskau mit starken Worten begrüßt habe: »... the founding of the
National Committee ›Free Germany‹ in Moscow represents a step of the greatest importance, which must be joyfully hailed by all progressive forces of
Germany... The moral and spiritual significance of the founding is beyond all
doubt... In America, too, and in England, too, committees should be created
on broad bases; they should unite with the Committee in Moscow...«[109] Aus
Albany berichtet ein Special Agent, Zuckmayer sei im Oktober und November 1943 nach Washington gereist, »to discuss post-war plans for the European Nations«[110]. Und natürlich übersieht das Bureau nicht, daß der Autor
von »›The Devil's General‹« sich aktiv an dem sogenannten Tillich-Komitee
beteiligt und ausdrücklich feststellt, »that he certainly did not plan to return
to his native country«[111]. Andere »cross-references« bringen Zuckmayer mit
dem mysteriösen Alto-Fall in Verbindung, der in der FBI-Akte von Anna Seghers eine zentrale Rolle spielt, zählen den Exilanten zu den prominenten Mitgliedern des German American Congress for Democracy und der German-
American Writers Association oder interessieren sich unter der Überschrift
»Communist Literature, Internal Security-C«[112] für die biographischen Angaben in Peter M. Lindts Interviewband *Schriftsteller im Exil*. Über die Postzensur gerät Anfang Februar 1943 ein Brief an einen unbekannten Empfänger
in Buenos Aires in die Hände des FBI, in dem sich Otto Strasser darüber
lustig macht, daß von den Unterzeichnern einer Proklamation an die demokratischen Deutschen in Südamerika 26 Juden, darunter Zuckmayer, 8 »Gen-
tiles« und 8 »doubtful« seien: »If it were not enough to make you laugh, it
would make you weep that people of this sort present themselves to the world
as leaders of the German workers and of the German democrats – and that
the world believes it.«[113] Im Kontext einer Anfrage des U.S.-Außenministeri-
ums in Sachen Voice of America berichtet das New York Field Office 1951,

---

sinnigen Bespitzelung Carl Zuckmayers bislang nicht viel Nutzen ziehen kann« (S. 120),
gibt es also nicht – ganz abgesehen davon, daß das FBI nie darauf aus war, den Literatur-
wissenschaften Konkurrenz zu machen.

109 Anlage zu SAC, Philadelphia, Memorandum an Director, FBI v. 6. 9. 1944.
110 FBI-Report, Albany v. 8. 3. 1945, S. 2 (FBI-Akte, Lion Feuchtwanger).
111 Abschrift v. 5. 12. 1945 aus *Aufbau (Reconstruction)*.
112 Memorandum v. 14. 11. 1944 und SAC, Philadelphia, Memorandum an Director, FBI v.
20. 11. 1944; vgl. auch FBI-Report, New York v. 12. 5. 1947, S. 3-4 (FBI-Akte [ausge-
schwärzt]).
113 Brief v. [ausgeschwärzt] an [ausgeschwärzt] v. 10. Februar 1943, S. 1.

daß sich der Name des Exilanten in keinem der Telephonbücher von Groß-New York finden läßt. Nicht mehr zu rekonstruieren ist, warum Zuckmayer noch 1957 bzw. 1959 in einer Untersuchung des ehemaligen OSS-Mitarbeiters »Dr. Horst Wolfgang Baerensprung, Espionage-R«[114] auftaucht.

Johannes Urzidil

Eher unbedeutend fällt die Akte des prager-deutschen Lyrikers und Erzählers Johannes Urzidil aus, der zu jenen Exilanten zählt, denen es in der Neuen Welt lange Zeit nicht besonders gut ging und die doch nicht nach Europa zurückkehrten. Das mag bei Urzidil, der 1941 über England in die USA gelangt war und 1946 eingebürgert wurde, daran gelegen haben, daß er sich nach der kommunistischen Machtübernahme in seinem tschechischen Herkunftsland nicht mehr zu Hause gefühlt hätte. Es hatte aber auch damit zu tun, daß Urzidil die USA bei aller Distanz zu einer neuen Heimat geworden waren, die er trotz seiner literarischen (Wieder-)Entdeckung in der Bundesrepublik seit den späten fünfziger Jahren nur noch zu ausgedehnten Reisen verließ.

Urzidils FBI- und INS-Dossiers, 26 von 30 bzw. 28 Blätter wurden an mich freigegeben, drehen sich hauptsächlich um zwei Themen: Die Sorge des Exilanten, wegen einer Tätigkeit für zwei in London erscheinende tschechische Exilpublikationen mit der Foreign Registration Act in Konflikt zu geraten. Und ein Request for Investigation Data des Department of State, als sich der am Rande des Existenzminimums lebende Exilant 1951 um eine Stelle bei der Voice of America bewirbt.

Im ersten Fall hängt selbst Hoovers Hauptquartier, das sich fast nie die Chance für eine Untersuchung entgehen ließ, den Fall niedrig, erklärt dem FBI-Mann in New York geduldig und im Detail was es mit der Foreign Agents Registration Act von 1938 auf sich hat (»requires that all agents of foreign principals must file a registration form with the Attorney General«) und schlägt vor, eine »›dead 97 file‹«[115] zu eröffnen, wobei die Zahl 97 für Fälle unter der Foreign Agents Registration Act reserviert ist und »dead« bedeutet, daß keine weiteren Nachforschungen erwartet werden. Ein wenig detaillierter fällt dann der zweite Fall aus – ein 1951 vom FBI im Auftrag des Außenministeriums durchgeführter »background check« von Urzidil, »5 feet 8 inches, weight 204 pounds,... race: white«[116]. »A mature and experienced Agent«[117] wird als Interviewer auf Dorothy Thompson, deren Landsitz dem

---

114 FBI-Report, San Francisco v. 28. 6. 1957 u. FBI-Report, New York v. 13. 7. 1959.
115 John Edgar Hoover, Brief an SAC, New York, v. 26. 1. 1944.
116 Declaration of Intention v. 23. 10. 1941 (INS).
117 J. Edgar Hoover, Memorandum an SAC, Washington, v. 19. 1. 1951.

Dichter jahrelang als Feriendomizil diente, und Vincent Sheean angesetzt, die der Antragsteller neben »Friderika« Zweig und dem Germanistikprofessor André von Gronicka als »references« angibt.[118] Im Archiv der *New York Times* und in den Beständen der New York Public Library überzeugen sich Special Agents, daß Urzidils Aussage: »I never associated with people of communist, fascist or totalitarian affiliations«[119] zutraf. Und als sich auch im Central Record System des FBI, beim »HCUA«[120] und verschiedenen anderen Regierungsstellen nichts Negatives über den Arbeitsuchenden finden läßt, schließt das FBI die Akte Urzidil, ohne eine eigene Untersuchung aufzunehmen.

Max Reinhardt, Ernst Toller

Kein Interesse scheint Hoovers Bureau an dem weltberühmten Theatermann Max Reinhardt und dem an der Münchner Räterepublik beteiligten Revolutionsdramatiker Ernst Toller gehabt zu haben. Reinhardt, der Mitte der dreißiger Jahre in die USA übersiedelte, 1940 amerikanischer Staatsbürger wurde und drei Jahre später im Alter von 70 Jahren in New York starb, verfügt über ein Dossier, das neben den üblichen INS-Formularen (»on October 15th., 1934,... purchased from the Equitable Life Assurance Society... $80,000.00 Single Premium Retirement Annuity Policy No. 9624851«[121]) nur zwei Akten von Bedeutung enthält: Eine 1935 in Berlin ausgefertigte, mit Adler und Hakenkreuz geschmückte und notariell beglaubigte Aussage von Reinhardts Bruder Siegfried über das Datum und den Geburtsort des »Professor Doktors«[122]. Und, als Original und in deutscher Übersetzung, die umfangreiche Stellungnahme eines lettischen Gerichts aus dem Jahre 1931 zur Scheidung von seiner ersten Frau.

Im Fall von Toller, »5 feet and 7 inches,... scar in right cheek«[123], gibt es neben einigen wenigen INS-Dokumenten, darunter einem polnischen Quotenvisum, ausgestellt am 14. April 1937 in Windsor, Kanada, nur noch einen Geburtsschein aus dem polnischen Samotschin. Ein weiteres Aktenstück wird vom CIA mit Verweis auf »FOIA exemptions (b) (1) and (b) (3)«[124] zurückgehalten.

---

118 Department of State, Request for Investigation Data, FBI, v. 7. 12. 1950, S. 2. Die Protokolle dieser Gespräch sind durch weitgehende Ausschwärzungen nutzlos gemacht worden. Zudem zwang ein Schneesturm den G-Man in einem Fall, das persönliche Gespräch durch ein Telephonat zu ersetzen.
119 A. a. O., S. 2.
120 FBI-Report, Washington v. 7. 3. 1951, S. 1.
121 Equitable Life Assurance Society, To Whom It May Concern v. 30. 3. 1935.
122 Siegfried Reinhardt, Eidesstattliche Erklärung, Berlin-Wilmersdorf, 8. 3. 1935 (INS).
123 Application for Immigration Visa (Quota) v. 14. 4. 1937 (INS).
124 Lee S. Strickland, Information and Privacy Coordinator, Central Intelligence Agency, Washington, Brief an den Verfasser v. 2. 12. 1987 (Anlage).

FBI und Exil in Mexiko

South of the Border: Communazis

J. Edgar Hoovers G-Men kamen ungefähr zur gleichen Zeit in Mexiko an wie die von den Nazis aus Europa vertriebenen Exilanten – und begannen, sich sofort für die als »Communazis« diffamierten Flüchtlinge zu interessieren. So teilt Hoover am 26. Mai 1940 – zwei Monate nachdem Bodo Uhse von Hollywood aus per Bus die amerikanisch-mexikanische Grenze bei Laredo, Texas, überquert hatte – dem Präsidenten der USA mit, daß er Vorbereitungen getroffen habe, einen seiner Special Agents nach Mexico City zu schikken. Wenige Wochen später – Uhse (»organizer of Stalin immigration into Mexico«[1]), Renn und andere bemühten sich gerade mit einer 189 Namen umfassenden Liste bei den mexikanischen Behörden um die Rettung von Mitexilanten aus Südfrankreich – richtete das FBI eine bis 1947 funktionierende, Special Intelligence Service (SIS) genannte Abteilung für Lateinamerika ein. Als Egon Erwin Kisch, Otto Katz alias Andre Simone, Leo Katz und Gustav Regler im Herbst 1940 in Mexiko eintafen, hatte sich der SIS längst eine carde blanche für die Überwachung des deutschen Post- und Telegrammverkehrs bei den mexikanischen Behörden besorgt. Und fast auf den Tag genau – nämlich im August 1941 – als der U.S. Naval Attaché in der Dominikanischen Republik seinen Geheimdienstkollegen Einzelheiten über die Reiseroute der Familie Radvanyi/Seghers von Ciudad Trujillo über Martinique und New York nach Mexiko mitteilte, erhielt Hoovers Mann in Mexiko, Gus T. Jones, seine offizielle Akkreditierung als Civil Attaché an der U.S.-Botschaft.[2]

---

1 FBI-Report, Washington v. [unleserlich] 10. 1941, S. 3 (FBI-Akte, Anna Seghers).
2 A. A. Berle, Brief an Josephus Daniels, American Ambassador, Mexiko, v. 8. 8. 1941. Daniels hatte Jones unter anderem deshalb angefordert, weil seiner Botschaft ein Spezialist fehlte, »to secure information regarding totalitarian agents« (Josephus Daniels, Brief an Secretary of State v. 27. 5. 1941 [124.12/110]).

Ludwig Renn

Paul Merker

Bodo Uhse

Anna Seghers

Laszlo Radvanyi

Bekannt ist was die Exilanten nach Mexiko gebracht hat und was ihr Asylland ihnen zu bieten hatte: Eine, trotz mancher Rückschläge, liberale Einwanderungspolitik für Linke aller Schattierungen, besonders wenn sie im Spanischen Bürgerkrieg gekämpft hatten. Ein politisches Klima, das in der Tradition der mexikanischen Revolution der Jahre nach 1910 durch eine sich liberal bis sozialistisch verstehende Führungsschicht, aktive Gewerkschaftsarbeit, Landreformen, die Enteignung ausländischen Kapitals und die Schaffung von Arbeiterbildungsstätten geprägt war. Und die Möglichkeit, mit Billigung und gelegentlicher Unterstützung durch die Gastgeber relativ ungestört Organisationen, Zeitschriften und einen Verlag aufzubauen, die auch über die Landesgrenzen hinweg tätig sein durften: die Liga Pro-Cultura Alemana, die Bewegung Freies Deutschland (BFD) und deren internationalen Arm, das Lateinamerikanische Komitee der Freien Deutschen (LAK), den Heinrich Heine Klub, die Monatsschrift *Freies Deutschland* und den damals weltweit wohl bedeutendsten Exilverlag, El Libro Libre. Als »unusual« bezeichnet ein Mitarbeiter der Division of American Republics im amerikanischen Department of State denn auch die Lage der Linken in Mexiko, »because in that country a social revolution has already taken place... Accordingly, Mexican Communists find themselves at a disadvantage because much of their thunder has already been stolen by a nationalistic party disavowing Bolshevism's international theories and aims.«[3]

Mit welchem Geschick, welcher Ausdauer und in welchem Umfang die Exilanten ihre Möglichkeiten nutzten, ist oft beschrieben worden.[4] Und das mit gutem Grund. Denn was die relativ kleine, 1941 »kaum ein Dutzend«[5], später nicht mehr als ein paar hundert Personen zählende Exilkolonie um die Liga Pro-Cultura Alemana und ab 1942/43 die Bewegung Freies Deutschland und das LAK auf die Beine stellte, ist allemal beachtlich. In Verbindung mit Hilfsorganisationen in New York, prominenten Mitexilanten in allen Teilen der USA und einheimischen Helfern besorgen eben erst selbst dem Hitlerterror Entkommene in zähen Verhandlungen dutzende Visa und Schiffspassa-

3   E. T. Lampson, »Communism in Mexico«, Memorandum v. 5. 10. 1943, S. 1, 2 (812.00B/821).

4   Vgl. besonders von Wolfgang Kießling, *Alemania Libre in Mexiko*; *Exil in Lateinamerika*. Leipzig: Reclam 1980 (1. Aufl.), 1984 (2., erweit. u. veränd. Aufl.) (=Reclams Universal-Bibliothek, 847.); *Brücken nach Mexiko* und *Partner im ›Narrenparadies‹. Der Freundeskreis um Noel Field und Paul Merker.* Berlin: Dietz 1994; Fritz Pohle: *Das mexikanische Exil. Ein Beitrag zur Geschichte der politisch-kulturellen Emigration aus Deutschland (1937-1946)*. Stuttgart: Metzler 1986; Patrik von zur Mühlen: *Fluchtort Lateinamerika. Die deutsche Emigration 1933-1945: politische Aktivitäten und soziokulturelle Integration.* Bonn: Verlag Neue Gesellschaft 1988 (=Politik und Gesellschaftsgeschichte, 21.) und den Sammelband *Fluchtort Mexiko. Ein Asylland für die Literatur.* Hrsg. v. Martin Hielscher. Hamburg: Luchterhand 1992.

5   Kießling, *Exil in Lateinamerika*, S. 279. Von zur Mühlen, *Fluchtziel Lateinamerika*, S. 170 spricht für die Liga von »etwa zwanzig Mitgliedern« bis Ausbruch des Zweiten Weltkriegs.

gen für die 1940/41 in Südfrankreich eingeschlossenen Hitlerflüchtlinge. Spenden aus Nordamerika, etwa vom Exiled Writers Committee, werden unter den notleidenden, weil arbeitslosen Autoren verteilt – »Renn $30«, »Radvani $75«, »Lenke Reiner $200«[6]; Kontakte zu noch isolierter lebenden Schriftstellerkollegen in Südamerika geknüpft. Die zentralen Gruppierungen der Mexikoexilanten – Liga, BFD und LAK – organisieren Werbeabende und politische Veranstaltungen, kümmern sich um die Belange der jüdischen Kolonie und mischen sich, zum Teil in Fortsetzung der alten, leidigen Bruderkämpfe unter Linken, in die große Politik ein, wenn es um Fragen wie die deutsche Kollektivschuld und einen ›soft peace‹, die Eröffnung einer zweiten Front in Europa, Reparationen und Bündniskonstellationen beim Kampf gegen Hitler und beim Wiederanfang in Deutschland geht. Die Berufung von Heinrich Mann, Hubertus Prinz zu Löwenstein, Kurt Rosenfeld und Karl von Lustig-Prean in das Ehrenpräsidium des schon bald mehrere Tausend Anhänger zählenden Lateinamerikanischen Komitees soll weithin sichtbar demonstrieren, daß man an einem Anknüpfen an die Volksfrontpolitik der dreißiger Jahre interessiert ist. Wiederholte Versuche, mit Exilgruppen in Lateinamerika wie »Das andere Deutschland« und dem Council for a Democratic Germany in den USA zusammenzuarbeiten, scheitern nicht nur an politischen Meinungsverschiedenheiten, sondern auch an den im Krieg durch Postzensur und Reisebeschränkungen gestörten Kommunikationslinien.

Die Zeitschrift *Freies Deutschland*, im November 1941 als finanziell und verlegerisch unkalkulierbares Risiko begonnen, gehört schon bald zu den führenden Blättern des Exils. Als sie Mitte 1946 mit der Auflösung der Exilkolonie in Mexiko ihr Erscheinen wieder einstellt, waren 55 Hefte mit Auflagen von bis zu 4.000 Exemplaren in alle Welt gegangen. Die Mehrzahl jener, die Rang und Namen im Exil besaßen, hatte sich im *Freien Deutschland* zu Wort gemeldet. Literarische Texte und politische Analysen, Essays zu Kulturfragen, Rezensionen und Nachrichten aus Deutschland sorgten in den großen Exilzentren für Diskussionsstoff und erhielten manch einem versprengten Einzelkämpfer an den abgelegenen Orten des Asyls das lebenswichtige Zugehörigkeitsgefühl.

Ähnlich bedeutend wie die Leistung des *Freien Deutschland* war der Beitrag des Verlags El Libro Libre für das Exil. Mehr als zwanzig Titel mit einer Gesamtauflage von über 50.000 Exemplaren erschienen hier zwischen 1942 und 1946 trotz schwierigster Bedingungen. Unter ihnen waren Klassiker wie *Das siebte Kreuz* (1942) von Anna Seghers, Feuchtwangers kontroverser Erfahrungsbericht *Unholdes Frankreich* (1942) und Romane von Heinrich Mann, Uhse, Renn und Bruno Frank. Das weit verbreitete *Schwarzbuch über Nazi-Terror in Europa* (1943), von dem die U.S.-Botschaft meinte, daß es

6   FBI-Report, New York v. 18. 12. 1941, S. 6 (FBI-Akte, Exiled Writers Committee).

»morbid interest«[7] anspreche, zeugt von der engen Zusammenarbeit zwischen den Vertriebenen und ihren Gastgebern – wie übrigens auch die Tätigkeit zahlreicher Exilanten an mexikanischen Universitäten, allen voran der Arbeiteruniversität (Universidad Obrera) des Gewerkschaftsführers und Exilantenfreundes Vincente Lombardo Toledano.[8] Paul Merkers *Deutschland – Sein oder Nichtsein?* (1944/45) und Alexander Abuschs *Der Irrweg einer Nation* (1945) griffen in die vor allem in den USA geführte Debatte um Kriegsschuld und Zukunft Deutschlands ein.

Und schließlich belegt die Arbeit des bereits Ende 1941 gegründeten Heinrich Heine-Klubs, daß die Mexiko-Exilanten nicht nur ins Ausland zu wirken versuchten, sondern auch unpolitische Exilanten und Deutsch-Mexikaner in ihrer unmittelbaren Umgebung erreichen wollten. Kulturelle Angebote – Vorträge, literarische Abende, Konzerte, Filmvorführungen – standen dabei im Vordergrund und lockten an fast 70 Abenden bis Anfang 1946 oft mehrere hundert Besucher an. Klubmitglieder beteiligten sich aktiv an Theateraufführungen. Themenabende zu Frankreich, Spanien, der Tschechoslowakei und vor allem zu Mexiko ermöglichten es, Brücken zu anderen Exilgruppen und zu Künstlern des Gastlandes zu schlagen.

Weniger bekannt als die Aktivitäten der Mexiko-Exilanten sind die Zusammenhänge, die es zuließen, daß Hoover seinen Einflußbereich über die Grenzen der USA hinaus nach Lateinamerika auszudehnen vermochte. Das ausgeprägte Machtdenken des FBI-Bosses, der vor der Gründung der CIA eine Art Marktlücke bei der amerikanischen Auslandsaufklärung auszufüllen meinte, hat hier sicherlich eine entscheidende Rolle gespielt. Aber auch die doppelte Sorge der Amerikaner vor einer deutschen Invasion und einer kommunistischen Unterwanderung ihres südlichen Nachbarn darf nicht unterschätzt werden. Ungeachtet der eben erst eingeführten »Good Neighbor«-Politik gegenüber Lateinamerika hatte Roosevelt schon Mitte der dreißiger Jahre seine Militärplaner angewiesen, mögliche Angriffs- und Nachschubwege für deutsche Landungstruppen nach Südamerika auszuspähen. Die Planspiele »Rainbow I« und »Operation Pot of Gold« konkretisierten 1939/40 angesichts der Invasionshysterie in den USA nach den militärischen Erfolgen der Nazis in Polen und Frankreich diese strategischen Überlegungen und überprüfen die Möglichkeit, 110.000 U.S.-Soldaten in das ausgemachte Landungsgebiet der Achsenmächte bei Recife in Brasilien zu entsenden. Zugleich weist das State Department seine diplomatischen Vertretungen in Lateinamerika an, Nachrichten über »subversive activities« nach Washington zu melden. Und ONI, MID und FBI erhalten im Juni 1939, also noch vor

---

7 Cantwell C. Brown, Assistant Military Attache, »Free Germany Movement in Mexico« v. 26. 9. 1944, S. 3, Anlage zu Raleigh A. Gibson, First Secretary of Embassy, Embassy of the United States of America, Mexico, v. 20. 10. 1944 (862.01/10-2044).
8 Kießling, *Brücken nach Mexiko*, S. 343-6.

Ausbruch des Krieges in Europa, von Roosevelt den Auftrag, über ein vom State Department kontrolliertes Joint bzw. Interdepartmental Intelligence Committee die Abwehrarbeit in Mittel- und Südamerika zu koordinieren und Informationen auszutauschen.

Aktiv wird dieses mit den jeweiligen Behördenchefs hoch besetzte, aber zunächst ziemlich orientierungslose Intelligence Committee freilich erst, als Hoover unmittelbar vor dem Fall Frankreichs ohne Absprache mit seinen Kollegen kurzerhand erklärt, daß er »›upon the instructions of the President‹«[9] Anweisung gegeben habe, Agenten des FBI nach Mexiko und Kuba zu schicken. Die daraufhin ausbrechenden Auseinandersetzungen zwischen dem FBI-Boss und seinem wichtigsten Gegenspieler im Intelligence Committee, General Sherman Miles vom MID, müssen schließlich von Roosevelt persönlich durch eine inoffizielle Direktive[10] geregelt werden, die bis zur Abreise der Exilanten aus Mexiko und der in dieselbe Zeit fallenden Gründung der CIA ihre Gültigkeit behält: Dem FBI wird bei Zusammenarbeit mit dem Department of State[11] die gesamte westliche Hemisphäre als Operationsgebiet zugesprochen; MID und ONI erhalten den Rest der Welt.

Hoover geht nach diesem Teilerfolg seiner Expansionspolitik sofort mit der gewohnten Energie zur Sache. In Washington wird ein FBI-Mitarbeiter, P. E. Foxworth, mit dem Aufbau des Special Intelligence Service betraut, der schon bald über 500 Mitarbeiter verfügt und dessen Budget zwischen 1941 und 1947 von $900.000 auf 5.4 Millionen Dollar anwächst. Gus Jones, dem 1943 Birch D. O'Neal und 1944 Robert Wall als Special Agents in Charge in Mexiko nachfolgen, nutzt seine alten Beziehungen zum Polizeichef von Mexiko-Stadt, Miguel Martinez, um ab August 1940 Zugang zum Post- und Telegrammverkehr verdächtiger Personen zu erhalten. Und lange bevor Hoover im Laufe des Jahres 1942 seine lateinamerikanischen Latifundien erfolgreich gegen einen weiteren Konkurrenten im Geheimdienstgewerbe verteidigt, Colonel William »Wild Bill« J. Donovan von der eben gegründeten CIA-Vorläuferorganisation Office of Strategic Services, waren Jones und seine Kollegen offi-

---

9   Leslie B. Rout und John F. Bratzel: *The Shadow War. German Espionage and United States Counterespionage in Latin America During World War II.* Frederick: University Publications of America 1986, S. 34. (=Foreign Intelligence Book Series.)

10   Nach Rout/Bratzel, S. 37 wollte Roosevelt im Sommer 1940 nicht mit der Nachrichtenarbeit in Lateinamerika in Verbindung gebracht werden, um mögliche diplomatischen Verwicklungen aus dem Weg zu gehen.

11   Adolf A. Berle trug dazu am 28. 2. 1942 in sein Tagebuch ein: »This has been a violent week. Much of it was consumed by continuing to construct the intelligence net which is beginning to cover the entire hemisphere... This is one case where cooperation between State and FBI is working out beautifully...« (*Navigating the Rapids 1918-1971*, S. 404). Rout/Bratzel, *The Shadow War*, S. 37 scheinen ein wenig zu untertreiben, wenn sie behaupten, daß Hoover dem State Department nur Material zuspielte »after action had already been taken«.

ziell bei den U.S.-Botschaften in Mittel- und Südamerika als Legal Attachés
untergebracht – ein Decktitel, den, wie wir gesehen haben, die Verbindungs-
leute des FBI bis weit in die Nachkriegszeit auch bei den diplomatischen Vertretungen in Bonn und Paris sowie beim U.S. Armee-Hauptquartier in Heidelberg führten.

Hoovers Ausflug nach Lateinamerika hatte mit der Furcht von Nazispionen und Nazisaboteuren begonnen. Schon bald stellte sich jedoch heraus,
daß die Agenten des Dritten Reiches, die meist erst seit 1939 auf dem Land-
weg durch die UdSSR nach Mexiko gelangten, für das FBI keine echten Gegner waren. Liebesaffären, Trunksucht, Geldprobleme und interne Rivalitäten sorgten dafür, daß sich die »boys from Ast Berlin«[12] selbst enttarnten.
Wer übrig blieb wurde – wie auch die Nazi-Spione in Nordamerika – meist
schon bald von den G-Men erkannt und unschädlich gemacht.[13] Doch Hoover sah darauf, daß seinem SIS die Arbeit nicht ausging. Anstatt wie zwischen 1917/8 und 1920 nacheinander deutsche Spione und subversive rote
Elemente zu jagen, legt er jetzt seine Jugenderfahrungen zusammen und
macht sich an die Überwachung der pauschal als Communazis denunzierten
deutschsprachigen Exilanten.

In der Tat liefern die Aktivitäten der durchweg linken, meist sogar kom-
munistischen Hitlerflüchtlinge in Mexiko den G-Men während der folgenden
Jahre ergiebigeres Arbeitsmaterial als die Spione aus Berlin. Über Visa- und
Reiserouten tauscht das FBI mit dem INS auf Ellis Island und in Washington
Informationen aus. Eifrig notiert man im Büro des Legal Attachés an der Botschaft in Mexiko-Stadt Eindrücke von Besuchen bei Veranstaltungen des
Heinrich Heine Klubs[14] und Lektüreerlebnisse aus dem *Freien Deutschland*
und der Buchproduktion von El Libro Libre. Beziehungen der durchweg kommunistischen Exilaktivisten zu mexikanischen Regierungs- und Gewerk-
schaftsführern wie Lázaro Cárdenas und Vicente Lombardo Toledano werden nachgezeichnet, Informationen mit der Secretaría de Gobernación, dem
mexikanischen Innenministerium, ausgetauscht (»the Honorable Ignacio
Garcia Tellez, Minister of Gobernacion, requested our Government to send
him the names of... Communist or Nazi agents..., pledging himself to see that
they are arrested«[15]), Querelen mit Trotzkisten und Exkommunisten ver-

---

12 A. a. O., S. 57. »Ast« ist kurz für »Abwehrstelle«.

13 Rout/Bratzel, S. 67 gehen davon aus, daß »U.S. counterspies... by September 1941... had
     managed to identify virtually all members of the Ast Berlin ring«.

14 Ein Dokument beim State Department veranschaulicht, daß man sich dort noch im Mai
     1967 Gedanken darüber machte, ob der Heinrich Heine Klub weiter auf einer »List of Or-
     ganizations in Foreign Countries Pertinent to Determination Made under Section 212 (a)
     (28) of the Immigration and Nationality Act« (Amembassy, Telegramm an Department of
     State v. 25. 5. 1967, S. 1, 5, [FBI-Akte, Heinrich Heine Club]) geführt werden solle.

15 Josephus Daniels, Embassy of the United States of America, Mexiko, Brief an Secretary of
     State v. 23. 4. 1940, S. 1 (862.20212/1869). Wenig scheint man sich bei den U.S.-Nach-

merkt, Liebesabenteuer und homosexuelle Aktivitäten aktenkundig gemacht. Die private und die geschäftliche Post der Exilanten läuft nahezu ohne Ausnahme durch das us-amerikanische Office of Censorship, wo man tausende von Stunden damit verbringt, Briefe, Manuskripte oder auch ganze Nummern des *Freien Deutschland* zu übersetzen – auch wenn die Sendungen gar nicht in die die USA, sondern nach Drittländern gerichtet waren. Und natürlich interessieren sich Jones, O'Neal, Wall und ihre Kollegen in der Botschaft und in der Zentrale des State Department in Washington für die politische Position der schreibenden »Communazis«: ihre Haltung in den Fragen Zweite Front und Kollektivschuld der Deutschen, ihre Verbindungen in die Sowjetunion, das Verhältnis zwischen Bewegung Freies Deutschland/Lateinamerikanischem Komitee und dem Nationalkomitee Freies Deutschland in Moskau und ähnlichen Gruppierungen in den USA und, vor allem, den Plänen der Exilanten für eine nachkriegsdeutsche (Kultur-)Politik.[16]

Zuerst zum Thema Communazis ante portas im engeren Sinn, also zur Observierung der Fluchtwege der Exilanten aus Europa nach Mittelamerika.

Anna Seghers hat die Situation der Vertriebenen, die in Südfrankreich auf die rettende Passage nach Übersee warteten, in einem vielbeachteten Roman verarbeitet: *Transit*. Andere – Uhse, Renn, Frei usw. – haben ihre Erlebnisse in Tagebuchform oder als autobiographische Berichte niedergeschrieben bzw. mündlich überliefert[17]. Was sie und ihre Mitexilanten nicht wußten war, daß sie fast ausnahmslos schon lange vor ihrer Ankunft in Mexiko von den Geheimdiensten und Behörden der USA überwacht wurden. »Intelligence Report« ist da zum Beispiel ein von der »Intelligence Division. Office of Naval Operations« herausgegebenes Formular überschrieben, auf dem am 15. August 1940 der Assistant Naval Attaché in Mexiko-Stadt, Captain Earl S. Piper berichtet, daß Präsident Cárdenas seine Innen- und Außenministerien angewiesen habe »to issue orders to our Consulate in Marseilles, France, to give documents to the following persons and their wives and husbands as political refugees:

richtendiensten dagegen merkwürdigerweise um die Verbindung der Free Germans zur Botschaft der Sowjetunion in Mexiko gekümmert zu haben, die zwischen ihrer Wiedereröffnung im Juni 1943 und dem mysteriösen Unfalltod Konstantin Umanskis im Januar 1945 über einen außergewöhnlich kompetenten Botschafter verfügte. Eine Ausnahme ist ein ONI-Bericht vom 14. 2. 1944, der davon ausgeht, »that the Russian Embassy in Mexico City had taken over control and would coordinate the activities of various European refugee organizations. One of these was the Club Heinrich Heinie...« (zitiert nach »Correlation Summary« v. 8. 3. 1974, S. 24 [FBI-Akte, Anna Seghers]).

16 W. Dirk Raat: »US Intelligence Operations and Covert Action in Mexico, 1900-47.« In: *Journal of Contemporary History* 4/1987, S. 629 leitet die Gleichsetzung von »nazism and communism« aus »Cárdenas's brand of populism and corporatism« ab.

17 Vgl. unter anderem Gespräche des Verfassers mit Lenka Reinerova und Walter Janka in Mexiko am 11./12. November 1993 und mit Dr. Ruth Radvanyi und Dr. Pierre Radvanyi bei verschiedenen Treffen.

Grans Werfel	Anna Seghers
Leonard Frank	Adrienne Thomas
Konrad Heiden	Ruth Jerusalem
Alfred Doeblin	Sre. de Hermann Kesten
Dr. Friedrich Wolf	Franz Dahlem
Walter Mehring	Hermann Dunker
Ernst Weiss	Gerhard Eisler
Rudolf Leonard	Andreas Ewerd
Alfred Kantorowicz	Dr. Rudolf Neumann
Hans Marchwitza	Prof. Gumbel.«

»It pleases me to add«, übersetzt Piper weiter aus Cárdenas Brief an eine Reihe von Bittstellern, darunter den Gewerkschaftsführer Toledano, »that the admission of those persons to the country, granted as said above, has been a means of satisfaction to the Executive since it concerns people who by their antecedents, represent the tradition of German culture and whose personal qualities are those of people who have struggled for the causes of liberty and justice.«[18]

Wer sich wundert warum ein Attaché der U.S. Navy – und am gleichen Tag auch die U.S.-Botschaft mit einem Bericht an »The Honorable. The Secretary of State«[19] in Washington – den innermexikanischen Querelen um die Einreisegenehmigung für ein versprengtes Häuflein deutscher Exilanten Aufmerksamkeit schenkte, wird durch die Lektüre der Geheimdienstakten rasch eines Besseren belehrt. »... [it] is not known«, kommentiert der ONI-Mann die Entscheidung von Cárdenas, »if they are bona fide refugees and really political enemies of the present regime in Germany.« Mißtrauen sei zudem allein deshalb schon angebracht, weil Mexiko neben Antinazis und spanischen Loyalisten eben auch Naziagenten und -sympathisanten »with comparative ease«[20] ins Land lasse. Und schließlich finden sich auf dem Brief der Botschaft verschiedene Vermerke, die darauf hinweisen, daß nicht nur die Visa Division, die Commercial Affairs Abteilung und andere an den Reiseplänen der Hitlerflüchtlinge in Südfrankreich Interesse hatten, sondern auch das House Un-American Acitivities Committee eine Fotokopie des Berichts anforderte – im März 1948.

HUAC interessierte sich für die lang zurückliegenden Ereignisse vom Sommer 1940 wohl deshalb, weil auf Toledanos Liste unter anderem der Namen

---

18 Earl S. Piper, Assistant Naval Attache, Mexiko, Intelligence Report v. 15. 8. 1940, S. 1-2 (840.48 Refugees/2253). Wie an anderen Stellen, wurden auch hier die Fehler bei der Schreibung der Namen beibehalten. Vgl. dazu »Cardenas Offers Haven to German Writers.« In: *Daily Worker* v. 20. 8. 1940.
19 Josephus Daniels, Brief an Secretary of State v. 15. 8. 1940 (840.48 Refugees/2219).
20 Earl S. Piper, Assistant Naval Attache, Mexiko, Intelligence Report v. 15. 8. 1940, S. 2 (840.48 Refugees/2253).

Gerhart Eisler erscheint. Wie die kurzzeitigen Folgen aussahen, die ein zunächst wohl eher routinemäßig angefertigter Bericht wie der Brief der U.S.-Botschaft in Mexiko vom 15. August 1940 für die Anfang der vierziger Jahre zwischen Europa und der Neuen Welt umherirrenden Exilanten nach sich zu ziehen vermochte, macht ein »Gerhart Eisler and Others« überschriebenes, »Strictly Confidential«[21] gestempeltes, sechsseitiges Memorandum vom 24. Juli 1941 deutlich, das sich in den Unterlagen der Foreign Activity Correlation des U.S.-Außenministeriums erhalten hat. Thema dieses Memorandums ist das Schicksal einer Reihe von Exilanten, die während der Durchreise von Europa nach Mexiko aufgrund eines kafkaesken Szenarios auf Ellis Island festgehalten wurden: »They were denied admission to this country... Being Germans, they were held up by the immigration authorities under the order requiring all Germans and Italiens to obtain permission to leave this country.«[22] Betroffen waren unter anderem Gerhart Eisler und Alfred Kantorowicz, deren Namen – wie man sich bei der Foreign Activity Correlation genau erinnert – bereits 1940 in jenem Naval Intelligence Report als Schützlinge von Vincente Lombardo Toledano nach Washington gemeldet worden waren.

Doch was damals, 1940, von Naval Attaché Piper und seinen Kollegen noch mit Blick auf potentielle Nazispione niedergeschrieben wurde, erhält jetzt, ein Jahr später, eine andere politische Dimension. »... information had been reveived... from a confidential source«, läßt die FBI-Niederlassung in Washington die Visaabteilung des State Department am 20. Juni 1941 wissen, daß eine Reihe von Individuen in die USA gelangt seien oder eine Einreise in Erwägung ziehen, von denen berichtet wird, sie seinen »leading members of the German Communist Party«[23]. Am gleichen Tag gelangt der Durchschlag eines weiteren Naval Intelligence Reports an das State Department, der noch undifferenzierter zur Sache geht: »5th Columnist agents«, heißt es dort mit Bezug auf eine denunziatorische Verlautbarung der Grupos Socialistas de la Republica Mexicana in der mexikanischen Tageszeitung *Excelsior*, befänden sich auf dem Weg nach Mexiko, darunter »›Stalinist‹ leaders... closely connected with either Nazism or Fascism«[24]. Margarita Nelken, spanische Kommunistin, Autorin und ehemalige Cortesabgeordnete, die sich in der Tat für Visa und Schiffspassagen dieser und anderer Flüchtlinge eingesetzt hatte, wird vom Marineattaché im Eifer des Gefechts mit der berühmten »La Paseonaria‹«[25] verwechselt. Als ein Mr. Burns, Vertreter der Ward

---

21 Die mir vorliegende Kopie aus den Beständen der National Archives trägt außer der Registraturnummer 862.20211/3242 keine weiteren Kennzeichen.
22 A. a. O., S. 2.
23 Zitiert nach a. a. O., S. 3-4.
24 Frederick E. Leck, Assistant Naval Attache, Mexiko, Intelligence Report v. 20. 6. 1941, S. 1 (800.20212/171).
25 A. a. O., S. 3. Eine Anmerkung zu Lecks Bericht belegt, daß man den Irrtum beim State Department sofort entdeckt hat: »It is believed the penultimate paragraph above is in error,

Schiffahrtslinie, mit einer Passagierliste für eine Fahrt von New York nach Veracruz beim ONI in Mexiko vorspricht, einigt man sich rasch darauf, die Verdächtigen noch in den USA überprüfen zu lassen: »The list furnished by Mr. Burns serves greatly to establish the validity of the statement of the S.G.M.R. [Socialist Groups of the Mexican Republic]. Mr. Burns stated his office would wire the New York office to inform them and ask that they investigate the above people to discover whether their entry into Mexico would be desirable, and he presumed his office would refer the matter to the F.B.I.«[26] Und schließlich schlußfolgert der Mann vom ONI gar, »that the entry of any of the above individuals into Mexico would prejudice the interests not only of that country, but also those of the United States«[27].

Aufgestört durch die potentielle Ankunft so vieler subversiver Elemente schaltet sich wenig später das amerikanische Konsulat in Mexiko noch einmal mit einem seiner »bi-monthly report(s) on Communist activities« in die Sache ein: »*Margarita Nelkin.* This talented lady is said to have obtained the signature of the President to a permit for the entry into Mexico of some 100 so-called ›refugees‹ from Europe. Among the ›refugees‹ are said to be numerous GPU and Gestapo agents. The outbreak of war between the Reich and the Soviet Union may change Miss Nelkin's plans.«[28] Und auch beim State Department in Washington wußte man inzwischen wo der Gegner saß. Jedenfalls bewirkt die Tatsache, daß die auf Ellis Island Festgehaltenen von der League of American Writers Unterstützung erhalten bei dem Sachbearbeiter, der die Akten der Betroffenen vor sich auf dem Schreibtisch hat, den Kommentar, daß eine solche Beziehung »in no way inconsistent« sei, »since that organization is believed to be Communist«[29]. Entsprechend wird eine beigefügte Aufstellung von Namen, die aus den Unterlagen des State Department herausgesucht wurden, kurzweg mit dem definitiven Artikel »the« versehen, »List of Individuals Mentioned as Being Part of the Group of Communists« – obwohl in ihr neben Franz Dahlem (»high chief of the German Communist Party«) und »Ernst Reinhart (Abusch) (›Former editor of the »Red Banner« German Communist Party organ‹)«[30] auch Franz Werfel, Ernst Weiss, Leonhard Frank, Hermann Kesten und Alfred Döblin auftauchen.

---

as ›La Pasionaria‹ was Dolores Irraburi, a Basque peasant woman, while Margarita Nelken and Dorotea Kent were women deputies... in the Spanish Republic in 1932... [and] well known intellectuals renowned for their writings prior to the revolution...« (a. a. O., S. 4).

26 A. a. O., S. 3.
27 A. a. O.
28 Zitiert nach »Memorandum Re: Gerhart Eisler and Others« v. 24. 7. 1941, S. 5 (862.20211/3242).
29 A. a. O., S. 6.
30 A. a. O., Anlage, S. 1-2.

Die Zahl der Beispiele, mit denen sich das Interesse belegen läßt, das die amerikanischen Geheimdienste der Übersiedlung der in Südfrankreich eingeschlossenen oder in den USA von Ausweisung bedrohten Exilanten entgegenbrachten, ließe sich leicht erweitern. Ein Bericht des U.S. Naval Attachés in Ciudad Trujillo müßte dann erwähnt werden, der am 20. August 1941 seine Zentrale nicht nur davon in Kenntnis setzt, auf welchem Weg die Odyssee von Alfred Kantorowicz durch die Karibik verlief, sondern es auch erwähnenswert findet, daß der »anti-Stalinist Victor Serge«[31] seinen Mitreisenden beschuldigt, ihm den Paß seiner Frau gestohlen zu haben. Das aus der heutigen Perspektive absurd anmutende, aber vom State Department durchaus ernst genommene[32] Schreiben eines Ölmannes namens D. Harold Byrd aus Dallas, Texas, ließe sich anführen, der sich im September 1940 mit einer phantastisch anmutenden Geschichte an den U.S.-Senator Tom Connally wandte: Beunruhigt durch die Entwicklung südlich der texanischen Grenze habe er einen ex-Militär angeheuert, der in seinem Auftrag monatelang auf der Spur von verdächtigen Ausländern kreuz und quer durch Mexiko gereist sei – »covering miles of travel by airplane, boat, burro and automobile«. Die Ergebnisse dieser Bemühungen (»Mexico is 80% pro-German... we are ›Gringos‹ to them«) und seiner eigenen Zeitungslektüre über die mögliche Vergabe von Visa an die deutschen Kommunisten »Gerhart Eisler,... Anna Skher,... Hans Marchwitza... [and] Dr. Friedrich Wolf« habe er sofort an die entsprechenden Stellen weitergeleitet: »I paid this Colonel's expenses here last week and he testified to Martin Dies in a secret hearing.« Da nun aber weder HUAC noch der Kongess oder der U.S.-Botschafter in Mexiko, Josephus Daniels, etwas gegen diese akuten Gefahren zu unternehmen gedenkt (»a threat not only to Texas but to the Western Hemisphere«[33]), wende er, D. Harold Byrd von Byrd-Frost Oil, sich vertrauensvoll an seinen texanischen Landsmann im U.S.-Senat.[34] Und noch einmal geraten Martin Dies und das HUAC 1940 im Zusammenhang mit Mexiko ins Gerede, nämlich als die mexikanische Presse mit beißender Ironie auf einen Vorstoß des HUAC-Vorsitzenden reagiert, angesichts der »Ruso-German penetration« in Mexiko die Monroe-Doktrin zu modifizieren: »In such case we would not have a puppet Government controlled by Hitler and

---

31 John A. Butler, U.S. Naval Attache, Ciudad Trujillo, Intelligence Report v. 20. 8. 1941, S. 1 (800.00B Kantorowicz, Alfredo/4).

32 »Memorandum Re: Gerhart Eisler and Others« v. 24. 7. 1941, S. 5 (862.20211/3242).

33 D. H. Byrd, Brief an Tom Connally v. 20. 9. 1940, S. 1-3 (812.00-N/376).

34 Was auf den ersten Blick wie die Phantasiegespinste eines texanischen Ölmanns aussieht, erhält eine konkrete Dimension, wenn man sich daran erinnert, daß Trotzki und Diego Rivera sich im Herbst 1939 bereiterklärt hatten, vor dem Dies Committee über Nazis und Kommunisten in Mexiko auszusagen (Chase, »The Strange Case of Diego Rivera and the U.S. State Department«).

Stalin but one much nearer.«[35] Andere Fälle, in denen es um die Überwachung von Exilanten bei der Reise nach Mexiko geht – Anna Seghers, Egon Erwin Kisch, Bodo Uhse, Ludwig Renn – werden weiter unten gesondert behandelt.

Es besteht keine Frage, daß die groben politischen Raster, die Regierungs- und Geheimdienstbeamte auf Ellis Island, in Washington, Texas und Mexiko über die knapp dem Naziterror entkommenen Exilanten legten, die amerikanische Asylpolitik in keinem guten Licht erscheinen lassen. Andererseits darf nicht übersehen werden, daß die Naziflüchtlinge für sich selbst ein ungünstiges Klima schafften, wenn sie auch in der neuen Welt ihre alten Konflikte mit unverminderter Heftigkeit austrugen. Als Beispiel – andere Exempel sind bei Fritz Pohle und Wolfgang Kießling dokumentiert – mag hier eine anonyme, in deutscher Sprache abgefaßte Denunziation dienen, die Ende April 1941 beim U.S.-Konsulat in Mexiko einging und sofort über den Verteiler des State Department an FBI, MID und ONI weitergereicht wurde.

Auslöser für dieses in deutscher Sprache abgefaßte Schreiben – als dessen Autor in einem späteren Bericht des State Departments der anarchosyndikalistischen Kreisen nahestehende Sozialist Jacobo Abrams idenfiziert wird[36] – war eine nicht mitüberlieferte Falschmeldung im *Universal* über die bevorstehende Ankunft »einer Gruppe österreichischer Emigranten unter Führung des bekannten kommunistischen Politikers Otto Bauer« in Mexiko. Doch anstatt sich mit einer Korrektur des *Universal*-Berichts zufrieden zu geben (»in Wirklichkeit handelt es sich bei der genannten Emigrantengruppe nicht um Kommunisten, sondern um brave, harmlose Socialdemokraten«), geht der Autor der Schrift zu massiven denunziatorischen Gegenangriffen vor: Der stalinistische Reporter, der die Meldung in *Universal* lancierte, teile seine Wohnung mit einem GPU-Mann namens »Schroter«, der seinerseits als »Kurier zwischen der GPU in Mexico und New York« in den USA mit dem früheren Bauhausmaler und jetzigen »GPU-Vertreter« Albers[37] und dem Komponisten Eisler, »ebenfalls GPU-Agent«, in Verbindung stehe. Zudem unterhalte Schroter Beziehungen zu dem »GPU-Chief« Ludwig Renn, dem »früheren Nazi Bodo Uhse, ein Freund von Kisch, der vielleicht auch direkt im Dienst der deutschen Gestapo steht«, und dem Architekten Hannes Meyer, der einen »ganzen Stab bekannter und berüchtigter GPU-Agen-

---

35 *El Universal* v. 17. 4. 1940; zitiert nach Josephus Daniels, Embassy of the United States of America, Mexiko, Brief an Secretary of State v. 18. 4. 1940, S. 1-2 (862.20212/1870).

36 Zu Jacobo (Jack) Abrams vgl. Pohle, *Das mexikanische Exil*, S. 79, 283, 396.

37 Der Maler Joseph Albers war bereits früh in die USA gegangen und nahm durch seine Lehrtätigkeit am Black Mountain College in North Carolina, der Harvard University und der Universität von Yale Einfluß auf die amerikanische Kunstszene (vgl. *Exil in den USA*, S. 345-7 sowie die weiterführenden Literaturhinweise auf S. 655). Die Liga de Escritores y Artistas Revolucionarios hatte 1936 in Mexiko eine Albers-Ausstellung organisiert (Pohle, *Das mexikanische Exil*, S. 84).

ten und Pistoleros« befehlige und in die »Sensationsfälle Siqueiros und Jackson«[38] verwickelt gewesen sei.[39]

Ähnlich argumentiert jener bereits erwähnte Brief der Grupos Socialistas de la Republica Mexicana an *Excelsior.* Just in dem Augenblick als Anna Seghers und andere auf Ellis Island festgehalten werden und weitere Exilanten in Frankreich auf die Abreise warten, wird hier der mexikanischen Regierung öffentlich vorgeschlagen, »to... take all humanly possible precautions to prevent the infiltration of totalitarian agents... and European comunazis... among the immigrants«[40]. Und mit Bezug auf einen Aufsatz in der in New York erscheinenden sozialdemokratischen *Neuen Volkszeitung* stellen die Grupos Socialistas mit echtem oder gut gespieltem Erstaunen fest: »It is indeed odd that the Stalinist leaders should come to Mexico and not to Russia which is much closer to France, where almost all of the persons mentioned were living. Everything indicates that this is a veritable concentration of future Fifth Column heads in America, since ordinary Stalinist German prisoners in French concentration camps have recently capitulated to Naziism with such startling unanimity that it indicates they are following orders from Moscow, asking the German occupation authorities that they be taken to the Reich.«[41]

Die Exilforschung hat sich aus unterschiedlichen Perspektiven mit Aspekten des Bruderkampfes der Exilanten in Mexiko befaßt.[42] Anstatt der trauri-

---

38 »Neue GPU-Temporada in Mexico«, S. 1-2, Anlage zu Geo. P. Shaw, American Consul, American Consulate General, Mexiko, Brief an Secretary of State v. 23. 8. 1941 (861.20212/8). Daß nicht alle Geheimdienstler dem Gerücht von der GPU-Mitgliedschaft der Exilanten aufsaßen, belegt ein früher Bericht des Office of Naval Intelligence, der trocken feststellt, »that the accusations... can be rated at best improbable« (»›Free German‹ Movements in the Western Hemisphere«, Office of Naval Intelligence, Bericht v. 22. 12. 1942, S. 10, Anlage zu J. W. B. Waller, Office of the Chief of Naval Operations, Memorandum v. 24. 12. 1942 [Navy]).Vgl. zu Hannes Meyer auch Klaus-Jürgen Winkler: *Der Architekt hannes meyer. Anschauungen und Werk.* Berlin/DDR: Verlag für Bauwesen 1989, S. 196: »Hannes Meyer fällt in der Mitte des Jahres 1941 einer Intrige zum Opfer, indem er unbegründet über manipulierte Presseveröffentlichungen zu den Organisatoren des Verbrechens an Trotzki gerechnet wird. Auf Intervention des Präsidenten Camacho wird Meyer deshalb aus seinem Amt entlassen.«

39 Gemeint ist offensichtlich der ehemalige Reichstagsabgeordnete der KPD Johannes Schröter, der seit 1938 »im Parteiauftrag in den USA... unter deutschsprachigen Amerikanern« (Kießling, *Alemania Libre in Mexiko.* Bd. 1, S. 324) tätig gewesen war und im Januar 1940 von New York nach Mexiko übersiedelte. Zu Schröters Beziehungen zu Paul Merker und zu seiner Diffamierung als einem »Agenten der amerikanischen Geheimpolizei (FBI)« vgl. Kießling, *Partner im ›Narrenparadies‹,* S. 261.

40 *Excelsior* v. 19. 6. 1941, S. 3, 1, Anlage zu a. a. O.

41 A. a. O., S. 3. *Universal* und *Excelsior* haben ihre Angriffe auf die kommunistischen Exilanten in Mexiko dann 1943 noch einmal mit neuer Schärfe wiederholt (Kießling, *Alemania Libre in Mexiko.* Bd. 1, S. 85-6).

42 Vgl. besonders die Arbeiten von Kießling, Pohle und Walter, *Deutsche Exilliteratur 1933-1950,* Bd. 2. Sine ira et studio vermag sich der amerikanische Historiker William Chase

gen Geschichte dieser Auseinandersetzungen hier noch einmal nachzugehen, soll lieber ein Blick auf einen Begriff geworfen werden, an dem sich recht genau die ideologische Plattform festmachen läßt, von der aus die Männer von FBI, ONI, G-2, und State Department unter den spezifischen Bedingungen in Mexiko operierten: Communazi. Die bindestrichlose Zusammenfügung der Nomen Kommunist und Nazi läßt sich – wie im Kontext der FBI-Akte von Oskar Maria Graf erwähnt wurde – bereits in Leopold Schwarzschilds *Neuem Tagebuch* finden. Dort steht sie für die tiefgreifende Enttäuschung von Schwarzschild und anderen über das Bündnis zwischen Berlin und Moskau. Unter amerikanischen Geheimdienstlern in Mexiko, die sich mehr mit leibhaften Kommunisten und mit handfesten Nazispionen als mit politischen Theorien oder mit Brüchen in ihrer eigenen Weltanschauung herumschlagen mußten, mag der Begriff dagegen nicht viel mehr als eine bürokratische Kürzel gewesen sein für alle die dem American Way Vorbehalte entgegenbrachten. »ComuNazis« seien die Hitlerflüchtlinge »Netty Hatwanny (pseudonym of Anna Seghers)«[43] und Theodor Balk, zitiert im Sommer 1941 ein U.S.-Konsul kommentarlos aus einer einheimischen Zeitung. Als ›Comunazi‹ habe man Bodo Uhse bezeichnet, erinnert sich ein FBI-Mann Ende 1943 anläßlich einer Zusammenstellung aller verfügbaren Fakten über den zugleich als ex-Nazi und als »member of the inner Comintern circle«[44] entlarvten Exilanten. Und nach Informationen im Besitz von *Excelsior* »Senora Margarita Nelken brags that she has obtained a visa for the entry into the country of two groups of European comunazis«, zu denen in der ersten Gruppe u. a. Leo Zuckermann und Albert Schreiner gehören und in Gruppe 2 Paul Merker,» a man named Stibi and... Kurt Stern, who under guise of being a writer is and has been an active ›ComuNazi‹ instrument«[45].

Die Tatsache, daß Hoover zwei Jahre nach dem deutschen Angriff auf die Sowjetunion und dem Eintritt der USA in den Krieg ausgerechnet in einem Schreiben an das Außenministerium den Begriff Communazi benutzt, läßt auf Absicht schließen. Denn wer jetzt noch Kommunisten und Nazis in einen Begriff preßt, stellt die Beziehungen zwischen Washington und Moskau als taktisches Bündnis bloß – und bereitet den Boden für die Totalitarismustheorie von McCarthy-Ära und Kaltem Krieg.

dem Thema zu nähern, wenn er in seinem »The Strange Case of Diego Rivera and the U.S. State Department« überschriebenen Aufsatz Riveras Angriffen auf Naziagenten und kommunistische Flüchtlinge aus Europa in der Presse und in privaten Gesprächen mit Angehörigen der amerikanischen Botschaft in Mexiko nachgeht.

43 *Excelsior* v. 19. 6. 1941, S. 2, Anlage zu Geo. P. Shaw, American Consul, American Consulate General, Mexiko, Brief an Secretary of State v. 23. 8. 1941 (861.20212/8).

44 »Bodo I. Uhse, alias Bodo Uhse«, S. 2, Anlage zu J. Edgar Hoover, Memorandum an Adolf A. Berle, Assistant Secretary of State, v. 9. 10. 1943 (FBI-Akte, Bodo Uhse).

45 *Excelsior* v. 19. 6. 1941, S. 1-2, Anlage zu Geo. P. Shaw, American Consul, American Consulate General, Mexiko, Brief an Secretary of State v. 23. 8. 1941(861.20212/8).

Ein Beispiel muß ausreichen, um zu illustrieren wie man damals im State Department und bei den Geheimdiensten zu der auch für die Exilanten zentralen Frage der Gleichsetzung von Rot und Braun stand, nämlich der detaillierte, als »strictly confidential« klassifizierte und vom Außenministerium ausdrücklich als »excellent«[46] gelobte »Review of the Free Germany (Alemania Libre) Movement in Mexico« aus der Feder des Dritten Botschaftssekretärs der U.S.-Vertretung in Mexiko, W. K. Ailshie. »The all-important question«, leitet Ailshie die Schlußbemerkungen seines Berichts ein, »is whether the Free Germany Movement is sincerely anti-Nazi and pro-democratic.« Um der Beantwortung dieser Frage näher zu kommen, schlägt der U.S.-Diplomat vor, die Ideologie der Nazis und die Position der Freien Deutschen anhand einer Reihe von Schlüsselbegriffen miteinander zu konfrontieren, »which have persisted at least through the last five generations of Germans«[47]: Volk, Rassismus, Führerprinzip, Selbstbestimmung und Gewalt. Nun fällt dieser Test im großen und ganzen zwar recht gut für die Freien Deutschen aus – nur bei der Kategorie ›Volk‹ »is more than a suspicion that they do not have clean hands«[48] -, ein Urteil wagt Ailshie dennoch nicht zu fällen: »On the basis of the evidence, internal and external, ... the Embassy inclines to the view that... while these ›free‹ Germans are in all probability sincerely opposed to Hitler and the Nazis Party, they are not entirely free of the concepts that form the basis of National Socialism. Consequently, the ›free‹ and ›democratic‹ character of the Free Germany Movement must remain in doubt for the time being.«[49]

Im Fadenkreuz der Geheimdienste: BFD und LAK

Der Ailshie-Report deutet an, warum die U.S.-Geheimdienste die Bewegung Freies Deutschland und ihre Zeitschrift *Freies Deutschland*, das Lateinamerikanische Komitee der Freien Deutschen, den Heinrich Heine Klub und den

---

46 Hds. Vermerk auf der ersten Seite von W. K. Ailshie, Third Secretary of Embassy, Embassy of the United States of America, Mexiko, Brief an Secretary of State v. 25. 6. 1943 (862.01/286). Ein Memorandum der Division of the American Republics v. 30. 7. 1943 wiederholt dieses Lob dann noch einmal ausdrücklich: »On the recommendation of FC (Miss Wellington) and of Eu (Messrs. Laukhuff and Murphy)... with which I heartily concur (and our Naval Attache in Mexico also rates the report as excellent), the attached instruction gives Ailshie an EXCELLENT... for content-preparation... and for background knowledge and accuracy in understanding a movement concerning which there have been a ›welter of conflicting information and opinions‹« (FW862.01/286).

47 W. K. Ailshie, Third Secretary of Embassy, Embassy of the United States of America, Mexiko, Brief an Secretary of State v. 25. 6. 1943, S. 21 (862.01/286).

48 A. a. O., S. 22.

49 A. a. O., S. 21, 23.

Verlag El Libro Libre von ihrer Gründung in den Jahren 1941/42 bis zur Auf-lösung der Exilkolonie um 1946/47 nicht aus den Augen ließen. Denn wer wie J. Edgar Hoover sein Weltbild zwischen 1918, 1941 und den fünfziger Jahren nicht zu ändern brauchte, für den mußten Deutsche, die Kommunisten sind, nach Nord- und Südamerika zu wirken versuchen, mit Moskau in Kontakt stehen und sich beständig über die Zukunft ihres Landes nach der Zerschlagung der Nazi-Staates Gedanken machen, wie ein rotes Tuch wirken. Entsprechend umfangreich ist das Material, das amerikanische Behörden über die nur wenige aktive Mitglieder besitzende Exilantenkolonie im fernen Mexiko sammelten[50]: Fast 2.000 Blätter umfassen die erhalten gebliebenen Akten des FBI und der militärischen Geheimdienste zu Anna Seghers, Ludwig Renn, Egon Erwin Kisch und Bodo Uhse.[51] Kleinere, gesonderte Dossiers wurden zu dem Exilantenverlag El Libro Libre und zum Heinrich Heine Klub angelegt. Im State Department und bei den militärischen Nachrichtendiensten verfaßte und archivierte man zahllose, zum Teil umfangreiche Berichte aus und über Mexiko geordnet nach den Namen der Exilierten und nach Themen wie ›Freies Deutschland‹, ›Free Germany‹, ›Refugees‹ usw. Jeden Morgen trafen sich die einem 1939 eingerichteten Komitee[52] angehörenden Vertreter von FBI, Office of Naval Intelligence, Military Intelligence Division der Armee und State Department in der U.S.-Botschaft in Mexiko, um »intelligence information« auszutauschen »and to discuss individual cases and general movements«[53]. Berichte wurden routinemäßig ausgetauscht und nicht selten als »highly reliable informant« von einem der anderen Dienste zitiert, obwohl sich beim genauen Lesen doch gewisse Unterschiede ausmachen lassen zwischen dem mehr auf die Erstellung von politischen Biographien einzelner Personen ausgerichteten Arbeitsansatz des FBI, der internationalen Zielsetzung der Berichte der militärischen Nachrichtendienste und den zu-

---

50 Keine Akten scheint das FBI über Stefan Zweig und Paul Zech geführt zu haben, obwohl in Brasilien und Argentinien Legal Attachés stationiert waren. Acht Blätter, die vom Bureau zu Zech ausgeliefert wurden, handeln vom Exiled Writers Committee.

51 Wie wenig die Sammlung und/oder Überlieferung den Geheimdienstunterlagen den Erwartungen der Logik entspricht, belegt der Fall Gustav Regler. Ein einziges Blatt hat sich nach Angabe von FBI und INS im Regler-Dossier erhalten, obwohl man hier einen schreibenden Exilanten vor sich hatte, dessen Name immer wieder in anderen Aktenbeständen auftaucht. Zudem hätte es nahegelegen, daß die Geheimdienstler den ex- und anti-Kommunisten (»Austritt aus der Liga. Weg frei für Stalins Kellerasseln« [Regler, unveröff. Tagebucheintragung v. 16. 2. 1942, zitiert nach Fritz Pohle: »Gustav Regler. Rückzug ins Turmhaus.« In: *Fluchtort Mexiko*, S. 47) regelmäßiger zur Meinungsbildung oder als Informationsquelle heranziehen.

52 Dem weiter oben zitierten Bericht von Mr. Boal zur Lage der nachrichtendienstlichen Tätigkeit der Amerikaner in Lateinamerika liegt ein Blatt bei, das die Aufgaben dieser Runde auflistet, darunter die Führung einer Kartei mit den Namen verdächtiger Deutscher.

53 W. K. Ailshie, Third Secretary of Embassy, Embassy of the United States of America, Mexiko, Brief an Secretary of State v. 2. 3. 1943, S. 5 (862.20210/2286).

nehmend auf die Situation in Europa nach Ende des Krieges fixierten politischen Analysen des State Department. Beim Office of Censorship machte man sich Gedanken darüber, ob es besser sei, die Post der BFD zu vernichten oder sie – registriert, übersetzt und, wo nötig, photographiert – weiterzuleiten. Über das Interesse, das OSS, FBI-Agenten und Spitzel zwischen Los Angeles und New York jenen Exilautoren entgegenbrachten, die Kontakte zu ihren Kollegen in Mexiko pflegten, ist an anderen Stellen in diesem Buch bereits berichtet worden (»German-Communists in the United States who have indorsed the Freies Deutschland Movement include such names as Bertold Brecht, alias Bert Brecht: Klaus Mann: Bruno Frank: Iskar Maria Graf: F. C. Weiskopf: William Dierterle: Ernst Bloch«[54]).

Das Observierungsmaterial zu den Freien Deutschen, ihrem Lateinamerikakomitee und den dazugehörigen »front organizations«[55] wie dem Heinrich Heine Klub ist aus mehreren Gründen ungewöhnlich ergiebig. Einmal konkurrierten in Mexiko verschiedene Behörden bei der Beobachtung einer kleinen, auf eine Stadt konzentrierten Exilantengruppe miteinander. Zum anderen war diese Gruppe organisatorisch und ideologisch relativ geschlossen und damit leichter überschaubar als die Exilkolonien an der Ost- und Westküste der USA. Und schließlich ist das überlieferte Aktenmaterial auch deshalb besonders aufschlußreich, weil es zu einem großen Teil im Archiv des Department of State bei den National Archives liegt, die im Gegensatz zu FBI, ONI und MID vor der Freigabe keine Ausschwärzungen vornehmen.

Überblickt man die Berichterstattung der U.S.-Geheimdienste aus Mexiko, von der hier nur einige zentrale Themenkomplexe beispielhaft vorgestellt werden können, ergibt sich als erster Schwerpunkt nach der Ankunft der Exilanten der Versuch der Amerikaner, die organisatorischen Verbindungen und die politische Plattform von BFD (»obedient to the *Comintern*«[56]) und LAK zu fixieren. Mit langen Listen von affiliierten Organisationen und Personen versucht so ein Botschaftsangehöriger im April 1942 die unter starker Beteiligung deutscher Exilanten vollzogene Gründung der Federacion de Residentes Anti-Nazi-Fascistas Extranjeros en Mexico (FRAEM) zu kommentieren; zitiert eine Aussage des zeitweilig mit U.S.-Behörden Kontakt suchenden Malers Diego Rivera über Hannes Meyer (»stated by Diego Rivera to be head of the GPU in Mexico« und »friend of Stalin«[57]); enttarnt den österrei-

54 Clarence W. Moore, Civil Attache, Memorandum für Raleigh A. Gibson, First Secretary, Embassy of the United States of America, Mexiko, v. 26. 3. 1943, S. 5 (862.01/256).

55 A. a. O., S. 3.

56 W. K. Ailshie,Third Secretary of Embassy, Embassy of the United States of America, Mexiko, Brief an Secretary of State v. 25. 6. 1943, S. 21 (862.01/286).

57 Siehe dazu Chase, »The Strange Case of Diego Rivera and the U.S. State Department«. Vergleicht man die ausgewogene Analyse von Chase mit den Schlagzeilen in der deutschen Presse – »Der Mythos vom revolutionären Maler und die Spitzeldienste« (in *Frankfurter*

chischen Kommunistenfeind »Silvio Pizzarelli de Helmsberg« als »sometimes an informant of the Naval Attache of this Embassy«[58]; und resümiert knapp und bündig über die FRAEM: »...the leaders« – darunter Laszlo Radvanyi und Andre Simone – »are predominantly communists and extreme leftists and their antipathy for the Nazi-Fascist cause derives principally from their sympathy for the U.S.S.R. and the spread of communism.«[59] »This organization is considered to be communistic in its political idealogy«[60], weiß der Botschaftsbericht Nr. 7881 vom März des folgenden Jahres unter Mißachtung der Rechtschreibung zum Thema »Free Groups ›Racket‹ in Mexico« und stellt zugleich die unter dem Begriff ›Communazi‹ auf den Punkt gebrachte, immer wiederkehrende Frage, ob die BFD denn nun wirklich »a genuine ›free‹ movement, or an Axis-controlled movement, or simply a ›racket‹«[61], also eine betrügerische, kriminelle Organisation sei. Und einen Monat später fährt der damalige Civil Attaché an der U.S.-Botschaft, Clarence W. Moore, in einer der ersten »Geschichten« des Free Germany Movement in Mexiko über zwölf Schreibmaschinenseiten hinweg so große Geschütze auf, daß die Foreign Activity Correlation im State Department den Assistant Secretary of State Adolf A. Berle, Jr., handschriftlich zur Lektüre des Dokuments ermuntert: »I think you will find it worth glancing through. It goes pretty thoroughly into an analysis of the organization, its publications & its leaders, & lists, too, its supporters among the Mexicans. It leaves little doubt as to the purpose of ›Freies Deutschland‹ & shows that this purpose is well on the way to attainment.«[62]

Berle hätte in der Tat gut daran getan, den Bericht des Civil Attachés genau zu lesen. Fazit von Moores schon länger andauernder Sammeltätigkeit (»for some time this office has been collecting information on the Freies Deutschland Movement«) und einer genauen Auswertung der Zeitschrift *Freies Deutschland* ist nämlich, daß es sich bei den Freien Deutschen um eine von Kommunisten kontrollierte »›United Front‹« handele, »which... uses the old Communist technique of using the names of non-Communists to lend an air of respectability to their organization«. Ein erster Beweis für den Erfolg

---

Rundschau v. 27. 11. 1993) und »Geheimagent Rivera?« (in *Frankfurter Allgemeine Zeitung* v. 30. 11. 1993) – dann wird einmal mehr deutlich in welchem Maße die unendliche Stasigeschichte die Meinungsbildung in Deutschland während der ersten Hälfte der neunziger Jahre belastet.

58 Harold D. Finley, First Secretary of Embassy, Embassy of the United States of America, Mexiko, Brief an Secretary of State v. 7. 4. 1942, S. 4 (800.20212/205), S. 5.

59 A. a. O., S. 8.

60 W. K. Ailshie, Third Secretary of Embassy, Embassy of the United States of America, Mexiko, Brief an Secretary of State v. 2. 3. 1943, S. 2 (862.20210/2286).

61 A. a. O., S. 1.

62 RW [d. i. wahrscheinlich Rebecca Wellington von der Foreign Activity Correlation beim State Department], hds. Notiz an Mr. Berle v. 27. 4. 1943 (862.01/256).

dieser Arbeitsmethode, so »the opinion of one rather well informed individual« sei die Tatsache, daß »Andre Simone, with aliases«[63] Ende 1941 im Haus des Juweliers Dr. Kurt Stavenhagen eine Gruppe von – an den Kommunisten durchaus uninteressierten – »fifteen of the wealthiest German-Jews in Mexico« zu finanziellen Zuwendungen zu überreden vermochte nachdem Simone einen Brief vorzeigte »on White House stationary from Mrs. Roosevelt indorsing the Freies Deutschland Movement and Simone personally«. Hellsichtig hebt der FBI-Mann die wegen ihrer Namensgleichheit vom State Department bisweilen miteinander vermengten »Free Germany Movements« des Otto Strasser und der Mexiko-Exilanten voneinander ab und nennt das German American Emergency Committee in New York, den Deutschen Kulturbund in London und das »Movimiento de los Alemanes Libres de Brazil possibly headed up by Karl von Lustig-Prean«[64] als »›sister organizations‹«. Der Postzensur verdankt Moore die Einsicht, daß Paul Merker, »fat, jovial… with both amoebic dysentery and stomach ulcers«[65], die Liga Pro-Cultura Alemana wegen ihrer »half Trotskyite politics«[66] ablehne, die ihrerseits einer anderen, wenig verläßlichen Quelle zufolge der BFD vorwirft, sich das Wohlwollen des mexikanischen Politikers Felix Diaz Escobar erkauft zu haben, indem sie ihm das Geld »to buy himself the Governor's job«[67] gab. Ohne Angabe der Herkunft bleibt dagegen die Vermutung, daß Bruno Frei der eigentliche Führer der Freien Deutschen sei, während Ludwig Renn nur als »titulary head« figuriere, »taking orders from Frei who in turn takes his orders from the Comintern«[68].

Civil Attaché Clarence W. Moore beendet seinen Bericht mit einer detaillierten, Fakten und Fehler vermischenden Zusammenstellung von biographischen Angaben über die »more important German-Communist residents in Mexico«[69] von Alexander Abusch über »Walter Janke«[70] und Egon Erwin Kisch bis zu Ludwig Renn und Bodo I. Uhse. So weiß Moore zwar einerseits von der in Kreisen der Seghers-Forschung nahezu völlig unbekannten Zusammenarbeit zwischen Anna Seghers und Viola Brothers Shore bei der Herstellung einer englischsprachigen Bühnenfassung des Romans *Das siebte*

---

63 Clarence W. Moore, Civil Attache, Memorandum für Mr. Gibson, First Secretary, Embassy of the United States of America, Mexiko, v. 26. 3. 1943, S. 1 (862.01/256).
64 A. a. O., S. 2.
65 Junius B. Wood, Memorandum an Carter W. Clarke v. 9. 6. 1943, S. 9, Anlage zu Wood, Brief an M. J. McDermott, Chief, Current Information Bureau, State Department v. 11. 6. 1943 (862.01/284).
66 A. a. O., S. 3. Moore zitiert hier ohne Datumsangabe aus einem Brief von Paul Merker an E. R. A. Caden, alias Gert Caden in Havana, Kuba.
67 A. a. O., S. 4.
68 A. a. O., S. 2.
69 A. a. O., S. 6.
70 A. a. O., S. 7.

Kreuz.[71] Und für Renn führt er eine lange Liste von öffentlichen Reden auf »with themes taken from the Communist Party line... and... prophesying a Russian victory over the Nazis«[72]. Schief liegt Moore dagegen wenn er Robert Musil, zu dessen Tod Kisch im Juni 1942 einen Aufsatz geschrieben hatte,[73] einen »radical writer« nennt oder sich auf das Urteil ungenannter »competent literary critics« beruft, die den *Marktplatz der Sensationen* (»Mexican Communists are trying to promote its sale because Kisch is starving«) »as very mediocre«[74] abtut.

Wie weit der Civil Attaché und seine Kollegen bei der »Counter-Intelligence Section«[75] der Navy und der U.S.-Botschaft auch an anderen Stellen in die Politik und die Intrigen der Exilkolonie in Mexiko eindrangen, mögen drei weitere Beispiele verdeutlichen.

Beispiel Nr. 1 dreht sich um die Gründung des Lateinamerikanischen Komitees der Freien Deutschen. Schon früh, nämlich im Dezember 1942, berichtet dazu das Office of Naval Intelligence nach Auswertung der Korrespondenz zwischen Alemania Libre und Karl von Lustig-Prean in Brasilien in einem »›Free German‹ Movements in the Western Hemisphere« überschriebenen Bericht, »that *Alemania Libre*, the most definitely Communist controlled of the ›free German‹ groups, is making overtures to various other ›free German‹ groups, with an eye to possible union into one organization strong enough to raise claims as a truely representative group«[76]. Da Alemania Libre nicht nur über »the most impressive of the strictly refugee publications« verfüge, sondern allgemein »far more dangerous than Strasser's organization«[77] sei, habe man zudem vor, diese Gruppe fortan nicht mehr aus den Augen zu lassen. Mit der üblichen Aufmerksamkeit verfolgen Hoovers Mann in Mexiko-Stadt und der Erste Sekretär der Botschaft, Raleigh A. Gibson, Pressemitteilungen in *Novedades* vom 15. Januar 1943 und dem Februar-Heft von *Freies Deutschland* und berichten von einer »new super organiza-

---

71 Das Resultat dieser Arbeit waren zwei umfangreiche Manuskripte, die bislang als verschollen galten. Eine Analyse dieser inzwischen von mir wiedergefundenen Gemeinschaftsarbeit wird in einer Studie von Text und Kontext des Romans *Das siebte Kreuz* vorgestellt, die ich in Kürze bei Aufbau als Buch vorlegen werde.

72 A. a. O., S. 10.

73 Egon Erwin Kisch: »Auf den Tod Roberts [!] Musils.« In: *Freies Deutschland* 8/1942, S. 29.

74 Clarence W. Moore, Civil Attache, Memorandum für Raleigh A. Gibson, First Secretary, Embassy of the United States of America, Mexiko, v. 26. 3. 1943, S. 8 (862.01/256).

75 J. W. B. Waller, Office of the Chief of Naval Operations, Memorandum v. 24. 12. 1942 (Navy).

76 »›Free German‹ Movements in the Western Hemisphere«, Office of Naval Intelligence, Bericht v. 22. 12. 1942, S. 11, Anlage zu a. a. O. (Navy).

77 A. a. O., S. 10.

78 Office of the Civil Attache, Mexiko, Memorandum v. 7. 4. 1943, S. 5, Anlage zu Raleigh A. Gibson, First Secretary of Embassy, Embassy of the United States of America, Mexiko, Brief an Secretary of State v. 21. 4. 1943 (862.01/257).

tion«[78] für »several million Germans (by descent or birth)«[79] in Lateinamerika, von einem »strong United Front appeal«[80] und starken Verbindungen in
die USA (»is similar in tenor to the appeal promoted at the same time by the
German Communists in the United States«). Fingerspitzengefühl für politische Feinheiten beweist der Civil Attaché, wenn er die Namen unter dem
Gründungsaufruf des LAK in exakter Reihenfolge wiedergibt, »because... the
typographical arrangement of the signatures... has political significance«[81].
Vor allem aber überrascht der Kommentar des G-Man zu der Terminplanung
im Organisationsstatut des LAK, denn über die zeitliche Abfolge der Ereignisse bei der LAK-Gründung scheiden sich bis heute die Geister der Exilforscher.[82] Dazu im O-Ton die Reaktion des FBI-Mannes auf den Schlußsatz
des über ganz Lateinamerika verschickten Statuts (»wir bitten, das Programm
in allen Bewegungen zur Diskussion zu stellen und ergänzende Vorschläge
an uns bis zum 1. Februar einzureichen«[83]): »This is not only a slick Communist scheme. This edition went in the mails in Mexico City on January
25, which would not give any of the movements in the other Latin-American countries the slightest chance to submit ideas by February 1.«[84]

Doch nicht genug damit: Fünf Tage nach seinem Kollegen vom FBI fertigt
auch der Naval Attaché einen Bericht zum Thema Alemania Libre und LAK
an. Neben allerlei allgemeinen Informationen »available from...censorship
intercepts of cables and mail, newspaper accounts, private conversations, and
the investigation of informants«[85] zu Denunziationen gegen BFD und LAK
(»the accusation that Alemania Libre is a ›super Fifth Column‹ which has
been made by certain Mexican authorities does not at present appear to be
founded on tangible evidence«[86]) oder zu »strange bedfellows« der »so-called
›free‹ movements« (»fear of Nazi infiltration... can not be supported on the
basis of evidence now available«), hebt dieser neunseitige Lagebericht des

---

79 Raleigh A. Gibson, First Secretary of Embassy, Embassy of the United States of America,
   Mexiko, Brief an Secretary of State v. 21. 4. 1943 (862.01/257).
80 Office of the Civil Attache, Mexiko, Memorandum v. 7. 4. 1943, S. 5, Anlage zu Raleigh A.
   Gibson, First Secretary of Embassy, Embassy of the United States of America, Mexiko,
   Brief an Secretary of State v. 21. 4. 1943 (862.01/257).
81 A. a. O., S. 4. Vgl. diesen Text in *Freies Deutschland* 3/1943, S. 5 oder bei Kießling, *Alemania Libre in Mexiko*. Bd. 2, S. 54-6.
82 Vgl. Kießling, *Alemania Libre in Mexiko*. Bd. 1, S. 166ff.; der. »Nachwort.« In Ludwig
   Renn: *In Mexiko*. Berlin/DDR: Aufbau 1979, S. 247; Pohle, *Das mexikanische Exil*, S. 250ff.
83 Kießling, *Alemania Libre in Mexiko*. Bd. 2, S. 62.
84 Office of the Civil Attache, Mexiko, Memorandum v. 7. 4. 1943, S. 7, Anlage zu Raleigh A.
   Gibson, First Secretary of Embassy, Embassy of the United States of America, Mexiko,
   Brief an Secretary of State v. 21. 4. 1943 (862.01/257).
85 »Report by Office of the Naval Attache of this Embassy Concerning Alemania Libre« v. 12.
   4. 1943, S. 1, Anlage zu W. K. Ailshie, Third Secretary of Embassy, Embassy of the United
   States of America, Mexiko, Brief an Secretary of State v. 29. 4. 1943 (862.01/261).
86 A. a. O., S. 9.

Navy-Mannes ebenfalls den »struggle for leadership« zwischen BFD/LAK und »the Siemsen organization, Otra Alemania, in Argentina«[87] heraus. Den Mittelpunkt bildet dabei ein von der Postzensur abgefangenes Rundschreiben des »Latin American Committee for Free Germans«, mit dem Renn und Merker sich am 24. Februar 1943 an ihre »Dear fellow thinkers« in Lateinamerika wenden. »The ›Andere Deutschland‹ movement«, zitiert der ONI-Angestellte aus diesem Brief, »has not yet expressed itself on the appeal and the special proposals sent to it. The Organization Committee is convinced, however, that ›Das Andere Deutschland‹ will likewise decide in favor of adherence to the Latin American Committee for Free Germans...«[88] Wohl aber haben »Messrs. Heinrich Mann and Prince Hubertus zu Loewenstein... already replied, very kindly giving their consent«[89]. Zudem sei das Organisationskomitee »engaged in the drafting of a letter to introduce the Latin American Committee to the Allied Governments and their missions in Mexico«[90] und bereite – ein deutlicher Griff nach der Führungsrolle in Lateinamerika – die Ausstellung von »identification documents«[91] vor.

Der Mann vom ONI enthält sich im Gegensatz zu seinem Kollegen beim FBI der Kritik an der Zeitplanung und dem Alleinvertretungsanspruch von BFD/LAK. Dafür nimmt er gleich mehrfach zu einem Thema Stellung, das auch das State Department immer mehr zu interessieren beginnt und auf das später zurückzukommen ist: »The ultimate purpose of Alemania Libre is clearly indicated as the creation of an organization of ›Free‹ Germans of sufficient cogency to command the attention of the Allied Government, with the end of achieving power in post-war Germany.«[92]

Beispiel Nr. 2 für den hohen Informationsstand bei den U.S.-Behörden in Sachen Exilkolonie in Mexiko handelt von dem »First National Congress of the Free Germany Movement in Mexico«, der am 8. und 9. Mai 1943 zusammengekommen war. »... the *Alemania Libre* movement«, heißt es in einem Bericht zu diesem Treffen hellsichtig, »deserves the close attention of all agencies of our Government«, weil es sich in kürzester Zeit »as the authentic representative of German liberalism« etabliert habe, »in which role it will very likely seek to speak for Germany at the peace conference«[93]. Nicht zu überse-

---

87 A. a. O., S. 8.

88 A. a. O., S. 5. Eine mehrseitige »Situation Summary« des OSS vom 9. April 1943 kommt unter der Überschrift »The Congress of Anti-Fascist Germans in Montevideo« zu dem Schluß, daß das von »Das Andere Deutschland« Ende Januar organisierte Treffen »may result in an open split among anti-Nazi German groups in Latin America« (Anlage zu Walter L. Dorn, Memorandum an DeWitt C. Poole v. 10. 4. 1943, S. 1 [OSS, 609]).

89 A. a. O., S. 6.

90 A. a. O., S. 7.

91 A. a. O., S. 6.

92 A. a. O., S. 1.

93 W. K. Ailshie, Third Secretary of Embassy, Embassy of the United States of America, Mexi-

hen gewesen sei dagegen, daß der Kongress »a mock affair, chiefly devoted to building up Ludwig Renn as a great liberal«[94] war, keine Beschlüsse faßte, keine offenen Diskussionen stattgefunden haben und Organisationen wie die »Liga Antinazi« bewußt ferngehalten wurden. Zudem sei sich der Verfasser keineswegs sicher, ob »Renn and his supporters are sincere democrats, or whether they are acting as a ›front‹ for the Nazis or the III International«[95].

Als drittes und letztes Beispiel für die gründliche Arbeit der Amerikaner beim Observieren der ›Freien Deutschen‹ mag ein 25 einzeilig beschriebene Seiten plus acht Anlagen umfassender »Review of the Free Germany (Alemania Libre) Movement in Mexico« dienen, den der Dritte Botschaftssekretär W. K. Ailshie am 25. Juni 1943 mit der Klassifizierung *Strictly Confidential* an seine Vorgesetzten beim State Department schickte. Die Note »excellent«, die man dem Bericht in Washington zuteilt, war, wie weiter oben bereits angemerkt wurde, zweifellos berechtigt. Denn was Ailshie hier mit viel Geduld und Archivarbeit zu den Themen »Origin of ›Alemania Libre‹ and Background of its Founders«[96], »Organization and Principles«[97] und »Literary and Cultural Activities«[98] zusammenträgt, ist nicht nur eine Art erste Geschichte der Bewegung Freies Deutschland (ohne LAK), sondern auch eine Grundlage für die im Sommer 1943 bei den Geheimdiensten und beim State Department langsam in den Vordergrund rückende Diskussion um die Rolle der Exilanten bei der Planung für die Zukunft Deutschlands nach dem Krieg.

In welchem Maße sich der Botschaftsssekretär in Geschichte und Gegenwart der Bewegung Freies Deutschland auskennt, läßt sich gleich vom Anfang seines Berichts ablesen. Da wird ein »Consulate General's unnumbered dispatch…, file no. 820.02/800-C« zitiert, um den ersten öffentlichen Auftritt der zukünftigen Gründer der BFD auf eine »anti-Nazi ›rally‹«[99] im August 1941 zu fixieren. Die Attacke von »certain conservative elements« um die Grupos Socialistas de la Republica Mexicana auf Anna Seghers und Toledano ist Ailshie ebenso bekannt wie der Autor der weiter oben analysierten anonymen Denunziation, Jacob Abrams[100], und die Gästeliste bei einem Bankett, das Pablo Neruda am 24. August 1941 für Toledano und die eben erst aus New York angekommene Anna Seghers gab. Und neben einer aus

ko, Brief an Secretary of State v. 13. 5. 1943, S. 12 (862.01/259). Vgl. Kießling, *Exil in Lateinamerika*. 1. Aufl. (1980), S. 319ff.

94 W. K. Ailshie,Third Secretary of Embassy, Embassy of the United States of America, Mexiko, Brief an Secretary of State v. 13. 5. 1943, S. 11 (862.01/259).

95 A. a. O., S. 10.

96 W. K. Ailshie,Third Secretary of Embassy, Embassy of the United States of America, Mexiko, Brief an Secretary of State v. 25. 6. 1943, S. 1 (862.01/286).

97 A. a. O., S. 7.

98 A. a. O., S. 17.

99 A. a. O., S. 2.

100 Zu Abrams s. Pohle, *Das mexikanische Exil*, S. 79, 283, 396.

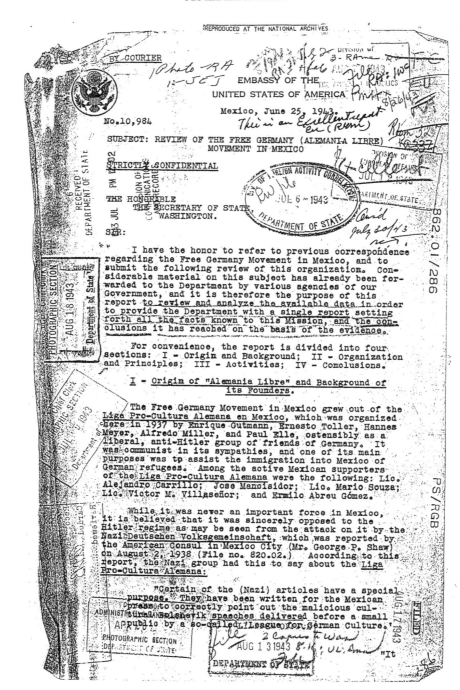

BY COURIER

EMBASSY OF THE
UNITED STATES OF AMERICA

Mexico, June 25, 1943

No.10,984

SUBJECT: REVIEW OF THE FREE GERMANY (ALEMANIA LIBRE)
MOVEMENT IN MEXICO

STRICTLY CONFIDENTIAL

THE HONORABLE
THE SECRETARY OF STATE,
WASHINGTON.

SIR:

    I have the honor to refer to previous correspondence
regarding the Free Germany Movement in Mexico, and to
submit the following review of this organization. Considerable material on this subject has already been forwarded to the Department by various agencies of our
Government, and it is therefore the purpose of this
report to review and analyze the available data in order
to provide the Department with a single report setting
forth all the facts known to this Mission, and the conclusions it has reached on the basis of the evidence.

    For convenience, the report is divided into four
sections: I - Origin and Background; II - Organization
and Principles; III - Activities; IV - Conclusions.

    I - Origin of "Alemania Libre" and Background of
its Founders.

    The Free Germany Movement in Mexico grew out of the
Liga Pro-Cultura Alemana en Mexico, which was organized
here in 1937 by Enrique Gutmann, Ernesto Toller, Hannes
Meyer, Alfredo Miller, and Paul Elle, ostensibly as a
liberal, anti-Hitler group of friends of Germany. It
was communist in its sympathies, and one of its main
purposes was to assist the immigration into Mexico of
German refugees. Among the active Mexican supporters
of the Liga Pro-Cultura Alemana were the following: Lic.
Alejandro Carrillo; Jose Mancisidor; Lic. Mario Souza;
Lic. Victor M. Villaseñor; and Ermilo Abreu Gómez.

    While it was never an important force in Mexico,
it is believed that it was sincerely opposed to the
Hitler regime as may be seen from the attack on it by the
Nazi Deutschen Volksgemeinschaft, which was reported by
the American Consul in Mexico City (Mr. George P. Shaw)
on August 2, 1938 (File no. 820.02.) According to this
report, the Nazi group had this to say about the Liga
Pro-Cultura Alemana:

    "Certain of the (Nazi) articles have a special
purpose. They have been written for the Mexican
press to correctly point out the malicious cultural Bolshevik speeches delivered before a small
public by a so-called League for German Culture.'
"It

"It is of course known that the sudden and completely new readiness of certain pseudo-Germans under the leadership of tailor Paul Elle is only so, and that under a thin coat of culture there lies a shameless lying agitation against new Germany."

Furthermore, the Liga Pro-Cultura Alemana sponsored an anti-Nazi lecture in Mexico City during April, 1939, by Miss Martha Dodd.

During 1939, 1940 and 1941, a great many European refugees arrived in Mexico, including Germans as well as Spaniards. In August, 1941, a number of so-called "prominent German authors" were brought to the attention of the Mexican public through the efforts of the Committee to Aid Exiled Authors. (See Consulate General's unnumbered despatch dated August 18, 1941, file no. 820.02/800-C.) An anti-Nazi "rally" was held at the Palace of Fine Arts in Mexico City, at which Ludwig Renn, Anna Seghers and Egon Erwin Kish spoke. This was the first public appearance in Mexico of the future founders of Alemania Libre.

There was an immediate reaction to this by certain conservative elements. An organization known as the Grupos Socialistas de la Republica Mexicana charged Anna Seghers with being a Stalinist writer, and stated that the leftist refugees in her group had been able to enter Mexico only through the intervention of Lic. Vicente Lombardo Toledano. The indictment went on to say that Leo Zuckermann, Albert Schreiner, Klara Muth, Ernst Reinhardt and others are nothing but agents of Stalin and the GPU. (See Consulate General's unnumbered despatch of August 23, 1941, file no. 800-C/820.02).

At that time, the Consulate General came into possession of a document regarding the identities and activities of some of these German refugees, a translation of which was forwarded to the Department with the Consulate General's above-mentioned despatch, of August 23, 1941. Although this document was, at the time, described as anonymous, it was in fact received from one Jacob Abrams, who, it is understood, is well-known to the Department. Among other things, Abrams accuses Ludwig Renn of having been the Chief of the GPU in Mexico, which post he surrendered to Hannes Meyer, who, Abrams charges, was responsible for the attack on Trotsky by David Alfaro Siqueiros, and the subsequent murder of Trotsky by Frank Jackson (Jaques Mornard.)

On August 24, 1941, a banquet in honor of the future leaders of Alemania Libre was given by Sr. Pablo Neruda, the well-known Chilean poet who is Consul General of Chile in Mexico City. Anna Seghers was the guest of honor, and Lic. Lombardo Toledano was "co-Guest" of honor. The list of guests at this banquet contains some interesting names: Lic. Alejandro Carrillo, Carlos Contreras, André Simone, George Seldes, Constancia de la Mora, Mario Montagna, Johannes Schmidt, and Bodo Uhse.

Lombardo

Lombardo Toledano's connection with this group at
that time, 1941, should be noted for future reference.

In September, 1941, the XVII National Council of the
CTM was held in Mexico City, and one of the resolutions
adopted was in favor of the renewal of diplomatic relations
with the Soviet Union. Lombardo Toledano personally
urged the Council to adopt this resolution. In view of
the conditions prevailing at the time, the Embassy feels
that Lombardo Toledano was acting in collusion with the
inchoate Alemania Libre elements.

The evidence indicates that the Alemania Libre
movement began to crystallize about that time, in the
autumn of 1941. The time element is interesting.
Germany declared war on the Soviet Union on June 22,
1941. By August, the aforementioned "free" Germans were
singing the praises of the Soviet Union; by September,
Lombardo Toledano was urging recognition of the Soviet
Union; and in October the first issue of "Freies
Deutschland", organ of these "free" Germans was published.

It seems apparent that these "free" Germans and
their collaborators had a primary interest in furthering
the cause of the Soviet Union and of the III International. It is notable that they were not very active
prior to the attack on Russia by Germany, but that after
the German attack they promptly went into action.

To revert to the Liga Pro-Cultura Alemana, it would
appear that Ludwig Renn became a member of that group late
in 1939 or early in 1940. (He was temporary Secretary
General of the Liga in May, 1940, according to a statement of the Liga - see enclosure no. 3). At first, relations between the old line members of the Liga Pro-
Cultura and those who favored the creation of the Free
Germany Movement were friendly, and the fact that certain members of the Liga Pro-Cultura became members of
Alemania Libre caused no friction.

During the winter of 1941 and the spring of 1942,
Ludwig Renn and his supporters were engaged in creating
an official Free Germany Movement in Mexico. The first
issue of the Spanish language weekly bulletin "Alemania
Libre" was published on January 17, 1942. Lic. Antonio
Castro Leal was, and still is, the editor-in-chief of
this review.

On March 28, 1942, the Free Germany Movement announced its official creation by means of a letter addressed to various persons and organizations, including
the diplomatic missions of the Allied nations. A copy
of the announcement sent to this Embassy is enclosed
herewith. It will be noted that Ludwig Renn is named
as President, André Simone as Executive Secretary, and
Paul Elle, a prominent member of the Liga Pro-Cultura,
is a member of the Executive Committee.

The foregoing review completes the section on the
origin of the Alemania Libre Movement, and brings this
study to the point where Alemania Libre is officially

in

den Unterlagen der mexikanischen Gobernación, einer der wichtigsten Informationsquellen für den U.S. Diplomaten und seine Geheimdienstkollegen, stammenden Galerie von Exilantenphotos legt Ailshie seinem Bericht eine Kopie des Briefes bei, mit dem Renn und Simone am 28. März 1942 die Gründung des »anti-Nazi movement ›Free Germany‹« bei U.S.-Botschafter »Georges Messersmith«[101] ankündigten.

So und ähnlich geht es weiter. Verweise auf das in den USA erfolgreiche, aber von der Exilforschung bis vor kurzem weitgehend ignorierte Buch des »Renegaten«[102] Richard Krebs, *Out of the Night*, zeugen nicht nur von der Belesenheit Ailshies, sondern auch von einem weithergeholten Verdacht auf ein mögliches Doppelleben bei Leo Zuckermann und Laszlo Radvanyi (»there is a bare possibility that there is some connection between Radvanny-Schmidt, and Schmidt-Popoff... in Richard Kreb's book, ›Out of the Night‹, page 698 "[103]). Über Margarita Nelken, die ihm mit einem »statement«[104] zu Paul Merker half, weiß der Berichteschreiber, daß sie nach ihrem Ausschluß aus der spanischen KP »branded Anna Seghers and other prominent ›free‹ Germans opportunists and weaklings«[105]. Mit Anlage Nr. 7, »letter of *Alemania Libre* addressed to *Comite Inter-Aliados*«[106] verweist Ailshie auf die Beziehungen zwischen den Freien Deutschen und dem Allied Information Office (AIO) in Mexiko, von dem sich Renn, Jungmann und Zuckermann ein Jahr später anläßlich einer kontroversen Aussprache eine Erklärung geben ließen, daß es nicht mit einer Serie von denunziatorischen Angriffen auf BFD und LAK in der mexikanischen Presse zu tun habe.[107] Nicht mehr zu sprechen kommt

---

101 Anlage 1 zu W. K. Ailshie,Third Secretary of Embassy, Embassy of the United States of America, Mexiko, Brief an Secretary of State v. 25. 6. 1943 (862.01/286).

102 Vgl. Rohrwasser, *Der Stalinismus und die Renegaten*, S. 177-231.

103 W. K. Ailshie,Third Secretary of Embassy, Embassy of the United States of America, Mexiko, Brief an Secretary of State v. 25. 6. 1943, S. 6 (862.01/286). Der Bericht von Ailshie hat seinen Weg auch in die Akten des Foreign Nationalities Branch beim OSS gefunden (OSS, 1063). Von wem Ailshie die unsinnige Information erhielt, daß Radvanyi und der Schmidt-Popoff des Romans identisch sind, ist nicht bekannt. Vgl. Jan Valtin: *Out of the Night*. New York: Alliance 1941, S. 698 wo es u. a. heißt: »A mysterious Russian who gave his name as Popoff, had been arrested aboard a train. From a Gestapo photograph I recognized in him a G. P. U. officer I had known as Schmidt.«

104 A. a. O., S. 5.

105 A. a. O., S. 13. Zu Nelken berichtet Ailshie im November 1943 in einem gesonderten Bericht nach Washington: »... Margarita Nelken, the well-known Spanish writer and communist, has become strongly anti-Soviet... The trouble apparently arose from the fact that she has an eighteen year old son, Santiago Nelken, who is serving in the Red Army... So far, she has been unsuccessful in obtaining his release...« (William K. Ailshie, Second Secretary of Embassy, Embassy of the United States of America, Mexiko, Brief an Secretary of State v. 24. 11. 1943, S. 1-2 [800.00B Nelken, Margarita/15]).

106 W. K. Ailshie,Third Secretary of Embassy, Embassy of the United States of America, Mexiko, Brief an Secretary of State v. 25. 6. 1943, S. 25 (862.01/286).

107 Vgl. dazu einen OSS-Bericht vom 1. Februar 1943: »The reference to the slanderers was

---

Ailshie dagegen auf die Kontroverse zwischen BFD und U.S.-Botschaft über die Nennung von Franklin D. Roosevelt als einem der Ehrenpräsidenten des BFD-Kongresses vom Mai 1943, weil man sich bei der Botschaft – aufgestört durch ein Schreiben der vorgesetzten Behörde (»the Department considers it most inadvisable for this organization to be using the President's name«[108]) – erst einmal in Washington grünes Licht für den Text des Dementis besorgen mußte, das dann als Brief Messersmiths an Alemania Libre und in Kopie an die mexikanische Presse ging: »The Department of State has instructed me to invite the attention of the officers of your organization to the fact that the President of the United States has not given his authorization to the use of his name in connection with your organization.«[109]

Doch »dispatch« »No. 10, 984«[110] ist nicht nur deshalb wichtig, weil er systematisch Daten und Fakten über die BFD zusammenstellt; Ailshie versucht sich auch mit einigem Erfolg an politischen Analysen. So wird die Entstehung von Alemania Libre mit dem deutschen Angriff auf die Sowjetunion in Verbindung gebracht: »The evidence indicates that the *Alemania Libre* movement began to crystallize... in the autumn...of 1941... By August, the aforementioned ›free‹ Germans were singing the praise of the Soviet Union; by September, Lombardo Toledano was urging recognition of the Soviet Union; and in October the first issue of ›Freies Deutschland‹, organ of those ›free‹ Germans was published.«[111] Auf mehreren Seiten zeichnet Ailshie die Beziehungen der deutschen Exilanten zu mexikanischen Politikern nach und

---

based mainly on a series of such articles in El Universal and Novedades. It was found—by independent sources—that the Novedades material was delivered personally by Enrique Guttmann (on whom a previous memo has been provided), and that Guttmann did use the name of the Allied Information Office. Evidence about this use by Gustav Regler, inspirer of the El Universal matter, is not so clear, since it was found he was using as guarantee preferably his personal connections with the U.S. Consulate-General...Privately,... E.O.P. Fitzgerald, titular head,... said the Free Germans were not authorized to publish his statement to the Free Germans... Checked both with FD and the British, there is no big discrepancy on the content of the conversation, only on the authorization to publish. Impression of editors of Novedades English Page is that pressure was later exerted from Bateman, the British Minister,... on Fitzgerald to reverse his incurable liberal-appeasement attitude. Other pressure came from the Vansittartite British Chamber of Commerce (dominated by Scots and Jewish pseudo-Scots)« (»The Free Germans and the Allied Information Office« v. 1. 2. 1944, S. 1-2 [OSS, 984]). Pohles Vermutung, daß man bei diesem Treffen nur »Höflichkeiten ausgetauscht« (*Das mexikanische Exil*, S. 299) habe, läßt sich nach Lektüre des OSS-Berichts nicht halten.

108 Cordell Hull, Brief an George S. Messersmith, American Ambassador, Embassy of the United States of America, Mexiko, v. 2. 6. 1943 (862.01/259).

109 Anlage zu George S. Messersmith, Brief an Secretary of State v. 7. 6. 1943.

110 W. K. Ailshie, Third Secretary of Embassy, Embassy of the United States of America, Mexiko, Brief an Secretary of State v. 25. 6. 1943, S. 1 (862.01/286).

111 A. a. O., S. 3.

wundert sich, daß der Ausländer Laszlo Radvanyi sich über sein »so-called ›Scientific Institute of Mexican Public Opinion‹« in Fragen einmischen darf, bei denen es um »patriotism, national honor and the dignity and pride«[112] der Mexikaner geht. Ohne den Begriff Communazi zu benutzen, setzt sich der Botschaftssekretär ausführlich mit Ludwig Renns Vergangenheit als »Baron Viedt von Goltzenau, former Captain of the Imperial German General Staff«[113] auseinander. Eine Analyse der literarischen Produktion von El Libro Libre und *Freies Deutschland* durch den Civil Attaché wird herangezogen, um nachzuweisen, daß Autoren wie Thomas Mann – »always glad to have their views published« – von der BFD benutzt werden, um eine »›prestige‹ atmosphere«[114] zu schaffen. Und in einem »Political Activities« überschriebenen Abschnitt geht Ailshie den Denunziationen des Silvio Pizarelli von Helmsberg nach (»... a professional informer of dubious integrety... it is... believed that Helmsburg is responsible for many of the stories that have been published recently in the press attacking *Alemania Libre*«[115]) und schreibt den Organisatoren der BFD einen »well-defined plan of campaign from the beginning« zu: Als erstes habe man die Ligo Pro-Cultura Alemana unterwandert (»the familiar communist tactics of ›penetration‹«[116]) bis die Gründung einer eigenen Organisation erfolgversprechend schien; dann habe man sich von der alteingesessenen, mit Nazisympathisanten durchsetzten deutschen Kolonie distanziert; und schließlich ging es darum, sich mit einheimischen Politikern zu liieren.

Der Bericht des W. K. Ailshie vom Juni 1943 über die Bewegung Freies Deutschland ist in den folgenden Jahren nicht mehr übertroffen worden. Das lag nicht zuletzt daran, daß sich die U.S.-Geheimdienste spätestens seit der Gründung des Nationalkomites Freies Deutschland in Moskau im Juli 1943 weniger mit der Geschichte als mit der Zukunft von BFD und LAK beschäftigten: also mit den Verbindungen der Mexiko-Exilanten zu ihren Schicksalsgenossen in der Sowjetunion und der Frage, ob es nützlich sei, die Kontakte der Free Germans zur Sowjetunion und den USA mit Hilfe einer verschärften Postzensur zu erschweren oder gar zu unterbinden; mit dem Eintreten der »Mexikaner« für einen modifizierten »›soft peace‹«[117] und der eng damit verknüpften Planung für ein Deutschland nach Hitler; und schließlich mit der Absicht der Exilanten, so rasch wie möglich nach Europa zurückzukehren.

---

112 A. a. O., S. 14.
113 A. a. O., S. 4.
114 A. a. O., S. 18.
115 A. a. O., S. 20.
116 A. a. O., S. 19.
117 Rebecca Wellington, Memorandum v. 19. 1. 1944, S. 3 (862.01/561).

Freies Deutschland, NKFD und das U.S. Office of Censorship

Ailshies Bericht wurde vom State Department am 30. Juli 1943 unter anderem deshalb gelobt, weil er zur rechten Zeit geschrieben worden war – »which is particularly pertinent... in the light of the Free German manifesto from the U.S.S.R.«[118]. In der Tat hatte der Botschaftssekretär im fernen Mexiko mit seiner Analyse vom 25. Juni Glück gehabt. Nachdem Washington Mitte Juli von der Gründung des NKFD überrascht worden war (»a surprise«[119]), galt es jetzt, so schnell wie möglich potentielle Bündnispartner des NKFD im Ausland zu identifizieren, deren Ziele zu definieren und, wenn möglich, ihre Arbeit zu behindern. Eine Geschichte der mit dem Komitee in Moskau fast namensgleichen, von deutschen Kommunisten dominierten Bewegung Freies Deutschland in Mexiko mußte in dieser Situation eine wichtige Rolle spielen, besonders da sich der Autor als Diplomat auch Gedanken über internationale Fragen machte: »It is pertinent at this point to observe«, schließt Ailshie den Hauptteil seines Berichts, »that the dissolution of the III International has not yet brought forth any reaction from *Alemania Libre*... Assuming that there was a connection between *Alemania Libre* and the *Comintern*, the formal dissolution of the Comintern would certainly cause *Alemania Libre* to make some changes in its political dispositions... This is not to say that Ludwig Renn and the leaders of *Alemania Libre* will cease their activities, for undoubtedly they are ›internationalists‹ in an organizational sense and will continue to work for the creation of a strong international Free Germany Movement, but... national patriotism is now the order of the day, rather than the oldfashioned communist ›internationalism‹.«[120]

Was der Dritte Botschaftssekretär im fernen Mexiko hier ausbreitet, hatten andere natürlich auch erkannt. Pflichtbewußt legte zum Beispiel das Office of Strategic Services im April 1942 die Mitteilung eines »professional ›anti-Communist‹«[121] zu den Akten, der warnt, daß die Exilgruppe in Mexiko bei einem Zerfall des Bündnisses mit der Sowjetunion nicht nur für ihr Gastland, sondern auch für die USA gefährlich werden könnte. Eine genaue Analyse der August- und Septemberhefte von *Freies Deutschland* durch die Division of the American Republics im State Department kommt zu dem Schluß, daß die Mehrzahl der Beiträge »glowing references to the Russians' struggle«[122] gegen die deutschen Invasoren enthält und entscheidet damit für

---

118 Memorandum der Division of the American Republics, Department of State, v. 30. 7. 1943 (FW862.01/286).

119 Standley, Telegramm an Secretary of State v. 23. 7. 1943, S. 1 (862.01/300).

120 W. K. Ailshie,Third Secretary of Embassy, Embassy of the United States of America, Mexiko, Brief an Secretary of State v. 25. 6. 1943, S. 20-1 (862.01/286).

121 R. R., Memorandum v. 9. 4. 1942 (OSS, 71).

122 »Summary of Contents of ›Freies Deutschland‹, German-Language Monthly... for August

sich kurz und bündig das Lavieren der Exilanten zwischen Volksfrontpolitik des LAK einerseits und Anspruch der Exil-KPD in Mexiko auf – wie es in späteren Jahren die DDR-Geschichtsschreibung wiederholt – »die universelle Führungsrolle der revolutionären Partei der deutschen Arbeiterklasse und ihres Zentralkomitees im antifaschistischen Widerstand«[123] andererseits. Die amerikanische Postzensur rechnet Schriftstellern wie Anna Seghers, Renn, Uhse, Frei und Kisch nicht nur ihre Grüße zu den Jahrestagen der Oktoberrevolution[124] und Stalins Geburtstag[125] vor, sondern auch ihre Kontakte mit dem sowjetischen Schriftstellerverband, russischen Verlagen, der Zeitschrift *Internationale Literatur* usw. »Writer [Egon Erwin Kisch] asks addressee [ausgeschwärzt, Press Division of the Embassy of URSS, Washington, D.C.]«, kommentiert der Zensor unter der Überschrift »Refugee Publication in Mexico Desires Contributions from Leading German Communists in Russia« einen Brief des rasenden Reporters vom 4. Januar 1943, »to forward the enclosed letter to [ausgeschwärzt] ›International Literature‹, Post Office Box 850, Moscow, because there is no airmail from Mexico to the U.S.S.R.«[126]. Bei G-2 entrüstet man sich darüber, daß »Renn and Seghers are so esteemed by Moscow that each was requested to radio greetings, at Moscow's expense, to the convention of Soviet writers and artists...«[127] Und J. Edgar Hoover persönlich warnt unmittelbar vor der NKFD-Gründung den Assistant Secretary of State Berle Ende Juni 1943, »personal and confidential by special messenger«, mit der für ihn typischen Mischung aus Dichtung und Voraussicht, »that a provisional German government has been established in Moscow«. »Wilhelm Pick« solle nach Hoovers Informationen »Reichs-Chancellor« und »Ernest Thaelmann« Präsident werden; Thomas Mann, »presently residing in this country«[128], werde man den Posten des Kulturministers anbieten.

Wirklich aktiv werden die Geheimdienste und das Außenministerium der USA aber, wie gesagt, erst mit der Publikation des NKFD-Gründungsaufrufs am 19. Juli 1943. Nervös gehen in den folgenden Tagen Telegramme mit Fak-

and September, 1942, and related comment«, Memorandum der Division of the American Republics, Department of State, v. 22. 10. 1942, S. 1 (812.00B/768).

123 Kießling, *Alemania Libre in Mexiko*. Bd. 1, S. 197.

124 [Ausgeschwärzt], Memorandum an Mr. Mumford v. 23. 11. 1942 (FBI-Akte, Egon Erwin Kisch).

125 Clarence W. Moore, Civil Attache, Memorandum für Mr. Gibson, First Secretary, Embassy of the United States of America, Mexiko, v. 26. 3. 1943, S. 4 (862.01/256).

126 Egon Erwin Kisch, Brief an [ausgeschwärzt] v. 4. 1. 1943, S. 1 (FBI-Akte, Egon Erwin Kisch).

127 Junius B. Wood, Memorandum an Carter W. Clarke v. 9. 6. 1943, S. 10, Anlage zu Wood, Brief an M. J. McDermott, Chief, Current Information Bureau, State Department v. 11. 6. 1943 (862.01/284).

128 J. E. Hoover, Brief an Adolf A. Berle, Assistant Secretary of State, v. 25. 6. 1943 (862.01/362).

ten und ersten Analysen zwischen der U.S.-Botschaft in Moskau und dem State Department in Washington hin und her. Dabei stellt sich heraus, daß man in den USA zwar weitgehend unvorbereitet von den Ereignissen getroffen wurde, aber doch relativ rasch zu einer richtigen Einschätzung der Lage kam: Die Gründung des NKFD, telegraphiert die U.S.-Botschaft in der Sowjetunion am 23. Juli nach Hause, sei eine Reaktion der Russen auf die einseitige Politik der Westalliierten in Italien und Frankreich[129]. Mit dem Versprechen des Nationalkomitees, daß die Deutschen nach dem Sturz Hitlers mit Frieden rechnen könnten, von ihren Gegnern als »free sovereign nation«[130] behandelt würden und eine eigene, demokratische Regierung erhielten, versuche Stalin Zeit zu gewinnen, um eine Vormachtstellung in Ost- und Mitteleuropa aufzubauen. Die Ziele des NKFD seien deshalb, so Außenminister Cordell Hull am 29. Juli an seine Vertretung, in eine Reihe zu stellen mit der Proklamation der sogenannten Rheinland-Konferenz und mit Stalins von Washington genau beobachteten Tagesbefehlen von 1942 und 1943, »emphasizing that they desire only the liquidation of Hitlerites«[131] und nicht die Vernichtung des deutschen Volkes. Und natürlich kommen schon bald auch die Freien Deutschen in Mexiko ins Gerede, als man in Washington per Rundschreiben an die Vertretungen in London, Stockholm, Bern usw. herauszufinden versucht, in welchem Maße das NKFD im unbesetzten Europa und in der westlichen Hemisphäre Fuß zu fassen vermag.

»The first Committee was organized in Mexico City in 1942«, resümiert Hull in einem Hintergrundbericht für die Moskauer Botschaft dazu, »and... the whole movement is known to have connections in Moscow as evidenced by postal intercepts and other information.«[132] In New York schwärmen Mitarbeiter des Office of Strategic Services aus und besorgen sich unter anderem bei dem Exilpolitiker Gerhart Seger (»I telephoned Seger at his home in Richmond Hill, L.I., and went to see him there late in the afternoon of Saturday, July 24«[133]) und beim Research Department des American Jewish Committee »Fakten« (»Willi Bredel... has visited in the United States and written for the American CP«[134]) und Analysen (»Seger was at once categorical in declaring it a Communist move in psychological strategy«[135]). Ein Ergebnis

129 Standley, Telegramm an Secretary of State v. 23. 7. 1943, S. 1-2 (862.01/300).
130 Standley, Telegramm an Secretary of State v. 22 7. 1943, S. 3 (862.01/299).
131 Hull, Telegramm an American Embassy, Moscow, v. 29. 7. 1943, S. 3 (862.01/300). Vgl. dazu meinen Aufsatz »Pläne für ein neues Deutschland. Die Kulturpolitik der Exil-KPD vor 1945.« In: *Basis. Jahrbuch für deutsche Gegenwartsliteratur* 7. Frankfurt: Suhrkamp 1977, S. 54-74 u. 229-33. (=suhrkamp taschenbuch, 420.)
132 Hull, Telegramm an American Embassy, Moscow, v. 24. 11. 1943, S. 1 (862.01/498A).
133 Malcolm W. Davis, Interoffice Memo an DeWitt C. Poole v. 28. 7. 1943, S. 1 (OSS, 711).
134 Mr. Schuster, Head of Research Department, American Jewish Committee v. (unleserlich) 7. 1943, S. 1 (OSS, 706).
135 Malcolm W. Davis, Interoffice Memo an DeWitt C. Poole v. 28. 7. 1943, S. 1 (OSS, 711).

dieser Arbeit ist der OSS »Situation Report No. 165« vom 7. August 1943, in dem – ohne Wissen um potentielle Rivalitäten zwischen den Freien Deutschen in Mexiko und Moskau[136] – Paul Merkers »endorsement« des NKFD und eine vom Office of War Information aufgezeichnete Radioantwort aus Moskau zitiert werden: »... the Latin American Committee of Free Germans is declaring its affiliation with the Free German Committee in Moscow«, stellen die Rußlandexilanten dort selbstsicher fest, »[it] puts itself and its paper Freies Deutschland at the disposal of the Free Germany Committee«[137]. Und während Secretary of State Hull nach der Moskauer Außenministerkonferenz vom Oktober 1943 bereits eine Abwendung der Sowjets vom NKFD auszumachen meint (»a distinct shift away from the ›Free German‹ committees«[138]), stellt das Office of Censorship noch im Dezember für OSS, OWI, MID, FBI, ONI und andere Behörden einen vertraulichen Bericht (»information taken from private communications and its extremely confidential character must be preserved«[139]) nebst umfangreichem »Postal & Telegraph Censorship Index« zusammen, in dem natürlich auch die Querelen der Exilanten in Mexiko zur Sprache kommen: »Regler, Gustav... former Communist, now Trotskyist...considers that the National Committee of Free Germans, Moscow ›is a camouflaged new Comintern and its members are in the pay of Stalin‹ and urged political counter-warfare by England, whom he regards as the sole potential saviour of Europe from ›Red Fascism‹.«[140]

Cordell Hull war nicht der einzige, der die Bedeutung der Freien Deutschen herunterspielte. Vor ihm hatte sich bereits ein Mitarbeiter des Special Branch beim Military Intelligence Service (MIS) des War Department mit einem bei den Geheimdiensten höchst seltenen Anflug von Humor über die sich gegenseitig befehdenden »Gray Heads of Bygone Germany« lustig gemacht: »Though the names of all are significant and symbolic to refugee Germans, few of the leaders are known to outsiders. They were not nonentities, many of them high government and party officials, in a Germany which disappeared with the rise of Hitler. Americans, though sympathetic, must be practical. These aging leaders with their salvaged wreckage of rival parties and factions in a bygone Germany, after a decade of Nazi repression and a Nation-wrecking

---

136 Vgl. dazu Pohle, *Das mexikanische Exil*, S. 206ff u. 342ff. u. Kießling, *Partner im ›Narrenparadies‹*, S. 198ff.

137 Report [unleserlich] 2, OWI 146, zitiert in »Situation Report No. 165« v. 7. 8. 1943, S. 1-2, OSS, Latin American Division (OSS, 748).

138 Hull, Telegramm an American Embassy, Moscow, v. 24. 11. 1943, S. 4 (862.01/498A).

139 Byron Price, Director (Office of Censorship), Annotation auf »Postal and Telegraph Censorship, 20th December, 1943, Free Germans«, S. 1 (OSS, 964).

140 »Postal & Telegraph Censorship, Index to Report on Free Germany«, S. 60, Anlage zu Byron Price, Director (Office of Censorship), Annotation auf »Postal and Telegraph Censorship, 20th December, 1943, Free Germans« (OSS, 964).

war, may have little influence or leadership in a resurrected Germany of the future. Their names might be kept alive and they might be of passing value to the United Nations if our propaganda could use them for appeals to the German people.«[141]

Doch nicht jeder in Washington sah die Dinge so entspannt. Eher kontrovers verlief zum Beispiel eine für die Arbeit der Exilanten entscheidende Debatte, die seit dem Frühsommer 1943 zwischen dem State Department und dem Office of Censorship über die Frage geführt wurde, ob die Vernichtung des gesamten Postverkehrs der Exilanten in Mexiko nützlich sei bei der Eindämmung der Freien Deutschen. Vor welchem Hintergrund sich diese Auseinandersetzung abspielt, sieht man einmal von den üblichen Machtkämpfen zwischen Regierungsbehörden ab, macht ein »Interoffice Memo« des OSS vom 10. Mai 1943 mit ungewöhnlicher Schärfe deutlich – denn noch bevor die Sowjetunion durch die Gründung des NKFD das prekäre Bündnis mit den USA in Frage stellt, beginnen sich auch die USA auf einen möglichen Ost-West-Konflikt nach Beendigung des Zweiten Weltkriegs vorzubereiten – und das im vorliegenden Fall auf Kosten der Exilanten in Mexiko. Zur Illustration sei der OSS-Bericht in voller Länge zitiert: »It may interest you to note that the United States censorship in the Caribbean has begun to condemn the correspondence of the Communist affiliated Free German group in Mexico City calculated to aid their campaign to organize their movement throughout Latin America. This correspondence is in itself unobjectionable but its purpose is evidently now considered inimical to the best interests of the United States. I assume that the censorship received the orders to condemn such correspondence from higher up. Apparently it is now considered advantageous to the war effort to throw wrenches where possible into Communist efforts to organize German refugees abroad or at least in Latin America. Such a censorship policy is obviously an advantage to the Social Democratic and related liberal groups among the German refugees in Latin America. It would appear that this country is therefor already tending to recognize the fight against Communist influence among Germans as related to its war effort.«[142]

Es würde sicherlich zu weit führen, den vom Frühjahr 1943 bis Mai 1944 andauernden Behördenstreit zwischen den Zensoren und dem Außenministerium in allen Einzelheiten nachzuzeichnen, obwohl in keinem anderen mir bekannten Aktenbestand zu den deutschsprachigen Exilanten die Mechanismen der Postzensur ähnlich offen zutage treten. Begnügen wir uns deshalb mit einer Analyse der zentralen Punkte dieser als Grundsatzdebatte (»basic

---

141 Junius B. Wood, Memorandum an Carter W. Clarke v. 9. 6. 1943, S. 15, Anlage zu Wood, Brief an M. J. McDermott, Chief, Current Information Bureau, State Department v. 11. 6. 1943 (862.01/284).

142 Captain Ross, Interoffice Memo an Mr. Poole v. 10. 5. 1943 (OSS, 679).

policy«[143]) geführten und nie an die Öffentlichkeit gedrungenen Kontroverse, bei der das Office of Censorship übrigens eine entschieden liberalere Position einnimmt als das Department of State.

Ausgangs- und Mittelpunkt der Konfrontation bilden eine Reihe von Special Watch Instructions, die eine radikale Verschärfung der Postzensur gegen die Exilgruppe in Mexiko anordneten. Ziel dieser Anordnungen war es, neben der (kriegs-)üblichen Überwachung des Post-, Telegramm- und Telephonverkehrs der Freien Deutschen mit den USA und der, weniger üblichen, Zensur der Korrespondenz mit anderen Teilen der Welt, ab März 1943 die geschäftliche Korrespondenz der Freien Deutschen, also Bestellformulare, Bücher, Zeitschriftenhefte usw., und einen Gutteil des privaten Schriftverkehrs in toto zu vernichten: »Condemn all communications to or from the above names, except those which in no way concern the organizations mentioned. Submissions, however, should be made invariably on all correspondence involving any of the above names. All subscriptions to the above publications shall be condemned with submission. The publications themselves and any books written or published by the above shall be condemned on OC-74.«[144] Einzige Ausnahme: Publikationen und Manuskripte von und an »bona fide«[145] Zeitungen, Agenturen, Radiosender, Bibliotheken, Universitäten und Regierungsbehörden.

Die Gründe für diese extreme Maßnahme werden von den Falken im State Department, zu denen die Division of Foreign Activity Correlation (FC), die Division of European Affairs (Eu), der Adviser on Political Relations, die U.S.-Botschaft in Mexiko[146] und der Assistant Secretary of State Adolf A. Berle

---

143 Geo. P. Shaw, Foreign Activity Correlation, Memorandum an Mr. Gordon v. 15. 2. 1944, S. 2 (862.01/616).

144 Byron Price, Director, Office of Censorship, »Special Watch Instruction No. 88« v. Oktober 1942, S. 2, Anlage zu G. E. Brown, Chief, Digest Section, Brief an George P. Shaw, Acting Chief, Division of Foreign Activity Correlation, v. 20. 10. 1943 (862.01/611). Wenn F. C. Weiskopf am 1. Januar 1944 an Alma Uhse schreibt, daß in den vergangenen Monaten einige von Uhses Briefen verlorengegangen waren, so ist das sicherlich die Folge dieser Vernichtungsaktion gewesen (F. C. Weiskopf, Brief an Alma [Uhse] v. 1. 1. 1944, in Bodo Uhse/Weiskopf, *Briefwechsel 1942-1948*, S. 89; vgl. auch S. 93 u. 94).

145 A. a. O.

146 Vgl. dazu einen Kommentar von Botschaftssekretär W. K. Ailshie v. 13. Mai 1943: »The ultimate results of the Congress will be limited by the fact that the important correspondence of this organization is being suppressed by our censorship authorities. When this situation becomes known to the leaders of the movement, it may be expected that some other means of communication will be promptly found by them. Nevertheless, the suppression of their correspondence will seriously hamper their activities, and will have the result of limiting the beneficial effects which probably would have been produced if there were no censorship« (W. K. Ailshie, Third Secretary of Embassy, Embassy of the United States of America, Mexiko, Brief an Secretary of State v. 13. 5. 1943, S. 11 [862.01/259]. Kießling, *Exil in Lateinamerika.* 1. Aufl. (1980), S. 319 hat diese Passage mit dem falschen Aktenzeichen 10,111 zitiert.

gehören, in einer Flut von internen Memoranda dagelegt: Mit der erfolgreichen Gründung des LAK beginne die Bewegung Freies Deutschland ihre organisatorische Expansion und ihre propagandistischen Aktivitäten zunehmend in Richtung USA zu verlagern.[147] Da BFD und LAK ihre Operationsbasis im Ausland haben und von Kommunisten kontrolliert werden, die außerdem noch »alien enemies« sind, gebe es keinen Grund, »[to] allow… the right of free circulation, organization, etc. unless we are convinced it is of assistance to us in the war effort«[148]. Erwiesen sei zudem, daß die Freien Deutschen in ihrer Zeitschrift und auf ihren Veranstaltungen die U.S.-Regierung kritisieren, die »canards of the New York *Daily Worker*« gegen die Westalliierten wiederholen, das NKFD unterstützen, für die zweite Front eintreten, als Advokaten eines ›weichen‹ Friedens zwischen Nazis und Deutschen unterscheiden (»which will leave Germany as the dominant power in Europe, outside, of course, of the Soviet Union«[149]) und wegen ihrer »allegiance… with the Soviet Union« bei Friedensverhandlungen leicht gefährlich werden könnten. Kurz: »FC and Eu… felt that the proper solution was complete condemnation [des Postverkehrs]. Their view, expressed… with reference to Freies Deutschland… is as follows (FC's language): ›A well-organized group of enemy nationals, subject to no American control, is engaged in intense political activity aimed at fellow nationals throughout this hemisphere and at American citizens of like descent; and… this group is motivated by political ideas and dominated by political forces of an alien character, such as may make the group embarrassing to the United States in our formulation of policy towards postwar Germany. If Freies Deutschland is allowed to continue building up a strong

---

147 Diese Analyse mag leicht überzogen gewesen sein, falsch war sie sicherlich nicht. Andererseits belegen die inzwischen publizierten Briefwechsel zwischen Bodo Uhse und Anna Seghers auf der einen und F. C. Weiskopf und Wieland Herzfelde auf der anderen Seite, in welchem Maße in der Korrespondenz private, literarische und verlegerische Angelegenheiten vor politischen Themen rangierten. Zu den Beziehungen der Freien Deutschen zu den Exilzentren in den USA vgl. oben die Kapitel zu Heinrich Mann, Bertolt Brecht, Lion Feuchtwanger und anderen. Auch verschiedene OSS-Berichte sind diesen Verbindungen nachgegangen, so z. B. GE-189 v. 14. 6. 1942, in dem es heißt, daß das *Freie Deutschland*, »quite unknown a few month ago«, jetzt überall in New York City zu haben sei; oder GE-426 v. 4. 11. 1942 und 537 v. 2. 2. 1943, S. 1, wo es um die Beziehungen zwischen BFD und German-American Emergency Conference geht: »Its interest for us lies in the effort it is now making through Dr. Kurt Rosenfeld, who recently visited the group in Mexico, to extend its leadership to certain groups in the U.S., especially to Rosenfeld's German American Emergency Conference…, one of the most active left-wing groups of the German emigration in United States.« Bei GE-537 handelt es sich um ein achtseitiges Memorandum des Foreign Nationality Branch an den Director des OSS mit der bezeichnenden Überschrift »The German American Emergency Conference and the Freies Deutschland Movement«.

148 A. A. B. [d. i. Adolf A. Berle], Assistant Secretary, Memorandum an Mr. Welles v. 21. 6. 1943 (811.711/4250).

149 Rebecca Wellington, Memorandum v. 19. 1. 1944, S. 3 (862.01/561).

organization, influencing not only their fellow nationals but American citizens of German descent, it can easily become... a dangerous factor in the case of a peace offensive. Every military victory of the United Nations makes it increasingly necessary not to overlook this factor nor should there be overlooked the fact that... should there ever be a divergency of national interests, this organization would surely throw its full weight on the side of the Soviet Union.«[150] Und so als ob diese Einschätzung von Alemania Libre nicht schon vernichtend genug ausfalle, schieben die Falken der FC auf dem Höhepunkt der Zensur-Debatte zur Jahreswende 1943/44 per Zitat aus einem EUR-Memorandum noch einen Hinweis auf den Hitler-Stalin Pakt (»while the Soviet-German Pact was still in effect, various leaders of this group condemned the war as an imperialistic one«) und ein altes Argument der Sozialdemokraten nach: »The activities of these persons contributed in no small measure to the ascendancy to power of Hitler and his group. Their deliberate wrecking of the tenuous coalition which permitted the Weimar Republic to remain in power and discrediting of the Social Democrats, the keystone of that coalition, made possible the rise to power of Hitler.«[151]

Anders schätzen die Tauben im Office of Censorship und ihre Alliierten in der Division of the American Republics beim State Department die Lage ein: »... wholesale condemnation is neither necessary nor desirable... Freies Deutschland [is] not of sufficient importance to justify this action and... condemnation will dry up their open correspondences and thus prevent us from keeping a close watch on them.«[152] Tatsächlich gab es nach Meinung des District Postal Censors in Balboa, C. Z. – wobei C. Z. für »Canal Zone«, also den Panamakanal, steht – bereits Anzeichen, daß Alemania Libre Kuriere einsetze, Deckadressen benutze und in verschiedenen Ländern Lateinamerikas Verteilerzentren für seinen Schriftverkehr einrichte, um die Zensur zu unterlaufen. Hinzu kommt, daß das Office of Censorship per Gesetz den Auftrag habe, nur solche Post zu vernichten, die der Kriegsführung der Alliierten schaden könne – eine Regel, die auf die Exilanten in Mexiko nicht zutrifft, weil die »absolutely anti-Nazi and anti-Fascist and wholeheartedly behind our war effort«[153] seien. Kurz tut Mr. Healy, der Chef der Press and Pictorial Division bei der Postzensur, denn auch das Argument des State Departments ab, daß die Freien Deutschen negativ in zukünftige Friedensgespräche eingreifen könnten: »... Mr. Healy replied«, registriert das »Memo-

---

150 John C. Dreier, Division of the American Republics, »Condemnation of the Correspondence of ›Freies Deutschland‹ and the ›Allianza Garibaldi‹« v. 25. 6. 1943, S. 2 (811.711/4253).
151 Rebecca Wellington, Memorandum v. 19. 1. 1944, S. 3 (862.01/561).
152 John C. Dreier, Division of the American Republics, »Condemnation of the Correspondence of Freies Deutschland and the Allianza Garibaldi« v. 17. 6. 1943 (811.711/4253).
153 Department of State, Memorandum of Conversation v. 15. 2. 1944, S.1 (862.01/608).

randum of Conversation« einer Aussprache im State Department am 15. Februar 1944, »that the Office of Censorship ›does not look beyond the end of the war‹ and that the curbing of potential pressure groups even if enemy aliens is not a proper function of the Office...«[154] »He went on to state that certain people at least, in the United States, such as writers, publishers, and thinkers on political subjects, had a right to and should be informed on the trend of thinking and public expression in other countries although these opinions might at times be unpleasant to us...«[155] Außerdem sei eine Pauschalvernichtung der Post aus Mexiko allein schon deshalb nicht opportun, weil das Office of War Information und Nelson Rockefeller als Coordinator of Inter-American Affairs mit den Freien Deutschen Material austauschen und einige wichtige Leute, die an Organisationen wie OSS und FBI interessiert sind, der Zensurbehörde im Kongreß politische Schwierigkeiten machen könnten.[156]

Und noch ein Problem gab es zu bedenken, das freilich dem Office of Censorship weniger als der Division of European Affairs zu schaffen macht: Die Reaktion des Bündnispartners Sowjetunion bei Bekanntwerden der Vernichtung der Post zwischen Mexiko und Moskau bzw. der russischen Botschaft in Washington, die den Freien Deutschen regelmäßig Nachrichten zukommen läßt. Das Argument nämlich, daß der Kriegspartner Sowjetunion keinen Grund habe, sich über eine Diskriminierung zu beschweren, weil man ja nicht nur den Schriftverkehr nach Rußland, sondern ausnahmslos alle Post vernichten wolle, war in diesem Kontext zweifellos ein Kurzschluß.[157] Genausowenig vermochte die ebenso simple wie falsche Feststellung der FC weiterzuhelfen, daß es keine Beweise für ein direktes Interesse der sowjetischen Regierung am Freien Deutschland gebe.[158] Und da auch der Hinweis, daß die Außenministerkonferenz in Moskau zu diesem Thema nichts zu sagen hatte, keine Lösung bot, scheint man das heikle Thema auf die lange Bank geschoben zu haben.

Es versteht sich, daß das State Department sich bei einer derart hoch angesiedelten und problematischen Grundsatzdebatte nicht auch noch von den

154 A. a. O.

155 Geo. P. Shaw, Foreign Activity Correlation, Memorandum an Mr. Gordon v. 15. 2. 1944, S. 1 (862.01/616).

156 Ein internes Memorandum des State Department vom 19. Januar 1944 macht deutlich, daß man sich dort ausgerechnet mit Hilfe der Postzensur über die Beziehungen zwischen OWI und den Freien Deutschen auf dem Laufenden hielt: »From Censorship submissions we know that at least between May and November, 1943 OWI (from the office at 224 West 57th Street, New York City) sent to Paul Merker... copies of releases...«. (Rebecca Wellington, Memorandum v. 19. 1. 1944, S. 1 [862.01/561]) Zudem, so State weiter, habe eine Executive Order vom 13. Juni 1943 dem OWI das Recht abgesprochen, in Lateinamerika Informationsmaterial zu verbreiten.

157 Charles E. Bohlen, Division of European Affairs, Memorandum v. 14. 9. 1943 (F.W. 811.711/4220).

158 Rebecca Wellington, Memorandum v. 19. 1. 1944, S. 1 (862.01/561).

OFFICE OF STRATEGIC SERVICES

INTEROFFICE MEMO

FROM: Captain Ross

TO: Mr Poole

DATE: 5/ ·/ ·3

SUBJECT: Censorship of Communists

It may interest you to note that the United States

censorship in the Caribbean has begun to condemn the correspondence

of the Communist affiliated Free German group in Mexico City calculated

to aid their campaign to organize their movement throughout Latin

America. This correspondence is in itself unobjectionable but its

purpose is evidently now considered innimical to the best interests

of the United States. I assume that the censorship received the orders

to xxxxxx condemn such correspondence from higher up. Apparently it

is now considered advantageous to the war effort to throw wrenches where

possible into Communist efforts to organize German xxxxxxx refugees

xxxxxxx abroad or at least in Latin America . Such a censorship

policy is obviously xxxxxxxxxxxx an advantage to the Social

Democratic and related liberal groups among the German refugees

in Latin America . It would appear that this country is therefor

already tending to recognize the fight against Communist influence among

Germans as related to its war effort.

SWI/
CONFIDENTIAL   October ,1943.

SPECIAL WATCH INSTRUCTION NO. 88

Requested by: State Department.

Names to watch: Below-listed subjects who have headquarters in
                        Mexico City:

Freies Deutschland (Movimiento Alemania
    Libre)(Alemania Libre) (Free Germany) - Apartado 10214
Latin American Committee of Free Germans
    (Comite Latino-Americano de Alemanes
    Libres)   - Apartado 10214
Organizing Committee of the Free Germans
    (Organizations Komitee der Freien Deutschen)-Apartado 10214
Ludwig Renn (Baron Arnold Veigt von Goelsenau) -
                        Apartado 10214 or Dr. Norma 198-4
Paul Merker   - 124 Calle
    Cuenavaca, Dept. 404, or Apartado 10214, or Tamaulipas 129/6
Bodo Uhse
Bruno (Benno) Frei (Benno or Bruno Freistadt)
    (Bruno Frey)   - Apartado 10214
Alexander Abusch (Fritz Reinhard)   - Apartado 10214
George Stibi   - Apartado 10214
Rudolf Neumann
A. Callam
Andre Simone (Otto Katz)(Otto or Willi Breda)
    (Otto Simon)   - Apartado 10214
Egon Erwin Kisch   - Apartado 10214
Leo Zuckermann (Leo Lambert)
Walter Janke
Olga Ewert
Erich Jungmann
Johannes Schmidt (Ladislaus or Laszlo Radvany)
    (Johann L. Schmidt-Radvany)
Frau Dr. Henriette Begun
Alleanza Garibaldi (Alleanza Internazionale Giuseppe
    Garibaldi)   - Apartado Postal 777
Francesco Frola   - Apartado Postal 777
Mario Montagnana   - Calle Bajio 28-10
Vittorio Vidali (Carlos J. Contreros)(Carlos Sormiento)
    (Carlos or Enea Sormenti)   - Calle Loteria
                                         Nacional 1-0 to 6

Leone Olper
Rudolf Feistmann   - Calle Coahuila 106,
                                         Dept. 10

PUBLICATIONS:

Alemania Libre
Freies Deutschland (Free Germany)
Demokratische Post.   (over)

434

– 2 –

Alleanza Internazionale Guiseppe Garibaldi per la
~Liberta d'Italia
Informacion Italiana
~~Demokratische Post~~

What is wanted: Information on the above names in accordance with the
"Action" instructions below.

Action: Postal (see exceptions below): Condemn all communications
to or from the above names, except those which in
no way concern the organizations mentioned.
Submissions, however, should be made invariably
on all correspondence involving any of the above
names. All subscriptions to the above publications
shall be condemned with submission.' The publications themselves and any books written or published
by the above shall be condemned on OC-74.

Exceptions: All published material and material intended for
publications from or to the above and addressed
to or sent by bona fide newspapers, newspaper
syndicates, writers, literary agents, radio
stations, libraries, universities, and
government agencies shall be released and
reported on OC-74 (see All Station Letter #65)
All other correspondence of any kind to or
from the bona fide newspapers, newspaper
syndicates, writers, etc., as listed in the
foregoing sentence, should be referred to the
Press and Pictorial Section of CPC covered
by form OC-74.

(Note: Mere mention of the above names in the body of otherwise apparently
innocuous correspondence will indicate that it should be released,
but a submission should be prepared.

The magazine, Freies Deutschland, is printed by the publishing house,
El Libro Libre, which is headed by Antonio Castro Leal. Correspondence
to or from El Libro Libre and Antonio Castro Leal which does not
concern the names above should be released. Such correspondence
which does concern the names above should be handled in accordance
with the action instructions. However, subscriptions or contributions
to Freies Deutschland, made payable to Antonio Castro Leal or El
Libro Libre, should be condemned with submission.)

Cable: refer all traffic on these names; telephone:
summaries.

Necessary strips are being forwarded.

Byron Price,
Director.

DEPARTMENT OF STATE

FOREIGN ACTIVITY CORRELATION

December 28, 1943.

CONFIDENTIAL

Eu: Mr. Matthews
PA/D: Mr. Dunn
A-B: Mr. Berle

Mr. Healy, Chief of the Press and Pictorial Section of the
Office of Censorship, just telephoned to Mr. Jessop (FC) the
underlying letter from Messrs. Renn and Merker, president and
secretary, respectively, of Freies Deutschland in Mexico.
Mr. Healy wished to have the Department's recommendation as to
a reply. He implied that he himself, rather than tell Renn and
Merker that their correspondence was being condemned at the
request of the Department of State, would prefer that henceforth
it all be released. As neither of these alternatives seemed to
me acceptable from the Department's point of view, Mr. Jessop
has, at my suggestion, told Mr. Healy that he would probably
not be able to give him a reply for several days.

Is it necessary that any reply at all be sent to Renn and
Merker? They are enemy aliens, residing outside the United States,
who by their letter are demanding an explanation of measures
undertaken in time of war by an agency of this Government.
Their statement as to the "100% pro-Allied content of (their)
mailed material" is open to considerable question. A study of
such material has usually revealed the contrary as far as the
United States is concerned.

Mr. Healy also implied that he considered a question of
general policy to be involved. I am inclined to agree with him
as no definite agreement on this question has yet been reached
with the Office of Censorship. From Mr. Shaw's underlying
memorandum of December 4, 1943 you will see that "it appeared
the principal opposition to granting our request" (i.e. that
all publications and political correspondence of Freies Deutschland, with a few specified exceptions, be condemned) "would
continue to come from the Press and Pictorial Division of which
Mr. Healy is Chief."

On November 27, Mr. Gordon wrote to Mr. Price requesting
modification of the very broad "exceptions" outlined in Special
Watch Instruction No. 88 of October 27, 1943. (See attached copy)
Mr. Price has not yet replied to this letter.

It seems, from our own observations and from reports from
the Embassy in Mexico, that the restrictions placed upon the

communications

862.01/558

436

-2-

communications of <u>Freies Deutschland</u> previous to the re-writing
in October of the Special Watch Instruction were most effective
in controlling the dissemination of the voluminous political
propaganda issued by <u>Freies Deutschland</u>. If it is considered
desirable that we continue to maintain control over this
material it will be necessary to reach an understanding with the
Office of Censorship whereby the broad exceptions of Special
Watch Instruction No. 88 are modified as outlined in Mr. Gordon's
letter of November 27. The points for consideration are,
therefore:

(1) whether we wish to continue to restrict the
     activity of <u>Freies Deutschland</u> (as well as its
     Italian counterpart, the <u>Alleanza Garibaldi</u>)
     by the only means available, namely condemnation
     of their correspondence and publications; and,
     if this is considered advisable,

(2) whether the whole question should not again be
     taken up, preferably in a discussion with Mr. Price.

Rw.

Rebecca Wellington

FC:RW:DEF

437

Recid by telephone 12/28/43 - 44Eg

Quoted Paragraphs .... to
The Office of Censorship by Messrs. Ludwig Renn
and Paul Merker, Freies Deutschland.

.... A considerable number of our letters to the
anti-Fascist German writer Heinrich Mann in Los Angeles,
who is the honorary president of our committee, have not
been delivered to him during the last few months. This
is also true for other communications sent by our committee
to addressees in different towns of the United States.

There is furthermore the fact that the whole correspondence sent since June 1943 by different Latin American
countries to our committee in Mexico City and which have
to pass through the United States Censorship has not been
delivered to us. However, we positively know that since
June 1943 the affiliated movements in these Latin American
countries are continuously mailing us numerous communications.

For all these facts, we must believe that the non-
delivery of the correspondence is not due to technical
difficulties of wartime but that our letters are being
withheld by the jurisdiction of the United States Censorship.

On the other hand, as there can be no doubt of the
100% pro-Allied content of the mailed material, we cannot
understand why the United States Censorship forbids the
transmission of such material to the addressees among
which are the official information office of the Soviet
Union and non-Fascist organizations and parties.

We can hardly believe that these censors acted on
instructions given by the United States Chief Censor
and should be very pleased indeed to hear that necessary
steps have been undertaken in order to avoid the repetition
of similar mistakes............

                    /s/ Ludwig Renn, President
                         Paul Merker, Secretary

durch die Postzensur direkt Betroffenen reinreden ließ. Ein Protestschreiben von Renn und Merker an das Office of Censorship fällt so zwar dort auf offene Ohren (»... rather than tell Renn and Merker that their correspondence was being condemned at the request of the Department of State, [Healy] would prefer that henceforth it all be released«[159]), wird vom State Department jedoch sofort mit Nachdruck abgeblockt: »... no reply should be made to the protest, as such an organization is not justified in expecting an explanation of measures undertaken in time of war by an agency of the United States Government.«[160]

Die über ein Jahr andauernde und für die Exilanten in Mexiko existenzbedrohende Auseinandersetzung zwischen dem Office of Censorship und dem Department of State kam sehr plötzlich und eher unspektakulär am 11. Mai 1944 zuende, als Cordell Hull dem Director of Censorship, Byron Price, knapp mitteilt, daß er den Antrag seiner Behörde auf »blanket condemnation« der Post des Freien Deutschland in Mexiko zurückziehe. Der Grund für diese Entscheidung, »a considerably altered foreign situation«[161], wird nicht weiter erläutert. Wohl aber bittet das State Department darum, auch in Zukunft Zusammenfassungen der Post der Freien Deutschland zu erhalten.

Ohne Nullpunkt:
Zukunftspläne und Rückkehr der Exilanten im Visier der amerikanischen Geheimdienste

Die Berichte der U.S.-Geheimdienste über die Bewegung Freies Deutschland und das Lateinamerikanische Komitee enthielten schon früh Hinweise auf die Rolle, die das Mexiko-Exil bei der Planung der nachkriegsdeutschen (Kultur-) Politik spielen könnte. Eine Analyse des ersten Jahrgangs der Zeitschrift *Freies Deutschland* durch die Division of American Republics beim amerikanischen Außenministerium etwa kommt so zu dem Schluß, daß das Blatt in mehreren entscheidenden Punkten »is rather definitely following the Communist line« für Deutschland: Unmißverständlich fordere man in »FD« die Errichtung einer

---

159 Rebecca Wellington, Memorandum v. 28. 12. 1943, S. 1 (862.01/558).
160 Brief an Byron Price, ohne Absender und Datum (862.01/559). Paul Merker schreibt »wegen der Briefzensur« (Kießling, *Alemania Libre in Mexiko*. Bd. 2, S. 443) vorsichtig im Juni 1944 in einem Brief an Heinrich Mann, daß die Klärung der »Mißverständnisse..., die sich auf den Versand unserer Zeitschrift und auf die Beförderung unserer Korrespondenz auswirkten«, auf »das liebenswürdige Eingreifen Washingtons« (Paul Merker, Brief an Heinrich Mann v. 3. 6. 1944, a. a. O., S. 396) zurückzuführen sei, das seinerseits die Folge einer BFD-Intervention bei U.S.-Botschafter Messersmith und der »Leiterin der Bibliothek des Weißen Hauses..., einer eifrigen Leserin der Zeitschrift *Freies Deutschland*« (a. a. O., S. 443) war.
161 Cordell Hull, Brief an Byron Price v. 11. 5. 1944 (862.01/637a).

zweiten Front in Westeuropa; die Notwendigkeit »for distinguishing between Nazis and Germans« werde betont; »and... the writers are loud and uncompromising in praise of the Soviet Union«[162]. Von allen »›Free German‹ Movements in the Western Hemisphere«, notiert ein ONI-Mitarbeiter im Dezember 1942, sei Alemania Libre das gefährlichste, »particularly from the points of view of psychological warfare and post-war activities designed to enable individual groups to secure control in their homelands«[163]. »... the Soviet Government has at least some interest in the organization«, kommentiert auch Rebecca Wellington von der Foreign Activity Correlation im Januar 1943 einen abgefangenen Brief des Leiters einer sich »American Division«[164] nennenden Sowjetbehörde an Ludwig Renn – die U.S.-Regierung dagegen besitze bislang noch keine offizielle Position gegenüber den Plänen der Freien Deutschen. Der Navy-Mann in Mexiko resümiert wenig später, Alemania Libre »preached hatred for the United States and England, until the German Army marched into Russia. Now the enemy is Germany, and the aim is a Communistic Germany«[165]. Und eine im Sommer 1943 für das OSS verfaßte Denkschrift zur Gründung des NKFD zieht unmißverständlich den Schluß, daß man in Moskau meint, die Zeit sei gekommen mit Hilfe der Freien Deutschland-Bewegung »to jockey for a good position in the coming struggle for influence in Germany«[166].

Endgültig rückte die Frage nach der Zukunft der deutschen Exilanten in Mexiko aber erst im Jahre 1944 ins Zentrum des Interesses der Geheimdienste, als sich mit den militärischen Erfolgen der Alliierten ein Sieg über Deutschland abzeichnet. Wer jetzt für FBI, ONI, G-2, OSS oder das State Department über die Geschichte oder die Aktivitäten der Freien Deutschen schreibt, beginnt oder schließt seinen Bericht meist so wie Lieutenant Colonel Cantwell C. Brown, der Assistant Military Attaché an der U.S.-Botschaft in Mexiko, im Herbst 1944: »Its [the Free Germany Movement] anti-fascist pro-Germany program makes it a nucleus for a potential factor in the international settlement of the post-war German problem... Up to the present, the Free Germany Movement has taken no definite action to propose a post-war

---

162 »Summary of Contents of ›Freies Deutschland‹, German-Language Monthly... for August and September, 1942, and related comment«, Memorandum der Division of the American Republics, Department of State, v. 22. 10. 1942, S. 1–2 (812.00B/768).

163 »›Free German‹ Movements in the Western Hemisphere«, Office of Naval Intelligence, Bericht v. 22. 12. 1942, S. 12, Anlage zu J.W.B. Waller, Office of the Chief of Naval Operations, Memorandum v. 24. 12. 1942 (Navy).

164 Rebecca Wellington, Foreign Activity Correlation, Memorandum an Mr. Berle v. 8. 1. 1943, S. 1 (862.01/1-843).

165 »Report by Office of the Naval Attaché of this Embassy Concerning Alemania Libre« v. 12. 4. 1943, S. 9, Anlage zu W. K. Ailshie, Third Secretary of Embassy, Embassy of the United States of America, Mexiko, Brief an Secretary of State v. 29. 4. 1943 (862.01/261).

166 Paul Scheffer, ohne Titel, S. 2, Anlage zu Emmy C. Rado, Office Memorandum an DeWitt Poole v. 5. 8. 1943 (OSS, 730).

plan for the handling of the German situation...«[167] Anhaltspunkte für die Pläne der Freien Deutschen sind dabei für Brown folgende »professed principles of the movement«: »(1) Aid to the Allies. (2) Unification of all antifascist Germans everywhere. (3) Restoration of a democratic form of Government in Germany, based on the Atlantic Charter. (4) Punishment of the Nazis responsible for the war. (5) Liberation of all the Nazi-dominated nations.«[168]

Zielsicher zitiert auch der Autor jenes bereits an anderer Stelle ausgewerteten FBI-Berichts aus Los Angeles vom 21. Oktober 1944 zum Thema »Free German Activities in the Los Angeles Area« aus einem längeren Brief Paul Merkers an Heinrich Mann vom 3. Juni genau jene Sätze, die sich auf die Zukunftspläne des Council for a Democratic Germany beziehen: »Our Committee considers the formation of this Council as a sign of progress for our cause. We are in complete agreement with their attitude toward the future of Germany.«[169] Und als C.C. Brown im Juni 1945 noch einmal auf Alemania Libre zurückkommt, beendet er nicht nur die Kurzbiographien der führenden Exilanten mit Sätzen wie »Subject [Anna Seghers] has indicated her willingness to return to Germany with her husband«[170], sondern meint jetzt auch in der Rubrik »Plans of Alemania Libre« zu wissen, »that the principal members are imbued with the desire to... occupy some post or voice in the government regardless of the form such government may take.« Da Alemania Libre von Kommunisten kontrolliert wird, sei freilich anzunehmen, »that any part that its members may take in the future government of Germany will be essentially in the interests of the Soviet«[171].

Die politischen Lageberichte des amerikanischen Militärattachés in Mexiko mögen weitgehend korrekt gewesen sein; sie basierten aber weniger auf harten Fakten als auf der Meinung eines einzelnen Beoachters. Wie und wo man möglicherweise Hand an solche Fakten legen konnte, demonstriert einmal mehr der Profi-Schnüffler J. Edgar Hoover. Daß Hoover dabei kein Weg zu weit war, belegt ein umfangreiches, »German Targets« überschriebenes Memorandum, das er am 13. April 1945, also noch vor Ende der Kriegshandlungen in Europa, an den Chief der Foreign Acitivity Correlation des State

---

167 Cantwell C. Brown, Assistant Military Attache, »Free Germany Movement in Mexico« v. 26. 9. 1944, S. 1 u. 11, Anlage zu Raleigh A. Gibson, First Secretary of Embassy, Embassy of the United States of America, Mexiko, Brief an Secretary of State v. 20. 10. 1944 (862.01/10-2044).

168 A. a. O., S. 2.

169 FBI-Report, Los Angeles v. 21. 10. 1944, S. 5 (FBI-Akte, Free German Activities in the Los Angeles Area, zitiert nach National Archives 862.01/11-1144). Vgl. auch Kießling, *Alemania Libre in Mexiko*. Bd. 2, S. 396-8.

170 Cantwell C. Brown, Assistant Military Attache, Memorandum, S. 41, Anlage zu Raleigh A. Gibson, First Secretary of Embassy, Embassy of the United States of America, Mexiko, Brief an Secretary of State v. 26. 6. 1944 (862.01/6-2645).

171 A. a. O., S. 2.

Department schickt. Die »Amtshilfe«, die er bei der Abteilung »European Aspects of Latin American Cases«[172] anfordert, wird auf Seite 61 des Dokuments so beschrieben: »At the present time there are located in the Western Hemisphere, particularly in Latin America, various individuals who are reported to have been prominently engaged in Communist and Soviet activities in France and Germany, prior to suppression of such activities by those governments... It is believed that there will be available from offical records maintained in France and Germany information of value with regard to general Communist activities and with regard to particular subjects of investigation who have been or are presently located in the Western Hemisphere. It is believed that attempts should be made to review all files and records of an official nature which would logically contain authentic information concerning Communism and prominent Communist figures who have been the subject of interest to the governments of France and Germany. In addition to the request for a review of official records in Europe for information of a general nature concerning Communism, separate request of a specific nature are being made for any information available concerning particular individuals.«[173]

Es lohnt, sich diese Passage noch einmal durch den Kopf gehen zu lassen. Was Hoover hier im Sinn hat, ist nämlich offensichtlich folgendes: Angestellte des State Departments sollen in seinem Auftrag die Archive der einschlägigen Behörden – Gestapo, Sicherheitsdienst der SS, Abwehr, Auswärtiges Amt usw. in Deutschland, politische Polizei und Vichy-Regierung in Frankreich – nach »authentischen Informationen« über die gemeinsamen Gegner im linken Lager durchwühlen. Das Motto ist dabei klar. Wer schon in Nazideutschland mit Heydrich und Himmler Proleme gehabt hatte oder in einem französischen Lager wie Le Vernet saß, der war und blieb auch für Hoover verdächtig. Und noch etwas deutet sich hier an: Das von der Frage nach Schuld und Sühne ungetrübte Interesse der amerikanischen Nachrichtenprofis, mit ihren deutschen und französischen Kollegen bei der Abwehr des neuen und alten Feindes im östlichen Lager zusammenzuarbeiten. Hoover nämlich hatte, wissentlich oder unwissentlich, recht mit seinem Respekt vor der Effizienz der deutschen Geheimpolizei und der einschlägigen Nazibehörden, deren Archive,

---

172 John Edgar Hoover, Memorandum an Frederick B. Lyon, Chief, Division of Foreign Activity Correlation, v. 13. 4. 1945, Vorbemerkung, o. S. (862.20210/4-1345).

173 A. a. O., S. 61. Ein identisch formuliertes, am 2. Dezember 1944 beim FBI abgestempeltes Blatt in der FBI-Akte von Egon Erwin Kisch legt nahe, daß Hoover schon früher mit dem Gedanken gespielt hat, deutsche und französische Archive nach Informationen über Kommunisten auszubeuten. Diese Vermutung wird dadurch bestätigt, daß der FBI-Boss die vorliegende Namenliste in seinem Anschreiben als »third supplementary volume of target material containing background data of various individuals and organizations« bezeichnet.

COMMUNIST ACTIVITIES

At the present time there are located in the Western Hemisphere, particularly in Latin America, various individuals who are reported to have been prominently engaged in Communist and Soviet activities in France and Germany, prior to suppression of such activities by those governments.

With regard to the Communist Party organizations in France and Germany, those Parties have been engaged in various activities of particular interest in determining Communist and Soviet objectives in those countries.

It is believed that there will be available from official records maintained in France and Germany information of value with regard to general Communist activities and with regard to particular subjects of investigation who have been or are presently located in the Western Hemisphere. It is believed that attempts should be made to review all files and records of an official nature which would logically contain authentic information concerning Communism and prominent Communist figures who have been the subject of interest to the governments of France and Germany.

In addition to the request for a review of official records in Europe for information of a general nature concerning Communism, separate requests of a specific nature are being made for any information available concerning particular individuals.

REPRODUCED AT THE NATIONAL ARCHIVES

Re: Walter Janka, with aliases
Walter Janke, Volter Janeka,
Walther Janka, Walther Janke,
Walther Jamka
(Communist Activities)

Place: Formerly a Communist Party functionary in Germany.
Formerly interned in Germany and France.

Background:

      Subject presently resides at Merida 213-3, Mexico, D.F., Mexico,
and is a member of the Executive Committee of the "Free Germany Movement,"
a Communist dominated organization which is being utilized to further the
Communist movement in Latin America and to unify opinion favorable to the
foreign policies of the Soviet Union with regard to Germany. Subject
is reported to have been a "Communist functionary" in Germany, was confirmed
to a concentration camp under the Hitler regime, and later escaped to Spain
to fight with the Spanish Republican Army during the Spanish Civil War, at
which time he served as a Communist Party "Political Commissar." Subsequently, subject was interned in a French concentration camp from which
he escaped, later going to Mexico.

Information Desired:

      Any data from official or other sources concerning subject's
background, Communist activities in Europe, and any information indicating
subject has acted in the capacity of a representative of the Third
International.

- 68 -

444

so sie nicht von den Alliierten zerbombt wurden, voll von wohl geordneten Informationen über genau jene Exilanten waren, die auch das FBI zwischen Mexiko, Los Angeles und New York beschatten ließ.[174]

Die mir vorliegenden Akten enthalten keine Hinweise, daß Hoovers Sammlung über das deutschsprachige Exil tatsächlich durch Funde bei Gestapo, SD und anderen europäischen Geheim- und Abwehrdiensten ergänzt wurde – von zwei Ausnahmen abgesehen: Einem mehrseitigen, auf Übersetzung von »certain Spanish Foreign Office Information«[175] basierenden Memorandum der U.S.-Botschaft in Madrid mit detaillierten bio-bibliographischen Angaben zu dreizehn deutschen Spanienkämpfern von Erich Arendt über Kantorowicz und Renn bis zu Uhse; und einem Aktenkonvolut der Polizeibehörde von Schanghai, in dem der Name Egon Erwin Kisch auftaucht. Wohl aber wissen wir, daß sich das FBI in Mexiko 1945/46 noch einmal auf erprobten Wegen mit Informationen über die Pläne der Freien Deutschen eingedeckt hat. Eine der Hauptquellen war dabei der Präsident von BFD und LAK persönlich, Ludwig Renn, der sich in einem Ende 1945 geführten Gespräch mit einem als »highly reliable Source C« beschriebenen Informanten u. a. vom Moskauer Nationalkomitee Freies Deutschland absetzt: »Renn explained that although the Moscow and Mexican Free German groups maintained cordial and sympathetic contact, there was no central direction by the Soviet Government of the two organizations; that while the Moscow Free Germans served a useful purpose during the war in showing the German people, by direct broadcasts and other means, the futility of the struggle against Russia and the other Allies, the aims of the Mexican group were more all-embracing in that they included such matters as the punishment of war criminals, the acquainting of the Latin-American public with the proper approach towards German problems, and the eradication of anti-Semitism within Germany.«[176]

---

174 Vgl. u. a. George O. Kent: *A Catalog of Files and Microfilms of the German Foreign Ministry Archives 1920–1945.* Hrsg. v. George O. Kent. Stanford: Hoover Institute 1962ff. Umfassende Arbeiten zum deutschsprachigen Exil, die sich auf Regierungs- und Geheimdienstarchive in Frankreich, England, Rußland, der Schweiz usw. stützen, gibt es meines Wissens noch nicht. Eine Studie des Verfassers zum Thema »Deutschen Exilanten in den Akten des Auswärtigen Amtes 1933 bis 1940« ist in Vorbereitung.

175 Edward P. Maffitt, Second Secretary of Embassy, Embassy of the United States, Madrid, v. 18. 3. 1948 (862.00B/3-1848).

176 Re: Alemania Libre, aka, Free Germany, Freies Deutschland, v. 7. 1. 1946, S. 19, Anlage zu John Edgar Hoover, Memorandum an Frederick B. Lyon, Chief, Division of Foreign Activity Correlation, v. 7. 2. 1946 (862.01/2-746). Vgl. auch den »confidential« gestempelten und »The Free Germans and the Allied Information Office« überschriebenen Bericht des OSS vom 1. 2. 1944, S. 1-2 (OSS, 984), in dem es u. a. heißt: »The Free Germans appear to have no direct connections either with Oumansky or with Tass. The sudden drop in Moscow publicity for the Free German Military Committee is on the whole welcomed by Free German leaders in Mexico who were surprised at the big publicity and what they feel

Entsprechend distanziert – und in Verzerrung der Chronologie – kommentiert der LAK-Chef denn auch die Auflösung des NKFD im Herbst 1945 so: »He asserted that even before the news of the dissolution of the Moscow Free Germany Movement the Mexican organization has given thought to changing its name, possibly to ›Neues Deutschland‹ (New Germany).«[177] Dennoch, so Renn weiter, liegen die alten Widersacher bei La Otra Alemania falsch, wenn sie »immediate socialism in Germany«[178] fordern. Was vielmehr von Nöten sei, referiert der FBI-Mann mit Bezug auf die neusten Hefte von *Freies Deutschland*, ist der rasche Aufbau der Demokratie in Deutschland »*under its own rule and without outside help*«. Denn die neue deutsche Demokratie könne laut FD nur getragen werden von, wie Hoovers Mann durch Unterstreichung warnend hervorhebt, »the *inner needs of German re-birth*«[179].

Eine andere Nachrichtenquelle, »Source C, who is closely associated with the members of the German colony in Mexico and especially the leading members of the Alemania Libre«[180], übermittelt im Frühsommer 1946 gar Interna direkt aus den letzten hoch besetzten Versammlungen der Parteizelle in Mexiko. Drei solche Treffen, bei denen jeweils ein Parteimitglied die wichtigsten Ereignisse des Monats zusammenfaßt und andere Exilanten Expertenbeiträge liefern (»Military Instrucions—Ludwig Renn... Political Theories—Alex Abusch, Laszlao Radvanyi..., Front Organizations—Bruno Frei (Freistadt)«[181]), haben nach »Source C« zwischen Januar und März 1946 stattgefunden. Zur Sprache sei dabei u. a. die schlechte Moral der amerikanischen Truppen in Deutschland gekommen, die enttäuscht sind, daß der Faschismus nicht gründlicher zerschlagen wird. Renn wiederholte die alte These von den Sozialisten »as traitors to the working class«[182]. Und Alexan-

---

was undesirable and uninformed comment in the U.S. at the time of its formation.« Kießling, *Alemania Libre in Mexiko*. Bd. 1, S. 215 übernimmt die zweifellos von Parteidisziplin mitbestimmten Verlautbarungen der KPD-Gruppe in Mexiko (»»mit besonderer Befriedigung betonen wir die völlige Einheit der Grundsätze und Kampfziele des Nationalkomitees mit unserem Aktionsprogramm...‹«) im Stil der DDR-Geschichtsschreibung der siebziger Jahre ein wenig zu kritiklos.

177 A. a. O. Nach Kießling, *Alemania Libre in Mexiko*. Bd. 1, S. 256 trafen sich die Mitglieder der KPD erst unmittelbar nach Bekanntwerden der Auflösung des NKFD am 3./4. November 1945 und beschlossen unter anderem, die Zeitschrift *Freies Deutschland* zu Beginn des nächsten Jahres in *Neues Deutschland* umzubenennen und die Arbeit der BFD entsprechend neu zu definieren.

178 A. a. O., S. 20.

179 A. a. O., S. 21.

180 Re: Alemania Libre, also known as Free Germany, Freies Deutschland, Nueva Alemania, Neues Deutschland v. 15. 4. 1946, S. 1, Anlage zu John Edgar Hoover, Memorandum an Frederick B. Lyon, Chief, Division of Foreign Activity Correlation, v. 10. 6. 1946 (862.01/6-1046).

181 A. a. O., S. 5.

182 A. a. O., S. 7.

der Abusch und Paul Merker forderten ihre Mitexilanten ausdrücklich dazu auf, sich aggressiv bei sowjetischen Behörden um die Rückkehr in die Sowjetische Besatzungszone zu bemühen.

Ob und in welchem Maße die amerikanischen Geheimdienste die Rückkehr der Exilanten behindert haben, ist nach dem derzeitigen Aktenstand nicht festzumachen. Keine Zweifel bestehen jedoch darüber, daß das FBI, das State Department und die militärischen Nachrichtendienste die Reisepläne der Hitlerflüchtlinge genau registrierten. »Source E« berichtet da von einem Exilantentreffen »during the evening of June 2, 1945«, bei dem Rückkehrwillige sich auf einer Liste eintragen konnten, »to be delivered to the Russian Embassy, thence to Moscow, where approval or disapproval would be given for their return.« An diesem Abend sei zudem offen davon gesprochen worden, »that the prominent German Communists would first return to the Russian occupied part of Germany and from there would infiltrate to the British, American, and French occupied zones for the purpose of carrying on Communist propaganda among the Germans«[183]. Über »Source H« erfährt das FBI, daß Renn und Merker sich zur gleichen Zeit mit der – anderslautenden – Nachricht an befreundete Organisationen gewandt hatten, daß das Lateinamerikanische Komitee mit einem »›Inter-Governmental Committee for Refugees‹« in London in Verbindung stehe, eine Entscheidung über die Rückkehr aber wohl noch zu warten habe »until the problem of democratic government and administration in Germany itself has been cleared up«[184]. Ein Jahr später, im April und Juni 1946, berichten wieder andere Nachrichtenquellen, daß Kisch und Otto Katz am 17. Februar nach New York abgefahren seien (»die Abreise von Theo, Andre Simone und Kisch ist von den dafür in Frage kommenden Kreisen finanziert worden«[185], schreibt Uhse dazu an Weiskopf nach New York) und Merker, der sich zunächst mit Hilfe eines Schreibens der Sowjetbotschaft um ein amerikanisches Transitvisum beworben haben soll, am 18. Mai in Manzanillo die »Gogol« in Richtung Wladiwostok bestiegen habe.

Dabei versteht es sich, daß amerikanische und mexikanische Behörden, die seit der Ankunft der Exilanten eng zusammengearbeitet hatten, auch jetzt

---

183 Re: Alemania Libre, aka, Free Germany, Freies Deutschland, v. 7. 1. 1946, S. 22, Anlage zu John Edgar Hoover, Memorandum an Frederick B. Lyon, Chief, Division of Foreign Activity Correlation, v. 7. 2. 1946 (862.01/2-746).
184 A. a. O., S. 23.
185 Bodo Uhse, Brief an Franz Weiskopf v. 4. 6. 1946, in Uhse/Weiskopf, *Briefwechsel*, S. 253.
186 Ludwig Renn, Tagebuch, Eintragungen vom 30. Januar bis 12. März 1947; zitiert nach Kießling, *Alemania Libre in Mexiko*. Bd. 1, S. 269. Vgl. dagegen Renns nicht gerade empfehlenswerte, *In Mexiko* überschriebene Erinnerungen, die den Eindruck entstehen lassen, daß die Exilanten genau über die Tätigkeit der U.S.-Botschaft als »größtem Spionagezentrum« (S. 13) der USA im Ausland informiert waren.

wieder Informationen austauschen – etwa als Ludwig Renn, Bruno Frei, Walter Janka und der Militärattaché der russischen Mission am 17. Februar 1947 von Coatzacoalcos aus auf der »Marshall Govorov« nach Europa aufbrachen und der berichterstattende Sekretär der U.S.-Botschaft seinem Protokoll für Washington die offensichtlich von den Mexikanern weitergegebene Passagierliste des russischen Dampfers beilegt. Eine Eintragung in Ludwig Renns Tagebuch deutet an, daß die Exilanten bis zum Tag ihrer Abreise nur ahnten, wie eng das Netz war, das die amerikanischen Geheimdienste und ihre einheimischen Helfer seit Jahren über sie gezogen hatten: »Die Amerikaner suchten nach mir«, beschreibt Renn seine letzten Stunden in Mexiko, »aber vergebens, weil die mexikanischen Behörden dichthielten, obwohl sie bis hinauf zum Außenminister und Innenminister und dem örtlichen General von Coatzacoalcos wußten, wo ich war, und obwohl in beiden Ministerien je zwei nordamerikanische Beamte zur Überwachung saßen, natürlich isoliert und gehaßt von allen nichtbestochenen Mexikanern.«[186]

Vier Wochen später, am 4. Juni 1947, stehen die Namen Leo Zuckermann (»gangster type... engaged in false passport and visa racket..., one of the two GPU agents who ordered the liquidation of certain members of the International Brigade in Spain«), Rudolf Feistmann (»probably GPU agent«) und »Günther Ruschin« (»German Communist,... refused transit visa for him and family by Department under Public Safety Provisions«) in den Schiffspapieren der »Govorov« und die U.S.-Botschaft meldet lakonisch – und, wie so oft, nicht ganz korrekt: »The general exodus to Germany via Russian Ports began on May 17, 1946 (Embassy Despatch No. 29561 of May 22, 1946)... there remain in Mexico of the former important figures in the Free Germany Movement only Bobo Uhse and Hannes Meyer.«[187]

187 S. Walter Washington, First Secretary of Embassy, Embassy of the United States of America, Mexiko, Brief an Secretary of State v. 4. 6. 1947, S. 1-2 (800.00B/6-447).

Dossiers

Anna Seghers

Anna Seghers gehört zu jenen Autoren, die es ihren Biographen nicht leicht machen. Viele Jahre existierten nur wenige Fakten über ihr Elternhaus und ihre Jugend in Mainz, obwohl gerade hier – im Gegeneinander von bürgerlicher Geborgenheit und Sehnsucht nach einem abenteuerlichen, ungewöhnlichen Leben – ein Schlüssel für die Grundstimmungen fast aller ihrer Werke liegt.[1] Immer wieder werden Texte von Anna Seghers entdeckt, die die Autorin vergessen hat oder an die sie sich, aus welchen Gründen auch immer, nicht mehr erinnern will, darunter die Geschlechtertauschgeschichte »Der sogenannte Rendel«, die jüngst nach mehr als vierzig Jahren zum ersten mal wieder abgedruckt wurde.[2] Undurchsichtig wirkt das in dem Exilroman *Transit* fiktionalisierte Verwirrspiel der Netty Reiling, verheiratete Radvanyi alias Anna Seghers mit ihrer Identität, wenn auf Manuskripten bisweilen Namen wie Peter Conrad und Eve Brand auftauchen und Briefe je nach Bedarf mal mit Netty, mal mit Anna oder auch mit Seghers-Radvanyi unterzeichnet werden.[3] Und bis heute fallen gestandene Seghers-Experten auf die Legenden herein, die die Exilantin seit den vierziger Jahren über das Manuskript ihres Romans *Das siebte Kreuz* in die Welt gesetzt hat, dessen letzte Kopien an der Maginolinie bei einem Übersetzer bzw. bei einer Nazi-Razzia in Paris bzw. bei einem Bombenangriff verloren gegangen sein soll, während Anna Seghers doch genau wußte, daß ein Exemplar sicher in New York bei F.C. Weiskopf lag.[4]

Die Reihe der verdrängten Fakten, Legenden und kleinen oder größeren Ungereimtheiten ließe sich mühelos verlängern bis ins mexikanische Exil und, wie sich nach der Auflösung der DDR wohl bald herausstellen wird, bis in die Zeit nach 1947. Kaum ein Fleck, vielleicht mit Ausnahme des letzteren, ist freilich so blind geblieben wie das Thema ›Anna Seghers und die

---

1 Abhilfe hat jetzt geschaffen *Anna Seghers. Eine Biographie in Bildern*. Hrsg. v. Frank Wagner u. a. Berlin: Aufbau 1994.

2 Alexander Stephan: *Anna Seghers im Exil. Essays, Texte, Dokumente*. Bonn: Bouvier 1993, S. 56ff. (=Studien zur Literatur der Moderne, 23). In diesem Buch erschien u. a auch eine leicht veränderte Fassung des vorliegenden Kapitels.

3 Wie weit Anna Seghers bisweilen das Spiel mit ihrem Namen trieb, belegt u. a. der Briefwechsel mit F. C. Weiskopf aus dem französischen Exil, wo sich mehrfach Passagen wie die folgende finden: »Ruth hat mir gesagt, daß für uns diese mexikanischen Visa da sind, aber nicht für Netty, nur für Anna. Ich weiß noch nicht, ob es mir gelingt, diese Sache zu regeln. Auch Ihr müßt unbedingt schreiben, um Netty zu identifizieren« (Anna Seghers, Brief an F. C. Weiskopf v. 30. September [1940]. In »Anna Seghers. Briefe an F. C. Weiskopf«, S. 17).

4 Vgl. »Anna Seghers. Briefe an F. C. Weiskopf.«

USA‹. Nur am Rande erwähnen die Seghers-Biographien den Erfolg, den *The Seventh Cross* zwischen 1942 und 1945/6 beim Book-of-the-Month Club und bei der U.S.-Armee, als Hollywood-Film und als Comic Strip hatte. In keiner Bibliographie sind die zahllosen Nachdrucke des Romans in amerikanischen Tageszeitungen und Zeitschriften und die Braille-Ausgabe für Blinde erwähnt. Gerüchtehalber ist von einer verschollenen Dramatisierung der Geschichte von Georg Heisler die Rede, die – faßt man genauer nach – gleich in zwei verschiedenen Versionen in einem U.S.-Archiv zu finden ist und in der politisch und formal agressive Bilder entworfen werden wie das von einem »J. Edgar Himmler«.[5] Die Konditionen der Verträge mit Little, Brown in Boston und Metro Goldwyn Mayer in Los Angeles, aus denen sich manches über die finanzielle Lage der Familie Radvanyi im mexikanischen Exil und nach der Rückkehr in die SBZ ableiten ließe, werden ignoriert oder sind unbekannt. Ja, noch nicht einmal die simpelsten Fakten zum Fluchtweg der »Ungarin« über Ellis Island nach Mexiko und von dort via Laredo, Texas, zurück nach Berlin waren lange Zeit bekannt, obwohl man doch nur beim amerikanischen Immigration und Naturalization Service um eine Kopie der entsprechenden Formulare zu bitten braucht: Einreise am 16. Juni 1941, steht dort durch Stempel, Unterschrift und Fingerabdruck verbürgt,[6] an Bord der SS Borinquem[7]; Abfahrt nach Mexiko am 25. 6. mit der SS Monterey;[8] Rückreise aus Mexiko über Laredo und New York City am 7. Januar 1947.[9]

Interessanter noch als solche verstreuten Fakten ist freilich ein in den USA befindlicher Aktenbestand, von dessen Existenz Anna Seghers selbst nichts geahnt haben mag:[10] das nahezu 1.000 Blätter umfassende Dossier, das das Federal Bureau of Investigation mit Unterstützung von verschiedenen U.S.-Geheimdiensten und Regierungsstellen während der vierziger Jahre zu Anna Seghers angelegt hat. Interessant aus zwei Gründen: Zum einen, weil es hier in bester Manier von Spionage- und Kriminalreißern um abgefangene Briefe und Nachrichten in unsichtbarer Tinte, um geheimnisvolle, kodierte Botschaften und tote Briefkästen, um Einbrüche, Mord und natürlich – wie hätte es bei J. Edgar Hoover anders sein sollen – um die Bedrohung der Demokratie

---

5 Undatiertes Manuskript im Nachlaß von Viola Brothers Shore, S. 2. American Heritage Center, University of Wyoming, Laramie, USA.

6 Anna Seghers, Alien Registration Form v. 7. 3. 1941 (INS).

7 Vgl. John A. Butler, U.S. Naval Attache, Intelligence Report, Ciudad Trujillo, Dominican Republic v. 26. 8. 1941 (800.00B Ratvanyi, Laslo/4).

8 Anna Seghers, Alien Registration Form v. 7. 3. 1941 (INS).

9 Anna Seghers, Alien Registration Foreign Service Form v. 13. 11. 1946 (INS).

10 Vgl. Anna Seghers' Brief v. 24. 8. 1944 an Kurt Kersten, in dem sie davon schreibt, daß »nach allen mathematischen und zensoristischen Gesetzen« der Postweg »zu Dir... ungefähr so lang wie von Dir zu mir« sei (Report of the FBI Laboratory an SAC, New York, v. 26. 9. 1944; Segehers' Brief wird zitiert mit Genehmigung der Kurt Kersten Collection, Leo Baeck Institute, New York).

und des American Ways durch die rote Gefahr geht. Interessant zum anderen, besonders für den Literaturhistoriker, weil sich in den Akten des FBI eine nicht unerhebliche Zahl von Briefen und Hinweisen auf die Lebens- und Arbeitsbedingungen der Exilanten sowie Kopien von Manuskripten findet, von denen eines der Seghers-Forschung meines Wissens bislang nicht bekannt war.

Umfang und Form der FBI-Akte von Anna Seghers sind rasch beschrieben. 833 Blätter seien im Archiv der Behörde erhalten, meldete auf Anfrage hin Emil P. Moschella, Chief der Freedom of Information-Privacy Acts Section bei der Records Management Division des Bureaus. 730 Seiten dieses Materials wurden nach langem Warten 1985 an mich freigegeben. Weitere gut 100 Blätter befinden sich in verschiedenen Abteilungen der National Archives in Washington; zwei Akteneinheiten mit vier Seiten stellte der Immigration and Naturalization Service zur Verfügung. 26 Dokumente schließlich wurden erst nach nochmaligem mehrjährigen Warten vom FBI ausgehändigt, weil zuvor andere Behörden ihre Erlaubnis geben mußten. Ingesamt 109 Einheiten werden mit Bezug auf Title 5, Section 552 der Freedom of Information-Privacy Acts bzw. »sealed under court order in connection with pending litigation«[11] zurückgehalten. Hinzu kommt, daß zwischen den ausgelieferten Dokumenten mal einzelne Blätter, mal hunderte von Seiten der einschlägigen Bestände überschlagen werden, weil sie, so die lakonische Anmerkung des Zensors, sich nicht direkt auf Anna Seghers beziehen – eine Praxis, die es oft verhindert, sinnvolle Zusammenhänge zwischen den vorgelegten Akten herzustellen. Nicht mehr zu konstruieren ist der Umfang des Materials, das seit den vierziger Jahren aufgrund verschiedener administrativer Maßnahmen vernichtet wurde. Hierzu gehören neben allerlei Durchschlägen und Kopien, die das FBI bei der periodischen Durchsicht seiner Archivbestände zerstörte,[12] die vom Office of Censorship abgefangene Korrespondenz von Anna Seghers aus den Jahren 1942/43 sowie die entsprechenden, routinemäßig angefertigten Zusammenfassungen und Übersetzungen der Zensurbehörde. Und natürlich hat das FBI auch im Fall von Anna Seghers alle Dokumente vor der Freigabe einer detaillierten und kenntnisreichen ›Bearbeitung‹ unterzogen.

11 FBI, FOIPA Deleted Page Information Sheet, 100-342424-7.
12 Ohne Angabe von Gründen wurden z. B. im Mai 1958 (FBI-Report, New York v. 8. 11. 1944), März 1963 (FBI-Report, Washington v. 9. 10. 1945) und vor allem im März 1973 Unterlagen, darunter Exemplare von *The Seventh Cross* in der Bureau Library (»Analytical Summary« [Correlation Summary] v. 26. 3. 1973, S. 2) vernichtet. Die weitaus größte Vernichtungsaktion im Jahre 1973 ist auch die am besten dokumentierte: eine mehr als 150 Seiten umfassende »Analytical Summary« (a. a. O.) der Seghers-Akte listet minutiös die Registraturnummern aller zerstörten Akten auf. Unklar ist auch, warum bestimmte Dokumente bereits vor meinem FOIPA-Antrag mit dem Stempel »Declassified by NARS guidelines« versehen worden sind (z.B. Postal Censorship v. 16. 2. 1944 oder J. P. Wolgemuth, Office of Censorship, Memorandum an John Edgar Hoover, FBI, v. 7. 10. 1944) bzw. Vermerke wie »Not recorded Jan 10 1950« (FBI-Report, New York v. 26. 6. 1943) enthalten.

An der Materialsammlung über Anna Seghers beteiligt waren auf Seiten des FBI neben der Zentrale in Washington vor allem die Field Offices in New York und in Mexiko, in geringerem Maße die FBI-Büros in Boston und Los Angeles. Mehr oder weniger systematisch wurden Informationen zusammengestellt von der U.S.-Botschaft in Mexiko-Stadt und der Division of American Republics des Department of State, dem Immigration and Naturalization Service, und dem in Lateinamerika mit dem FBI zugleich kooperierenden und konkurrierenden Office of Naval Intelligence, der Military Intelligence Division der Armee und, nach 1945, der CIA.[13] In Zusammenarbeit mit dem FBI übernahm die Abteilung Postal Censorship des Office of Censorship die Überwachung der Post von Anna Seghers und leitete nahezu alle abgefangenen Materialien an das FBI Laboratorium weiter, wo Umschläge und Briefpapier »were examined for secret ink by means which would not alter their appearance with negative results«[14]. Agenten des FBI drangen in die Wohnungen von Verdächtigen ein,[15] stellten Skizzen, Lagepläne und Fotos her. Wo immer es Hoover und seine Männer für nötig hielten, wurden Telephone abgehört oder Personen beschattet. Ein kleines Heer von FBI-Angestellten war damit beschäftigt, systematisch verdächtige und unverdächtige Publikationsorgane auszuwerten, mit denen Anna Seghers in Verbindung stand, darunter Zeitungen wie den *Daily Worker* und die *New York Times*, Zeitschriften wie *New Masses* oder auch einfach Vorankündigungen und Prospekte von Verlagen wie Little, Brown und Aurora. Dabei versteht es sich, daß Druckschriften aus Rußland (*Ogonok*, *Moscow News*, *Internationale Literatur*) und Exilzeitschriften (*Freies Deutschland*, *Demokratische Post*, *Aufbau* und *German-American*) besondere Aufmerksamkeit auf sich zogen.[16] Beamte verschiedener U.S.-Regierungsstellen nahmen sich die Zeit, bei den lokalen Behörden auf Martinique Informationen über die Ein- und Ausreise der Familie Radvanyi einzuholen, Hilfskomitees in New York auszuforschen oder auf

---

13 Die »Correlation Summary« vom März 1974 ist dementsprechend den folgenden Dienststellen vorgelegt worden: »S-1 is ONI, S-2 is MID, S-3 is Navy, S-4 is State, S-5 is CIA, S-6 is G-2, S-7 is Army, S-8 is DIA« (»Correlation Summary« v. 8. 3. 1974, S. 1).

14 Zum Beispiel Report of the FBI Laboratory an SAC, New York, v. 5. 5. 1944.

15 »Break-ins« fanden u. a. beim Joint Anti-Fascist Rescue Committee im Januar 1943 und bei der League of American Writers im Dezember 1941 statt (Theoharis/Cox, *The Boss*, S.14-5, 440).

16 So meldet ein »Press and Publications Report« überschriebenes Formular des Office of Censorship am 7. November 1944 nicht nur, daß die »VOKS (All-Russian Society For Cultural Relations With Foreign Countries) in Moscow, USSR« »Nos. 25-26 and 26-29, 1944« von »OGONEK, literary weekly published in Moscow, USSR« an »Frau (Mrs.) Anna Seghers, Heinrich-Heine-Club, Apartado 9246, Mexico, D.F.« geschickt habe, sondern auch, daß sich die Sendung »in two separate open covers« in »Transit Sacks 963 and 965« an Bord der S.S. Dalstroi »going from Moscow to Mexico City« (Office of Censorship, Press and Publication Report v. 7. 11. 1944) befunden habe.

kulturellen Veranstaltungen des Heinrich Heine Clubs in Mexiko und Versammlungen von Exilanten Anna Seghers' Vorträgen zuzuhören. Spitzel, von denen einige offensichtlich aus Emigrantenkreisen stammten, lieferten beim FBI Berichte und Unterlagen aller Art ab: Namenlisten aus dem Hauptquartier des Joint Anti-Fascist Refugee Committee, Informationen zur Beziehung zwischen Anna Seghers und Egon Erwin Kisch (»nothing of particular interest«[17]); den – falschen – Hinweis, daß Hanns Eisler die Filmmusik für *Das siebte Kreuz* schreibe;[18] oder auch analytische Hintergrundberichte wie »Source C, who is personally acquainted with Anna Seghers, states that the influence of her husband contributes largely to her remaining a Communist for inwardly she detests violence and fanatical Communist action«[19]. Immer wieder brachte man im New York Field Office, das den Fall Seghers federführend bearbeitete, oder im Washingtoner Hauptquartier des FBI die Ermittlungen durch detaillierte Zusammenfassungen, Zwischenberichte und Querverweise unter den Akten auf den letzten Stand. Und natürlich schaltete sich auch im Fall von Anna Seghers der allmächtige J. Edgar Hoover bisweilen persönlich in die Untersuchungen ein. So etwa Ende 1943 mit einem Memorandum an den Alien Property Custodian, das nach allerlei, z. T. fehlerhaften biographischen Details in der Nachricht gipfelt, Anna Seghers habe am 7. November 1942 »upon occasion of the twenty-fifth anniversary of the October Revolution« »greetings to Russia«[20] geschickt.

Ausgelöst worden war das Interesse der amerikanischen Behörden an Anna Seghers im Jahre 1940 durch jene bereits mehrfach erwähnte öffentliche Kontroverse über den Versuch des mexikanischen Gewerkschaftsführers Vincente Lombardo Toledano, mit Unterstützung des Präsidenten von Mexiko, Lázaro Cárdenas, eine Gruppe von deutschen Exilanten mit Notvisen auszurüsten und aus Frankreich nach Mexiko zu bringen. Fast genau acht Monate nach diesem ersten, aus nicht vollständig geklärten Gründen fehlgeschlagenen Versuch Toledanos, informiert die FBI-Zentrale ihre Zweigstelle in New York dann mit Bezug auf »information received confidentially«, daß sich Anna Seghers und andere »camouflaged Communist agents« auf dem Weg in die USA befänden. Wie wenig Rücksicht man dabei auf die veränderte politische Landschaft in Europa nimmt, deutet sich darin an, daß

---

17 Informantenbericht v. 18. 8. 1943. In: »Correlation Summary« v. 8. 3. 1974, S. 21. Kisch gehörte neben Bodo Uhse und Gerhart Eisler zu den wenigen Personen, deren Namen vom FBI-Zensor vor der Freigabe der Akten nicht ausgeschwärzt wurden.

18 Informantenbericht (»highly confidential source«) v. Januar 1944, in a. a. O., S. 26.

19 »Analysis of the Membership of Alemania Libre«, S. 40, Anlage zu Raleigh A. Gibson, First Secretary of Embassy, Embassy of the United States of America, Mexiko, Brief an Secretary of State v. 26. 6. 1945 (862.01/6-2645).

20 John Edgar Hoover, Brief an Lee T. Crowley v. 25. 9. 1943 (Anlage). Vgl. dazu Anna Seghers' Beitrag zu »Pay Tribute to Soviets.« In: *Daily Worker* (New York) v. 7. 11. 1942.

der Bericht als Ausgangspunkt dieser »communist agents« »Berlin«[21] nennt. Weitere drei Monate später spricht ein »strictly confidential« überschriebener, neunseitiger Report des State Departments dann von dem Versuch von »four... German-born Jews«[22], unter ihnen Gerhart Eisler, über Ellis Island nach Mexiko zu gelangen. Toledano, ein Jahr zuvor ohne politische Pejorativa zitiert, wird plötzlich als »alleged Communist«[23] bezeichnet, bis wenig später auch das einschränkende Adjektiv wegfällt. Ungefähr aus derselben Zeit stammt jene anonyme, von der Botschaft in London weitergereichte Denunziation, in der neben Klaus und Erika Mann auch »Dr. Ratvanij and his wife Anna Segers« als »camouflaged Communist agents«[24] angeschwärzt werden.

Ähnlich geht es in den folgenden Jahren weiter. Allein die Tatsache, daß sich ein Rechtsanwalt im Namen des Exiled Writers Committees der beim FBI als »Communist... organization«[25] geführten League of American Writers um die auf Ellis Island internierte Familie Seghers kümmert,[26] reicht aus, um die Kommunistenjäger in Alarmbereitschaft zu versetzen.[27] Das gleiche geschieht, als die Gruppe Eisler/Daub – ebenfalls auf Ellis Island – vom Spanish Refugee Aid Committee Rechtshilfe in Anspruch nimmt[28] und die Hitlerflüchtlinge Benedikt Freistadt und Alfred Kantorowicz die League of American Writers als Kontaktadresse angeben.[29] Und natürlich sorgt der »bi-

21 FBI-Report, New York v. 26. 6. 1943, S. 3.
22 »Re.: Gerhart Eisler and Others«, Department of State, Foreign Activity Correlation v. 24. 7. 1941, S. 1 (862.20211/3242, Confidential File PS/BJH).
23 A. a. O., S. 3.
24 Anlage zu A. M. Thurston, Memorandum an Mr. Foxworth v. 19. 5. 1941 (FBI-Report, Klaus Mann).
25 »Re.: Gerhart Eisler and Others«, Department of State, Foreign Activity Correlation v. 24. 7. 1941, S. 6 (862.20211/3242, Confidential File PS/BJH).
26 FBI-Report, New York v. 26. 6. 1943, S. 7. Vgl. zu Anna Seghers' Abhängigkeit von der League auch einen Brief an Bodo Uhse vom 1. Juni 1941: »Wir haben inzwischen immer noch keinen Cent von der League und keine Antwort auf unsere Telegramme. Versuch doch von Dir aus einen Druck auszuüben. Das ist ja eine teuflische Lage« (Netty [d. i. Anna Seghers], Brief an Bodo [Uhse] v. 1. 6. [1941], Anna-Seghers-Archiv, Akademie der Künste, Berlin).
27 Vgl. dazu die folgende Passage aus dem Verhör von Hans Marchwitza vor dem Board of Special Inquiry auf Ellis Island am 30. Juni 1941 (S. 12-3): »Q[estion]. What is your name? A[nswer]. Franklin Folsom...Q. Did you appear at this station June 20th or thereabouts and testify in the matter of the Radvani family? A. I did. Q. You may recall Mr. Folsom that that family were nationals of Hungary? A. I do. Q. And that they were denied admission into the U.S. and were given transshipment privilege to proceed to Mexico City? A. Yes. Q. I believe on Saturday, June 21st, the family was placed on board ship to enable them to proceed to Mexico City. A. I am not clear on the date. Q. Since then you may have learned that Hungary has entered this present conflict in Europe? A. Yes, I have seen the news« (INS-Akte, Hans Marchwitza).
28 »Re.: Gerhart Eisler and Others«, Department of State, Foreign Activity Correlation v. 24. 7. 1941, S. 1 (862.20211/3242, Confidential File PS/BJH).
29 A. a. O., S. 2.

monthly report on Communist Activities« des Consulate General in Mexiko-Stadt dafür, das Mißtrauen verschiedener Behörden zu verstärken – etwa durch eine beigefügte »list of all the individuals who, in any of the papers in our files, are mentioned as being part of this group of Communists«[30]. Wie nicht anders zu erwarten, finden sich auf dieser Liste zusammen mit nahezu der gesamten Prominenz des mexikanischen Exils auch die Namen »Anna Seghers (or Segers) aliases: Netty Hatwanny, Netty Radvaniji«, »Anna Skher (writer)« und »Dr. Radvaniji«. Kopien von Bericht und Namenliste gehen an FBI, ONI, G-2 und den Immigration and Naturalization Service.

Bleiben wir noch für einen Augenblick bei der Frage von Visa, Transit und Einreise in die USA. Die Vereinigten Staaten, das ist spätestens seit der Publikation bzw. Öffnung der aus Frankreich und von Ellis Island geschriebenen Briefe von Anna Seghers und ihrem Mann an F.C. Weiskopf und Wieland Herzfelde[31] bekannt, waren ursprünglich als erstes Zufluchtsland von Anna Seghers in Betracht gezogen worden. Wenn die Familie Radvanyi dann doch nach Mexiko ging, hatte das zwei Gründe: Zum einen vermochten das Joint Anti-Fascist Refugee Committee[32] und die League of American Writers[33] den Frankreich-Flüchtlingen zwar finanzielle Unterstützung bei der Beschaffung der Schiffspassagen nach Übersee zu gewähren, es konnte aber keine Einreisevisa in die USA garantieren. Zum anderen wurden Anna Seghers und ihren Mitflüchtlinge damals in den Unterlagen der entsprechenden Behör-

---

30 A. a. O., S. 6.
31 »Anna Seghers. Briefe an F. C. Weiskopf«; Seghers/Herzfelde, *Ein Briefwechsel 1939-1946.*
32 Am 6. Juni 1942 schickte das Office of Censorship einen neunseitigen Bericht an das State Department, der eine vom Joint für die Zensurbehörde angefertigte Liste von Personen enthält, die bisher aus Europa gerettet wurden bzw. mit denen das Joint in den französischen Internierungslagern Kontakt besaß. »Hatwanny, Netti, alias Anna Seghers« steht mit dem Vermerk »Stalinist writer who appears from a recent postal intercept to be connected with Alemania Libre and with Liga Pro Cultura Almania« (Fulton H. Creech, Commander, United States Navy Reserve, Memorandum an Captain Fenn v. 26. 5. 1942, S. 8, Anlage zu [unleserlich], Assistant Director, Division of Reports, Office of Censorship, Brief an George A. Gordon, State Department v. 6. 6. 1942 [811.00B/2076]) auf der einen, Franz Dahlem, Rudolf Leonhard und 34 weitere Exilanten stehen auf der anderen Liste. Ein zweiter, umfangreicherer Bericht zum Joint, der sich in den National Archives befindet, nennt am 26. Januar 1943 mit Bezug auf eine »confidential source« eine Summe von $75.000, um 50 oder 70 »»comrades'« aus den französischen Lagern zu retten (Joint Anti-Fascist Refugee Committee, 26. Januar 1943, S. 12; vgl. auch S. 24 [811.00B/2096]).
33 »Die League hat auf ein Schreiben von Bodo als wir hier ankamen, geantwortet«, berichtet Anna Seghers am 20. August 1941 an F. C. Weiskopf nach New York, »da sie bereit ist die in Marseille verbliebenen 200 doll fuer mich zu ersetzen...« (F. C. Weiskopf Sammlung, Akademie der Künste, Berlin) – eine Entscheidung, die offensichtlich zu erheblichen Verstimmungen zwischen Anna Seghers und Weiskopf führte (»In your letter I am straightly accused of fraud...My first feeling when reading your letter was the bitter regret that I did not perish in Europe, that I had to live to see such things here« [Anna Seghers, Brief an F. C. Weiskopf v. 27. 11. 1941, a. a. O.]).

den, einschließlich des Chief Supervisors and Supervisors of Special Inspections Division des Immigration and Naturalization Service, New York, bereits als »camouflaged Communist«[34] geführt – eine Tatsache, die jeden Versuch, in den USA Asyl zu finden, erheblich erschwerte, wenn nicht hoffnungslos machte: »...Anna Seghers is the pen name of Frau Radvanyi«, steht da in den Akten der Einwanderungsbehörde in jener typischen Mischung aus Dichtung und Wahrheit, »who, in December of 1940, was a member of a commission attached to the International Bureau of Revolutionized Proletarian Writers, for the purpose of managing the finances and policies of the organization of the Communist Party in Great Britain... in 1932 her name appeared as a member of the Committee of the Anti-War Congress, to be held in Geneva in July, 1932. In 1933 she was reported as one of the collaborators in the publication of the weekly German paper, ›The Antifaschistische Front‹, published by the Central Committee of the ›Unions de Travailleurs Anti-Fascistes d'Europe‹.«[35]

Wer mit der bis in die frühen zwanziger Jahre zurückgehenden antikommunistischen Einstellung von FBI und INS vertraut ist, wird sich nicht wundern, daß Anna Seghers und ihrer Familie nach derartigen Attacken trotz Petitionen des Exiled Writers Committees[36] und des renommierten Verlages Little, Brown[37] von der Einwanderungsbehörde auf Ellis Island die Erlaubnis verweigert wurde, auch nur für wenige Wochen in den USA zu verbleiben. Die offizielle Begründung für die Entscheidung des INS jedenfalls – »defective vision of the child, Ruth Radvanyi«[38] -, die nicht zufällig durch das Wort »partially« eingeschränkt war, dürfte wohl nur ein Vorwand gewesen sein,[39]

---

34 FBI-Report, Washington v. (unleserlich) November 1941, S. 6.
35 A. a. O.
36 FBI-Report, New York v. 26. 6. 1943, S. 6.
37 D. A. Cameron, Brief an den Inspector of the Port of New York, Ellis Island, New York, v. 11. 6. 1941 (Archiv des Verlages Little, Brown, Boston).
38 FBI-Report, New York v. 26. 6. 1943, S. 7.
39 Anna Seghers und Laszlo Radvanyi beschreiben F. C. Weiskopf im Juni 1941 in mehreren Briefen von Ellis Island aus die Situation folgendermaßen: » Da stellt sich ein Offizier, von dem ich nachher höre, er ist Schiffsarzt, vor die Ruth, starrt sie sekundenlang an ohne etwas zu sagen, u die Ruth blinzelt. Sie blinzelte, weil sie müde war, kurzsichtig wie ich ist u der Mann sie anstarrte. Darauf schreibt der Mann auf einen Zettel (ohne Untersuchung oder irgend auch nur ein Wort an das Kind zu richten): Das Kind leidet an ›disease of the central nervous system‹« (»Anna Seghers. Briefe an F. C. Weiskopf«, S. 43-4). »Figure-toi notre surprise«, ergänzt Laszlo Radvanyi den Bericht seiner Frau, »quand nous sommes quelques heures après de nouveau appelé à la commission d'immigration où on nous lit le verdict suivant: (je te donne l'essence du verdict): ›1. On vient de recevoir le rapport de l'hôpital, lequel constate une myopie; alors notre Ruth *est non seulement malade du système nerveux mais aussi myope* – et c'est pourquoi nous ne pouvons pas entrer aux Etats Unis. 2. Nous sommes accusés d'avoir caché devant les autorités la maladie de Ruth – et c'est pourquoi nous sommes condamnés de ne pas pouvoir jamais entrer aux Etats Unis sans

um die politisch verdächtige Familie außer Landes zu halten. »Unsolicited information has been received at this office to the effect«, meldete damals ein INS-Offizieller wohl unter Berufung auf die Denunziation aus London direkt an Außenminister Cordell Hull, »that Dr. Radvanij... was a former director of the Communist worker's college called Marxistische Arbeiterschule... and... is supposed to be called for lectures at the Harvard University... Anna Segers... was known in Germany as a Communist writer and columnist.«[40] Ähnlich erinnert sich Franklin Folsom, jener Mann, den die League of American Writers damals zur Unterstützung der Familie Radvanyi auf die ›Insel der Tränen‹ geschickt hatte: »On Ellis Island I watched her sign the contract for her book... *The Seventh Cross*...and learned why she was being detained. An Immigration Service doctor had said her teenage daughter had ›an incurable disease of the central nervous system.‹... The fact was that the girl, who had been a hunted – and haunted – refugee for years, had a tic. Her face twitched a little. The examining doctor observed this from a distance of twenty feet, never closer, and the result was that she and her left-wing mother could not take asylum in the United States.«[41] So oder so – Anna Seghers wird mit Mann und Kindern – »citizens of Hungary, and of the Hebrew race... and... traveling on passport visas 200, 201, 202, 203, issued at Marseilles, France in July, 1941«[42] – nach einigen Tagen zur Weiterreise gezwungen: »After the hearing the Radvanyis were excluded from admission to the United States... The... family was sent to Mexico on the SS Monterey on June 25, 1941, bound for the port of Vera Cruz.«[43]

Normalerweise hätte die Seghers-Akte beim FBI mit der Abreise der Familie Radvanyi aus den USA geschlossen werden müssen. Da das Bureau jedoch inzwischen von Roosevelt die Erlaubnis erhalten hatte, seinen Operationsbereich auf die gesamte westliche Hemisphäre, also auch Mittel- und Südamerika auszudehen, bleiben Anna Seghers und ihre Mitexilanten in Mexiko weiter im Visier von Hoovers Informationssammlern. Und gesammelt, ausgewertet und katalogisiert wird fortan alles, was dem FBI unter die Finger kommt.

---

une permission spéciale du Département de Justice de Washington. 3. Nous sommes ›excluded‹ des Etats Unis. (Cet expression juridique est la condamnation la plus grave dans ces affaire d'immigration...« (Laszlo Radvanyi, Brief an F. C. Weiskopf v. 25. 6. 1941 [F. C. Weiskopf Sammung, Akademie der Künste, Berlin]; Rechtschreibung und Grammatik in diesem Zitat folgen dem Original).

40 Lemuel B. Schofield, Special Assistant to the Attorney General, Brief an Cordell Hull, Secretary of State, v. 2. 8. 1941 (800.00B Ratvanyi, Laslo/2).

41 Folsom, *Days of Anger, Days of Hope*, S. 51 u. Interview mit dem Verfasser am 22. 11. 1994 in New York.

42 FBI-Report, New York v. 26. 6. 1943, S. 6.

43 A. a. O., S. 7.

Eher trivial mutet da noch die Mitschrift eines Angehörigen der U.S.-Botschaft in Mexiko-Stadt vom 18. August 1941 von einem Seghers-Vortrag im »Bellas Artes« Theater zum Thema »German Writers Look at the War« an: »The import of her statement... dealt in terms of praise for the work of the ›Committee to Aid Exiled Writers‹ which had obtained a visa for her emigration to America... the audience, consisting of about five hundred people, principally American tourists who appeared to be of Jewish extraction«.[44] Kenntnisreicher wirkt im Oktober desselben Jahres eine per handschriftlichem Vermerk von einem Vorgesetzten als »good memo« gelobte, vierseitige Zusammenfassung des ersten Jahrgangs von *Freies Deutschland* durch die Division of the American Republics beim Department of State: »Freies Deutschland is... following the Communist line, though it makes several concessions to possible anti-Communist readers in the shape of articles such as that by Prince Hubertus zu Lowenstein in the August issue.«[45] Mal besorgt eine »confidential source at 381 Forth Avenue, NYC, headquarter of the Exiled Writers Committee...«, dem FBI eine Namenliste, auf der auch »Anna Seghers..., her husband and two children«[46] stehen. Dann wieder findet sich der Name Seghers auf einem »Bumemo« (Bureau Memorandum) vom 23. Dezember 1942, das eine Zusammenstellung verbreitet von »friendly and unfriendly intelligence agents who operated in the Western Hemisphere exclusive of the US«[47]. Der Dritte Botschaftssekretär in Mexiko, W. K. Ailshie, erinnert sich in seinem prämierten »Review of the Free Germany... Movement in Mexico« nicht nur daran, daß Pablo Neruda unmittelbar nach der Ankunft Anna Seghers' in Mexiko ein Essen für die Kollegin gegeben hatte; er weiß auch, daß bei der mexikanischen Gobernación zwar eine Akte über Laszlo Radvanyi geführt wird, zu Anna Seghers' Einreise dagegen keine Unterlagen zu finden sind.[48] Die »Correlation Summary« des FBI zu Seghers enthält mehrere Seiten mit Hinweisen auf Zeitschriften wie *Soviet Russia Today, German-American, Daily Worker, Current Biography* und *El Popular*, mit denen Anna Seghers auf die eine oder andere Weise verbunden war und sei es nur, daß sie durch die Post ein Probeexemplar empfangen hatte. Ein neunseitiges Verzeichnis von nicht erhalten gebliebenen Briefen von, an und über Anna Seghers aus den

44 Morris N. Hughes, American Consul, American Consulate General, Mexiko, Brief an Secretary of State v. 18. 8. 1941,S. 1-2 (740.0011 European War 1939/422).
45 Department of State, Division of the American Republics, »Summary of Contents of ›Freies Deutschland‹. German-Language Monthly... for August and September 1942, and related comment« v. 22. 10. 1942, S. 1 (812.00B/768).
46 Informant, New York, Bericht v. 18. 12. 1941. In »Correlation Summary« v. 8. 3. 1974, S. 10-1.
47 FBI-Memorandum v. 23. 12. 1942, in a. a. O., S. 16.
48 W. K. Ailshie, Third Secretary of the Embassy, Embassy of the United States of America, Mexiko, Brief an Secretary of State v. 25. 6. 1943, S. 2, 5 (862.01/286).

Jahren 1942/3 deutet an, daß auch die Korrespondenz zwischen dritten Personen systematisch vom FBI erfaßt wurde, solange in ihr nur der Name Seghers erwähnt ist.[49] Und natürlich kümmerten sich die Geheimdienste auch um Anna Seghers' Mann, »Dr. Ladislao Radvanny, alias Dr. Lazlo Radvanyi, alias Johannes Schmidt«. Eine »advertising agency« habe Schmidt (»cultured mannerisms, pleasing appearance«[50]) in Paris betrieben, »which was closed by the French police as being a German Fifth Columnist organization«[51]. Zusammen mit Otto Katz, Leo Zuckermann und Hannes Meyer hat Radvanyi laut »Source C« am 1. April 1943 ein Treffen von Trotzkisten überfallen.[52] Zu seinen Korrespondenzpartnern gehören u. a. TASS und die sowjetische Akademie der Wissenschaften.[53] Vor allem aber beobachten FBI und State Department die Aktivitäten von Radvanyis Meinungsforschungsinstitut mit Besorgnis. Denn als Kommunist könnte der Direktor des Instituto Cientifico de la Opinion Publica Mexicana seine Umfragen zu Themen wie »low standard of living, National Unity, the military participation of Mexico in the war, and the Fifth Column«[54] zum Vorteil der Kommunisten benutzen »by misrepresenting to Mexican Government officials the true public opinion in that Republic«[55].

Umfang und Intensität der Bespitzelungen, denen Anna Seghers in den Anfangsjahren ihres Exils in Mexiko ausgesetzt war, nehmen sich freilich eher wie Routineaktionen aus gegenüber den Aktivitäten, die das FBI zwi-

---

49 E. E. Conroy, New York, Brief an Director, FBI, v. 8. 2. 1944 (Anlage). Wie fein dabei die Fäden des Überwachungsnetzes geknüpft sind, machen ähnliche Briefe aus späteren Jahren deutlich, in denen von Anna Seghers die Rede ist. So finden sich in den Akten für die Jahre 1944/45 zahlreiche Berichte der amerikanischen Postzensur über die Korrespondenz dritter Personen, in denen der Name Seghers fällt – mal mit Bezug auf die Tätigkeit von El Libro Libre, mal im Umfeld eines Rotariertreffens in Tuscon, Arizona, das den Verdacht des FBI auf sich zieht, weil es nirgendwo offiziell angekündigt ist und wohl auch niemals stattgefunden hat (FBI-Report, New York v. 24. 5. 1944, Laboratory Reports zu Anna Seghers, S. 1); mal aber einfach auch nur, weil Anna Seghers von einer unbekannten Briefeschreiberin als Gast bei ihrer Geburtstagsfeier erwähnt wird (Report of the FBI Laboratory v. 24. 11. 1944 [Anlage zu Brief v. 29. 10. 1944]).

50 SIS/FBI-Report, Mexico v. 8. 7. 1943, S. 9.

51 W. K. Ailshie, Third Secretary of Embassy, Embassy of the United States of America, Mexico, Brief an Secretary of State v. 25. 6. 1943, S. 6 (862.01/286).

52 »Re: Hannes Meyer« v. 17. 2. 1944, S. 1, Anlage zu J. Edgar Hoover, Memorandum an Adolf A. Berle, Assistant Secretary of State, v. 17. 2. 1944 (800.00B Meyer, Hannes/3).

53 »Re: Dr. Laszlo Radvanyi« v. 29. 5. 1944, S. 3, Anlage zu J. Edgar Hoover, Memorandum an Adolf A. Berle, Assistant Secretary of State, v. 29. 5. 1944 (800.00B Ratvanyi, Laslo/ 10).

54 Scientific Institute of Mexican Public Opinion, First Bulletin v. 29. 4. 1943, S. 1, Anlage zu J. Edgar Hoover, Memorandum an Adolf A. Berle, Assistant Secretary of State, v. 25. 10. 1943 (800.00B Ratvanyi, Laslo/9).

55 J. Edgar Hoover, Memorandum an Adolf A. Berle, Assistant Secretary of State, v. 25. 10. 1943 (800.00B Ratvanyi, Laslo/9).

schen 1943 und 1945 im Zusammenhang des sogenannten Alto-Falles gegen sie entfaltete.[56] Ausgelöst worden war dieses beachtliche Interesse durch insgesamt 24 Briefe, die das Bureau seit Sommer 1942 auf dem Postweg zwischen verschiedenen lateinamerikanischen Ländern bzw. seit Januar 1943 zwischen Mexiko und New York abgefangen hatte. Diese Briefe waren mit unsichtbarer Tinte geschrieben, enthielten verschlüsselte, mit russischen und spanischen Worten durchsetzte Botschaften und wurden jeweils an Deckadressen geschickt bzw. durch Kuriere befördert, um dann, zum Beispiel in New York, auf komplizierten Wegen über eine Kette von Personen weitergegeben zu werden. Ihr Inhalt, der zum Teil von FBI-Experten entschlüsselt wurde, aber nicht in den freigegebenen Akten enthalten ist, hatte, so wie es aussieht, mit vermuteten oder tatsächlichen Aktivitäten von »NKVD« und »Comintern Apparatus« [57] im Zusammenhang einer Befreiung des Trotzki-Mörders Ramón Mercader, alias Frank Jackson zu tun.[58] Darauf deuten zahlreiche Dokumente in der Seghers-Akte hin, darunter eine »confidential« gestempelte Zusammenfassung des Falles, die der SAC von New York City, E. E. Conroy, Anfang 1944 an alle Field Offices in den USA verschickt. »A study of various messages in this case deciphered by the F.B.I. Laboratory«, schreibt Conroy hier, »has indicated that the activities of the principals in this case are apparently concentrated toward obtaining the release from a Mexican prison of Frank Jacson, alias Jacques Mornard Vandendreschd, who is serving a twenty year sentence for the murder of Leon Trotsky in 1940.«[59]

56 Eine sinnvolle Trennung zwischen der ›Stammakte‹ von Anna Seghers, File 100-367102, und dem Alto-Material, File 65-43302, ist nicht mehr möglich, da die Masse der Akten chronologisch und nicht nach Registraturnummern geordnet ist. Einzelne Dokumente, die offensichtlich der Stammakte zugehören, beziehen sich vor allem auf finanzielle Fragen (Tantiemen, Geldtransfer), Angaben zu Anna Seghers' Lebenslauf oder ihren Reiseplänen. E. E. Conroy, der Special Agent in Charge in New York, schrieb am 29. 1. 1944 einen umfangreichen Brief zum Alto-Fall an den Director des FBI, in dem es unter anderem heißt: »Investigation in this case was predicated upon an intercepted letter dated July 6, 1942, addressed to [ausgeschwärzt]... Another letter addressed to [ausgeschwärzt] was dated August 1, 1942 and bore the same return address. These letters, upon examination by the F.B.I. Laboratory, were each found to contain an innocuous cover letter on the back of which there appeared secret writing in a four-group numerical cipher« (a. a. O., S. 2). Eine Anfrage beim FBI zur Geschichte des Alto-Falls blieb ohne Ergebnis. Robert J. Lamphere, der damals beim FBI mit der Überwachung von Kommunisten befaßt war, glaubt sich daran zu erinnern, daß es sich hier um eine Kurierdienstoperation mit Mexiko handelte, in die eine Lidia Altschuler verwickelt war (Gespräch mit dem Verfasser, Green Valley, 16. 11. 1994).

57 E. E. Conroy, New York, Brief an Director, FBI, v. 29. 1. 1944, S. 13, 16.

58 »From the decipherment of some of the messages it appears that the subjects of this case are presently trying to free Frank Jacson from his Mexican prison«, heißt es zum Beispiel in einem Bericht an Hoover v. 5. 5. 1945 »RE: Alto Case. Internal Security – R, Censorship Matters« ([ausgeschwärzt], Brief an Director, FBI, v. 5. 5. 1945, S. 1). Vgl. auch E. E. Conroy, New York, Brief an Director, FBI, v. 29. 1. 1944, S. 12.

59 A. a. O., S. 12.

Anna Seghers wurde zu einem zentralen »subject« im Alto Case als einige der verschlüsselten Briefe von einer Anne Sayer mit der Adresse Insurgentes 338 in Mexiko-Stadt aufgegeben wurden. Hinter Ann Sayer vermutete das FBI sofort ein Pseudonym für Anna Seghers; »the address 338 Insurgentes was the private apartment of Laslo Radvanyi.«[60]

Doch die Alto-Aktion des FBI war, zumindest mit Bezug auf Anna Seghers, ein Schlag ins Wasser. Keiner der Briefe von und an Anna Seghers, der in den folgenden Jahren im FBI-Labor geöffnet, analysiert und mit »non-staining treatment«[61] untersucht wird, weist Spuren von Kodierung oder Geheimschrift auf.[62] Längere Zeit ist man beim Bureau damit beschäftigt, in der englischen, deutschen und spanischen Ausgabe des damals in den USA weit verbreiteten Romans *The Seventh Cross* den Schlüssel für den Code zu finden[63] – eine vergebliche Mühe, die freilich gering erscheint im Vergleich zu dem ernsthaft erwägten Plan, die 40.000 russischsprachigen Bücher in der New York Public Library zu demselben Zweck zu untersuchen.[64] Agenten des FBI dringen in die Wohnungen von verdächtigen Personen ein, beschlagnahmten dort Seghers-Briefe[65] und fotographierten Bücherregale, auf denen sie ein Exemplar des *Siebten Kreuzes* entdecken. Enttäuscht vermeldet der Bericht von einer Hausdurchsuchung in Mexiko-Stadt, daß man anstelle von Geheimtinte nur Magentropfen gefunden habe – eine Medizin, die besonders

---

60 A. a. O.
61 Die Formulierung auf den Formularen des FBI-Labors variiert und enthält neben Bemerkungen wie »No secret ink was found on the above-listed specimens« oft auch den Zusatz: »The Bureau deemed it advisable to treat the specimens for secret writing in such fashion as not to stain them; therefore, the examination to which the specimen have been subjected was limited.«
62 Andererseits läßt sich nicht verleugnen, daß Anna Seghers mit Maxim Lieber, ihrem literarischen Agenten, Kontakte zu einer Person besaß, die zu den Verdächtigen im Umkreis des Hiss-Chambers-Falles zählte, der Mitte der vierziger Jahre in den USA viel Staub aufwirbelte. Lieber flüchtete während der McCarthy-Ära erst nach Mexiko und dann weiter in sein Geburtsland Polen. Er kehrte Ende der sechziger Jahre als Reaktion auf die antisemitische Stimmung in Osteuropa wieder in die USA zurück. Mehrere Gespräche, die ich 1994 in Hartford, USA, mit Liebers Witwe, Minna E. Lieber führen konnte, geben Anlaß für die Vermutung, daß meine ursprüngliche Interpretation von Liebers politischer Tätigkeit (Stephan, »Ein Exilroman als Bestseller«, S. 247–9) zu weitreichend gewesen sein dürfte. Zu den Beziehungen zwischen Alger Hiss und dem sowjetischen Diplomaten Konstantin Umanski, der nach seiner Versetzung von Washington nach Mexiko als Botschafter von 1941 bis 1945 mit der dortigen Exilgruppe zu tun hatte, vgl. Sudoplatov, *Special Tasks*, S. 227ff. Zu dem Verhältnis Seghers-Lieber siehe den unveröffentlichten Briefwechsel zwischen Anna Seghes und F. C. Weiskopf in der Akademie der Künste in Berlin.
63 Stephan, *Anna Seghers im Exil*, S. 179ff. Ein FBI-Bericht aus New York identifiziert im Dezember 1944 ein »Pocketbook of Short Stories by Speare... to have been used in the encipherment of the secret messages in this case« (FBI-Report, New York v. 7. 12. 1944, S. 5).
64 FBI-Report, New York v. 31. 5. 1944.
65 E. E. Conroy, New York, Memorandum an Director, FBI, v. 22. 3. u. 21. 8. 1943.

Egun CIA(?)

CONFIDENTIAL

New York, New York

May 6, 1943

100-31551

Director, FBI   ATTENTION: TECHNICAL LABORATORY

Dear Sir:

                    RE: ██████████ WAS; ET AL.
                        ESPIONAGE (R)

          With reference to the above-entitled matter, which involves investiga-
tion into an apparent ring of individuals in the United States and in Southern
countries corresponding in coded secret ink writing the names of two additional
books of possible significance to this case have been obtained. The names of
these books, together with circumstances surrounding them, are set out below:

"THE SEVENTH CROSS", by ANNA SEGHERS (particular edition not known).

          "The Seventh Cross" is called to the attention of the Technical Labora-
tory for several reasons. It has been observed among the books in the apartment
of subject ██████████ It has also been observed among the possessions of
██████████ with alias: ██████████ a known mail drop in the case
entitled, ██████████ with aliases; INTERNAL SECURITY (C); ESPIONAGE (R),"
(Bureau file number ██████████

          In addition investigation in the case entitled, "VETERANS OF ABRAHAM
LINCOLN BRIGADE, INCORPORATED; INTERNAL SECURITY (C)", has reflected that this
organization purchased 250 copies of "The Seventh Cross" from the publishers.
A highly confidential source of information in that case was able to observe a
statement sent by the publishers to the VETERANS OF THE ABRAHAM LINCOLN BRIGADE,
INCORPORATED, billing them for 250 copies of the book.

          Attention is invited to Bureau letter dated April 24, 1943 in the ██████
case (Bureau file number 65-43302), forwarding results of the Technical Laboratory
report covering the secret writing letter addressed to ██████████ in New York
from ANN SAYERS, Insurgentes 388, Mexico City, postmarked March 27, 1943.

          Page two of reference letter sets forth information concerning one ANNE
SEGHERS, with aliases: Anna Segers, Netty Hatwanny, Netty Radvanyi (or Ratvanij)
who was stated to be possibly identical with ANN SAYERS.

9/25/84 ██████████

100-367102- ✓
NOT RECORDED

ALL INFORMATION CONTAINED
HEREIN IS UNCLASSIFIED EXCEPT
WHERE SHOWN OTHERWISE.

462

NY 100-31551 CONFIDENTIAL May 6, 1943 ████████

It was further stated that ANNE SEGHERS is a prominent Communist writer reported to presently reside in Mexico City, and is thought possibly to be in contact with ████████████ Spanish Communist in Mexico City, who is the mother of ████████████ the addressee of a letter written from New York on February 14, 1943 in this series of secret writing letters.

It is considered possible by the New York office that ANNA SEGHERS, the author of "The Seventh Cross", Anne Seghers, with aliases, the prominent Communist writer, and Ann Sayers, addressee of the letter to ████████████ described, may be one and the same person.

It is, therefore, suggested that the book, "The Seventh Cross" may have been used or may presently be in use as a code book for some of the communications under investigation in this case.

"ORCHIDS ON YOUR BUDGET", by MARJORIE HILLIS, BOBBS MERRILL COMPANY, BOSTON - NEW YORK, copyright 1937. Printed and bound by BRAUNWORTH AND COMPANY, Bridgeport, Connecticut.

████████████████████████████████

(c)

Very truly yours,

X. X. Conroy
Special Agent in Charge

CONFIDENTIAL

Europäer in Mexiko gern griffbereit haben. Ein Informant, der oder die im Frühjahr 1943 unter dem Vorwand eines Publikationsvorhabens in Anna Seghers' Wohnung in der Rio de la Plata 25 vorspricht, übermittelt nicht nur eine mehr oder weniger korrekte Personenbeschreibung der Gesprächspartnerin (»Hair: Very grey, formerly black; Height: About 5'4"; Weight: About 120 lbs.; Peculiarities: Extremely nervous and suspicious«[66]), sondern entwirft gleich auch noch ein Szenario, das an billige Spionageromane erinnert: »It has been noted that Anna Seghers does not like to have persons whose political background is not well known to her, visit her apartment. When she was interviewed, under pretext, it was observed that on three occasions a door bell in the apartment was rung from some place other than at the apartment door. On each occasion, subject jumped up hurridly and went to the hall as though in order to intercept a visitor before he could come to the apartment. Her actions were so obvious that even [ausgeschwärzt] remarked that apparently she was expecting someone. It was apparent that she did not want her expected visitor to enter the apartment while the writer was there. It has been ascertained that at the present time subject keeps almost no books in her apartment at Rio de la Plata, #25. It has been learned, however, that subject does most of her writing and work in the mornings at [ausgeschwärzt]. This is the address of one [ausgeschwärzt], better known as [ausgeschwärzt], who occupies [ausgeschwärzt] in this building. [Ausgeschwärzt] is an elderly American communist sympathizer who is well acquainted with all of the prominent communists in Mexico. She allows Anna Seghers to use her servants room on the roof of the building as a workroom and study. [Ausgeschwärzt] does not have a servant and therefore the servants' quarters which belong to her apartment are available to Anna Seghers.«[67]

Und nicht genug damit, denn das Netz, das das FBI über Anna Seghers warf und durch immer neue, oft dutzende von Seiten umfassende Zusammenfassungen, Überblicke und Querverweise auf andere Aktenbestände auf den neuesten Stand bringt und verfeinert, sollte noch enger geknüpft werden. So stellt das FBI im Sommer 1943 aus Presseberichten, abgefangenen Briefen und Aufzeichnungen von privaten Gesprächen in Mexiko und New York Informationen zu dem Unfall zusammen, den die Exilantin im Juni auf dem Paseo de la Reforma hatte – inklusive der gängigen Gerüchte, daß es sich dabei um einen Selbstmordversuch[68] bzw. um ein Attentat von »Nazi

---

66 SIS/FBI-Report, Mexico v. 8. 7. 1943, S. 9. Die Eintragung »Personal data regarding Dr. Laszlo Radvanyi« liest sich so: »Age: About 52; Weight: About 160 lbs.; Height: About 5'9"; Hair: Medium brown.«

67 A. a. O., S. 10. Vgl. auch die weniger ausgeschwärzte Kopie desselben Berichts in einem Memorandum des Director, FBI, an SAC, Boston, v. 3. 7. 1947.

68 FBI-Report, New York v. 17. 7. 1943, S. 10.

thugs«[69] gehandelt habe.[70] Als man im August 1943 in der Wohnung des ebenfalls überwachten Gerhart Eisler[71] ein Exemplar des *Siebten Kreuz* findet, hebt SAC Conroy in einem Schreiben an das FBI-Labor triumphierend hervor, daß das Buch in »the Liberal Press«[72] – sprich: El Libro Libre – erschienen sei, wobei »liberal« für ihn nach Art der amerikanischen Konservativen mehr oder weniger synonym mit kommunistisch ist. Kommentarlos versorgt das FBI im Februar 1944 den Immigration and Naturalization Service mit Unterlagen, als sich jener Michael Striker, den Anna Seghers auf ihrer noch in Frankreich ausgefüllten Alien Registration Card als Kontaktperson in den USA angegeben hatte, um die amerikanische Staatsbürgerschaft bewirbt.[73] Ein mehrere hundert Seiten umfassender Überblick vom Dezember 1944 über den Alto-Fall erwähnt einen »FBI-Laboratory report dated September 27, 1944«[74], in dem von einer Mitteilung des Joint Anti-Fascist Refugee Committee die Rede ist, der eine Broschüre mit Beiträgen von Anna Seghers und Constancia de la Mora beiliegt.[75]

Per FBI-Teletype informiert das New York Büro, das im Alto-Fall federführend ist, Anfang 1945 die Zentrale in Washington davon, daß am Grenzübergang Brownsville, Texas, eine Frau nach Mexiko ausgereist sei, in deren Adressbuch die Namen von Anna Seghers und Bodo Uhse standen.[76] Wo immer ein Bild oder ein Lebenslauf von Anna Seghers erscheint – in *Who's Who in America*[77], im *Daily Worker*,[78] dem *Wilson Library Bulletin*[79] oder auch, 1945, in einer Werbeschrift des Aurora-Verlags[80] – greift das FBI zu. Insgesamt elf Verweise auf Seghers-Publikationen in Zeitschriften wie *American Dialog*, *New World Review* und *Soviet Russia Today* sowie genau 87 Namen von »actual/or potential contacts of Anna Seghers in connection with her duties as an official in the CP and the Free Germany movement«[81] um-

---

69 Office of the Civil Attache, Embassy of the United States of America, Mexico, Memorandum an Director, FBI, v. 14. 6. 1945 (Anlage).
70 Vgl. z. B. FBI-Teletype, Director, FBI, v. 26. 6. 1943 und FBI-Report, New York v. 17. 7. 1943, S. 2.
71 Lamphere/Shachtman, *The FBI-KGB War*, S. 42-65.
72 E. E. Conroy, New York, Memorandum an Director, FBI, v. 21. 8. 1943.
73 E. E. Conroy, New York, Memorandum an Director, FBI, v. 8. 2. 1944. Vgl. auch die Alien Registration Card von 1941, auf der Anna Seghers unter »Proposed address in the United States« »care Michael Striker, 1819 Broadway, New York« eingetragen hat (INS).
74 FBI-Report, New York v. 7. 12. 1944, S. 3.
75 Constancia de la Mora stammte aus altem spanischen Adel. Zusammen mit ihrem Mann Ignacio Hidalgo Cisneros stellte sie sich im Bürgerkrieg auf die Seite der Republikaner. Ihre Autobiographie *In Place of Splendor* erschien 1939 in New York.
76 FBI-Teletype v. 25. 3. 1945.
77 FBI-Report, New York v. 7. 12. 1944, S. 1.
78 SAC, Washington, Memorandum an Director, FBI, v. 15. 11. 1946.
79 »Correlation Summary« v. 8. 3. 1974, S. 15.
80 SAC, New York, Memorandum an Director, FBI, v. 28. 4. 1945.
81 »Correlation Summary« v. 8. 3. 1974, S. 61.

faßt eine Aufstellung des FBI. Und als eine Einheit der U.S.-Armee gegen Kriegsende in den Unterlagen der deutschen Wehrmacht ein Verzeichnis von Personen aufspührt, die mit der »Society of Friends of New Russia« zu tun gehabt haben, registriert man in Hoovers Amt pflichtbewußt: »Anna Seghers, locality not given, appeared on this list.«[82]

Man darf nicht vergessen, daß den Special Agents, die Hoover auf Anna Seghers ansetzt, noch keine Computer, Fax- und Fotokopiermaschinen zur Verfügung standen. Zudem bewegten sich FBI und SIS in Mexiko auf unbekanntem Terrain. Um so erstaunlicher ist es, daß die Fehlerquote in der Seghers-Akte relativ gering ist. So hat eine Unaufmerksamkeit jenes Angestellten des State Department, der 1940 das erste Memorandum zu Anna Seghers angefertigt hatte, zur Folge, daß neben den Namen Seghers und Radvanyi fortan auch Variationen wie Hatwanny und Radvaniyi durch die Akten geistern, bis schließlich ein FBI-Experte im März 1973 eine Liste mit 94 »logical variations of subject's name and aliases«[83] in File 100-367102 zusammenstellt, die von Netty Hauswanny über Mrs. Johannes Schmidt Radvanyi bis zu Netty Reiling Radvanyi und Mrs. Laszlo Radvanyi Stricker[84] reicht. Anna Seghers selbst trägt mit einer wissentlich oder unwissentlich falschen Eintragung in ihre Alien Registration Form dazu bei, daß ihr Geburtsdatum mal korrekt mit 19. November 1900, mal inkorrekt mit 19. September 1905[85] geführt wird. Unklarheit besteht beim FBI auch über den Geburtsort der Exilantin, der zuweilen mit Ungarn[86], dann mit »Mains-Kemania«[87] oder »Mainz, Germany, in the industrial Ruhr Section«[88] angegeben ist. Nicht immer beweist das FBI eine glückliche Hand beim Buchstabieren von ausländischen Namen, so z. B. in einer Zusammenfassung von Heft 5/1939 der *Internationalen Literatur* über »a long theoretical discussion on communist dialectics in form of letters between Seghers (in Mexico) and Georg Kukcc (not identified)«[89]. Beim INS sitzt man der Nachricht auf, daß Anna Seghers Ende 1940 als Mitglied des International Bureau of Revolutionary Proletarian Writers die Verantwortung für »finances and policy of the organ of the Communist

---

82 A. a. O., S. 28a.

83 A. a. O., S. 1.

84 A. a. O., S. 2.

85 Office of the Civil Attache, Embassy of the United States of America, Mexico, Memorandum an Director, FBI, v. 14. 6. 1945; Report, Mexico v. 24. 10. 1945; Military Attache Report, Mexico, Military Intelligence Division, v. 26. 9. 1944; Mexico Report Nr. 4670-44 (Defense Intelligence Agency); CIA, National Intelligence Survey, East Germany, S. 5 (CIA).

86 E. E. Conroy, New York, Brief an Director, FBI, v. 29. 1. 1944, S. 66.

87 Office of the Civil Attache, Embassy of the United States of America, Mexico, Memorandum an Director, FBI, v. 14. 6. 1945.

88 »Re: Netty Radvanyi, with aliases...« v. 24. 10. 1945, S. 1.

89 »Correlation Summary« v. 8. 3. 1974, S. 9. Gemeint war natürlich Georg Lukács.

Party in Great Britain«[90] gehabt habe. Ähnlich schief liegen das Office of Censorship und das Office of Strategic Services, wenn in ihren Akten steht: »Seghers, Anna, Mexico, D. F., Apartado 10214..., said to be wife of Dr. Radvanyi and also of Berthold Viertel«[91]. Ohne Angabe einer Quelle behaupten Hoovers Leute, daß Anna Seghers »some time« mit ihrem Mann in Rußland verbrachte und dabei mit Stalin zusammengetroffen sei (»she... became personally acquainted with Stalin«[92]). Noch im Februar 1962 legt Hoover in einer Meldung an den Director der Central Intelligence Agency recht grobe Raster an: »She [Anna Seghers] is known internationally as one of the earliest supporters of the communist movement in Germany after World War I«[93] – eine Praxis, die sich in Begriffen wie Trotzky-Stalinist oder auch in der folgenden Charakterisierung der deutschen Exilanten in Mexiko durch die gesamte Seghers-Akte zieht: »It was stated that these persons were believed to have been granted freedom to act as Communazi agents in the Americas.«[94] Und natürlich antwortet Anna Seghers selbst mit »no« auf die Frage der amerikanischen Einwanderungsbehörde, ob sie während der vergangenen fünf Jahre mit einer Organisation oder einer Regierung zu tun gehabt habe, die »in whole or in part« auf die USA Einfluß zu nehmen versucht.[95]

Der Eifer und die Akribie, mit denen sich das FBI um Anna Seghers kümmerte, waren angesichts der Kräfte raubenden kriegerischen Auseinandersetzungen im Pazifik und in Europa in groteskem Maße überzogen. Sie bestätigen zugleich das Klischee von jenem J. Edgar Hoover, dem seit seinen Lehrjahren als Kommunistenjäger im Justizministerium jeder Aufwand recht war, wenn es um die Eindämmung der roten Gefahr ging. Finanzielle Erwägungen und Fahndungspannen vermögen die Bearbeitung des Falles Anna Seghers denn auch ebensowenig zu behindern, wie handfeste Ermahnungen durch die Generalstaatsanwaltschaft oder diskrete Anfragen von Seiten des State Departments. Ungerührt legen Hoovers Fahnder einen Brief des Assistant Attorney General Hugh B. Cox vom Juli 1943 zu den Akten, in dem die Danger Classifications als »inherently unreliable«, »inadequate«, »defective«,

90 Lemuel B. Schofield, Special Assistant to the Attorney General, INS, Washington, Brief an Cordell Hull, Secretary of State v. 2. 8. 1941 (800.00B Radvanyi, Laslo/2).
91 Postal and Telegraph Censorship, Index to Report on Free Germany v. 20. 12. 1943, S. 68 (OSS, 964).
92 »Analysis of the Membership of Alemania Libre«, S. 40, Anlage zu Raleigh A. Gibson, First Secretary of Embassy, Embassy of the United States of America, Mexiko, Brief an Secretary of State v. 26. 6. 1945 (862.01/6-2645).
93 John Edgar Hoover, Memorandum an Director, Central Intelligence Agency, v. 28. 2. 1962.
94 FBI-Report, New York v. 26. 6. 1943, S. 3.
95 Die Information, daß Anna Seghers »President of various literary and cultural organizations in pro-Hitler Germany« (FBI-Report, New York v. 7. 12. 1944, S. 161 [FBI-Akte, Alto Case]) gewesen sei, dürfte auf einen Fehler des Zensors bei der Zusammenfassung eines abgefangenen Formulars für Who's Who in the Western Hemisphere zurückzuführen sein.

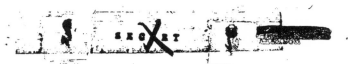

(NI) 105-84034   BY LIAISON

Date: February 28, 1962

To: Director
Central Intelligence Agency

Attention: Deputy Director, Plans

From: John Edgar Hoover, Director

Subject: EAST GERMAN PROPAGANDA
INTERNAL SECURITY - EAST GERMANY

b1
b3
7C

(S)

(S)   files of the Federal Bureau of Investigation indicate
identifiable as follows: (X)   are
(S)

<u>Anna Seghers, East German Writer</u>

      This individual is undoubtedly identical with Netty
Radvanyi, who used the pen name of Anna Seghers as early as
1929. She is known internationally as one of the earliest
supporters of the communist movement in Germany after World War I.
Seghers, as she preferred to be known, lived in exile in
Mexico City during the Hitler regime but returned to East Germany
in 1947. A memorandum dated October 24, 1945, regarding Seghers
is enclosed for your information and includes details of her
background and activities. Her prominence in communist activity
in Mexico and her communistic writings prior to fleeing Germany
are of particular note for consideration in identification of
other persons

2 - Bonn (Enclosures 7) (see note, page 5)
2 - WFO (Enclosure) (see note, page 5)

1 - Foreign Liaison Unit (route through for review
1 -   (S)
1 - 100-367102 (A. Seghers)
1 - 100-190707 (B. Brecht)
1 - 105-new
djw
(14)   1962   S E C R E T

ALL INFORMATION CONTAINED
HEREIN IS UNCLASSIFIED EXCEPT
WHERE SHOWN OTHERWISE

»impractical« und »unwise«[96] charakterisiert werden und mit sofortiger Wirkung außer Kraft zu setzen seien. Nicht viel anders ergeht es 1944 dem State Department und dem SIS-Agenten an der U.S.-Botschaft in Mexiko mit dem Vorschlag, die aufwendige Überwachung von Anna Seghers durch die Streichung ihres Namens von der »Special Watch List No. 8«[97] zu beenden. Zwar sei es, so die Reaktion von Hoover, nicht nötig, die Korrespondenz zwischen Anna Seghers und einem nicht mehr identifizierbaren Partner dem FBI im Original vorzulegen. »It is, however, necessary«, so der »Boss«[98] weiter an den Director of Censorship, »that you continue to forward original communications written by or sent to Seghers outside of the channel referred to.«[99] Und schließlich bestätigt sich auch im Fall Seghers, daß jeder, der zu Recht oder Unrecht einmal in die Akten eines Geheimdienstes gerät, nie mehr unbeobachtet bleibt. »...subject has been definitely eliminated as a suspect in the ALTO CASE« lautet im Oktober 1945 der eindeutige, in den kommenden Monaten mehrfach zitierte Befund für Anna Seghers – ohne daß deren Akte deshalb geschlossen würde. Im Gegenteil. Fünf Monate später, im März 1946, schickt Hoover einen Brief an den Chief, Division of Foreign Activity Correlation mit Durchschlägen an Naval Intelligence, MID und die U.S.-Botschaft in Mexiko, in dem zwar nicht mehr auf den Alto-Fall Bezug genommen wird, wohl aber auf »information concerning the Communistic and pro-Soviet sentiments of Nelly Radvanyi, some of whose writings have been published in Moscow«[100]. Mit Interesse verfolgt das FBI die Rückkehr der eingebürgerten Mexikanerin nach Europa, obwohl sich nirgends in den FBI-Unterlagen ein Bezug auf jene am 7. Januar 1947 in Laredo, Texas, abgestempelte und mit Anna Seghers' Fingerabdruck versehene Alien Registration Form findet, auf der die Reisende auf dem Weg in die USA vermerkt hat »in transit to Europe thru N.Y.«[101] Als sich im September 1948 ein unbekannter Angestellter der U.S.-Regierung einem jener berüchtigten Loyalty-Verfahren unterziehen muß, wird Anna Seghers weiterhin als »suspected Russian espionage agent«[102] geführt. Und noch im Jahre 1962 greift Hoover in einem

---

96 Attorney General, Memorandum for Hugh B. Cox, Assistant Attorney General and J. Edgar Hoover, Director, FBI, v. 16. 7. 1943 (Department of Justice).
97 John Edgar Hoover, Brief an Byron Price, Director of Censorship, v. 28. 10. 1944. Unklar ist, warum Anna Seghers bereits im Oktober 1943 auf Watch List No. 88 fehlte (Watch Instruction No. 88, Anlage zu G. E. Brown, Chief, Digest Division, Liaison Office, Office of Censorship, Brief an George P. Shaw, Acting Chief, Division of Foreign Activity Correlation, State Department, v. 20. 10. 1943 [862.01/611]).
98 Theoharis/Cox, *The Boss.*
99 John Edgar Hoover, Brief an Byron Price, Director of Censorship, v. 28. 10. 1944.
100 John Edgar Hoover, Memorandum an Frederick B. Lyon, Chief, Division of Foreign Activity Correlation, Department of State, v. 21. 3. 1946.
101 Anna Seghers, Alien Registration Foreign Service Form v. 13. 11. 1946 (INS).

Schreiben zum Thema »East German Propaganda« an den Direktor des CIA mit Durchschlägen nach Bonn ausgerechnet auf jenen Bericht vom 24. Oktober 1945 zurück, in dem Anna Seghers von jeder Beteiligung an Spionageaktionen freigesprochen worden war.

Die Kuriositätensammlung der bürokratischen Absurditäten aus Hoovers Schnüffelbehörde ließe sich mühelos erweitern, ohne daß sich das Bild von der Beziehung der Jäger zu der Gejagten entscheidend verändern würde. Statt dessen soll die FBI-Akte von Anna Seghers lieber noch einmal mit Blick auf die beruflichen und privaten Aktivitäten der Exilantin durchgegangen werden. Nahezu 100 Briefe von und an Anna Seghers, von denen viele in englischer Übersetzung vollständig erhalten geblieben sind, der Rest vom Zensor mehr oder weniger grob zusammengefaßt wird, bilden den Kern dieses Materials.[103] Dazu kommen mehr als 20 Briefe und Telegramme anderer Briefpartner, in denen Anna Seghers erwähnt wird, Berichte von Informanten, zahlreiche Hinweise auf Publikationen und mehrere Manuskripte in englischer Übersetzung, von denen zwei der Seghers-Forschung bis vor kurzem unbekannt waren: eines, das von der Flucht aus Frankreich und der Hilfe durch das Joint Anti-Fascist Rescue Committee handelt, und ein anderes, in dem es um die Umerziehung der Deutschen nach 1945 geht.

Zwei Themenkomplexe nehmen in der Korrespondenz, die sich in Anna Seghers' Akten beim FBI befindet, eine besondere Stellung ein: die Geschäftspost mit Angaben zu Publikationsprojekten, Verträgen und Tantiemen, sowie private Mitteilungen über Gesundheit, Familie und Heimweh, die uns die Schaffens- und Lebensbedingungen im Exil besser verstehen lassen.

Gleich der zweite erhalten gebliebene, vom 19. Januar 1944 datierte Brief – der erste übermittelte biographische Angaben zu den Geburtstagen und Geburtsorten von Anna Seghers und ihrem Mann nach New York – ist besonders aufschlußreich in diesem Zusammenhang. Dankbar nimmt die Schreiberin hier zu Kenntnis, daß Metro-Goldwyn-Mayer mit den Dreharbeiten an *The Seventh Cross* begonnen hat. Von portugiesischen, schwedischen und französischen Übersetzungen des Romans ist die Rede und davon, daß sie in einigen Tagen das Manuskript von »Der Ausflug der toten Mädchen« abschikken wird. Die Möglichkeit, daß der Empfänger die Erzählung in einer guten Zeitschrift unterbringt und sich vielleicht auch um eine Verfilmung des Stoffes kümmert, kommt auf – eine Idee, die Anna Seghers in den folgenden Jahren nicht mehr losläßt. Zu ihrer Planung für die unmittelbare Zu-

---

102 FBI-Report, Washington v. 23. 9. 1948.

103 Die Zahl der Briefe, die in der Seghers-Akte erwähnt werden, ist erheblich größer. Vergleicht man dagegen die FBI-Akte mit dem publizierten Briefwechsel zwischen Anna Seghers und Wieland Herzfelde, so ergibt sich der Verdacht, daß das Office of Censorship viele Briefe übersehen hat oder aber die mir vorliegende Seghers-Akte nicht (mehr) vollständig ist.

kunft, heißt es in demselben Brief weiter, gehöre »a new novel of the same significance and approximately of the same size as ›The Seventh Cross‹«. Sie habe vor, das Manuskript – offensichtlich *Die Toten bleiben jung* – in der nächsten Woche zu beginnen und in ungefähr zwei Jahre fertigzustellen. Ein weiteres Projekt, für das sie ihrer Meinung nach erst jetzt die »technical ability« erworben habe und für das sie am liebsten gleich einen Vertrag mit Little, Brown unterzeichnen würde, geisterte schon seit Ende der dreißiger Jahre durch Anna Seghers' Briefe:[104] eine Sammlung von 30 oder 40 Kurzgeschichten im Stil des *Decamerone* oder von *Tausend und einer Nacht*.

Der Briefzensur des FBI verdanken wir die Information, daß Anna Seghers in letzter Minute noch einmal die beiden entscheidenden, abschließenden Seiten von *Transit* umgeschrieben hat. »I would have changed these two pages a long time ago, but my illness interfered«, schreibt sie dazu am 19. Januar 1944. »Of course this means new work for the translator, but it is absolutely necessary to substitute these new pages for the old ones. I shall send these two new pages this week and I ask you to give them to the translator immediately. I ask you, also, to send me the English translation for... I should like to review the translation.«[105] Drei Wochen später fängt das FBI das Manuskript der Erzählung »Der Ausflug der toten Mädchen« ab und erstellt – Kuriosität der Literaturgeschichte – eine erste Übersetzung des Textes, die trotz der Bescheidenheit des Zensors – »this is a very free translation due to lack of clarity in the text«[106] – durchaus annehmbar ist: »›No, from much further away. From Europe.‹ The man looked at me smiling as though I had said ›from the moon‹. He was the landlord of the tavern on the outskirts of the village. He walked back from the table and began to observe me, leaning negligently against the wall of the house, as though he were looking

---

104 So z. B. in einem Brief an Johannes R. Becher v. 27. 3. 1939 (in Anna Seghers: *Über Kunstwerk und Wirklichkeit*. Bd. 4. Hrsg. v Sigrid Bock. Berlin/DDR: Akademie 1979, S. 138 [=Deutsche Bibliothek. Studienausgaben zur neueren deutschen Literatur, 9.]).

105 Anna Seghers, Brief v. 19. 1. 1944 (Office of Censorship). Die für die Seghers-Forschung viel interessanteren Blätter zu *Transit* sind dagegen leider nicht erhalten geblieben, obwohl aus Unterlagen bei Little, Brown hervorgeht, daß Anna Seghers ihre Korrekturen in der Tat im Januar 1944 abgeschickt hat: »Please wire whether or not received the three last pages of my novel Transit which I rewrote and sent in January...« (Anna Seghers, Telegramm an Little Brown Publishers v. 3. 3. [1944]). Vgl. dazu den Brief des Übersetzers James Galston an D. Angus Cameron bei Little, Brown v. 26. 2. 1944, in dem es heißt: »I am sending you enclosed the translation of the amended final pages of Anna Seghers' ›Transit‹... I wonder why the author considered this changed ending imperative, and I also wonder whether it is an improvement over the original shorter version« (Archiv des Verlages Little, Brown, Boston). Pierre Radvanyi erinnerte sich in einem Gespräch mit dem Verfasser, daß seine Mutter sich zwischen zwei oder drei Fassungen des Romanendes entscheiden mußte.

106 Anmerkung des Zensors, Anna Seghers, Brief an »Dear Aunt« v. 28. 1. [1944], Anlage zum Report of the FBI Laboratory v. 5. 5. 1944.

for traces of my fantastic journey. It suddenly seemed equally fatastic to me as it did to him that I should have blundered into Mexico from Europe.«[107]

Andere Briefe von und an Anna Seghers in den FBI-Papieren drehen sich um den Versuch, die Erzählung »Mail from the Holy Land« in »one of the great Jewish weekly or monthly magazines«[108] unterzubringen, fassen vertragliche Vereinbarungen zusammen ($150 für die Erstauflage von 5.000 Exemplaren von *Die Rettung* bei Editorial Futuro in Buenos Aires)[109] oder enthalten Einladungen an die Exilantin, zum Beispiel am »summer institute« der Abraham Lincoln School in Chicago zu unterrichten.[110] Lang und breit schwärmt im Oktober 1944 eine Hamburgerin, die 1938 mit ihrem russisch-jüdischen Mann nach Haiti fliehen mußte, davon, daß Anna Seghers nach dem Krieg eine feministische Bewegung in Deutschland gründen solle, da die deutsche Hausfrau durch die Aufgabe aller politischen und sozialen Ideale der eigentliche Grund für Deutschlands Unglück sei: »... ich meine, daß... eine neue feministische Bewegung erfolgreich unter Ihrer Leitung sein könnte. Schon jetzt im Exil sollte eine Zeitschrift für diese Frage gegründet werden...«[111] Und natürlich ist die Seghers-Korrespondenz beim FBI voll von Hinweisen auf die engen Beziehungen zwischen den Exilanten in Mexiko und den USA bzw. auf Projekte aus dem Umkreis des Heinrich Heine Clubs, der Zeitschrift *Freies Deutschland* und der gleichnamigen Organisation. Mal gehen in diesem Zusammenhang Briefe hin und her zwischen Anna Seghers und Franz Werfel, in denen es um die Aufführung von *Jakobowsky und der Oberst* durch den Heine Club geht.[112] Mal schreibt sie an Kurt Kersten nach Martinique in der Hoffnung, Kersten zur Aufgabe seiner schriftstellerischen Isolation zu bewegen.[113] Pflichtgetreu vermerkt der Zensor, daß Anna Seghers Lion Feuchtwanger zu seinem 60. Geburtstag gratuliert, in New York ein Exemplar von Lessings *Nathan* für eine Aufführung in Mexiko aufzutreiben versucht, ihren Mitgliedsbeitrag bei der Author's League mit Verspätung bezahlt und dem *Spotlight Magazine* in New York im Mai 1944 ein Exemplar ihres Essays »German Youth« zuschickt.[114]

---

107 Anna Seghers, »The Excursion of the Dead Girls«, a. a. O.
108 FBI-Report, New York v. 7. 12. 1944.
109 Publishing Contract, Anlage zum Report of the FBI Laboratory v. 15. 12. 1944.
110 Report of the FBI Laboratory v. 7. 12. 1944.
111 [Ausgeschwärzt], Brief an Anna Seghers v. 14. 10. 1944, Anlage zum Report of the FBI Laboratory v. 13. 12. 1944. Dieser Brief ist, wie anderes Material aus der FBI-Akte von Anna Seghers, abgedruckt in Stephan, *Anna Seghers im Exil*, S. 164-6.
112 Anna Seghers, Brief an [ausgeschwärzt] v. 21. 8. 1944., Anlage zum Report of the FBI Laboratory v. 15. 9. 1944.
113 Kersten ließ sich als Empfänger entschlüsseln, weil das Original des Briefes im Leo Baeck Institute in New York liegt. Werfel ist durch die Kombination von Wohnort und Titel des Stückes identifizierbar.
114 Anlage zum Report of the FBI Laboratory v. 9. 6. 1944.

Als besonderer Fund erweist sich dabei ein Brief vom 23. April 1944, mit dem die in Mexiko-Stadt ansässige Federation of Organizations for Aid to the European Refugees einem unbekannten Empfänger in New York die Erlaubnis erteilt, ein beiliegendes Manuskript von Anna Seghers zu veröffentlichen. Thema dieses kleinen, lange verschollenen Essays[115] sind Anna Seghes' Erfahrungen bei der Flucht aus Frankreich, ihre Dankbarkeit gegenüber der mexikanischen Regierung und dem Joint Anti-Fascist Refugee Committee sowie ein Bekenntnis zum Kampf gegen den Faschismus. Mit ungewöhnlicher, an Feuchtwanger und andere Frankreich-Exilanten erinnernder Schärfe unterscheidet die Autorin dabei zwischen »Gaullist friends«, die sie und ihre Familie ohne Passierscheine durch die deutschen Linien nach Südfrankreich brachten, und dem unmenschlichen Verhalten der Bewacher des Internierungslagers Le Vernet, »who... searched our pockets, seizing for themselves the bread which the children had gathered in that breadless winter for the starving Vernet«. Von »Sr. Gilbert Bosques«, dem mexikanischen Generalkonsul in Marseille ist die Rede, der selbst erst in Frankreich und dann bis 1944 in Bad Godesberg interniert war,[116] aber auch von der erneuten Festsetzung auf Ellis Island, »so that our experiences of internment on democratic soil were complete«[117].

Womöglich noch wichtiger als der Frankreich-Essay ist ein anderes, erst vor kurzem von mir wiederveröffentlichtes Manuskript, das unter Aktenzeichen RG 59, 862.01/5-1945 in den Unterlagen des U.S.-Außenministeriums bei den National Archives in Washington liegt. Geschrieben hatte Anna Seghers diesen kleinen, von der Mitschuld der Deutschen an Hitler und Krieg handelnden Text im Auftrag von General McClure, dem Chief of Psychological Warfare Division in Europe. Jedenfalls telegraphierte der Leiter der Basic News Division des OWI, Theodore Kaghan, am 10. Mai 1945 in McClures Namen nach Mexiko: »General McCletre... has requested us to obtain from you a brief statement for immediate publication in German newspapers... Statement should be in a form you feel will be helpful in convincing the German people of the truths from which they have so long been insulated and should be addressed directly to them.«[118]

115 Eine Rückübersetzung dieses Texes aus dem Englischen findet sich zusammen mit einem Kommentar in Stephan, *Anna Seghers im Exil,* S. 125-30.
116 Kießling, *Partner im ›Narrenparadies‹,* S. 218-26.
117 Anlage zum Report of the FBI Laboratory v. 15. 5. 1944.
118 Theodore Kaghan, Chief, Basic News Division, OWI, Telegramm an Mme. Netty Radvanti Anna Seghers v. 10. 5. 1945 (Akz. unleserlich; wahrscheinlich 862.01/5-2645 oder 5-1945). Vgl. auch *Freies Deutschland* 7/1945, S. 36. Es ist anzunehmen, daß der Name McClure (McLure?) bei der Übermittlung des Telegramms verstümmelt wurde. Eine Reproduktion von Anna Seghers Manuskript findet sich in Stephan, *Anna Seghers im Exil,* S. 172-8. Aus dem Kommentar zu den politischen und bürokratischen Verwirrungen, die General McClures Anfrage und Anna Seghers Reaktion in amerikanischen Regierungskreisen auslösten, werden im folgenden einige Passagen übernommen.

Die interne Korrespondenz zwischen OWI und State Department deutet an, daß man in Washington daran interessiert war, das Manuskript von Anna Seghers weder das Büro von General McClure noch die deutsche Öffentlichkeit erreichen zu lassen. Dabei wäre der Beitrag der Exilantin im Kontext der damaligen Diskussionen um die Zukunft Deutschlands allemal interessant gewesen: Erstens, weil hier eine Autorin, die eng mit der Deutschlandpolitik der KPD verbunden war, über amerikanische Nachrichtenkanäle an der ›reeducation‹ ihrer Landsleute teilgenommen hätte. Dann, weil sich der Essay von Anna Seghers deutlich von der Behauptung abhebt, daß alle Deutschen Nazis gewesen waren – eine Position, die die Bewegung Freies Deutschland beim State Department als pro-sowjetisch in Verruf gebracht hatte. Und drittens ist der Text wichtig, weil Anna Seghers in ihm mit beinahe biblischem Pathos auf jene beiden Faktoren verweist, die für sie schon lange eine zentrale Rolle dabei spielen, »ob Deutschland als Volk wieder auferstehen kann, geehrt und geachtet unter den Völkern der Erde«: die positive Tradition der »deutschen Dichtung..., deutschen Musik..., deutschen Wissenschaft und... deutschen Arbeit; und das unverdorbene Potential der Kinder«[119].

Das Mosaik von der Tätigkeit der Exilanten in Mexiko ließe sich mit Hilfe von Anna Seghers' Korrespondenz beim FBI problemlos erweitern. Statt dessen soll lieber ein genauerer Blick auf jenes Buch geworfen werden, mit dem Anna Seghers damals ihren Ruhm begründete und das – wie wir am Beispiel der Dekodierungsaffäre des Alto-Falles gesehen hatten – die besondere Aufmerksamkeit des FBI auf sich zog: *The Seventh Cross.* So bekräftigt die in den FBI-Akten erhaltene Korrespondenz die Vermutung, daß die U.S.-Autorin Viola Brothers Shore Ende 1942 nach Mexiko reiste, um mit Anna Seghers zusammen eine Bühnenfassung des Romans *Das siebten Kreuz* herzustellen.[120] Ungefähr zur gleichen Zeit registriert das FBI ein Telegramm, mit dem die League of American Writers der Exilantin zu ihm Bucherfolg gratuliert.[121] Ein anderes mal gerät eine Sendung mit 109 Briefen von Anna Seghers in die Hände der Postzensur, mit denen die Autorin persönlich Mitglieder und Sponsoren des Joint Anti-Fascist Refugee Committee zu einer Sondervorführung des MGM-Films in ein New Yorker Kino einlädt.[122] Per Post aus dem fernen Palästinien weist eine Leserin den Untersuchungsge-

---

119 Zitiert nach a. a. O., S. 174.
120 Telegramm an Anna Seghers v. 19. 11. 1942, zitiert in FBI-Report, New York v. 31. 5. 1944. Vgl. dazu meinen Aufsatz »Anna Seghers' *The Seventh Cross.* Ein Exilroman über Nazideutschland als Hollywood-Film.« In: *Exilforschung* 6. München: edition text + kritik 1988, S. 214-9 und die darin enthaltenen Hinweise auf Unterlagen im Viola Brothers Shore-Nachlaß.
121 National Board, League of American Writers, Telegramm an Anna Seghers v. 5. 10. 1942, zusammengefaßt in »Correlation Summary« v. 8. 3. 1974, S. 14.
122 Report of the FBI Laboratory v. 11. 9. 1944.

genstand darauf hin, daß im Vorwort zur hebräischen Übersetzung des Romans bei der Zionist Labor Youth Group sowohl die jüdische Herkunft wie auch die politische Überzeugung der Autorin verschwiegen werde.[123] Mehrfach finden sich in Briefen an Anna Seghers Kopien von Rezensionen und persönliche Reaktionen auf Buch und Film. Ein anderes mal, im März 1945, fängt das FBI einen Brief von Mexiko nach Beverly Hills ab, in dem die Rede davon ist, daß *Das siebte Kreuz* ausverkauft sei, weil es so oft für die Bibliotheken der POW-Lager bestellt wurde.[124] Und wie nicht anderes zu erwarten dreht sich ein Gutteil der Geschäftspost um Geldfragen: Mal mit Bezug auf den schleppenden Transfer der Tantiemen aus den USA; mal als es gilt, die Rechte für Nachdrucke zu vergeben, etwa für $25 monatlich an die KP-Zeitung *Daily Worker*. Dann wieder, als bei den Geheimdiensten der Verdacht aufkommt, »that a substantial share of the royalties of Ana Seghers' best seller... were channeled into the working funds of Alemania Libre«[125] bzw. direkt in die Kasse der Partei gehen als Gegenleistung für »information from the Communist underground«[126]. Oder im Juni 1946, als es darum geht, ob Querido in Amsterdam oder – wie es Anna Seghers vorzuziehen scheint – der Krause Verlag in New York eine deutschsprachige Ausgabe des Romans für die USA herausbringen darf.

Geld ist dabei nicht nur für Anna Seghers, sondern auch für das FBI ein hochkarätiges Thema. So telegraphiert die Zentrale des Bureaus Anfang Mai 1944[127] dem FBI-Vertreter an der U.S.-Botschaft in Mexiko: »Sum of five thousand dollars was telegraphically transferred [ausgeschwärzt] to Netty Radvanyi [ausgeschwärzt] which may possibly represent proceeds of sale of movie rights of book entitled quote The Seventh Cross unquote... Request if possible you trace this transaction with view to ascertaining what desposition made of the five thousand dollars, particularly whether used to finance activities

---

123 Brief an Anna Seghers v. 1. 11. 1944, zitiert in Report of the Office of Censorship v. 25. 1. 1945.

124 Brief v. 22. 3. 1945, zitiert in Report of the Office of Censorship v. 29. 3. 1945.

125 »Report by Office of the Naval Attache of this Embassy Concerning Alemania Libre« v. 12. 4. 1943, S. 3, Anlage zu W. K. Ailshie, Third Secretary of Embassy, Embassy of the United States, Mexiko, v. 29. 4. 1943 (862.01/261). Vgl. dagegen Ailshies Bericht v. 25. 6. 1943: »However, it is understood that the proceeds of the sale of her novel in the United States have been frozen by the authorities, and it is also known that as recently as six months ago Anna Seghers was in poor circumstances and is being aided by other German refugees« (W. K. Ailshie, Third Secretary of the Embassy, Embassy of the United States of America, Mexiko, Brief an Secretary of State v. 25. 6. 1943, S. 8 [862.01/286]).

126 »Analysis of the Membership of Alemania Libre«, S. 41, Anlage zu Raleigh A. Gibson, First Secretary of Embassy, Embassy of the United States of America, Mexiko, Brief an Secretary of State v. 26. 6. 1945 (862.01/6-2645).

127 Das genaue Datum ist auf der Kopie ausgeschwärzt. Da FBI-Akten im großen und ganzen chronologisch geordnet sind, kann auf die Zeit zwischen dem 1. und 8. Mai 1944 geschlossen werden.

by subjects in this case.«[128] Kurz darauf versetzt ein abgefangenes Telegramm von Anna Seghers mit dem Wortlaut »Please wire immediately three hundred dollars« das FBI erneut in Aufregung. Per Telephon und Office Memorandum tauschen verschiedene FBI-Agenten Informationen über Anna Seghers' Konto bei der Chemical Bank and Trust Company in New York und der Banco de Comercia in Mexiko-Stadt aus und wenden sich schließlich an das Field Office in Mexiko: »...SIS Section was furnished the above information and requested to have appropriate checks made by the Agents in Mexiko City in order to determine Anna Seghers' need for the additional $300...«[129] Mehrfach äußert das FBI bzw. das ONI die Vermutung, daß Anna Seghers kommunistische Organisationen und Publikationen in Mexiko subventioniere,[130] untersagt es dem Alien Property Custodian deshalb aber nicht, aufgrund von General Order No. 13 den Transfer von Geld ins Ausland zu authorisieren.[131] Und natürlich wissen die Männer vom Bureau auch Bescheid, als Anna Seghers im Oktober 1942 die U.S.-Botschaft in Mexiko-Stadt mit einem ärztlich beglaubigten Antrag um eine Erhöhung ihrer monatlichen Überweisungen angeht: »...Mrs. Netty Radvanyi... is at present suffering from typhoid fever, and is under the care of Doctor Herman Glaser... Her husband, Doctor Laszlo Radvanyi, has called at the Embassy and explained that due to the heavy medical expenses... the present allotment of $175.00 per month is not adequate... The Hungarian writer and her husband are known to the Embassy, and in view of their pronounced sentiments in favor of the allied cause, it is respectfully recommended that the Treasury Department authorize the increase of the allotment...«[132]

Bliebe noch ein Brief vom 6. Juli 1944 aus den FBI-Akten anzuführen, der sich auf die Verfilmung von *The Seventh Cross* bezieht und aus der Feder eines Hollywood-Insiders, womöglich Fred Zinnemann, stammt. Ohne falsche Bescheidenheit meint der Schreiber hier, daß der Film seiner Meinung nach zwar gelungen sei, auch in den Augen des durchweg kritischen Hauptdarstellers Spencer Tracy und der Studiobosse, die Qualität des Buches aber al-

---

128 FBI, Memorandum an Birch D. O'Neal, American Embassy, Mexico (o. D.).

129 Office Memorandum, United States Government, an D. M. Ladd v. (Juni?) 1944.

130 »Re: Netty Radvanyi, with aliases...« v. 24. 10. 1945, S. 3 und »Re: Netty Radvanyi...« v. 12. 4. 1943, S. 3 (862.01/265).

131 FBI, Memorandum an Communications Section, o. D. (File Nr. 100-367102); Henry Munroe, Alien Property Custodian, Memorandum an FBI v. 9. 9. 1943 (Department of Justice); Lloyd L. Shaulis, Alien Property Custodian, Brief an J. Edgar Hoover v. 1. 6. 1944 (Department of Justice).

132 William F. Busser, Third Secretary of Embassy, Embassy of the United States of America, Mexiko, an Secretary of State v. 30. 10. 1942 und als Anlage Attest v. 27. 10. 1942 von Dr. Hermann Glaser (840.51 Frozen Credits/8236). Vgl. auch Anna Seghers, Brief v. 10. 2. 1943, in FBI-Report, New York v. 31. 5. 1944 und Telegramm v. 9. 6. 1944, in SAC, New York, Memorandum an Director, FBI, v. 19. 6. 1944.

lein schon wegen der vielen Auslassungen nicht erreiche. So seien durch die Betonung der Fluchtgeschichte Figuren wie Kress, Mettenheimer, Schulz, Bachmann und – »after the first cut« – Hellwig weggefallen; die Szenen im KZ-Westhofen haben, »after immense consideration«, mit Übereinstimmung des Briefeschreibers auf ein Minimum reduziert werden müssen, da die amerikanische Öffentlichkeit »very tired of these things« sei; gegen jene Liebesszene mit Toni, der Kellnerin, »which was dragged in by the hair at the very end«, habe er sich dagegen vergeblich gewehrt; und natürlich nehme das Rheinland in dem Film nicht zuletzt deshalb eine ziemlich amerikanische Atmosphäre an, weil man die wichtigsten Rollen neben Spencer Tracy mit U.S.-Schauspielern besetzen mußte, »in order to achieve a homogeneous effect«. Dennoch haben die Verantwortlichen sich wohl mit Erfolg Mühe gegeben, die Grundidee des Buches zu bewahren, nämlich »that in the final analysis human kindness is indestructible«.[133]

Soweit der geschäftliche Teil der Seghers-Korrespondenz in den FBI-Akten. Wechselt man abschließend zu den Briefen mit mehr privaten Inhalten über, stellt sich heraus, wie wenig der Seghers-Forschung über die verwandtschaftlichen Verhältnisse der Familien Reiling, Fuld, Cramer[134] und Radvanyi bekannt ist. Ein Versuch, die ausgeschwärzten Namen von Anna Seghers' Briefpartnern auf Martinique, in Bolivien, der Schweiz und in den USA zu rekonstruieren, muß allein deshalb schon unterbleiben. Dennoch lassen sich auch bei der Privatpost zwei zentrale Themenkomplexe identifizieren.[135]

Da ist zum einen die Haltung der Exilantin gegenüber ihrem Asylland Mexiko, eine Beziehung, die von Anfang bis Ende durch das enge Nebeneinander von unstillbarem Heimweh und Interesse für die neue, fremdartige Umgebung geprägt war. »I should like to spend my old age, if I live to see it very uneventfully in my home town Mainz on Forster Street, lined with old trees«[136], schreibt Anna Seghers dazu am 28. Januar 1944 an eine als »Dear Aunt« angeredete Briefpartnerin in Port de France auf Martinique. Und in einem zweiten, auf demselben FBI-Formular erfaßten Brief an zwei Bekannte in La Paz, Bolivien, heißt es mit Bezug auf den Gedächtnisverlust nach ihrem Unfall im vorhergehenden Sommer: »When I read your letter where

133 [Ausgeschwärzt], Brief an Anna Seghers v. 6. 7. 1944, Anlage zum Report of the FBI Laboratory v. 26. 7. 1944.
134 Brief an Anna Seghers v. 1. 11. 1944, zitiert vom Office of Censorship am 25. 1. 1945. Vgl. die jüngst wiederaufgefundene und im Seghers-Archiv an der Akademie der Künste in Berlin einzusehende »Chronik der Familie Herz Salomon Fuld, Frankfurt am Main v. 1. 1. 1944 durch Heinrich Benjamin«, sowie verschiedene Beiträge im Jahrbuch der Anna Seghers-Gesellschaft, *Argonautenschiff*.
135 Andere Bereiche, etwa der Schaffensprozeß, aber auch die politische Arbeit und die Beziehungen von Anna Seghers zu ihrer »Familie«, sprich: der KPD, spielen in der vorliegenden Korrespondenz dagegen nur eine überraschend untergeordnete Rolle.
136 Anna Seghers, Brief an »Dear Aunt« v. 28. 1. 1944, Anlage zum Report of the FBI Laboratory v. 5. 5. 1944.

you mentioned my father and apple cider and crushed cakes, then everything was clear to me again, so that your kind letter had a better effect than doctors and friends.«[137] Drei Monate später erinnert sie sich in einem Schreiben an eine Briefpartnerin im U.S.-Bundesstaat Iowa im Zusammenhang mit der eben fertiggestellten Erzählung »Der Ausflug der toten Mädchen« an gemeinsame Kindheiterlebnisse und Lehrer und vermerkt lakonisch: »The older I become, and the greater the surge of people about me, the more real everything appears to me which happened in former times... more real than everything that happened later – it's all much more actual.«[138] Nostalgische Reminiszenzen an die gemeinsame Schulzeit bestimmen auch einen Brief vom 7. August 1944, in dem Anna Seghers der unbekannten Empfängerin ein Exemplar des »Ausflugs« verspricht, darüber nachdenkt, ob man nicht noch direkter über eine Mädchenschule schreiben könnte und um die »continuation of (the story about) our school class«[139] bittet.[140] Und natürlich dreht sich mit der Wiederherstellung der Postverbindung nach Europa eine zunehmende Zahl von Briefen um die näherrückende Möglichkeit einer Rückkehr in die Alte Welt und die Frage, wo und wie man in der Schweiz, in Frankreich und Deutschland verschollene Freunde und Verwandte aufzufinden vermag. Dazu als Beispiel ein Brief vom 27. März 1945 an eine(n) Empfänger(in) im schweizerischen St. Gallen, der in einer mit Zitaten durchsetzten Zusammenfassung des Office of Censorship erhalten geblieben ist: »In letter to ›Dear [ausgeschwärzt]‹, signed ›Netty‹, the writer expresses her great joy at being able to resume contact with addressee... In conclusion she states that although she likes Mexico with its rich cultural background, she is essentially European, and much closer to the European cultural pattern. She adds: ›It is possible, that, once at home, I will write something worthwhile, something beautiful about Mexico. If I only could share with you all the markets with all the colors, all the fabrics, all the people, then it would be easier for me. As things are, everything appears to me so dreadfully unreal. I believe Rodi is better off because he is always surrounded by many pupils.«[141]

---

137 Anna Seghers, Brief an [ausgeschwärzt] v. 1. 1. 1944, Anlage zum Report of the FBI Laboratory v. 5. 5. 1944.

138 Anna Seghers, Brief an [ausgeschwärzt] v. 21. 4. 1944, Anlage zum Report of the FBI Laboratory v. 9. 6. 1944.

139 Anna Seghers, Brief an [ausgeschwärzt] v. 7. 8. 1944, Anlage zum Report of the FBI Laboratory v. 24. 8. 1944.

140 Vgl. auch einen undatierten Brief als Anlage zum Report of the FBI Laboratory v. 6. 8. 1944. »... my most important correspondents«, heißt es dort, »are.. the mother of a school friend (the school friend is probably deported)... and a rediscovered school friend, or rather, simply a girl who used to go to school with me, whom I have not seen since she was 15 years old.«

141 Anna Seghers, Brief an [ausgeschwärzt] v. 27. 3. 1945, zitiert in Report of the Office of Censorship v. 26. 4. 1945.

Eingebunden in die Korrespondenz über Deutschland und über die Frage von Exil und Rückkehr nach Europa war für Anna Seghers ein zweites Thema, das die Seghers-Forschung bislang mit kaum einem Wort erwähnt hat: die Sorge um das Schicksal der Mutter, die im Frühjahr 1942, zweiundsechzigjährig, mit einem der großen Transporte von Juden aus Mainz in das Ghetto Piaski bei Lublin verschleppt worden war.[142] »I have already written you about mothers fate«, schreibt sie am 1. Januar 1944 in jenem bereits zitierten Brief nach La Paz, »although I telegraphed (for) a Mexican visa and she got a Swiss visa, too. I have heard nothing more from her or about her for a long time now.«[143] Vier Monate später beginnt die Angst zur Gewißheit zu werden – »sometimes I read the five, six letters which I have received from my mother and each time I fall into an indescribable state of rage and grief, but there is nothing to be gained by sustaining it«[144] – bis sich »the frightening, horrible news we have from there«[145] schließlich nicht mehr verdrängen lassen: »I do not have to tell you how desperate I am about what happened to Mother. Just now Mother could live with us without any financial difficulty. I wrote [ausgeschwärzt]... that we were able to cable Mother that we secured her a Mexican visa. She even had a Swiss visa but the Nazis would no longer let her get out. Gjury wrote me that you were sending her parcels, until the mail was returned to you; we do not have to delude ourselves as to what this means...«[146] »Mother... has been declared missing from a camp near Lublin.«[147]

Unfall und Gedächtnisverlust, die Deportation der Mutter und die Absicht der Familie Radvanyi, nach Deutschland zurückzukehren – diese zentralen

---

142 Frank Wagner: »Deportation nach Piaski. Letzte Stationen der Passion von Hedwig Reiling.« In: *Argonautenschiff* 3 (1994), S. 117-26.

143 Anna Seghers, Brief an [ausgeschwärzt] v. 1. 1. 1944, Anlage zum Report of the FBI Laboratory v. 24. 4. 1944. Bemerkenswert ist, daß das FBI bereits im Herbst 1943 in einem seiner zweiwöchigen Berichte zum Alto-Fall meldete: »Her father died some time ago, and her mother is believed to have been deported to Poland« (»Re: Anna Seghers with aliases«, S. 3, Anlage zu FBI-Report, New York v. 14. 12. 1943). Zwei Jahre später, am 24. 10. 1945, hält der Sammelbericht »Re: Netty Radvanyi, with aliases...« fest, daß auch ihr Vater »70 years of age was frequently molested by the German authorities« (S. 1).

144 Anna Seghers, Brief an [ausgeschwärzt] v. 5. 5. 1944, Anlage zum Report of the FBI Laboratory v. 9. 6. 1944.

145 Anna Seghers, Brief an [ausgeschwärzt] v. 21. 9. 1944, Anlage zum Report of the FBI Laboratory v. 17. 10. 1944.

146 Anna Seghers, Brief an [ausgeschwärzt] v. 27. 3. 1945, zitiert im Report of the Office of Censorship v. 26. 4. 1945.

147 Anna Seghers, Brief an [ausgeschwärzt] v. 19. 3. 1945, zitiert a. a. O. In dem Brief einer unbekannten Person in Mexiko an einen ebenfalls unbekannten Empfänger in New York City vom 12. 9. 1944 heißt es dazu: »Anna Seghers wanted to know whether we can possibly locate her mother, Hedwig Reiling. She was kept in a camp in Piscki, near Lublin. I am afraid it is a hopeless undertaking« (FBI-Report, New York v. 7. 12. 1944).

Themen der vom FBI archivierten Korrespondenz fließen Ende 1944 in dem Plan zusammen, den »Ausflug der toten Mädchen« in einer Film- oder Theaterfassung als »reconstruction and educational material«[148] für die Nachkriegszeit zu bearbeiten. »Extremely interesting« sei ein solches Projekt für sie, besonders als »post-war theme«. Andererseits verbinden sich höchst schmerzhafte Bilder mit diesen Erinnerungen, die die Briefeschreiberin am liebsten in einem kleinen Buch aufarbeiten würde, das von Mädchen handelt, die zu Frauen geworden sind.

Mit wem Anna Seghers in jenem Herbst eilig und nervös Telegramme und Briefe zu diesem Projekt austauscht ist nicht zu rekonstruieren. Wohl aber steht fest, daß der Partner, den sie förmlich mit »Sie« anredet, in Santa Monica wohnt, der Filmindustrie nahesteht und den Erfolg des eben anlaufenden Films *The Seventh Cross* für das neue Projekt nutzen möchte. »I have set up for the ›Excursion of the Dead Maidens‹ (or whatever they may call it. So far I am quite pleased with the title) only one possibility«, schreibt sie dazu nach Kalifornien, »to build it up as a post-war play. It would go something like this, as I see it: I return home, the city is completely changed, here traces still of the bombardment, there disfiguring reconstruction. Where my school was, there is something else entirely. I looked for the girls of my class. They are not to be found. I seek them through the police station etc. Not to be found. I strike out somewhere perhaps on the Rhine steamer to the place where we always went to one of our former teachers, old even then and now aged. The young folks are apparently dead, the old folks apparently tough. I question the old teacher. Now the trend of life before the war, during and after the war is unfolded. Approximately the same failures, instability, and testimonies as appeared in the story. Here in the film or dramatic version in any case a girl must have been saved, perhaps one who was at that time very much endangered, very broken, and perhaps in this way or that way through a completed action which must be connected with the beginning of the story, must come through to us and show her new situation.«[149]

Nicht lange nach dem Austausch zwischen Mexiko und Santa Monica nimmt das FBI eine Meldung der *New York Times* in die Seghers-Akte auf, in der vom Exodus der deutschen Exilanten aus dem südlichen Nachbarland die Rede ist.[150] Ihr folgen nach dem bereits mehrfach angesprochenen Motto, daß jeder der einmal in die Akten des FBI geraten ist, nie wieder unbehelligt bleibt, im Sommer 1947 Berichte der Field Offices in New York und Boston über Pressemeldungen zu Anna Seghers' Aktivitäten in Deutschland bzw. zu einem Gerücht, daß die Autorin zu einem Besuch in die USA kommen wolle.

148 Anna Seghers, Brief an [ausgeschwärzt] v. 4. 9. 1944, Anlage zum Report of the FBI Laboratory v. 23. 9. 1944.
149 A. a. O.
150 *New York Times* v. 23. 7. 1946, in »Correlation Summary« v. 8. 3. 1974, S. 35.

Im Rahmen der intensiven Überwachung des Pariser Friedenskongresses von 1949 (»rigged…, real purpose of which is not attainment peace but glorification USSR«[151]), der ebenso wie die Cultural and Scientific Conference for World Peace im New Yorker Hotel Waldorf Astoria unangenehm bei den Kommunistenjägern von »Counterattack« auffiel[152], taucht in der Korrespondenz des State Departments der Name Seghers auf.[153] Einmal, 1951, sammelt das FBI Informationen zur englischen Ausgaben von *Die Toten bleiben jung* bei Little, Brown in Boston[154]; ein anderes mal geht es Hinweisen auf Anna Seghers' Mitgliedschaft in Organisationen wie der »Society for the Study of Soviet Culture«[155] oder auch Zuschriften wie der eines anonymen Informanten nach, der sich 1961 darüber beklagt, daß ihm ein Workingman's Circle for the Promotion of German Culture and Speech[156] aus der DDR unaufgefordert Material zuschicke.[157] Hoffnungsfroh registriert das Bureau im August 1948 einen Aufsatz im *Aufbau* mit der Überschrift »Anna Seghers to Leave Russian Zone?«, in dem steht, »that Seghers did not like living in the Soviet zone of Germany anymore… and… planned to buy a house in Ueberlingen at the shores of Lake Bodensee… in the French zone.«[158] Von Heidelberg aus erbittet ein Agent des FBI bei der Zentrale in Washington 1953 Beweismaterial dafür, daß Anna Seghers Mitglied der Kommunistischen Partei sei.[159] Mit Hilfe von FBI-Unterlagen erstellt die CIA einige Jahre später unter der Überschrift National Intelligence Survey, East Germany, Section 59 eine umfangreiche Broschüre mit Porträts von 27 »Key Personalities« der DDR, in der neben den üblichen biographischen Angaben auch der Hinweis zu fin-

---

151 Department of State, Telegramm an All Diplomatic Missions v. 8. 4. 1949 (800.00B/4-849).

152 Red Channels, S. 207-8.

153 Das Aktenkonvolut 800.00B/3-2949 in den National Archives ist in großen Teilen dem Pariser Kongreß gewidmet.

154 *Washington News* v. 5. 9. 1951, in »Correlation Summary« v. 8. 3. 1974, S. 51: »The 9/5/51 issue of the ›Washington News‹«, heißt es hier, »contained an article captioned ›Little, Brown & Co. Seems Sure You Can Do Business With Stalin.‹ This article stated that ›Counterattack,‹ weekly newsletter of Facts to Combat Communism, revealed that Little, Brown and Company (100-343872) formerly a conservative publishing firm, suddenly started to plug authors sympathetic to communism and manuscripts right up the communist line. Among the communist authors listed was Anna Seghers.«

155 »Correlation Summary« v. 8. 3. 1974, S. 49.

156 Mitglieder des »Workingman's Circle«, eine Fehlübersetzung von ›Arbeitskreis‹, waren u.a. die Mexiko-Exilanten Bodo Uhse und Alexander Abusch, aber auch Hermann Kant, Hans Mayer und Dr. med. Ruth Radvanyi (Manfred Feist, Rundbrief an Freunde der deutschen Kultur und Sprache v. 10. 6. 1961, Anlage zu SAC, St. Louis, Memorandum an Director, FBI, v. 8. 9. 1961).

157 FBI-Report, Philadelphia v. 15. 11. 1961.

158 *Aufbau* v. 19. 8. 1948, in »Correlation Summary« v. 8. 3. 1974, S. 39-40.

159 FBI, Heidelberg, Brief an John Edgar Hoover v. 31. 7. 1953.

den ist, daß »some of the leaders of the Socialist Unity Party of Germany...
are strongly opposed to Frau Seghers, possibly, because of her long stay in
France and Mexico«[160]. Pflichgetreu legen Hoovers Archivare im Februar
1972 das Flugblatt »Save Angela Davis« zu den Akten, »signed by members
of the German Democratic Republic«[161], darunter Anna Seghers. Und schließlich muß es einen Grund gegeben haben, warum das FBI 1973/74 mit erheblichem Arbeitsaufwand jene bereits mehrfach zitierte »Correlation Summary« anfertigen ließ, die auf weit über 200 Seiten »information obtained from
a review of all ›see‹ references to the subject in Bureau files«[162] zusammenstellt und nach »all logical buildups, breakdowns, and variations of name and
AKA's«[163] sucht.

Wie die Rückkehr von Anna Seghers nach Deutschland tatsächlich verlaufen ist, wie sich die Beziehung der Heimgekehrten zu ihrer Geburtsstadt
Mainz entwickelte, wo man sich 1946 noch sehr genau an das Schicksal der
Familie Reiling erinnerte,[164] und wie Anna Seghers sich nach den Mühen der
Berge des Exils mit den Mühen der Ebene im täglichen Sozialismus arrangierte, ist nicht mehr in den Akten des FBI dokumentiert. Andere Geheimdienste mit ihrem nicht weniger eifrigen Heer von Spitzeln und Informanten,
mit Postzensur und Beschattung, mit akribisch geführten Akten voller Vermutungen und Verdächtigungen werden diese Arbeit fortgesetzt haben. Denn
über eines dürfte nach der Lektüre der Seghers-Akte beim FBI Gewißheit
herrschen: Wer in unserer Zeit anders denkt als die sogenannte Mehrheit
und noch dazu mit seiner Meinung ins Lampenlicht der Öffentlichkeit tritt,
wird den Überwachungsmechanismen der modernen Staaten nicht entkommen – in Mainz und in Mexiko ebensowenig wie in New York und in Berlin.

---

160 CIA, National Intelligence Survey, East Germany, S. 16 (CIA).
161 »Correlation Summary« v. 8. 3. 1974, S. 67.
162 A. a. O., S. 1.
163 »Analytical Summary« (Correlation Summary) v. 26. 3. 1973, Seitenangabe unleserlich.
164 Vgl. zum Beispiel H. R. (Rezension von Anna Seghers, *Das siebte Kreuz*). In: *Neuer Main-
zer Anzeiger* v. 31. 8. 1946.

Egon Erwin Kisch

Die FBI-Akte von Egon Erwin Kisch umfaßt 169 Blätter, von denen 157 direkt oder nach Rückfrage bei Behörden wie der Defense Intelligence Agency an mich ausgeliefert wurden. Hinzu kommen 47 Seiten vom INS, der ohne genauere Angaben weitere Dokumente »compiled for law enforcement purposes« zurückhält. Das State Department und die Central Intelligence Agency gaben je ein Aktenstück von unbestimmter Länge nicht frei.

Kischs Dossier ist, wie bei dem rasenden Reporter vielleicht nicht anders zu erwarten, vor allem dort interessant, wo es um die Reisetätigkeit und die internationalen Kontakte des unter »Internal Security – C«[1] bzw. »R«[2], »Custodial Detention«[3], »Mexico Subversive Activities«[4] und »Security Matter – C«[5] geführten Exilanten geht. Aktenkundig wurde der in den USA durch Bücher wie *Changing Asia, Secret China* und *Australian Landfall* bekannte Autor denn auch zum ersten mal, als das Board of Special Inquiry auf der INS-Insel Ellis Island am 28. Dezember 1939 wissen will warum er vor seinem Transit nach Chile mehrere Monate in den USA Halt machen möchte: »Q[estion] Why do you have to remain in the U.S. 60 days? Why couldn't you go on the first available ship, say within a week, 10 days, or 2 weeks? A[nswer]. The latest work I was working on is a book called ›Crawling in the Inky River‹... I sent the manuscript to Knopf and they were not satisfied and wanted me to make some changes... I come now to... find out in what manner my book can be published in the best taste of the American public... Q. That doesn't sound good... Where will you live while in the U.S.? A. I found out by calling up a friend yesterday that I will live with Mr. William E. Dodd, ex-Ambassador to Germany, in New York City.«[6] Mißtrauisch erkundigen sich die Beamten der Einwanderungsbehörde nach Kischs Beziehungen zu Chile (»Q. How did you connect with this University? A. I know several writers from Chile and one of them, Mr. Neruder [gemeint ist offensichtlich Pablo Neruda]... invited me...«[7]) und machen sich die üblichen Gedanken zu den

---

1   John Edgar Hoover, Brief an E. J. Connelley v. 9. 5. 1941.
2   FBI-Report, Los Angeles v. 31. 8. 1942, S. 1.
3   [Ausgeschwärzt], Los Angeles, Brief an Director, FBI, v. 6. 4. 1943, S. 1.
4   [SIS/FBI Report], Mexiko v. 14. 10. 1943, S. 1.
5   [SIS/FBI Report], Mexiko v. 12. 5. 1945, S. 1.
6   Board of Special Inquiry, Ellis Island, New York, Verhör von Egon Ervin Kisch am 28. 12. 1939, S. 5 (INS).
7   A. a. O., S. 4. Cantwell C. Brown, der Assistant Military Attaché in Mexiko, zitiert Jahre später in einer Analyse von BFD-Mitgliedern eine »Source C«, die behauptet, »Charlie Chaplin solicited Kisch's release from France« (»Analysis of the Membership of Alemania Libre«, S. 28, Anlage zu Raleigh A. Gibson, First Secretary of Embassy, Embassy of the United States of America, Mexiko, Brief an Secretary of State v. 26. 6. 1945 [862.01/6-2645]).

politischen Überzeugungen ihres Gegenübers: »Q. Did you ever belong to any political party? A. No. I am a left-wing writer, so to speak, but I have nothing to do with politics. Q. How far left did you go? A. As far as most American writers, e.g. Theodore Dreiser, Ernest Hemingway, Lewis Sinclair [gemeint ist entweder Upton Sinclair oder Sinclair Lewis].«[8] Ohne Sinn für Humor übergehen sie die Tatsache, daß sich ihr Gegenüber ausgerechnet mit »Paradise in America« als Schriftststeller ausweist, »which is based upon Ellis Island, although I was not on Ellis Island previously, except for a visit...«[9]. Wenn Kisch dennoch die Erlaubnis erhält, in die USA einzureisen, dann wohl nur deshalb, weil Franklin Folsom, der Executive Secretary der League of American Writers, erscheint und ihn mit einer Kaution von $500 von der Insel der Einwanderer freikauft: »On Ellis Island«, erinnert sich Folsom 55 Jahre später, »I also met Egon Erwin Kisch... On the ferry that carried us... to Manhattan, Kisch grew more and more tense. When the vessel edged into the slip... Kisch, his clumsy overcoat flapping, clambered over the chain, ran forward, and leaped onto the pier. There he fell to his knees and kissed the ground, the dirty ground of freedom. He had visited the United States some time before and knew something of our folkways. His first request, when we caught up with him, was for a hotdog.«[10]

Es lohnt nicht, auf die sich bis in den Herbst 1940 hinziehenden Verhandlungen zwischen Kisch, seinem Rechtanwalt in Washington, Peter F. Snyder, und dem Department of Labor bzw. Justice einzugehen. Einzig ein zweites Verhör auf Ellis Island soll zitiert werden, weil es deutlich macht, wie wenig der INS die Hitlerflüchtlinge verstand oder verstehen wollte und weil es Hinweise auf die Existenz einer nicht genauer beschriebenen »Government's file«[11] mit Informationen enthält, die nicht öffentlich sind bzw. von Informanten stammen: »Q. ...why is it not possible for you to leave the United States, at least to return to Czechoslovakia? A. That is impossible. I am a Jew and a writer. Q. Do you mean that your writings influenced the Czechoslovakian Government so that you could not return there? The Hitler Government, of course. Q. Were your writings in Czechoslovakia of a Communistic nature? A. No, by no means... Q. Were you ever in any difficulty with the police or other authorities in France because of your Communistic tendencies? A. No...

---

8   A. a. O., S. 5.
9   A. a. O., S. 2. *Paradies Amerika* war 1930 in Berlin erschienen und hat wenig mit Ellis Island zu tun. Die Annahme, daß Kisch 1928/29 mit falschem Paß als »Dr. Becker« in die USA gereist sei, ist inzwischen von Dieter Schlenstedt korrigiert worden (»Nachwort.« In Egon Erwin Kisch: *Paradies Amerika*. Berlin: Aufbau 1994, S. 304 [Aufbau Taschenbuch, 5054.]).
10   Folsom, *Days of Anger, Days of Hope*, S. 52.
11   G. S. German, Immigrant Inspector, INS, Ellis Island, New York, Verhör von Egon Ervin Kisch am 11. 5. 1940, S. 5 (INS).

Q. But because of some of your writings there, you were censored by the French authorities? A. No. Never in my life. Q. The Government's file indicates that information has been received that you were deported from France at one time because of your Communistic tendencies. Are you able to swear definitely that you never had any difficulty with the police or civil authorities there? A. I... had once,... but it was immediately arranged... Q. Did you ever make a statement to anyone that you had no intention of leaving the United States, and that the Government itself was very easy to fool? A. Never in my life.«[12]

Kisch, der aufgrund seiner tschechoslowakischen Staatsbürgerschaft auch nach Kriegsausbruch nicht in den USA festgehalten werden konnte, gehört zu den weniger Exilanten, die die USA mehr oder weniger freiwillig – wenn auch mit Hilfe des mexikanischen Delegate of the Ministry of Education in New York – wieder verließen. Obwohl seiner Frau und ihm im Herbst 1940 die Aufenthaltserlaubnis ein weiteres mal um mehrere Monate verlängert wurde und man den Status der beiden Flüchtlinge wegen Kischs literarischer Tätigkeit von »transit alien «[13] zu »nonimmigrant visitor for business«[14] veränderte, registrieren INS und FBI trocken, daß »aliens«[15] am 24. November 1940 die USA über Larido, Texas, in Richtung Mexiko verlassen haben.

Geschlossen, wie der Assistant FBI-Director Foxworth seinem Boss meldete, wurde der Fall Egon Erwin Kisch deshalb nicht.[16] Vielmehr bezieht sich die oben erwähnte, 157 Blätter umfassende FBI-Akte fast ausschließlich auf die mexikanischen Jahre des Exilanten – freilich immer mit besonderem Blick auf literarische und politische Aktivitäten von internationaler Bedeutung. Neben belanglosen Berichten des Special Intelligence Service über ein Bankett zu Kischs 60. Geburtstag in Mexiko, D. F., (»held in his honor at the

---

12 A. a. A., S. 4-6.
13 Board of Review, Verhör v. Gisela Kischova v. 20. 3. 1940, S. 2 (INS).
14 Henry B. Hazard, Assistant, INS, Washington, Memorandum an INS, Ellis Island, N. Y, v. 22. 3. 1940 (INS). Ungeachtet solcher temporären Erleichterungen ließ der INS das Ehepaar Kisch nie vergessen, daß es sich illegal in den USA aufhielt: »You have been denied admission by this Board«, teilte das Board of Special Inquiry den Flüchtlingen im März 1940 mit. »If deported, you will be returned to the country whence you came... Do you understand?« (Board of Special Inquiry, Ellis Island, New York, Verhör von Gisela Kischova und Egon Ervin Kisch als Zeuge v. 13. 3. 1940, S. 5 [INS]) Dennoch ist anzunehmen, daß die Kischs, wenn sie es gewollt hätten, wie andere Exilanten ihren Aufenthalt in den Vereinigten Staaten durch immer neue »Application to Extend Time of Temporary Stay« bis zum Ende des Krieges und darüber hinaus hätten ausdehnen können.
15 Byron H. Uhl, District Director, INS, Ellis Island, New York, Memorandum an Special Assistant to the Attorney General in Charge, INS, Washington, v. 21. 12. 1940 (INS).
16 Die Akte, die das FBI offensichtlich während Kischs Aufenthalt in den USA geführt hatte, ist vernichtet worden, verloren gegangen oder ohne Angabe von Gründen nicht an mich ausgeliefert worden.

Restaurant of the Palacio de Bellas Artes«[17]) und zu »Appearance Characteristics« des »subject« (»Inclined to be unkempt; shaggy hair. Very amiable and courteous; easily approached. Walks with a slight limp when climbing stairs due to broken leg incurred in Australia.«[18]) interessiert sich der FBI-Boss ähnlich wie im Fall Anna Seghers von Anfang an vordringlich für Kischs umfangreiche Kontakte zu den USA. Nervös treibt Hoover bzw. einer seiner Stellvertreter so im Frühjahr 1941 das New Yorker Büro zur Wiedereröffnung der Akte an, bloß weil sie in einem Bericht aus dem Jahre 1938 darauf gestoßen waren, daß Kisch damals einen Aufruf gegen Hitler im »Deutschen Volks Echo« unterschrieben hatte: »It is my desire that an appropriate investigation be undertaken at once for full information relative to Kisch.«[19] Das FBI liest mit als *La Opinia*, eine spanischsprachige Zeitung in Los Angeles, im August 1942 über den Besuch von Kisch, Anna Seghers, Renn und Uhse beim Präsidenten von Mexiko berichtet »on which occasion they announced to him that they had formed an organization, El Libro Libre, for the purpose of obtaining the confidence of the German residents of Mexico, and educating them to loyalty to that country«[20]. Gleichsam als Kollegen registrieren Hoovers Geheimdienstprofis »that at the age of 21 Kisch discovered one of the most interesting cases of world espionage, notably that of Col. Redl, who while chief of Austrian counter-espionage, was at the same time the most important spy in the service of the Russian Czar«[21]. Ein Jahr später schlägt das Los Angeles Field Office in einem vor der Freigabe nahezu völlig von der Zensur verstümmelten und deshalb thematisch nicht genauer zu fixierenden Bericht über Kisch und andere in der Rubrik »Undeveloped Leads« nicht nur die üblichen »censorship stops placed on Subject and the ›El Libro libre‹ publishing firm« vor, sondern auch die Durchsuchung der »personal records and effects«[22] der Verdächtigen. Von »Mexican political sources« und vom »Polish Minister in Mexico« läßt sich die amerikanische Botschaft erzählen, daß Kisch Mitglied der tschechischen KP und der GPU sei mit dem Auftrag »to undertake certain work here in Mexico«[23].

Und so geht es weiter in den folgenden Monaten und Jahren: Mal wird für ein internes FBI-Memorandum der im *Daily Worker* erschienene Text einer Grußbotschaft von Kisch zum 25. Jahrestag der Oktoberrevolution abgetippt;

17 [SIS/FBI-Report], Mexiko v. 12. 5. 1945, S. 6.
18 Re: Egon Erwin Kisch, S. 1.
19 John Edgar Hoover, Brief an Earl J. Connelley, Assistant Director, FBI, New York, v. 29. 3. 1941.
20 FBI-Report, Los Angeles v. 4. 3. 1944, S. 4.
21 SIS/FBI-Report, Mexiko v. 8. 11. 1945, Anlage, S. 1. Vgl. Kischs Darstellung dieses Ereignisses aus dem Jahre 1913 in *Der Fall des Generalstabschefs Redl* (1924).
22 FBI-Report, Los Angeles v. 31. 8. 1942, S. 12.
23 Geo. P. Shaw, American Consul, American Consulate General, Mexiko, Brief an Secretary of State v. 22. 8. 1941, S. 1-2 (861.20212/7).

Re: EGON ERWIN KISCH

Mexico, D. F.

EGON ERWIN KISCH is one of the most famous refugee writers presently living in Mexico. He has had a long career as a newspaperman and writer and has traveled all over the world. He was imprisoned by Hitler's government soon after it's ascension to power. He later left Europe and when he was enroute to Australia in 1936, Hitler declared that he would stop all German imports of Australian wool if KISCH were allowed to land in Australia. The Australian authorities therefore forbade KISCH to land, and when he entered Australia illegally (by jumping from the deck of the ship to the dock, thus breaking his leg) he was arrested and sentenced to six months hard labor. His case made legal history in Australia, and the resulting change in the statutes of that country is known as the "Kisch Law".

As a newspaperman in Europe, KISCH was largely interested in unearthing scandals and in breaking sensational news of a political nature. He is clever, couragous, and a very able writer. His book, "Sensation Fair" which appeared two years ago is largely an account of his first 30 years in journalism.

KISCH is one of the leaders of the group of communist writers in Mexico. He is on very intimate terms with ANNA SEGHERS He is also closely connected with ███████████████████ and LUDWIG RENN. Subject is a well-known communist, whose opinions are greatly respected by all of the communists in Mexico. In ordinary conversation however, he does not flaunt his political views, but is much more interested in obtaining those of others.

The following is personal data regarding EGON ERWIN KISCH:

Age	About 60
Height	5' 8"
Weight	160 #
Hair	Wavy, black, streaked with grey
Appearance	Inclined to be unkempt; shaggy hair
Characteristics	Very amiable and courteous; easily approached. Walks with slight limp when climbing stairs due to broken leg incurred in Australia.

- 1 -

address   Avenida Tamaulipas 152,
Apartment 6,
Mexico, D. F.
Telephone P-0799

He also maintains
or has maintained
a residence at   Amsterdam 140
Apartment 5
House telephone 14-60-15

The woman who is in charge of
this house knows KISCH, but recently
stated that he does not spend much
time there. It is believed that he
still visits the place occasionally.

       KISCH has been active in El Libro Libre which is a
publishing house sponsored by contributions to and operated by
leading German Communist writers in Mexico. One of the books which
this publishing house has printed and is presently promoting is the
Black Book of Nazi Terror.

       There is quoted hereinafter a cable by EGON ERWIN
KISCH TO ▮▮▮▮▮▮▮▮▮▮▮▮▮▮▮▮▮▮▮▮▮▮ dated May 31,
1943, concerning the above mentioned book:

BLACKBOOK TERMS THOUSAND DOLLAR ADVANCE TEN PERCENT UP

TO 2500 SOLD COPIES TWELVE AND A HALF PERCENT TO 5000

COPIES AND FIFTEEN PERCENT OVER 5000 STOP WE CAN PUT BLOCS

AT YOUR DISPOSAL STOP PLEASE COMMUNICATE FURTHER WITH

EDITORIAL EL LIBRO LIBRE MERIDA 213.

- - - - - - - - - - -

- 2 -

mal registriert man in Los Angeles, daß dort »contributions... for the benefit of the Subject Kisch«[24] gesammelt wurden; mal bestätigt das FBI-Labor für die Außenstelle in Mexiko, daß irgendein Formular »the known typewriting and handwriting of Egon Erwin Kisch«[25] enthält; mal gräbt ein Special Agent aus irgendwelchen alten Akten aus, daß Kisch 1929 schon einmal sechs Monate in den USA gewesen war und sich damals mit [ausgeschwärzt] anfreundete.

Wichtigste Fundstelle für Informationen über Kischs Leben und Arbeit waren jedoch einmal mehr die ungefähr ein Viertel des FBI-Materials umfassenden Berichte des Office of Censorship, das Kisch zweiffellos nicht nur auf den umstrittenen »Special Watch Instructions«[26] des Jahres 1943 führte. Wohl informiert korreliert da der »Examiner« eine über die Sowjetbotschaft in Washington an Johannes R. Becher gerichtete Anfrage nach Material über die Frontarbeit der schreibenden Rußlandexilanten mit einer Aussage von Bodo Uhse »about Becher's paper«[27] und über einen Fall von Verrat in Exilantenkreisen: »Writer has previously stated that [ausgeschwärzt]... who was a favorite of the Nazi officials in concentration camps because of his cooperative attitude, and his betraying of his friends, tried to explain his treason to his wife, upon arrival on this continent by saying that her father [ausgeschwärzt] was executed in the Soviet Union.«[28] Eher mißtrauisch reagiert die Postzensur auf die Geburtstagswünsche eines »admirer in U.S. Army«[29] und auf das Angebot eines mit Kisch befreundeten Geschäftsmannes aus Chicago, den Exilanten in Mexiko »any service and information you might require from the United States«[30] zukommen zu lassen. Als Heinrich Mann sich beschwert, weil ein Heft der *Internationalen Literatur* nicht bei ihm ankam, erinnert sich der gut über Manns Korrespondenz informierte Zensor, daß es sich hier um jenes Exemplar gehandelt haben dürfte, das laut Postal Censorship Record EP48753 R ein [ausgeschwärzt] an Mann geschickt hatte. Und natürlich läßt sich das FBI, das schon über die Geburtstagsfeier für Kisch in Mexiko berichtet hatte, von der Postzensur über eine ähnliche Feier in Kalifornien und das dort gesammelte Geschenk von $200 informieren.

---

24 [Ausgeschwärzt], Brief an Director, FBI, v. 6. 4. 1943, S. 1.
25 FBI Laboratory,Untersuchungsbericht für Mexico City v. 7. 11. 1944.
26 »Special Watch Instruction No. 88« v. Oktober 1943, Anlage zu G. E. Brown, Chief, Digest Section, Office of Censorship, Brief an George P. Shaw, Acting Chief, Division of Foreign Activity Correlation, Department of State, v. 20. 10. 1943 (862.01/611).
27 Egon Erwin Kisch, Brief an [ausgeschwärzt], Press Division of the Embassy of USSR, Washington, v. 4. 1. 1943, S. 1. Gemeint ist offensichtlich Uhses Beitrag über die *Internationale Literatur*, der unter der Überschrift »Das kann nie vergessen werden« in Heft 2/1943 von *Freies Deutschland* erschienen war (S. 29).
28 A. a. O., S. 2.
29 [Ausgeschwärzt], Brief an Egon Erwin Kisch v. 15. 5. 1945.
30 [Ausgeschwärzt], Brief an [ausgeschwärzt] v. 15. 4. 1945.

MILITARY INTELLIGENCE DIVISION W. D. G. S.

MILITARY ATTACHE REPORT ....MEXICO

(Country reported on)

Subject Egon Erwin KISCH and Otto KATZ   M. I. G. No. 7233
(Brief descriptive title)   A. I. G. No. 104-20?

From M. A. Mexico City   Report No. R-1015   Date 30 November 1945

Source and degree of reliability:

Source: B   Information: 2

SUMMARY.—Here enter careful summary of report, containing substance succinctly stated; include important facts, names, places, dates, etc.

1. Reference is made to Report M.A., Mexico, 4651-44, BID 5940, 26 September 1944, Subject "Egon Erwin KISCH" and to Summary of Information, Hq. Southern Defense Command, 11 August 1942, Subject "Alemania Libre."

2. These subjects, Czechoslovakian authors, are planning to return to Czechoslovakia in the near future taking the first available Swedish ship from Veracruz, Mexico, in the event they are unsuccessful in obtaining visas for transit through the United States.

3. KISCH, has recently published in Mexico City a book entitled Descubrimientos en Mexico (Discoveries in Mexico). Folders distributed to advertise the book describe KISCH as the greatest contemporary writer of travel literature. To KISCH is further attributed in the folder the discovery of Colonel Redl who while chief of Austrian counter-espionage in 1906 was at the same time in the service of the Czar of Russia. The folder further states that KISCH's book has been endorsed by Henry BARBUSSE, Enrique GONZALEZ MARTINEZ, Leon FEUCHTWANGER, Upton SINCLAIR, Heinrich MANN, Ajaes SMEDLEY.

4. It is reported that Subject has been receiving 300. pesos per month from the Society of Political Exiles of German Speech in Mexico and that he has been a frequent contributor to "Freies Deutschland", official organ of the Free Germany (Alemania Libre) movement in Mexico, most of his articles dealing with literary and travel topics. The July 1945 issue contains his "Fat and Lean years of Henequen", describing economic life in Yucatan, in the August 1945 issue appears his "Chewing Gum," humorously treating the transporting of chicle

Distribution by originator   N/A Embassy

Routing space below for use in M. I. D. The section indicating the distribution will place a check mark in the lower part of the recipients' box in case one copy only is to go to him, or will indicate the number of copies in case more than one should be sent. The message center of the Intelligence Branch will draw a circle around the box of the recipient to which the particular copy is to go.

AGF	AAF	SOS	AC of S G-2	Chief IG	Ear. Afr.	Far East	N. Amer.	Air	Dissem.	AIC	FLDR	037
MA Sec.	CIG	Rec. Sec.	ONI	BEW	CWS	ENG.	OPD	ORD	Sig.	State	QMG	

Enclosures:

WAR DEPARTMENT
O.C.S.17 (2nd Rev.)

490

Doch nicht nur Kischs Verbindungen in die USA, auch seine vielen Reisen stoßen bei Hoovers Behörde auf Verdacht. Aufmerksam registrieren die Männer vom FBI Zeitungs- und Informantenberichte sowie über den Marineattaché in Mexiko weitergereichte Informationen des Office of the Mexican Cable Censorhip über Kischs Probleme mit der australischen Einwanderungsbehörde im Jahre 1934: »... subject tried to jump ship in Australia but was apprehended by police guards and placed back on board. He was not permitted to disembark since he was believed by Australian authorities guilty of revolutionary activities.«[31] »His case made legal history..., and the resulting change in the statutes of that country is known as the ›Kisch Law‹.«[32] Fünf Seiten braucht das FBI-Büro in New York, um Kischs Auftritt bei der Zweiten Internationalen Konferenz proletarischer und revolutionärer Schriftsteller 1930 in Charkow mit langen Zitaten und »an excellent photograph«[33] aus dem Protokollband des Treffens zu dokumentieren. Und wie nicht anders zu erwarten versuchen die Geheimdienstler, ihren Wert unter Beweis zu stellen als Kisch aus Mexiko abreist, um in der Tschechoslowakei womöglich jenen Posten anzunehmen, den ihm, wie Hoover bereits im Juli 1944 zu wissen meinte, der tschechoslowakische Konsul Eduard Beneš bei dem bereits erwähnten Treffen mit Eisler und Brecht in Los Angeles zugedacht hatte[34]. So meldet der Civil Attaché per Telephon »at 1:00 P.M. on February 14, 1946« nach Washington, daß Kisch in wenigen Tagen ausgestattet mit dem tschechoslowakischen Paß Nr. 217298 und einem vom tschechischen Konsul bei seinen amerikanischen Kollegen erbetenen U.S.-Transit in »Car No. 226«[35] auf dem Weg über Laredo in New York ankommen werde. Ein Teletype des »Director« sorgt dafür, daß die Stafette dort weitergegeben wird: »Subject departed three thirty p.m. aboard SS Queen Elizabeth. Will arrive Southampton, England at noon, March sixth. Report of contacts and surveillance follows.«[36] Einen Monat später, am 4. April 1946, bittet das State Department seine Botschaft in Prag, sich diskret zu erkundigen, ob Kisch (»received a letter from Klement Gottwald... that he was needed at home«[37]) und Otto Katz (»a dangerous Communist, trigger man, agitator and propagandist«[38]) tatsächlich für diplomatische Spitzenpositionen in Lateinamerika vorgesehen seien.

31 FBI-Report, Los Angeles v. 4. 3. 1944, S. 2.
32 SIS/FBI-Report, Mexiko v. 14. 10. 1943, S. 1.
33 FBI-Report, New York v. 7. 3. 1942, S. 4.
34 John Edgar Hoover, Memorandum an Adolf A. Berle v. 31. 7. 1944, S. 1 (862.01/7-3144): »It has likewise been learned by the source mentioned above that Consul Benes informed Hanns Eisler and Bert Brecht that Egon Erwin Kisch is assured of a position in the future government of Czechoslovakia.«
35 C. H. Carson, Memorandum für D. M. Ladd v. 14. 2. 1946.
36 Conroy, Teletype an Director v. 23. 2. 1946.
37 [Department of State] to [U.S. Embassy, Praha], v. 4. 4. 1946, S. 2.
38 A. a. O., S. 1.

Kisch starb – wie das FBI aus dem *Daily Worker* wußte – am 31. März 1948, ohne sein Land wie F. C. Weiskopf, der bis zum Botschafter in China aufstieg, vertreten zu haben. Aus dem Visier der Nachrichtendienste verschwand er deshalb nicht. Ein mehrteiliger Bericht aus dem Jahr 1951 zu der Affäre um den Starspion Richard Sorge enthält auch eine vierseitige Zusammenfassung von Kischs Leben – weil der rasende Reporter Anfang der dreißiger Jahre bei den Recherchen zu seinem Buch *China geheim* (1933) in die erst viel später aller Wahrscheinlichkeit nach auf dem Umweg über die japanischen Besatzungsbehörden zu den Amerikanern gelangten Akten der Stadtpolizei von Schanghai geraten war[39] und weil man beim FBI schon lange ›wußte‹, daß Kisch damals »as a ›member of the GPU‹«[40] im Auftrag der Sowjetunion nach China geschickt wurde. Weitere fünf Jahre später erinnert sich ein anderer FBI-Mann in einem fast vollständig unleserlich gemachten Bericht, der mit den Ereignissen in Ungarn vom Herbst 1956 zusammenhängt, noch einmal, daß einer seiner Kollegen in einem Protokoll zum Thema »›Comintern/Apparatus, IS-R...«[41] Kisch und seine Frau am 24. Februar 1946 in New York dabei beobachtete, wie sie die Wohnung von [ausgeschwärzt] besuchten.[42]

Bodo Uhse

Die Akte von Bodo Uhse (»unattractive, sly, shifty-eyed«[1]) ist vom FBI besonders krass verstümmelt worden: 167 vielfach nahezu gänzlich ausgeschwärzte Seiten wurden an mich ausgeliefert, 354 FBI- und 57 Armee-Dokumente werden zurückgehalten – ganz zu schweigen davon, daß FBI und INS behaupten, keinerlei Material aus der Zeit zu besitzen, als Uhse sich in den USA aufhielt.[2]

---

39 Auf Hoovers Interesse an ausländischem Aktenmaterial zu den von seinem Dienst observierten Communazis ist bereits weiter oben eingegangen worden.

40 Re: Egon Erwin Kisch, ca. Dezember 1944. Vgl. auch das an anderer Stelle zitierte Memorandum von John Edgar Hoover an Frederick B. Lyon, Chief, Foreign Activity Correlation, v. 13. 4. 1945 (862.20210/4-1345).

41 FBI-Report, New York v. 9. 10. 1956, S. 13.

42 A. a. O., S. 7.

1 »Bodo I. Uhse, alias Bodo Uhse«, S. 8, Anlage zu J. Edgar Hoover, Memorandum an Adolf A. Berle, Assistant Secretary of State, v. 9. 10. 1943 (862.2021 Uhse, Bodo I./7).

2 Ein FBI-Report aus Philadelphia vom 8. Mai 1946 belegt, daß man sich vor 1941 sehr wohl schon für Uhse interessiert hatte. »Podo Uhse«, heißt es dort, sei am 6. Mai 1939 aus Frankreich mit der »SS President Harding« in New York zum Besuch eines P.E.N.-Treffens angekommen und dort als »doubtful visitor« (S. 2) von einem Board of Special Inquiry verhört worden. Als er Anfang 1940 anläßlich eines Antrags »to extend time of temporary stay« erklärt, daß er unter den gegebenen Umständen nicht mehr nach Frankreich zurückkehren könne und ohnehin nach Mexiko weiterreisen wolle (»in this second application he

Dabei darf freilich nicht übersehen werden, daß der bei weitem überwiegende Teil dieser wegzensierten Dokumente – mehr als 300 Einheiten – aus den frühen sechziger Jahren stammt und aller Wahrscheinlichkeit nach weniger mit Bodo Uhse als mit seiner damaligen Frau Alma zu tun hat, einer Amerikanerin, die nach ihrer Trennung von Uhse aus der DDR in die USA zurückkehrte.[3]

Überhaupt scheint Alma, die Uhse im Frühjahr 1941 in Mexiko kennengelernt hatte, das FBI im Laufe der Zeit ähnlich intensiv beschäftigt zu haben wie die Aktivitäten des Exilschriftstellers, Redakteurs der Zeitschrift *Freies Deutschland* und Mitglieds der KPD-Kolonie von Mexiko. Das mag zum Teil daran gelegen haben, daß Alma vor ihrer Beziehung zu Uhse mit dem Amerikaner James Agee verheiratet gewesen war, der in den USA als Journalist, Drehbuchschreiber und, posthum, als Autor eines Romans über die Depressionszeit, *Let Us Now Praise Famous Men* (1941), Erfolg hatte (»it is possible that the investigation of Mrs. Agee originated in conjunction with one of her ex-husbands«[4]). Wichtiger noch dürfte für die Geheimdienste aber die Frage gewesen sein, ob deutsche (Exil-)Kommunisten hier womöglich eine amerikanische Statsbürgerin zu Propagandaarbeit und zum Anknüpfen von potentiell illegalen Verbindungen in die USA benutzten.

In der Tat drehen sich bereits die ersten erhalten gebiebenen bzw. an mich freigegebenen Telegramme Hoovers, Memoranda und Reporte der Field Offices in San Antonio und El Paso, Texas, Philadelphia und New York nicht nur um Uhse, sondern auch um eine »she«, die über Kontakte an die amerikanische Ostküste verfügt (»the New York office is being requested to make inquiries among its Communist Party informants«[5]). Im Zentrum steht dabei ein offensichtlich Alma Agee gehörender »1938 Chevrolet Coach bearing

---

stated that he had already applied to the Republic of Mexico to enter that country as a resident and was not awaiting final word« [S. 3]), verweigert ihm die Einwanderungsbehörde laut Ellis Island File No. 99462/353 am 15. März 1940 – Uhse wartete in Laredo gerade auf die mexikanischen Einreiseunterlagen – die Verlängerung seiner Aufenthaltsgenehmigung. Wolfgang Kießling hatte 1974 noch behauptet, daß Uhse bereits »Ende 1938 im Auftrag der spanischen republikanischen Regierung nach den USA gereist [sei], um moralische und materielle Unterstützung für den spanischen Freiheitskampf zu erwirken.« »Nach dem Ende des spanischen Krieges« sei er dann »in den USA...« (Kießling, *Alemania Libre in Mexiko*, Bd. 1, S. 44) geblieben. Diese Darstellung hat Kießling später mit Bezug auf die 1981 bzw. 1990 publizierten und heute im Uhse-Nachlaß bei der Akademie der Künste in Berlin auch im Original zugänglichen Tagebücher und Briefe von Uhse korrigiert (Kießling, *Exil in Lateinamerika*, S. 145-51; vgl. zu Uhses USA-Aufenthalt auch S. 191-7).

3   Vgl. Alma Neuman: *Always Straight Ahead. A Memoir*. Baton Rouge: Louisiana State University Press 1993.

4   Edward G. Trueblood, Second Secretary of Embassy, Embassy of the United States of America, Mexico, Brief an Secretary of State v. 12. 5. 1942, S. 2 (800.20210 Agee, Alma [(Mrs.]).

5   [Ausgeschwärzt], Memorandum an [ausgeschwärzt] v. 15. 12. 1941, S. 1.

Pennsylvania licence [ausgeschwärzt]«[6], der bei der Fahrt über Laredo in Richtung Mexiko beobachtet wird und die vom SIS im November 1941 avisierte, aber wohl nie realisierte Einreise einer Gruppe von verdächtigen Personen in die USA, zu der aller Wahrscheinlichkeit nach wieder Alma Agee gehörten: »One hundred copies of the circular regarding these individuals were distributed to these agencies [nämlich die Zollstellen in Brownsville, Hidalgo und Eagle Pass, Texas] to be turned over to their representatives[7] ... and arrangements made with customs officials, so that a search of the personal effects of these individuals could be discreetly made by customs inspectors and Bureau agents in the event they attempted to enter the United States.«[8]

Daß derartige Maßnahmen keine leeren Drohungen waren, erfuhren Uhse und – vor allem – Alma Agee immer wieder in den folgenden Jahren. Pflichtbewußt zeichnen Regierungsangestellte Telephonate zwischen einer namentlich nicht mehr identifizierbaren »she« in Laredo und Bodo Uhse in Mexiko-Stadt auf »for the purpose of checking any possible violation of the espionage or other related statutes«[9] – auch wenn es in diesen Gesprächen nur darum geht, ob [ausgeschwärzt] – zweiffellos Agees Sohn Joel[10] – gut geschlafen hat und endlich seine Erkältung los ist: »Mr. Uhse said everything was all right and that [ausgeschwärzt] was all right too. [Ausgeschwärzt] asked what [ausgeschwärzt] was doing. Mr. Uhse said [ausgeschwärzt] was sleeping.«[11] Und obwohl das FBI-Büro von San Antonio nach ausgiebigen Nachforschungen der »she« einen guten Leumund ausstellt und aktenkundig macht, »that there is no evidence that she is engaged in any subversive or un-American activity«[12], meldet dasselbe Field Office am 28. August 1944 per Telegramm nach Washington: »Travel Censorship, Brownsville, Texas, advised subject [ausgeschwärzt] is entering US at Brownsville approximately eleven a.m. today apparently for the purpose of obtaining package held at post office, Brownsville, to be delivered by her to Uhse at Mexico City. [Ausgeschwärzt] expected to depart for Mexico City... via Pan American Airways.«[13] Daß es

---

6   FBI-Report, Philadelphia v. 11. 3. 1942, S. 2. Der SAC in Philadelphia bezieht sich hier auf einen Bericht seines Kollegen in San Antonio, Texas, vom 18. 12. 1941. Vgl. Neuman, *Always Straight Ahead*, S. 86.

7   [Ausgeschwärzt], Memorandum an Mr. Ladd v. 12. 12. 1941.

8   FBI-Report, El Paso v. 9. 1. 1942, S. 2.

9   John Edgar Hoover, Brief an SAC, San Antonio, v. 4. 1. 1943.

10 Vgl. dazu den Kommentar der Postzensur zu einem Brief, den Uhse am 15. November 1942 postlagernd an [ausgeschwärzt] in Laredo schickte: »Writer tells addressee about her home and about the little boy [ausgeschwärzt] whom he is keeping for her« (B. Uhse, Brief an [ausgeschwärzt] v. 15. 11. 1942).

11 FBI-Report, San Antonio v. 19. 4. 1943, S. 1-2.

12 FBI-Report, San Antonio v. 10. 7. 1943.

13 FBI, San Antonio, Teletype an Director v. 28. 8. 1944.

sich hier um Alma Agee handelt, bestätigt eine unzensiert von den National Archives an mich freigegebene Anlage zu einem Schreiben J. Edgar Hoovers an das Department of State: »According to highly reliable Source E«, heißt es dort, »Mrs. Alma Agee who... has been the mistress of Uhse for the past several years, on August 28, 1944 arrived at Brownsville, Texas, from Mexico to renew her tourist permit for Mexican residence... Mrs. Agee returned to Mexico via Pan American Clipper...«[14]

Es versteht sich, daß Proteste gegen die Überwachungsmethoden der Zuträger des FBI – nach einem Formular mit einer Liste von »Confidential Informants«[15] u. a. der Southern Defense Command, der Eighth Naval District und das United States Censorship in San Antonio – auf taube Ohren stießen, selbst wenn sie von einer amerikanischen Staatsbürgerin kamen. So meldet der Zweite Sekretär der U.S.-Botschaft in Mexiko zwar im Mai 1942 ausführlich nach Washington, daß Mrs. Agee sich bei ihm über eine neunstündige Durchsuchung an der amerikanisch-mexikanischen Grenze beschwert habe und auch ihr Vater in Pennsylvania den Verdacht hege, »that she is under investigation by United States Government officials«[16]. Mehr geschieht nicht. Drei Jahre lang führt das FBI die Namen von mehreren Frauen im »Title« der Untersuchung gegen »Bodo Uhse, was., Bordo Uhse, Bordo Oursi, Bordooursi, Bordo Oursak«[17], bloß weil sie im Herbst 1941 mit einer anderen Verdächtigen, offensichtlich Alma Agee, nach Mexiko gereist waren. Laut FBI-Bericht aus San Antonio finden Grenzer am Übergang in Laredo bei der Durchsuchung einer Reisenden nicht nur eine Zeitungsmeldung über den Tod des aus den USA ausgewiesenen deutschen Kommunisten Alfred Miller[18], sondern auch Lawrence Sternes *Tristam Shandy*, Katherine Anne

14 »Re: Bodo I. Uhse« v. 2. 7. 1945, S. 2-3, Anlage zu John Edgar Hoover, Memorandum an Frederick B. Lyon, Chief, Division of Foreign Activity Correlation, Department of State v. 26. 7. 1945 (812.00B/7-2645).
15 FBI-Report, San Antonio v. 27. 11. 1944, S. 8.
16 Edward G. Trueblood, Brief an Secretary of State v. 12. 5. 1942, S. 1 (800.20210 Agee, Alma [Mrs.]). Vgl. dazu Neuman, *Always Straight Ahead*, S. 88: »The border guards'... mistrust was... based on a detailed personal dossier on me. A drill was procured, the trunk opened, and then began what turned out to be more than four hours of interrogation. They all had become convinced, on seeing the trunk full of books and classical recordings, that I was truely dangerous, another Mata Hari perhaps.«
17 FBI-Report, San Antonio v. 27. 11. 1944, S. 1.
18 Alfred bzw. Alfredo Miller war am 28. November 1943 in Mexiko gestorben. Wenn Alma Agee laut Telephonzensur am 28. August 1944 von Brownsville aus versucht, Miller anzurufen, kann es sich also nur um ein fingiertes Gespräch handeln oder um eine Verwechslung mit dem amerikanischen Spanienkämpfer Bill Miller (Günter Caspar, Brief an den Verfasser v. 9. 2. 1995). Einer Mißinformation sitzt auch der U.S.-Zensor auf, wenn er feststellt, daß Agee und Miller dieselbe Adresse haben, nämlich »Melchor Ocampo 6« (»Re: Bodo I. Uhse« v. 2. 7. 1945, S. 3, Anlage zu John Edgar Hoover, Memorandum an Frederick B. Lyon, Chief, Division of Foreign Activity Correlation, Department of State und an

Porters *The Leaning Tower* und Elizabeth Woodys *The Pocket Cook Book.* Anfang 1946, als das FBI zum wiederholten Mal festgestellt hatte, daß es »no evidence of subversive activities« gebe und der Fall in San Antonio längst geschlossen worden war, berichtet ein SAC an seinen Direktor von der Untersuchung einer Sendung Hausrat, die an der International Bridge in Laredo vom »Travelers Censorship«[19] aufgehalten wurde. Und noch im Juni 1947 beklagt sich Bodo in einem Brief an Weiskopf, daß seine Alma trotz der Einschaltung eines Rechtsanwalts in Washington »bis heute den seit langem beantragten, mehrfach in Aussicht gestellten, mehrfach reklamierten Paß nicht bekommen«[20] habe.

Im Vergleich zum Fall Alma Agee-Uhse ist das was FBI, G-2, State Department und Office of Censorship zwischen 1941 und 1948 über Uhses politische und literarische Aktivitäten in Mexiko zusammentrugen vielfach Routine. In Spanien, wissen die SAC von New York und Mexiko, habe Uhse auf Seiten der Kommunisten gekämpft, in Frankreich soll er im Lager Le Vernet inhaftiert gewesen sein (»where the French interned the most dangerous German Communists«[21]), »since his arrival in Mexico Uhse has occupied a high position among Communists«[22]. Ein Brief geht in die FBI-Akte ein, in dem über ein Attentat der Nazis auf Uhse während der Dreharbeiten an einem mexikanischen Gangsterfilm spekuliert wird »through the careless substitution of real for blank cartridges in the guns to be used«[23]. In den Aktenschränken der mexikanischen Secretaría de Gobernación stöbern die amerikanischen Geheimdienstler »file... 4/-355.1/120690«[24] vom 15. April 1940 auf, aus der hervorgeht, daß Uhse in der zweiten Märzhälfte von Santa Monica, Kalifornien, aus kommend bei Nuevo Laredo nach Mexiko eingereist war[25]

Wallace E. Harrison, Executive Director, Office of Inter-American Affairs v. 26. 7. 1945 [812.00B/7-2645]), obwohl Alma und Alfred sich durchaus nahegestanden hatten: »Sleeping with Alfred was a revelation. I had almost forgotten how good sex could be« (Neuman, *Always Straight Ahead*, S. 97). Zu dem abenteuerlichen Weg des Alfredo Miller (d. i. Alfred Fortmüller) aus Deutschland über die USA nach Mexiko vgl. u. a. Bodo Uhse: »Ein Leben. Zum Tode Alfred Millers.« In: *Freies Deutschland* 2/1944, S. 22-3 und Kießling, *Exil in Lateinamerika*, S. 166-7.

19 M. W. Acers, SAC, San Antonio, Brief an Director, FBI, v. 13. 2. 1946. Vgl. Neuman, *Always Straight Ahead*, S. 108-9.

20 Uhse/Weiskopf, *Briefwechsel 1942-1948*, S. 299.

21 »Bodo I. Uhse, alias Bodo Uhse«, S. 4, Anlage zu J. Edgar Hoover, Memorandum an Adolf A. Berle, Assistant Secretary of State, v. 9. 10. 1943 (862.2021 Uhse, Bodo I./7).

22 A. a. O., S. 2.

23 [Ausgeschwärzt], Brief an [ausgeschwärzt] v. 12. 9. 1942.

24 »Re: Bodo I. Uhse« v. 2. 7. 1945, S. 4, Anlage zu John Edgar Hoover, Memorandum an Frederick B. Lyon, Chief, Division of Foreign Activity Correlation, Department of State v. 26. 7. 1945 (812.00B/7-2645).

25 In sein Tagebuch trägt Uhse am 21. März 1940 bereits in Monterrey (Mexiko) ein: »Endlich am Sonnabend kommen wir in Laredo an. Meine Papiere sind nicht da. Bis Mittwoch

EMBASSY OF THE DIVISION OF
UNITED STATES OF AMERICA
México, D. F., May 14, 1942

THE AMERICAN REPUBLICS
DEPARTMENT OF STATE

NO. 1375

SUBJECT: Desire of Mrs. Alma AGEE (Cerrada de Londres 15,
Apartment 15, México, D.F.) to Ascertain Why
She is Under Investigation.

Via Pouch

CONFIDENTIAL

The Honorable

The Secretary of State,

Washington.

Sir:

I have the honor to report that Mrs. Alma AGEE called
at the Embassy on April 23, 1942, and said that her father,
Mr. F. A. Mailman, who was born in Austria and now resides
at No. 2 Bellefonte Avenue, Lockhaven, Pa., has advised her
that she is under investigation by United States Government
officials. She herself was born in the United States but
has spent some months in Mexico where she is getting a

divorce

Carbon Copies Destroyed

497

-2-

divorce. In the meantime, she said, she was living with
a German named Bodo UHSE and planned to marry him as soon
as her divorce was final.

She said Uhse was anti-Hitler and anti-Fascist and a
writer connected with the Free Germany Movement.

Mrs. Agee said she visited the United States last
December for a brief trip and that her papers and personal
effects were given a searching examination at the border
which lasted some nine hours.

She mentioned that she was acquainted with Constancia
de la Mora, Spanish writer now living in Mexico, and with
Mrs. Verna Carleton Millán, American wife of Dr. I. Millán,
Mexican cancer specialist, and, in her own right, a literary,
art and music critic and writer, as well as with Ludwig Renn,
the leader of the Free Germany Movement in Mexico. Mrs.
Millán informed the Embassy that she had been introduced
to Mrs. Agee by Mr. Uhse at the Bella Vista Hotel in Cuernavaca
and conversed with her for about an hour concerning their
respective children. She said that she understood that Mrs.
Agee's ex-husband, James AGEE, was formerly on the staff of
FORTUNE, is now writing book reviews for TIME and that recently he published a book of a political nature entitled
"Let Us Now Praise Famous Men", which deals with the subject
of the tenant farmer in the United States and which caused
some stir there. It is possible that the investigation of
Mrs. Agee originated in conjunction with one of her ex-husband.

The Office of the Civil Attaché of the Embassy has no
record of Mrs. Agee and has made no reports to headquarters
concerning her. It is not known, however, what information
may be in possession of the United States Immigration authorities or other United States agencies, nor their reason for
thoroughly searching her effects. As concerns Mrs. Agee's

fiancé

fiancé, Bodo Uhse, the Civil Attaché has received information to the effect that he is connected with the Free Germany Movement, as she stated; however, the information also indicates that his Free German propensities probably result from communistic sympathies rather than pro-democratic sympathies.

Mrs. Agee has expressed a desire to be allowed to make an open statement of her innocence to be transmitted to the Department through this Embassy in an effort to halt the alleged investigation and to prove that she is a loyal American citizen. The Embassy cannot, of course, vouch for her innocence.

If the Department has any information on this matter, the Embassy would like to be informed.

Respectfully yours,

For the Ambassador

Edward G. Trueblood,
Second Secretary of Embassy.

In quintuplicate to the Department

LPC

und daß Margarita Nelken unter anderem auch ihm bei der Beschaffung des Visums behilflich gewesen sei. Auf langen Listen führen SIS-Mitarbeiter Uhses Beiträge für die Zeitschrift *Freies Deutschland* auf, fassen wichtige Aufsätze und Vorträge in Thesen zusammen, sehen den 200seitigen Protokollband zum BFD-Kongress im Mai 1943 auf Bezüge zu Uhse durch und lassen sich von einem Unbekannten in Sachen Literatur beraten: »Uhse is considered to be the literary critic of the Alemania Libre group... According to [ausgeschwärzt] his articles and reviews reveal distinctly his predilection for the so-called ›Marxist‹ variety of ›literary criticism‹.«[26] Interessiert verfolgen Hoovers Männer die Auseinandersetzungen zwischen der Liga Pro-Cultura Alemana und den »German Stalinists in Mexico, D. F.« im Sommer 1942: »[Ausgeschwärzt] says that Franz Feuchtwanger claimed that he and other anti-Communists in the Liga had forced out the Communists, but the declaration in *El Nacional* signed by Uhse and others stated that they resigned because the Liga refused to take an energetic stand in combatting the Fifth Column. Feuchtwanger says that this was really because he, Enrique Gutmann, Erwin Friedeberg, Heriberto de Grote, Jose Mueller and other leaders of the Liga refused to permit introduction of and debate on a resolution branding Gustav Regler and other Trotzkyites as dangerous Fifth Columnists.«[27] Und natürlich registriert die Postzensur nicht nur Uhses Kontakte mit der UdSSR (Beispiel: »Other literary activities of Uhse include contact with [ausgeschwärzt] of Moscow, who, together with [ausgeschwärzt] seems to be kind of a Soviet literary commissar and propaganda director for international Communist belles lettres.«[28]), sondern auch zu verdächtigen Personen in den USA wie F. C. Weiskopf (»he asks her ... to look up Franz Weiskopf [308 East 15th Street]«[29]) und Maxim Lieber: »The Mexican cable censor suppressed this message with the notation ›Because consignee is highly suspicious...‹ Maxim Lieber is known to Source B as the New York literary agent for Uhse, Anna Seghers, Egon Erwin Kisch, Ludwig Renn, Andre Simone, and the other Alemania Libre characters.«[30]

---

warte ich. Gehe jeden Tag über die Brücke des Rio Grande. Bordertown-Atmosphäre. Verdacht, Verdächtigungen, Verdächtige« (Bodo Uhse: *Reise- und Tagebücher*. I. Berlin/DDR: Aufbau 1981, S. 487. [= Gesammelte Werke in Einzelausgaben, 5.1.]).

26 »Bodo I. Uhse, alias Bodo Uhse«, S. 4, Anlage zu J. Edgar Hoover, Memorandum an Adolf A. Berle, Assistant Secretary of State, v. 9. 10. 1943 (862.20210 Uhse, Bodo I./7).

27 A. a. O.

28 A. a. O., S. 5. Eine unzensierte Kopie des Berichts aus den Beständen des State Departments in den National Archives gibt die ausgeschwärzten Namen preis: Michail Apletin und Boris Sutschkow – laut *Freies Deutschland* vom September 1943 Sekretäre des Verbandes der sowjetischen Schriftsteller.

29 B. Uhse, Brief an [ausgeschwärzt], o. D. (Poststempel v. 5. 2. 1945).

30 »Bodo I. Uhse, alias Bodo Uhse«, S. 2, Anlage zu J. Edgar Hoover, Memorandum an Adolf A. Berle, Assistant Secretary of State, v. 9. 10. 1943 (862.20210 Uhse, Bodo I./7).

Interessanter als solche Routineinformationen war da für Hoover schon, daß die natürlich auch in dieser Akte mehrfach wiederholte Denunziation der Grupos Socialistas, Uhse sei ein »»Comunazi‹ agent«[31], aufgrund der politischen Herkunft des unter »Mexico Subversive Activities«[32] geführten »subjects« nicht völlig aus der Luft gegriffen schien. Angehöriger der Strasser-Fraktion sei er 1927/28 in Deutschland gewesen, hatte Uhse 1939 vor dem Board of Special Inquiry auf Ellis Island zugegeben, und seine Mitgliedschaft in der NSDAP habe er erst gekündigt, als Strasser sich von den Nazis trennte. Andere, ausgeschwärzte Quellen glauben zu wissen, daß er »from ›German military stock‹«[33] komme, bis 1930, als er der KPD beitrat, ein prominentes Mitglied der Nazipartei gewesen sei und »that he was even once the temporary mayor of Itzehoe in the capacity of a Nazi politician«[34]. Und in den Akten des FBI geistert noch im Oktober 1946 die Nachricht herum, daß Uhse an einem Buch über die Geschichte der Nazibewegung schreibe und »that due to... Nazi affiliations, Uhse is not considered by the veteran members of the German Communist group in Mexico as dependable«[35].

Das Interesse der amerikanischen Geheimdienste an Bodo Uhse ist 1945/46 aus nicht näher erklärten Gründen plötzlich erlahmt. Letzte Versuche von Hoover, den Exilanten wegen seiner Mitarbeit an der Zeitschrift *Freies Deutschland* beim Office of Inter-American Affairs anzuschwärzen, bleiben ohne Resonanz. Das gleich gilt für eine »Lookout Notice«, die der INS im April 1946 »at all ports of entry along the Mexikan border«[36] aushängt. In San Antonio und auch in Mexiko-Stadt wird der Fall Uhse Mitte 1946 geschlossen – »no further investigation is being conducted«[37]. Routineanfragen bei und von verschiedenen Field Offices, ob es vielleicht doch wieder Neuigkeiten zu Uhse gebe, bringen nicht viel mehr als einen aufgrund von Ausschwärzungen nicht mehr rekonstruierbaren Bezug zu dem in Mexiko inhaftierten Trotzki-Mörder »Frank Jacson wa. Jacques Mornard«[38] sowie – über das Büro des United States Political Advisor for Germany in Berlin – knappe Bemerkungen zur Rückkehr des Exilanten in die russische Besatzungszone: »... Uhse arrived in Berlin on September 14, 1948... he... asserted [in einem Interview mit der *Täglichen Rundschau*] he was ›deeply moved‹ by the fact that upon his arrival in Wismar... he was met by a representative of the Sovi-

---

31 A. a. O.
32 SIS/FBI-Report, Mexico v. 23. 9. 1943.
33 »Bodo I. Uhse, alias Bodo Uhse«, S. 1, Anlage zu J. Edgar Hoover, Memorandum an Adolf A. Berle, Assistant Secretary of State, v. 9. 10. 1943 (862.20210 Uhse, Bodo I./7).
34 A. a. O.
35 Re: Bodo I. Uhse v. 19. 9. 1946, Anlage zu John Edgar Hoover, Memorandum an Frederick B. Lyon, Chief, Division of Foreign Activity Correlation, v. 14. 10. 1946 (862.01/10-1446).
36 FBI-Report, Philadelphia v. 8. 5. 1946, S. 3.
37 SIS/FBI-Report, Mexico v. 19. 9. 1946, S. 1.
38 SAC, Los Angeles, Memorandum an Director, FBI, v. 11. 9. 1950, S. 2.

et Military Administration and by Dr. Willi Bredel, a companion from his Spanish Civil War days.«[39]

Der von seinem Umfang her erhebliche »Rest« der Uhse-Akte befaßt sich mit der Rückkehr von Alma Uhse – laut FBI hatten die beiden am 8. November 1945 geheiratet[40], während man bei G-2 schon im November 1944 davon ausging, daß Alma und Bodo ein legales Paar waren[41] – in die Vereinigten Staaten Anfang der sechziger Jahre. Wie zu erwarten geht es dabei vordringlich um zwei Fragen: Einmal, »whether subject's activities are such that it can be concluded clearly and unmistakably that she is a dangerous individual who could be expected to commit acts inimical to national defense and public safety of the U.S. in time of emergency«[42]; und zum anderen, ob sich die Heimkehrerin womöglich als Nachrichtenquelle ausbeuten läßt: »If the subject is cooperative, no affirmative steps will be taken during the initial interview to direct her activities... the Bureau will be requested to authorize recontact with the subject as a potential security informant.«[43]

Besonders ergiebig dürften diese – mir vorenthaltenen – Verhöre nicht ausgefallen sein. Jedenfalls wird Alma Agee weder in den berüchtigten Security Index aufgenommen, noch geht man der Möglichkeit nach, ihr über den Internal Revenue Service Steuervergehen anzuhängen. Als sich schließlich auch noch der Verdacht zerschlägt »that subject is or has been engaged in foreign intelligence activities«[44], schließt das FBI im Mai 1963 die Akte der Frau von Bodo Uhse, »German communist writer« and »currently a communist official... in East Germany«[45].

---

39 FBI-Bericht v. 22. 4. 1960, S. 4. Autor und Empfänger dieses unter »Internal Security – Germany« geführten Berichts, wurden durch Ausschwärzungen unkenntlich gemacht.
40 A. a. O., S. 2.
41 Cantwell C. Brown, Assistant Military Attache, Mexico City, Bericht v. 26. 9. 1944, S. 1 (Defense Intelligence Agency). Das FBI hatte in diesem Fall recht – nachdem Almas Ehe mit James Agee am 12. September geschieden worden war, fand die Heirat am 8. November 1944 statt (Uhse/Weiskopf, *Briefwechsel 1942-1948*, S. 397); vgl. auch Renata von Hanffstengel: »Mexiko im Werk von Bodo Uhse. Das nie verlassene Exil.« Phil. Diss. Berlin (Humboldt Universität), Publikation in Vorb. für die von mir beim Lang Verlag in New York herausgegebene Buchreihe »Exilstudien«.
42 Director, FBI, Memorandum an SAC, New York, v. 20. 12. 1962, S. 1.
43 SAC, New York, Memorandum an Director, FBI, v. 4. 10. 1962, S. 1.
44 Director, FBI, Memorandum an SAC, New York, v. 7. 5. 1963, S. 1.
45 A. a. O., S. 2. Alma Agee-Neuman hat sich in ihren Memoiren nur zu den privaten Aspekten ihrer Rückkehr in die USA geäußert (Neuman, *Always Straight Ahead*, S. 156ff.). Zu ihrer Zeit in der DDR siehe die Kapitel »Gross-Glienicke« und »Berlin« in ihrem Buch und den Bericht ihres Sohnes Joel Agee: *Twelve Years. An American Boyhood in East Germany*. New York: Farrar Straus Giroux 1981.

Ludwig Renn

Die 183 (von 290) Blätter, die das FBI und der United States Army Intelligence and Security Command in Fort Meade, Maryland, an mich zu Ludwig Renn (»speaks English awkwardly and stutters«[1]) ausgeliefert haben, besitzen keinen offensichtlichen thematischen Mittelpunkt.[2] Dennoch lassen sich aus den Berichten des Legal Attachés, zahlreichen Formularen der Postzensur und aus der Korrespondenz zwischen dem FBI-Hauptquartier in Washington und seiner Zweigstelle in Mexiko eine Reihe von Aspekten herausfiltern, die zur Komplettierung des Bildes von der Arbeit des FBI und den Aktivitäten der Exilanten beitragen.

Sicher am wichtigsten ist in diesem Zusammenhang das ungewöhnlich große Interesse von J. Edgar Hoovers Dienst an der biographischen und politischen Herkunft von Renn, der eigentlich Arnold Friedrich Vieth von Golßenau hieß und beim FBI unter Pseudonymen wie »Vieth Von Golzenau, Veidt Von Goltzenau, Veith Von Goelsenau, Arnold Frietrich Vieth Von Golssenau«[3] geführt wurde. Zentral sind dabei für Hoover, dem man ähnliche Neigungen nachsagte, freilich nicht, wie im Fall Klaus Mann, Renns homosexuelle Interessen (»it is common talk among the Mexican foreign colony that in his personal behavior Renn is a homosexual«[4]). Zentral ist vielmehr, ähnlich wie bei Bodo Uhse, daß von Golßenau alias Renn jene beiden Eigenschaften vermischte, die bei Hoover seit Ende des Ersten Weltkriegs Alarmzeichen auslösten und sich in dem bereits besprochenen Neologismus »Communazis« verbinden: Arnold Vieth von Golßenau, resümiert Hoovers Vertreter in Mexiko mit Hilfe eines von der Postzensur abgefangenen Formulars für »Who's Who in Latin America«, »attended German Officers' School at Hanover and during the first World War served as a captain on the German Imperial Military Staff, and for his activity during the war he received decorations of the Iron Cross of the first and Second class and four other decorations.« Als Lud-

---

1 Re: Ludwig Renn, o. Datum und Verfasser, S. 1.
2 Der Immigration and Naturalization Service behauptet, keine Unterlagen über Renn zu haben. Diese Aussage verwundert, auch wenn Renn bei seinem ersten USA-Aufenthalt im Jahre 1937 als spanischer Staatsbürger eingereist war (Kießling, *Exil in Laeinamerika*, S. 142). Nachdem Renn Schwierigkeiten mit dem französischen Geheimdienst gehabt hatte, kam er im Juni 1939 über England ein zweites mal in die USA, um – wie Bodo Uhse – am Kongreß der League of American Writers teilzunehmen. Anfang September reiste er dann – nach Kießling – sowohl wegen der die USA » nach Abschluß des deutsch-sowjetischen Nichtangriffsvertrages« überziehenden »antikommunistischen Hysterie« (Kießling, *Brükken nach Mexiko*, S. 279) und weil er von Johannes Schröter einen Parteiauftrag erhielt weiter nach Mexiko.
3 SIS/FBI-Report, Mexiko v. 5. 4. 1944, S. 1.
4 SIS/FBI-Report, Mexiko v. 3. 10. 1945, Anlage, S. 2. Vgl. den OSS-Bericht INT-13GE, 124 v. 2. 2. 1942, S. 1: »He is homosexual.«

wig Renn wurde derselbe Mann dann zum überzeugten Kommunisten, lehrte Ende der zwanziger Jahre »Military History in the Marxist Workers'
School in Berlin«[5], kam nach einer Meldung des spanischen Außenministeriums an das U.S. Department of State aus dem Jahre 1948 »to Spain during the Civil War and was immediately made a Major in the Red Army«[6],
»makes the claim that he was in the United States from 1937 to 1938 on a
special mission of the Ministry of Propaganda of the Spanish Government«[7]
und »served as a professor of Military Science in the University of Morelia«[8].
Renn »is a member of the Innerleitung Directive Committee of the German
Communist Party in Latin America and is President of the Latin American
Free German Committee as well as of Alemania Libre«[9], weiß man beim FBI
weiter, »has been on good terms with the Jap communist Seki Sang«[10] (gemeint ist Seki Sano), der trotz seines Rufs als »rabit... Communist«[11] mit dem
japanischen Marineattaché seines Landes befreundet gewesen sein soll[12], und
ist Autor mehrerer militärstrategischer Abhandlungen in *Freies Deutschland*
sowie der Broschüren »Ueber die Taktik des Strassenkampfes im Buerger-
krieg«[13] und *Deutsche, wohin?*[14], in der u. a. Dokumente des moskauer NKFD
reproduziert werden, das Renn mit folgenden Worten in der *Pravda* begrüßte: »We in Mexico wish to collaborate in the rapid growth of Free German
movement in the USSR.«[15]

In der Tat schien man beim FBI fortan gerade solche Informationen über
Renn zu sammeln, die in das Bild vom Communazi passen. »Espionage« und
»counter-espionage«[16] sind die Schlüsselworte einer nicht mehr rekonstruierbaren, durch eine Denunziation ausgelösten Untersuchung, bei der Hoover das War Department einschaltet und seine SIS 239 und 909 auskund-
schaften läßt, wie gegebenenfalls in Renns Büro in der Calle Dr. Rio de la

5   SIS/FBI-Report, Mexiko v. 5. 4. 1944, Anlage, S. 1.
6   »Transmitting Information Concerning Alleged German Communists«, S. 1, Anlage 1 zu
     Edward P. Maffitt, Second Secretary of Embassy, Embassy of the United States of Ameri-
     ca, Madrid, Brief an Secretary of State v. 18. 3. 1948 (862.00B/3-1848).
7   Cantwell C. Brown, Assistant Military Attache, Military Intelligence Division W. D. G. S.,
     Mexiko, Report No. 5940 v. 26. 9. 1944, S. 3 (Army).
8   SIS/FBI-Report, Mexiko v. 5. 4. 1944, Anlage, S. 1-2.
9   SIS/FBI-Report, Mexiko v. 3. 10. 1945, Anlage, S. 1.
10   Cantwell C. Brown, Assistant Military Attache, Military Intelligence Division W. D. G. S.,
     Mexiko, Report No. 5940 v. 26. 9. 1944, S. 2 (Army).
11   SIS/FBI-Report, Mexiko v. 15. 12. 1942, Anlage, S. 1.
12   W. K. Ailshie, Third Secretary of Embassy, Embassy of the United States of America, Me-
     xiko, Brief an Secretary of State v. 25. 6. 1943, S. 4 (862.01/286).
13   SIS/FBI-Report, Mexiko v. 3. 10. 1945, Anlage, S. 2.
14   A. a. O., S. 5.
15   Department of State, Telegramm an Amembassy, Mexiko v. 5. 8. 1943 (862.01/318).
16   [Ausgeschwärzt], Brief an Director, FBI, v. 22. 9. 1943, S. 2.

Loza 86[17] einzubrechen wäre: »... the building is under constant care of an armed watchman who neither drinks nor has proved amenable to bribery,... is soundly constructed and at least four of five locks probably intervene between the street and the private files of Ludwig Renn... Both in the block in which the building is located and in adjoining blocks, it was noted that numerous signs such as ›Vive la U.S.S.R.,‹ ›Relaciones con la U.S.S.R.,‹ etc., are credely painted on the sides of buildings and walls.«[18] »... his espousal of Communism and loyalty thereto may well be a cloak of opportunism«[19], vermutet der Naval Attaché in Mexiko Anfang 1943 und Hoover läßt seinen SIS-Mann zur gleichen Zeit »via diplomatic air pouch« klar und deutlich wissen, »that Renn, although ostensibly engaged in furthering the ›Free German Movement,‹ is in reality working in behalf of the Nazis«[20]. In den Unterlagen des Office of Strategic Services findet sich ein vom 2. Februar 1942 datierter Bericht zur Zeitschrift *Freies Deutschland* und ihrem Mitarbeiter Renn, in dem es heißt: »He has a very high reputation as a military expert and officer... and... can be considered as one of the outstanding German Communists... (This correspondent has been told that Communists in this country display Renn's photograph in their premise. This is a honor only given to very few Communists.)«[21] Zu einem Vortrag im Hotel Reforma soll Renn mit zwei »bodyguards« erschienen sein, »one a Cuban negro«[22]. »The sensational affairs of Siqueiros and Jackson are his work«[23], vermutet U.S. Konsul Shaw unter Berufung auf jene an anderer Stelle bereits zitierte deutschsprachige Denunziation. Ein Hintergrundbericht hebt hervor, daß »Subject's father, Johann Renn, is reported to be of Russian-German descent«[24]. Ein Buch über die Geschichte der Jagd, an dem der Professorensohn in den vierziger Jahren arbeitet, basiert nach seinen eigenen Aussagen »in great part on the traditions of the still existing nobility, especially among princes«[25]. Und natürlich

17 Civil Attache, Mexiko, Brief an Director, FBI, v. 22. 11. 1943, S. 1.
18 A. a. O., S. 2-3.
19 »Report by Office of the Naval Attache of this Embassy Concerning Alemania Libre« v. 12. 4. 1943, S. 1, Anlage zu W. K. Ailshie, Third Secretary of Embassy, Embassy of the United States of America, Mexiko, Brief an Secretary of State v. 29. 4. 1943 (862.01/261).
20 John Edgar Hoover, Brief an [ausgeschwärzt], SIS, Mexiko, v. 13. 2. 1943.
21 *Freies Deutschland*, Memorandum v. 2. 2. 1942, S. 1 (OSS, 125).
22 SIS/FBI-Report, Mexiko v. 15. 12. 1942, Anlage, S. 1.
23 Geo. P. Shaw, American Consul, American Consulate, Mexiko, Brief an Secretary of State v. 22. 8. 1941, S. 1 (861.20212/7). Vgl. zur Exilszene und zu den Anschlägen auf Trotzki Kießling, *Exil in Lateinamerika* (1980), S. 192-4, Pohle, *Das mexikanische Exil*, S. 406-7 und Pino Cacucci: *Tina. Das abenteuerliche Leben der Tina Modotti*. Zürich: Diogenes 1993, bes. S. 298ff. wo von einem Verhör von Vittorio Vidali durch einen amerikanischen Geheimdienstbeamten die Rede ist.
24 RE: Ludwig Renn, with aliases, ca. Dezember 1944. Offensichtlich arbeitete das FBI nicht sauber, wenn es das Pseudonym des Sohnes kommentarlos auf den Vater übertrug.
25 SIS/FBI-Report, Mexiko v. 3. 10. 1945, Anlage, S. 7.

wiederholen die SIS-Agenten immer wieder gern was »Silvio Pizarello von Helmsburg y Tofulotte«, Heinrich Gutmann und der polnische Gesandte in Mexiko öffentlich und privat über Renn verbreiten – nämlich, daß er »a German Agent« und »leader of the Seventh Column in Mexico«[26] (Pizarelli von Helmsburg) sei, daß er nicht in Hitler, sondern in »England and other Imperialistic powers«[27] (Gutmann) seine Feinde sehe, daß die »Free Movements« als »Nazi-organized propaganda« aus Deutschland finanziert würden mit dem Ziel »to take over Germany after the war and rebuild a gigantic army«[28] (Pizarelli von Helmsburg) usw.

Zeit, um der feinen Grenze zwischen Wahrheit und Verleumdung in solchen Aussagen nachzuspühren, nahmen sich die Geheimdienstler nicht. »Ludwig Renn... is reported by S.P. De Helmsburg«, faßt ein Angestellter der Postzensur alte Informationen ohne Rücksicht auf historische Verluste in seinem Kommentar zu einem Brief von Hubertus Prinz zu Löwenstein an Renn zusammen, »to be... Captain of the General Staff of the Prussian Army and a notorious leader of the Stahlhelm«[29]. Da Pizarelli von Helmsberg, glaubt man seiner Aussage in einem Brief an einen unbekannten Empfänger in Boston, zumindest zeitweilig einen direkten Draht zum ONI gehabt hat, gibt es keinen Grund, an seiner Aussage zu zweifeln: »I must inform you, with greatest regret, that since our good friend, Commander Dillon... [Examiner's Note: ... Commander Dillon is reported... to be Commander Wallace M. Dillon, U.S.N., former US Naval Attache in Mexico.]... has left Mexico, I have not set foot in the U.S. Embassy, because (there) I was unjustly offended and humiliated. This resulted from a clever maneuver in the Embassy itself on the part of Nazi Agents who knew perfectly well the effectiveness of my work and that I caused them so great damage to their diplomatic and military plans on this continent; and, naturally, every effort was made to make some of the Embassy officials believe that I was an Italian Spy.«[30] Und auch Renn ließ sich bei den Auseinandersetzungen mit seinen Gegners nicht lumpen. Als die Liga Pro-Cultura Alemana auf einem Treffen am 2. Juli 1942 einen Brief der russischen Botschaft in den USA »hailing the publication of ›Europa bajo el Fascismo‹, monthly bulletin of the Liga« vorzeigt, schwärzt er die Liga sofort mit Schreiben vom 22. Juli bei den sowjetischen Genossen in Washington wegen »unfavorable attititude toward the United Nations as a whole and their adherent governments, especially U.S.S.R.« an. Einem in Kopie beigelegten Brief Renns an die Liga vom 21. April und einer Erklärung ehemaliger Liga-Mitglieder vom 10. Juli vermögen die Sowjetdiplomaten in

---

26 Commander Silvio P. de Helmsburg, Brief an [ausgeschwärzt] v. 10. 12. 1942, S. 2.
27 SIS/FBI-Report, Mexiko v. 5. 4. 1944, Anlage, S. 4.
28 Commander Silvio P. de Helmsburg, Brief an [ausgeschwärzt] v. 10. 12. 1942, S. 3.
29 Prince Hubertus Loewenstein, Brief an Ludwig Renn v. 8. 3. 1943.
30 Commander Silvio P. de Helmsburg, Brief an [ausgeschwärzt] v. 10. 12. 1942, S. 1, 3.

Amerika ferner zu entnehmen, daß »Enrique Gutman and Franz Feucht-Wanger« sich ohne Nachdruck für den Sieg der Alliierten über die Nazis aussprechen und Trotzkisten wie Gustav Regler, Victor Serge und Babette Gross nicht entschieden genug bekämpfen (»the ›Liga‹ meeting of July 2, 1942, was transformed into a political declaration of Regler, Serge, Gorkin and Pivert, the members not even being permitted to take the floor to give an opinion«[31]).

Neben dem Zivilisten Hoover interessierte sich auch der Militärattaché der USA in Mexiko für den Bruch in der Biographie von Renn, über den Gegner und Freunde der Kommunisten »conflicting information« kursieren ließen »to the effect that subject is a Communist, a Germanophile, a Nazophile, a Nazi agent, and anti-Nazi«. So oder so, in seinen Vorlesungen an der Universidad Obrera über den Krieg in Europa beschreibe Renn »the German strategy in a diplomatic way and tries to show the superiority to the one used by the other nations«[32]. Ohne eine einschränkende Bemerkung meldet der Attaché das zum Jahreswechsel 1945/46 in Mexiko umgehende Gerüchte an seine vorgesetzte Dienststelle, Renn und Merker seien just zu der Zeit mit russischen Pässen nach Kanada gereist als dort militärische Geheimnisse abhanden kamen. Und als sich der Mann von G-2 im Februar 1946 über die Rückkehr des Exilanten nach Europa Gedanken macht, geht ihm die Phantasie schließlich vollends durch: Von Moskau habe Renn Instruktionen erhalten, daß er sich bei seinem Transit durch die Sowjetunion mit »Field Marshal von Paulus at his headquarters« treffen solle, um dann weiter nach Berlin zu fliegen »in order to negotiate with the German and Russian chiefs who are in the Russian zone of occupation«. Außerdem belege die Partizipation eines Mitglieds von Renns BFD bei der Aufstellung eines kommunistischen Kandidaten für die nächste Präsidentschaftswahl in Mexiko »the execution of the plan of the German High Command (Oberkommando der Wehrmacht) No. 42-A, known as the ›7th Column‹«. Und schließlich wirft der Militärattaché Alemania Libre vor, eine große Summe Geld zu investieren, »in order to begin a campaign in Mexico and Central America in favor of the liberation of the British, French, Belgian, and Dutch colonies, as well as the U.S.A. in the Porto Rican matter«[33].

Weniger phantasievoll aber verläßlicher als die »for general use by any U.S. Intelligence Agency« geschriebenen »Intelligence Reports«[34] der Assistant Military Attachés Lieutenant Colonel Cantwell C. Brown und Major Marion

---

31 Alemania Libre, Ludwig Renn, Pres., Brief an Embassy of the U.S.S.R. (Washington, D.C.) v. 22. 7. 1942, S. 1-3.
32 Cantwell C. Brown, Assistant Military Attache, Military Intelligence Division W. D. G. S., Mexiko, Report No. 5940 v. 26. 9. 1944, S. 2-3 (Army).
33 James H. Walker, Military Attache, Mexiko, Intelligence Report v. 19. 2. 1946, S. 1-2 (Army).
34 A. a. O., S. 1.

E. Porter fallen die Protokolle des Office of Censorship zu Ludwig Renns Korrespondenz aus. Das gilt vor allem dort, wo es um die Gründung des LAK und dessen Kongreß vom Mai 1943 geht. So belegt Record No. SA-144396 des Office of Censorship, daß Hubertus Prinz zu Löwenstein, entgegen seiner eigenen Darstellung[35], in der Tat mit Brief vom 8. März 1943 an Ludwig Renn die Einladung ins Ehrenpräsidium des LAK akzeptierte, die Renn und Merker laut »Examiner's Note«[36] per Schreiben vom 12. Februar ausgesprochen hatten. Andere Unterlagen aus dem FBI-Archiv machen deutlich in welchem Maße der Postverkehr der Freien Deutschen gerade in jenen für die Gründung des LAK entscheidenden Januar- und Februarwochen des Jahres 1943 behindert wurde. »A letter written in German dated January 13, 1943, from Movimiento Alemania Libre, Apartado 10214, Mexico DF, to Sr. Elie Sontag, Soma Settlement, Puerto Plata R. D., Republica Dominicana, was recently intercepted at Postal Censorship Miami«, meldet da zum Beispiel der dortige Special Agent in Charge am 4. Februar an seinen »Director«. »This letter... pleads for a united single encircling front... to be composed of all anti-Nazi organizations and committees and... sets forth the intention of the committees as to future activities in arranging for an inter-national congress...«[37] Versucht man das Wort »recently« und die dreiwöchige Verspätung bei dem Bericht des SAC von Miami in Einklang zu bringen, bietet sich vor allem eine Erklärung an: für Renns Brief an Sontag und für die vom Zensor am 20. Januar angefertigte Fotokopie und Übersetzung des beiliegenden LAK-Gründungsaufrufs wurde von der Postzensur ähnlich wie für die BFD-Sendungen an andere Exilanten in Lateinamerika vor der Freigabe erst einmal eine Genehmigung bei J. Edgar Hoover eingeholt.

Wie eine solche Anfrage aussah und wie zeitraubend sie war, läßt sich am Beispiel eines Briefes von Renn an das potentielle Mitglied des LAK-Ehrenpräsidiums Balder Olden in Buenos Aires demonstrieren. Renns Brief trägt das Datum vom 24. März 1943. »Exam. date« ist der 29. März, »Typing date« der 3. April, mit Kopien für »C.P.C., G-2, PCD, 15th Nav. Dist., G-2, CDC, Civ. Intell., Amer. Emb. Trinidad, Jamaica, Cristobal«[38]. Fünf Tage später kontaktiert der Chief, Examination Section, des Office of Censorship in Washington Hoover persönlich: »Please let us have recommendation as to final disposition of the original communication within the usual three-day period.«[39] Zieht man in Betracht, daß der vielbeschäftigte FBI-Boss etwas mehr

---

35 Hubertus Prinz zu Löwenstein: *Botschafter ohne Auftrag. Lebensbericht.* Düsseldorf: Droste 1972, S. 205 u. Pohle, *Das mexikanische Exil*, S. 261, 446f.
36 Prince Hubertus Loewenstein, Brief an Ludwig Renn v. 8. 3. 1943, S. 2.
37 A. P. Kitchin, Brief an Director, FBI, v. 4. 2. 1943.
38 L. (Ludwig) Renn, Brief an Balder Olden v. 24. 3. 1943.
39 A. G. Kay, Chief, Examination Section, Office of Postal Censorship, Washington, Brief an John Edgar Hoover v. 8. 4. 1943.

Zeit braucht und daß seine Antwort auf dem Dienstweg nach Miami zurückgeht, dann ist es verständlich wenn Briefeschreiber bisweilen ähnlich irritiert reagieren wie eine Exilantin aus Uruguay (»man vermutet hier, daß in Mexiko an irgendeiner Zensurstelle jemand die ganze Verbindung stört und die Hefte [von *Freies Deutschland*] zurückhält«[40]) oder die Schwester des ehemaligen Reichstagsabgeordneten Arthur Ewert, Minna Ewert, in einem Telegramm an Renn: »Dear Sir: If my cable to Ludwig Renn, Mexico, was stopped by censor, please don't send it now. It was addressed to a special occasion and it is now useless... For a long time I have the impression that something is wrong with the cables I sent.«[41]

Ein wenig mehr Klarheit verschafft das Material der Postzensur zu Renn schließlich auch in der unter Exilforschern umstrittenen Frage[42], ob die BFD-Konferenz vom Mai 1943 durch die Anwesenheit des Ersten Sekretärs der Sowjetgesandtschaft in Mexiko aufgewertet wurde: »Writer states«, faßt der Zensor einen Brief von Renn an [ausgeschwärzt] vom 20. Mai zusammen, in dem u. a. die Absage eines amerikanischen Redners (»that left them without an American speaker«) und des chilenischen Botschafters zur Sprache kommt, »the day following the congress... was a homage banquet for writer. He explains the proper manner in which various government representatives must be seated and adds he had a very difficult time trying to decide where to seat the Sister-In-Law of Lombardo Toledano..., the Mother-In-Law of the Catholic leader, Prince Zu Loewenstein, and so on... At the end of the dinner the first secretary of the Soviet Embassy (Examiner: Lev. A. Tarason) suddenly appeared.«[43]

Was vom Office of Censorship sonst noch aus Ludwig Renns Korrespondenz zutage gefördert wurde, besitzt eher marginalen Wert. Eine an den Fall von Anna Seghers erinnernde, umfangreiche und langwierige Untersuchung von Renns Post nach Geheimtinte, besonderen Schreibmaschinentypen und Unterschriftsproben verlief ergebnislos und ist heute nicht mehr rekonstruierbar. Die Photokopie eines Briefes vom 30. September 1942, in dem sich Renn bei Thomas Mann für die Übersendung eines Beitrags (für das *Schwarz-*

---

40 Anneliese Hirschfeld, Brief an Anselm Glücksmann v. 16. 2. 1944, zitiert nach Kießling, *Exil in Lateinamerika*, S. 348-9.

41 Minna Ewert, Telegramm an Ludwig Renn ca. Mai 1943, Blatt 6. Es ist anzunehmen, daß dem FBI-Zensor unserer Tage – wie auch an anderen Stellen der Renn-Akte – ein Fehler unterlief, als er den Namen der Absenderin nicht ausschwärzte.

42 Pohle, *Das mexikanische Exil*, S. 295f., 452f., bes. Anmerk. 315.

43 Ludwig Renn, Brief an [ausgeschwärzt] v. 20. 5. 1943, S. 1. Wie wichtig man bei den amerikanischen Geheimdiensten diese Konferenz nahm, belegt der »The First Congress of the Free Germany Movement in Mexico« überschriebene OSS-Bericht INT-13GE, 966 v. 2. 6. 1943, in dem es u. a. heißt: »«The Latin-American Committee seems now to have adopted publicly a completely uncompromising attitute toward *Das Andere Deutschland*« (S. 4-5).

OFFICE OF THE CIVIL ATTACHÉ
EMBASSY OF THE UNITED STATES OF AMERICA
MEXICO CITY

September 14, 1944

CONFIDENTIAL

Director, FBI

ATTENTION: TECHNICAL LABORATORY

Re: LUDWIG RENN, with aliases
MEXICO SUBVERSIVE ACTIVITIES - R

Dear Sir:

This communication is being transmitted in order that
the Technical Laboratory may place on file specimens of subject's typewriter and signature. When this has been done,
it is respectfully requested that the envelope containing the
communication be sealed with Mexican censorship flaps and the
letter forwarded to the addressee.

Very truly yours,

CA

ALL INFORMATION CONTAINED
HEREIN IS UNCLASSIFIED
EXCEPT WHERE SHOWN
OTHERWISE.

Enclosure

5-2-24

SIS 710

Classified by 980
Declassify on: OADR

RECORDED
&
INDEXED

136

EX - 58

100-180858-37
F B I
31 SEP 18 1944

CONFIDENTIAL

510

FEDERAL BUREAU OF INVES ;ATION
UNITED STATES DEPARTMENT OF JU .CE

L-40

Laboratory Work Sheet

CONFIDENTIAL

Re: *Ludwig Renn, wa*
Mexico Subversion Activities -R

File # *100-180858*
Lab. # *D22899*

Examination requested by:

Date of reference communication: *9-14*

Date received: *9-18*

Examination requested: *Su - Doc*

Result of Examination:

Examination by

Typewriting Q9+10
Sig Q10 ident prev, Q1,6+2,

(c)

9-27-4

Q9+10 underwood pica

Specimens submitted for examination

Q10,

Ludwig Renn,

Q7 Ludwig Renn

Q6 Ludwig Renn

Q2 Ludwig Renn

CONFIDENTIAL

SECRET INK TEST SHEET

FILE # *100-180858*

SPECIMENS ~~810-11~~ ~~B9-810~~ CONFIDENTIAL

DATE *9/26*

INITIALS

ALL

☑ GROUP A: ☒ ☒ ☒ ☒ ☒ ☒ ☒ ☒ ☒ ☐ _____
         1   2   3   4   5   6   7   8   9 10

☑ GROUP B: ☐ ☐ ☐ ☐ ☐ ☐ ☐ ☐ ☐ ☐ *80*
         1   2   3   4   5   6   7   8   9 10

         ☐ ☐
       11 12   *do before B + 13 c*

☐ GROUP C: ☐ ☐ ☒ ☐ ☐ ☐ ☐ ☐ ☐ ☐ _____
         1   2   3   4   5   6   7   8   9 10

         ☐ ☐ ☒ ☐ ☐
       11 12 13 14 15

(Current key maintained in secret ink file and by all examiners)

RESULTS:

on the above specimens

☑ NO SECRET INK WAS FOUND/BY ~~NONSTAINING~~ EXAMINATION

☐ NO SECRET INK EXAMINATION WAS MADE SINCE PREVIOUS TREATMENT FOR SECRET INK
    WAS GIVEN BY U. S. CENSORSHIP PRIOR TO RECEIPT BY THIS BUREAU

☐

CONFIDENTIAL

buch?) bedankt, weckt beim SAC von El Paso, Texas, Interesse an dem neu-
gegründeten Verlag El Libro Libre. Vom Queens College in New York bedankt
sich der Germanist Richard Alewyn bei Renn dafür, daß er seinen Studenten
vervielfältigte Passagen aus dem Buch *Krieg* als Lektüre geben darf, um sie
so »für ihre militärischen und politischen Aufgaben auszurüsten«[44]. Wie
nicht anders zu erwarten, holt sich Kurt Hiller mit seiner »Socialist Freedom
League in London« eine rüde Abfuhr bei Renn – »not one of us, who has any
self respect wishes to have anything to do with your proposal«[45]. Und natürlich schreibt der Zensor mit, als Renn in einem Brief nach New York im April
1945 feststellt »that the probability of his still being in Mexico in July does
not depend on him, but rather on his duties ›and the development of things
in Europe‹«[46].

Das FBI wußte, daß Renn sobald wie möglich nach Europa zurückkehren
wollte. »... he has expressed an intention of returning to Europe as soon as
he is able to procure passage«, meldet der Civil Attaché im Juli 1946 nach
Washington, »and as soon as he has completed the reorganization of Alemania Libre in Mexico City.«[47] Laut Passagierliste der »Marshall Govorov«[48] verläßt Renn sein Gastland jedoch erst im Februar 1947 mit einem der letzten
Transporte zusammen mit Bruno Frei und Walter Janka. »A visa stop notice«[49] beim U.S.-Konsulat gegen ihn und andere Exilanten vermag ihn daran ebensowenig zu hindern wie J. Edgar Hoover, der seinen Vertreter vor
Ort bereits im Sommer 1946 angewiesen hatte »that you advise the Bureau
at the earliest possible date regarding the departure of Ludwig Renn from
Mexico, together with information as to his itinerary, passport data, and also
similar information regarding those individuals prominent in Communist or
related activities who may have accompanied Renn.«[50]

---

44 Richard Alewyn, Brief an Ludwig Renn v. 12. 2. 1943. Einige Jahre zuvor hatte Alewyn
noch eine andere Position bezogen, als er am 1. September 1939 an seine Mutter in
Deutschland schrieb: »Ich eile natürlich umgehend zur Fahne und melde mich auf dem
Konsulat« (zitiert nach Regina Weber: »Zur Remigration des Germanisten Richard Ale-
wyn.« In: *Die Emigration der Wissenschaften nach 1933. Disziplingeschichtliche Studien.*
Hrsg. v. Herbert A. Strauss u. a. München: Saur 1991, S. 242. Vgl. dazu »Auszüge aus der
Diskussion zum Vortrag von Guy Stern.« In: *Modernisierung oder Überfremdung? Zur
Wirkung deutscher Exilanten in der Germanistik der Aufnahmeländer.* Hrsg. v. Walter
Schmitz. Stuttgart: Metzler 1994, S. 112f.)
45 Ludwig Renn, Brief an German Socialist Freedom League v. 24. 2. 1944.
46 Ludwig Renn, Brief an [ausgeschwärzt] v. 27. 4. 1945, S. 1.
47 Civil Attache, Mexiko, Brief an Director, FBI, v. 17. 7. 1946, S. 2.
48 S. Walter Washington, First Secretary of Embassy, Embassy of the United States of America, Mexiko, Brief an Secretary of State v. 1. 4. 1947, Anlage (800.00B/4-147).
49 Robert W. Wall, Civil Attache, Mexiko, Brief an Director, FBI, v. 14. 6. 1945, S. 2.
50 Director, FBI, Memorandum an Civil Attache, Mexiko, v. 4. 6. 1946.

Einen Monat nach Renns Abreise schließt Civil Attaché John N. Speakes dann den unter »Mexico Subversive Activities«[51] bzw. »Security Matter-C«[52] geführten Fall »Ludwig Renn, with aliases«[53] – und gleich auch sein eigenes Büro.[54] Mit der Gründung der CIA hatte Hoover das 1940 eroberte Operationsgebiet Lateinamerika wieder verloren.

51 Civil Attache, Mexiko, Brief an Director, FBI, v. 20. 9. 1943, S. 1.
52 [Ausgeschwärzt], Memorandum an [ausgeschwärzt] v. 16. 12. 1959.
53 Civil Attache, Mexiko, Brief an Director, FBI, v. 14. 9. 1944.
54 Rout u. Bratzel, *The Shadow War*, S. 455 berichten, daß Hoovers Special Intelligence Service zwischen Juli 1946 und April 1947 durch die neue Central Intelligence Group (CIG) abgelöst wurde, die wenig später in die CIA überging. In seinem »US Intelligence Operations and Covert Action in Mexico, 1900-47« überschriebenen Aufsatz legt Dirk W. Raat die Schließung des SIS-Büros auf den 31. März 1947. Das über 60 Seiten umfassende Material, das Speakes als Anlage zu seinem Bericht nach Washington schickte, wird vom FBI mit unterschiedlichen Begründungen bis heute nicht freigegeben.

Das FBI heute: Zur Freigabe der Akten

Geheimdienste geben gewöhnlich ihre Akten nicht freiwillig frei. Wäre es anders, argumentieren die Nachrichtenprofis aller Länder, würden Informationsquellen rasch versiegen, Spitzel verstummen und potentielle Gegner des jeweiligen Systems den Schleppnetzen der Sicherheitsorgane entgehen. Zudem stände eine Öffnung der Akten, so die merkwürdige Logik der Geheimdienste, den Grundsätzen des Personenschutzes entgegen, weil Dossiers unweigerlich Angaben aus der Privatsphäre von Untersuchungsgegenständen, Informanten und Unbeteiligten enthalten. Oder anders gesagt: Ein Geheimdienst, der seine Arbeitsmethoden freiwillig offenlegt, verdient es nicht, seinen Namen zu tragen, denn er unterscheidet sich nicht mehr von anderen Behörden.

Einsicht in die Akten eines Nachrichtendienstes vermögen Betroffene bzw. die Öffentlichkeit denn auch, wenn überhaupt, nur durch Anwendung von Gewalt zu erhalten – während einer Revolution, durch einen Krieg oder im Zuge der Übernahme eines Landes durch ein anderes. Eine der wenigen Ausnahmen von dieser Regel existiert in den USA, wo sich die Legislative in den liberalen sechziger Jahren und im Gefolge der Watergate-Affäre Mitte der siebziger Jahre in mehreren Schüben dazu entschloß, den Zugang zu den Akten von Behörden aller Art zu ermöglichen. Fixiert ist dieses Recht in der Freedom of Information Act von 1965 und der Privacy Act (PA) von 1974, über die es in einer vom House Committee on Government Operations herausgegebenen Broschüre heißt: »The Freedom of Information Act (FOIA) is based upon the presumption that the government and the information of government belong to the people... With the passage of FOIA... the burden of proof was shifted from the individual to the government: the ›need to know‹ standard was replaced by the ›right to know‹ doctrine and the onus was upon the government to justify secrecy rather than the individual to obtain access.«[1]

---

1   Zitiert nach Buitrago/Immermann, *Are You Now or Have You Ever Been in the FBI Files?*, S. V.

Wie ernst es die amerikanischen Volksvertreter mit der Offenlegung der Regierungsarbeit meinten, wird daran deutlich, daß FOIA 1974/75 über das Veto von Präsident Gerald Ford noch einmal erweitert und gestärkt wurde als sich herausstellte, daß die erste Fassung des Gesetzes nicht über genug Durchschlagskraft verfügte. Seither hat jeder Interessierte, auch Nicht-Amerikaner, nach einem klar umrissenen Verfahren Zugang zu den Akten des FBI, des Immigration and Naturalization Service, des Außenministeriums und, in begrenztem Maße, von Geheimdiensten wie der Central Intelligence Agency, der Military Intelligence Division und des Office of Naval Intelligence. Nach dem Willen des Kongresses müssen Anfragen mit Bestellungen von Akten durch diese Behörden innerhalb von zehn Tagen beantwortet werden – und sei es nur, wie es im Moment der Fall ist, durch einen Vordruck, der dem »Dear Requester« lakonisch mitteilt: »This acknowledges your Freedom of Information-Privacy (FOIPA) requests submitted to the FBI... We are currently searching the indices to our central record system file at FBI Headquarters for any documents which may pertain to your request. Upon completion of this search you will be notified of the results.« Jeder Antrag erhält eine FOIPA-Nummer, die etwa so aussieht: 366,438. Kosten dürfen dem Antragsteller nur dann entstehen, wenn er die Akten kommerziell nutzen möchte.[2] Hochschullehrern, Studenten und Journalisten werden dagegen alle Gebühren erlassen, wenn sie nachzuweisen vermögen, daß die Freigabe der Dokumente dem öffentlichen Interesse dient. Behörden haben das Recht, aber nicht die Pflicht, nach einer vom Gesetzgeber formulierten und weiter unten genauer beschriebenen Liste mit neun Kategorien Informationen zurückzuhalten. In diesem Fall verfügt der Antragsteller über zwei Rekursmöglichkeiten: Er darf innerhalb einer bestimmten Zeitspanne bei der Behörde selbst Berufung einlegen[3] – im Fall des FBI beim Office of Legal Policy -, oder er kann bei einem Gericht klagen, wobei ihm die Anwaltskosten ersetzt werden, wenn die Klage weitgehend angenommen wird. Wichtig ist, daß Bestellungen von Akten nicht begründet werden müssen. Wohl aber gilt es bei Dossiers von Dritten, einen Nachweis zu erbringen, daß die Betreffenden nicht mehr leben bzw. in die Freigabe ihrer Unterlagen einwilligen. Als Todesnachweis reicht im allgemeinen eine gedruckte Quelle wie ein Schriftstellerlexikon oder das *Who's Who*. Lebende Personen müssen ihren Vertretern eine notariell beglaubigte Vollmacht geben.[4]

---

2   Kommerzielle Benutzer zahlen für die Arbeitszeit der Angestellten und 10¢ pro Kopie.

3   Anträge, die nach Ablauf dieser Frist gestellt werden, lehnt die Berufungsbehörde des FBI wie im folgenden Fall zu Klaus und Erika Mann routinemäßig ab: »Pursuant to 28 C.F.R § 16.8 (a), the Department of Justice requires that administrative appeals be ›filed within 30 days of receipt of a notice denying request.‹ Because your appeal was not filed within this period, I am denying it as untimely. *See Oglesby v. Department of Army* (Richard L. Huff, Co-Director, Office of Information and Privacy, Department of Justice, Brief an den Verfasser v. 20. 3. 1995).

4   So hat das FBI meinen Antrag auf Freigabe von Stefan Heyms Akte abgelehnt, weil Heym

J. Edgar Hoover, der durch den Tod davor gerettet wurde, die breite Freigabe der von ihm streng gehüteten Akten seines Bureaus miterleben zu müssen, seine Nachfolger und andere Bürokraten in Washington haben sich aus offensichtlichen Gründen gegen die Auflagen der FOIA gewehrt. Wichtigstes Mittel, um den Blick in die Archive der Geheimdienste einzuschränken, sind dabei jene neun vom Gesetzgeber vorgegebenen Möglichkeiten, Unterlagen komplett zurückzuhalten bzw. auszuschwärzen (»delete« im FBI-Jargon, »sanatize« im Sprachgebrauch der Armee). Auf einem »Explanation of Exemptions. Subsection of Title 5, United States Code, Section 552« überschriebenen Blatt, das jedem nicht vollständig freigegebenen Dossier beiliegt, sind diese Punkte mit der aus der Freedom of Information Act übernommenen Nummerierung (b) (1) bis (b) (9) aufgelistet.[5] Sie reichen von (b) (1) (A), »specifically authorized under criteria established by an Executive order to be kept secret in the interest of national defense or foreign policy and (B) are in fact properly classified pursuant to such Executive order«, und (b) (2), »related solely to the internal personnel rules and practices of an agency«, bis zu (b) (9), »geological and geophysical information and data, including maps, concerning wells«. Zwei der Außnahmeregelungen kommen dabei – auch für die Exilautoren – besonders häufig zum Einsatz,[6] weil sie durch ihre vagen Formulierungen einen großen Ermessensspielraum offen lassen: die bereits zitierte Kategorie (b) (1) und die komplexe Sonderregelung (b) (7), bei der vor allem die Untergruppen (C), »could reasonably be expected to constitute an unwarranted invasion of personal privacy«, (D), »could reasonably be expected to disclose the identity of a confidential source, including a State, local, or foreign agency or authority or any private institution which furnished information on a confidential basis...« und (E), »would disclose techniques and procedures for law enforcement investigations...«, wichtig sind. Oder im Klartext gesagt: Ausgeschwärzt werden die Namen von Personen, die noch leben bzw. über deren Tod dem FBI keine verläßlichen Daten vorliegen, An-

---

mir zwar eine schriftliche Genehmigung gegeben hatte, seine Unterschrift aber nur von einem Zeugen und nicht von einem Notar beglaubigen ließ. Nicht klar ist, warum Heym, der, wie sein Erinnerungsbuch *Nachruf* andeutet, bereits im Besitz seiner Akte ist, mir nicht einfach eine Kopie des Materials zur Verfügung gestellt hat (Heym, *Nachruf*, S. 238-45).

5   Die CIA veröffentlicht ein ähnliches Blatt mit Erklärung, die freilich bedeutend knapper gehalten sind.

6   Was nicht heißt, daß keine der anderen Ausschlußmöglichkeiten auf die Akten der Exilanten angewendet werden. So findet sich zum Beispiel aus nicht mehr zu klärenden Gründen im Feuchtwanger-Dossier auf einem »FOIPA Deleted Page Information Sheet« des FBI mit Bezug auf eine als »100-5143-›not recorded‹ serial (8/3/54) [pages 2-10]« gekennzeichnete Aktenstelle in der Rubrik »For your information« die Anmerkung: »Exemption (b) (3) applied pursuant to Rule 6 (e) of the Federal Rules of Criminal Procedure«. Bei Anna Seghers und anderen wird die Aussonderung von einzelnen Akten gelegentlich durch den Vermerk »sealed under court order in connection with pending litigation« begründet.

4-694a (Rev. 12-4-86)

EXPLANATION OF EXEMPTIONS

SUBSECTIONS OF TITLE 5, UNITED STATES CODE, SECTION 552

(b) (1) (A) specifically authorized under criteria established by an Executive order to be kept secret in the interest of national defense or foreign policy and (B) are in fact properly classified pursuant to such Executive order;

(b) (2) related solely to the internal personnel rules and practices of an agency;

(b) (3) specifically exempted from disclosure by statute (other than section 552b of this title), provided that such statute (A) requires that the matters be withheld from the public in such a manner as to leave no discretion on the issue, or (B) establishes particular criteria for withholding or refers to particular types of matters to be withheld;

(b) (4) trade secrets and commercial or financial information obtained from a person and privileged or confidential;

(b) (5) inter-agency or intra-agency memorandums or letters which would not be available by law to a party other than an agency in litigation with the agency;

(b) (6) personnel and medical files and similar files the disclosure of which would constitute a clearly unwarranted invasion of personal privacy;

(b) (7) records or information compiled for law enforcement purposes, but only to the extent that the production of such law enforcement records or information (A) could reasonably be expected to interfere with enforcement proceedings, (B) would deprive a person of a right to a fair trial or an impartial adjudication, (C) could reasonably be expected to constitute an unwarranted invasion of personal privacy, (D) could reasonably be expected to disclose the identity of a confidential source, including a State, local, or foreign agency or authority or any private institution which furnished information on a confidential basis, and, in the case of a record or information compiled by a criminal law enforcement authority in the course of a criminal investigation, or by an agency conducting a lawful national security intelligence investigation, information furnished by a confidential source, (E) would disclose techniques and procedures for law enforcement investigations or prosecutions, or would disclose guidelines for law enforcement investigations or prosecutions if such disclosure could reasonably be expected to risk circumvention of the law, or (F) could reasonably be expected to endanger the life of physical safety of any individual;

(b) (8) contained in or related to examination, operating, or condition reports prepared by, on behalf of, or for the use of an agency responsible for the regulation or supervision of financial institutions; or

(b) (9) geological and geophysical information and data, including maps, concerning wells.

SUBSECTIONS OF TITLE 5, UNITED STATES CODE, SECTION 552a

(d) (5) information compiled in reasonable anticipation of a civil action proceeding;

(j) (2) material reporting investigative efforts pertaining to the enforcement of criminal law including efforts to prevent, control, or reduce crime or apprehend criminals, except records of arrest;

(k) (1) information which is currently and properly classified pursuant to Executive Order 12356 in the interest of the national defense or foreign policy, for example, information involving intelligence sources or methods;

(k) (2) investigatory material compiled for law enforcement purposes, other than criminal, which did not result in loss of a right, benefit or privilege under Federal programs, or which would identify a source who furnished information pursuant to a promise that his/her identity would be held in confidence;

(k) (3) material maintained in connection with providing protective services to the President of the United States or any other individual pursuant to the authority of Title 18, United States Code, Section 3056;

(k) (4) required by statute to be maintained and used solely as statistical records;

(k) (5) investigatory material compiled solely for the purpose of determining suitability eligibility, or qualifications for Federal civilian employment or for access to classified information, the disclosure of which would reveal the identity of the person who furnished information pursuant to a promise that his identity would be held in confidence;

(k) (6) testing or examination material used to determine individual qualifications for appointment or promotion in Federal Government service the release of which would compromise the testing or examination process;

(k) (7) material used to determine potential for promotion in the armed services, the disclosure of which would reveal the identity of the person who furnished the material pursuant to a promise that his identity would be held in confidence.

4-750 (Rev. 4-17-85)

XXXXXX
XXXXXX
XXXXXX

FEDERAL BUREAU OF INVESTIGATION
FOIPA DELETED PAGE INFORMATION SHEET

674 Page(s) withheld entirely at this location in the file. One or more of the following statements, where indicated, explain this deletion.

☑ Deleted under exemption(s) _____ *(b)(1)* _____ with no segregable material available for release to you.

☐ Information pertained only to a third party with no reference to you or the subject of your request.

☐ Information pertained only to a third party. Your name is listed in the title only.

5— ☑ Documents originated with another Government agency(ies). These documents were referred to that agency(ies) for review and direct response to you.

_____ Pages contain information furnished by another Government agency(ies). You will be advised by the FBI as to the releasability of this information following our consultation with the other agency(ies).

_____ Page(s) withheld for the following reason(s):
_____
_____

☐ For your information: _____
_____

☑ The following number is to be used for reference regarding these pages:
_____ *100-6255-81-NR* _____

XXXXXX
XXXXXX
XXXXXX

NY 100-48892

<u>CONFIDENTIAL INFORMANTS</u>

The following Confidential Informants appear in the report of
SA ████████ dated   APR 2 4 1950   at New York:

b1
b7
(c)
(D)

REFERENCE: Report of SA ████████ 5/5/43, New York.

CONFIDENTIAL

- 17 -

520

gaben zum Personal und zur Arbeitsweise des Bureaus, alles, was mit der nationalen Sicherheit zu tun hat, sowie Informationen über freiwillige und unfreiwillige Informanten, deren Identität zumeist schon in den Originalberichten, die die Field Offices an das Hauptquartier schicken, durch Kürzeln wie T-2 oder Bezeichnungen wie »confidential« oder »highly confidential source« geschützt ist. In Briefen aus den Unterlagen des Office of Censorship sind neben den Absendern und Empfängern routinemäßig Straßenadressen (nicht aber Städtenamen) unkenntlich gemacht, während das Datum von Brief und Poststempel lesbar bleibt.

Wie flexibel es bei der Auslegung der »exemptions« zugeht, läßt sich besonders gut an Kategorie (b) (1) ablesen, die routinemäßig auf die beim FBI als Kommunisten, feindliche Ausländer, potentielle Spione und subversive Elemente mit internationalen Kontakten geführten Exilanten angewendet wird. Was genau als »geheim« einzustufen ist und wo genau das Interesse der nationalen Sicherheit beginnt, hängt nämlich weitgehend von den jeweiligen Präsidenten der USA und deren weltanschaulichen Präferenzen ab. So war Truman der Meinung, daß Informationen nach den Bezeichnungen »Top Secret«, »Secret«, »Confidential« und »Restricted« einzuteilen seien; Eisenhower kam mit »Top Secret«, »Secret« und »Confidential« aus; Carter ordnete in Section 1-101 und 1-401 seiner Executive Order 12065 an, daß in Zweifelsfällen immer die niedrigere Sicherheitsstufe zu benutzen sei und, wenn möglich, alle Dokumente nach sechs Jahren automatisch entklassifiziert werden; Reagan und sein Justizminister William French Smith stellten Anfang der achtziger Jahre die nationale Sicherheit wieder höher als den Anspruch der Gesetzgeber, ein Maximum an Informationsfreiheit zu sichern – und zwar mit der Begründung, daß die Öffentlichkeit angesichts der wachsenden Bedrohung durch das Gewaltpotential von immer effizienter arbeitenden Terroristen mehr Schutz brauche; und Bill Clinton schließlich erinnerte im Herbst 1993 die »Heads of Departments and Agencies«[7] daran, daß FOIA eine wichtige Rolle bei der Stärkung der demokratischen Regierungsform spiele. Hinzu kommt, daß es selbst für den gutwilligsten Mitarbeiter der FOIPA-Abteilungen von FBI, MID, ONI und CIA schwer ist zu definieren, wo die nationale Sicherheit beginnt und endet und was wohl, etwa bei Ausnahmeregelung (b) (7) (C), mit »unwarranted invasion« und »personal privacy« gemeint sein könnte. Ob ein Aktenstück freigegeben oder ausgeschwärzt wird, unterliegt also nicht nur der mit jeder Regierung wechselnden Stimmung in Washington, denn »decisions... must be based on the Executive Or-

---

7 »President's Memorandum for Heads of Departments and Agencies Regarding the Freedom of Information Act,« zitiert nach U.S. Department of Justice, Office of Information and Privacy: *Freedom of Information Act Guide & Privacy Act Overview*. Washington, September 1994, S. 3.

der in effect when the FOIA request is being processed«[8], sondern auch dem erheblichen und kaum kontrollierbaren Ermessensspielraum des jeweiligen Sachbearbeiters. So ist zum Beispiel die zuerst Mitte der siebziger Jahre zugänglich gemachte FBI-Akte von Bertolt Brecht[9] bedeutend weniger verstümmelt worden, als die von mir während der Reagan-Ära bestellten Dossiers – ein Verlust, der erst dann wieder auszugleichen wäre, wenn eines Tages die unzensierten Originalakten der Forschung zugänglich gemacht würden.[10] Und mehr noch: Während ausnahmslos in allen an mich freigegebenen Dossiers die Namen von Informanten ausgeschwärzt wurden bzw. in den FBI-Reporten die »Confidential Source« überschriebenen Blätter mit den Schlüsseln für Kürzeln wie »Source A« oder »Confidential Source T-2« zurückgehalten werden, sind in den zuerst ausgelieferten Brecht-Unterlagen, die in Berlin einzusehen sind, nicht aber in meiner Kopie der Brecht-Akte, die entsprechenden Seiten zwar ausgekreuzt, die einschlägigen Namen aber gut lesbar.[11]

Doch Ausssschwärzungen sind nicht das einzige Mittel, mit dem Behörden wie das FBI die Freedom of Information Act zu unterlaufen versuchen. Zum Beispiel besorgte sich das Bureau zuerst 1945/6 und dann wieder nach der Novellierung der Freedom of Information Act in den siebziger Jahren beim National Archives and Records Service (NARS) Pauschalgenehmigungen, Un-

---

8 Buitrago/Immermann, *Are You Now or Have You Ever Been in the FBI Files?*, S. 55.

9 Vgl. den handschriftlichen, mit »FOIA/Ed« unterzeichneten Vermerk auf FBI-Report, Los Angeles v. 8. 6. 1943, S. 1 in Brechts Akte: »cc's of deletions sent by letter Stefan Brecht 5/ 28/74 James Lyon 4-4-74 Sander Gilman 4/15/74"; siehe auch Lyon, »Das FBI als Literaturhistoriker«, S. 362.

10 Ein ähnliches Problem, bei dem freilich das FBI keine Schuld trifft, entsteht durch die Reihenfolge von Bestellungen. So bleiben in später freigegebenen Akten oft, aber nicht immer, die Namen von Personen, deren Dossier früher bearbeitet wurden, unausgeschwärzt. Ein FBI-Report aus Los Angeles vom 22. September 1942 zu Leonhard Frank zum Beispiel endet mit dem als »Confidential« gekennzeichneten Hinweis, daß als Quelle ein Bericht »entitled ›Klaus Heinrich Mann, with aliases; Internal Security – R‹ Los Angeles file 100-7868, serial 2, pages 5, 6 and 7" benutzt worden sei. Sieht man in dem entsprechenden Bericht in Klaus Manns Akte nach, stellt sich heraus, daß genau diese Blätter nahezu vollständig ausgeschwärzt wurden.

11 In einigen wenigen Fällen sind nicht ausgeschwärzte Durchschläge von FBI-Akten in den National Archives erhalten geblieben, die einen Vergleich mit den vor der Freigabe vom FBI bearbeiteten Originalen ermöglichen. So werden in einem FBI-Report aus New York vom 6. 10. 1944 zum Council for a Democratic Germany neben Informantenberichten und biographischen Angaben zu deutschen und amerikanischen Sponsoren des Councils u. a. mehrere Seiten mit der »Declaration issued by the Council« zurückgehalten, obwohl dieser Text, wie der berichtende Special Agent Nicolas J. Alagan anmerkt, nur ein Zitat aus dem *German American* vom 15. 5. 1944 ist (FBI-Akte, Council for a Democratic Germany und National Archives 811.00B/12-1944). Vgl. auch den ausführlichen, in einer unzensierten und einer zensierten Fassung erhaltenen FBI-Bericht zu »Heinz Pol, with aliases: Heinrich Pollack, Hermann Britt« als Anlage zu John Edgar Hoover, Brief an Adolf A. Berle, Assistant Secretary of State, v. 10. 6. 1944 (800.00B – Pol, Heinz Jacob).

terlagen in den Field Offices bzw. Dossiers von Fällen, die ohne gerichtliches Nachspiel blieben, zerstören zu dürfen – setzte diese Genehmigung aber bis 1975 nur selektiv ein, weil sich Hoover offensichtlich nicht von seinen Dossiers zu trennen vermochte.[12] Ein Vorstoß des FBI aus dem Jahr 1979, mit Hilfe eines Zusatzes zur FOIA das Recht zurückzugewinnen, Akten mit Material zu den Themen Auslandsaufklärung, Gegenspionage und Terrorismus pauschal zurückzuhalten, ist zwar gescheitert,[13] wenig später vermochte Ronald Reagan als Anhängsel an eine Anti-Drug Abuse Act[14] jedoch durchzusetzen, daß Regierungsstellen die Auskunft verweigern dürfen, ob bestimmte Akten überhaupt existieren oder nicht.[15] Routinemäßig zögert sich beim FBI nach der Bestätigung des Eingangs der Bestellung durch einen Vordruck die Freigabe von Akten hinaus, angeblich weil die Flut der Anträge – nach Mitteilung der Behörde Ende 1994 immerhin 12.400 Fälle mit mehr als fünf Millionen Seiten – durch die 200 vollamtlichen FOIPA-Angestellten nicht rascher zu bearbeiten ist. Wartezeiten von fünf, sechs Jahren sind keine Seltenheit, wenn das FBI bei einer anderen Behörde rückfragen muß, weil sich Teile eines Dossiers auf diese Behörde beziehen. Von den bereits freigegebenen Akten stehen nur wenige, besonders prominente Fälle ohne langwierige Vorbestellungen im Leseraum des J. Edgar Hoover Building zur Einsicht bereit. Die großen Field Offices des FBI in Los Angeles und New York, in denen ebenfalls FOIA-Beamte sitzen, lassen Anträge selbst dann jahrelang lie-

12 Zur Frage der Vernichtung von FBI-Akten s. National Archives and Records Administration u. Federal Bureau of Investigation: *Appraisal of the Records of the Federal Bureau of Investigation: A Report to Honorable Harold H. Greene, United States District Court for the District of Columbia.* Washington, 1981.

13 Vermerke in zahlreichen Exilanten-Dossiers zeugen davon, daß vor allem die als EBF's, Enclosures Behind Files, abgelegten Kopien von Exilzeitschriften, Büchern und Zeitungen zerstört wurden. So endet das FBI-Dossier von Ludwig Renn mit einem Office Memorandum vom 16. Dezember 1959 zu »Bulky Exhibit File Number 100-180858-56«, in dem es u. a. heißt: »We are in the process of reviewing all bulky exhibits in order that we may dispose of those which serve no further purpose. Inasmuch as many of the bulky exhibits pertain to inactive cases and are occupying badly needed space, it is requested that the appropriate substantive supervisor review the above-listed bulky exhibit and render a decision as to its retention or disposition.« Die handschriftlich übermittelte Entscheidung des »supervisors« fiel wie folgt aus: »The Document Section has no objection to the destruction of the material in the above bulky exhibit, *except* for laboratory worksheets which should be retained. The Cryptographic Section should review the captioned bulky exhibit and render their decision as to retention or disposition of the above material.« Es ist anzunehmen, daß nach dem letzten Vermerk auf der Akte – »Cryptoanalysis-Translation Section concurs in above recommended action« (FBI-Akte, Ludwig Renn) – das einschlägige Material in der Tat vernichtet wurde. Eher lakonisch stempelte das FBI am 13. September 1960 die Worte »Copies Destroyed« auf einen Report des Boston Field Office zu Ernst Bloch vom 11. Mai 1942 (S. 1). Vgl. auch oben Anmerkung 12 in dem Kapitel zu Anna Seghers.

14 Bestellungen von Akten beim FBI werden aus diesem Grund von einer Abteilung bearbeitet, die den Namen »Research/Drug Demand Reduction Unit« trägt.

gen, wenn man sie mit Briefen und Telephonaten anmahnt.[16] Beschwerden und Gerichtsverfahren bringen, wie Herbert Mitgang und andere berichten, kaum mehr als einen zusätzlichen Verlust von Zeit.[17] Nicht selten schleichen sich in den Dienstweg Fehler ein, so etwa als mir das FBI 66 Blätter mit »cross-references«[18] zu Carl Zuckmayer erst dann freigab, als ich auf das Material verweisen konnte, das einem anderen Exilforscher zur Verfügung gestellt worden war. INS und CIA blocken FOIA-Anträge ab, indem sie verlangen, daß für jede Zielperson umständliche Formulare ausgefüllt werden bzw. eine englischsprachige Druckquelle als Beleg für biographische Angaben wie das Todesdatum beigebracht wird – eine Forderung, die sich bei weniger prominenten Exilanten kaum erfüllen läßt. Der bei weitem überwiegende Teil der OSS-Unterlagen wird weiterhin von der CIA zurückgehalten.[19] In den Na-

---

15 Dazu Reagans Justizminister Edwin Meese in einem »Memorandum on the 1986 Amendments to the Freedom of Information Act«: »During the last twenty years, the many departments and agencies of the federal government have struggled to implement this rough embodiment of an American ideal... in the wake of the ›Watergate affair,‹ Congress decided to alter the course of government disclosure policy through a series of ›liberalizing‹ FOIA amendments... But in its reaction to the perceived need for greater disclosure, Congress overcorrected through those FOIA amendments and seriously impaired the ability of federal law enforcement agencies to perform their crucial mission of protecting our citizenry... Congress has not rectified the many weaknesses...« (Edwin Meese: »Foreword.« In United States Department of Justice: *Attorney General's Memorandum on the 1986 Amendments to the Freedom of Information Act.* Washington, Dezember 1987, S. III).

16 So warte ich trotz wiederholter Interventionen nach über fünf Jahren immer noch auf die Akten aus den Field Offices des FBI in Los Angeles und New York.

17 Vgl. dazu u. a. *Litigation Under the Federal Open Government Laws.* Hrsg. v. Allan Robert Adler. Washington: American Civil Liberties Union Foundation 1991.

18 Das FBI definiert »a cross-reference... as a mention of your subject in a file on another individual, organization, event, activity or the like. In processing cross-references, the pages considered for possible release include only those pages which mention your subject and any additional pages showing the context in which your subject is mentioned. When such a page also contains information about another subject matter, the information ›outside the scope‹ of the request is marked with ›o/s‹ in the margin and bracketed. Whenever possible, the o/s material is released...« (Deckblatt, FBI-Akte, Carl Zuckmayer).

19 Die Einleitung zu *Foreign Nationalities Branch Files 1942-1945* beschreibt die komplizierte Aktenlage in vagen Worten so: »Records of the OSS Research and Analysis Branch and a few other groups of materials were sent to the Department of State after the war and, in 1946, were accessioned by the National Archives. These materials were made available to the public in 1975. The 1975 opening of these OSS records, however, did not effect the availability of other OSS materials, including the entire FNB archive, that had been sent to the CIA. In 1980, the CIA allowed the National Archives to accession approximately one half of the total complement of 6,000 cubic feet of OSS records in its possession. But the records remained closed to researchers until 1983, when a compromise reached as a part of the Intelligence Information Act provided for the opening of some materials, including the records of the Foreign Nationalities Branch« (»Introduction.« In: US Office of Strategic Services. *Foreign Nationalities Branch Files 1942-1945.* Bd. 1, S. VII).

tional Archives scheint sich neben den gesperrten »investigative records« des HUAC eine unbestimmte Menge von Dokumenten des Office of Censorship zu befinden, die nicht einzusehen sind, weil keine Namensverzeichnisse bestehen, die gezielte Bestellungen mit Todesnachweisen der Betreffenden ermöglichen, bzw. weil die National Archives angeblich keine Ausschwärzungen vornehmen. Aus den ebenfalls bei den National Archives deponierten und im allgemeinen ohne Restriktionen zugänglichen, aber nicht besonders gut verzettelten Beständen des Department of State hat das FBI ohne Angabe von Einzelheiten zahlreiche Dokumente entfernt, die mit dem Bureau zu tun haben.

Anträge auf Freigabe von Akten sind schriftlich an die FOIPA-Abteilung der entsprechenden Behörde zu richten, im Falle des FBI die Freedom of Information/Privacy Acts Section, Federal Bureau of Investigation, 9th Street and Pennsylvania Avenue, Northwest, Washington, D. C. 20535. Dort werden die über 50 Anfragen, die täglich ankommen, zuerst an die sogenannte Search Unit des Record Service weitergeleitet, deren Mitarbeiter in dem knapp 68 Millionen Karteikarten umfassenden General Index[20] nachsehen, ob es zu der betreffenden Person oder Institution eine »Main File« bzw. sogenannte »see references«, d. h. Querverweise auf andere Akten gibt. Angestellte der Initial Processing Unit fertigen daraufhin Kopien der Originalakte an, die in der Reihenfolge des Eingangs freiwerdenden Mitarbeitern der sogenannten Disclosure Section zugeteilt werden – es sei denn man zieht Anfragen zu politisch brisanten oder aktuellen Fällen wie die Ermordung von Kennedy oder den Watergate-Skandal vor. Bei Dossiers, die wie die Bestände zum Joint Anti-Fascist Rescue Committee ungewöhnlich umfangreich sind, kann die FOIPA-Abteilung mit dem Antragsteller Kontakt aufnehmen, um eine Auswahl oder eine Probesendung mit Beispielakten abzusprechen. Ist das Material »classified«, also einer der oben genannten Sicherheitsstufen zugeordnet, wie es bei den Exilanten oft der Fall ist, entscheidet eine Classification Review Unit, welche Dokumente zurückgehalten werden. Alle verbleibenden Unterlagen gehen jetzt an einen besonders ausgebildeten »analyst«[21], der jedes Aktenstück Zeile für Zeile durchliest, einzelne Seiten oder Teile der Akte aussondert, Worte, Sätze oder Abschnitte mit einem besonderen Stift, der den Text nur beim Fotokopieren unlesbar macht, ausschwärzt und auf einem beigelegten Vordruck bzw. am Rand des jeweiligen Dokuments mit den Kürzeln (b) (1) bis (b) (9) den Grund für die Ausschwärzung angibt. Da der Gesetzgeber verfügt, daß alle Informationen, die nicht zurückgehalten werden dürfen, lesbar bleiben, ergibt sich bisweilen die groteske Situa-

---

20 Robins, *Alien Ink*, S. 17 berichtet, daß Ende der achziger Jahre nur ca. 27 Millionen dieser Karten in Computern erfaßt waren.

21 U.S. Department of Justice, *Conducting Research in FBI Records*, S. 4.

tion, daß auf einer Seite der gesamte Text bis auf ein Wort, etwa der Name des »subject« oder die Bemerkung »Strictly Confidential«, ausgemerzt ist. Und natürlich bekommt man die professionellen Ausschwärzer des FBI – im Fall von Anna Seghers durch die Kürzeln »Sp2Tap/dd« und »9145 Web/dd« gekennzeichnet – nie zu Gesicht. Denn so wie für Kafkas Besucher vom Lande bildet im J. Edgar Hoover Building in Washington die Pforte zwischen dem kargen Empfangsraum und dem Hauptteil des Gebäudes eine durch elektronische Türhüter gesicherte Schwelle, die weder für Wissenschaftler noch für Fernsehteams oder Touristen überwindbar ist.[22]

Ausgangspunkt der Freedom of Information Act waren die Bedenken einer Gruppe von Journalisten, daß der Staat die Pressefreiheit besonders dort eng auslegen könnte wo seine Angestellten zur Verantwortung gezogen werden. Dementsprechend beruft sich das Gesetz, das nach mehr als zehnjährigen Anhörungen 1966 vom Kongress als Revision der restriktiven Administrative Procedure Act verabschiedet wurde, auf »principles of government openness and accountability«[23] als grundsätzliche demokratische Ideale. Präsident Lyndon B. Johnson hielt bei der Unterzeichnung der Gesetzesvorlage am 4. Juli 1966 fest, »a democracy works best when the people have all the information that the security of the Nation permits«[24]. »The basic purpose of... FOIA is to ensure an informed citizenry«, bestätigt das Grundsatzurteil eines Gerichts 1989 das Recht aller auf freien Zugang zu Regierungsakten, »vital to the functioning of a democratic society, needed to check against corruption and to hold the governors accountable to the governed.«[25] Und Bill Clintons Justizministerium beantwortet die Frage, »whether a public right to know is merely political rhetoric or is an unenumerated constitutional right protected by the Ninth Amendment«[26], kurz und bündig: »In sum, the FOIA is a vital, continuously developing mechanism which, with necessary refinements to accomodate... society's interests in an open and fully responsible government, can truly enhance our democratic way of life.«[27]

---

22 So ließ sich trotz erheblicher Anstrengungen für den dieses Buch begleitenden Fernsehfilm der ARD keine Drehgenehmigung in den Räumen erhalten, in denen sich der General Index befindet. Wenig informativ sind auch die Führungen, die das FBI für Touristen organisiert.

23 »Introduction.« In *Freedom of Information Act Guide & Privacy Act Overview*, S. 3.

24 Zitiert nach Meese, »Foreword«, S. III.

25 Zitiert nach »Introduction.« In: *Freedom of Information Act Guide & Privacy Act Overview*, S. 3.

26 Everett E. Mann: »Freedom of Information Act.« In: *Encyclopedia of American Constitution.* New York: MacMillan 1986, S. 781. Vgl. auch von demselben Autor *The Public Right to Know Government Information: Its Affirmation and Abridgment.* Phil. Diss., Claremont Graduate School 1984 u. Ann Arbor: University Microfilms International 1989.

27 »Introduction.« In: *Freedom of Information Act Guide & Privacy Act Overview*, S. 10.

Was FOIPA trotz solcher starken Worte nicht anstrebt, ist eine uneingeschränkte Einsicht in die Akten von FBI, CIA, ONI und MID von der Art, daß Betroffene und Wissenschaftler in den Archiven der Ämter persönlich Nachforschungen anstellen und mit Originalakten arbeiten können. So kommt es, daß bei vielen Antragstellern ungeachtet der großzügigen Bestimmungen der Gesetze, vieler tausend freigegebener Dossiers und der Versuche von Behörden, durch Broschüren wie *Conducting Research in FBI Records*[28] öffentlichkeitsfreundlich zu wirken, der Verdacht nicht auszuräumen ist, daß ihnen einzelne Dokumente oder ganze Dossiers vorenthalten werden. Frustriert schreibt Herbert Mitgang in seiner Einführung in die FBI-Dossiers amerikanischer Schriftsteller denn auch: »The degree of compliance with my requests varied greatly... in what was provided... Occasionally my routine letter of appeal resulted in the release of a few more pages... but I did not avail myself of this costly judicial review.«[29] Franklin Folsom ist es mit dem Dossier der League of American Writers ähnlich ergangen wie mir mit der Akte von Carl Zuckmayer – während ihm nach langem Warten nur dreißig Blätter ausgeliefert wurden, hatte ein anderer Besteller bereits nahezu 1.000 Seiten erhalten.[30] Aus einer internen Aktennotiz des FBI auf der durch Zufall im Berthold Viertel-Dossier erhalten gebliebenen Korrespondenz zwischen dem Germanisten Sander L. Gilman und dem damaligen Direktor des FBI, Clarence M. Kelley, ergibt sich, daß die Akten von Thomas und Heinrich Mann, Feuchtwanger, Kantorowicz, Herzfelde, Viertel, Helene Weigel sowie Hanns und Gerhart Eisler 24.025 Blätter umfassen sollen – erheblich mehr als später an mich ausgeliefert wurde. Und auch bei dem mehrfach von verschiedenen Personen bestellten Brecht-Dossier scheint es Diskrepanzen zu geben: Während James Lyon und mir etwas mehr als 400 Blätter ausgehändigt wurden, schreibt John Fuegi von einer »1,100-page Brecht FBI file«[31], freilich ohne Dokumente zu zitieren, die mir nicht auch bekannt sind.

28 Die jeweils neuste Ausgabe dieser Publikation kann kostenlos beim Office of Public Affairs des FBI bestellt werden. In ihr finden sich u. a. die Adressen der FBI Field Offices sowie hilfreiche Hinweise zur Geschichte der FBI-Akten und zu den für die Lektüre der Akten unerläßlichen »FBI Central Record System Classifications«. Leicht veraltet, aber wichtig als Hilfsmittel ist auch der von Buitrago und Immerman zusammengestellte Führer *Are You Now or Have You Ever Been in the FBI Files? How to Secure and Interpret Your FBI Files*. Herbert Mitgang, der Buitrago/Immerman nicht kennt oder nicht in seine Bibliographie aufgenommen hat, schließt die englische Ausgabe seines Buches *Dangerous Dossiers* mit einem »How to Get Your Own Dossier« überschriebenen Kapitel. Vgl. schließlich auch Haines/Langbart, *Unlocking the Files of the FBI* und Athan Theoharis: *The FBI. An Annotated Bibliography and Research Guide*. New York: Garland 1994.
29 Mitgang, *Dangerous Dossiers*, S. 24.
30 Folsom, *Days of Anger, Days of Hope*, S. 125.
31 Fuegi, *Brecht and Co.*, S. 426 u. *Brecht in den USA*. Hrsg. v. James K. Lyon. Frankfurt: Suhrkamp 1994, S. 113 (= suhrkamp taschenbuch, 2085.).

Ungereimtheiten und Verzögerungen bei der Freigabe von Akten sind zweifellos ein Ärgernis. Das gleiche gilt in noch viel größerem Maße für das letztendlich nicht zu überprüfende Verfahren der Ausschwärzungen und Auslassungen. Und sicherlich sagt die Tatsache, daß Amerikas zivile und militärische Geheimdienste, die Einwanderungsbehörde, das Office of Censorship und das Außenministerium im In- und Ausland über viele Jahre hinweg mitten in einem heißen und einem kalten Weltkrieg ein Grüppchen Hitlerflüchtlinge mit erheblichem Aufwand an Personal und Geld beobachteten und die in weit über 10.000 Aktenstücken zusammengefaßten Berichte dieser Aktionen bis heute aufbewahren, viel über die Bedürfnisse und die Unsicherheiten der führenden Demokratie in der westlichen Welt aus.

Dennoch gibt es keinen Anlaß anzunehmen, daß das FBI im Fall der deutschsprachigen Exilautoren gezielt oder gar böswillig Material zurückhält. Dazu liegen die vierziger Jahre zu weit zurück, und dazu war das versprengte Häuflein der Exilanten wohl auch nicht prominent genug für Hoovers Bureau. Zudem gilt es, nicht zu vergessen, daß im Vergleich zur Tätigkeit anderer Geheimdienste in anderen Ländern und zu anderen Zeiten keiner der Beobachteten durch die Aktionen von FBI, MID, ONI usw. ernsthaft zu Schaden gekommen ist – was sich von Amerikanern, die damals ins Visier des FBI gerieten, nicht immer sagen läßt – und daß die Volksvertreter der USA durch eine in anderen Ländern unbekannte Öffnung der einschlägigen Akten zwar spät, aber eindeutig Stellung gegen einen totalen Überwachungsstaat bezogen haben. Oder konkret gesagt: Nicht einer der überwachten Exilautoren ist in sein Herkunftsland deportiert und damit der Gestapo ausgeliefert worden. Interniert bzw. inhaftiert wurde einzig der KP-Funktionär Gerhart Eisler – und auch hier erhob sich sofort ein beachtlicher Proteststurm. Versuche, eingebürgerten Exilanten die amerikanische Staatsbürgerschaft abzuerkennen, nahmen in keinem der mir bekannten Fälle konkrete Formen an. Ebensowenig finden sich in den Akten Belege dafür, daß – wie bei tausenden von Amerikanern – die berufliche Karriere eines schreibenden Exilanten direkt und negativ durch einen Geheimdienst oder ein Loyalitätsverfahren beeinflußt wurde.

Merkwürdig dünn bleibt angesichts der erheblichen Überwachungsaktionen denn auch das Sündenregister der Geheimdienste: bei Anna Seghers und einigen anderen trugen Informationen der Nachrichtendienste dazu bei, daß sie das Exil in Mexiko statt in den USA verbringen mußten; der gealterte und kranke Lion Feuchtwanger wollte ohne eine amerikanische Staatsbürgerschaft die USA nicht verlassen, um ein letztes mal Deutschland zu besuchen; Brecht wurden vom HUAC Fragen gestellt, die auf Zuarbeit des FBI schließen lassen; für Thomas und Erika Mann trug das politische Klima in den USA dazu bei, in ein zweites Exil in der Schweiz überzusiedeln; Klaus Mann wurde in verschiedenen Verhören mit peinlichen Fragen zu seinem Privatleben bedrängt; viele Exilanten fanden ihre Namen in den schwarzen Listen des antikommunistischen Tenney Komitees veröffentlicht; Briefe wurden vernichtet oder mit Verspätung ausgeliefert. Doch viel mehr als daß ihre Privatsphäre beeinträchtigt und gelegentlich berufliche Ambitionen eingeschränkt wurden ist den kurz zuvor der Gestapo entkommenen Schriftstellern nicht geschehen.

Ein Grund, die Überwachung der deutschsprachigen Exilschriftsteller während der vierziger und fünfziger Jahre durch das FBI, die militärischen Geheimdienste, das Office of Strategic Services, das Department of State und andere Behörden als historisches Ereignis abzutun und zu vergessen, besteht deshalb nicht. Denn solange in New York und Berlin, in Los Angeles und Köln, in Moskau und Zürich Schriftsteller und Intellektuelle weiter von Geheimdiensten beobachtet werden, Akten den Betroffenen nicht oder nur mit Einschränkungen zur Einsicht und Korrektur offenstehen und das schlechte Beispiel von Nachbarstaaten nicht zum Nachdenken über die eigenen Fehlgriffe in Sachen Überwachung anregt, gibt es noch viel zu tun. Als Ausgangspunkt mag dabei die »dissenting opinion« von Richter Louis D. Brandeis dienen, der 1928 in dem berühmten Fall Olmstead gegen United States von seinen Kollegen am obersten Gerichtshof der USA überstimmt worden war, als es darum ging, das Abhören von Telephonen als Eingriff in das Privatleben der Bürger zu ächten:

»Decency, security, and liberty alike demand that government officials shall be subjected to the same rules of conduct that are commands to the citizen. In a government of laws, existence of the government will be imperiled if it fails to observe the law scrupulously... To declare that in the administration of the criminal law the end justifies the means... would bring terrible retribution...

The makers of our constitution... sought to protect Americans in their beliefs, their thoughts, their emotions and their sensations. They conferred, as against the government, the right to be alone – the most comprehensive of rights and the right most valued by civilized men. To protect that right, every unjustifiable intrusion by the government upon the privacy of the individual, whatever the means employed, must be deemed a violation of the Fourth Amendment... Experience should teach us to be most on our guard to protect liberty when the government's purposes are beneficent... The greatest dangers to liberty lurk in insidious encoachment by men of zeal, well-meaning but without understanding.«[32]

---

32 Louis D. Brandeis, in *The Supreme Court Reporter*. Bd. 48. St. Paul: West Publishing 1929, S. 575, 572-3.

Dokumente

1) Immigration and Naturalization Service und Military Intelligence
Division (U.S.-Armee):
Interviews mit Egon Erwin Kisch, Fritz von Unruh, Carl Zuckmayer,
Klaus Mann und [ausgeschwärzt]

2) FBI-Report, Los Angeles v. 10. 2. 1949 zu Heinrich Mann

3) Office of Strategic Services:
Interview mit Thomas Mann.
Five German Writers Discuss What To Do With Germany.
Interview mit Alfred Neumann

U. S. DEPARTMENT OF LABOR

IMMIGRATION AND NATURALIZATION SERVICE

ELLIS ISLAND, NEW YORK HARBOR, N. Y.

IN REPLYING PLEASE REFER TO THIS

FILE NUMBER

99486/440

May 11, 1940

District Director
Ellis Island, N.Y.H.

There voluntarily appeared at this station today
EGON ERVIN KISCH, who submits form 639, in duplicate, sworn to before Inspector Magee, on May 11,
1940.

INSPECTOR GERMAN TO ALIEN:

Q You are advised that I am an Immigrant Inspector,
   qualified to take statements under oath, and I desire to question you in connection with your application for a further extension of your temporary
   stay in the United States. It will be necessary
   for you to raise your right hand and solemnly swear
   that any statements you do make will be true and
   correct, so help you God. Do you so do?
A Yes.

Q I advise you further that such statements as you do
   make must be made voluntarily. Do you understand?
A Yes.

Q What is your complete and correct name?
A EGON ERVIN KISCH.

Q Of what country are you a citizen or subject?
A Czechoslovakia.

Q Do you have with you a valid travel document issued
   by the Government of Czechoslovakia?
A Yes. (Shows Czechoslovak passport 3288 AI 1938, issued October 15, 1938, valid until October 14, 1943,
   indicating birth of Egon Ervin Kisch, at Prague, on

A (continued)
April 29, 1885. This passport is endorsed on page nine
with a transit certificate No. 650, issued at Paris,
France, at the American Consulate, valid for transit to
Chile. Page eight bears endorsement "Admitted at New
York December 28, 1939, under paragraph 3, for sixty days,
in transit to Chile, under bond. File of above number.)

Q Your application for an extension of your temporary stay
in the United States indicates that first, you wish to
finish a book you are writing; secondly, all Chilean
visas have been cancelled, and that you are endeavoring
to secure a Mexican visa for yourself and wife. Are these
the only reasons why you wish an extension of your stay
here?
A Yes.

Q Are you a writer by profession?
A Yes.

Q Have you published any of your works?
A Yes.

Q Will you give me the names of some of your publications.
A Thirty-five of my books are in the Union Catalog of the
Congressional Library in Washington.

Q On what subjects do you write?
A Travel books and fiction.

Q At the time you arrived in the United States, what funds
or finances did you have with you?
A Some hundred dollars.

Q Did you have $500 then?
A No, but I have here some royalties which come from my
books. I am an American taxpayer for years, in spite
of the fact that I never lived here, because of my royalties.

Q From what source do you receive royalties from your
writings here?
A From publishers - from Alfred Knopf's Publishing House,
for instance. They are located at 501 Madison Avenue,
New York. Modern Age Publishers, New York City. Also
some money from Hollywood, for ideas for pictures.

Q Who are the people from whom you received the monies
 in Hollywood?
A Billy Wilder, of Paramount Pictures. He is a scenario
 writer.

Q What literature do Modern Age Publishers publish?
A Fiction.

Q Is this Modern Age Publishing Co. located on East 13th
 or 14th Street, New York City, do you know?
A Yes, I think so. I am always telephoning.

Q Is it connected with the Daily Worker Publishing Co.?
A I don't think so.

Q Have you ever submitted any writings to the Daily Worker
 Publishing Co.?
A Never in my life.

Q Have you had any contact with the Chilean authorities
 since you learned that all visas to Chile had been cancelled?
A No.

Q And from what source did you learn this?
A My lawyer wrote to Chile and got this letter, which says
 that all visas issued to foreigners had been cancelled,
 and were of no further value.

Q Have you made an application at the Chilean Consulate in
 New York City for permission to go to Chile?
A No.

Q Have you applied at the Mexican Consulate for permission
 to go to Mexico?
A Yes.

Q When was this application made to the Mexican Consulate?
A About three weeks ago, when I learned about the Chilean
 situation. (Shows communication on the stationery of
 the Ministry of Education, Mexican Government, dated
 May 7, 1940, stating in part that application had been
 forwarded to the Secretary of Interior, Mexico City,
 by airmail, with recommendation for favorable action.)

99486/440

Q The book that you are now writing, can it not be continued even though you do leave the United States?
A No, I could not do it elsewhere.

Q How have you maintained yourself since you were admitted to the United States on December 28, 1939?
A By the money I got from Hollywood and publishers. Mostly Hollywood.

Q Do you have with you any correspondence from this Wilder, of the Paramount Studios in Hollywood?
A Not here, in my place.

Q Coming to the United States only as a transit visitor, why is it not possible for you to leave the United States, at least to return to Czechoslovakia?
A That is impossible. I am a Jew and a writer.

Q Do you mean that your writings influenced the Czechoslovakian Government so that you could not return there?
A The Hitler Government, of course.

Q Were your writings in Czechoslovakia of a Communistic nature?
A No, by no means.

Q Do you have any political affiliation or persuasion?
A No politics at all. I am a writer.

Q Were you ever in France?
A Yes, I am coming from France.

Q How long were you there?
A Seven years.

Q Were you ever deported from France?
A No. Until the last day of my going to America, I lived in France.

Q Were you ever in any difficulty with the police or other authorities in France because of your Communistic tendencies?
A No.

-4-

A (continued)
There was something with my papers because they were not
in order once, but that was immediately removed. I never
had to leave France. I was very much esteemed in literary
circles there.

Q But because of some of your writings there, you were
censored by the French authorities?
A No. Never in my life.

Q The Government's file indicates that information has
been received that you were deported from France at one
time because of your Communistic tendencies. Are you
able to swear definitely that you never had any difficulty with the police or civil authorities there?
A I told you I had once, about five or six years ago, but
it was immediately arranged. I don't know the reason,
even today. I think that I mentioned in my book about
China that the wife of the French Ambassador was in a
riot once, and I published it before I went to France
and before Hitler came to power, and my translator put
it in the book and I still think that was the reason I
got a refusal to stay, but the next day it was already
cancelled because the Minister himself went to the home
office and it was immediately arranged. It was the only
difficulty I had.

Q After this difficulty did you remain about six years in
France?
A Yes, and I have my carte d'identite. I am on the best terms.

Q At what address do you reside now?
A 140 West 76 Street, New York City, second floor.

Q With whom do you make your home there?
A With my wife.

Q Did she arrive at the same time you did?
A No, she came later. She is here on a transit visa, but she
is making application that it should be changed.

Q Does your writing of this book employ all of your time now?
A No, but I am not making any politics nor political papers.
I am not engaged in any lectures or giving interviews to
newspapers.

-5-

99486/440

Q Did you ever make a statement to anyone that you had no
intention of leaving the United States, and that the
Government itself was very easy to fool?
A Never in my life. Maybe I said I wish I could stay, I
would love to stay, but I never said I could fool the
Government. I would not have made the effort I did to
secure Mexican permission to enter that country. This
is really a serious effort on my part to go to Mexico.

Q In the event that a Mexican visa is granted you, how soon
thereafter would you be able to leave the United States?
A I would be able to leave immediately, but I would prefer
to stay here to finish my book.

Q You are advised that the minutes of this interview will
be forwarded to the proper authority for their consideration,
and you will be advised by mail with regard to your application for an extension of six months' further stay in the
United States . Do you understand?
A Yes.

- - - - - -

G. S. GERMAN
Immigrant Inspector

GSG:MHG

-6-

Dokumente

INTERDEPARTMENTAL VISA REVIEW COMMITTEE

DIVISION (B)

June 9, 1943

Departments or Agencies Represented at Hearing:	Opinion	
	Favorable	Unfavorable

State: (x)
War: (x)
FBI: (x) *albert cBise* ( ) : (x)
USIS: (x) ( ) : (x)
Navy: (x) ( ) : (x)

Minutes

The Division proceeded to consider the case of the applicant(s) at 10:50 o'clock, Docket No. 14291.

APPLICANT(S): VON UNRUH, Friedrich V. E.; wife, Frederique.

APPEARANCE(S): Mr. Fritz Moses, Attorney,
50 Broad Street,
New York, New York.

Mr. and Mrs. Friedrich Von Unruh,
2728 Henry Hudson Parkway,
New York, New York.

OPINION:

The majority of the Committee recommends unfavorable action for the reasons stated by the primary committee and in addition it is/noted that there is a report concerning the applicant himself.

The ONI representative concurs with the majority and votes disapproval with some reluctance, believing that this applicant and his wife are thoroughly anti-Nazi. This attitude is apparently reflected in his speeches and writings. Nevertheless, the other factors in the case are so strong and dominant that this favorable feature, in the mind of this representative, is overcome.

The representative of the Department of State, while favorably impressed by the personal appearance of the applicant, nevertheless cannot overlook the fact that the principal applicant, notwithstanding the alleged pacific nature of his present writings, has in his private life been a typical Prussian militaristic aristocrat related to and connected with the German imperial monarchy who, prior to and during the course of the first World War which was fought to make the world safe for democracy, was a German cavalry officer who

105-45561-

von

538

won numerous decorations during the course of that
war and who after the war was a representative in the
German Reichstag and a close personal friend of Walter
Rathenau, German Minister of Foreign Affairs. It is
also difficult to overlook the fact that Von Unruh
became a pacifist at the time when the German government was demilitarized and when it was the policy of
the German government and the Communist regime
functioning in Russia to advocate demilitarization for
the other governments of the world in order to soften
the other governments and make them ripe for a future
world conquest.

It is also difficult to overlook the fact that
the male applicant at the outbreak of the present
war in 1939 was placed in a concentration camp by
the French Government which assuredly was in a position to know whether or not he was a dangerous enemy
and that he was not released from detention until
after the fall of France in June 1940; that he married
his present wife in July 1940 at Bordeaux, durin the
period of German occupation; that he allegedly "escaped"
from France to Spain which country, it is well known,
was at that time and is now, under German police supervision and that the American consul in Spain, in a
telegram of July 18, 1940 was authorized to issue a
visitor's visa to the applicants if they could show
legitimate need for presence in the United States and
ability to proceed elsewhere at the end of their
temporary sojourn.

This representative is inclined to the view
that the male applicant has definitely indicated by
his past conduct that although his personal allegiances
may change with the wind, he is in every respect a
loyal German whose prime allegiance is to Germany
and that he will never be anything other than a loyal
German who will promote his own interest and that of
Germany. While Von Unruh is probably anti-Hitler he
is, assuredly, no more anti-German then an anti-
Roosevelt Republican is anti-America.

This representative also cannot overlook the
fact that this Aryan Protestant Prussian aristocrat
has employed a recently naturalized Jewish lawyer of
German ancestry who formerly was an officer in the
German army, who in the past has represented numerous
suspicious applicants before the review committees.

While this representative recognizes that super-
ficially it might seemingly be expedient at the moment
to admit the principal applicant to permanent residence
he will undoubtedly, because of his Prussian character
and culture which he possesses in the highest degree,
be as undesirable in the United States after the war as
he was in France and Germany before the war and for the
same reason.

RECOMMENDATION:
Disapproval is unanimously recommended under
Sections 58.47(i) and (j) and Section 58.48.

Assistant Secretary-IVRC-B

539

```
. . . . . . . . . . . . . . . . .         Inspector:  A. H. MacGregor
:                                 :        File No. :  42981/2-14
:        CARL ZUCKMAYER           :        Place    :  Barnard, Vermont
:                                 :        Date     :  June 17, 1943
: . . . . . . . . . . . . . . . . :        Language used: English
```

EXAMINING INSPECTOR TO ALIEN:

Q You are advised that I am an officer of the United States Immigration and
   Naturalization Service and authorized to administer oaths in connection
   with the enforcement of the immigration and naturalization laws. I desire
   to take a statement from you regarding your application to have the Alien
   Registration and/or Alien Enemy Identification Records amended in your case.
   Any statement which you make should be voluntary and you are hereby warned
   that such a statement may be used against you. Are you willing to make this
   statement or to answer questions under these conditions?

A Yes.

> Carl Zuckmayer, being first duly sworn and warned
> of the penalty for false testimony, testified as follows:

Q What is your full and correct name?
A Carl Zuckmayer.

Q Have you ever used or been known by any other name?
A No.

Q What is your present address?
A P. O. Box 48, Barnard, Vermont.

Q How long have you lived at that address?
A We moved in here June 6, 1941.

Q Where did you live prior to that date?
A 25 Chittenden Avenue, New York City.

Q How long did you reside there?
A Since January, 1940.

Q Have you registered as an alien under the Alien Registration Act of 1940?
A Yes.

   NOTE: Presents Form AR-3 No. 2839091, issued to Carl Zuckmayer,
          25 Chittenden Avenue, New York City.

   NOTE: Identified as person registered under the Alien Registration
          and Alien Enemy Regulations, established by means of comparison
          of signature and finger prints.

Q Did you notify the Alien Registration Division of your change of Address?
A Yes. I wrote a letter to the Department of Justice in Washington. I
tried to get a printed card from the Postoffice but this is a small
Postoffice and they didn't know anything about it; so, I did it by letter.

Q What is your age and the place and date of your birth?
A Forty-six. I was born December 27, 1896, at Nackenheim, Hessen, Germany.

Q Of what country are you a citizen or subject?
A Well, I was a citizen of Germany by birth and I became a citizen of Austria
by naturalization as noted in my application for reclassification; but,
before I entered, I was deprived of citizenship by the German Government
which had in the meantime invaded Austria.

Q For what reason were you expatriated by Germany?
A Even before Hitler came to power, the plays and books which I wrote were
strictly opposed to the political views of Germany--world domination, etc.;
particularly, one of my plays ("The Captain of Koepenick") was very much hated
by the Nazis. Then, back in the days when the Nazi Party first started to
come into power, I made several public speeches against the Nazis ideals and,
of course, became very much hated for that.

Q How did you learn of your expatriation?
A By a newspaper clipping.

Q Do you still have that clipping?
A Yes. It is here. It is in German but I will translate it to you. It is
from the Swiss newspaper, "Tages-Anzeiger", of May 9, 1939. (clipping attached)
The invasion of Austria was on March 11, 1938, and I was granted my Austrian
citizenship in February, 1938, but I had not yet received my Austrian passport.
One year later, when I was in Switzerland, I saw the clipping in the paper.

Q On what do you base your claim to Austrian citizenship?
A On my naturalization of February, 1938.

Q Do you have any evidence of that naturalization?
A No, just the affidavit executed by Minister Zernatto.

Q Wasn't it usual to have a certificate of some kind issued to show
possession of Austrian citizenship through naturalization?
A No, I just got a notification that naturalization had been completed and
that my Austrian passport would be awaiting me at the passport office of
the Austrian Government in Salzburg, but I was in Vienna at that time and
before I could get to Salzburg the invasion of Austria occurred, making it
impossible for me to go there. I was notified by letter but in the
confusion of leaving Austria I left it behind me. It could have been
dangerous for me to have it in my possession when crossing the border, too,
because the letter congratulated me on becoming a citizen of Austria
under the Schuschnigg Government which would have labeled me as an enemy
of the German Reich.

Q What was the date of your departure from Austria?
A The Schuschnigg Cabinet fell on March 11th, and I left Austria on the next
Monday morning, March 14th, and entered Switzerland the next morning. I have

-3-

given a very detailed account of my escape from Austria; my adventures at the border, and the last hours of Austria, in my book, "Second Wind".

Q When did you start naturalization proceedings in Austria?
A I started about one and one-half years before I got my naturalization. I got it in February, 1938, and I think I applied for it about six months before that. It took that long time to have it considered by the Government.

Q How long did you continue to live in Germany after birth?
A My home was there until 1926. In that year I got married and I bought a country house and piece of land in Henndorf near Salzburg, Austria. I paid taxes there and that was my home address from 1926 to 1938. After ten years one could make application for Austrian citizenship, which I did. Even after having lived there for ten years, it was very difficult to gain Austrian citizenship--one had to have a very special reason and had to be granted special consideration by the Government. I don't know whether it was the law to live there ten years but anyhow it was the custom. It had to be a great number of years and even then was difficult.

Q What is your race?
A White.

Q Are you of Jewish blood?
A No.

Q Did you take an active part in politics, either in Germany or in Austria?
A No, not active. The only thing that you could call political was my antagonism towards the Nazi Party. It was more a humane attitude than a political one. There is a copy of my play, "The Captain of Koepenick". It was translated into English and is at the Public Library in New York City. It has also been published by Geoffrey, Bles, London. It was also made a motion picture. It was a German picture which was shown in this country with English sub-titles. That was the book which was mostly attacked by the Nazis.

Q What happened to your property in Austria?
A It was all confiscated by the German Government.

Q Did you live in Switzerland from the time of your departure from Austria until you left for the United States?
A Yes, Chardons sur Vevey. It was on the Lake of Geneva.

Q When and where did you last enter the United States?
A I entered first on June 5, 1939, as a visitor with a visitor's visa. Then, I went to Cuba and entered with an immigration visa on December 4, 1939.

Q Have you lived continuously in the United States since that date?
A Yes.

Q What nationality did you claim at the time of your entry to the United States in June, 1939?
A Well, I always claimed stateless because I was expatriated from Germany but I entered as German because I was travelling on a German passport. If I was asked, I always said "without nationality" but the records would probably show German because I was travelling on my old German passport.

Q What nationality did you claim at the time of your entry to the United States in December, 1939?
A Same thing.

Q What nationality did you claim at the time of your registration under the Alien Registration ?
A German.

Q For what reason?
A Because the passport under which I entered was German and I thought that was what I had to do. I was told to register that way. I discussed my situation with the Postmaster in Woodstock, and he said that as far as they knew there was no more Austria and I would have to register as a German. I registered in Woodstock because I was here on my summer vacation although we were actually living in New York City at that time.

Q What is your father's name, date, and place of birth?
A Carl Zuckmayer. The place of his birth was Nierstein, Hessen, Germany, August 26, 1864.

Q Of what country was he a citizen?
A Germany. He still is.

Q What is his permanent address?
A They were living in Mainz on the Rhine, but last November we got a message from the Red Cross that they had been bombed out of their house by the R. A. F. and that they are moving to the country. They were bombed out in August last year. They now live in Oberstdorf, Allgau, Bavaria.

Q What was your mother's maiden name? Also, date and place of birth?
A Amalie Goldschmidt, June 6, 1868, Mainz, Germany.

Q Has she always been a citizen of Germany?
A Yes.

Q Does she reside with your father?
A Yes.

Q Have you registered as an alien enemy?
A Yes.

NOTE: Presents form AR-AE-23, #790, issued to Carl Zuckmayer, on February 26, 1942, at Woodstock, Vermont, showing his nationality to be German.

Q Why did you register as such?
A Because I didn't think it was possible for me to make a different statement than I did for the first registration. Also, because we had German passports.

Q Are you married or single?
A Married.

Q What was your wife's maiden name?
A Alice Henriette Herdan.

Q   Of what country is she a citizen or subject?
A   Austria.

Q   Have you any children?
A   Yes. A daughter named Winnetou, 16 years of age, born November 22, 1926,
    in Berlin, Germany. Then, there is another daughter from my wife's first
    marriage--Michaela Frank, born June 13, 1923, in Munich, Austria. She is
    Austrian because her father is Austrian.

Q   What members of your family have applied for reclassification?
A   My wife and Winnetou. The other daughter is unquestionably Austrian so it
    was not necessary for her to request reclassification. She registered as
    Austrian under the Alien Registration Act.

Q   What persons in the United States have personal knowledge of your naturaliza-
    tion in Austria?
A   Mrs. Friderike Zweig, 113 W. 57th St., Room 1216, New York City.
    Count Ferdinand Czernin, 60 E. 79th St., New York City.
    Minister Zernatto died recently in New York. His widow would know. Her name
    is Mrs. Ricarda Zernatto, 33 Riverside Drive, New York City.
    Franz Werfel, author of "Song of Bernadette". His publishers are Viking
    Press, New York City. They will have his address, but I do not have it.
    Yes, here is his address: 610 N. Bedford Drive, Beverly Hills, California.

Q   To what organizations have you belonged during the past ten years?
A   Authors' Guild, Screen Writers' Guild, Loyal Americans of German Descent,
    Coordinated Council for Democracy, Pen Club, German-American Congress for
    Democracy. In Austria, I belonged to the Professional Guild of Writers
    and Authors, and also to a mountain climbing club in Austria, Oesterreichischer
    Alpenverein.

Q   Have you ever served in the military or naval forces of any country?
A   Yes, in the German army 1914 to 1918.

Q   In what capacity?
A   I entered the army as a Private and I left the army as a Lieutenant. That
    was in the last war.

Q   Are you a Reservist in the armed force of any country?
A   No. I was a Reservist in the German army but since I have been expatriated
    I have no such capacity any more.

Q   Have you registered with or reported to a Consul or other representative of
    a country other than the United States?
A   No.

Q   Have you any relatives in the armed forces of the United States?
A   No.

Q   Of any other country?
A   I have distant relatives in the German army. The sons of a distant cousin
    of mine. They are now serving in the German army. I know one of them is in
    the army, the other was too young then but I presume he is in now.

Q Have you familiarized yourself with the regulations applying to aliens of
enemy nationality?
A Yes.

Q Have you complied with these regulations in every respect to the best of
your knowledge?
A Yes.

Q Have you been questioned by any Federal, State or Municipal law enforcement
official since the outbreak of the present war?
A Yes, it was two days after the United States declared war on Germany. I
have been questioned by the sheriff at Woodstock who was accompanied by an
Officer of the Immigration Service. They were here and looked my papers over.

Q Was that the only such occasion?
A Yes.

Q Have you ever been arrested or charged with or convicted of a crime or any
violation of a Federal or a State law or city ordinance?
A No.

Q If required, would you willingly take up arms for the United States against
the country of your birth or any other foreign country?
A Yes, without reservation. I wish to add that I have applied for United
States citizenship right after entering the United States as an immigrant
and so did my wife, and one of our reasons for calling up this case is so
that we can apply for final naturalization as soon as our period of residence
is sufficient. We intend to become United States citizens and become loyal
to it, and to do our best for it even after the war and always. I would like
to state that I did become an Austrian citizen because I was convinced that
the existence of a free, independent Austria was a matter of extreme importance,
and if I become a citizen of the United States I want to keep in touch with
that part of Europe and work for a better mutual understanding between the two
countries.

Q Is there anything you wish to add to this statement?
A No.

NOTE: Presents Declaration of Intention Form # 312507, nationality,
German; issued on July 2, 1940, at United States District Court
for the Southern District of New York, #2-741868.

STATEMENT CONCLUDED

I hereby certify that the foregoing statement, consisting of six pages, is
a true and complete transcript of notes taken by me in this case at
Barnard, Vermont, on June 17, 1943.

A. H. MacGregor.
A. H. MacGregor
Special Inspector and Examining Inspector

Kansas City, Missouri
7 September 43
SPKPL VIIc/15141m

MEMORANDUM FOR THE OFFICER IN CHARGE

Subject: MANN, Klaus Henry, Pvt., ASN 32697270

Re: Interview with Subject

On 30 August 43 this Agent interviewed Subject, Post Intelligence Office, Camp Crowder, Missouri.

Subject was interrogated at length concerning his personal background and the data given this Agent, agreed indentically with that contained in his service record and appears in memos, Military History.

Subject was advised that there were some points in his background that needed clarification and his help was solicitied in obtaining desired information. After initial interview, information was put in statement form and signed under oath by Subject. (See statement)

As a summary, Subject stated that he has never engaged in any form of perversion. He admitted that he thought he had contracted a case of syphilis from a prostitute in New York City. Upon becoming aware of this condition, he went to his physician who more or less confirmed his belief and began treatment for the condition. The draft board deferred Subject six months to take treatments.

Subject further said that he could explain any alleged homo-sexualism or perversion when he recalled that a book written by his father in 1905 but not published until 1930 dealt with the passions of a fictitious brother and sister. Subject said that his father had written this book before the birth of either Subject or his sister, but since it was not published until 1930 (which made Subject and sister about the age of the characters in the book) many people thought Subject had written the book as an autobiography.

Subject stated that any other forms of homo-sexualism were absurd and that he had never engaged in any sex practices other than those normal to a young unmarried man, who was more or less "sewing his wild oats".

Subject further stated that he has never been in sympathy with Communism or any form of Communism. He has written several articles and books in which he expresses dissatisfaction with this type of government. Subject said the "Daily Worker", a communistic paper in New York, once reviewed a book of his and said that it was a good book but that the author was misguided because he apparently had the wrong conception of communism and it's principles. Subject further stated that he has been aware for some time that many people thought him communistically inclined but according to Subject, nothing was done about it because of the type of people who made the accusations. In other words, Subject said that during his travels he has made many enemies by being in the public light and because of his hatred of the Nazies. Many people would go far to do him harm and injustice and it is useless to try and combat this type of people, Subject said.

Subject finally stated that he has asked for citizenship in the United States because he believes in Democracy and wants to fight for it. He said if he had believed in Communism, he would have asked for citizenship in Russia. Subject wishes to be granted his citizenship so that he may be allowed to rejoin his old unit and serve the United States in the best possible way he is able.

AGENT'S NOTE:

Subject is highly intelligent and possesses a wonderful command of the English language. He was apparently sincere in his answers to all of the questions this Agent asked. Subject at no time appeared ill-at-ease and took no offense at any question, even though the nature of this case made personal questions necessary. Subject was willing to answer anything in order to get certain matters settled and especially anything in connection with his citizenship status.

This Agent is of the opinion that Subject would be very useful in combat propaganda and unless adverse information other than that contained in previous investigations is found, citizenship should be allowed Subject.

PAUL ABRAHAMSON
Special Agent, CIC

No action contemplated by MID. Case closed. WAH

Los Angeles, California
June 9, 1943
LA-5468; IX-0/Q-17570-m; C-b 5939p

MEMORANDUM FOR THE OFFICER IN CHARGE

    Subject: KLAUS HENRY MANN

    Re: Family Data.

1. Thomas Mann, 1550 San Remo Drive, Pacific Palisades, Los Angeles, California, was interviewed on June 4, 1943, at his home.

Thomas Mann stated he had come to the United States in 1933, and that his German citizenship had been revoked. Through his friendship with Edouard Benes, former Czech Premier, the Mann family became Czech citizens in the middle thirties,

Mann stated his son had the same democratic ideas that he had, and during 1940 was enthusiastic about "Aid for Britain." He continued, his son was an ardent Nazi hater and held the same democratic thoughts and ideas as he had held. To be sure, Mann averred, his son was liberal-minded but had never evidenced any radical tendencies. Mann told this Agent the son had never lived in Los Angeles but had merely visited his family in this area two or three times in the last six years, each stay being approximately two or three months' duration. He remembered that his son came through Los Angeles with his sister, Erika Mann, during a trip around the world when Subject was in his early twenties. Mann mentioned that his son had stayed with them when they lived at 740 Amalfi Drive, as well as at their present San Remo address. Mann concluded by saying his son had been eager to get into the Army when he was last here at the end of 1942. His son, he told this Agent, joined the Army in January of 1943 in New York, and that from the tone of his letters Subject was enjoying being in the service very much.

2. Mrs. Catherine Mann, Subject's mother, was interviewed on June 6, 1943, at her home at 1550 San Remo Drive. She stated her son was unmarried, and had been born in Munich, Bavaria, now Germany, November 18, 1906, and had been raised in Germany. She stated that she had been born on July 24, 1883 in Germany, and that her husband, Thomas Mann, had been born on June 6, 1875 in Germany.

Mrs. Mann declared that she had six children; Erika Mann, 37; Golo Mann, 35; Monika Lanji, 34; Elizabeth Bargese, 24, and Michael Mann, age 23, none of whom are staying in Los Angeles.

Mrs. Mann stated Subject had come to Los Angeles in his early twenties when he was making a trip around the world; had been here in 1936, 1940 and 1942. She continued that Subject had never established residence here but had just visited the family and lived in New York. He was last here, she mentioned, from July to September of 1942.

(MEMO C)

Page 1.

Dokumente

Form 16-60
1-8-1944

U. S. DEPARTMENT OF JUSTICE
Immigration and Naturalization Service
Office of District Director
Los Angeles, California

File: 246/P/115818

REPORT OF INVESTIGATION IN CASE OF

PAUL THOMAS MANN
Alien Enemy Petitioner for Naturalization

I have _____ investigation of this applicant for naturalization, as indicated on the reverse side of this sheet, and to the extent of the evidence so far adduced I am _____ satisfied of his/XXX loyalty.

April 8, 1944
(Date)   (Inspector)

REMARKS

_____ stated he was not very well acquainted with the petitioner, and that no one else in the neighborhood knew them because the house in which petitioner lived stood off by itself, and the petitioner was not a very social person. He said the petitioner seemed like a rather nice person and his only criticism of the petitioner was that he was too "arrogant" in his manner. He said petitioner never claimed to be a citizen of the U.S.A., seemed to be a good person morally, never caused any trouble in the neighborhood, and never seemed to be in any trouble. He said he did not know much about the petitioner's political beliefs, but he had heard petitioner over the radio, and was told that petitioner often broadcast anti-German propaganda to Europe for this government. He said as far as he knew the petitioner probably was loyal to the U.S.A., and the only suspicious thing about him was the number of people who called upon petitioner at all hours of the night. He admitted that the many visitors probably was due to the fact that petitioner is a well known writer. He said as far as he knew, petitioner would make a fine citizen, but felt he did not know him really well enough to recommend for citizenship.

_____ Could add nothing to the remarks made by her husband, and also felt petitioner probably was loyal, but did not feel she knew enough about him. (Use additional sheet for remarks if necessary) recommend for citizenship.

549

FEDERAL BUREAU OF INVESTIGATION

Form No. 1
THIS CASE ORIGINATED AT LOS ANGELES

CONFIDENTIAL FILE NO. 100-18229

REPORT MADE AT	DATE WHEN MADE	PERIOD FOR WHICH MADE	REPORT MADE BY
LOS ANGELES	2/10/49	12/13, 14,16,20-24, 29,30/48;1/5, 6/49	

TITLE	CHARACTER OF CASE
HEINRICH LUDWIG MANN	INTERNAL SECURITY - R

APPROPRIATE AGENCIES AND FIELD OFFICES
ADVISED BY ROUTING
SLIP(S) OF
DATE

SYNOPSIS OF FACTS:

HEINRICH MANN reported in 1942 as sponsor of Hollywood Committee for Writers in Exile, a Communist front organization. Since 1944 MANN listed as national sponsor of JAFRC. During 1945 MANN prepared articles for publication of Free German Committee in Mexico. MANN received funds in 1945 from European Film Fund being administered by CHARLOTTE DIETERLE. Contacts with LION FEUCHTWANGER from 1945 to 1948 noted. In June, 1947, MANN reported receiving Pravda and/or Moscow News. As of March, 1948, MANN supposed to write forward for "Give Me Liberty," a book which was to contain statements of the ten unfriendly witnesses recently called by House Un-American Activities Committee.

CLASS. BY SP. 7/e/e/a
REASON-FCIM II, 1-2.4.2
DATE OF REVIEW

HEREIN IS UNCLASSIFIED
EXCEPT WHERE SHOWN
OTHERWISE

REFERENCE: Bureau File 100-166
Bureau letter dated October 19, 1948.
Report of SA dated October 29, 1945, at
Los Angeles, California.

Classified by
Declassify on:

DETAILS: RESIDENCE

2145 Montana Avenue, Santa Monica, California (according to
on January 6, 1949.

APPROVED AND
FORWARDED

SPECIAL AGENT
IN CHARGE

DO NOT WRITE IN THESE SPACES

COPIES OF THIS REPORT
5 - Bureau
5 - Los Angeles
DESTROYED

RECORDED - 10
INDEXED - 10

EX-147

L A 100-18229

EMPLOYMENT

Writer, self-employed at residence.

CITIZENSHIP

Alien. On January 5, 1949, Special Employee ████████ ascertained at the Immigration and Naturalization Service that no action has been taken concerning the naturalization of Subject since he filed a preliminary form for a declaration of intention on March 31, 1941.

ACTIVITIES

Set forth hereafter is information in the files of this office concerning the Subject, not previously reported.

████████ advised on November 10, 1944, that the stationery of the Joint Anti-Fascist Refugee Committee listed HEINRICH MANN as one of the national sponsors of the organization. Again, on January 15, 1945, HEINRICH MANN was listed as a sponsor of the JAFRC on a copy of its program for a dinner to be held February 4, 1945, at the Ambassador Hotel, Los Angeles. This program was furnished by CNDI LA 2894.

The Fourth Report by the Joint Fact-Finding Committee of the California State Legislature for 1948 also listed HEINRICH MANN as a national sponsor of the JAFRC.

- 2 -

L A 100-18229

In February, 1945, according to ▓▓▓ HEINRICH MANN was on the list of proposed Advisory Council members of the German American, a pro-Soviet newspaper published in New York.

▓▓▓ advised that a letter dated June 14, 1945, was addressed to HEINRICH MANN in care of FELIX GUGGENHEIM, 238 Tower Drive, Beverly Hills, California, from NEUER VERLAG, ATB Vasagatan 18, Stockholm, Sweden, signed MAX TAU. In this letter TAU expressed admiration for MANN's new book, "Contemplation of an Epoch," the German version of which was then being printed in Sweden.

The July, 1945, issue of Freies Deutschland, published by the Free German Committee in Mexico, contained a letter from HEINRICH MANN on the occasion of the liberation of Germany, according to ▓▓▓

According to ▓▓▓ the October, 1945, issue of Freies Deutschland contained an article by HEINRICH MANN concerning PAUL MERKER and MERKER's book. The article indicated that the book was the newest history of Germany. MANN stated that MERKER, DAHLEN and himself had met in France as conspirators. MANN stated in his article that Socialism is presupposed in any democracy. MANN pointed out England as an example and said that H. G. WELLS voted Communistic because he wants democracy.

Also, this issue contained an editorial commenting that HEINRICH MANN's book, "Looking Over a Century," had been liberally quoted in Internationale Literatur, a publication in Moscow.

This same source also advised that the November-December, 1945, issue of Freies Deutschland contained an article by HEINRICH MANN entitled, "Answer to a Manifesto from Germany."

According to a mail cover on ▓▓▓ a letter postmarked July 6, 1945, was directed to the residence of ▓▓▓ by HEINRICH MANN. ▓▓▓ also received correspondence addressed to the European Film Fund at their residence by HEINRICH MANN on September 8 and 18 and October 9, 1945. In this connection ▓▓▓ reported that a list of loans and gifts made by the European Film Fund was maintained in the residence of the ▓▓▓ The date of the list was unknown. The list contained the information that HEINRICH MANN had received $100.

- 3 -

552

L A 100-18229

CONFIDENTIAL

reflects that LION FEUCHTWANGER, Room 413, Sherry
Netherlands hotel, New York City, received a letter on June 10, 1947, from
HEINRICH MANN.

advised that on July 3 and 14, 1948, HEINRICH MANN
attempted to contact LION FEUCHTWANGER.

- 4 -

L A 100-18229   CONFIDENTIAL

On June 25, 1947, ▓▓▓▓ advised that various persons, including HEINRICH MANN, 301 S. Swall Drive, Los Angeles, were receiving copies of Pravda and/or Moscow News.

▓▓▓▓ advised in March, 1948, that according to ▓▓▓▓. of Pegasus Books, Inc., 608 S. Dearborn Street, Chicago, Illinois, HEINRICH MANN was supposed to write a forward for a book entitled, "Give Me Liberty," which was to contain statements of the so-called "unfriendly witnesses" who had been called by the House Un-American Activities Committee to testify regarding Communists. ▓▓▓▓, who was considering publishing this book, dealt with HERBERT BIBERMAN and GORDON KAHN,

- C L O S E D -

L A 100-18229

CONFIDENTIAL

████████████ Administrative Assistant to the Postmaster, Santa Monica, California.

████████████ per report of SA ████████████ dated 3/23/41 at Los Angeles entitled, ████ was; SECURITY MATTER - R," 100-15865-210,p.16.

Letterhead of the JAFRC (100-3514-180).

Highly confidential source in the report of SA ████████████ at New York dated April 25, 1945, entitled, "GERMAN AMERICAN, INC.; INTERNAL SECURITY - C."

Office of Postal Censorship, L A file 100-21367-144(10).

Report of SA ████████████ at Los Angeles dated 8/22/45 entitled, "FREE GERMAN ACTIVITIES IN LOS ANGELES AREA; INTERNAL SECURITY - C," 100-21367-138,p.5.

Report of SA ████████████ dated 12/11/45 at Los Angeles entitled, "FREE GERMAN ACTIVITIES IN LOS ANGELES AREA," 100-21367-149,p.3.

Highly confidential source, per report of SA ████████████ dated at Los Angeles 2/13/46 entitled, ████████████ was, et al; INTERNAL SECURITY - R," 65-4572-161,p.4,5,9,11,15.

████████████ in Los Angeles reports dated May 15, August 3 and October 30, 1945; April 4, 1946, and July 3, 1947, re ████████████ was" (100-6133-134,p.9/151,p.11/155,p.4/172,p.7/198,p.12).

Report of SA ████████████ New York dated November 10, 1947, entitled, ████████████ was; INTERNAL SECURITY - R," 100-6133-204,p.4.

████████████ Santa Monica, California, according to the report of SA ████████████ at Los Angeles dated November 29, 1948, in the case entitled ████████████ was; INTERNAL SECURITY - C," 100-6133-245,p.4.

- 6 -

L A 100-16229

U. S. Customs, Terminal Annex, Los Angeles, per memorandum, Los Angeles file 100-5955-966.

Chicago letter to the Bureau dated March 12, 1948, entitled, "COMPIC; INTERNAL SECURITY - C," 100-15732-834.

- 7 -

STANDARD FORM NO. 64

Office Memorandum • UNITED STATES GOVERNMENT

VIA-AIRMAIL

TO : Mr. DeWitt C. Poole

FROM : John Norman

OSS   FNB

BE - 1302

DEC 1 1944

OSS-San Francisco

DATE: 14 December 1944

SUBJECT: Report of conversation with Thomas Mann in Pacific Palisades, California, 8 December.

Report No. Twenty-seven

Through the cooperation of Dr. Hugo Gabriel, who arranged an appointment for me with his friend, the famous writer, Thomas Mann, and through the kindness of Mr. Edward B. Stanton who drove me out to Mr. Mann's almost inaccessible residence, I was able to obtain the interview that is the subject of this report.

Thomas Mann's retreat is an author's paradise atop one of the many high, beautiful hills fronting the ocean at Pacific Palisades, California. It is a large, yellow house at 1550 San Remo Drive. We were received in a spacious, comfortable room, one side of which consisted largely of windows overlooking the green hills. Another side was lined with books.

Mr. and Mrs. Mann invited us to sit around a coffee table to sip coffee and liqueur while we talked. We got the coffee but not the liqueur, though glasses were set for it. Mr. Mann poured some for himself but absentmindedly neglected to offer us any. He lit a long cigar which he wielded with deliberate, graceful gestures, somewhat like a baton, to help him drive home a point, meanwhile sprinkling the cigar-ashes liberally over the carpet.

Mr. DeWitt C. Poole   14 December 1944
Page two

Mr. Mann is a gray-haired, mustached, middle-sized person
of slender build looking every bit like his published photographs.
His manner forms the perfect prototype of the leisurely, gentlemanly, continental man of culture. Mrs. Mann is white-haired and
somewhat queenly in bearing. She is more vigorous in speech
and action than her famous husband.

I asked him a set of prepared questions and he allowed me
to take notes on his replies. His comments were as follows:

1. He has postponed a lecture tour, in which he planned to
discuss the German question, until next spring. His decision
was owing to his desire to await further developments before
committing himself publicly and also to his falling ill with
influenza. At this stage "the German people are invisible" to
him.

2. Concerning the punishment of German war criminals, Mr.
Mann observed that many of them were "mysteriously dying and going
underground." "The great test for the German people will be
whether they consider underground Nazis as heroes or criminals.
We must wait and see; I don't know." "The young people will
probably support this underground."

The "theoretical" men like Haushofer and Banse are even
more guilty than the more active Nazi leaders, because they
"prepared the way for Nazism psychologically." "It would be
good to blacklist such writers in Germany as they are doing
to certain writers in France."

Mr. Mann strongly favored Stalin's idea of using German

Mr. DeWitt C. Poole   14 December 1944
Page three

labor. "Disarm the German army but do not dissolve it. It can
be used to restore what it has destroyed."

3. "No punishment could be too unjust to Germany, but it
could be unwise." Mr. Mann was opposed to Sumner Welles' idea
of dividing up Germany. Said he: "This should not be done against
the will of the German people. One should not prepare new hatreds
and new troubles for the future. The historic achievement of
national unity cannot be turned back."

He was specific concerning territorial proposals. "The
Poles would not be happy about getting East Prussia. They do
not want the eternal enmity of Germany."

"The Catholic part of Germany may hold together; Bavaria
may unite with Austria. This is possible but I don't know
whether or not I would like it." He pointed out that there
was a strong separatist movement in Bavaria, which he said he
knew because he had lived there many years. "They (the Bavarians)
hate Prussia even more than before."

He remarked that Austria would probably never again desire
Anschluss.

Asked about the possibility of the return of former Danish
territory from Germany to Denmark, Mr. Mann thought for a moment, and then his wife interjected the the comment that moving
frontiers about was an "anacronism."

His opinion was asked concerning the possibility of inter-
nalizing the Rhineland and the Saar. He called it "a fine idea,"

Mr. DeWitt C. Poole   14 December 1944
Page four

and then shifted his attention to what he considered a more
important aspect of the relationship of Germany to the rest of
Europe, namely, the economic.

4. "One should find a way to unite Europe economically
and not necessarily politically." This, he declared, was long
overdue. When it is done, "then all problems would be solved
such as frontiers and boundaries."

As an example of what he had in mind, he expressed his hope
for a "common currency in Europe."

5. Both Mr. and Mrs. Mann developed the objection to de-in-
dustrializing Germany, saying that the poor soil would prevent
it from becoming a "peasant country." "The Germans would starve
to death." Mr. Mann then went on to say: "The main branches
of German industry should be nationalized after a period of
control by the United Nations."

6. In the reeducation of Germany, Mr. Mann preferred to
stress example rather than precept. He believed the Germans
would react more favorably to Allied democratic conduct both
in and out of Germany than to the teaching of democracy from
books. He did not elaborate on this.

7. As to a new Germany, he favored a "democratic socialist
republic." The Weimar Republic, in his view, lacked the "energy
and preparedness to defend itself." "It is a misunderstanding
of freedom to allow freedom to the enemies of freedom." The
new republic should be given "authority and dignity."

The new Germany, Mr. Mann continued, should have a "looser

~~CONFIDENTIAL~~

Mr. DeWitt C. Poole   14 December 1944
Page five

form "of organization. "Bismark's centralized Reich was not
good for Germany." "Decentralization would come naturally,
because there would be no center of authority in Germany at the
end of the war." There would be no "simultaneous surrender"
but a "piecemeal" one. Germany will start again by means of
the establishment of administrations in "small communities"
which will collaborate with the Allies. He wished to see "a
federated Germany in a federated Europe in a federate world."

8. In connection with a world organization, Mr. Mann declared: "There should be a re-creation of a League of Nations
with physical power, for moral authority depends on physical
power." "The Big Three together with France should be able to
maintain a peace frame for the world organization."

He favored a probationary period for Germany of "five or
six years" after which the Allies could judge whether to admit
that country into the world organization or not.

9. "There are 20,000,000 Germans too many. They have
weakened Europe biologically." Hitler, Mr. Mann affirmed, has
won the racial war even though he has lost militarily.

10. He approved the desire of Czechoslovakia to get rid of
its Sudeten Germans. There should be no repetition of the
Munich crisis, he remarked.

11. He strongly endorsed the non-interference stand taken
by Secretary Stettinius relative to the internal political affairs
of Italy and Greece.

~~CONFIDENTIAL~~

CONFIDENTIAL

Mr. DeWitt C. Poole   14 December 1944
Page six

12. Both he and his wife disapproved of Secretary Stimson's stand regarding the enlightenment of German war prisoners in American camps. Mr. Mann felt that if the German prisoners wanted,to, they should be allowed - and protected - to get access to the information or education they desired. "One makes too many concessions to Nazism," he said referring to a recent news photograph showing a prisoner making the Nazi salute at the burial of another prisoner. "This is ridiculous and should not be allowed." His wife saw no point in respecting the Geneva Convention in the face of Nazi disrespect for international and moral law.

13. He dismissed the objections raised to reports that Nazi administrators have in some instances been placed in positions of authority as the Allies advanced into Germany. This was due, he said, to "practical necessity." "It is hard to find anyone but a Nazi, sometimes, as an official."

14. Asked about the feasibility of returning Jewish refugees to Germany, Mr. Mann asserted that "As a whole, Germans would not object to Jewish return. The Germans were not really anti-Semitic. They are even less anti-Semitic now!" Mr. Mann, however, questioned whether any Jews would want to return, at which point his wife interposed: "Quite a few would like to return."

15. Without expanding on it, he said he believed that "many Nazis have settled in Argentina."

16. Concerning Soviet policy towards Germany, Mr. Mann spoke as follows: "Stalin is not anxious to communize Germany." In

Mr. DeWitt C. Poole   14 December 1944
Page segen

Europe Stalin wants friendly governments which are not necessarily communistic. "Stalin is afraid of a communist Germany because
of competition," he said laughingly. "The Germans would be more
thorough with communism than Russia."

"Russia works in two ways: if there should be a break
between the West and the East then Russia would use a strong Germany against the West, but if England, United States, and Russia
remained united, the situation would differ and Stalin would not
work with Germany." Mr. Mann repeated this statement to make
sure I got it.

17. Asked about Emil Ludwig, Mr. Mann was about to reply
when his wife made some uncomplimentary remark about Ludwig.
Pausing for a moment, Mr. Mann said that she did not speak for
him, but that Ludwig was "wrong," tactless," and "one-sided"
in his arguments against Germany. These arguments, he averred,
sounded too much, like "Jewish resentment."

18. I inquired about what he was writing at present. Mr.
Mann answered that he was working on a fictional biography of
a modern composer - based on no one in particular.

cc: Lt. John Howley
JN:ja

90

FOREIGN NATIONALITY GROUPS IN THE UNITED STATES
MEMORANDUM TO THE DIRECTOR OF STRATEGIC SERVICES
FROM THE FOREIGN NATIONALITIES BRANCH

Number B-304   18 January 1945

FIVE GERMAN WRITERS
DISCUSS WHAT TO DO WITH GERMANY

THOMAS MANN

"The historic achievement of national unity cannot be turned back ... The Poles would not be happy about getting East Prussia ... Decentralization will come naturally ... I hope to see a federated Germany in a federated Europe in a federated world."

LION FEUCHTWANGER

"The Nazi education and literature must be stamped out ... Propaganda for severe punishment will end with no punishment at all. Three million Nazis must be arrested, killed, or exiled to forced labor."

EMIL LUDWIG

"We could follow the methods of Lenin and Stalin in indoctrinating the German youth, substituting democracy for communism and utilizing German classics ... Eisenhower is the only man with a German name who can govern Germany."

ALFRED DOEBLIN

"Is dismemberment the cure for a people diseased with nationalism? ... Educating the Germans is almost hopeless [but] German-speaking exiles can help ... I can't understand why the United States does not use the opportunity to educate war prisoners in democracy ... The new Germany must nationalize industries and mines."

BRUNO FRANK

"Dismemberment ... if it prevents aggression ... The most effective education would be the presence of a foreign army for a generation ... There can be no justice to Germany after Lidice; the Sudeten border must be Czech! ... But it is not possible to make an agrarian country of Germany."

Dokumente

DURING recent informal conversations with a member of this Branch, four prominent German emigre writers who are living in California — Thomas Mann, Lion Feuchtwanger, Emil Ludwig, and Alfred Doeblin -- expressed their opposition to proposals for the dismemberment of Germany, and presented varying opinions on such topics as re-education, treatment of war criminals, the de-industrialization of Germany, and Germany's post-war political structure. A fifth exiled author, Bruno Frank, dissented mildly from the general opposition to dismemberment. With Frank dissenting again, all disapproved of the idea of an Austro-Bavarian *Anschluss*. Frank, Ludwig, and Feuchtwanger agreed that the left bank of the Rhine should go to France, but in respect to East Prussia, the Sudetenland and former Danish territories there was less accord.

All of the distinguished novelists, including Frank, warned against attempting to impose an educational pattern on Germany from the outside. Frank and Mann believed Allied example could be the most effective teacher. Ludwig and Doeblin believed the job could most effectively be done by the anti-Nazi Germans. All of the writers disagreed strongly with what they understood to be Secretary of War Stimson's hands-off policy regarding German prisoners-of-war.

Democracy, strengthened by some measure of socialism, was favored by most of the writers. Germany was not an agrarian country and therefore the so-called Morganthau plan would not work. Doeblin and Feuchtwanger regarded the Junkers as the root of Germany's trouble; socialization under "reliable" management would have to replace the old order. Punishment of the guilty must be confined to the Nazis, it was agreed, but must be strictly and broadly enforced. Russia's demand that German laborers be forced to reconstruct devastated areas was welcomed.

OFFICE OF STRATEGIC SERVICES   FOREIGN NATIONALITIES BRANCH

**Opposition to
Dismemberment**

'Dr. Mann stressed the dangers of partitioning Germany against the will of the German people. "One should not prepare new hatred and new troubles for the future. The historic achievement of national unity cannot be turned back." Feuchtwanger thought a tri-partite occupation of Germany wise, but insisted that this should not result in the establishment of three different countries. Political dismemberment, he said, would not work. Ludwig opposed the partitioning of "inner Germany" (the territory between the Rhine and the Elbe). To Doeblin dismemberment was inadvisable "for a people who are so diseased with nationalism." Feuchtwanger, Mann, and Doeblin believed that a cure of Europe's economic ills must precede any tackling of territorial problems. Bruno Frank favored dismemberment only if it would prevent future aggression; "it is not a question of revenge or punishment," he insisted.

Anschluss

Opinions regarding the disposition of specific regions, differed. With the exception of Frank, an Austro-Bavarian *Anschluss* was disapproved. Doeblin considered such a union impossible, and attached little significance to the fact that both regions were Catholic. Feuchtwanger, a Bavarian himself, felt that "the differences in faith between Bavaria and the rest of Germany are much overrated. If Austria fell into the Russian orbit, there would be no *Anschluss* with Germany, otherwise there would be. There is no difference between Munich and Vienna... Austria is so small." Mann, on the other hand, remarked that the separatist tendencies in Bavaria were strong, and regarded the merger a definite but undesirable possibility. Ludwig expressed distaste for such a union but did not elaborate. Frank was uncertain about the extent of separatist and monarchist sentiment in Bavaria, but ventured the suggestion that Bavaria and Austria together with the Catholic South German states could form a self-supporting unit.

OFFICE OF STRATEGIC SERVICES   FOREIGN NATIONALITIES BRANCH

*East Prussia
and the Rhineland*

Feuchtwanger favored the transfer of East Prussia to Poland, while Mann felt "the Poles would not be happy about getting East Prussia. They do not want the eternal enmity of Germany."

Frank, Ludwig, and Feuchtwanger agreed that the left bank of the Rhine should go to France. Doeblin, however, opposed any such solution on the ground that this territory was not French-speaking and because the technology of modern warfare invalidated any strategic reason for French acquisition. Mann thought the proposal for the internationalization of the Saar, Rhine, and Ruhr regions a "fine idea," and Doeblin would not oppose it if it were 'absolutely necessary for security.'"

Frank was emphatic in his view that former Danish territory should be returned to Denmark, and had Mann's support in his contention that Sudeten Germans should be evacuated from Czechoslovakia. "The Sudeten border must be Czech!" he asserted. "There can be no justice for Germany after Lidice."

*Germans Must
Re-educate Selves*

Feuchtwanger, insisting that German education was 'fundamentally sound, maintained that the "Germans don't need much re-education," but that Nazi education and literature must be stamped out. Frank thought "the most effective form of education would be the presence of a foreign army for a generation or at least ten years. This would be better than any books. German youth will understand only power." Optimistically he declared "I don't believe the roots of Hitlerism are very deep. German youth is not lost to hope, if Allied control is strong." Mann also placed little confidence in teaching democracy from books. The example of Allied democratic conduct would be the best form of re-education, he thought. Doeblin, though recognizing the need for re-education, was not sanguine. "Educating the Germans is almost hopeless because

the majority of the professional classes are Nazis. The spiritual forces
of the Germans are in the universities and schools which are reactionary."
The Allies should participate in German re-education only in a general
and supervisory capacity, he thought.

In regard to the more concrete aspects of a program of re-education
Ludwig and Doeblin agreed that the task of re-education was essentially a
job for anti-Nazi Germans. Allied teachers should not be sent to Germany.
Doeblin was not so certain, however, suggesting that German-speaking democrats from the United States, Switzerland, and Russia might be of some
assistance. Feuchtwanger proposed that we take a chapter from the book of
Nazi propaganda techniques by attempting to appeal to emotions, and to
canalize these emotions constructively. Ludwig suggested that we follow
the methods of Lenin and Stalin in indoctrinating youth, substituting democracy
for communism and utilizing such German classics as Goethe, Schiller, Herder,
and Kant. Doeblin hoped that re-education would not be the exclusive task of
political leaders, for some use should be made of religious leaders, and of
a possible revival of religious feeling to combat the pagan aspects of Nazism.
Feuchtwanger approved suggestions for the transfer of large numbers of German
youth to other countries as members of labor battalions and as students.

The writers were unanimous in their disapproval of Secretary Stimson's
policy on indoctrination of German prisoners-of-war, as they understood it from
his recent statement. Doeblin regarded the presence of these prisoners in the
United States as an opportunity to begin the re-education of Germany immediately.
"I can't understand why the United States does not use the opportunity to
educate war prisoners in democracy," he commented.

OFFICE OF STRATEGIC SERVICES   FOREIGN NATIONALITIES BRANCH

CONFIDENTIAL

568

**The Shape of the
New Germany**

Feuchtwanger. Mann. and Doeblin considered a "democratic.
socialist republic" the best form of government for post-
war Germany. A decentralized and federalized Germany
would find favor with Mann, Frank, and Doeblin. "The new Germany," Mann
stated. "should have a looser form of organization. Decentralization would come
naturally. because there would be no center of authority in Germany at the end
of the war." Mann wished to see "a federated Germany in a federated Europe in
a federated world." Doeblin. expressing approval of a federal system for
Germany, nevertheless remarked: "Now we go backwards to the old particularism."
Frank. though he considered decentralization and the restoration of cultural
differences in various parts of Germany desirable. was doubtful whether it would
work. Ludwig opposed the participation of German exiles in the administration
of Germany, asserting: "Eisenhower is the only man with a German name who can
govern Germany." Doeblin, while he deplored the quality of exiled political
leaders. thought the collaboration of such men as Bruening and Rauschning might
be useful to the Allies.

**Break-Up of
Industries
Not Favored**

Mann. Feuchtwanger, and Ludwig frowned upon proposals for the
de-industrialization of Germany. while Frank declared that the
so-called Morgenthau plan had been misinterpreted. Morganthau
meant merely that it would be foolish to rebuild heavy industry
after its military destruction. However. Frank agreed with his colleagues "It
is not possible to make an agrarian country of Germany. It would starve." To
Doeblin and Feuchtwanger the problem resolved itself into the question of who
possessed and controlled German industry. "If you let Junkers. and industrialists
control it. you can never be sure." Doeblin said. "It is necessary for the German
government to take over industry. It must be nationalized along with the mines."
Feuchtwanger wanted to see German industry placed in the hands of "reliable

people" on the basis of "socialization."

Treatment of War Criminals
The question of the treatment of war criminals drew a variety of comment. Frank suggested that a list of those to be punished be broadcast to the German people accompanied by the promise that none except these would be punished. This would provide some hope for the German people, Frank thought. About one hundred thousand should be punished, and not all of these by death. They should be tried in the countries where their crimes were perpetrated. "Beyond that is mass extermination," he asserted. To Doeblin the question of war criminals was relatively unimportant. The Allies should deal with the important Nazis, while the great mass of Nazi criminals should be tried by the German people. Feuchtwanger, asserting that "propaganda for severe punishment will end by no punishment at all," recommended that the Allies "either arrest, kill, or exile to forced labor three million Nazis."

Doeblin, Feuchtwanger, Mann, and Ludwig spoke favorably of Russia's demand that German laborers be forced to reconstruct devastated areas.

Doeblin and Mann thought the writers and theorists who had prepared the way for Nazism, and who had reinforced the regime in their writings, ranked with the worst Nazi war criminals, and deserved severe treatment.

Office Memorandum • UNITED STATES GOVERNMENT

TO: Mr. John O'Keefe DATE: 25 May 1945

FROM: Martin H. Easton by Capt. A. D. McHendrie

SUBJECT: Interview with Alfred Neumann

Report No.

MAY 31 1945
GE
HE- 1559
LIBRARY

Mr. Alfred Neumann, German refugee novelist, was interviewed on 24 May 1945 at his home at 1527 North Stanley Avenue, Hollywood. Mr. Neumann was most pleasant and cooperative but was unable to provide much information of present value. He stated that he had been rather out of touch with the motion picture or literary group in Hollywood as he has been absorbed in the completion of his latest novel "Six of Them" which is to be published by Macmillan in June. He stated that this book is based upon an attempted anti-Nazi crusade by six university students in Germany in 1943. Mr. Neumann considers his friend Thomas Mann as the outstanding representative of the German-American colony in Los Angeles. He looks upon Mann with a respect which is almost reverence and considers him the greatest living author. He mentioned Dr. Alfred Doeblin, German novelist and former surgeon, as a man very highly respected among the German group here, as he was in Germany before the rise of Hitler. He knew nothing of any organized political movements on the part of German refugees in this country nor could he give any information on organizations or political activities or opinions of individuals among other European nationality groups. He mentioned Lion Feuchtwanger as having the most pronounced pro-Russian tendencies among the writers of his acquaintance in this vicinity. He spoke with some caution about Feuchtwanger, explaining that he did not like him personally because of an episode in the past.

Mr. Neumann stated that he believes the motion picture industry here is becoming increasingly interested in the international political situation and increasingly aware of its responsibility in molding public opinion in this field. He mentioned as two top men in the industry typifying a sound international outlook, Mr. Arthur Hornblow, producer with Metro-Goldwyn-Mayer (who is president of the Hollywood Branch of the Free World Association) and William Dieterle, well known German-American motion picture director.

Mr. Neumann is not an advocate of a harsh peace for Germany. He stated that he disagrees in this respect with Emil Ludwig and regrets that Ludwig's views are receiving such a wide audience. He is also sorry that Ludwig is in Europe now, publicly advocating stern treatment for the German people, as this may be taken by the Germans as corroboration of Hitler's and Goebbels' warning that if Germany were defeated the Jews would return to work their vengeance upon the German people. He stated he realized he was almost alone in advocating mild terms of peace. He also wanted it understood that he thought the "bad Nazis" should be eliminated by death or life imprisonment. He feels though, that it is a great mistake to condemn and to punish the entire German nation. If we do this we are guilty of the same tragic generalization and the same lies that we condemn in Hitler, such as his doctrine that all Jews are bad and undesirable. The German people have already been punished

CONFIDENTIAL

- 2 -

in this war by a punishment so severe that it will endure for three generations.
The problem ahead is, not to inflict further punishment upon them but to give
them to understand that they brought upon themselves by their own acts the
punishment they have already suffered. The number of "good Germans", anti-Nazis,
who hated Hitler and his entire regime in their hearts, is much greater than
the people of this country realize. If we proceed properly we can rally these
people to our help in educating the German nation back to a position of dignity
and honor in the world society. The prison camps, the universities and the
church - particularly the Catholic Youth Movement - can provide a large number
of strong and sincerely anti-Nazi leaders of the German people.

Mr. Neumann does not anticipate a very active or successful Nazi underground movement. There will be some, of the SS type, who will go underground but it should not be difficult to apprehend and eliminate these trouble
makers. Most of the German people are "true" and will follow established
authority if it is not exercised too offensively against them. Modern history
has shown that an entire nation can be educated along certain lines in less
than a generation. Hitler did it and the Russians did it. The techniques
exist and if they are properly exercised we have good reason to hope that the
German people can be purified of Nazism within a short span of years.

cc: John Norman

CONFIDENTIAL

Nachbemerkung

Alle Verweise beziehen sich, sofern sie nicht besonders gekennzeichnet sind oder sich eine andere Herkunft aus dem Kontext ergibt, auf Unterlagen aus dem FBI-Hauptquartier. Ihre Zuordnung zu den Dossiers von bestimmten Autoren, Organisationen und Zeitschriften leitet sich aus dem Zusammenhang der Darstellung ab, oder sie wird durch einen nachgestellten Hinweis vorgenommen (FBI-Akte, Lion Feuchtwanger). Die Angabe (FBI-Akte, Bertolt Brecht, Brecht-Archiv, Berlin) meint die im Gegensatz zu dem an mich ausgelieferten Exemplar weniger ausgeschwärzte Kopie der Brecht-Akte bei der Akademie der Künste in Berlin. Um eine zeitliche und geographische Einordnung der Quellen zu ermöglichen, werden die Art, der Ort und das Datum der Dokumente angegeben (FBI-Report, New York v. 5. 5. 1943 oder SAC, Los Angeles, Memorandum an Director, FBI, v. 13. 3. 1945) und nicht die Aktenzeichen und Blattnummern der FBI-Registratur. Da FBI-Dossiers immer nach den Namen der Untersuchungsgegenstände abgelegt und im allgemeinen chronologisch geordnet sind, erschwert dieses Verfahren das Auffinden des jeweiligen Zitats nur unwesentlich und das Bestellen von Dossiers gar nicht.

Briefe der Exilanten sind fast ausnahmslos über das Office of Censorship zum FBI gelangt. Sie lassen sich durch die Zitierweise zuordnen (Walter Janka, Brief an Heinrich Mann v. 29. 7. 1942). Unterlagen des Immigration and Naturalization Service werden nur dann durch ein nachgestelltes (INS) identifiziert, wenn ihre Herkunft nicht aus dem Text hervorgeht. Dokumente aus den in den National Archives lagernden Beständen des Department of State sind durch das nachgestellte Aktenzeichen gekennzeichnet (862.01/6-2645). Sie stammen, wenn nicht anders vermerkt, aus Record Group 59. Ebenso wird bei Unterlagen des Foreign Nationalities Branch im Office of Strategic Services verfahren (OSS, 867), die von der CIA vor einigen Jahren freigegeben wurden und geordnet nach den ursprünglichen laufenden Nummern auf Mikrofiche zugänglich sind. Auch hier sind nur Abweichungen von dem für die vorliegende Studie wichtigsten Bestand, INT-13GE, verzeichnet. Andere Quellen – Office of Naval Intelligence, Military Intelligence Division der Armee, Central Intelligence Agency usw. – werden bei Bedarf nach jedem Verweis mit der entsprechenden Kürzel identifiziert (ONI, MID, CIA).

Absender und Empfänger von Memoranda und Briefen werden beim FBI, dem Department of State und anderen Behörden dem jeweiligen Sprachgebrauch entsprechend statt mit dem Namen des Amtes als »Director, FBI«, »J. Edgar Hoover« bzw. »Secretary of State« gekennzeichnet, was aber nicht unbedingt heißt, daß die Dokumente auch wirklich über den Schreibtisch des Leiters der jeweiligen Behörde gingen. Kaum mehr zu rekonstruieren ist die Situation im FBI-Hauptquartier, wo es auf der Führungsebene üblich war, einen Faksimilestempel mit Hoovers Unterschrift zu verwenden. Dienstbezeichnungen von Korrespondenzpartnern werden angegeben, wenn sie zum Verständnis der Situation beitragen.

Die vor allem beim FBI übliche Schreibung von Personennamen in Großbuchstaben wird zugunsten der Lesbarkeit der Zitate aufgegeben. Da Rechtschreibefehler und Probleme mit ausländischen Namen und fremdsprachigen Zitaten zum Stil der FBI-Akten gehören, sind sie im Gegensatz zu einfachen Tippfehlern ohne besondere Kennzeichnung übernommen worden. Ergänzungen und klärende Hinweise werden Zitaten in eckigen Klammern beigegeben.

Bibliographie

Aaron, Daniel: *Writers on the Left*. New York: Avon Books 1961; Nachdruck New York: Columbia University Press 1992.

Adamic, Louis: *Dynamite. The Story of Class Violence in America*. New York: Viking 1931.

Agee, Joel: *Twelve Years. An American Boyhood in East Germany*. New York: Farrar, Straus and Giroux 1981.

Albert, Claudia: ›*Das schwierige Handwerk des Hoffens*‹. *Hanns Eislers* ›*Hollywooder Liederbuch*‹. Stuttgart: Metzler 1991.

Albrecht, Richard: »Das FBI-Dossier Carl Zuckmayer.« In: *Zeitschrift für Literaturwissenschaft und Linguistik* 73 (1989), S. 114–21.

Allein mit Lebensmittelkarten ist es nicht auszuhalten... Autoren- und Verlegerbriefe 1945– 1949. Hrsg. v. Elmar Faber u. Carsten Wurm. Berlin: Aufbau 1991. (=Aufbau Taschenbücher, 1.)

Alternative Lateinamerika. Das deutsche Exil in der Zeit des Nationalsozialismus. Hrsg. v. Karl Kohut u. Patrik von zur Mühlen. Frankfurt: Vervuert 1994. (=Bibliotheca Ibero-Americana, 51.)

Anna Seghers. Eine Biographie in Bildern. Hrsg. v. Frank Wagner u. a. Berlin: Aufbau 1994.

Appraisal of the Records of the Federal Bureau of Investigation. Hrsg. v. National Archives and Records Service u. Federal Bureau of Investigation. O. O. u. Verlag, 1981.

Zur Archäologie der Demokratie in Deutschland. 2 Bde. Hrsg. v. Alfons Söllner. Frankfurt: Europäische Verlagsanstalt 1982 u. Frankfurt: Fischer 1986. (=Fischer Taschenbuch, 4360–1.)

Arendt, Hannah: »The Ex-Communists.« In: *Commonweal* 24 v. 20. 3. 1953, S. 595–9.

Arndt, Franziska: *F. C. Weiskopf*. Leipzig: Bibliographisches Institut 1965.

Bahr, Ehrhard: »Paul Tillich und das Problem einer deutschen Exilregierung in den Vereinigten Staaten.« In: *Exilforschung* 3. München: edition text + kritik 1985, S. 31–42.

Balk, Theodor: *Das verlorene Manuskript*. Berlin/DDR: Dietz 1949.

Barrett, Edward L.: *The Tenney Committee. Legislative Investigation of Subversive Activities in California*. Ithaca: Cornell University Press 1951.

Barth, Alan: *The Loyalty of Free Men*. New York: Viking 1952.

Bauer, Gerhard: *Oskar Maria Graf. Ein rücksichtslos gelebtes Leben*. München: Deutscher Taschenbuch Verlag 1994. (=dtv, 30413.)

Baum, Vicki: *Es war alles ganz anders. Erinnerungen*. Köln: Kiepenheuer & Witsch 1987.

Beer, Siegfried: »Exil und Emigration als Information.« In Dokumentationsarchiv des österreichischen Widerstandes: *Jahrbuch 1989*. Wien: Österreichischer Bundesverlag 1989, S. 132–43.

Belfrage, Cedric: *The American Inquisition 1945–1960. A Profile of the ›McCarthy Era‹.* New York: Thunder's Mouth Press 1989.

Berlau, Ruth: *Brechts Lai-Tu. Erinnerungen und Notate.* Hrsg. v. Hans Bunge. Damstadt: Luchterhand 1985.

Beyond the Hiss Case. The FBI, Congress, and the Cold War. Hrsg. v. Athan G. Theoharis. Philadelphia: Temple University Press 1982.

Binner, Rolf: »Die Bombe Sudoplatow. Die Enthüllungen des KGB-Offiziers – ein neuer Klassiker unter den Geheimdienst-Erinnerungen?« In: *Süddeutsche Zeitung* v. 6. 12. 1994.

Biographisches Handbuch der deutschsprachigen Emigration nach 1933/International Biographical Dictionary of Central European Emigrés 1933–1945. 3 Bde. Hrsg. v. Werner Röder u. Herbert A. Strauss. München: Saur 1980, 1983.

Black Americans. The FBI Files. Hrsg. v. David Gallen. New York: Carroll & Graf 1994.

Brandeis, Louis D., in *The Supreme Court Reporter.* Bd. 48. St. Paul: West Publishing 1929, S. 570–5.

Brandl, Rudolf: *That Good Old Fool, Uncle Sam. A Refugee Sounds a Warning.* O. O. u. J. (ca. Mai 1940).

Brecht, Arnold: *Mit der Kraft des Geistes. Lebenserinnerungen. Zweite Hälfte 1927–1967.* Stuttgart: Deutsche Verlags-Anstalt 1967.

Brecht, Bertolt: *Gesammelte Werke.* Frankfurt: Suhrkamp 1967. (=werkausgabe edition suhrkamp.)

– – –: *Arbeitsjournal.* 2 Bde. Hrsg. v. Werner Hecht. Frankfurt: Suhrkamp 1974. (=werkausgabe edition suhrkamp.)

– – –: *Versuche 1–12.* Frankfurt: Suhrkamp 1977.

– – –: *Briefe 1913–1956.* Hrsg. v. Günter Glaeser. Berlin/DDR: Aufbau 1983.

Bertolt Brecht Before the Committee on Un-American Activities. An Historic Encounter. Hrsg. Eric Bentley. New York: Folkways Records, FD 5531, 1961.

Brecht in den USA. Hrsg. v. James K. Lyon. Frankfurt: Suhrkamp 1994. (=suhrkamp taschenbuch, 2085.)

Budenz, Louis Francis: *Men Without Faces. The Communist Conspiracy in the U.S.A.* New York: Harper 1950.

– – –: *The Techniques of Communism.* New York: Arno 1977.

Bürgin, Hans u. Hans-Otto Mayer: *Thomas Mann. Eine Chronik seines Lebens.* Frankfurt: Fischer 1965.

Buitrago, Ann Mari u. Leon Andrew Immerman: *Are You Now or Have You Ever Been in the FBI Files. How to Secure and Interpret Your FBI Files.* New York: Grove 1981.

Bunge, Hans: *Fragen Sie mehr über Brecht. Hanns Eisler im Gespräch.* München: Rogner & Bernhard 1972.

Cacucci, Pino: *Tina. Das abenteuerliche Leben der Tina Modotti.* Zürich: Diogenes 1993.

California Legislature, *Fifth Report of the Senate Fact-Finding Committee on Un-American Activities.* Sacramento, 1949.

California Legislature, *Sixth Report of the Senate Fact-Finding Committee on Un-American Activities.* Sacramento, 1951.

Canedy, Susan: *America's Nazis: A Democratic Dilemma. A History of the German American Bund.* Menlo Park: Markgraf Publications 1990.

Carpozi, George: *Red Spies in the U.S.* New Rochelle: Arlington House 1973.

Carr, Robert K.: *The House Committee on Un-American Activities 1945–1950.* Ithaca: Cornell University Press 1952.

Carson, Clayborne: *Malcolm X: The FBI File.* New York: Carroll & Graf 1991.

A Catalog of Files and Microfilms of the German Foreign Ministry Archives 1920–1945. Hrsg. v. George O. Kent. Stanford: Hoover Institute 1962ff.

Caute, David: *The Great Fear. The Anti-Communist Purge Under Truman and Eisenhower.* New York: Simon and Schuster 1978.

Ceplair , Larry u. Steven Englund: *The Inquisition in Hollywood. Politics in the Film Community, 1930-1960.* Garden City: Anchor Press 1980.

Chamberlain, Lawrence H.: *Loyalty and Legislative Action. A Survey of Activity by the New York State Legislature 1919-1949.* Ithaca: Cornell University Press 1951.

- - -: »New York. A Generation of Legislative Alarm.« In: *The States and Subversion.* Hrsg. v. Walter Gellhorn. Ithaca: Cornell University Press 1952, S. 231-81.

Chambers, Whittaker: *Witness.* Washington: Regnery Gateway 1952.

Charns, Alexander: *Cloak and Gavel. FBI Wiretaps, Bugs, Informers, and the Supreme Court.* Urbana: University of Illinois Press 1992.

Chase, William, »The Strange Case of Diego Rivera and the U.S. State Department. A Research Note« [Manuskript]; zuerst spanisch in: *Zona Abierta. Suplemento de Economia, Politica y Sociedad.* Beilage zu *El Financiero.* Bd. II, Nr. 61 v. 19. 11. 1993, S. 8-11.

A Citizen's Guide on Using the Freedom of Information Act and the Privacy Act of 1974 to Request Government Records. 100th Congress, 1st Session, House Report 100-199. Washington: Government Printing Office 1987. (=Thirteenth Report by the Committee on Government Operations. Union Calendar, Nr. 118.)

Cook, Fred J.: *The FBI Nobody Knows.* New York: Macmillan 1964.

Cushman, Robert E.: *Civil Liberties in the United States. A Guide to Current Problems and Experience.* Ithaca: Cornell University Press 1956.

Davies, Joseph E.: *Mission to Moscow.* New York: Simon and Schuster 1941.

Davis, James K.: *Spying on America. The FBI's Domestic Counterintelligence Program.* New York: Praeger 1992.

Deutsche Exilliteratur seit 1933. Bd. 1, T. 1-2 (Kalifornien) u. unter d. Titel *Deutschsprachige Exilliteratur seit 1933.* Bd. 2, T. 1-2 (New York), Bd. 4, T. 1-3 (Bibliographien). Hrsg. v. John M. Spalek u. a. Bern: Francke 1976, 1989, 1994.

Deutsche Intellektuelle im Exil. Ihre Akademie und die ›American Guild for German Cultural Freedom‹. München: Saur 1993.

Deutsche Literatur im Exil. Briefe europäischer Autoren 1933-1949. Hrsg. v. Hermann Kesten. Frankfurt: Fischer 1973. (=Fischer Taschenbuch, 1388.)

Deutschland nach Hitler. Zukunftspläne im Exil und aus der Besatzungszeit 1939-1949. Hrsg. v. Thomas Koebner u. a. Opladen: Westdeutscher Verlag 1987.

Diamond, Sander A.: *The Nazi Movement in the United States, 1924-1941.* Ithaca: Cornell University Press 1974.

Diamond, Sigmund: *Compromised Campus. The Collaboration of Universities with the Intelligence Community 1945-1955.* New York: Oxford University Press 1992.

Dichter und ein großer Schnabel. 25 Jahre Tukan-Kreis. Hrsg. v. Rudolf Schmitt-Sulzthal. München, o. J. u. Verlag (1955).

Dick, Bernard F.: *Radical Innocence. A Critical Study of the Hollywood Ten.* Lexington: University Press of Kentucky 1989.

Dies, Martin: *The Trojan Horse in America.* New York: Dodd, Mead 1940.

Döblin, Alfred: *Schicksalsreise. Bericht und Bekenntnis.* Frankfurt: Knecht 1949.

- - -: *Briefe.* Hrsg. v. Walter Muschg. Olten: Walter 1970.

Donner, Frank: *The Age of Surveillance. The Aims and Methods of America's Political Intelligence System.* New York: Knopf 1980.

- - -: *Protectors of Privilege. Red Squads and Police Repression in Urban America.* Berkeley: University of California Press 1990.

Dorwart, Jeffery M.: *Conflict of Duty. The U.S. Navy's Intelligence Dilemma, 1919-1945.* Annapolis: Naval Institute Press 1983.

Dunlop, Richard: *Donovan. America's Master Spy.* Chicago: Rand McNally 1982.

Eliot, Marc: *Walt Disney. Hollywood's Dark Prince. A Biography.* New York: Birch Lane 1993.

Exil. Literarische und politische Texte aus dem deutschen Exil 1933-1945. Hrsg. v. Ernst

Loewy. Stuttgart: Metzler 1979.

Feingold, Henry L.: *The Politics of Rescue. The Roosevelt Administration and the Holocaust 1938-1945*. New Brunswick: Rutgers University Press 1970.

Feuchtwanger, Lion u. Arnold Zweig: *Briefwechsel 1933-1958*. 2 Bde. Hrsg. v. Harold von Hofe. Berlin/DDR: Aufbau 1984.

Feuchtwanger, Marta: *An Emigre Life. Munich, Berlin, Sanary, Pacific Palisades*. Los Angeles: University of Southern California 1976 (Typoskript).

Fischer, Ruth: *Stalin and German Communism. A Study in the Origins of the State Party*. Cambridge: Harvard University Press 1948.

Fluchtort Mexiko. Ein Asylland für die Literatur. Hrsg. v. Martin Hielscher. Hamburg: Luchterhand 1992.

Folsom, Franklin: *Days of Anger, Days of Hope. A Memoir of the League of American Writers 1937-1942*. Niwot: University Press of Colorado 1994.

Fooner, Michael: *Interpol. The Inside Story of the International Crime-Fighting Organization*. Chicago: Regnery 1973.

Frank, Leonhard: *Links wo das Herz ist*. München: Nymphenburger 1952.

Frei, Bruno: *Der Papiersäbel. Autobiographie*. Frankfurt: Fischer 1972.

Fried, Richard M.: *Nightmare in Red. The McCarthy Era in Perspective*. New York: Oxford University Press 1990.

Friedly, Michael u. David Gallen: *Martin Luther King, Jr. The FBI File*. New York: Carroll & Graf 1993.

Fry, Varian: *Surrender on Demand*. New York: Random House 1945; gekürzt als *Assignment Rescue*. New York: Four Winds 1968; dt. *Auslieferung auf Verlangen. Die Rettung deutscher Emigranten in Marseille 1940/41*. München: Hanser 1986.

Fuegi, John: *Brecht and Company. Sex, Politics, and the Making of the Modern Drama*. New York: Grove Press 1994.

The Gallup Poll. Public Opinion 1935-1971. Bd. 1 (1935-1948), Bd. 2 (1949-1958). New York: Random House 1972.

»Geheimagent Rivera?« In: *Frankfurter Allgemeine Zeitung* v. 30. 11. 1993.

Geheimdienstkrieg gegen Deutschland. Subversion, Propaganda und politische Planungen des amerikanischen Geheimdienstes im Zweiten Weltkrieg. Hrsg. v. Jürgen Heideking u. Christof Mauch. Göttingen: Vandenhoeck & Ruprecht 1993. (=Sammlung Vandenhoeck.)

Genschmer, Fred: »Heinrich Mann [1871-1950].« In: *South Atlantic Quarterly* 50 [1951], S. 208-13.

Gentry, Curt: *J. Edgar Hoover. The Man and the Secrets*. New York: Plume 1992.

Germany: A Self-Portrait. A Collection of German Writings from 1914 to 1943. Hrsg. v. Harlan R. Crippen. New York: Oxford University Press 1944.

Goetz, Curt u. Valérie von Martens: *Wir wandern, wir wandern... Der Memoiren dritter Teil*. Stuttgart: Deutsche Verlagsanstalt 1963.

Goodman, Walter: *The Committee. The Extraordinary Career of the House Committee on Un-American Activities*. New York: Farrar, Straus and Giroux 1968.

Graebner, William S.: *The Age of Doubt. American Thought and Culture in the 1940s*. Boston: Twayne 1991.

Graf, Oskar Maria: *Die Flucht ins Mittelmäßige. Ein New Yorker Roman*. München: Süddeutscher Verlag 1976.

- - -: *Reden und Aufsätze aus dem Exil*. Hrsg. v. Helmut F. Pfanner. München: Süddeutscher Verlag 1989.

Oskar Maria Graf. Frankfurt: Buchhändler-Vereinigung 1978. (=Kleine Schriften der Deutschen Bibliothek, 1.)

Oskar Maria Graf in seinen Briefen. Hrsg. v. Gerhard Bauer u. Helmut F. Pfanner. München: Süddeutscher Verlag 1984.

Grosshut, F[riedrich] S[ally]: »Heinrich Mann.« In *Books Abroad* 4/1950, S. 356-9.

Guide to the Microfilm Edition of the FBI File on the House Committee on Un-American Activities. Hrsg. v. Kenneth O'Reilly. Wilmington: Scholarly Resources [1986].

Haines, Gerald K.: *A Reference Guide to United States Department of State Special Files*. Westport: Greenwood 1985.

– – – u. David A. Langbart: *Unlocking the Files of the FBI. A Guide to Its Records and Classification System*. Wilmington: Scholarly Resources 1993.

von Hanffstengel, Renata: *Mexiko im Werk von Bodo Uhse. Das nie verlassene Exil* (Phil. Diss., Humboldt Universität). New York: Lang (in Vorb.) (=Exilstudien.)

Heilbut, Anthony: *Kultur ohne Heimat. Deutsche Emigranten in den USA nach 1930*. Weinheim: Quadriga 1987 u. Hamburg: Rowohlt 1991 (= rororo, 8891.); engl. *Exiled in Paradise. German Refugee Artists and Intellectuals in America from the 1930s to the Present*. New York: Viking 1983.

– – –: »Cassandra with a German Accent.« In: *America and the Germans. An Assessment of a Three-Hundred-Year History*. Bd. 2. Hrsg. v. Frank Trommler u. Joseph McVeigh. Philadelphia: University of Pennsylvania Press 1985, S. 265–72.

Heym, Stefan: *Nachruf*. München: Bertelsmann 1988 u. Berlin/DDR: Buchverlag Der Morgen 1990.

Higham, Charles: *Charles Laughton. An Intimate Biography*. Garden City: Doubleday 1976.

History of the Office of Censorship. 7 Bde. Washington: University Publications of America o. J.

Hoover, J. Edgar: *Masters of Deceit. The Story of Communism in America and How to Fight It*. New York: Holt 1958.

– – –: *A Study of Communism*. New York: Holt, Rinehart and Winston 1962.

– – –: »Brief on the Communist Party. Status of the Communist Party Under the Act of Congress Approved October 16, 1918.« In: U.S. Congress. House of Representatives. *Committee on Rules. Attorney General A. Mitchell Palmer on Charges Made Against Department of Justice by Louis F. Post and Others*. T. 2, 1920, S. 321–31.

– – : »Fifty Years of Crime.« In: *Vital Speeches of the Day*. Bd. 5, Nr. 16 v. 1. 6. 1939, S. 505–9.

– – –: »A Nation's Call to Duty. Preserve the American Home.« In: *Vital Speeches of the Day*. Bd. 8, Nr. 18 v. 1. 7. 1942, S. 554–6.

– – –: »The Battle on the Home Front. Protection for Home and the Hearthside.« In: *Vital Speeches of the Day*. Bd. 9, Nr. 23 v. 15. 9. 1943, S. 734–6.

– – –: »The Reconversion of Law Enforcement« (1945). In: *Red fascism*, S. 644–51.

– – –: »Our ›Achilles' Heel‹. Loyal Americans Must Stand Up and be Counted.« In: *Vital Speeches of the Day*. Bd. 13, Nr. 1 v. 15. 10. 1946, S. 10–1.

– – –: Rede vor dem House Committee on Un-American Activities. In: U.S. Congress. Senate. *Congressional Record*. 80th Congress, 1st Session. Bd. 93, T. 2, 1947, S. 2689–92.

– – –: »Red Fascism in the United States Today.« In: *The American Magazine*. Bd. 143, Nr. 2, Februar 1947, S. 24–5 u. 87–90.

– – –: Rede vor dem House Committee on Un-American Activities. In: *Congressional Record*. Senate. 80th Congress, 1st Session. Bd. 93, T. 2. Washington, 1947, S. 2689–92.

– – –: »How to Fight Communism.« In: *Newsweek* v. 9. 6. 1947, S. 30–2.

– – –: »The Twin Enemies of Freedom. Crime and Communism.« In: *Vital Speeches of the Day*. Bd. 23, Nr. 2 v. 1. 11. 1956, S. 104–7.

J. Edgar Hoover on Communism. New York: Paperback Library 1970.

J. Edgar Hoover Speaks Concerning Communism. Hrsg. v. James D. Bales. Washington: Capitol Hill Press 1970.

FBI. Inside the FBI Secret Files. Star Magazine Special (1993).

Inventar zu den Nachlässen emigrierter deutschsprachiger Wissenschaftler in Archiven und Bibliotheken der Bundesrepublik Deutschland. Bearb. im Deutschen Exilarchiv 1933–1945 der Deutschen Bibliothek, Frankfurt am Main. 2 Bde. München: Saur 1993.

Janka, Walter: *Schwierigkeiten mit der Wahrheit*. Reinbek: Rowohlt 1989. (=rororo aktuell, 12731.)

- - -: *Spuren eines Lebens*. Berlin: Rowohlt 1991.

- - -: *... bis zur Verhaftung. Erinnerungen eines deutschen Verlegers*. Berlin: Aufbau 1993.

Jeske , Wolfgang u. Peter Zahn: *Lion Feuchtwanger oder Der arge Weg der Erkenntnis. Eine Biographie*. Stuttgart: Metzler 1984.

Karasek, Hellmuth: *Billy Wilder. Eine Nahaufnahme*. Hamburg: Hoffmann und Campe 1992.

Katz, Barry M.: *Foreign Intelligence. Research and Analysis in the Office of Strategic Services 1942–1945*. Cambridge: Harvard University Press 1989.

- - -: »German Historians in the Office of Strategic Services.« In: *An Interrupted Past. German-Speaking Refugee Historians in the United States After 1933*. Hrsg. v. Hartmut Lehmann u. James J. Sheehan. Washington: German Historical Institute 1991, S. 136–9.

Keller, William W.: *The Liberals and J. Edgar Hoover. Rise and Fall of a Domestic Intelligence State*. Princeton: Princeton University Press 1989.

Kießling, Wolfgang: *Alemania Libre in Mexiko*. 2 Bde. Berlin/DDR: Akademie 1974. (=Literatur und Gesellschaft.)

- - -: *Exil in Lateinamerika*. Leipzig: Reclam 1980 (1. Aufl.), 1984 (2. erweit. u. veränd. Aufl.). (=Reclams Universal-Bibliothek, 847.)

- - -: *Brücken nach Mexiko. Traditionen einer Freundschaft*. Berlin/DDR: Dietz 1989.

- - -: *Partner im ›Narrenparadies‹. Der Freundeskreis um Noel Field und Paul Merker*. Berlin: Dietz 1994.

Kirfel-Lenk, Thea: *Erwin Piscator im Exil in den USA 1939–1951. Eine Darstellung seiner antifaschistischen Theaterarbeit am Dramatic Workshop der New School for Social Research*. Berlin/DDR: Henschel 1984.

Kortner, Fritz: *Aller Tage Abend*. München: Kindler 1959.

Krauss, Marita: »Eroberer oder Rückkehrer? Deutsche Emigranten in der amerikanischen Armee.« In: *Exil* 1/1993, S. 70–85.

Krohn, Claus-Dieter: »Der Fall Bergstraesser in Amerika.« In: *Exilforschung* 4. München: edition text + kritik 1986, S. 254–75.

Kroll, Frederic: *Trauma Amerika 1937–1942*. Wiesbaden: Blahak 1986. (=Klaus-Mann-Schriftenreihe, 5.)

Kurth, Peter: *American Cassandra. The Life of Dorothy Thompson*. Boston: Little, Brown 1990.

Lamphere, Robert J. u. Tom Shachtman.: *The FBI-KGB War. A Special Agent's Story*. New York: Random House 1986.

... und leiser Jubel zöge ein.‹ Autoren- und Verlegerbriefe 1950–1959. Hrsg. v. Elmar Faber u. Carsten Wurm. Berlin: Aufbau 1992. (=Aufbau Taschenbücher, 100.)

Lips, Eva: »The Death of Literature in Germany and its Human Consequences.« In: *Authors' League Bulletin*, Nr. 7, Oktober 1944, S. 3–7.

Litigation Under the Federal Open Government Laws. Hrsg. v. Allan Robert Adler. Washington: American Civil Liberties Union Foundation 1991.

Löwenstein, Hubertus Prinz zu: *Botschafter ohne Auftrag. Lebensbericht*. Düsseldorf: Droste 1972.

Lowenthal, Max: *The Federal Bureau of Investigation*. New York: Sloane 1950.

von der Lühe, Irmela: *Erika Mann. Eine Biographie*. Frankfurt: Campus 1993.

- - -: »Die Publizistin Erika Mann im amerikanischen Exil.« In: *Exilforschung* 7. München: edition text + kritik 1989, S. 65–84.

Lützeler, Paul Michael: *Hermann Broch. Eine Biographie*. Frankfurt: Suhrkamp 1985.

Lyon, James: *Bertolt Brecht in America*. Princeton University Press 1980; dt.: *Bertolt Brecht in Amerika*. Frankfurt: Suhrkamp 1984.

- - -: »Das FBI als Literaturhistoriker.« In: *Akzente* 4/1980, S. 362–83.

Mahler-Werfel, Alma: *Mein Leben*. Frankfurt: Fischer 1965.

Manchester, William: *The Glory and the Dream. A Narrative History of America 1932–1972*. New York: Bantam 1990.

Mann, Erika: *Briefe und Antworten*. Bd. 1. Hrsg. v. Anna Zanco Prestel. München: Ellermann 1984.

Mann, Everett E.: *The Public Right to Know Government Information: Its Affirmation and Abridgement.* Phil. Diss., Claremont Graduate School 1984 u. Ann Arbor: University Microfilms International 1989.

- - -: »Freedom of Information Act.« In: *Encyclopedia of American Constitution.* New York: MacMillan 1986, S. 781.

Mann, Heinrich: *Ein Zeitalter wird besichtigt.* Berlin/DDR: Aufbau 1973.

Heinrich Mann 1871–1950. Werk und Leben in Dokumenten und Bildern. Hrsg. v. Sigrid Anger. Berlin/DDR: Aufbau 1977.

»Heinrich L. Mann, Novelist, was 79.« In: *New York Times* v. 13. 3. 1950.

Mann, Klaus: *Der Wendepunkt. Ein Lebensbericht.* Reinbek: Rowohlt 1984. (=rororo, 5325.)

- - -: *Briefe und Antworten 1922–1949.* Hrsg. v. Martin Gregor-Dellin. München: Ellermann 1987.

- - -: *Tagebücher 1940 bis 1943.* Hrsg. v. Joachim Heimannsberg u. a. München: edition spangenberg 1991.

Nelly Mann, Brief an Friedel Kantorowicz v. 21. 10. 1942. In: *Das Schönste* (März 1960), S. 54.

Mann, Thomas: *Briefe 1937–1947.* Hrsg. v. Erika Mann. Frankfurt: Fischer 1963.

- - -: *Briefwechsel mit seinem Verleger Gottfried Bermann Fischer 1932–1955.* Hrsg. v. Peter de Mendelssohn. Frankfurt: Fischer 1973.

- - -: *Die Entstehung des Doktor Faustus. Roman eines Romans.* Frankfurt: Fischer 1967.

- - -: *Tagebücher 1935–1936.* Hrsg. v. Peter de Mendelssohn. Frankfurt: Fischer 1978.

- - -: *Tagebücher 1937–1939.* Hrsg. v. Peter de Mendelssohn. Frankfurt: Fischer 1980.

- - -: *Tagebücher 1940–1943.* Hrsg. v. Peter de Mendelssohn. Frankfurt: Fischer 1982.

- - -: *Tagebücher 1944–1. 4. 1946.* Hrsg. v. Inge Jens. Frankfurt: Fischer 1986.

- - -: *Tagebücher 28. 5. 1946 – 31. 12. 1948.* Hrsg. v. Inge Jens. Frankfurt: Fischer 1989.

- - -: *Tagebücher 1949–1950.* Hrsg. v. Inge Jens. Frankfurt: Fischer: 1991.

- - -: *Tagebücher 1951–1952.* Hrsg. v. Inge Jens. Frankfurt: Fischer 1993.

- - -: »Foreword.« In Gordon Kahn: *Hollywood on Trial. The Story of the 10 Who Were Indicted.* New York: Boni & Gaer 1948, S. V.

- - -: u. Heinrich Mann: *Briefwechsel 1900–1949.* Hrsg. v. Ulrich Dietzel. Berlin/DDR: Aufbau 1977.

Mann, Thomas u. Agnes E. Meyer: *Briefwechsel 1937–1955.* Hrsg. v. Hans Rudolf Vaget. Frankfurt: Fischer 1992.

Mann, Thomas u. Ernst Reuter: »Aus einem Briefwechsel.« In: *Colloquium* 9/1955, S. 8–10.

Die Briefe Thomas Manns. Regesten und Register. 5 Bde. Hrsg. v. Hans Bürgin u. Hans-Otto Mayer. Frankfurt: Fischer 1977–1987.

Thomas Mann. Ein Leben in Bildern. Hrsg. v. Hans Wysling u. Yvonne Schmidlin. Zürich: Artemis & Winkler 1994.

Marchwitza, Hans: *In Amerika.* Berlin/DDR: Tribüne o. J.

Marcuse, Ludwig: *Mein zwanzigstes Jahrhundert. Auf dem Weg zu einer Autobiographie.* München: List 1960.

McWilliams, Carey: *Witch Hunt. The Revival of Heresy.* Boston: Little, Brown 1950.

Meese, Edwin: »Foreword.« In United States Department of Justice: *Attorney General's Memorandum on the 1986 Amendments to the Freedom of Information Act.* Washington, Dezember 1987, S. III.

Middell, Eike u. a.: *Exil in den USA.* Leipzig: Reclam 1979, 2., verb. u. erw. Aufl. 1983. (=Reclams Universal-Bibliothek, 799.)

Minder, Robert: *Dichter in der Gesellschaft. Erfahrungen mit deutscher und französischer Literatur.* Frankfurt: Insel 1966.

Mitgang, Herbert: *Dangerous Dossiers. Exposing the Secret War Against America's Greatest Authors.* New York: Ballantine 1989; dt. *Überwacht. Große Autoren in den Dossiers amerikanischer Geheimdienste.* Düsseldorf: Droste 1992.

Modernisierung oder Überfremdung? Zur Wirkung deutscher Exilanten in der Germanistik der Aufnahmeländer. Hrsg. v. Walter Schmitz. Stuttgart: Metzler 1994.

Morley, Michael: »The Source of Brecht's ›Abbau des Schiffes Oskawa durch die Mann-schaft‹.« In: *Oxford German Studies* 2/1966, S. 149-62.

Morros, Boris: *My Ten Years as a Counterspy.* New York: Viking 1959.

von zur Mühlen, Patrik: *Fluchtziel Lateinamerika. Die deutsche Emigration 1933-1945: politi-sche Aktivitäten und soziokulturelle Integration.* Bonn: Verlag Neue Gesellschaft 1988. (=Politik und Gesellschaftsgeschichte, 21.)

Murphy, Walter F.: *Wiretapping on Trial: A Case Study in the Judicial Process.* New York: Random House 1966.

Murray, Robert K.: *Red Scare. A Study of National Hysteria, 1919-1920.* New York: McGraw-Hill 1964.

The Muses Flee Hitler. Cultural Transfer and Adaptation 1930-1945. Hrsg. v. Jarrell C. Jack-man u. Carla M. Borden. Washington: Smithsonian Institution Press 1983.

»Der Mythos vom revolutionären Maler und die Spitzeldienste.« In: *Frankfurter Rundschau* v. 27. 11. 1993.

National Archives and Records Administration u. Federal Bureau of Investigation: *Appraisal of the Records of the Federal Bureau of Investigation: A Report to Honorable Harold H. Greene, United States District Court for the District of Columbia.* Washington, 1981.

Navasky, Victor S.: *Naming Names.* New York: Penguin 1980.

Navigating the Rapids 1918-1971. From the Papers of Adolf A. Berle. Hrsg. v. Beatrice Bishop Berle u. Travis Beal Jacobs. New York: Harcourt, Brace, Jovanovich 1973.

Neuman, Alma: *Always Straight Ahead. A Memoir.* Baton Rouge: Louisiana State University Press 1993.

Neumann, Franz: *Behemoth: The Structure and Practice of National Socialism.* Toronto: Ox-ford University Press 1942; dt. *Behemoth: Struktur und Praxis des Nationalsozialismus 1933-1945.* Köln: Europäische Verlagsanstalt 1977. (=Studien zur Gesellschaftstheorie.)

O'Reilly, Kenneth: *Hoover and the Un-Americans. The FBI, HUAC, and the Red Menace.* Phil-adelphia: Temple University Press 1983.

Oshinsky, David M.: *A Conspiracy so Immense. The World of Joe McCarthy.* New York: Free Press 1983.

Palmier, Jean-Michel: *Weimar en Exil. Le Destin de l'Émigration Intellectuelle Allemande An-tinazie en Europe et aux États-Unis.* Bd. 2. Paris: Payot 1988.

Peterson, Walter F.: »Zwischen Mißtrauen und Interesse. Regierungsstellen in Washington und die deutsche politische Emigration 1939-1945.« In: *Die Erfahrung der Fremde.* Hrsg. v. Manfred Briegel u. Wolfgang Frühwald. Weinheim: VCH 1988, S. 45-59. (=Acta humanio-ra.)

Pfanner, Helmut: *Exile in New York. German and Austrian Writers after 1933.* Detroit: Wayne State University Press 1983.

Pohle, Fritz: *Das mexikanische Exil. Ein Beitrag zur Geschichte der politisch-kulturellen Emi-gration aus Deutschland (1937-1946).* Stuttgart: Metzler 1986.

Potempa, Georg: *Thomas Mann. Beteiligung an politischen Aufrufen und anderen kollektiven Publikationen. Eine Bibliographie.* Morsum: Cicero Presse 1988.

Powers, Richard G.: *Die Macht im Hintergrund. J. Edgar Hoover und das FBI.* München: Kind-ler 1988; engl. *Secrecy and Power. The Life of J. Edgar Hoover.* New York: Free Press 1987.

Public Opinion 1935-1946. Hrsg. v. Hadley Cantril. Princeton: Princeton University Press 1951.

Quellen zur deutschen politischen Emigration 1933-1945. Inventar von Nachlässen, nichtstaat-lichen Akten und Sammlungen in Archiven und Bibliotheken der Bundesrepublik Deutsch-land. Hrsg. v. Heinz Boberach u. a. München: Saur 1994. (=Schriften der Herbert und Elsbeth Weichmann Stiftung.).

Raat, Dirk W.: »US Intelligence Operations and Covert Action in Mexico, 1900-47.« In: *Jour-nal of Contemporary History* 4/1987, S. 615-38.

Radkau, Joachim: *Die deutsche Emigration in den USA. Ihr Einfluß auf die amerikanische Europapolitik 1933-1945.* Düsseldorf: Bertelsmann Universitätsverlag 1971. (=Studien zur modernen Geschichte, 2.)

Red Channels. The Report of Communist Influence in Radio and Television. New York: Counterattack 1950.

Red fascism. Zusammengstellt v. Jack B. Tenney. New York: Arno Press 1977.

Regler, Gustav: *Das Ohr des Malchus. Eine Lebensgeschichte.* Köln: Kiepenheuer & Witsch 1958.

Renn, Ludwig: *In Mexiko.* Berlin/DDR: Aufbau 1979.

Riebling, Mark: *Wedge. The Secret War Between the FBI and CIA.* New York: Knopf 1994.

Robins, Natalie: *Alien Ink. The FBI's War on Freedom of Expression.* New York: Morrow 1992.

Robinson, David: *Chaplin. His Life and Art.* New York: MacGraw-Hill 1985.

Rohrwasser, Michael: *Der Stalinismus und die Renegaten. Die Literatur der Exkommunisten.* Stuttgart: Metzler 1991. (=Metzler Studienausgabe.)

Rothmiller, Mike: *L.A. Secret Police. Inside the LAPD Elite Spy Network.* New York: Pocket Books 1992.

Rout, Leslie, B. u. John F. Bratzel: *The Shadow War. German Espionage and United States Counterespionage in Latin America during World War II.* Frederick: University Publications of America 1986. (=Foreign Intelligence Book Series.)

Rovere, Richard H.: »The Kept Witnesses.« In: *Harper's Magazine.* Bd. 210, Nr. 1260 (Mai 1955), S. 25-34.

»Russian Intelligence Denies Oppenheimer-KGB Link« (Reuter, Meldung v. 5. 5. 1994).

Sayer, Ian u. Douglas Botting: *America's Secret Army. The Untold Story of the Counter Intelligence Corps.* London: Grafton 1989.

Schebera, Jürgen: *Hanns Eisler im USA-Exil. Zu den politischen, ästhetischen und kompositorischen Positionen des Komponisten 1938 bis 1948.* Berlin/DDR: Akademie 1978. (=Literatur und Gesellschaft.)

- - -: »The Lesson of Germany. Gerhart Eisler im Exil: Kommunist, Publizist, Galionsfigur der HUAC-Hexenjäger.« In: *Exilforschung* 7. München: edition text + kritik 1989, S. 85-97.

Scheer, Maximilian: *Paris - New York.* Berlin/DDR: Verlag der Nation o. J.

Schevenels, Walther: *Forty-Five Years International Federation of Trade Unions.* Brüssel: Board of Trustees der IFTU, o. J. [ca. 1956].

Schlenstedt, Dieter: »Nachwort.« In Egon Erwin Kisch: *Paradies Amerika.* Berlin: Aufbau 1994, S. 301-7. (=Aufbau Taschenbuch, 5054.)

Schnauber, Cornelius: *Spaziergänge durch das Hollywood der Emigranten.* Zürich: Arche 1992.

Schneider, Sigrid: »Die FBI-Akte über Oskar Maria Graf.« In: *Text + Kritik* (Sonderheft 1986), S. 131-50.

Schneider, Thomas: *Robert M. W. Kempner. Bibliographie.* Osnabrück: Universität Osnabrück 1987.

Schröter, Klaus: *Heinrich Mann.* Reinbek: Rowohlt 1967. (=rororo bildmonographien, 125.)

From the Secret Files of J. Edgar Hoover. Hrsg. v. Athan Theoharis. Chicago: Dee 1991.

The Secrets War. The Office of Strategic Services in World War II. Hrsg. v. George C. Chalou. Washington: National Archives and Records Administration 1992.

Seghers, Anna: *Über Kunstwerk und Wirklichkeit.* 4 Bd. Hrsg. v. Sigrid Bock. Berlin/DDR: Akademie Verlag 1970-79. (=Deutsche Bibliothek. Studienausgaben zur neueren deutschen Literatur, 3-5, 9.)

- - - , Wieland Herzfelde: *Ein Briefwechsel 1939-1946.* Hrsg. v. Ursula Emmerich u. Erika Pick. Berlin/DDR: Aufbau 1985.

»Anna Seghers, Briefe an F. C. Weiskopf.« In: *neue deutsche literatur* 11/1985, S. 5-46.

Six Decades at Yaddo. Saratoga Springs, o. V., 1986.

Skierka, Volker: *Lion Feuchtwanger. Eine Biographie.* Berlin: Quadriga 1984.

Smith, Bradley F.: *The Shadow Warriors. O.S.S. and the Origins of the C.I.A.* New York: Basic Books 1983.

Smith, John Chabot: *Alger Hiss. The True Story.* New York: Holt, Rinehart and Winston 1976.

Smith, R. Harris: *OSS: The Secret History of America's First Central Intelligence Agency.* New York: Dell 1972.

Soley, Lawrence C.: *Radio Warfare. OSS and CIA Subversive Propaganda.* New York: Praeger 1989.

Somerville, John: *The Communist Trials and the American Tradition.* New York: Cameron 1956.

Spalek, John M.: »Research on the Intellectual Migration to the United States After 1933: Still in Need of an Assessment.« In: *America and the Germans. An Assessment of a Three-Hundred-Year History.* Bd. 2. Hrsg. v. Frank Trommler u. Joseph McVeigh. Philadelphia: University of Pennsylvania Press 1985, S. 287–99.

State of New York. *Report of the Joint Legislative Committee to Investigate the Administration and Enforcement of the Law.* Legislative Document (1939), Nr. 98. Albany: Lyon 1939.

Stephan, Alexander: *Die deutsche Exilliteratur 1933–1945.* München: Beck 1979.

- - : *Anna Seghers im Exil. Essays, Texte, Dokumente.* Bonn: Bouvier 1993. (=Studien zur Literatur der Moderne, 23.)

- - -: »Pläne für ein neues Deutschland. Die Kulturpolitik der Exil-KPD vor 1945.« In: *Basis. Jahrbuch für deutsche Gegenwartsliteratur* 7. Frankfurt: Suhrkamp 1977, S. 54–74 u. 229–33. (=suhrkamp taschenbuch, 420.)

- - -: »Ein Exilroman als Bestseller. Anna Seghers' *The Seventh Cross* in den USA. Analyse und Dokumente.« In: *Exilforschung* 3. München: edition text + kritik 1985, S. 238–59.

- - -: «Anna Seghers' *The Seventh Cross.* Ein Exilroman über Nazideutschland als Hollywood-Film.« In: *Exilforschung* 6. München: edition text + kritik 1988, S. 214–29.

- - -: » Erika Mann und das FBI. ›... a liaison which might be of possible value.‹« In *neue deutsche literatur* 7/1993, S. 124–42.

- - -: »Nach-Bemerkung zur ›Akte Erika Mann‹.« In: *Neuer Nachrichtenbrief der Gesellschaft für Exilforschung* 2 (1994), S. 17–9.

Stern, Guy: »The Exiles and the War of the Minds.« In: *Der Zweite Weltkrieg und die Exilanten. Eine literarische Antwort. World War II and the Exiles. A Literary Response.* Hrsg. v. Helmut F. Pfanner. Bonn: Bouvier 1991, S. 311–24.

von Sternburg, Wilhelm: *Lion Feuchtwanger. Ein deutsches Schriftstellerleben.* Königstein: Athenäum 1984; erweit. Neuausgabe Berlin: Aufbau 1994.

Streitfeld, David: »The Book at Ground Zero. They Published a Soviet Spy's Allegations. Then Came the Fallout.« In: *Washington Post* v. 27. 5. 1994.

Sudoplatov, Pavel u. Anatoli Sudoplatov: *Special Tasks. The Memoirs of an Unwanted Witness – a Soviet Spymaster.* Boston: Little, Brown 1994.

Summers, Anthony: *Official and Confidential. The Secret Life of J. Edgar Hoover.* New York: Putnam's Sons 1993.

Sutherland, Douglas: *The Great Betrayal.* New York: Penguin 1982.

Tenney, Jack B.: *The Tenney Committee... the American Record.* Tujunga: Standard Publications 1952.

Theoharis, Athan G.: *Spying on Americans. Political Surveillance from Hoover to the Huston Plan.* Philadelphia: Temple University Press 1978.

- - -: *The FBI. An Annotated Bibliography and Research Guide.* New York: Garland 1994.

- - - u. John Stuart Cox: *The Boss. J. Edgar Hoover and the Great American Inquisition.* New York: Bantam 1990.

Thirty Years of Treason. Excerpts from Hearings before the House Committee on Un-American Activities, 1938–1968. Hrsg. v. Eric Bentley. New York: Viking 1971.

Toledano, Ralph de: *J. Edgar Hoover. The Man in His Time.* New Rochelle: Arlington House 1973.

- - - u. Victor Lasky: *Seeds of Treason. The True Story of the Hiss-Chambers Tragedy*. New York: Funk & Wagnalls 1950.

Troy, Thomas F.: *Donovan and the CIA. A History of the Establishment of the Central Intelligence Agency*. Frederick: Central Intelligence Agency 1981.

Uhse, Bodo: *Reise- und Tagebücher*. Berlin/DDR: Aufbau 1981. (= Gesammelte Werke in Einzelausgaben, 5)

- - - u. F. C. Weiskopf: *Briefwechsel 1942–1948*. Hrsg. v. Günter Caspar. Berlin/DDR: Aufbau 1990.

U.S. Congress. House of Representatives. Committee on Un-American Activities. *Hearings Regarding the Communist Infiltration of the Motion Picture Industry, October 20, 21, 22, 23, 24, 27, 28, 29, and 30, 1947*. 80th Congress, 1st Session, 1947.

U.S. Congress. House of Representatives. Committee on Un-American Activities. *Interim Report on Hearings Regarding Communist Espionage in the United States Government*. 80th Congress. 2nd Session, 1948.

U.S. Congress. House of Representatives. *Hearings Before the Committee on Rules*, 66th Congress, 2nd Session, 1920, Teil 1.

U.S. Congress. House of Representatives. *Hearings Before the Select Committee Investigating National Defense Migration*. 77th Congress, 2nd Session. T. 31, 7. März 1942.

U.S. Congress. House of Representatives. Special Committee on Un-American Activities. *Investigation of Nazi Propaganda Activities and Investigation of Certain Other Propaganda Activities*. 73rd Congress, 2nd Session, 29. 12. 1934.

U.S. Department of Justice, Federal Bureau of Investigation, Research/Drug Demand Reduction Unit, Office of Public Affairs. *Conducting Research in FBI Records*. Washington, 1990.

U.S. Department of Justice, Office of Information and Privacy. *Freedom of Information Act Guide & Privacy Act Overview*. Washington, September 1994.

United States Intelligence. An Encyclopedia. Hrsg. v. Bruce W. Watson u. a. New York: Garland 1990.

U.S. Office of Strategic Services. *Foreign Nationalities Branch Files 1942–1945*. 2 Bde. Bethesda: Congressional Information Service 1988.

USA und deutscher Widerstand. Analysen und Operationen des amerikanischen Geheimdienstes (OSS) 1942–1945. Hrsg. v. Jürgen Heideking u. Christof Mauch. Tübingen: Francke 1993.

Vaget, Hans Rudolf: »Vorzeitiger Antifaschismus und andere unamerikanische Umtriebe.« In: *Horizonte. Festschrift für Herbert Lehnert zum 65. Geburtstag*. Hrsg. v. Hannelore Mundt u. a. Tübingen: Niemeyer 1990, S. 173–204.

- - -: »Deutsche Einheit und nationale Identität. Zur Genealogie der gegenwärtigen Deutschland-Debatte am Beispiel von Thomas Mann.« In: *Literaturwissenschaftliches Jahrbuch der Görres-Gesellschaft*. N. F., Bd. 33 (1992), S. 277–98.

Valtin, Jan: *Out of the Night*. New York: Alliance 1941.

Vaughn, Robert: *Only Victims. A Study of Show Business Blacklisting*. New York: Putnam 1972.

Viertel, Berthold: *Die Überwindung des Übermenschen. Exilschriften*. Studienausgabe, Bd. 1. Hrsg. v. Konstantin Kaiser u. Peter Roessler. Wien: Verlag für Gesellschaftskritik 1989. (=Antifaschistische Literatur und Exilliteratur – Studien und Texte, 2.)

Viertel, Salka: *The Kindness of Strangers*. New York: Holt, Rinehart and Winston 1969.

Im Visier des FBI (1995). ARD-Dokumentarfilm v. Johannes Eglau u. Alexander Stephan.

Völker, Klaus: *Brecht-Chronik. Daten zu Leben und Werk*. München: Hanser 1971.

Wagner, Frank: »Deportation nach Piaski. Letzte Stationen der Passion von Hedwig Reiling.« In: *Argonautenschiff* 3 (1994), S. 117–26.

Walter, Hans-Albert: *Deutsche Exilliteratur 1933–1950*. Bde. 2–4. Stuttgart: Metzler 1978ff.

War Report of the OSS (Office of Strategic Services). 2 Bde. New York: Walker 1976.

Wartime Censorship of Press and Radio. Zusammengestellt v. Robert E. Summers. New York: Wilson 1942. (=The Reference Shelf. Bd. 15, Nr. 8.)

Weber, Regina: »Zur Remigration des Germanisten Richard Alewyn.« In: *Die Emigration der Wissenschaften nach 1933. Disziplingeschichtliche Studien.* Hrsg. v. Herbert A. Strauss u. a. München: Saur 1991, S. 235–56.

Weimar am Pazifik. Literarische Wege zwischen den Kontinenten. Festschrift für Werner Vordtriede zum 70. Geburtstag. Hrsg. v. Dieter Borchmeyer u. Till Heimeran. Tübingen: Niemeyer 1985.

Weinstein, Allen: *Perjury. The Hiss-Chambers Case.* New York: Knopf 1978.

Weiskopf, F. C.: *Unter fremden Himmeln. Ein Abriß der deutschen Literatur im Exil 1933–1947.* Berlin/DDR: Aufbau 1981.

Whitehead, Don: *The FBI-Story. A Report to the People.* New York: Random House 1956; dt. *Die FBI-Story. Das US-Bundeskriminalamt öffnet die Akten.* Berlin: Deutsche Buch-Gemeinschaft 1963

Whitfield, Stephen J.: *The Culture of the Cold War.* Baltimore: Johns Hopkins University Press 1991.

Williams, David J.: *Without Understanding. The FBI and Political Surveillance, 1908–1941.* Phil. Diss., University of New Hampshire, 1981.

Wills, Garry: *Reagan's America. Innocents at Home.* Garden City: Doubleday 1987.

Winkler, Klaus-Jürgen: *Der Architekt hannes meyer. Anschauungen und Werk.* Berlin/DDR: Verlag für Bauwesen 1989.

Winks, Robin: *Cloak and Gown. Scholars in the Secret War, 1939–1961.* New York: Morrow 1987.

Wyman, David S.: *Paper Walls. America and the Refugee Crisis 1938–1941.* O.O. [Amherst]: University of Massachusetts Press 1968.

Zuckmayer, Carl: *Als wär's ein Stück von mir. Horen der Freundschaft.* O. O.: Fischer 1966.

Abkürzungsverzeichnis

Das folgende Verzeichnis schlüsselt nur die wichtigeren Abkürzungen auf.

ABC	Alphabetical by Country	ERC	Emergency Rescue (Refugee)
AFL	American Federation of Labor		Committee
AG	Army Group	EU (EUR)	Division of European Affairs (im
AIO	Allied Information Office		Department of State)
AKA	also known as (auch bekannt als)	EUCOM	European Command
AM	Ante meridiem (Vormittag)	EWC	Exiled Writers Committee
AMGOT	Allied Military Government of	FBI	Federal Bureau of Investigation
	Occupied Territories	FC	Division of Foreign Activity Cor-
AMGUILD	American Guild for German Cul-		relation (im Department of State)
	tural Freedom	FD	Freies Deutschland
AST	Abwehrstelle	FDR	Franklin D. Roosevelt
BBC	British Broadcasting Corporation	FNB	Foreign Nationalities Branch (Ab-
BFD	Bewegung Freies Deutschland		teilung des OSS)
BI	Bureau of Investigation (FBI-Vor-	FOIA	Freedom of Information Act
	läuferorganisation)	FOIPA	Freedom of Information-Privacy
BUFIL	Bureau file (Dossier beim FBI-		Acts
	Hauptquartier)	FRAEM	Federacion de Residentes Anti-
CBS	Columbia Broadcasting System		Nazi-Fascistas Extranjeros en Me-
CC	Cabon copy (Durchschlag)		xico
CIA	Central Intelligence Agency	GAEC	German American Emergency
CIC	Counter Intelligence Corps (U.S.		Conference
	Army)	GAWA	German-American Writers Asso-
CIG	Central Intelligence Group (CIA-		ciation
	Vorläuferorganisation)	GESTAPO	Geheime Staatspolizei
CNDI	Confidential National Defense In-	GI	Government issue (Spitzname für
	formant		amerikanische Soldaten)
COI	Coordinator of Information (OSS-	GID	General Intelligence Division
	Vorläuferorganisation)		(FBI-Vorläuferorganisation)
COMINTERN	Communist International	G-MEN	Government Men (Spitzname für
COMSAB	Communist Sabotage		FBI-Agenten)
CP	Communist Party	GPU (OGPU)	Gossudarstwennoje politisches-
CZ	Canal Zone (Panamakanal)		koje uprawlenije (Geheimpolizei
DC	District of Columbia (Bezirk der		der UdSSR)
	amerikanischen Hauptstadt	G-2	s. MID
	Washington)	HCUA	s. HUAC
DF	Distrito Federal (Bezirk der mexi-	HICOG	High Commissioner Germany
	kanischen Hauptstadt Mexiko)	HICOM	High Command
DDR	Deutsche Demokratische Republik	HQ	Headquarters
DETCOM	Detention of Communists	HUAC	House Un-American Activities
DIA	Defense Intelligence Agency		Committee
EBF	Enclosures Behind File (übergro-	IAA	Office of the Coordinator of Inter-
	ße Anlagen zu FBI-Dossiers)		American Affairs
ECA	Economic Cooperation Admini-	IC	Intelligence Community (U. S.
	stration		Army)

ICPC	International Criminal Police Commission	REBULET	Re Bureau Letter (mit Bezug auf Bureau Brief)
IFTU	nternational Federation of Trade Unions	RIAS	Rundfunksender im amerikanischen Sektor (von Berlin)
INS	Immigration and Naturalization Service (Einwanderungsbehörde der USA)	RSHA	Reichssicherheitshauptamt
		SA	Special Agent
		SAC	Special Agent in Charge (Leiter einer FBI-Zweigstelle)
IRA	International Relief Association		
IRC	International Rescue Committee	SD	Sicherheitsdienst
IRRC	International Rescue and Relief Committee	SED	Sozialistische Einheitspartei Deutschlands
IRS	Internal Revenue Service (Steuerbehörde der USA)	SEE REF	see reference (Hinweis auf Nennung eines Untersuchungsgegenstands in einem fremden Dossier)
IS	Internal Security		
KGB	Komitee für Staatssicherheit (in der UdSSR)		
		SGMR	Socialist Groups of the Mexican Republic
KP	Kommunistische Partei		
KPC	Kommunistische Partei der Tschechoslowakei	SHAEF	Supreme Headquarters Allied Expeditionary Forces
KPD	Kommunistische Partei Deutschlands	SIS	Special Intelligence Servic (U.S.-Nachrichtendienst in Lateinamerika) bzw. Secret Intelligence Service (engl. Geheimdienst)
KPUSA	Kommunistische Partei der USA		
KZ	Konzentrationslager		
LA	Los Angeles	SPD	Sozialdemokratische Partei Deutschlands
LAK	Lateinamerikanisches Komitee der Freien Deutschen		
		SS	Steamship
LEGAT	Legal Attaché	SUBJ.	Subject (Untersuchungsgegenstand)
MGM	Metro-Goldwyn-Mayer		
MID (G-2)	Military Intelligence Division (Geheimdienst der U.S. Army)	TASS	Telegrafnoje Agenstwo Sowetskogo Sojusa (sowj. Nachrichtenagentur)
MIS	Military Intelligence Service		
MISUR	Microphone surveillance	UCLA	University of California, Los Angeles
NARS	National Archives and Records Service		
		UdSSR	Union der sozialistischen Sowjetrepubliken
NJ	New Jersey		
NKFD	Nationalkomitee Freies Deutschland	UNSUB	Unknown subject
		USA	United States of America
NKVD/		USAREUR	United States Army Europe
NKWD	Volkskommissariat für Innere Angelegenheiten (Geheimpolizei der UdSSR)	USN	United States Navy
		USSR (URSS)	Union of Soviet Socialist Republics
NSDAP	Nationalsozialistische deutsche Arbeiterpartei	VOKS (WOKS)	Gesellschaft für kulturelle Verbindungen mit dem Ausland
NYC	New York City		
OGPU	s. GPU	WAS	with aliases (mit Decknamen)
ONI	Office of Naval Intelligence (Geheimdienst der U.S. Navy)	ZK	Zentralkomitee
OSS	Office of Strategic Services		
OWI	Office of War Information		
PACR	President's Advisory Committee on Political Refugees		
PA	Privacy Act		
PEN	Poets, Essayists, Novelists (Schriftstellervereinigung)		
PM	Post meridiem (Nachmittag)		
PO	Post Office		
POW	Prisoner of War		
R&A	Research & Analysis (Abteilung des OSS)		
RE	in reference to (mit Bezug auf)		

Register

Abrahamson, Paul 168, 173
Abrams, Jacob 407, 417
Abusch, Alexander (Ps. Ernst Reinhardt) 356, 398, 404, 413, 446
Adamic, Louis 197
Agee, James 493
Agee, Joel 494
Agee-Uhse, Alma (Alma Uhse bzw. Alma Neuman) 63, 493-6, 502
Ailshie, William K. 57, 409, 417, 422-4, 458
Alaga, Nicholas J. 316
Albers, Josef 406
Alewyn, Richard 513
Anderson, Sherwood 163
Apreslan, Stepan 214
Arendt, Erich 445
Arendt, Hannah 86, 323
Auden, Wystan Hugh 179-80, 188, 191, 222, 227
Aufhäuser, Siegfried 105, 110-1
Azkenazy, Leonie 152

Bach, Marion 341
Bachmann, Ida 212
Bärensprung, Horst 62, 103, 356, 391
Balk, Theodor (d.i. Dragutin Fodor) 297, 354, 408
Banse, Ewald 119
Barker, Kate 17
Barrett, Edward L. 88
Bartsch, Wolfgang 136
Bauer, Otto 406
Baum, Vicki 43, 71, 91, 251, 277, 287, 293, 301
Baumfeld, T. W. 209
Becher, Johannes R. 65, 151, 306, 359, 489
Behrman, S. N. 300
Békessy, János (s. Habe, Hans)
Belafonte, Harry 369
Benes, Eduard 155, 201, 491
Benjamin, D. 373
Bentley, Elizabeth 24
Bentley, Eric XI-XII, 205, 227
Berge, Wendell 267
Bergengruen, Werner 207

Bergner, Elisabeth 31, 300
Beria, Laurenti 62
Berkman, Alexander 19
Berlau, Ruth IX, 2, 31, 35, 38, 42, 65, 77, 83, 205, 211-2, 214-21, 225-27, 230-1, 337-8
Berle, Adolf A. 56-8, 95, 102, 104-5, 110-2, 116-7, 308-9, 311-12, 315, 323, 412, 425, 429
Bermann Fischer, Gottfried 205, 274, 301
Bertaux, Félix 140
Biddle, Francis B. 177, 323, 335-6
Blatt, Edward A. 381-2
Bloch, Ernst IX, 43, 71, 274, 316, 324, 353, 362-6, 411
Boenheim, Felix 103, 311
Bois, Curt 225
Bolívar, Simón 285
Bonner 27
Borchardt, Hermann H. 327
Borgese, Giuseppe 191
Bosques, Gilberto 355, 473
Brand, Rudolf 38
Brandeis, Louis D. 528
Brandl, Rudolf 38, 326-7, 329-30, 334
Brando, Marlon 369
Brandt, Willy 57, 323
Branting, George 211
Braun, Reinhard 151
Brecht, Arnold 293
Brecht, Barbara 219
Brecht, Bertolt VII-IX, XI, 1-2, 20, 24, 27, 30-2, 35-40, 42, 44-6, 48, 51, 55, 58, 65-70, 72-3, 77, 80-1, 83-4, 89-92, 116, 121, 138, 143-4, 194-232, 237-8, 241, 243, 249, 254-6, 259, 261-3, 274, 277, 299-301, 307, 309, 313, 315-6, 319, 324, 337-8, 341-2, 344-5, 348, 353, 362, 411, 491, 522, 527-8, 573
Brecht, Helene (s. Weigel, Helene)
Brecht, Stefan 42, 219, 222, 232
Bredel, Willi 306, 426, 502
Breiner, Egon XII
Brescius, Hans von XII
Breton, André 320
Broch, Hermann 299-300, 314, 366, 381-5

589

591

Bildquellenverzeichnis

Archiv der sozialen Demokratie der Friedrich Ebert Stiftung, Bonn S. 295, S. 394

Deutsche Presse Agentur, Frankfurt am Main S. 394

Deutsches Literaturarchiv / Schiller Nationalmuseum, Marbach am Neckar S. 278, S. 279, S. 294, S. 295, S. 394, S. 395

Ellis Island Immigration Museum, New York S. 296

FBI, Washington S. 25

Ruth Radvanyi, Berlin S. 395